广东省自然村落历史人文普查资料全集

全粤村情

清远市佛冈县卷（二）

广东省人民政府地方志办公室　编

方志出版社
Publishing House of Local Records

图书在版编目（CIP）数据

全粤村情．清远市佛冈县卷．二 / 广东省人民政府地方志办公室编．-- 北京：方志出版社，2018.2

（广东省自然村落历史人文普查资料全集）

ISBN 978-7-5144-3004-2

Ⅰ.①全… Ⅱ.①广… Ⅲ.①村落—概况—佛冈县 Ⅳ.① K926.55

中国版本图书馆 CIP 数据核字（2018）第 043436 号

Quanyue Cunqing · Qingyuan Shi Fogang Xian Juan(Er)

全粤村情 · 清远市佛冈县卷（二）

编　　者：广东省人民政府地方志办公室

责任编辑：冯　松

出 版 人：冀祥德

出 版 者：方志出版社

地址　北京市朝阳区潘家园东里 9 号（国家方志馆 4 层）

邮编　100021

网址　http：//www.fzph.org

发　　行：方志出版社图书经销中心

电话　（010）67110500

排　　版：北京纺印图文设计制作有限公司

印　　刷：雅昌文化（集团）有限公司

开　　本：889 × 1194　　1/16

印　　张：39.5

字　　数：1110 千字

印　　数：001~800 册

版　　次：2018 年 2 月第 1 版　　2018 年 2 月第 1 次印刷

ISBN 978-7-5144-3004-2　　**定价**：480.00 元

广东省自然村落历史人文普查工作领导小组

2016 年 1 月—2017 年 9 月

组　　长：徐少华

副 组 长：陈世庆　　温捷香

成　　员：陈　强　　饶美奕　　蔡　瀛　　张小兰　　李劲堃　　龙家有　　马建和　　丘洪松

吕克坚　　欧阳卫民　　吴以环　　龙广艳　　林依民　　王　玲　　陈　波　　朱蔚蔚

陈丽霞　　刘冠贤　　邹　广　　张　科　　吴月霞　　陈佳林　　袁古洁　　梁志鹏

崔　爽　　陈宣群　　曾贤林　　张　帆　　林丽娇　　何　婧

2017 年 9 月—

组　　长：黄宁生

副 组 长：李贻伟　　陈华康

成　　员：陈　强　　温捷香　　饶美奕　　蔡　瀛　　张小兰　　李劲堃　　龙家有　　丘洪松

刘　卫　　吕克坚　　黎　明　　吴以环　　阎　武　　林依民　　俞　进　　许志新

庞启彪　　张　晨　　陈高燕　　余　红　　张冠梓　　徐小莉　　赖燕芬　　程凤英

崔　青　　崔　爽　　陈宣群　　李新全　　王文森　　姚丽璇　　何　婧

广东省自然村落历史人文普查学术委员会

主任委员：李培林

委　　员：冀祥德　　邱新立　　武　力　　王智勇　　吴茂芹　　林有能　　邱　俊　　徐颂军

李庆新　　曾庆榴　　倪俊明　　肖洽龙　　陈泽泓

清远市自然村落历史人文普查工作领导小组

组　　长：曾贤林

副 组 长：吴家辉　　邓翠萍

成　　员：韦家平　　李举烈　　陈　泳　　赖付标　　肖　进　　高常立　　蔡少玲　　罗婉玲

禤建辉　　张　光　　李伯伦　　谭　兵　　梁积书　　李一贵　　江绍勇　　王卓越

佛冈县自然村落历史人文普查工作领导小组

组　　长：谭　兵

副 组 长：石尚明　　王卓越

成　　员：丘韶文　　黄序南　　何　昊　　梁浩锋　　郑从军　　曾道明　　李协湖　　李　富

郑从志　　陈湛其　　陈志锋　　刘玉星　　梁艳文　　谢春江

迳头镇自然村落历史人文普查工作领导小组

组　　长：郑从志

副 组 长：杨朝安　刘业林

成　　员：徐淑君　陈志军　易昌意　郑伟兵　朱光南　郑国天　谢体会　李宗敏
王原记　范茂孝　李启武

高岗镇自然村落历史人文普查工作领导小组

组　　长：李　富

副 组 长：朱泽安　钟锦成

成　　员：范国富　黄亦军　黄福坚　邓棋均　朱丽嫦　王远望　刘宁光　何高要
朱明就　何国委　张名练　陈昌胡　林奕想　李启吟　朱明捷　朱红意
罗幸民

《全粤村情——清远市佛冈县卷》编辑部

主　　编：李协湖

副 主 编：谢春江

编　　辑：黄春苗　钟榕斌　李阳光　刘瑞生　何东树　何道井
陈国材　郑中扬　黄常远　朱家佑　朱南岳　周翠花

《全粤村情——清远市佛冈县卷（二）》审查验收人员

初　　审：迳头镇：朱南岳　郑中勇　杨朝安
高岗镇：何道井　罗秋玲

复　　审：李协湖　谢春江　李阳光

终　　审：韦家平　邓春阳　邓翠萍　李宗矿　李举烈　刘立法　许廷镜　陈　泳
陈　确　肖　进　邹锡恒　杨振林　孟淑芹　吴卓谊　高　峰　高常立
谈锦钊　董兴宝　雷焕勤　蔡少玲

前言

习近平总书记指出，“乡村文明是中华民族文明史的主体，村庄是这种文明的载体，耕读文明是我们的软实力”，强调新农村建设要“望得见山，看得见水，记得住乡愁”。为贯彻落实习近平总书记的重要讲话精神，省委办公厅、省政府办公厅印发《关于加强地方志工作的通知》（粤委办〔2015〕19号），部署开展广东全省自然村落历史人文普查，由省地方志办牵头，实行“各级党委政府领导、地方志工作机构牵头、有关部门配合、以乡镇街道为单位组织实施”的工作机制，对全省10多万个自然村落的历史文化遗产进行地毯式的抢救性调查挖掘。自2015年5月起，历时3年，直接投入力量超过17万人，上百万人参与，收集数亿文字、数十万张图片和一批音像、实物资料。中国社科院将其列入国情调研广东基地建设任务，中国社科院副院长、著名社会学家李培林称广东自然村落历史人文普查在全世界都是绝无仅有的。

广东的自然村落大多由中原氏族迁入而形成，在发展过程中既保留了中原文化，又融合了土著文化和外来文明，创造了独具一格的岭南文化，形成了语言、建筑、风俗各异的各具特色的村落。清末开始，广东得风气之先，西方传教士或出洋谋生的华侨带回的西方文明，对村落文化产生深刻影响。近代广东，村民在抵御外敌、参加民主革命以及人民解放事业中，形成了许多军事重地、革命老区。近几十年，广东是中国改革开放的窗口和前沿阵地，经济社会发生巨变，体现在基层社会的乡镇、村落、家庭领域更为深刻。伴随着经济社会的发展和城镇化进程的加快，一部分自然村正在快速消失，这些自然村落中保存的重要文化遗产也随之湮没。然而，村落消失，并不一定是村落文化的终结，它的历史可能以另一种形式传承下去，如广州猎德村在城市化改造后，原来的村落变成了整齐划一的高楼大厦，但重修保留下来的宗祠和每年开展的龙舟赛、醒狮活动，不断引起人们的集体记忆和情感共鸣。

党的十九大报告提出乡村振兴战略。新农村建设一定要走符合农村实际的路子，遵循乡村自身发展规律，充分体现农村特点，注重乡土味道，保留乡村风貌，望得见山，看得见水，记得住乡愁。开展自然村落历史人文普查是省委、省政府贯彻落实习近平总书记重要讲话精神的重大举措，是保护和抢救岭南历史文化遗产的迫切需要，属全国首创性举措。全省自然村落历史人文普查，抓住中华民族文化起源和传承发展的根脉，通过田野调查的方式，走入村落，触摸历史，与村民面对面访谈，普查内容涵盖村落的基本状况和历史人文，包括村落名称、地理环境、历史沿革、民居宗祠、风俗习惯、文物遗址、掌故传说、历史事件、主要人物、华人华侨与港澳台同胞等众多内容。在普查基本情况的同时，注重挖掘村落由来、姓氏源流、家规家训、楹联碑刻、人物故事、风俗习惯、美食特产等承载村落历史文脉和道德风范并能反映村落文化传承的内容。普查资料包括文字、图片、音像、实物等，做到全面、真实地记录了村落的历史人文状况。它不仅为党委政府相关决策提供基础性的资政信息，也为经济学、社会学、政治学、人类学、民俗学等众多领域的研究提供宝贵素材，为正在消失的村落留下历史印记，留住乡愁，留住精神归宿，为寻根溯祖、保护文脉提供帮助。

《全粤村情》是本次普查的重要成果。在这部总共110卷、600册、近6亿字的巨著中，集中展示了全省10多万个村落缤纷多彩的风情，每个在广东乡村成长与走出去的人，都能找到自己的根脉。那一栋栋老房子、一种种乡村小吃、一片片水田旱地、一桩桩传说故事、一个个英雄人物，都会唤起心底最温馨的记忆。每个新广东人和关心支持广东发展的各界人士，都能从中探寻岭南文化形成和发展的根源，从而更好地在广东投资、建设、生活。

文化是民族的血脉，是人民的精神家园。文化自信是更基本、更深沉、更持久的力量。乡村文明作为中华文化的基石，其独一无二的理念、智慧、气度、神韵，增添了中华民族内心深处的自信和自豪。开展全省自然村落普查，编写出版《全粤村情》，只是普查成果展示的一个方面，我们还将构建权威准确、开放共享、持续发展的村落文化资源数据服务平台，把普查成果转化利用不断引向深入，使之成为各级党委政府决策、科研机构开展课题研究、社会各界查阅使用的大数据，使之成为推动国家经济社会发展的不竭动力，从坚定文化自信、实现中华民族伟大复兴的高度，更加自觉、更加主动地推动中华优秀传统文化的传承与发展，为有力增强中华优秀传统文化的凝聚力、影响力、创造力做出积极贡献。

编辑说明

一、本书是广东省自然村落历史人文普查成果。本次普查以自然村为单位，按照“能查尽查”的原则，全面普查广东省内现存自然村、“城中村”和虽已改为居委会但普查内容仍基本清晰的原自然村（村名采用改居委会前的最后名称）。在普查的基础上，按统一体例编写各村简介，全面客观地反映广东现存可查的历史人文状况。

二、本书分设110卷，东莞市、中山市及各县（县级市）单独立卷，地级以上市辖区根据自然村数目多少单独立卷或数区合并立卷编纂；自然村数量较多的，卷下分设若干册。本卷（册）收录佛冈县迳头镇、高岗镇208个村简介，约111万字，卷前设佛冈县概况。

三、各村简介按照属地原则，记述2015年末该村区域内的事物，不涉及权属关系。记述时间不设上限，尽量追溯到村落形成时，下限原则上为2015年12月31日。因普查工作需要，部分图片拍摄时间延至出版印制前。

四、本书以自然村为记述实体，各乡镇（街道）、自然村一般依当地约定俗成顺序排列。

五、本书收录的人物为本村（含祖籍为某村或在某村出生、主要活动在外地的人员）历代志书中立传人物，有科举功名人物、当代人物中副县级（副团）级以上党政军领导干部、获省部级以上嘉奖人员、战斗英雄、经认定的烈士、高职技术职称人员、博士、博士后、有特殊技艺的人才、对本地发展有较大贡献或影响的各界人物。

六、本书收录的村落荣誉为省级以上机构授予、以村落为评比对象的历史人文方面的荣誉。

七、因各村落保存的历史人文资源丰度程度不同，本书各村落简介内容、篇幅存在差异。

八、本书资料来源于广东省自然村落历史人文普查，包括实地调查、部门供稿、史料摘录等。一些主管部门没有统计的数据，通过实地采访获得。

九、本书收录的地图由广东省地图院编制，不作为权属争议依据。

十、本书记述历史朝代、机构、官职、地名、人名，均依当时称谓。历史纪年加注公元纪年。

十一、本书标点、数字按国家GB/T 15834—2011《标点符号用法》、GB/T 15835—2011《出版物上数字用法》标准执行。计量单位采用法定标准，记述历史上的计量时，仍按当时的计量单位记载。

十二、书中字体，除必要时使用繁体字外，一律使用国家规定的规范汉字。

目 录
CONTENTS

高岗镇

佛冈县地图　比例尺　1:20000

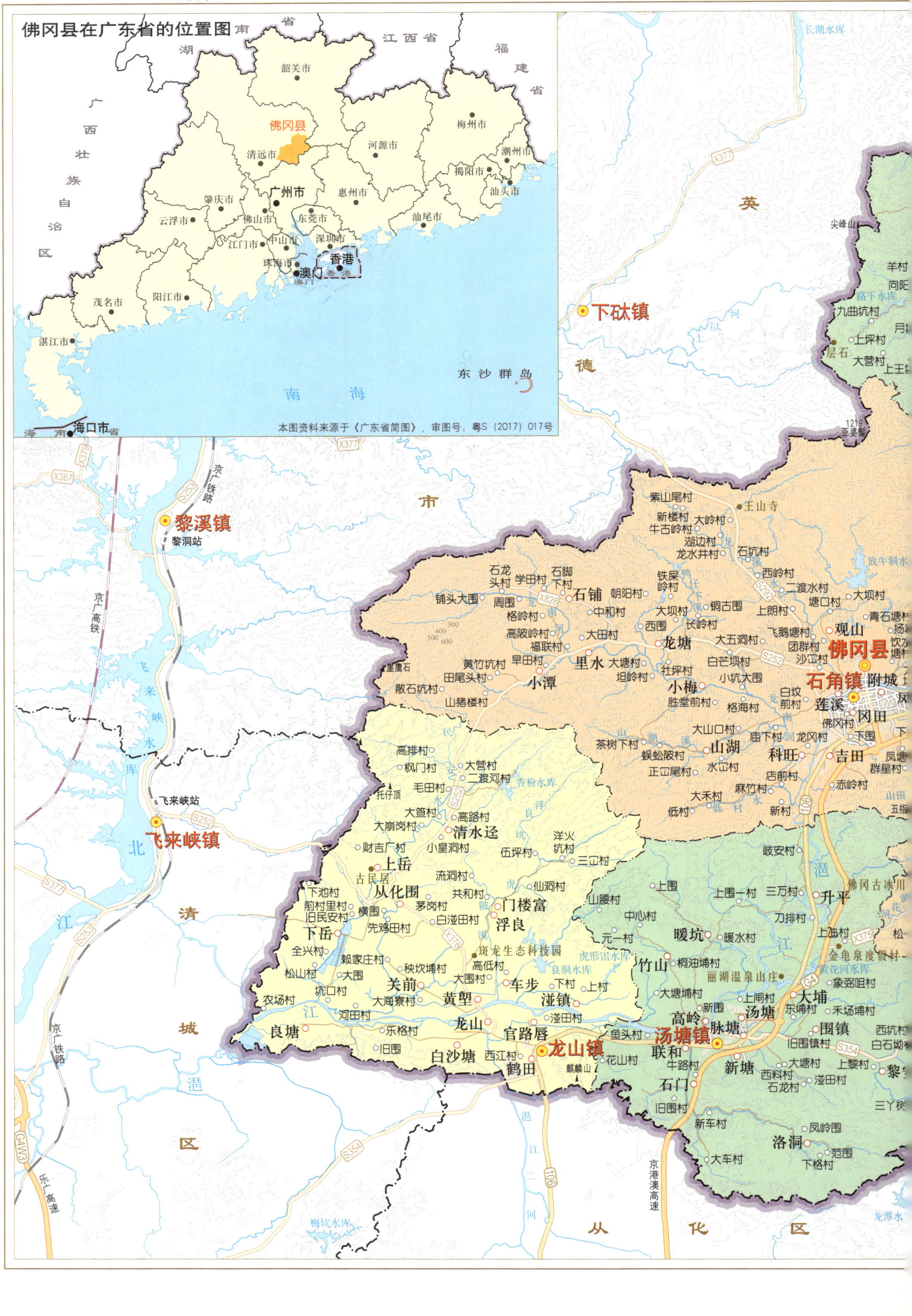

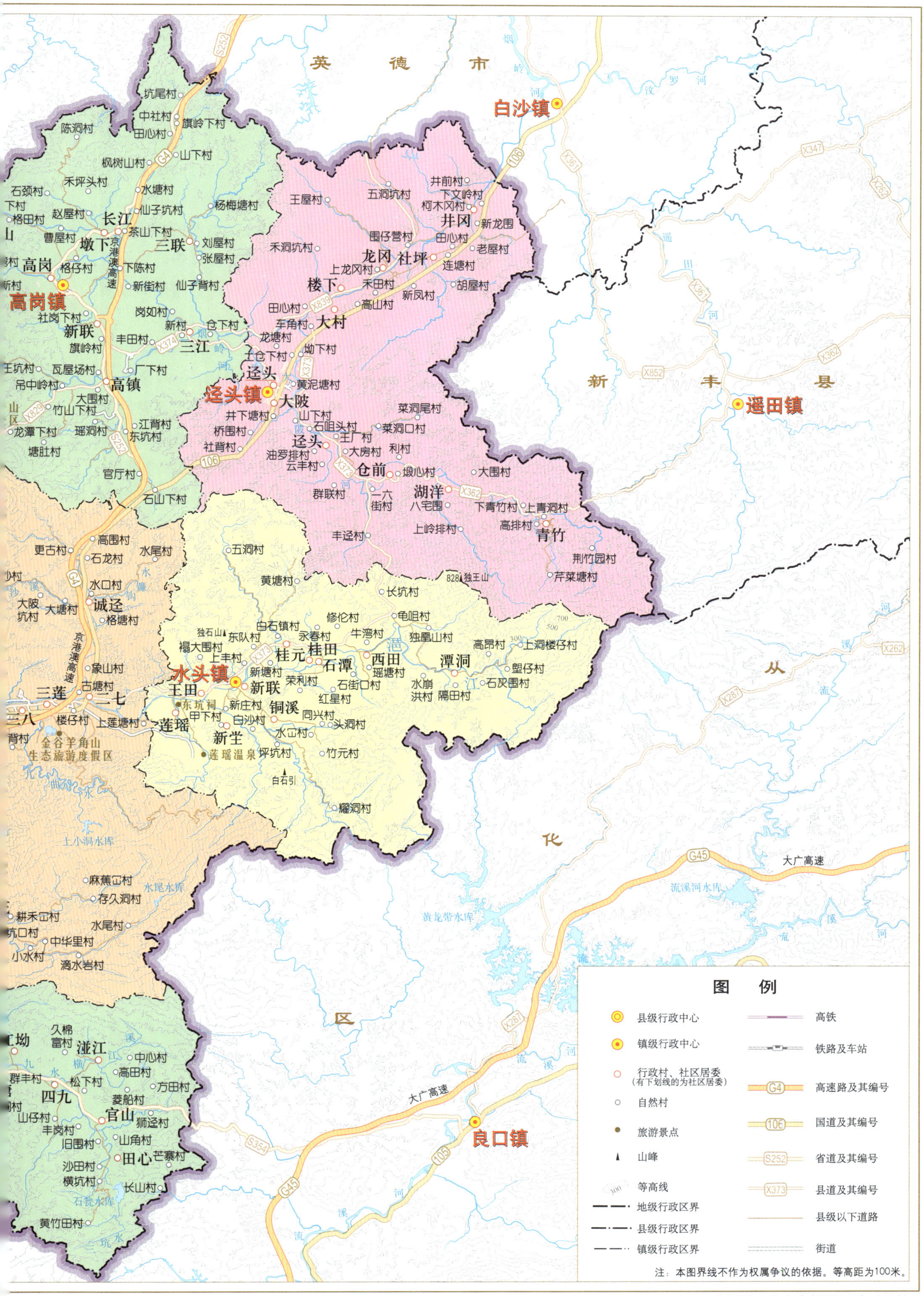

审图号：粤S（清远2018）001号

佛冈县概况

佛冈县位于广东省中部，总面积1295.17平方千米。2015年，全县设有6个镇78个村委会和12个社区居委会，另有省级林场和自然保护区各1个，户籍人口33.38万。佛冈地域两汉时分属南海郡中宿县、桂阳郡浈阳县，此后归属屡有变动。隋唐时起，分属清远县、英德县。清嘉庆十八年（1813年），设立佛冈直隶军民厅（简称“佛冈厅”）。1914年撤厅改县，始称佛冈县。中华人民共和国成立后，佛冈县的行政区划归属多次变动，先后划归北江专署、粤北专署、佛山专署、韶关专区管辖，1952年与从化县合署办公，1958年10月并入从化县，1961年5月恢复佛冈县建制。1983年7月划归广州市管辖，1988年1月划归清远市管辖。

佛冈县地形为东北高、西南低。全县以低山丘陵为主，主要山脉有观音山（海拔1218.8米）、独凰山、羊角山等。全年平均气温20.8℃，多年平均降雨量为2050.0毫米，属全省3个暴雨中心地区之一。县境内主要河流有潖江、烟岭河。有京港澳高速公路、国道G106线和3条省道通过，京港澳高速公路在佛冈境域设有3个互通口。其旅游资源丰富，改革开放后建成黄花湖、观音山自然保护区、王山寺、羊角山，以及聚龙湾温泉、森波拉度假森林、篁胜国际温泉酒店等旅游景区。

佛冈历史上以传统农业经济为主，改革开放后逐步兴办工业，并大力发展第三产业。进入21世纪后，确立“工业兴县、工业富县、工业强县”的发展思路，通过招商引资，工业成为全县的主导产业，推动其他产业的发展。成功创建为省级教育强县、旅游强县、文明县城、卫生县城，以及全国兴果富农百强优质示范县。

佛冈具有深厚的历史文化底蕴，县博物馆馆藏文物有新石器时代和西周、战国时期以来的文物335件（套），其中国家一、二、三级文物38件。全县已登记录入的不可移动文物有127处，其中东坑黄氏宗祠、上岳村古建筑群为省级文物保护单位。民间习俗有舞狮、舞龙、舞鲤鱼灯、舞春牛，以及豆腐节、赛龙舟等，汤塘的妇女舞被狮、高岗的豆腐节被评为省级非物质文化遗产。

全县现存并列入普查范围的自然村有830个，其中清代及以前形成的古村落774个，占全县自然村总数的93.3%。佛冈地域村落最早形成于战国时期。根据对本次自然村落普查成果分析，佛冈元代及以前建立的村落很少，到明代逐步增多，清代数量最多，民国以来逐步减少。其中，现存最早建立村庄的为南宋时期，有代表性的是佛冈村（在今石角镇），佛冈厅因佛冈村而得名。元末至明初形成的村庄以上岳村（在今龙山镇）为代表，被评为中国历史文化名村、广东省古村落。明代形成的村庄，北部地区以社岗下村、墩下村为代表（在今高岗镇），均为客家民系，社岗下村豆腐节被评为省级非物质文化遗产；中部地区以莲瑶村、王田村、丰年村（均在今水头镇），龙蟠村、大坝村（均在今石角镇）为代表，莲瑶村东坑黄氏宗祠被核定为省级文物保护单位，王田村舞春牛被评为市级非物质文化遗产；南部地区以汤塘围、围镇村（均在今汤塘镇）为代表，汤塘围被评为广东省传统古村落，围镇村的舞狮被评为省级非物质文化遗产。佛冈在清代建成的古村落，在生产生活、民俗习惯、使用语言等方面，北、中、南部也各有特点。其中北部为客家民系聚居地区，具有客家人的习俗特色；中部为广府民系和客家民系混居地区，具有广府民俗兼客家民俗特色；南部处于潖江下游，主要为广府民系，具有广府民俗特色。此外，佛冈古驿道有12条，主要有大庙峡古驿道、黄塘径古驿道等，古驿道通过的村庄有50多个，分布于全县北部、中部和南部地区。

迳头镇

迳头镇地图　比例尺　1:110000

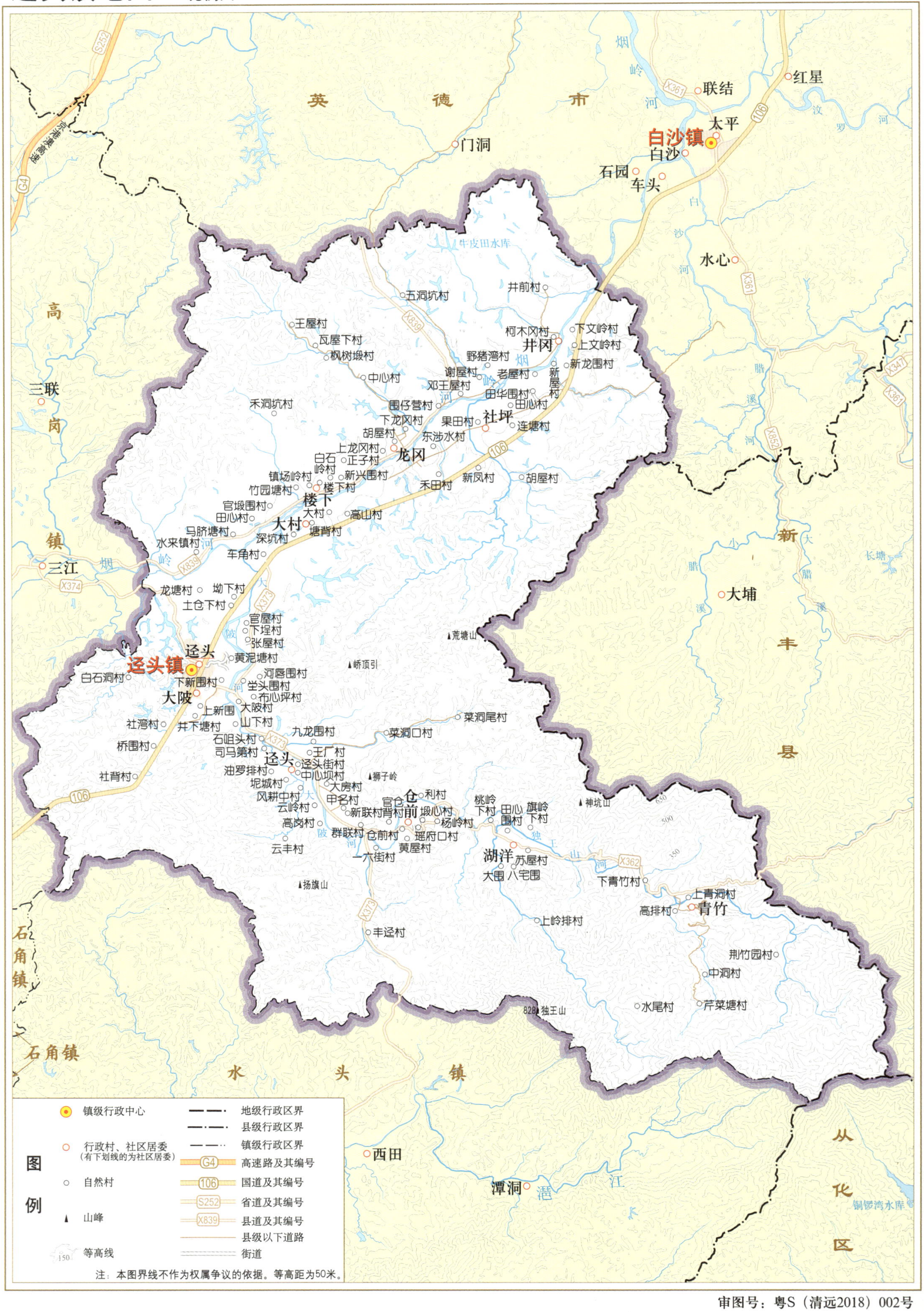

审图号：粤S（清远2018）002号

○青竹行政村

高排村

◎ 高排村村貌（摄于 2016 年）

高排村， 位于迳头镇东部，距镇政府 14 千米。村始建于清顺治二年（1645 年），从英德县高台乡（今佛冈县高岗镇）冈下村分支迁入而形成。该村由新屋、禾坪下、上围 3 个居住点组成，因地势高故取名为高排村。

村坐落于山区，四面环山，东有狗头壳山及老围坑山溪，南有中洞河，西有单竹坑水，北有苦茶山。村前为青竹水、老围坑山溪、单竹坑水交汇处，流入迳头河。县道 362 线从村旁通过。

村形成时属英德县大陂都迳头乡，清嘉庆十八年（1813 年）属佛冈厅迳头乡，民国时期属佛冈县迳头乡，中华人民共和国成立后属佛冈县第三区迳头乡，1958 年 10 月属从化县跃进（迳头）人民公社青洞大队，1961 年 5 月属佛冈县迳头人民公社青洞大队，1983 年 12 月属迳头区公所青洞乡，1987 年 1 月属迳头乡青洞行政村，1994 年 2 月属迳头镇青洞管理区，1998 年 11 月属迳头镇青洞行政村，2005 年 5 月属迳头镇青竹行政村至今。

世居村民为钟姓。据《钟氏族谱》记载，先祖发源于河南颍川郡，后南迁移到福建省长汀县，再从福建长汀县迁移到广东省翁源、英德，清顺治二年（1645 年）从英德县高台乡冈下村迁移至该地。

2015 年末，村有户籍人口 293 人，其中男性 157 人、女性 136 人。80 岁以上 3 人，最年长者 96 岁 2 人（男、女各 1 人）。生活主要依靠农业收入的 194 人。常年在城镇生活、打工的有 99 人，实居住 194 人，其中留守儿童 19 人。村民均为汉族，客家民系，使用客家方言。

该村耕地 10.85 公顷，山地 453.33 公顷。自然资源丰富，山高林密，矿产资源有稀土矿，野生动物有穿山甲、野山猪，以及各种蛇类、鸟类等。传统经济以农业为主，主要种植水稻、花生、番薯、木薯、芋头、黄豆等农作物。2005 年至 2012 年以种沙糖桔为主，但 2013 年后沙糖桔因黄龙病衰退，改种其他农作物。主要经济收入靠林业生产、农业生产、务工、商业经营。特色农产品有冬笋、春笋。冬笋品质佳，

◎ 客家美食笋干焖猪肉（摄于 2016 年）

营养价值高，一向被村民誉为“美味山珍”。特色工艺品有竹摇篮、竹椅、竹凳等竹器制品。

村于 20 世纪 70 年代开通迳青公路，1975 年通电，1996 年通电话，2006 年实现村道水泥硬底化，2010 年通自来水，2012 年完善路灯设施，2013 年通光纤网络。

传统民居现存 3 座（新屋、大围、禾坪下），现已无人居住。禾坪下民居属单间排列，每排 9 间，共 5 排，其建筑特点均为“回”字形，具有明显岭南客家围屋特点。围屋前后及中间为堂屋，左右两边为回水，堂屋布局为一厅四房或一厅二房布局，也有单间排列。厨房普遍设在回水尾。围屋均为悬山顶，盖灰瓦，三合土墙体。巷道用鹅卵石铺成，易于排水散热。围屋四周墙上有圆形射击孔，起到安全防御作用。房屋因年久失修，现已坍塌。20 世纪 90 年代末，95% 的

◎ 高排村传统民居一角（摄于 2016 年）

◎ 钟氏宗祠（摄于 2016 年）

村民拆旧建新，建成一至三层钢筋混凝土结构楼房。

该村钟氏宗祠始建于清雍正七年（1729 年），坐南向北，门楼的“钟氏宗祠”四字由秀才钟岳崧书写，1993 年冬集资重修，2002 年 5 月重修，2012 年 8 月重建祠堂门楼。占地面积 118 平方米。墙体用红砖砌成，门楼屋脊为双龙戏珠，大门正面及左右两旁墙上画有仙鹤、鸳鸯戏水、龙凤呈祥等壁画，正中上方书写“文元公祠”。大厅有两副对联，一副对联为“忆陈赖钟邬田追宗同一脉；念颍川郡史撰朔祖共家人”。另一副对联为“钟裔重慎终光复宗堂追远道；氏孙深爱本澄清颍水溯渊源”。大厅由 6 条圆木柱支撑，厅内设有祖牌神位，上方正栋横放着一条直径 30 厘米的木栋梁，正栋中央挂有经布袋，两边挂有钱粮，供奉着钟氏历代考妣，始祖一脉宗颖主座神位。神位背后有一个约 5 平方米的暗室，用于存放祭器。该祠堂经过多次维修，保存较完整。祠堂门外挂有《安全文明区村规民约》共有 11 条规约，全体村民遵守。

民间传统节日以春节、元宵节、端午节、中秋节、重阳节、冬至为主，还有四月八、六月六、七月半、十月朝等，每年正月初十为“上灯”日，上灯活动大致分为迎灯、接灯、摆放供品、挂灯等程序。

◎ 村规民约（摄于 2016 年）

村里传统节庆食品有糯米糍、艾糍、糖环、油角、炒米饼、酿豆腐、脍肉、糯米甜酒、甜醋等。

嫁娶习俗庄重繁杂。传统仪式依然存在说媒、看妹子、算八字、看家风（女方亲戚到男方家看家户）、送小担和礼金、接亲、拜堂摆酒（宴请亲戚好友）、闹洞房、三朝回门（新婚夫妻回娘家）、满月。传统的丧葬以土葬为主，20 世纪 90 年代以后逐步实行火化，其程序有竖灵位、入殓、跪拜、出殡、奠礼、火化、安葬等。

清光绪年间（1875—1908 年）在塘该下（地名）设立过私塾学堂。民国时期提倡办学校废私塾，改名为文光学校。解放战争期间，粤赣湘边纵队北江第一支队在此设司令部，司令员何俊才，政委邓楚白，队长朱继良、李奀等人曾在此地办公。

该村在尊师重教的村风熏陶下，年轻人形成求学上进的品德，成为社会有用之才。钟岳崧（生卒年不详），清后期秀才。钟文光（生卒年不详），清咸丰年间秀才，曾任广东省考授巡政厅。钟明（1928—2014），曾任佛冈三区书记，佛冈法院副院长，解放战争时期，滃江交通总站站长，武工队副队长。钟勋男，1930 年生，16 岁参加游击队，人称“红小鬼”，解放后转为中国人民解放军，曾任广州市九十七中学指导员，现已离休。钟宪（1939—2008），游击队队员，曾任武汉军区勤工部部长（正军级）。钟魂（1939—2003），游击队队员，曾任佛冈三区党委委员、和平县人民法院审判长。

（资料填报：钟继任；初稿撰写：钟继任、黄慧娟；总纂：李协湖）

中洞村

◎ 中洞村村貌（摄于 2016 年）

中洞村，位于迳头镇东南部，距镇政府 19 千米。村始建于清康熙三十八年（1699 年），从英德县大陂都迳头乡（今佛冈县迳头镇）菜洞口村分支迁入而形成。该村处于几个自然村中间，地形似山洞，故取名为中洞村。

村坐落于通天腊烛山的山间谷地，东是荆竹园村，南为芹菜塘村、水尾村，西是青山重叠，北为上青竹村。溪水自南向北，流经该村 500 米，经青竹、湖洋、烟岭，与高岗河汇成烟岭河。

该村形成时属英德县大陂都迳头乡，清嘉庆十八年（1813 年）属佛冈厅迳头乡，民国时期属佛冈县迳头乡，中华人民共和国成立后属佛冈县第三区迳头乡，1958 年 10 月属从化县跃进（迳头）公社中洞大队，1983 年 12 月属佛冈县迳头乡中洞大队，1987 年 1 月属迳头乡中洞村行政村，1989 年属迳头乡中洞管理区，1994 年 2 月属迳头镇中洞行政村，2005 年 5 月属迳头镇青竹行政村至今。

世居村民有黄、朱姓。据《黄氏族谱》记载，黄姓于清顺治元年（1644 年）从福建和平迁移至广东新丰县遥田村（现江山村），清乾隆十四年（1749 年）再从新丰县遥田村迁移至该地。朱姓则由元至正九年（1349 年）从江西迁移至广东惠州，再迁至和平县、兴宁县、南雄县等地，清康熙三十八年（1699 年）从英德县大陂都迳头乡菜洞口村迁移至该地。

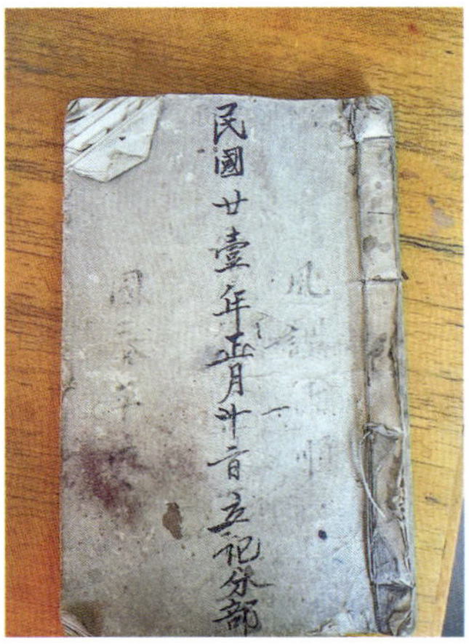

◎《黄氏族谱》（摄于 2016 年）

2015 年末，村有户籍人口 110 人，其中男性 56 人、女性 54 人。80 岁以上老人 3 人，最年长者 90 岁（女）。生活主要依靠农业收入的有 21 人。实有在村居住 25 人，基本上是老人和留守儿童，常年在城镇生活和打工的有 85 人。村民均为汉族，客家民系，使用客家方言。

村有耕地 5.47 公顷，山地 106.67 公顷。自然资源主要有竹木、灵芝、野猪、白鹇、眼镜王蛇等。传统经营以种水稻为主，兼种花生、大豆。现时主要种

◎ 丰收的沙糖桔（摄于 2016 年）

植沙糖桔、经济林木。村民主要收入来源为外出打工、经商、林木和毛竹制品。特色工艺品有竹椅、竹梯、竹摇篮。

县道 362 线从上青竹村，经芹菜塘村道通往该村。1972 年建成小水电站并通自来水，1981 年开始使用高压电，1997 年通电话，2005 年全村村道实现水泥硬底化，2010 年通网络。村中还建有垃圾收集站，两天清运一次。

村由上围、下围的客家围屋组成。上围是由一个大门进入，中间为过道，两边为 4 个单间房屋，街道为河石铺成，墙体为三合土结构，屋顶盖灰瓦，木框门，石门坎。围屋因年久失修，基本坍塌。20 世纪 90 年代后，村里人陆续到佛冈县县城买楼定居，也有少数人建起钢筋混凝土结构楼房。

◎ 中洞村传统民居一角（摄于 2016 年）

现有 2 座宗祠，一座是朱氏宗祠，另一座是黄氏宗祠，均建于清光绪年间。属二进祠堂，一进为过道，

◎ 黄氏宗祠（左）、朱氏宗祠（右）（摄于 2016 年）

二进为香火堂。两间祠堂相连接在一起，大门各自分开，但内堂可以相通。两间占地面积共 150 平方米，三合土墙。

村有《黄氏族谱》。

民间传统习俗以春节、元宵节、清明节、中秋节、冬至等为主。节庆食品有春节的客家腍肉、酿豆腐、糖环、油角、炒弹籽，元宵节汤圆，新屋进伙发糍，清明节艾糍，端午节粽子，试新米（六月六）舂糍，中秋节月饼等。妇女生小孩，喝糯米甜酒、猪脚煲甜醋。特色农产品有冬笋，是立秋后由毛竹的地下茎侧芽发育而成的笋芽，因尚未出土，笋质细嫩，营养价值很高，含有丰富的维生素、多种氨基酸等，是人们喜欢的一道食材，经济价值也很高。

中华人民共和国成立前，男婚女嫁为“父母之命，媒妁之言”。村中有抱养穷人家女童作“童养媳”、未生男孩的人家抱养“等郎妹”的习俗。男女婚嫁是终身大事，都要经过相亲、订婚、迎亲等程序。首先由媒人牵线，约男家的人去女家看人。若男家有意，即授意媒人向女方家长索取其女儿出生的年月日时（俗称生辰八字），带回男家。男方家长请人挂卜，如男女“相生”，则男方叫媒人陪伴去女方家送礼“报合”；如男女“相克”，则将女子“生辰八字”退回女方，婚事作罢。订婚的第一步下定礼（俗称“座茶”或“小担”），即男方送礼金、酒米、肉类给女方，表示赞成婚事。商定成亲日期及礼金后，按照礼规进行过礼，由男方出具礼帖把礼物、聘金送给女方，女方要回一份礼帖给男方。男家叫算命先生择定结婚吉日，由媒人通知女方。届时男方的迎亲队伍带着礼帖、礼物，吹起八音、敲锣打鼓、抬着花轿到女家迎新娘（俗称迎亲）。女家把嫁妆、礼物随新娘一起送回男家（俗称送亲）。新娘到达男家后，举行拜堂仪式，随后将新人送入洞房，众人闹洞房后迎亲仪式即告结束。随着社会进步，婚事新办的风气越来越浓厚，男女双方自由恋爱到结婚，先到民政部门登记才为合法夫妻。登记后，一般都到酒店或在家中宴请宾客。近年来也有采取旅行结婚，度蜜月或举行集体婚礼。

传统丧葬习俗以土葬为主，还有一个风俗一直流传至今。每当村中老人辞世，招待亲朋好友的菜肴只准有猪肉、青菜、豆腐三样菜，不许饮酒作乐，以示哀悼。1990 年逐步实行火化，但葬礼形式基本不变，包括择时辰、建灵牌、收殓、引灵、接体、奠礼、出殡、火化、安葬等。

酸笋是一种传统调味佳品。村民做成酸笋存放在家里，用于接待亲友或年节使用。酸笋的原材料有毛竹的春笋、冬笋、犁竹笋、麻竹笋、荊竹笋等，其做法先把竹笋洗净，切成片或条，再把切好的竹笋用清水泡 2 到 3 个小时，后把竹笋放入清洁坛里，加上七月七水，水过笋面、密封，把坛放在阴凉处放置十几天便可开封食用。菜式多数是酸笋炒牛肉、酸笋焖鸭、酸笋炒五花腩等。

该村民风纯朴，富有鲜明的是非观、正义感。解放战争时期，该村是游击队活动中心之一，有村民朱文轩、陈连、朱文兵、黄昌大、朱文样、朱细洪等人成为游击队队员。1948 年 9 月 17 日，国民党军 1 个团从新丰县遥田向青竹根据地“围剿”，游击队在国民党军必经之路设竹签陷坑、用野猪炮抵抗。10 月初，国民党军 100 多人从迳头和水头两个方向再次“围剿”青竹根据地。

◎ 毛竹林（摄于 2016 年）

该村的黄贤（1923—1993），中华人民共和国成立前参加东江支队，中华人民共和国成立后任职于佛冈公安战线，在韶关火车站离休。朱文明，1929 年生，家有祖传秘方，专医跌打、无名肿毒（赤脚医生）。

（资料填报：黄显干；初稿：黄显干、黄慧娟；总纂：李协湖）

下青竹村

◎ 下青竹村村貌（摄于 2016 年）

下青竹村，位于迳头镇东南部，距镇政府 12 千米。村始建于明万历十二年（1584 年），紫阳朱氏第二十三世祖应宿公（号旋字）从英德县大陂都迳头乡（今佛冈县迳头镇）大房分支迁入而形成。村落地处山谷中（俗称洞），青山绿水，故取名青洞。该村又位于青竹水下游故取名下青洞，1951 年设立青竹乡，该村改名为下青竹村。

该村地处山区，东为上青竹村，南临青山，西与湖洋村委隔山相邻，北依梯形稻田。荆竹园溪水，由东往西流经该村 800 米。该村地形依山谷东西相通，南北高山阻隔，地势险要，曾经是得天独厚的游击队活动中心，中华人民共和国成立后被评为革命老区。佛冈县仓前至新丰县遥田古道由此穿过。县道 362 线依古道原线兴建而成，东通新丰县遥田镇，西达湖洋、仓前等地。

村形成时属英德县大陂都迳头乡，清嘉庆十八年（1813 年）属佛冈厅迳头乡，民国时期属佛冈县迳头乡，中华人民共和国成立后属佛冈县第三区迳头乡，1958 年 10 月属从化县跃进（迳头）人民公社青洞大队，1961 年 5 月属佛冈县迳头人民公社青洞大队，1983 年 12 月属迳头区公所青洞乡，1987 年 1 月属迳头乡青洞行政村，1994 年 2 月属迳头镇青洞管理区，1998 年 11 月属迳头镇青洞行政村，2005 年 5 月属迳头镇青竹行政村。

世居村民有朱、梁、陈姓。朱姓先祖于元至正九年（1349 年）从江西迁移至广东惠州，后迁至和平、兴宁、南雄，再迁至英德县大陂都迳头乡大房村。明万历十二年（1584 年）紫阳二十三世祖朱应宿迁入该地，成为开村始祖。陈、梁两姓于清乾隆五年（1740 年）从外地（不详）迁移至该地，三姓氏人家长期和睦相处。

2015 年末，村有户籍人口 494 人，其中男性 254 人、女性 240 人。80 岁以上 12 人。最年长者 92 岁（女）。生活主要依靠农林业收入的人口有 217 人。常年在城镇生活和打工的人口 227 人，实际在村居住人口 267 人，其中留守儿童 8 人。村民均为汉族，客家民系，使用客家方言。

村有耕地 13.47 公顷，山地 633.33 公顷。传统经济以农林业收入为主，主要作物有水稻、花生、番薯、木薯、大豆等。现以多种粮食作物、林木、果树为主。

◎ 下青竹村盛产毛竹（摄于 2016 年）

◎ 陈氏宗祠（摄于 2016 年）

该村村民的主要收入是农业生产、林木生产、商业经营、外出务工工资收入。

村于 1972 年通电话，1984 年通电，2003 年通自来水，2005 年村道实现水泥硬底化，2010 年通网络。该村建有文化室、篮球场、垃圾收集站。

传统民居分布有三处：东面是营盘（公路沿线），中心为河坝（在民居中间，像船形一样），西面为河背（两河对面）。该村由司马第、围肚、老屋、下围、河龙、营盘、河坝 7 个小居住点组成，属于客家围屋，围肚、上围、司马第、河龙为上下结构，老屋为上中下（三庄）结构。司马第围屋由三排房屋组成，前排为单间独立厨房，中间为过道、客厅，后排为三间房间，两条横街各为两间房屋，两边回水各四间，中间转角处一间房屋。墙体是三合土结构，门、窗、炮眼均以花岗岩石板为框架，坚固耐用。司马第和河龙是

◎ 司马第传统民居（摄于 2016 年）

下青竹保存比较完好的两座围屋，因年久失修，已部分倒塌。据村中老人回忆，围屋内各家各户在自家厨房做饭菜，同在大厅就餐，称之“百家饭”。河龙布局大体与司马第相同，但没有内院和内门。

村现存宗祠有朱氏宗祠、陈氏宗祠和梁氏宗祠。陈氏与梁氏宗祠均为二进结构，一进为过道，二进为香火堂，供奉着该姓氏的祖先神位。墙体下边为三合土结构，上边为泥土结构，街道为河石铺成。梁姓宗祠在 2013 年特大水灾时被冲毁，只留下一个香火炉遗址。陈氏宗祠也于 2013 年特大水灾时被冲毁，重建于 2015 年农历正月初五，现坐东向西，占地面积约 70 平方米。中厅为香火堂，两边各有一间房间，房间各有一个窗口，用于通风透光，一间用于放祭品，一间放台凳。墙体用火砖砌成，琉璃瓦封顶。朱氏宗祠坐西向东，为三进祠堂，前廊为过道，中厅为天井，后厅为香火堂，供奉着祖先神位，香火鼎盛。

民间习俗，多为客家人习俗的延续。传统节日以春节、元宵节、清明节、中秋节、冬至等节为主，还有四月八、十月朝、十二月二十三等节日。中秋节是一个温馨的、家人团聚的节日，家人摆上月饼，燃上一炷清香，斟上一杯清茶，一边吃月饼，一边聊天，一边亚婆、亚妈给儿孙们教唱儿歌：“八月十五月光光，亚姐穿上花衣裳，有（没）有镜子怎梳妆，亚姐亚姐唔使慌，涯（我）去天上摘月光，摘到月光做面镜，给你好好来梳妆，还有桂花扑鼻香。”此外，村民还有一些习俗：拜宗祠，信奉道、佛，拜请“圣公

◎ 下社坛（摄于 2016 年）

母”，祭拜社坛（上社、下社）。下社供奉着头应岗主神位，有一副对联：“威灵镇水口；福泽遍乡中”。

传统婚嫁习俗有说亲、送聘、报日子、盘嫁妆、接亲、送亲、拜堂、闹洞房、三朝回门等。丧葬习俗多沿用中原的古传统，以土葬为主，20 世纪 90 年代后逐步实行火葬，但葬礼的基本形式不变，其程序有：仃门、买水、落枕、报丧、守灵、装殓、出柩、火化、还山等。

村史曾记载：1948 年 4 月 8 日，国民党军 1 个连由水头潭洞窜入荆竹园，青竹基干民兵和佛冈人民义勇大队及新丰遥田赖景勋大队在狗仔脑（山名）与敌人展开激战，打退敌人多次进攻，迫使敌人向新丰撤逃。5 月，开展“停租废债”和分田分地，农民生产积极性高涨，为游击队发展壮大创造物质条件。湖洋联防队利用日夜放哨，对青竹根据地实行严密封锁。6 月 5 日青竹民兵配合义勇大队和其他兄弟部队，袭击湖洋联防队据点，打击敌人。6 月 6 日，迳头、大陂联防队在朱公哲、郑国庚、朱如铮等指挥下向青竹反扑，下青洞民兵朱彰体及时发现敌人尖兵，迅速鸣锣报警，军民奋起反击，击毙迳头联防队员两名，敌人慌忙逃窜。1957 年 12 月，经韶关专员公署批准为抗日游击区。1964 年 1 月，经佛冈县人民委员会批准，下青洞（竹）村为革命老区。

该村主要人物有：朱永图（1902—1948），革命烈士，为地下党送信，经观音山途中被捕受害。朱彰弟（1919—1948），革命烈士，1947 年中秋节在营盘背夫山与国民党军队战斗中牺牲。陈荣翻（？—1948），革命烈士，1948 年为地下党送信，经观音山途中被捕遇害。朱兆熊（1927—2015），离休干部，早年参加党的地下工作，1949 年 10 月 6 日，率领迳头支前民工队北上，在翁源官渡与南下解放军相会，并随军南下，担负护送伤员任务，16 日，支前民工队完成解放广州的支前任务，返回佛冈。曾任佛冈县二区区长、广东省朱熹学术研究会常务理事，作品有《书锄庐沉吟稿》《樵牧山人诗稿》《飘庐吟稿选》等。朱腾洲（1928—1992），中共党员，早年参加党的地下工作和革命武装斗争，是游击队中的“红小鬼”。曾任佛冈县商业局局长、县政协副主席。朱兆雄，1929 年生，早年参加粤赣边纵队北江一支队，曾任佛冈县委副书记，广州市农委经贸处副处长（副厅级离休）。20 世纪 80 年代筹集资金为家乡建了两座水泥桥，有作品《劝学歌》。谭焕好（朱腾洲妻）（1930—1997），曾任佛冈县机关幼儿园第一任园长、佛冈县妇女主任。朱东海（1931—2011），早年参加中共地下党组织，后加入中国人民解放军，转业后曾任韶关市委党校党委委员、党校办公室主任，有作品《雏鹰展翼》《涵川楼文选》。朱兆坤，1941 年生，中共党员，曾任世界朱氏联合会第五届理事，广东朱熹学术思想研究常务理事、副会长兼秘书处主任，广东朱氏宗祠谱副主编，岭南诗社从化分社第三届副秘书长，有作品《湖山楼兄弟诗文选》。朱建英（1954—1990），是佛冈县第一个参军女兵，退伍后任广州市对外联络办事处副主任。朱和平，1957 年生，1979 年在中越边境自卫还击战中荣立三等战功，现任广州市工商局老干处处长。

（资料填报：钟会元；初稿撰写：朱继平、朱兆坤、黄慧娟，总纂：李协湖）

水尾村

◎ 水尾村村貌（摄于 2016 年）

水尾村，位于迳头镇东南部，距镇政府 15 千米。村始建于清嘉庆十八年（1813 年），从佛冈厅迳头乡（今佛冈县迳头镇）甲名村大房村迁入而形成的自然村落。因水尾是迳头河发源地之一，故取名水尾村。

村坐落于独王山脉谷地，东与芹菜塘相邻，村西面有海拔 828.1 米的独王山，西南面有小独王高山，高 711 米，大小独王山顶均建有方形的水泥墩，刻有数字代码。村道东连芹菜塘村，北与上青竹村相通，西北通往湖洋、仓前，迳头。溪水自南向北流往湖洋河等地。

该村形成时属佛冈厅迳头乡，民国时期属佛冈县迳头乡，中华人民共和国成立后属佛冈县第三区迳头乡，1958 年 10 月属从化县跃进（迳头）人民公社中洞大队，1961 年 5 月属佛冈县迳头公社中洞大队，1983 年 12 月属迳头乡中洞大队，1987 年 1 月属迳头乡中洞行政村，1989 年属迳头中洞管理区，1994 年 2 月属迳头镇中洞村民委员会，2005 年 5 月隶属迳头镇青竹行政村至今。

世居村民为朱姓。据《紫阳朱氏粤北衍传谱》记载，元至正九年（1349 年）紫阳十二世祖朱廷琛从江西省到广东惠州府任职，后迁和平、兴宁、南雄居住。明成化年间，朱景玉迁移至英德县大陂都迳头乡大房村，成为迳头洞等地朱姓始祖，清嘉庆十八年（1813 年）朱景玉嫡传大房的一个分支迁入该地。

村有《紫阳朱氏粤北衍传谱》，是由朱氏后嗣朱兆熊编著。该谱有“寻根考源”“远祖传说源流”“近祖茶院朱氏源流”“紫阳文化望族源流”“考亭派衍粤世系”“景玉公世系”“较大赞助户世系特辑”“预备自续世系之页”八卷。村民秉行朱熹的“朱子家训”及“朱柏庐治家格言”。

2015 年末，村有户籍人口 287 人，其中男性 145 人、女性 142 人。80 岁以上 8 人，最年长者 91 岁（男）。生活主要依靠农业收入的有 153 人。常年在城镇生活和打工的有 109 人，实际在村居住 178 人，其中留守儿童 19 人。村民均为汉族，客家民系，使用客家方言。

该村有耕地 8.87 公顷，山地 500 公顷。自然资源丰富，山多林密，主要有竹木、白鹇、野猪、眼镜王蛇、野生灵芝、独王山茶、石斛等。传统经营以农业为主，兼种花生、番薯、木薯、芋头、竹木等农作物。现时主要经营经济林果。村民主要收入来源为竹

◎ 最美乡村（摄于 1975 年）

◎ 水尾村传统民居（摄于 2016 年）

木和水果生产收入、外出务工工资性收入。特色的工艺品有竹制品（竹摇篮、竹梯、竹椅等）。特色的农产品有季节性的冬笋、笋干、甜笋。传统美食素材：笋干。笋干可以分为咸笋干和淡笋干。该村以淡笋干为主，淡笋干是呈肉色的。原材料有毛竹的春笋、冬笋、犁竹笋、麻竹笋、荊竹笋等，其做法：时间通常在 5—12 月，先把竹笋切成较长的条状或较大块的块状，水加温至沸腾，加入竹笋，加盖用猛火煮 1 个小时便可，后用冷清水过冲洗，晒干捆扎。

村于 1978 年通电，2000 年通自来水，2003 年通电话，2005 年全村村道实现水泥硬底化，2010 年通网络。建有文化室、老人活动中心星光老人之家、篮球场。村中还建有垃圾收集站。

村现存 8 座传统民居：围背、坑坝、石桥头、松树岗、对面、大围、对门岭、车屋等客家围屋。围屋的外墙高大而厚实，只有 1 个大门进入，木质门，石门坎，大门上下用大理石做横梁。大门正面为“厅下”，用于村民祭拜及老人故后守灵场所。围屋内左右两边各为单间瓦房，中间为巷道原用河石铺成，现已实现水泥硬底化，墙体用三合土建筑而成，房顶用灰瓦盖成。围屋现已无人居住，因年久失修，大部分坍塌。20 世纪 90 年代后，村民建起楼房。

◎ 村民挖冬笋（摄于 2015 年）

民间传统节日以春节、元宵节、清明节、端午节、中秋节、冬至等为主，还有四月八、七月半、九月重阳等节日。

传统节庆食品有糯米糍、艾糍、糖环、油角、腍肉、酿豆腐。

传统婚嫁习俗仍保留中原古制的“六礼”，现已少见，但迎亲娶嫁等礼俗依然存在。传统丧葬以土葬为主，1990 年逐步实行火葬，其程序有：竖灵、收殓、引灵、接体、奠礼、出殡、火化、安葬。此外，还有祭扫新坟的习俗，即新修筑的坟墓要

◎ 加工大米用的脚踏碓（摄于 2016 年）

在社日（立春后第五个戊日，具体日期在春分前后若干日范围内）之前祭祀，故此习俗亦称“拦社”。

民间有舞狮的风俗。1984 年，请陈生来、陈生堂二人到村中传授舞鸡公狮技艺。鸡公狮狮头顶较尖，形似雄鸡。狮头随锣鼓声响、节奏配合，舞狮时一人钻进狮头部舞动，一人牵起狮尾摇摆，舞得生龙活虎。春节时狮队对该村进行逐户拜门贺庆，老人生日或小孩弥月前往祝贺，另外有老人过世也前往送行。

村有老鼠社的传说。很久以前，朝廷仓库的稻谷被老鼠偷吃，结果查出在独凰山脚的迳头乡水尾村，有一座形状似老鼠的山叫“鼠形山”，山里住着一只老鼠精，经常带着鼠辈们到朝廷仓库偷谷吃。为了消除鼠患，巫师弄来一把大铁锯，找民工在仓库周边挖沟，然后把大锯埋下沟里。到晚上，老鼠精又去施法填沟，牵动了埋在沟里的大锯嵣锯来锯去，最终把“鼠颈”锯断了。据说“鼠形山”附近的溪河，足足流了七天七夜的赤红水，全是鼠血，“老鼠精”终被锯死。从此以后，朝廷仓库里的稻谷再也没有老鼠偷吃了。为了防止老鼠精复活，皇帝下旨地方官在“鼠形山”上建一个社，叫“老鼠社”，巫师在社内作法将老鼠精震住。为了保证全村人丰衣足食，每逢春节，当地人都去祭拜一番。

1929 年，村民大种罂粟售卖。抗日战争时期，村是游击队队员及队长朱继良活动区之一，民兵在村北面狮形山放哨，若日本侵略军进村，民兵即敲响铜锣让群众进山躲藏，并自制地雷，在潭洞进水尾的险要地段埋设，防止日本侵略军进村扫荡。1964 年佛冈县人民委员会批准该村为革命老区。1982 年 5 月晚上 7 时左右，潭坝村对面一竹山咀滑坡，淹埋了 0.67 公顷农田和部分房屋，村民在后山上露宿了三晚。2013 年 5 月 15 日发生特大洪灾，村内水深达 1 米多，由于很多山地滑坡，形成堰塞湖，很多农作物、果树被淹没，有的农田被冲刷成了沙石地，无法复耕。

该村的朱沛付，1963 年出生，任佛冈县人大常委会副主任。朱沛周，1956 年 4 月生，1976 年 12 月入伍，在中越自卫还击战中轻伤不下火线，荣立三等功。

（资料填报：朱沛语；初稿：朱沛语、黄慧娟；总纂：李协湖）

上青洞村

◎ 上青洞村村貌（摄于 2016 年）

上青洞村，位于迳头镇东北部，距镇政府 12 千米。村始建于清顺治元年（1644 年），从英德县大陂都迳头乡（今佛冈县迳头镇）甲名村分支迁入该地而形成。因村四面环山，地处山谷中（俗称洞），青山绿水，故取名青洞。同时位于青竹水上游故取名上青洞村。1994 年青竹管理区改为行政村时，曾将上青洞村改名为“二村”，后仍使用上青洞村名称。

村落位于山区，有海拔高 521 米的苦茶山。村东是白尾沙山，南为高排村，西为下青洞村，北为禾塘岗，东北方向是县道 362 线，经思源亭转左到新丰遥田镇。村东部有自东向南流的迳头支河，经湖洋、仓前、迳头、烟岭汇入北江。

该村形成时属英德县大陂都迳头乡，清嘉庆十八年（1813 年）属佛冈厅迳头乡，民国时期属佛冈县迳头乡，中华人民共和国成立后属佛冈县第三区迳头乡，1958 年 10 月属从化县跃进（迳头）公社青竹大队，1961 年 5 月属佛冈县迳头公社青竹大队，1983 年 12 月属迳头区青竹大队，1987 年 1 月属迳头乡青竹行政村，1989 年 11 月属迳头乡青竹管理区，1998 年 11 月属迳头镇青竹行政村至今。

世居村民均为朱姓。据《景玉公族谱》记载，清顺治元年（1644 年）朱氏大房、二房、三房由英德县大陂都迳头乡甲名村分支迁入定居至今。

2015 年末，该村户籍人口 495 人，其中男性 254 人、女性 241 人。80 岁以上 5 人，最年长者 106 岁（女）。生活主要依靠农业收入的有 194 人。实有居住 194 人，其中留守儿童 30 人，常年在城镇生活和打工的有 301 人。村民均为汉族，客家民系，使用客家方言。

村有耕地 11.76 公顷，山地 633.33 公顷。自然资源有野猪、野生灵芝、眼镜王蛇、白鹇。传统经济以农业为主，种植水稻，兼种花生、大豆、番薯、木薯。现多种植粮食作物、果树、经济林木。该村主要收入来源为农业生产、外出务工。特色农业产品冬笋、甜笋，其经济效益也不错。特色工艺品有竹制品（竹椅、竹凳）。但现时已经无人编织竹制品。

传统节庆食品有糯米糍、月饼、糖环、油角、炒米饼、酿豆腐。

村交通便利，县道 362 线从村旁通过。上青洞的古道现存遗迹仍有三条。第一条：青竹—新丰遥田—

◎ 大米加工成粉使用的脚踏碓（摄于 2016 年）

从化吕田村—河源龙门。第二条：青竹—石街口—潭洞—水头圩。第三条：青竹—英德白沙圩。

村于 1959 年自筹资金建起小型水力发电站，1968 年建起冲击式水力发电站，1984 年开始使用国家电网用电，1996 年通自来水，2000 年通电话，2005 全村村道实现水泥硬底化，2010 通网络。村建有卫生站。村域有青竹小学，只有一年级和幼儿园，在校生 10 人，幼儿园 8 人，教职工 2 人，村建有星光老人之家和篮球场。

村由上龙田、下龙田、上坝、下坝、上坑、下坑6 个小居住点组成，传统民居为泥砖瓦屋。朱德思故居是青洞乡农民协会、青潭乡人民政府旧址，建于民国时期，占地面积约有 90 平方米，有特定的历史意义，其故居保存至今，建筑大体完好。清道光五年（1825 年），建有一个宗祠，结构简单，分上下层（中间用 10 多条长木镶在墙上隔开），是村民平时节庆日烧香祭拜场所。

◎ 青竹小学（摄于 2016 年）

2001 年，由省、市、县老区建设促进会资助兴建青竹思源亭。亭为六角形开放式建筑，亭内两侧设有座位及护栏，背面为墙体，镶嵌黑色大理石，建筑面积 18 平方米。上方有原北一支政委邓楚白题写的“思源亭”匾额，两边柱上有原北一支司令员何俊才撰写的对联“烈士英勇献身，志在推翻旧世界；干群团结奋斗，努力振兴新中华”。亭内两侧设有座位和护栏，背面为墙体，镶嵌大理石，上刻有青竹村革命事迹简介，教育人们饮水思源。

◎ 思源亭（摄于 2016 年）

民间传统节庆以春节、元宵节、清明节、端午节、中秋节、冬至为主，还有二月二、四月八、七月半、重阳节等。

传统婚嫁习俗保留中原的“六礼”，即纳彩、问名、纳吉、纳征、请期、亲迎。随着社会的进步，这六礼已被新式婚俗所取代，其中部分程序一直沿用至今，如送小担、踏家门、迎亲等嫁娶礼俗依然存在。传统的丧葬习俗以土葬为主。1990 年后逐步改为火葬，其程序有竖灵、收殓、引灵、接体、奠礼、出殡、火化、安葬。

村主要历史事件 1945 年建立青竹人民抗日义勇

◎ 青洞农民协会、青潭乡人民政府旧址——朱德思故居（摄于 2015 年）

◎ 2013 年 5 月 15 日，村遭遇百年特大洪灾（图为转移村民）

中队，抗日义勇队全部编入抗日自卫队，并由朱德思出任自卫队队长。1947 年建立佛冈县人民义勇大队，1948 年建立佛冈县第一个红色政权——青潭乡人民政府。1949 年北一支司令部移至此地，指挥歼灭范烈光联防大队、挂牌等重要战斗并取得胜利。同年 8 月 15 日，国民党军一个团从新丰遥田向青竹偷袭，攻占上、下青洞，大肆烧杀抢劫，民兵 5 人惨遭杀害。同年，该村配合北一支部队部署并参加挂牌伏击战，取得了歼灭了国民党军九十一师一个营的重大胜利。

村继承和发扬耕读文化传统村风民风，许多村民走上革命道路，为中国人民解放事业作出贡献。朱永图（1902—1948），革命烈士，送信到观音山途中牺牲。朱德欣（1907—1948），革命烈士，在青竹反击战中为保护群众突围而牺牲。朱宝慈（1908—1948），革命烈士，在青竹反击战中为保护群众突围而牺牲。朱彰弟（1919—1948），革命烈士，在青竹反击战中为保护群众突围而牺牲。朱德阁（1924—1948），革命烈士，在迳头梭肚征税中牺牲。朱圣蓬（1924—1948），革命烈士，在游击战斗中牺牲。朱玉横（1925—1948），革命烈士，在攻打湖洋联防队战斗中牺牲。朱宝航（？—1948），革命烈士，在青竹反击战中为保护群众突围而牺牲。朱宝森（？—1948），革命烈士，在青竹反击战中为保护群众突围而牺牲。陈荣蕃（？—1948），革命烈士，民兵交通员，送信到观音山途中牺牲。朱德思（1923—2002），曾任游击队指导员，中华人民共和国成立后在韶关体委办公室担任秘书长，后任翁源县银行行长。朱德抱（1926—2004），游击队员，中华人民共和国成立后任佛冈县第一任公安局副局长。

（资料填报：朱沛阶；初稿：朱沛阶、黄慧娟；总纂：李协湖）

芹菜塘村

◎ 芹菜塘村貌（摄于 2016 年）

芹菜塘村，位于迳头镇东南部，距镇政府 20 千米。村始建于 1926 年，从佛冈县迳头乡大陂佈心坪村分支迁入而形成。因地形如渔塘，随处生长野生芹菜，故取名为芹菜塘。

村坐落于通天腊烛山脉，东面是通天腊烛山，南面是水头潭洞村，西面是水尾村，北面是中洞村。村前有一条小溪，流向中洞村、青竹村，在车角村与三江水交汇成烟岭河。村南方有一座叫“黄常头”山，山顶装有一条高约 80 米左右的风力预测杆，下面装有收集风力的数据仪器，主要用于风力发电。

村形成时属佛冈县迳头乡，中华人民共和国成立后属佛冈县第三区迳头乡，1958 年 10 月属从化县跃进（迳头）人民公社中洞大队，1961 年 5 月属佛冈县迳头公社中洞大队，1983 年 12 月属迳头区中洞大队，1987 年 1 月属迳头乡中洞行政村，1989 年属迳头乡中洞管理区，1994 年 2 月属迳头乡青竹行政村，2005 年 5 月属迳头镇青竹行政村至今。

世居村民为郑姓。据《大陂郑氏族谱》记载，约在元朝中后期，冯乐宣第十三世孙冯法进从福建先迁至广东连平或翁源，随后逐步迁至英德、长宁（今新丰）。明洪武年间，冯乐宣的第十六世孙冯百三（冯御），在其父冯念四郎逝世后，随母从长宁县廻龙塘村迁到潮之程乡（今梅州地区），并改从母姓，郑百三成为大陂郑氏始祖（一世祖）。郑百三之长子郑聪千于明正统（1436—1449 年）初年，偕母和家室及二弟郑容千、三弟郑成千从潮之程乡迁至韶之英州（后改称英德），在佛冈县迳头镇大陂都迳头乡山下村落籍，1926 年转迁到该地。

2015 年末，村有户籍人口 168 人，其中男性 98 人、女性 70 人。80 岁以上老人 1 人，最年长者 85 岁（女）。生活主要依靠农业收入的有 56 人。实有居住 56 人，其中留守儿童 8 人，常年在城镇生活和打工的有 112 人。村民均为汉族，客家民系，使用客家方言。

村有耕地 3.61 公顷，山地 120 公顷。自然资源主要有竹木、灵芝、白鹇、野猪等。传统经济以农业为主，主要作物有水稻、番薯、花生、大豆等。现时多种粮食作物、果树、经济林木等。20 世纪 80 年代后，大部分青年外出打工。村民主要收入来源有农业收入（毛竹、沙糖桔收入）、工资性收入（少数农户兼木器或竹器加工）。特色的农产品有冬笋、甜笋。

◎ 麻竹笋（摄于 2016 年）

◎ 儿童竹椅（摄于 2016 年）

◎ 芹菜塘村旧民居一角（摄于 2016 年）

传统节庆食品有糯米糍、艾糍、粽子、月饼、腍肉、酿豆腐、糖环、油角、炒米饼等。特色的工艺品有各种的竹制品竹椅、竹摇篮、竹梯等。

村于 1986 年通电，1996 年通电话，2000 年通自来水，2006 年全村村道实现水泥硬底化，2012 年通网络。村中建有垃圾收集站，定期两天清运一次。

村由楼子、对面、成功坝三个小村落组成，属于客家围屋。以楼子为例：由一个大门径进入，直入为过道，两边为 5 间单间房屋，街道是用河石铺成，房子墙体为三合土结构建筑而成，房顶用瓦盖成。围屋门为木预测门框，门前设有一道石门坎。20 世纪 90 年代后，村民陆续盖起楼房，年轻人基本在外地定居发展，现旧围基本坍塌，没人居住。

民间节日有春节、元宵节、清明节、端午节、中秋节、冬至，还有四月八、七月半、九月重阳等节日。

传统婚嫁习俗于 1926 年建村起形成。习俗中保留中原古制的“六礼”，从议婚至完婚过程中的六种礼节，即：纳彩、问名、纳吉、纳征、请期、亲迎。纳彩即男方家请媒人去女方家提亲，女方家答应议婚后，男方家备礼前去求婚。问名，即男方家请媒人问女方的名字和出生年月日。纳吉，即男方将女子的名字、八字取回后，在祖庙进行占卜。纳征，亦称纳币，即男方家以聘礼送给女方家。请期，男家择定婚期，备礼告知女方家，求其同意。亲迎，即新郎亲至女家迎娶。随着社会的进步，这六礼已被新式婚俗所取代，其中部分程序一直沿用至今。有迎亲娶嫁等礼俗依然存在，如相亲、送小担、聘金、请宴贺新人、闹洞房等仪式。传统丧葬以土葬为主，其程序包括：竖灵、收殓、引灵、接体、奠礼出殡、火化、安葬等，1990 年后逐渐实行火葬。

1948 年 9 月 17 日，国民党正规军 1 个团从新丰县遥田向青竹根据地“围剿”，游击队在必经之路设竹签、野猪炮抵抗，全体村民在游击队带领下进行坚壁清野，积极参加抵抗。1957 年 12 月，经韶关公署批准下，青洞、荊竹园、水屋、芹菜塘五个村为抗日老区。

村代表人物有：郑锦豪，1930 年生，1947 年 9 月加入北江第一支队，1966 年任北江第一支队副师长兼政委。郑国炉，1939 年 2 月生，郑国考，1949 年 4 月生，他俩为解决村民出行难，从 1978 年至 1983 年，自发出钱、出力开通中洞至芹菜塘乡村公路，全长 2.5 千米，宽 5 米，人工采石 10 立方米，搬运泥土 300 多立方米，买水泥 3 吨，运沙 80 多立方米，被村民誉为现代愚公。

（资料填报：郑锦荣，撰稿员：朱沛强、黄慧娟；总纂：李协湖）

荆竹园村

◎ 荆竹园村村貌（摄于2016年）

荆竹园村，位于迳头镇东南部，距镇政府20千米。村始建于清乾隆六年（1741年），从新丰县遥田镇桃源村分支迁入而形成。因山上有野生荆竹，故取名为荆竹园。

村坐落于通天蜡烛山脉谷地，坐东向西。东南面为新丰遥田例径村、桃源村，南与广州市从化区区域交界，西与芹菜塘村、中洞村毗邻，北与青竹村相通。荆竹园村是大陂河发源地之一。有一座海拔1047米的通天蜡烛山，清明时节杜鹃花盛开，山顶水泥墩刻有字。

该村形成时属英德县大陂都迳头乡，清嘉庆十八年（1813年）属佛冈厅迳头乡，民国时期属佛冈县迳头乡，中华人民共和国成立后属佛冈县第三区迳头乡，1958年10月属从化县跃进（迳头）人民公社中洞大队，1961年5月属佛冈县迳头人民公社中洞大队，1983年12月属迳头区公所中洞乡，1987年11月属迳头乡中洞行政村，1994年2月属迳头镇中洞管理区，1998年11月属迳头镇青中洞行政村，2005年5月属迳头镇青竹行政村至今。

世居村民为陈姓。据《陈氏族谱》记载，陈氏族人在元延祐二年（1315年），从福建省迁移到广东英德桥头板埔，后迁移到新丰县遥田镇桃源村，清乾隆六年（1741年）从桃源村移居到该地，其后代在荆竹园繁衍生息，至今已有11代。村民传说：陈姓村民迁入时，村里有牛、冯两个姓氏村民开荒耕种。直到陈氏六兄弟迁入，牛、冯两个姓氏村民逐步迁出。有两种说法：其一是牛姓与冯姓觉得人多无法耕种而迁移他处，其二是牛、冯二姓为寻找自己的老祖宗而迁出荆竹园村。

2015年末，村有户籍人口580人，其中男性293人、女性287人。80岁以上11人，最年长者92岁（女）。生活主要依靠农业收入的有385人。常年在城镇生活的打工的195人，实际在村居住385人，其中留守儿童30人。村民均为汉族，客家民系，使用客家方言。

1959年在全县范围内率先建起山村水力电站自行发电，实行全村用电，1985年开始使用高压电，1998年通电话，2006年全村村道实现水泥硬底化，2007年通自来水，2010年通网络。村中建有垃圾收集点，定期清运。2015年建起500平方米的文化室，设有老人活动中心，并配有电脑、彩色电视机及其他

◎ 村文化室（摄于 2015 年）

◎ 荊竹园村红葱基地（摄于 2016 年）

娱乐设施。

村耕地 13.76 公顷，山地 600.56 公顷。传统以农业种植水稻为主，兼种花生、番薯、木薯、芋头、黄豆等农作物，现时经济为林木、毛竹，少数种植水稻、红葱。村民主要收入来源为农、林生产，工资性收入。自然资源主要有白鹇、野猪、山鸡、黄精、七叶一枝花、野生灵芝。近时特色农业品有沙糖桔、冬笋、毛竹、苦笋、鸡麻笋。该村特色工艺品是竹制品竹椅、竹梯。

传统（节庆）食品有糯米糍、酿豆腐、粽子、艾糍、炒米饼、油角。传统美食有冬笋。冬笋与春笋相比，冬笋品质最佳，营养价值最高，一向被村民誉为“美味山珍”，具有较高经济价值。

村由山子下、中田角、粘坝、过建、楼子、下角、福昌围、振兴围（又名四点金）、排子、厅下围、中华第、上角 12 个小居住点组成。民居均为客家围屋，结构基本相同。如振兴（又名“四点金”）围屋，门楼坐西向东，回字形围屋。前栋为大门，两边各为 3

◎ 荆竹园村民居门楼（摄于 2016 年）

间，后栋为 7 间单间排列，两边回水各 5 个单间。街道、屋檐坎均为河石铺成，街巷有东西与南北走向，三合土墙体。大门为木质框，墙体 40 厘米，特别坚硬，墙体上设有内宽外窄的枪炮眼用于防御，保护村民。20 世纪 80 年代起，村民开始拆旧建新，盖起钢筋混凝结构楼房。

村有两座宗祠。润岳公祠坐北向南，占地面积 40 平方米，二进结构，一进为过道，二进为香火堂，供奉着陈润岳（开村祖先）的牌位。宗祠墙体下部为三合土结构，上部为泥砖结构，盖瓦面，街巷用河石铺成。另一宗祠为上范公祠，供奉润岳公第五个儿子的神位。宗祠坐南向北，占地面积 50 平方米，二进结构，一进为过道，二进之间以天井分隔，里面为香火堂。墙体下部为三合土结构，上部为泥砖结构，盖瓦面，街道用河石铺成。两个宗祠因多年失修，破损严重，但香火不断。该村还有一个供奉土地伯公的思行社。

民间传统习俗以春节、元宵节、清明节、端午节、中秋节、冬至为主，还有二月二、四月八、六月六、七月半、九月重阳等节日。每年农历正月十四日吊灯，形成于清光绪二十五年（1899 年）。吊灯是一种以“添丁”为中心的祭祖的活动，反映了客家人崇宗敬祖、慎宗追远的思想。上灯在祠堂或者香火厅举行，每年农历正月十四，凡是上年添了男丁的村民要把婴儿抱到祠堂，先在祠堂上敬祖宗，然后敲锣打鼓，擎着灯笼，舞狮头龙灯，把灯吊在祠堂的正横梁上。仪式结束后，参加吊灯的村民就会聚在一起用餐。

传统的客家婚嫁习俗中仍保留着古代的“六礼”即说媒、看妹子、算八字、看家风、定日子、送小担，以及聘金、摆喜酒、闹洞房、三朝回门等。传统的丧葬风俗庄严而繁荣，多沿用古中原的以土葬为主，1990年逐步实行火葬，其程序有：守灵、收殓、引灵、接体、奠礼、出殡、火化、安葬等。

据村民传说，有一次日本侵略军从新丰遥田进入荆竹园村，想围剿荆竹园村游击队，到达狗头壳山顶时，看到该村大坪上撒满了黑色的草木灰时，以为是火药，吓得掉头就走，说“游击队不用打，用火药就可以炸死我们”。东江纵队北江支队司令何俊才，中共党员朱继良在该村发动农民武装起义。1949年北一支队的司令部从新丰县遥田迁至荆竹园村的旧学校。1964年，佛冈县人民委员会批准荆竹园为革命老区。1996年12月下大雪后结冰，山上的竹、木折断无数，损失严重。2013年5月15日，特大洪水冲毁了两座机耕桥，很多农作物、果树被淹没，农田成了沙石山，无法耕种。

该村主要人物有：陈生编（1914—1947），革命烈士，新丰人民自卫队班长，1947年9月20日在新丰县沙田鸡麻潭突围中牺牲。陈生让，1955年生，曾任佛冈县纪委常委、清远财保公司总经理。陈文景，1956年5月生，任佛冈县纪委副书记（副处），曾抽调参与省纪委查处案件。陈秀庭，1957年生，曾任清远市纪委常委、英德市纪委书记、清远市水利局副局长兼清远市移民局局长。陈文奖（1956—2015），曾为从化市机械厂高级工程师。

◎ 北江第一支队荆竹园司令部旧址（摄于2014年）

（资料填报：陈继初，撰稿员：陈继初、黄慧娟；总纂：李协湖）

○仓前行政村

瑶府口村

◎ 瑶府口村村貌（摄于 2016 年）

瑶府口村，位于迳头镇东南部，距镇政府 6 千米。村始建于明崇祯年间（1628—1644 年），从英德县大陂都迳头乡（今佛冈县迳头镇）大房村分支迁入而形成。建村时，瑶府口村始祖朱天毓选址于蕉园角炭窑口前面，取名窑吻口村，后改名瑶府口村，曾用名瑶村。

村坐落于丘陵地带，村东与杨岭村接壤，南紧靠塘坑、龙岖岭，西与仓前村毗邻，北与塅心村一路之隔。县道 362 线（迳头仓前至新丰下河洞）从村中通过。

该村形成时属英德县大陂都迳头乡，清嘉庆十八年（1813 年）属佛冈厅迳头乡，民国时期属佛冈县陂头乡，中华人民共和国成立后属佛冈县第三区仓前乡，1958 年 10 月属从化县跃进（迳头）人民公社仓前大队，1961 年 5 月属佛冈县迳头公社仓前大队，1983 年 12 月属迳头区仓前乡，1987 年 1 月属迳头乡仓前行政村，1994 年 2 月属迳头镇仓前管理区，1998 年属迳头镇仓前行政村至今。

世居村民为朱姓，为朱熹后裔。根据《紫阳朱氏粤北衍传谱》记载，朱熹祖籍江西婺源。紫阳十世祖朱梓从赣州迁南昌府（今永修县）二十四都宽仁乡，并于元大德八年（1304 年）建造了白马村。十二世祖朱廷琛从江西建昌县白马村迁至广东惠州府。其后裔再迁徙到和平、兴宁、南雄珠玑巷。紫阳十七世祖朱景玉（迳头洞朱姓始祖）于明代成化年间迁移至英德县大陂都迳头乡大房村。紫阳二十四世祖朱天毓于

◎《紫阳朱氏粤北衍传谱》（摄于 2015 年）

◎ 瑶府口村门楼（摄于 2015 年）

◎ 瑶府口村古民居（摄于 2015 年）

明崇祯年间（1465—1487 年），随父母携其弟从大房村迁入该地。朱天毓成为瑶府口村的开村始祖，朱天毓之弟朱天英、朱天烈后迁徙茂名、高州等地。

2015 年末，村有户籍人口 686 人，其中男性 350 人、女性 336 人。80 岁以上 25 人，最年长者 105 岁（女）。生活主要依靠农业收入的 383 人。实有在村居住 402 人，其中留守儿童 31 人，长期居住在城镇或外出打工 284 人。祖籍该村的香港同胞有 3 人、台湾同胞有 5 人。该村村民均为汉族，客家民系，使用客家方言。

村有耕地 36 公顷、山地 270.4 公顷。自然资源有银矿、稀土矿等。传统经济以农业收入为主，20 世纪 80 年代以前，主要作物有水稻、番薯、木薯、花生、大豆等。20 世纪 80 年代后，改为种植粮食作物、果树、经济林木。现村民主要经济收入来源为农业收入、商业经营、务工性工资等。

该村传统节庆食品有春节的客家腍肉、酿豆腐、糖环、油角、炒蛋子、炒米饼，元宵节的汤圆，清明节的艾糍，端午节的粽子，中秋节的月饼等。妇女坐月子时，喝糯米甜酒、吃猪脚甜醋等。

村于 1977 年通电，1994 年通电话，2001 年村内实现道路硬底化，2010 年通光纤网络。该村重视文娱体育设施建设，有篮球场 1 个、健身器材一批。2014 年，村民集资及政府资助建成文化室楼房，使用面积达 400 平方米。

村由打顶围、打二围、老围、铁门围、中间围、高门楼、蕉园角、下围、新屋、细新屋 10 座围屋组成。围屋呈“回”字形及“目”字形布局，具有明显的岭南客家围屋特点。

围屋坐向不完全统一，打顶围、打二围、老围、高门楼、下围坐南向北，中间围、蕉园角坐西向东，铁门围坐西南向东北，细新屋、新屋坐东向西。10 座围屋的门楼结构基本相同，大门是两扇厚重的耳门，耳门前设有应急木栅栏（俗称“趟栊”）。晚上，将木栅栏拉好，关上耳门，可有效防御盗匪。门楼两侧摆放厚木方或安置石舂碓及石磨。厚木方供村民休闲、座谈、纳凉之用。石舂碓及石磨是村民舂米磨粉工具。铁门围屋的门楼有其特色：一是在门板上加一层铁皮，用密密麻麻的鼓钉把它固定起来；二是石板门框两边有长方形石孔，石孔里可安放方木杠，组成防护“趟栊”；三是弓形屋檐，檐下有壁画。围屋前后及中间为堂屋（又称正栋），左右两边为护水。堂屋为四房一厅或两房一厅，也有单间排列；护水屋比堂屋矮小，厨房普遍设在护水屋。围屋均为硬山顶，盖灰瓦，三合土或青砖或泥砖砌成的墙体。围屋的窗户较小，均由石板和铁棒构成。在围屋阁楼上方设有各种形状的枪炮眼，防止盗贼的入侵。街道用鹅卵石或石板铺成，贯通围屋，街道的一侧设有明沟暗渠排污排水，保持干燥清洁。每座围屋均有古井，井水清澈甘甜。有几座围屋前铺设“禾坪”，是村民晾晒粮食作物及节庆活动的场所。老围、高门楼、下围、新屋的门楼前面均有一口半月形池塘（风水塘），面积约 800 平方米，后来填平改建民居，现只剩下一口。该村几乎是一座围屋聚居天毓公名下一个支系，逢年过节，同在大门前的禾坪上敲锣打鼓，舞狮跳舞，尽情欢乐，共祭祖宗。围屋、池塘、禾坪、古井，形成了一个聚集300多间房屋、1500多人的大村落。20世纪80年代以后，村民逐渐在传统围屋外面、公路两旁建筑钢筋混凝土楼房。大部分村民已搬进新居，部分围屋已经坍塌，少有人居住。

村曾办有仁美初小。该初小创建于1939年，校址在窑吻口下围土地伯公（社坛）前面（今系新屋背南侧）。该校建筑面积约60平方米。仁美初小开办初期取名为“知（zhì）道书室”，后改名为“仁美初小”。该校首任校长朱秋潭，继任校长朱锡欢，教员有朱秋潭、朱锡欢、朱圣念等。仁美初小开设1—3年级（曾办到四年级），每级一个教学班，招生对象主要是仓前乡的朱姓子弟。后因求学弟子逐增，书屋窄小，为满足学子需求而搬迁到上园角（即打顶围东面）。搬迁后的学堂坐南向北，为两层楼的砖木结构，五间课室一字排列，建筑面积300平方米。在西面的骑楼角造一木质阶梯通向二楼走廊，课室门前有600平方米空地，以作学生室外活动之用。学堂二楼居中大门上方写有“独见天真”4个大字，是该村朱对策手书。“独见天真”意在培养能够独立思考、对事物具有独立见解、天真活泼的学生，并以此作为办学目标。办学以来，仁美初小就读学子200多人，民国后期停办。

1967年，原来在仓前街的仓前小学搬迁到该村西北面“田尾头”山冈上。校门向西，校园呈口字形，校舍平房结构。前后为课室，两边为办公室及教师宿舍，南面系运动场。学校开设一至六年级，学生300多人。1969年增设初中部。1994年校舍全部改建为楼房结构，2010年因学校布局调整而停办。

瑶府口村社坛。位于墩心与河边之间，祖社顶

◎ 瑶府口村社坛（摄于2015年）

部横额为“摇吻口朱姓祖社”，中间为“威灵尚主神位”，对联为“司土调风雨；达天锡阜康”。

民间习俗，多为客家人习俗的延续。民间节日以春节、元宵节、清明节、端阳节、中秋节、冬至等节为主，还有四月八、七月半、十月朝等节日。传统婚嫁习俗，保留中原古制的“六礼”即：纳彩、问名、纳吉、纳征、请期、亲迎。随着社会的进步，这六种礼仪已被新式婚俗所取代，其中部分程序一直沿用至今，迎亲嫁娶等礼俗依然存在。传统的丧葬风俗庄严而繁杂，以土葬为主，1990年逐步实行火葬，主要程序有：收殓、引灵、奠礼、出殡、火化、安葬等。传统习俗还有大年初二瑞狮拜门，正月初八上灯，清明节祭祖等活动。

清末至民国初时期，曾发生过朱郑两姓械斗。1950年3月4日由当地的反动分子策动，发生青年党反革命暴动，成立“青年党反共救国军瑶心大队”，瑶府口、墩心、仓前、一六圩、利村、湖洋等村200多村民被裹胁参加。1951年6月该反革命组织被歼灭。

该村是一个人口较多的自然村落。村风民风淳朴，以耕读为主，崇文重教，从事教育事业工作的有20多人，各行各业不乏人才。朱日仙，清朝时期曾任台湾守备（正五品官）。朱沛河（1921—1948），革命烈士，佛冈独立大队火星中队战士，1948年8月在解放翁源新江战斗中牺牲。朱恩普（1925—2015），1945年参加革命，曾任广东省供销总社副处长、省粮食厅储备处长、离休老干部。朱沛孟，1926年生，1948年参加革命，现居江苏省常州市，处级离老干部。朱沛珠，1936年生，1949年参加革命，曾任龙门县人大常委会副主任。朱亚军，1964年生，南京大学教研室副主任。王卫英（朱亚军妻）1965年生，博士后学历，为南京航空学院教授。朱云，1960年生，任深圳市发展与改革委员会副处级干部。李秋明（朱云妻），1960年生，任润杨集团（深圳）有限公司广东惠州群峰温泉投资有限公司董事、总经理。

（资料填报：朱从锋；初稿撰写：朱南岳、郑承沧；总纂：李协湖）

利 村

◎ 利村村貌（摄于 2015 年）

利村，位于迳头镇东南部，距镇政府 7 千米。村始建于明崇祯年间（1628—1644 年），朱姓从英德县大陂都迳头乡（今佛冈县迳头镇）大房分支迁入该地而形成。原先是黎姓人的遗址，原祖先为铁匠名师，尤以利器出名，故取名利村。曾用名黎村。

村坐落于丘陵地带，村东是上围岭，南临迳头河，西为社下岭，北靠背夫岭，三面环山。东南方是杨岭村，正南对岸是塅心村、瑶府口村，远处是独王山，西南方为官仓背村。东有上坑小溪，西有下坑溪水，均自北向南流入迳头河。乡道从县道 362 线瑶府口村路段通达该地。

该村形成时属英德县大陂都迳头乡，清嘉庆十八年（1813 年）属佛冈厅迳头乡，民国时期属佛冈县陂头乡，中华人民共和国成立后属佛冈县第二区仓前乡，1954 年 5 月属佛冈县迳头区仓前乡，1958 年 10 月属从化县跃进（迳头）人民公社仓前大队，1961 年 5 月属佛冈县迳头人民公社仓前大队，1983 年 12 月属迳头区仓前乡，1987 年 1 月属迳头乡仓前行政村，1994 年 11 月属迳头镇仓前管理区，2004 年 5 月属迳头镇仓前行政村至今。

世居村民为朱姓，为朱熹后裔。据《紫阳朱氏粤北衍传谱》记载，朱熹祖籍江西婺源。紫阳十世朱祖梓从赣州迁南昌府（今永修县）二十四都宽仁乡，建造了白马村。十二世祖朱廷琛从江西建昌县白马村迁至广东惠州府，其后裔再迁徙到和平、兴宁、南雄珠玑巷。明成化年间，紫阳十七世祖朱景玉迁移至英德县大陂都迳头乡大房村，成为迳头等地朱姓始祖。明崇祯十五年（1642 年），朱景玉第七代嫡孙朱宏钦，字世广（五房的一个分支），迁入该地，其后代在利村繁衍生息。至清代中期，发展至 400 余人，开始向外分迁到清远源谭，从化中心村、梭肚，英德县城、石角附城、菜洞口等地，总人口达 3000 多人。另有少量朱姓二房的一个分支，在清嘉庆五年（1800 年），彩香兄弟从瑶府口村迁入。

2015 年末，村有户籍人口 172 人，其中男性 88 人、女性 84 人。80 岁以上老人 8 人，最年长者 91 岁（女）。生活主要依靠农业收入的 85 人。实有居住人口 101 人，其中留守儿童 3 人，长期居住在城镇或外出打工 71 人。村民均为汉族，客家民系，使用客家方言。

村有耕地 6.35 公顷、山地 54.67 公顷。自然资

◎ 荷塘秀色（摄于 2016 年）

源有稀土矿、杉树、樟木、松树等。传统经济以农业为主，主要作物有水稻、番薯、木薯、花生、大豆、小麦等，也有种植少量水果。也有人从事打铁、理发等手艺。现在多种植水果和经济林、水稻等。20 世纪 80 年代以后，大部分青壮年外出打工。也有经商和从事建筑行业。村民主要收入来源为农业收入、外出务工工资收入。

传统节庆食品有糯米糍、艾糍、糖环、米饼、油角、酿豆腐、粽子、脍肉、春糍等。

村于 1979 年通电，1994 年通电话，2003 年村道实现水泥硬底化，2011 年通自来水，2012 年通网络。

该村现存传统民居 2 座（上、下围），分别建于

◎ 利村上围古居一角（摄于 2015 年）

明代崇祯年间和清末。上围房屋由南北走向四排，其中第二、三排为镬耳楼，东西两排平行走向，围中间开有大门联通直街，两边对称小门连接横巷，横直之间用走廊连通。围前有一口半月形鱼塘。上围人勤读书，故多数人外出工作，极少为农村户籍人口。下围是“田”字形的客家围屋，中央为弘钦公祠，一个大门出入，上下左右各有一条街道连通，祠堂两旁有走廊联通左右街道。下围的外侧各有一排厢房。下围人勤耕作，农闲时组织民工队到外村打山工，哪怕是七八十岁的人，只要有行动能力，都从事田间劳作或做家务。利村人的勤奋远近闻名。承载历史的古村基本保持完整，但多数废置。村民在乡道两旁建起新楼房。

弘钦公祠，始建于清乾隆三十四年（1769 年），占地面积 100 平方米，二进式布局，正厅墙壁有先祖灵位和弘钦公后裔名单。逢年过节或喜庆日子，村民都到祠堂祭拜。每年正月十三上灯仪式在此举办（正月十五晚添油升灯），向祖先报喜示意这些男丁从此成为族人一分子。村里老人过世后的灵牌在祠堂破碎焚烧，让故人的灵魂寄存在此，以便后人敬奉。祠堂始建以来屡有修缮，现存主体建筑完整。

◎ 弘钦公祠（摄于 2015 年）

村有《紫阳朱氏粤北衍传谱》，是由朱氏后嗣朱兆熊编著，朱光天审编，1998 年 3 月印行。该谱并载有朱熹公的“朱文公家训”“朱子家训”及“朱柏庐治家格言”。其修身治家的理念为众人所公认，历代都有载入国文教科书或他姓族谱中。通族辈序：应运公咏辈时，从景玉公开始十代人的名字作为继念性辈分，从“绍”字开始的三十二字辈为应用辈分：“绍祖儒芳，先德永彰，沛然光显，国泰宁邦，奕业宏远，禳胤其康，荣登一品，昌佐朝纲”。同时“芳先德永彰沛然光显”等与高岗镇朱姓祖璋公咏辈序“秀士文如玉光明照上方”等形成平行关系。故此，景玉公后裔也有使用祖璋公咏辈序的情况。

利村有三社（土地伯公）一庙，距离村子均不足 500 米。上围嘴社位于村东，猪子夹社坐落西北角，社下位于村西，庙下在西南面。村民祭拜首选祠堂，再到三社一庙逐次上香，这种习俗百年不变。

民间习俗，多为客家人习俗的延续。民间节日以春节、元宵节、清明节、端阳节、中秋节、冬至等节为主，还有四月八、七月半、十月朝等节日。每年正月十三日上灯。传统婚嫁习俗保留中原古制的“六礼”，从议婚至完婚过程中的六种礼节，即：

◎ 春节酿豆腐（摄于 2015 年）

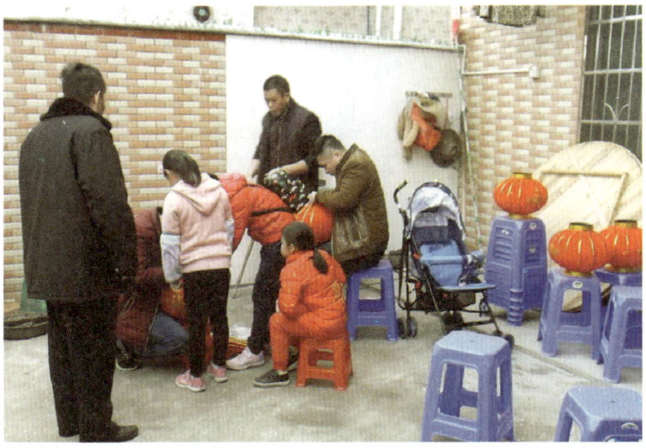

◎ 上灯准备（摄于 2016 年）

纳彩、问名、纳吉、纳征、请期、亲迎。纳彩即男方家请媒人去女方家提亲，女方家答应议婚后，男方家备礼前去求婚。问名，即男方家请媒人问女方的名字和出生年月日。纳吉，即男方将女子的名字、八字取回后，在祖庙进行占卜。纳征，亦称纳币，即男方家以聘礼送给女方家。请期，男家择定婚期，备礼告知女方家，求其同意。亲迎，即新郎亲至女家迎娶。随着社会的进步，这六礼已被新式婚俗所取代，其中部分程序一直沿用至今。传统的丧葬风俗庄严而繁杂，以土葬为主，1990 年逐步实行火葬，主要程序有：收殓、引灵、奠礼、出殡、火化、安葬等。传统习俗还有大年初二瑞狮拜门，清明节祭祖等活动。此外，还有祭扫新坟的习俗，即新修筑的坟墓要在社日（立春后第五个戊日，具体日期在春分前后）之前祭祀，故此习俗亦称“拦社”。

出远门习俗：凡需在远方长期谋生的人，出门前都有所讲究。一是选日子，逢农历的三、四、七、九不出门，另选黄道吉日再成行；二是由家中老妇烧香祈求平安；三是出门者围村子走一圈，意示记住回家的路；四是跪受长辈的利是（红包），以求出门大吉大利。

民间有米子径传说。相传，很久以前，利村有个勤劳而贫穷的小伙子叫阿山。他每天替财主放牛时，还兼砍柴和田间耕种，或者帮助他人做事，中午吃些木薯、芋头、番薯等粗粮，很晚才回家。一天，他到坪斜塅（村背耕地）放牛，中午就在路经菜洞的大石头边准备做午饭。他突然发现石头下有

◎ 米斗（摄于 2016 年）

几粒大米，小心翼翼地把米粒捡起来。又发现石缝里还有一粒米，他就找来一条小树枝，把米粒挑出来，谁知里面又出来一粒，挑出一粒来一粒，总挑不完。够啦，不用煮番薯都够吃了。阿山停了下来，心想留点明天再用。第二天又少带些粗粮，多留一些粮食给年迈多病的父母。果真如此，石缝出来的大米还是够吃。第三天完全不带粮去，挑出来的大米一样够吃，不用耕作都有米吃。久而久之，他把希望寄托在石缝里。阿山想：既然石缝里有挑不完的大米，必定有很多。于是辞去放牛工作，丢荒租地，借来铁锤铁凿，要把石缝凿大，想让米源源不绝地流出来。凿呀凿，石缝变成小孔，再变成洞，从此石头不再出米粒了。阿山悔恨自己，并把事情的缘由告知他人，米子径因此而得名，并留传下来。

该村朱、郑两姓曾在清光绪三十三年（1907 年）发生械斗，造成全村房屋被烧毁。

村主要人物有：朱秀幡（1862—1902），清后期处士。朱和光，1939 年生，曾任迳头镇纪委书记、镇人大主席，在《我们这班人》中发表《不负人民的信赖和重托——我当镇人大主席的体会》。朱南岳，1956 年 9 月生，1979 年 2 月参加中越边境自卫还击战，1980 年 3 月获广州军区“百科知识竞赛”二等奖，1982 年 8 月获海南军区“读书演讲”比赛第二名，曾任龙南乡党委委员兼办公室主任。朱英健，1961 年 2 月生，2003 年 11 月被广东省人事厅评定为林业工程师。朱少华，1966 年 5 月生，广州珠江水泥有限公司副高级工程师，2006 年荣获第二届全国建材行业“岗位技术能手”称号，2013 年“格雷斯杯”全国第十四次水泥品质指标检验大对比中荣获“水泥物理检验操作能手奖”。陈玉娥（朱少华妻），1968 年 10 月生，广州市白云区明德中学教师，2011 年 3 月获“广州市优秀中小学班主任”称号，2013 年 4 月被广东省评为“数学高级教师”资格。朱少勇，1974 年生，佛山南海罗村第二中学教师，2006 年被评为中华人民共和国一级裁判员（篮球）。朱彩英（朱少宇妻），1977 年生，佛冈县石角中学教师，2015 年 6 月被清远市教育局评为清远市首批“名班主任”。朱杰坤，1996 年生，就读武汉理工大学本科，2012 年荣获广东省教育厅颁发的“广东省第九届中小学生电脑机器人仿真赛虚拟智能校车二等奖”。

（资料填报：朱祥瑞；初稿撰写：朱南岳、郑承沧；总纂：李协湖）

黄屋村

◎ 黄屋村村貌（摄于 2015 年）

黄屋村，位于迳头镇东南部，距镇政府 6 千米，村始建于明正德元年（1506 年），从清远县吉河乡东坑村分支迁入而形成。该村最早为黄姓居住地，故称黄屋村。

村坐落于山间谷地，东边是瑶府口村、塅心村，西南方是一六街村，西面是仓前村、官仓背村，北面为利村。东面、南面是一片小山丘，村前有一片蕉林、一口鱼塘，村后有大片竹林山。

该村形成时属英德县大陂都迳头乡，清嘉庆十八年（1813 年）属佛冈厅迳头乡，民国时期属佛冈县陂头乡，中华人民共和国成立后属佛冈县第二区仓前乡，1954 年 5 月属佛冈县迳头区仓前乡，1958 年 10 月属从化县跃进（迳头）人民公社仓前大队，1961 年 5 月属佛冈县迳头人民公社仓前大队，1983 年 12 月属迳头区仓前乡，1987 年 1 月属迳头乡仓前行政村，1994 年 11 月属迳头镇仓前管理区，2004 年 5 月属迳头镇仓前行政村至今。

世居村民为郑、黄姓。根据《大陂郑氏族谱》记载，郑姓在南宋末年从福建先迁至广东连平或翁源，随后逐步迁至英德、长宁（今新丰）廻龙塘村，后迁到潮之程乡（今梅州地区），并遵母之命，改从舅姓。郑百三为大陂郑氏始祖（一世祖），从潮之程乡迁至韶之英州大陂都迳头乡山下村落籍。二世祖迁居石嘴头上片铁芦冲（今司马第村背后附近）、云岭高冈廖公窝（俗称猫公窝）。康熙后期十世祖郑兼四迁至官仓背。十三世祖英豪（崇德）、英杰（腾芳）、英瑞（占三）于清乾隆中期兴建塅心村（又称荷花村）。十五世祖东洋、东炳、东先自塅心村迁至现在的黄屋村，至今已百年。元代，黄姓始祖从江西南丰县龙井乡双井头迁移至广东梅州，后迁至潮州、南雄珠玑巷、顺德、新会、鹤山、肇庆，迁移到清远县吉河乡东坑村，成为佛冈黄姓始祖（佛冈黄姓一世祖），后迁居：长子秀清迁至大陂粟坑（井下塘），次子至清在明正德元年（1506 年）由水头镇东坑村的孙子迁至黄屋。清末，大多数黄姓村民再迁居石角镇诚迳村等地，只留少量住户看守黄屋村老家。

2015 年末，村有户籍人口 198 人，男 101 人、女 97 人。80 岁以上老人 9 人，最年长者 86 岁（男）。生活主要依靠农业收入的 89 人。实有居住 116 人，其中留守儿童 3 人，常年居住在城镇或外出打工 82

◎ 抗旱水车（摄于 1988 年）

人。村民均为汉族，客家民系，使用客家方言。

村有耕地 3.13 公顷、山地 8.67 公顷，自然资源有稀土矿、竹木等，特色农产品有柑橘、杨梅、火龙果。传统经济以农业为主，主要作物有水稻、番薯、木薯、花生、大豆等。现多种植粮食作物、果树、经济林木。少量村民从事打铁、理发等手艺。村民主要收入来源为农业收入、外出务工工资收入。

传统节日食品有客家腍肉、酿豆腐、糖环、油角、艾糍、粽子、炒米饼等。特色小吃是“炒蛋仔”。

村于 1977 年通电，1996 年通电话，2002 年街道实现水泥硬底化，2013 年通网络。该村与仓前村合建仓前黄屋文化站。村中建有垃圾收集站。

◎ 仓前黄屋文化站（摄于 2015 年）

村现存郑姓古居是比较简单的客家围屋。住屋呈日字形，一个公共大门。里面石街通道，住户门前屋檐下铺石板。三合土和砖为墙体，硬山顶灰瓦盖顶。住屋有“两房归厅”，也有单间，现保存完好，早已无人居住。黄姓古居早已坍塌，只留下部分三

◎ 黄屋村民居一角（摄于 2015 年）

合土墙体，成为遗址。随之而建的住屋是简单的平房。今天，村民全都建起了新楼房，旧居平房闲置。

村前有一口半月形“门口塘”，水质特别清澈。据说塘头处于古河道中，地下为沙底，故泉水特别大，塘水分外清澈。靠近塘头有一眼古井。井边就是一大片水田，实实在在的“田头井”，几块石板和一些石头围起来就成了井。井深不足 1 米，水深 0.8 米，全年水深稳定，清澈见底，井中石缝里还经常钻出塘虱鱼，井的源泉既清又大，可满足全村居民日常生活、工作用水。井面离水面约 40 厘米，村民直接用水桶到井中装水。清早，家家户户都来挑水，井水不减、不浑。

传统婚嫁习俗保留中原古制的纳彩、问名、纳吉、纳征、请期、亲迎。随着社会的进步，这六礼已被新式婚俗所取代，其中部分程序一直沿用至今，送小担、踏家门、迎亲等嫁娶礼俗依然存在。传统丧葬以土葬为主，其程序有收殓、引灵（招魂）、奠礼、

◎ 上灯（摄于 2015 年）

出殡、火化、安葬等。中华人民共和国成立后逐步实行火葬。

村较集中的村民活动是上灯（客家人叫吊丁）。郑氏上灯时间为每年农历正月十三。上灯日，凡添丁主户都要上交“丁鸡”一只，购买灯笼一个。凡参与者缴纳一定餐费，村里公款拨出部分资金，作为“上灯”支出。时生公后裔汇集一起，先由各村有身份的人员集中在祠堂二进厅议事，议定有关事项。上灯仪式开始，点燃爆竹，锣鼓齐鸣，用滑轮高高吊起灯笼，主持人大声宣读新生男丁名字，父母带新生男孩跪拜祖先。随后，彩车装上其余灯笼，众人抬着丁鸡、猪头和舞狮队一起去官仓背兼四公祠拜祭，再去官仓背社，最后到仓前玉渊公祠堂拜祭。活动结束后，男人在祠堂内用午餐，女人在祠堂外用餐。

客家过年特色小吃为炒蛋仔。蛋仔，呈圆形，如同龙眼果。中空薄壳，白中带黄糖色，入口香脆，是孩子们过年最爱小吃之一。外地人吃过蛋子均大为赞赏。制作蛋仔，分四个步骤。第一步“浸臭米”。把糯米放入盆中，用井水浸泡 15 天。其间不搅拌、不换水，浸到发臭。第二步制米粉。捞出臭糯米，用清水漂干净，再晾干。晾干的糯米放到碓臼里用碓舂，并用粉筛筛出精粉。第三步做蛋粒。将适量的黄糖放在锅中，加少量水，煮成糖水。然后往精糯米粉中注糖水，不断搓捏使之均匀，成为“糍团”，用托盘蒸熟。把蒸熟的糍用刀切成半厘米宽的糍条，再用剪刀剪成正方体糍粒。第四步炒蛋仔。客家人都有烧柴草的灶，灶上两个锅。前面一个大锅，后面连着一个利用余热的小锅，分别叫“锅头”和“锅尾”。一人专工烧火，火要均匀不能猛。一人专门炒制。取适量糍粒放到大锅中炒，用一把小树枝不停搅动，使糍粒在锅中不停翻滚。糍粒在受热翻滚中不断膨胀变大，越滚越圆，变成“蛋仔”。将炒好的蛋仔马上放到“锅尾”，使其充分爽脆，大锅就接着炒下一批糍粒。炒制蛋仔难度在于火候要看准，搅拌要麻利，手脚稍慢，蛋仔变焦变黑。从制作过程中看，做蛋仔工序多，有一定技术含量。所以制作的人家逐年减少，如今更成为稀罕物。

1964 年发生特大旱灾，全村 9 公顷水田改种番薯，造成 1965 年上半年粮食严重缺乏，依靠国家救济粮渡难关。

该村的郑灼增（1910—1971），是乡村医生，一次去韶关时，发现村民郑贵生被侵华日军抓住，不顾个人安危，想尽办法把郑贵生救出并送其回家。

（资料填报：郑玉艾；初稿撰写：郑承沧、朱南岳；总纂：李协湖）

官仓背村

◎ 官仓背村村貌（摄于 2015 年）

官仓背村，位于迳头镇东南部，距镇政府 6 千米。村始建于清康熙后期，从英德县大陂都迳头乡（今佛冈县迳头镇）云岭廖公窝移居而形成。因明代实行“广积粮”，藏粮于民的政策，官府在各地广设粮仓，在官仓背村东北面建有贮粮仓库，俗称“官仓”，因该村位于官仓后面而取名官仓背村。

村坐落于丘陵地带，东临迳头河（烟岭河支流），东是塅心村，东南是仓前村、瑶府口村，南是大片田畴和一六街村，西是小山丘社岭（岭下原有朱姓人居住的村庄，后迁他处）、梭肚村，北是观音山余脉狮子岭。村落依山傍水，视野开阔。仓前河从东北面环绕该村，在西南面与丰迳水汇合，经迳头圩、大陂圩，在车角村与三江水汇流成烟岭河。原国道 106 线（后改为县道 373 线）自南往北从村旁经过，县道 362 线（迳头仓前至新丰下河洞）由东往西从村中穿过。

该村形成时属英德县大陂都迳头乡，清嘉庆十八年（1813 年）属佛冈厅迳头乡，民国时期属佛冈县陂头乡，中华人民共和国成立后属佛冈县第二区仓前乡，1954 年 5 月属佛冈县迳头区仓前乡，1958 年 10 月属从化县跃进（迳头）人民公社仓前大队，1987 年 1 月属迳头乡仓前行政村，1994 年 11 月属迳头镇仓前管理区，2004 年 5 月属迳头镇仓前行政村至今。

世居村民为郑姓。据《大陂郑氏族谱》记载，约元末从福建先迁至广东连平或翁源，随后逐步迁至英德、长宁（今新丰），迁到潮之程乡（今梅州地区），并遵母命改从舅姓郑，再迁至韶之英州（后改称英德），在大陂都迳头乡山下村落籍。二世祖迁居石嘴头上片铁芦冲（今司马第村背后附近）；九世祖郑任环迁至云岭高冈廖公窝（俗称猫公窝）；清康熙后期，十世祖郑兼四迁至官仓背村。

2015 年末，村有户籍人口 489 人，其中男性 249 人、女性 240 人。80 岁以上 23 人，最年长者 91 岁（男）。生活主要依靠农业收入的 236 人。常年在城镇生活和打工的 203 人，实有居住 286 人，其中留守儿童 8 人。该村村民均为汉族，客家民系，使用客家方言。

村有耕地 12.07 公顷、山地 66.67 公顷。传统经济以农业收入为主，主要作物有水稻、番薯、木薯、花生、大豆等，现多种植粮食作物、果树、经济林木。现村民主要经济收入来源为农业收入、商业经营、务工收入等。也有从事生产铁农具、刀具业。

该村传统节庆食品有：春节的客家腍肉、酿豆腐、糖环、油角、炒蛋子、炒米饼，元宵节的汤圆，清明节的糯米艾糍，端午节的粽子，中秋节的月饼等。妇女坐月子时，有喝糯米甜酒、吃猪脚甜醋的习俗。

村于20世纪70年代通电，1994年通电话，2005年实现道路硬底化，2013年通光纤网络。该村重视文娱体育设施建设，1975年兴建篮球场1个，1995年建成文化室，图书室藏书500多册。

◎ 村文娱娱乐队（摄于2015年）

村由上围、大围、细围、上角、下角5座围屋组成。围屋均呈“回”字形布局，具有明显岭南客家围屋特点。围屋前后及中间为堂屋，供人居住。

◎ 传统民居（摄于2015年 ）

左右两边为护水，护水房比堂屋矮小，用作厨房或禽畜栏舍。堂屋的布局为一厅四房或一厅两房。围屋的屋顶均为悬山顶，盖灰瓦；三合土墙体，部分用青砖或泥砖砌筑。围内街道用鹅卵石铺砌，易于排水散热。大围、下角的门楼坐北向南，细围、上围、上角门楼坐西向东。五座围屋的门楼结构基本相同，都有防盗、防外侵的设施。门楼上方设有炮眼，可作观察外部情况和射击之用。大门是两扇耳门，均设有应急木栅栏（俗称“趟栊”）。当遇到盗贼侵扰时，将木栅栏拉好，关上耳门，能有效防御。民间顺口溜中“官仓背多窗户”，指的是大围屋高，一间屋有上、中、下三个窗户，标志里面分三层，即有两层“棚”。“棚”由房屋上面的木桁条上铺木板做成，有的再铺三合土，叫“灰沙棚”。20世纪80年代以后，村民逐渐在传统围屋外易地建筑钢筋混凝土楼房，原来围屋几乎无人居住，大部分已坍塌。如今，村民于公路两旁大量兴建楼房，村貌焕然一新。

村细围原建有进士第，门梁上悬挂一块刻有“進士”的牌匾，是清嘉庆七年（1802年）武进士郑开缙的祖居地（后迁塅心村）。后来房屋倒塌，“進士”牌匾不知去向。

村在清末至民国初设有私塾（在大围背南楼），村人称之为“书房屋”，聘请本村塾师郑信德、郑月呈教学。民国时期提倡公办学校，废私塾，私塾因此废置。

村最古老的祠堂是兼四公祠（在大围内）。祠堂共三进（头两进已经坍塌），建筑占地面积120平方米。大门上面有一块竖匾，上端突起拳头大的一个兽头，两边祥云图案，均为浮雕；中间金漆阳雕“旨振威将军”。二进门上有两块阳雕横匾，其中一块书“天朝重望”匾在20世纪“文化大革命”期间被废。祠堂为白墙灰瓦，悬山顶。采用石础木柱，拱形梁支撑，镂空雕花屏风。祠堂内设有兼四公神龛，两旁楹联为：“兼线丑未坐癸丁祠向无讹定必馨香百世；四史考查知今昔公积有德应宜裕后千秋”，为村族人郑济美撰联。每年正月初二，本村族人及外迁后裔舞瑞狮和携带供品前往兼四公祠祭拜供奉。

该村有一个“官仓背社”，是一个全石板结构的

◎ 官仓背社（摄于2015年）

社坛，位置在村边“社岭”山嘴下、村前鱼塘边。20世纪“文化大革命”期间遭废，社坛石材被用于兴建水力碾米站。20世纪80年代，村民挖出社坛石材，恢复社坛原貌。社坛主体神位牌中间雕刻横字“威灵”、竖字“福主公王宝座”，两旁为神像。主体两边有石狮作护卫，前边为石板平台。因主体神位牌顶上的葫芦顶不知所踪，只把原社坛两边的石轿放到顶上代替。

村有《大陂郑氏族谱》。该族谱2010年2月由大陂郑氏族谱编纂委员会编纂，主编郑坎均，主审郑国象，副主编郑中品、郑蔚、郑大民，编辑郑国天等90多人。该族谱约120万余字。其内容包括郑氏源流、渊源世系、郑氏辈序、郑氏族规与文献、祖墓碑志、郑氏历代知名人物、民间传说故事等，多方面记载大陂郑氏的繁衍变迁。大陂郑氏辈序是：“伯祖永开东，兴嗣大国中。从龙基世德，佑尔万年丰。”2009年3月25日，大陂郑族通德堂理事会召开族人大会，通过新续辈序为：“秉志延初本，承恩佐建功。家邦崇显达，伟业耀先宗。”该村有郑多士于民国初年撰写的《英州郑氏族谱》，还有近年修纂的《时通公族谱》《开伟公族谱》等，分别记载各支系的繁衍发展情况。

◎ 古钱币（摄于1989年）

民间习俗，为客家人习俗的延续。民间节日以春节、元宵节、清明节、端午节、中秋节、冬至等节为主，还有四月八、六月六、七月半、十月朝等节日。每年农历正月十四为该村的上灯日。传统婚嫁习俗中，保留中原古制，纳彩、问名、纳吉、纳征、请期、亲迎等礼仪，现在只有迎亲嫁娶等礼俗依然存在。传统的丧葬风俗庄重而繁杂，多沿用中原的古传统，以土葬为主。1990年逐步实行火葬。

该村清末至民国初曾发生过朱郑两姓械斗。现村北面近山处还留有当年修筑的围墙，用石灰、沙子、黏土、卵石夯筑而成，高约3米，厚50厘米。围墙环绕该村北面，长约300米，开四道闸门，墙体厚实，墙上有葫芦形的瞭望孔和射击孔，至今仍保存完好。2013年5月15日，洪水泛滥，村庄水淹近2米。解放战争时期，村是游击队活动区，村民有郑国奇、郑继袍（郑洲）、郑国壁、郑中兆（郑清）、郑中健、郑中强（郑忠）、郑千、郑体谦等人参加游击队。纯德堂药店店主郑继村与村人郑济美曾为游击队捐赠粮食。1949年6月，进步青年郑圣芳、郑朗如、郑社佑、郑旭明、郑蔚等人参加了北一支队司令部举办的“青年干部训练班”，中华人民共和国成立后他们都成为国家各级干部和教师骨干。20世纪80年代，经报请上级人民政府批准，该村为解放战争游击根据地。

◎ 村民自主开展美丽乡村建设（摄于2016年）

该村民风淳朴，崇文重教，人才辈出。郑开缙（1767—1843年），清嘉庆六年（1801年）应省试，考取科武举人，清嘉庆七年（1802年）参加会试、殿试，考取武进士，被授予“即用营守备”职衔。郑仁寿（1880—1947年），著名的伤外科中医师，兼医疑难杂症，其事迹参见《佛冈文史》18辑专文。郑国奇（1927—1947年），革命烈士，北江支队游击队战士，1947 年在新丰棋山坑战斗中牺牲。郑清（又名郑中兆）（？—1948 年），革命烈士，北江先遣队英翁佛民主先锋大队中岳中队战士，1948 年 1 月在宝结岭反击战中受伤被俘遇害。郑继袍（1924—2000），能工巧匠。1947 年参加游击队，历任枪械修理员、机枪班长、佛冈军管会保卫排排长。中华人民共和国成立后，从事铁器生产，其精于刀具淬火，做的刀具锋利耐用，锻造的松香割刀不卷刃、不崩口，远近驰名。郑圣芳，1931 年生，曾任 1989 年任佛冈县人民法院院长，县政法委副书记（副处级）。郑国仰（1933—2012），1950 年起作为学生界代表，连续多届参加佛冈县各界人民代表会议，1952 年参军，后任广西柳州日报社记者、编辑等职。1967 年 9 月 13 日，以群众代表和新闻记者的身份赴京参加广西两派群众组织代表谈判，会上向周恩来总理如实汇报柳州实际情况，使中央及时了解柳州铁路运输问题，受到周总理的赞扬，在柳州地区有较大影响。后调任从化建委工作。主编《我们这班人》一书。郑从仕（1933—？），曾任中共从化县委统战部部长、从化县政协副主席。郑训中，1936 年生，1984 年任佛冈县人民政府副县长，1993 — 1997 年任县政协主席。郑国象，1937 年生，曾任佛冈县人民政府办公室副主任（副处级），《佛冈县志》副主编、县史志办编审，从事地方志工作 15 年，有《饤饾集》《岁月有痕》《大地萍踪》等著作。郑中品，1948 年生，曾任佛冈县史志办公室主任，主持编纂中华人民共和国成立后第一部《佛冈县志》，从事地方志工作 25 年，2002 年获广东省首届地方志先进工作者称号。郑静美，1957 年生，1979 年和 1983 年分别被评为全国“三八红旗手”，1981 年被评为广东省“优秀少年儿童教育工作者”，2010 年被评为广东省“百名好母亲”。郑从旭，1959 年生，佛冈县城东中学教师，2010 年 12 月被广东省人力资源和社会保障厅聘为“数学中学高级教师”。郑从异，1965 年生，1985 年 10 月入伍，曾参加中越边境自卫还击战。钟盛群（郑中赞妻），1968 年生，佛冈县石角中学教师，中教高级教师，2013 年获广东省专业技术高级证书。

（资料填报：郑中探；初稿撰写：郑承沧、朱南岳；总纂：李协湖）

丰迳村

◎ 丰迳村村貌（摄于 2015 年）

丰迳村，位于迳头镇东南部，距镇政府 8 千米。村始建于清嘉庆十七年（1812 年），从英德县大陂都迳头乡（今佛冈县迳头镇）官仓背村和石嘴头分支迁入而形成。因山风强劲，如同风口，故取名风迳。1975 年，把“风”改为“丰”，表示期望丰产的意愿（古代称枫迳）。

村坐落于独凰山山脉。东是连片小山丘，东南是佛冈第三高山独凰山，西靠迳头河的支流丰迳河，隔河是大片山林，北是小河、公路和耕地。村落依山傍水，成为休养生息的好地方。原国道 106 线（后改为县道 373 线）从村中穿过。

该村形成时属英德县大陂都迳头乡，清嘉庆十八年（1813 年）属佛冈厅迳头乡，民国时期属佛冈县陂头乡，中华人民共和国成立后属佛冈县第二区仓前乡，1954 年 5 月属佛冈县迳头区仓前乡，1958 年 10 月属从化县跃进（迳头）人民公社仓前大队，1987 年 1 月属迳头乡仓前行政村，1994 年 11 月属迳头镇仓前管理区，2004 年 5 月属迳头镇仓前行政村至今。

世居村民为郑姓。根据《大陂郑氏族谱》记载，南宋末年从福建先迁至广东连平或翁源，随后逐步迁至英德、长宁（今新丰）廻龙塘村，后迁到潮之程乡（今梅州地区），并遵母之命改从舅姓。郑百三为大陂郑氏始祖（一世祖），从潮之程乡迁至韶之英州大陂都迳头乡山下村落籍。二世祖迁居石嘴头上片铁芦冲（今司马第村背后附近），又迁至云岭高冈廖公窝（俗称猫公窝）。十世祖郑兼四迁至官仓背村，后人口迅速增长。十三世祖郑必杰（兼四的曾孙）和石嘴头的同宗兄弟郑兰历来交好，他们一起在该地考察，认为西面的低迳坑和北面丰迳河两岸可开垦大片农田，四周小山林木资源丰茂，北面山是独凰山龙脉的延伸，同时处于佛冈通往英德、韶关的必经之围场，位置优越。因此，于清嘉庆十七年（1812 年），郑必杰和郑兰共同选定和开发了该村。

2015 年末，该村有户籍人口 522 人，其中男性 266 人、女性 256 人。80 岁以上老人 38 人，最年长者 90 岁（男）。生活主要依靠农业收入的 286 人。实有居住 306 人，其中留守儿童 15 人，常年在城镇生活和打工的有 216 人。祖籍该村的华人华侨 3 人，侨居加拿大。定居香港 6 人、台湾 3 人。村民均为汉族，

◎ 练武石（摄于 2015 年）

◎ 丰迳村传统民居（摄于 2015 年）

客家民系，使用客家方言。

村有耕地 19.4 公顷、山地 333.33 公顷；森林资源丰富，主要树种有松树、杉树、樟树、枫树、柯树等。传统经济以农业为主，主要作物有水稻、番薯、木薯、花生、大豆和种植果树、经济林等。村民主要收入来源为农业收入，以及外出务工收入，也有少数经商者。

丰迳是古代黄塘径古道的起始点。佛冈建厅后，曾设“风迳汛”兵站，派兵驻守，建有兵房、烟墩、瞭望台、牌坊等设施。

村于 1980 年通电，1995 年通电话，2004 年通自来水，2005 年实现街道水泥硬底化，2013 年通网络。文化设施有篮球场一个，休闲场地一个。村中建有垃圾收集站。

◎ 丰迳村休闲运动场所（摄于 2015 年）

村落由上街、下街、上楼、下巷、下围、龙尾 6 个小村组成。客家围屋建于清初年间，依照山势自上而下建筑，形成阶梯形，几个围屋组成一体化结构，各围屋间没有街或巷隔开。上街、下街、下巷三个围屋，就是这种结构形式。外墙、门楼皆无防范外侵的枪炮眼，围内住房分行排列，多为单间连体，带状分布聚居。街道由河石镶嵌而成。原来的老屋有不少拆旧房建新楼，形成新旧交融。

民间顺口溜有“丰迳锣鼓，王丫豆腐”的说法。丰迳的锣鼓是典型的客家人舞鸡公狮的锣鼓曲调。其最大的特点是采用小面鼓，鼓高两尺，鼓面七寸。它不像流行大鼓“咚咚”声有澎湃气势，但“咯咯”的锐耳清脆声却传得更远。中华人民共和国成立初期，这种锣鼓在本地很多村子流行，一样由鼓、锣、镲、玎（音，一种高音小锣）四种响声乐器组成，敲击没有固定的曲调，只有拜门、迎送等不同打法。丰迳锣鼓有三个讲究：首先是选乐器。购买时，派人现场打锣鼓，由有经验的挑选者远处聆听，在不

◎ 北帝庙（摄于 2015 年）

断更换的乐器中耐心挑选其中的精品。其次是配合。鼓是指挥者，开始、快慢、转板、结束都由它指挥，四种乐器要配合得默契。最后是技巧。中华人民共和国成立后，村民继承前辈独特的技巧，郑大航掌鼓，郑镜初敲锣，郑大炫打镲，郑大河击玎，掌握节奏的轻重缓急，巧妙运用击、按结合，锣鼓一响，声音干净利落，层次分明，节奏感强，悦耳动听。难怪当时有“锣鼓敲到夹河口，云岭松树也点头”的谚语。意思是锣鼓敲到仓前河与丰迳河交汇处（现仓前大桥）时，2千米外的云岭祖坟旁的大松树枝桠也飘动起来。

村郑兰公祠结构相对简单，在围屋内用一间平房做祠堂，对大门加以改造而成。里面供奉着祖先牌位。

村有北帝庙。相传村北面水田蚂蟥特别多，为了整治蚂蟥，请上天专管风、水的“北帝”下凡帮助驱虫增收，便在村北面河边建起此庙。

村还有文武庙。先祖祈求子孙后代勤耕苦读，多出人才，在村北面的村背山咀下（北帝庙斜对面，隔河相望）兴建文武庙。后因国道106线（现县道373线）建路需要而拆除。现该庙为不到2平方米的简陋小屋，以土地伯公的形式设置，但仍香火不断，许多村民到此上香拜祭。

传统民间习俗为客家人习俗的延续。民间节日以春节、元宵节、清明节、端阳节、中秋节、冬至等节为主，还有四月八、七月半、十月朝等节日。传统节日食品有客家脍肉、酿豆腐、糖环、油角、艾糍、粽子、炒米饼等。传统婚嫁习俗保留中原古制从议婚至完婚过程中的六种礼节，即：纳彩、问名、纳吉、纳征、请期、亲迎。随着社会的进步，这六礼已被新式婚俗所取代，其中部分程序一直沿用至今，送小担、踏家门、迎亲等嫁娶礼俗依然存在。丧葬风俗，以土葬为主，还有一个风俗一直流传至今，每当村中老人辞世，招待亲朋好友的标准三样菜有猪肉、青菜、豆腐，不许饮酒作乐，以示哀悼。但葬礼的基本形式不变，包括择时辰、建灵牌、收殓、引灵、接体、奠礼、出殡、火化、安葬等。

主要历史事件：1946年11月，游击队员郑资、朱永居、朱玉焕三人在风（丰）迳高陂垅茶寮为游击队筹集补给时，遭范烈光联防队袭击，郑资、朱永居脱险，朱玉焕牺牲。

该村历史以来形成崇文重教的民风特点，把教育儿孙洁身自好、求学进取、尊敬师长的内容列入家训族规，不少人学有所成。如：郑嗣爵（？—1962），民间外伤科医生，擅长生草药医治刀伤跌打，深得群众赞赏。郑大瑯（1908—1951），曾任国民政府军团长。郑镜澄（1929—1950），革命烈士，北江第一支队战士，1950年在韶关帽子峰战斗中牺牲。郑大明（1930—2010），黄埔军校成都分校炮科毕业，曾任炮兵团长，1949年在南京率部起义。郑国尝，1943年生，中国轻工集团华南公司副总经理（正处级），高级经济师。郭燕颜（郑国尝的妻），1945年生，广州城市职业学院纪委副书记兼办公室主任（正处级）。郑从军，1969年生，任广东省体育运动技术学校校长。

（资料填报：郑创家；初稿撰写：郑承沧、朱南岳；总纂：李协湖）

塅心村

◎ 塅心村村貌（摄于 2015 年）

塅心村，位于迳头镇东南部，距镇政府 6 千米。村始建于清乾隆年间（1736—1795 年），从英德县大陂都迳头乡（今佛冈县迳头镇）官仓背村分支迁入而形成。因村落建在田塅（大片农田，客家话为田塅）中间，故取名塅心村。曾用名荷花村。

村坐落于田畴中央，东面是杨岭村，南临县道 362 线、瑶府口村，西边是仓前村、官仓背村，北面是利村。村西北两面有迳头河环流，村前有个大的半月门口鱼塘。县道 362 线和乡道瑶府口至利村线从村旁穿过。该村有 2 条古商道必经之路段，从水头—丰迳村至一六街经仓前圩往瑶府口、塅心村、杨岭村石嘴头，过迳头河到小湾大坪，再登山过砻钩岭通新丰县卢屋、白沙。另一条为仓前至新丰遥田古道。

村形成时属英州大陂都迳头乡，清嘉庆十八年（1813 年）属佛冈厅迳头乡，民国时期属佛冈县陂头乡，中华人民共和国成立后属佛冈县第三区仓前乡，1958 年 10 月属从化县跃进（迳头）人民公社仓前大队，1961 年 5 月属佛冈县迳头公社仓前大队，1983 年 12 月属迳头区仓前乡，1987 年 1 月属迳头乡仓前管理区，1989 年 11 月属迳头乡仓前管理区，1994 年 2 月属迳头镇仓前管理区，1998 年 11 月属迳头镇仓前行政村至今。

世居村民为郑姓。根据《大陂郑氏族谱》记载，元末从福建先迁至广东连平或翁源，随后逐步迁至英德、长宁（今新丰）回龙塘村，后迁到潮之程乡（今梅州地区），遵母之命改从舅姓。郑百三为大陂郑氏始祖（一世祖），从潮之程乡迁至韶之英州大陂都迳头乡山下村落籍。二世祖迁居石嘴头上片铁芦冲，清康熙十一年（1672 年），迁至云岭高冈廖公窝（俗称猫公窝）。十世祖郑兼四迁至官仓背。十三世祖英豪（崇德）、英杰（腾芳）、英瑞（占三）于清乾隆中期兴建塅心村，至今已繁衍十多代。

2015 年末，村有户籍人口 540 人，其中男性 275 人、女性 265 人。80 岁以上老人 49 人，最年长者 90 岁（男）。生活主要依靠农业收入有 316 人。实际在村居住人口 316 人，其中留守儿童 30 人，常年在城镇生活和打工 224 人。祖籍该村的香港同胞 40 人、台湾同胞 15 人，还有华人华侨约 50 人，主要分布在澳大利亚、马来西亚、加拿大。村民均为汉族，客家民系，使用客家方言。

村有耕地 20.87 公顷、山地 80 公顷。传统经济以农业收入为主，主要作物有水稻、番薯、木薯、花生、大豆等，现多种植粮食作物、果树、经济林木。现村民主要经济收入来源为农业收入、商业经营、务工收入等。也有从事生产铁农具、刀具，理发，建筑业等。

村于 1979 年通电，1996 年通电话，2004 年实现道路硬底化，2013 年通光纤网络。该村重视文娱体育设施建设，1975 年兴建篮球场，1995 年建成文化室，2012 年建立乡村公园，购置 6 件健身器材，为村民娱乐和健身带来方便。

◎ 塅心村文化室（摄于 2015 年）

村大围有“铁城”之称。现存传统大围、新围、竹头背民居三座，建于清中期，基本保存完整。大围占地面积 5323 平方米，是客家围屋“千家归一门”的格局。大门两旁，用石墩托起三块大黎木板，客家话叫“桥方”，供大家休闲用。其中最长的一块厚 0.20 米、宽 0.50 米、长 5.3 米（体积 0.53 立方米），重量超过千斤。外墙厚 40 厘米，高 5 米，精制三合土结构，上下大小枪炮眼排列有序，全方位防御。建筑布局为长形，长 24 丈，宽 20 丈。全围民居 33 套，每套 3 间，合计 99 间。围内有东西走向街巷 4 条，互相联通，内有两口水井，左右两边住房的窗框均为石板，窗栅栏为粗大圆形铁杆，而且都是活动结构。遇到紧急情况，可从窗户进出，可以抵御三五百人一个月时间的进攻，铁城之名由此而来。塅心村围屋有两大特点。一是墙体全为三合土结构，经几百年仍然屹立完好。二是普遍使用石料。地面、门框、窗户均以石板作料，大门配石梁石柱。由于围村大，从大门出入不方便，为图快捷，村民有时从宽大的石窗口进出。屋里窗下有一张厚板凳，窗外下面有一石墩，成为段心村的独特风景。如今，村民在围屋外建起混凝土楼房，旧围屋基本无人居住。

◎ 塅心村古民居（摄于 2015 年）

塅心古井建于清代。古井上圆下方，花岗岩铺砌，内圆直径 60 厘米，外圆直径 80 厘米。井面面积 13 平方米，用花岗岩条石铺砌，古井已无人使用。

◎ 塅心村古井（摄于 2015 年）

该村的时生公祠，位于大围村内中央。祠堂共三进，占地面积 500 平方米，加上祠堂前面的广场共 780 平方米。祠堂首进为过道，首进与二进之间为天街，二进为议事厅，可容百余人，也是村民节

◎ 塅心村郑氏书院（摄于 2015 年）

◎ 时生公祠新匾（摄于 2015 年）

日或喜庆聚会的地方。二进与三进之间也是天井，三进为香火堂，供奉祖宗神位；两侧是厢房，一侧用来停放 60 岁以上老人的寿枋，另一侧是仓库，用来放置公物。时生公祠始建于清乾隆年间，重修于 1984 年。

村在祠堂二进厅同时设有私塾“郑氏书院”，1937 年国民政府在仓前开办公立学校时才停办，书院办学 200 年来为该村培养了郑开珍、郑开缙、郑开钰及一批秀才。据《大陂郑氏族谱》记载，祠堂头进大门墙上挂有六块牌匾：“督旨威将军”、“进士第”、“大夫第”（郑开珍）、“府献分游”（郑开钰）等。“文化大革命”时期牌匾被毁，2016 年村民重新复制悬挂。

村修有《时生公族谱》，2000 年 6 月，由郑时生后人郑国蔡编修。该族谱是《大陂郑氏族谱》的分谱，内容包括郑氏源流、渊源世系、郑氏辈序、郑氏族规与文献、祖墓碑志、郑氏历代知名人物、民间传说故事等，全面记载塅心郑氏的繁衍变迁。族谱记载大陂郑氏辈序是“伯祖永开东，兴嗣大国中。从龙基世德，佑尔万年丰”。2009 年 3 月 25 日大陂郑族通德堂理事会召开族人大会，通过新续辈序为“秉志廷初本，承恩佐建功；家邦崇显达，伟业耀先宗”。

民间节日以春节、元宵节、清明节、端阳节、中秋节、冬至等节为主，还有四月八、七月半、十月朝等。传统节庆食品有：春节的客家脍肉、酿豆腐、糖环、油角、炒蛋子、炒米饼，元宵节的汤圆，清明节的糯米艾糍，端午节的粽子，中秋节的月饼等。

每年农历正月十四为该村的上灯日，举办吊灯仪式（上年新生男孩上灯）。吊灯，即上年出生的男丁集中在这天向祖先报喜，该男孩从此成为本族人口。这天，凡添丁主户都要上交“丁鸡”一只，购买灯笼一个；凡参与者缴纳一定餐费，村里公款拨出部分资金，作为“吊灯”支出。在上灯日，时生公后裔汇集一起，先由各村有身份的人员集中在祠堂二进厅议事，议定有关事项。上灯仪式开始时，点燃爆竹，锣鼓齐鸣，用滑轮升起灯笼，主持人大声宣读新生男丁名字，父母带新生男孩跪拜祖先。接着，彩车装上其余灯笼，众人抬着丁鸡、猪头，和舞狮队一起去官仓背兼四公祠拜祭，再去官仓背社，最后到仓前玉渊公祠堂拜祭。进程结束后，男人在祠堂内用餐，女人在祠堂外用餐。

清光绪三十三年（1907 年），迳头朱、郑两姓发生械斗。佛冈解放初期，有极少数村民参加“青年党反共救国军瑶心大队”，1951 年 6 月清匪反霸时该对被取缔。1953 年发生洪灾，大部分水利设施被毁，村庄水位深近 1 米，该村稻田被淹没，围外民房倒塌 10 多间。

该村清代主要人物有：郑开珍（1772—1836），清中期获准在村建大夫第。郑开钰（1778—1850），清中期获府献分游，官至四品。郑开钜（1790—1833），清嘉庆年间举人，任广西平府贺县典义，后升为武阳巡检。郑兴泉，清朝中期曾任广西按察司官员。清代秀才有郑从荫、郑赞周、郑膺周、郑英瑞（占三）。

民国及以后主要人物有：郑富国（又名郑永华）（1928—？），曾任新华社香港分社社会部长。郑承样（1941—2007），广东工业学院毕业，高级工程师。郑和平，1963 年生，广州市人民检察院高级检察官。

（资料填报：郑卜初；初稿撰写：朱南岳、郑承沧；总纂：李协湖）

仓前村

◎ 仓前村村貌（摄于 2015 年）

仓前村，位于迳头镇东南部，距镇政府 6 千米。村始建于清道光二十四年（1844 年），从英德县大陂都迳头乡（今佛冈县迳头镇）塅心村村民分支迁入而形成。因明代实行“广积粮”，藏粮于民的政策，官府在各地广设粮仓，俗称“官仓”，该村处于官仓前面，故取村名仓前村。

村坐落于一六街村、官仓背村、塅心村、瑶府口村、黄屋村的中心区域，自古就是本地的商贸交易中心，也是本地管理机构所在地。村东跟瑶府口村接壤，南面紧靠黄屋村，西临仓前河，与官仓背村隔河相望，北是大片农田。县道 373 线自西往东从村边穿过。

该村在郑氏迁入前已形成古商道和古道起点：仓前—白沙古商道形成于明洪武二年（1369 年），古商道起点为佛冈县迳头镇（原英德县大陂都迳头乡）仓前村（原圩场），经塅心、杨岭，于杨岭石嘴处过仓前河，经大坪山、砻钩岭、乌石牯、雷打石、三棵松、坳下、卢屋、竹䒒、下卢、新街、温屋角，到英德市（原英德县）白沙圩，全长 20 千米。

当年朝廷在今新丰县城西面、佛冈交界处设“拨中所旗军田粮”（即屯田之地），因距离县城较远，故名“遥田”。随即，赖姓人在此建集市，称遥田圩。仓前、湖洋、青竹各地民众前往赶集，逐渐形成古道。仓前—遥田古商道形成于明洪武年间(1368-1398

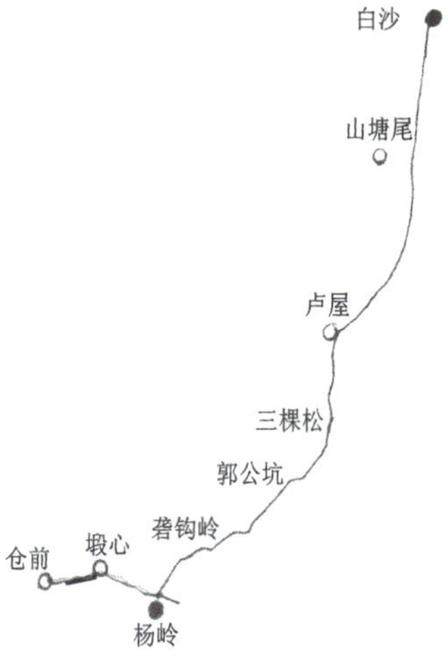

◎ 仓前—白沙圩古道示意图

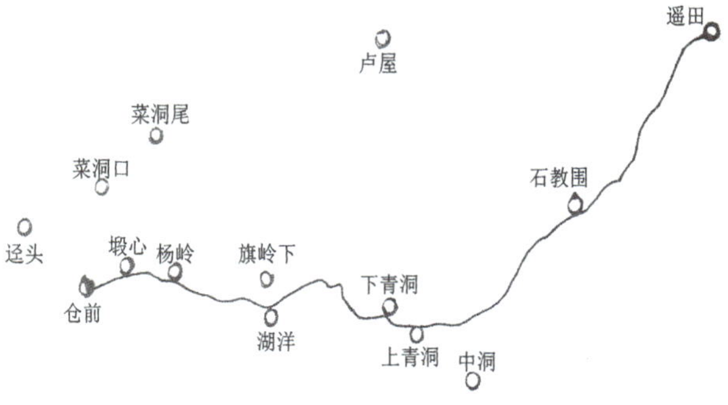

◎ 仓前—遥田古道示意图

年），古商道起点为佛冈县迳头镇（原英德县大陂都迳头乡）仓前村（原圩场），经塅心、杨岭、湖洋、青竹、石教围，到遥田，全程 22 千米。

村形成时属英德县大陂都迳头乡，清嘉庆十八年（1813 年）属佛冈厅迳头乡，民国时期属佛冈县陂头乡，中华人民共和国成立后属佛冈县第三区仓前乡，1958 年 10 月属从化县跃进（迳头）人民公社仓前大队，1961 年 5 月属佛冈县迳头公社仓前大队，1983 年 12 月属迳头区仓前乡，1987 年 1 月属迳头乡仓前管理区，1989 年 11 月属迳头乡仓前管理区，1994 年 2 月属迳头镇仓前管理区，1998 年 11 月属迳头镇仓前行政村至今。

世居村民为郑、黄姓。郑姓，据《大陂郑氏族谱》记载，约元末从福建依次迁经广东连平、英德、新丰、潮之程乡（今梅州地区），并改从母姓（姓郑），从潮之程乡迁移至韶之英德，在大陂都迳头乡山下落籍。随后依次迁至石嘴头上片铁芦冲（今司马第村背后附近）、云岭高冈廖公窝（俗称猫公窝），康熙后期迁至官仓背。十二世祖兴建并迁至塅心村，十五世祖东凯公于清道光二十四年（1844 年）迁至该村，至今已有百年历史。村有少量黄姓村民。中华人民共和国成立前，一姓黄的女姑嫁到仓前，她带来弟弟一起生活，他的弟弟便在仓前落户成家。

2015 年末，村有户籍人口 211 人，其中男 107 人、女 104 人。80 岁以上老人 6 人，最年长者 91 岁（男）。实有居住人口 123 人，其中留守儿童 15 人，生活主要依靠农业收入的 106 人，常年在城镇生活和打工的有 88 人。村民均为汉族，客家民系，使用客家方言。

村于 1980 年通电，1996 年通电话，2000 年街道实现水泥硬底化，2013 年通网络。村中建有垃圾收集站。该村与黄屋村合建一个仓前黄屋文化室。

村有耕地 3.2 公顷、山地 8.67 公顷。该村传统经济以农业为主，主要作物有水稻、番薯、木薯、花生、大豆等。现多种植粮食作物、果树、经济林木。少数人从事打铁、理发等手艺。

现该村传统节日食品有客家脍肉、酿豆腐、糖环、油角、艾糍、粽子、炒米饼等。村民主要收入来源为农业收入，外出务工村民为工资性收入，也有少数经商者。

◎ 传统石磨（摄于 2016 年）

村由仓前街、新屋、下湾三个居住点组成，仓前地处周边九个自然村落中心，又处于迳头至青竹的交通要道上，在交通落后年代于明洪武年间，设立了仓前街市（圩市）。仓前街只有一条街，街道南北走向，长度近百米。东面有杂货铺、烟馆、豆腐作坊、肉店、客栈、药房、木器店、车缝铺、收买店、木用具修配等店铺，西面有字花楼（赌档）、交易摆卖场（本地叫穿坊寮）、杂货铺等。每逢农历二、七墟日，街市熙熙攘攘，热闹非常。店铺都是二进结构，头进做生意，二进住房，两进间是天井、水井和厨房。二进后面为菜地，纯德堂药铺内还有一座小碉楼。古商道由英德县大陂都迳头乡风迳村（后改丰迳村）至一六街，经仓前圩往瑶府口、塅心村、杨岭村，过仓前河到小湾，登山过砻钩岭，直往新丰县卢屋，往前 3 千米到达白沙圩。中华人民共和国成立前，仓前是一个小圩市，有店铺十多间，设有杂货店、烟馆、赌馆、木作、祠堂、义仓、学校、民居等。

◎ 仓前村古街场（摄于 2015 年）

◎ 纯德堂碉楼（摄于 2015 年）

仓前街最南端有一座义仓（注释：清康熙十八年，诏乡村立社仓，市镇立义仓，广积储，以备灾荒）。1942 年 2 月，义仓改作迳头乡第二、三保国民小学，校长郑为国。中华人民共和国成立后为仓前小学，开设 1—4 年级课程。由于学生逐年增多，征用附近民房也不能解决学位需要，政府另选校址，在瑶府口与黄屋之间的山坡上建立新学校。1966 年正式搬迁到新校址，义仓废置。紧靠东面店铺的住屋叫新屋，都是普通的平房结构。

仓前街南面有一个独立的村子——下湾村。它是简单的客家围屋，由两列南北走向民居构成，大门转向西北，墙体为三合土及泥砖砌成，灰瓦盖顶，石嵌街巷，由几户郑姓人家居住。他们的祖先原在云岭高岗廖公窝居住，清末因姓氏矛盾，被清政府当作人质扣留下来，随后迁居到高陂龙、一六街崩坎头，最后迁到该村（曾用名裕后村）。现在，村民在仓前村周边建起新楼，原来的旧居已无人居住，但整体保存完好。仓前街东面中部有玉渊公祠。原祠在廖公窝，郑姓搬迁后无人管理，日久荒废。玉渊公祠于 1916 年在仓前街重建，1917 年竣工。祠坐东向西，长 24 米，宽 5 米，占地面积 120 平方米。正门的石门楣上刻有“玉渊公祠”四个大字。正门前有檐廊，正门后依次是头进、天井、香火堂（二进），香火堂后面有一条 1.5 米宽的横向小巷，最后面是 2.5 米宽的理事人员办公室。头进有一道屏风，香火堂正中立有玉渊公、广公的神位牌，两侧悬挂楹联“玉树长春感先代遗徽苦种勤耕同步攀登富裕路；渊源追溯喜后人承志宏猷惠政齐来奔向小康家”，由官仓背郑济美撰联。民国初年兴建玉渊公祠时，立碑三块，即神位牌、左昭、右穆。至今仍保留下来的原物有右穆（放在官仓背兼四公祠内）。中华人民共和国成立后，玉渊公祠曾用做仓前乡的乡公所，合作化期间用做仓前大队大队部、合作医疗站，所以祠内设施都是后人所建。

民间节日以春节、元宵节、清明节、端阳节、中秋节、冬至等节为主，还有四月八、七月半、十月朝等节日。农历正月十三为该村的上灯日。传统婚嫁习俗中，保留中原古制从议婚至完婚过程中的六种礼节，即：纳彩、问名、纳吉、纳征、请期、亲迎。随着社会的进步，这六种礼仪已被新式婚俗所取代，其中部分程序一直沿用至今，送小担、踏家门、迎亲等嫁娶礼俗依然存在。传统的丧葬风俗庄严而繁杂，多沿用古中原的传统，以土葬为主，中华人民共和国成立后逐步实行火葬，其程序有：竖灵、收殓、引灵、接体、奠礼、出殡、火化、安葬等。

抗日战争时期，仓前街曾有驻军。国军的中央训练团（通信兵）在仓前街“穿方寮”（摆卖场）用脚踏发电机发电进行训练，士兵衣服上有“中训”两字。1938 年 12 月初，驻军在河边大榕树下吃饭时遭日机轰炸，炸死 8 名士兵，埋葬在松树坝对岸。1950 年有少数村民受骗参加“青年党反共救国军瑶心大队”后在清匪反霸中取缔了该组织。1953 年发生过洪灾，村庄水深超 2 米。

该村主要人物有：郑清（？—1948），革命烈士，民主先锋大队中岳中队战士，1948 年 1 月 26 日，宝结岭反击战中因伤被俘，在墩下回龙社被杀害。郑中雄（1937—2013），曾任佛冈县公安局局长、深圳市司法局局长、深圳市公证处处长。郑国锦（郑雄初）（1927—？），1946 年广州知用中学高中毕业，曾任水头文源学校教师，1948 年 8 月去台湾在孙立人部任文化教员。郑威，1963 年生，南京体校体操副教授，2003 年获全国体育总局颁发的“全国体育竞赛优秀奖”。

（资料填报：郑玉艾；初稿撰写：郑承沧、朱南岳；总纂：李协湖）

一六街村

◎ 一六街村村貌（摄于 2015 年）

一六街村，位于迳头镇东南部，距镇政府 6 千米。村始建于清道光二十四年（1844 年），大陂郑氏十五世祖东敬公从英德大陂都迳头乡（今佛冈县迳头镇）塅心村分支迁入而形成。村子前面是街场（圩），并以农历一、六为圩日，故取名一六街村。

村坐落于仓前河与丰迳河交汇处，东是一座小山包，西边是云岭村，西北为梭肚、坎面村，与官仓背村隔河相望，东北是仓前村、瑶府口村。村后山脚下有一条石嵌古道，从丰迳经本村往东通往仓前、杨岭、青竹、新丰县遥田，往西北通往迳头、烟岭、太平、翁源等地。南有县道 373 线从村旁穿过，西面是仓前大桥，把县道 373 线和 362 线连接起来，该村是广州—佛冈—韶关、仓前—英德白沙、仓前—新丰遥田 3 条古道交会处。

村形成时属英德大陂都迳头乡，清嘉庆十八年（1813 年）属佛冈厅迳头乡，民国时期属佛冈县陂头乡，中华人民共和国成立后属佛冈县第三区仓前乡，1958 年 10 月属从化县跃进（迳头）人民公社仓前大队，1961 年 5 月属佛冈县迳头公社仓前大队，1983 年 12 月属迳头区仓前乡，1987 年 1 月属迳头乡仓前管理区，1989 年 11 月属迳头乡仓前管理区，1994 年 2 月属迳头镇仓前管理区，1998 年 11 月属迳头镇仓前行政村至今。

世居村民为郑、夏姓。据《大陂郑氏族谱》记载，太上祖冯乐宣约元朝从福建迁移至广东连平，其后代经翁源、新丰，约明洪武年间迁到潮之程乡（今梅州地区）。第十六代改母姓（郑），迁移至韶之英德，在大陂都迳头乡落籍。其中部分后代依次迁至石嘴头铁芦冲（司马第村背）、云岭高岗廖公窝、官仓背、塅心村，清道光二十四年（1844 年），东敬公从佛冈县迳头镇塅心迁到一六街。另有一家从迳头镇云岭高岗经高陂龙迁到一六街，住屋称“崩坎头”。夏姓，1939 年从广东省江门沦陷区迁入该地。

2015 年末，村有户籍人口 146 人，其中男性 74 人、女性 72 人。80 岁以上老人 9 人，最长者 93 岁（女）。实有居住人口 86 人，其中留守儿童 4 人，生活主要依靠农业收入的 72 人，常年外出打工或在城市生活 60 人。有港澳台同胞 4 人。村民均为汉族，客家民系，使用客家方言。

村有耕地 6.2 公顷、山地 10 公顷。传统经济以

◎“解放中”枇杷（摄于 2015 年）

◎ 荣芳楼（摄于 2015 年）

农业为主，主要作物有水稻、番薯、木薯、花生、大豆等，现在经营农业、经济竹木。村民主要收入来源为农业收入，外出务工村民为工资性收入。特色农产品“解放中”枇杷（“解放中”是品种名称）。该村自然资源有稀土矿、泥竹、大头黄竹。

传统节庆食品有：春节的客家脍肉、酿豆腐、糖环、油角、炒米饼，元宵节的汤圆，清明节的糯米艾糍，端午节的粽子，中秋节的月饼等。妇女坐月子时，喝糯米甜酒、吃猪脚甜醋等。

村于 1977 年通电，1994 年通电话，2005 年村道实现水泥硬底化，2013 年通网络。

村旧民居坐南向北，单列结构，带状分布。三合土结合泥砖墙体，灰瓦盖顶，石嵌街道，两层高度。道路铺卵石，叫石阶路。临河石阶路边就是街场（圩），逢农历一、六日为街日。这个街场很特别，是在古道旁边竹林间的一片空地作为交易场所。随着仓前街的兴起，这个旧街场已无人赶圩。

◎ 一六街村传统民居一角（摄于 2015 年）

整个村子没有围墙，唯一的防御建筑就是荣芳碉楼。荣芳楼，由开村十五世祖东敬公之孙郑荣芳建于 1875 年。郑荣芳于 1875 年科举考试中取得“武举人”称号，当时政府为了表彰其功绩，拨款建起该“荣芳楼”。该楼宽 7.9 米，深 11.3 米，高 10.8 米，三层结构。墙体四面有炮眼，炮眼内宽外窄。正面看去，就是一座普通的碉楼，但侧面看去就大不相同，有着镬耳楼的特征。碉楼正厅供奉着一块考取武举人后制作的雕刻，为红漆阳雕“乙亥恩科举人”。这是郑荣芳 1875 年科举考试所得。右边建有木板楼梯，梯两边有扶手。二、三层楼板都是木质结构，第三层分左右两部分，由左右分向的木板梯连接。楼顶盖灰

◎ 郑荣芳的练武石（摄于 2015 年）

◎ 举人牌（摄于 2015 年）

瓦，是镬耳楼结构。如今整体保存完好，木楼板部分腐朽较严重。荣芳公就任佛冈营千总，大方楼就交给兄长郑大芳管理，以后也一直由大芳的子孙看管。因此村民叫荣芳楼为“大方楼”。郑荣芳磨炼力气的“武石”还保留完好。还有一块“武魁”的木匾，今悬挂于水头白石镇必岳公祠大门额上。相传是荣芳公为白石镇同宗兄弟讲武教武时带去炫威的，便留在那里。原来的几排老屋，少有人居住。旧居前面建起钢筋混凝土结构楼房。

该村的民间习俗多为客家人延续。民间节日以春节、元宵节、清明节、端阳节、中秋节、冬至等节为主，还有四月八、七月半、十月朝等节日。正月十三为该村的上灯日。由于村里没有祠堂，上灯还回到塅心时生公祠进行。传统婚嫁习俗中，保留中原古制从议婚至完婚过程中的六种礼节，即：纳彩、问名、纳吉、纳征、请期、亲迎。随着社会的进步，这六礼已被新式婚俗所取代，其中部分程序一直沿用至今，送小担、踏家门、迎亲等嫁娶礼俗依然存在。传统的丧葬风俗庄严而繁杂，多沿用古中原的传统，以土葬为主。还有一个风俗一直流传至今，每当村中老人辞世，招待亲朋好友的菜肴标准三样菜有猪肉、青菜、豆腐，不许饮酒作乐，以示哀悼。

村民团结友爱，村风淳朴。1953 年发生特大洪水，村中遭受水灾，一些农户房屋和财产遭到损失，全村人互相帮忙，受灾家庭尽快恢复了生产生活。

该村主要人物有：郑荣芳，清光绪元年（1875 年）武举人，曾任佛冈营千总。郑启团（1928—2003），曾任高岗镇长江小学、三江小学首任校长。

（资料填报：蓝如仲；初稿撰写：郑承沧、朱南岳；总纂：李协湖）

杨岭村

◎ 杨岭村村貌（摄于2015年）

杨岭村，位于迳头镇东南部，距镇政府约7千米。该村始建于清乾隆五十七年（1792年），五十九年二月建成。居民从英德县大陂都迳头乡（今佛冈县迳头镇）官仓背村分支迁入而形成。该村原为杨姓人建造，村址在今村后背岭边，故取名杨岭，并沿用至今。

该村坐落于丘陵地带，东面不到百米之处有徐屋（约清嘉庆末期迁走），南依山岭，西连瑶府口村、塅心村，北面为耕地，隔河为利村。古道东西走向，由村前（北边）通过。东至杨岭石嘴（旧称徐屋石嘴），分为两路，一路向东，通湖洋、青洞及新丰县遥田，另一路向北，通英德白沙；西通仓前、迳头、大陂等地，现已为县道362线取代。

该村建成时属英德县大陂都迳头乡，清嘉庆十八年（1813年）属佛冈厅迳头乡，民国时期属佛冈县迳头乡（有时称陂头乡），中华人民共和国成立初属佛冈县第二区（后改为三区）陂头乡，1954年5月属佛冈县迳头区仓前乡，1958年10月佛冈县并入从化属从化县跃进（迳头）人民公社仓前大队，1961年5月恢复佛冈县建制属佛冈县迳头公社仓前大队，1983年2月属迳头区仓前乡，1987年1月属迳头乡仓前行政村，1994年属迳头镇仓前管理区，1998年11月属迳头镇仓前行政村至今。

世居村民为郑姓。其先祖原姓冯，元朝中后期从福建迁移至广东连平或翁源，再迁至英德、长宁（今新丰）。约洪武年间（1368—1398年），迁至潮之程乡（今梅州地区），并改从母姓，称郑百三，为大陂郑氏始祖。明正统初年，郑百三之子郑聪千兄弟迁移韶之英德，在大陂都迳头乡山下落籍。随后依次迁至石嘴头上片铁芦冲（今司马第村背后附近）、云岭高冈廖公窝。康熙后期，十世祖郑兼四迁到官仓背，乾隆五十九年（1794年）该村始祖郑祖茂（？—1788）之子郑宏汉、郑宏宗、郑宏业迁到杨岭村，至今已繁衍十三四代。

2015年末，村有户籍人口159人，其中男性81人、女性78人。80岁以上老人11人，最年长者91岁（女）。实有居住人口93人，其中留守儿童6人，生活主要依靠农业收入的81人，常年在城镇生活或外出打工66人。村民均为汉族，客家民系，使用客家方言。

村有耕地7公顷、山地60公顷。传统经济以农业为主，主要作物有水稻、番薯、木薯、花生、大豆、小麦和种植水果等。也有人从事修理钟表、打铁、补鞋等手艺的。20 世纪 80 年代以后，大部分青壮年外出打工。村民主要收入来源为农业收入、外出务工收入，也有经商、从事建筑行业的。

传统（节庆）食品有糯米糍、艾糍、糖环、米饼、油角、酿豆腐、粽子、脍肉、春糍等。特色小吃是客家“炒蛋（弹）仔”。

村于 1975 年通电，1983 年通电话，2008 年村内实现水泥硬底化，2013 年通网络。还兴建了文化室和篮球场。

◎ 杨岭村文化室（摄于 2015 年）

民居起初是客家围屋，俗称围肚，前后共三列，其前面有水塘一口。清嘉庆后期至道光年间，在围肚西面逐步兴建五排共 18 栋民居，结构为客家民居

◎ 杨岭村传统民居一角（摄于 2015 年）

中的三间两廊一天井，随后还建有围墙和大门径，把整个上围的住屋围起来。同时还在上围西侧兴建下围，前后共四列，但右后边及中间的三列、四列没有建成。村前亦有水塘一口（今已填平）。下围是较迟兴建的民居，位于忠公街大门左侧与下门径之间。抗日战争时期，有一个班的抗日军队在此驻扎。在从化牛屎坜阻击日军向粤北进犯时，此屋是通信兵工作室。

村有两座社坛。一座称“老社”，位于杨岭村井下口以外，在瑶府口后背山山边，约建于清乾隆中期。“文化大革命”时期被拆毁，2004 年在原址用原石料重修。石碑房檐为庑殿结构，檐下刻有“杨岭祖社”，主碑中间文字是“威灵尚主神位”，两边对联为“社貌尊严凭福荫；坛威赫濯庇民生”。另一座称“新社”，位于杨岭村下围水塘西侧，大约建于清嘉庆至道光年间，社坛旁边有几棵大树，其中一棵樟树抗日战争期间用来蒸馏樟油。社坛碑文原用浮雕方式镌刻在石灰筑成神位碑上，碑文：“迴龙祖社神位”。对联是“杨堤迎景福；岭FAX庆丰年”。因神位碑开裂损坏，2004 年重修，碑文和对联改刻在石碑上。

◎ 元宵节社坛闹灯（摄于 2015 年春节）

该村有家谱、族谱多本。有郑建康（1875—1953）收藏的，约纂修于清末至民国初。有郑多桢（1865—1946）纂修于 20 世纪 40 年代中期的《世系事略》。有《英德大陂郑氏族谱》，为郑求圣、郑文

◎ 百年古榕树（摄于 2015 年）

锻于 20 世纪 80 年代编修。有郑湖宽（1932—2006）于 20 世纪 80—90 年代纂修。有郑笔枢（1931—2001）纂修于 20 世纪 90 年代的《东敬公家谱》。有 2003 年编纂的《大陂郑氏族谱——时郁世系》。《大陂郑氏族谱》，主编郑坎均，于 1998 年开始收集资料和编纂，2010 年 3 月出版，记载了六百多年大陂郑族繁衍生息的信息。

介绍该村文章有郑坎均收集、编写的《钟表修理专业村——杨岭村》。据该文记载，清末至民国初，村民郑建康、郑春池、郑春杏、郑木欣等人到江西以修理枪械谋生，与一位从上海来修理钟表的黄姓师傅同住一家客栈。其时时局混乱，黄师傅想得到防身武器，郑建康等又对修理钟表技术有兴趣，就互教互学。郑建康等掌握修理钟表技术后，回到村中传授，修钟表技艺在该村得到普及，是该村成年男子谋生手艺。这样该村就逐渐成为远近闻名修理钟表的专业村，修理钟表匠的足迹遍及粤北各县城镇、乡村，在乐昌、韶关、乳源、翁城、新江、马坝、英德县城和许多乡镇，以及佛冈县石角、水头等地开设钟表修理店，至今仍有不少人仍从事这一行业。

民间习俗，多为客家人习俗的延续。民间节日以春节、元宵节、清明节、端阳节、中秋节、重阳节、冬至等节为主，还有四月八、七月半、十月朝等节日。该村吊灯日期是每年农历正月十三日。传统婚嫁习俗保留中原古制从议婚至完婚过程中的六种礼节，即：纳彩、问名、纳吉、纳征、请期、亲迎。随着社会的进步，这六种礼仪已被新式婚俗所取代，其中部分程序一直沿用至今，送小担、踏家门、迎亲等嫁娶礼俗依然存在。还有“回门”风俗，即每年正月初四，夫妇带着子女去女方父母家拜年。丧葬风俗，以土葬为主。还有一个风俗一直流传至今，每当村中老人辞世，招待亲朋好友的菜肴标准三样菜有猪肉、青菜、豆腐，不许饮酒作乐，以示哀悼。但葬礼的基本形式不变，包括择时辰、建灵牌、收殓、引灵、接体、奠礼、出殡、火化、安葬等。此外，还有两个习俗。一是做“七”，即死者去世后，每隔七天，做一次法事，“头七”是请和尚招

◎ 醒狮拜年（摄于 2016 年）

魂回家，神主牌入座纸屋，放入堂中，早晚烧香祭拜，“二七”“三七”请和尚做法事，过了“三七”由道士焚化纸屋，神位牌送入祠堂入位，一般丧事才告结束，但有的要做到“七七”才结束。现在做“七”习俗仍然进行，只是不请和尚和道士而已。二是祭扫新坟，即新修筑（包括重修）的坟墓要在社日（立春后第五个戊日为春社，具体日期在春分前后约四五日范围内）之前祭祀，故此习俗亦称“拦社”。

村主要历史事件：清末至民国初发生过姓氏械斗，上围围墙就是20世纪20年代械斗期间修建的。抗日战争时期，晚上点灯照明的煤油匮缺，英德白沙人在村后井下杨岭背夫坪一侧兴建一座樟油厂，用村后山坪上树龄数百年的两棵古老樟树和新社旁树龄过百年的一棵樟树作原料，蒸馏樟油，供给迳头、烟岭、高冈及英德白沙等地村民晚上点灯照明之用。当时下围有一个班驻军。在从化牛屎坜阻击日军向粤北进犯时，下围驻有通信兵，用脚踏发电机发电，供与前方通信联系。同时在围肚设战时后方医院，接收和救治从前线转移下来的伤兵，厅下（祠堂）内、街巷屋檐下住满伤兵。后方医院转移时，有两名抗日军人因伤势过重被留下，不久逝世，由村民李发嫂、朱润娴妯娌将其在大坪茶寮旁安葬，并长期祭祀，后因在大坪开荒而丢失。20世纪40年代初，该村成立“群乐社”，购置狮头锣鼓，聘请烟岭高坝村狮队传授技艺。逢年节日和农闲期间，群乐社为村民增添欢乐气氛。

该村主要人物有：郑青钱（1865—1946年），又名多才，字毓生，为清廪生，是清末至民国初英德县城重要私塾教师（2006年《英德县志》有记载），曾任英德县公署总务科科长，曲江县公署总务科科长兼教育科科长。郑望周（1880—？），清末庠生，广州地方审判厅书记官，高要地方审判书记官等职，职业律师，中华人民共和国成立初期移居香港。郑锡村（1907—1964年），既是钟表修理匠，又是枪械修造匠，中华人民共和国成立初期在英德横石塘谋生，英德县大队的机枪被土匪打坏，找到郑锡村，他连夜把机枪修好，为围歼横石塘地区土匪战斗胜利提供保障。郑笔枢（1931—2001年），1949年9月参加佛冈县二区支前民工队，中华人民共和国成立后，在翁源县教育部门和区政府工作，1958年荣获广东省劳动模范称号，随后在中共翁源县委学校任教，1970年调湖南宜章梅田矿务局工作，1978年调中共韶关市委党校任教，1982年调任韶关市中级人民法院办公室主任。郑圣擎，1935年生，1960年毕业于西安建筑工程学院，分配到北京钢铁设计院工作，高级工程师，曾到英国短期进修、学习和工作。郑坎均，1936年1月生，高级工程师，1961年毕业于中南矿冶学院，1961—1989年先后在北京、青海、四川等地从事两弹（原子弹、氢弹）的研制和生产，获得国家级科技进步二等奖、国家级发明三等和四等奖各一次，退休后参加《佛冈县志》《中国共产党佛冈县地方史》等书编纂，从事地方志工作15年，收集和整理大陂郑氏繁衍生息资料，主编《大陂郑氏族谱》。

（资料填报：郑中学；初稿撰写：郑坎均、朱南岳、郑承仓；总纂：李协湖）

○楼下行政村

水来镇村

◎ 水来镇村村貌（摄于 2016 年）

水来镇村，位于迳头镇东北部，距镇政府 3 千米。村始建于明万历三十年（1602 年），从英德县大陂都白石乡（今佛冈县迳头镇）楼下村分支迁入而形成。该村地势低洼，加上村前河床高，防洪堤不坚固，每逢下大雨，洪水猛涨，堤坐经常被洪水冲垮淹没村庄，故取名水来镇村。

村坐落于丘陵地带，坐东北向西南，东接马脐塘村，南临烟岭河，西与高岗镇三江村相邻，北面为大顶山。烟岭河由南向北经村前流过 500 米，达龙冈村、井冈村，流向英德，汇入北江。县道 839 线（河西公路）村前穿过，北通龙冈，东接 106 国道，西北连高岗镇。

该村形成时属英德县大陂都白石乡，清嘉庆十八年（1813 年）属佛冈厅白石乡，民国时期属佛冈县白石乡，中华人民共和国成立后属佛冈县第二区白石乡，1958 年 10 月属从化县跃进（迳头）人民公社高坝大队，1961 年 5 月属佛冈县烟岭人民公社高坝大队，1983 年 12 月属烟岭区公所高坝乡，1987 年 1 月属烟岭乡高坝行政村，1994 年 2 月属烟岭镇高坝管理区，1998 年 11 月属烟岭镇高坝行政村，2004 年 5 月属迳头镇高坝行政村，2005 年 5 月属迳头镇楼下行政村至今。

世居村民为范姓，是范仲淹的后裔。据史料记载，南宋中期，范氏祖先从福建上杭县南湖村迁移到广东潮州府海阳县恋州都清溪乡（改饶平县，后改为大埔县管辖），又迁至英德高基排，几年后迁到横石塘琵琶山、石灰铺背村，再迁至英东大镇柑塘咀。明正统十二年（1447 年），迁至英德县白石乡楼下村。明万历三十年（1602 年）迁移定居此地。

2015 年末，村有户籍人口 763 人，其中男性 383 人、女性 380 人。80 岁以上老人 29 人，最年长者 96 岁（男）。实有在村居住 502 人，其中留守儿童 25 人，生活主要依靠农业收入的有 486 人，常年在城镇生活和打工的有 261 人。村民均为汉族，客家民系，使用客家方言。

村有耕地 22.07 公顷、山地 220 公顷。自然资源主要有面积广阔的林地，主要树种有松树、杉树、樟树、枫树、柯树等。传统经济以农业为主，主要种植水稻，番薯、木薯、花生、黄豆等农作物为辅。现以种植粮食作物为主，以果树和经济林木为辅。村民主要收入来源为农业、外出务工性工资，少数人外出经商。

该村传统节庆食品有：春节的客家脍肉、酿豆腐、糖环、油角、米饼、炒蛋子，元宵节汤圆、发糍、清明节艾糍，端午节粽子，六月六椿糍，中秋节闪饼等。妇女生小孩，喝糯米甜酒、猪脚煲甜醋。

村于20世纪70年代通电，1992年通电话，2000年实现村街道水泥硬底化，2013年通网络。村建有休闲广场两处，配设有健身器械一批、灯光球场两个；兴建起占地400平方米集学习健身于一体的文化室，室内有供学习聚会用台凳、图书等；分别在村头、村中、村尾建有垃圾收集站3个，定期清运垃圾。

传统民居为客家围屋，由3条相邻咫尺的新屋、中心、下楼小村落组成。中心围旧民居坐东北向西南，始建于清朝前期（1644—1735年），1997年重修。围屋主体分为前栋、中栋、后栋，有1条东南向西北的横街和2条东北向西南的直街，整体呈"凹"字形布局。前栋有房屋2间，中栋有房屋2间，后栋有房屋4间，两边回水各2间，即共有房屋12间。墙体由三合土、黄泥砖构成，硬山顶，盖灰瓦。巷道由石板铺成。旧围屋整体保存基本完好，现已无人居住。近年来，村民在旧围屋周边建成混凝土结构新楼房。

◎ 水来镇村传统民居一角（摄于2016年）

位于村围屋中央的范伟镶公祠，建于清朝前期，于1997年重修。范伟镶公祠坐东北向西南，正面为石门坎的大门，门额刻有范伟镶公祠牌匾，厅内设祖宗神牌、香炉和烛台，神牌两边是一副对联"松

◎ 水来镇村"范伟镶公祠"牌匾（摄于2016年）

苞竹茂；世泽长春"。每逢节日，公祠香火不断，寄托村民的敬意和怀念。

在距范伟镶公祠东面50米处有一座镇安庙，始建于清前期，重建于1999年。庙中供奉着"洞主公王"。每逢节日，村民都会带上祭品到庙上拜祭，祈求村民生活安定富裕。

传统民间节日以春节、元宵节、清明节、端阳节、中秋节、冬至等节为主，还有四月八、七月半、十月朝等节日。正月十四为该村的上灯日。传统婚嫁习俗中，保留中原古制，迎亲嫁娶等礼俗依然存在。传统的丧葬以土葬为主。1990年后逐步实行火葬，但葬礼的基本形式不变，其程序有择时辰、建灵牌、收殓、引灵、接体、奠礼、出殡、火化、安葬等。食材一般只煮猪肉、青菜、豆腐等菜式，以示沉痛哀悼亡灵。

1941年发生特大洪水，全村被淹没，未转移畜禽被冲走或淹死，房屋倒塌数十间。1964年再次洪水冲破河堤，房屋倒塌23间。1984年4月1日，因下冰雹，16间房屋遭破坏。

2015年，该村被广东爱国卫生委员会评为"广东省卫生村"。

该村主要人物有：范树藩（1875—1927），曾任佛冈县二区白石乡区长。范育民（1913—1953），革命烈士，曾任北江游击队支队排长。范桂蜜，1960年生，曾任清远市计生局局长。范秀扬，1961年生，曾任中国人民解放军空军某部团长。范桂院，1966年生，任清远市环卫局局长。范桂石，1970年生，任清远市国土储备局局长。范文哲，1983年生，为广州中山大学附属第一医院副教授。

（资料填报：范志敬；初稿撰写：范秀赠、梁晓杰；总纂：李协湖）

马脐塘村

◎ 马脐塘村村貌（摄于2016年）

马脐塘村，位于迳头镇东北部，距镇政府4千米。村始建于清康熙五十一年（1712年），从英德县大陂都白石乡（今佛冈县迳头镇）楼下田心村分支迁入而形成。因该村正好建在马鞍山的“马肚脐”部位下方，故取名马脐塘村。

村坐落于丘陵地带，坐西向东，村后有海拔为370米的马鞍山。村东与田心村接壤，南临烟岭河，西临马鞍山，西南与水来镇村交接，北靠原冷水坑村。烟岭河由南向北经村前流过450米，到达龙冈村、井冈村，流向英德，汇入北江。县道839线（河西公路）从村前穿过，北通龙冈，东接106国道，西北连高岗镇。

该村建成时属英德县大陂都白石乡，清嘉庆十八年（1813年）属佛冈厅白石乡，民国时期属佛冈县白石乡，中华人民共和国成立后属佛冈县第二区白石乡，1958年10月属从化县跃进（迳头）人民公社高坝大队，1961年5月属佛冈县烟岭人民公社高坝大队，1983年12月属烟岭区高坝乡，1987年1月属烟岭乡高坝行政村，1994年2月属烟岭镇高坝管理区，1998年11月属烟岭镇高坝行政村，2004年5月属迳头镇高坝行政村，2005年5月属迳头镇楼下行政村至今。

世居村民为范、谢、邱姓，范姓是范仲淹的后裔。据史料记载，南宋中期（1165—1227年），范氏祖先从福建上杭县南湖村迁移到广东潮州府海阳县恋州都清溪乡（后归饶平县，后改为大埔县管辖），又迁至英德高基排，几年后迁到横石塘琵琶山、石灰铺背村，再迁至英东大镇柑塘咀，明正统十二年（1447年）迁至英德县白石乡楼下村，清康熙五十一年（1712年）迁移至此地建村。1953年土地改革时该村把部分田地分给谢姓和邱姓，部分谢姓和邱姓村民从烟岭廉坵村、袁墩下村迁入该村。三姓村民一直和睦相处。

2015年末，村有户籍人口106人，其中男性54人、女性52人。80岁以上老人5人，最年长者94岁（女）。实有在村居住69人，其中留守儿童2人，生活主要依靠农村经济51人，常年在城镇生活和打工的有37人。村民均为汉族，客家民系，使用客家方言。

村有耕地5.47公顷、山地33.33公顷。传统经

◎ 马脐塘村百香果园（摄于 2016 年）

◎ 马脐塘村“司马第”石刻（摄于 2016 年）

济以农业为主，粮食作物主要种植水稻、番薯、木薯，经济作物种植花生、黄豆、果树、经济林木，禽畜饲养鸡、鸭、鹅和猪、牛等，水产业主要养鱼。村民主要收入来源为农业收入，以及外出务工性工资收入，也有少数人经商。2011 年起办成生态农业观光基地，主要项目有油菜花、荷花。

传统节庆食品有：客家脍肉、酿豆腐、糖环、油角、炒弹籽、汤圆、发糍、艾糍、粽子、月饼及各种米饼。妇女生小孩，喝糯米甜酒、猪脚煲甜醋。

村 1972 年通电，1995 年通电话，2004 年通自来水，2006 年实现街道水泥硬底化，2013 年建有一处垃圾收集站，2015 年通网络，2015 年建成一座集学习、娱乐、健身于一体的文化室。

传统民居属客家围屋，坐西向东，建于清中期（1736—1820 年）。客家围屋呈现“四角点金”（围屋四个角房屋高出其他房屋）特点。围屋正面由 1 个大门径和两边对称的小廊门组成，大门由石门坎、木门框组成，门额上刻有碑文“司马第”三个大字。围屋有三条东西走向的街道和两条南北走向的街道，整体成“中”字形布局，主体分为前栋、中栋、后栋，其中前栋左右两边各有 2 间房，中栋左右两边各有 1 间房，后栋左右两边各有 2 间房，两边回水

◎ 马脐塘村文化室（摄于 2016 年）

◎ 马脐塘村传统民居一角（摄于 2016 年）

各 5 间共 20 间房。住屋一色石门坎、木门框、木窗户。墙下有三合土护墙，外铺石板，墙体由下至上全部三合土为筑成，墙厚达 40 厘米，墙的转角镶嵌石板，围中内外均在墙体上方有内宽外窄的枪炮眼。屋顶为硬山顶，盖灰瓦。巷道嵌有鹅卵石。近年来，村民在旧围屋周边建成两层以上钢筋混凝土结构新楼房。旧围屋整体保存基本完好，但已无人居住。

村前南面约 100 米的空旷草坪上，有一座占地面积约 0.0067 公顷，用石灰沙做成“社下伯公”。村民逢年过节必带祭品前去拜祭，祈求风调雨顺，国泰民安。在“社下伯公”旁建有古井一口，井水水位常年不减不增且冬暖夏凉，供村民生活用水。

该村民间习俗多为客家人习俗延续。民间节日以春节、元宵节、清明节、端午节、中秋节、冬至等节日为主，还有二月二、四月八、六月六、七月半等是传统客家节日。传统嫁娶习俗还保留中原古制从议婚至完婚过程中的六种礼节，即：纳彩、问名、纳吉、纳征、请期、亲迎，现已少见，只保留说媒、算八字、定日子、送聘金、接亲等。丧葬风俗，多沿用中原的古传统，以土葬为主，1990 年以来逐步实行火葬，但葬礼的基本形式不变，包括：择时辰、建灵牌、收殓、引灵、接体、奠礼、出殡、火化、安葬等。

中华人民共和国成立初期，为安置粮食严重短缺因营养不足而得水肿病人，村挂牌“水肿院”，范华海任院长，1961 年该病症消失，撤销“水肿院”。1989 年，清远市人民政府批准该村为解放战争游击老区根据地。2015 年被广东省爱国卫生运动委员会评为“广东省卫生村”。2015 年 6 月被广东省委农村工作办公室和广东省住房和城乡建设厅评为“广东省名村”。

该村主要人物有：范兰炳，1937 年生，中华人民共和国成立初期曾任职烟岭区公社农工商经理、烟岭区党委宣传委员、人大副主席，现任范氏理事会会长。范慧燕，1974 年生，女，清远市司法局党组成员、政治处主任。

（资料填报：谢太行；初稿撰写：范兰炳、易德堃、梁晓杰；总纂：李协湖）

田心村

◎ 田心村村貌（摄于 2016 年）

田心村，位于迳头镇东北部，距镇政府 4 千米。村始建于明天启五年（1625 年），从隔河相望的英德县大陂都白石乡（今佛冈县迳头镇）车角村分支迁入而居形成。因该村位于农田的中间，故取名田心村。由田心围、上角围两个居住点组成。

村坐落于丘陵地带，坐东北向西南，东为白石岭村，南面田畴，西南为烟岭河，西北面与马脐塘村毗邻，东北面紧靠会塘角山（海拔约 550 米）。烟岭河从村前由南向北直流而过，经龙冈、井冈村，流向英德，汇入北江。县道 839 线（河西公路）从村前穿过。

该村形成时属英德县大陂都白石乡，清嘉庆十八年（1813 年）属佛冈厅白石乡，民国时期属佛冈县白石乡，中华人民共和国成立后属佛冈县第二区白石乡，1958 年 10 月属从化县跃进（迳头）人民公社高坝大队，1961 年 5 月属佛冈县烟岭人民公社高坝大队，1983 年 12 月属烟岭区高坝乡，1987 年 1 月属烟岭乡高坝行政村，1994 年 2 月属烟岭镇高坝管理区，1998 年 11 月属烟岭镇高坝行政村，2004 年 5 月属迳头镇高坝行政村，2005 年 5 月属迳头镇楼下行政村至今。

世居村民范、谢姓，范姓是范仲淹的后裔。据史料记载，南宋中期（1165—1227 年），范氏祖先从福建上杭县南湖村迁移到广东潮州府海阳县恋州都清溪乡（后改饶平县，再后改为大埔县管辖），再迁至英德市高基排，几年后迁到清远市升平镇横石塘琵琶山、石灰铺背村，又迁至英德市英东大镇柑塘咀，明正统十二年（1447 年）迁至英德县白石乡楼下村，并成为佛冈范氏的发祥地，明天启五年（1625 年）从车角村分支迁到该地建村。谢姓，明朝中期（1457—1566 年）从福建迁移至广东英德，明宣德十年（1435 年）从佛冈县迳头镇大村迁移至深坑，清康熙二十八年（1689 年）迁入该地。

2015 年末，村有户籍人口 462 人，其中男性 236 人、女性 226 人。80 岁以上老人 9 人，最年长者 99 岁（女）。实有在村居住 365 人，其中留守儿童 17 人，生活主要依靠农业收入的人口有 335 人，常年在城镇生活和打工的人口有 97 人。祖籍该村的香港同胞有 33 人。村民均为汉族，客家民系，使用客家方言。

◎ 油菜花盛开（摄于2016年）

◎ 美丽乡村田心公园（摄于2014年）

◎ 一支独放油菜花（摄于2016年）

村有耕地19.2公顷、山地153.33公顷，自然资源较为丰富。主要种植的树种有松树、杉树、桉树、樟树、柯树等。矿产资源主要有稀土矿。传统经营以农业生产为主，村民以种植水稻为主，花生、番薯、木薯、芋头、大豆等农作物为辅。现时多种植粮食作物、油菜、果树、经济林木等。现村民主要经济收入来源为农业生产、商业经营、外出务工工资性收入等。

传统节日食品有：春节的客家脍肉、客家酿豆腐、炒米饼、油糍、糖环、角子，清明节的糯米糍、艾糍，端午节的粽子，中秋节的月饼等。

村前县道839线，原是旧烟岭街至高岗镇、英德古商道的必经之路。中华人民共和国成立后，这条古商道经过两次大的修整改建。村1975年通电，1995年通电话，2006年村道实现水泥硬底化，2013年通网络。2015年由政府补助及村民自筹资金，建有一幢二层400平方米的文化室、一个标准篮球场，还配备一批供村民健身锻炼的器材设备。靠近上角村小组的空地上还建起供人玩乐休息的四角凉亭一座。

传统民居为客家围屋，始建于清朝前期（1644—1735年）。围屋坐东北向西南，现存有4栋。村有3条东南向西北走向横街，2条东北向西南走向直街，街道镶嵌鹅卵石。门楼由石门框、石门坎组成，大门左右两边各有4个石窗，门顶上左右两边各有4个枪炮眼用于防御外敌。墙体由三合土、黄泥砖构成，屋檐铺石板，围屋4个转角均嵌有石板。第1栋左右两边各有2间房屋；第2栋中厅为议事厅，左右两边各2间房屋，1栋和2栋之间街道两边各有1

◎ 田心村传统围屋（摄于2016年）

间厨房；第3栋中间为中厅，左右两边各有2间房屋，第2栋和第3栋街道中间有1个天井，左右两边各有1个横门直通两边的厨房；第4栋左右两边各有3间房屋，第3栋和第4栋街道两边各有1个厨房；两边回水各有房屋9间，整个旧围屋共有42间房屋，第3栋中厅过去为周边村落及本村儿童读书学习场所，又称为私塾学堂，后改名为观音堂，内设观音像供村民节日祈求平安及添丁挂花灯用，沿用至今。

村有远近闻名的舞狮队，由于技巧精湛，附近村落每逢红白喜事都会邀请出狮。该村有一个历史悠久的活动"吊灯"，每逢添丁的家庭在次年农历正月十五早上都会备好花灯，在舞狮队的助兴下，到观音堂举行仪式。

民间传统节日有春节、元宵节、清明节、端午节、中秋节、冬至等，还有二月二、四月八、六月六、七月半、九月重阳、十月朝等。该村历来有元宵上灯，"冬大过年"之说，可见极其重视冬至节。这个节日意味着一年农事已做完，全家应欢聚吃一顿丰盛晚餐表示庆贺。

传统婚嫁习俗仍保留中原古制从议婚至完婚过程中的六种礼节，即：纳彩、问名、纳吉、纳征、请期、亲迎。随着社会的进步，这六礼已被新式婚俗所取代，其中部分程序一直沿用至今，送小担、踏家门、迎亲等嫁娶礼俗依然存在。传统的丧葬风俗庄严繁杂，多沿用古中原的传统，以土葬为主。其程序有：竖灵、收殓、引灵、接体、奠礼、出殡、火化、安葬等。1990年逐步实行火葬。

解放战争期间，该村是游击队活动区之一，1989年，清远市人民政府批准该村为解放战争游击老区根据地。2015年被广东省爱国卫生运动委员会评为"广东省卫生村"。

村曾经有一个名叫范济威的村民，于清光绪元年（1875年）参加武举。在一项硬功夫的比赛中，将一块250千克的大圆石举起，放下接连一脚，该石旋转10多圈，此硬功夫叫"落地车麻"，故府台嘉奖一块"泮壁峥嵘"牌匾。现牌匾挂在上角村民小组旧围大厅。

◎"泮璧峥嵘"牌匾（摄于2016年）

（资料填报：范秀梅；初稿撰写：范兰炳、梁晓杰；总纂：李协湖）

官塅围

◎ 官塅围村貌（摄于 2016 年）

官塅围，位于迳头镇东北部，距镇政 4.5 千米。村始建于清康熙五十二年（1713 年），先祖范宁春从英德县大陂都白石乡（今佛冈县迳头镇）楼下村分支迁入该地而形成。因该村在清朝时期有较多的族人在朝中任职，故名官塅围。

村坐落于丘陵地带，坐西向东。东临烟岭河，南与田心村接壤，西靠官逗山公园，北接新兴围村。村正面有一口“招财塘”。该村后有海拔 550 米的官逗山。烟岭河在村前自南向北直流而过，经龙冈、井冈村，流向英德，汇入北江。

该村形成时属英德县大陂都白石乡，清嘉庆十八年（1813 年）属佛冈厅白石乡，民国时期属佛冈县白石乡，1949 年 10 月中华人民共和国成立后属佛冈县第二区白石乡，1958 年 10 月属从化县跃进（迳头）人民公社高坝大队，1961 年 5 月属佛冈县烟岭人民公社高坝大队，1983 年 12 月属烟岭区高坝乡，1987 年 1 月属烟岭乡高坝行政村，1994 年 2 月属烟岭镇高坝管理区，1998 年 11 月属烟岭镇高坝行政村，2004 年 5 月属迳头镇高坝行政村，2005 年 5 月属迳头镇楼下行政村至今。

世居村民范、谢姓，范姓是范仲淹的后裔。南宋中期（1165—1227 年），范氏祖先从福建上杭县南湖村迁移到广东潮州府海阳县恋州都清溪乡（后改饶平县，再后改为大埔县管辖），再迁至英德高基排，几年后迁到横石塘琵琶山、石灰铺背村，又迁至英东大镇柑塘咀。明正统十二年（1447 年）迁至英德县白石乡楼下村，并成为佛冈范氏的发祥地。康熙五十二年(1713 年)从楼下村迁移至本地。谢姓，明朝中期（1457-1566 年）从福建迁移至广东英德，明宣德十年（1435 年）从英德县白石乡大村迁移至深坑，清康熙二十八年（1689 年）迁入该地。

2015 年末，村有户籍人口 322 人，其中男性 164 人、女性 158 人。80 岁以上老人 12 人，最年长者 94 岁（男）。实有在村居住 183 人，其中留守儿童 7 人，生活主要依靠农村经济 168 人，常年在城镇生活和打工的有 139 人。祖籍该村的香港同胞 19 人。村民均为汉族，客家民系，使用客家方言。

村有耕地 17.27 公顷、山地 146.67 公顷。传统经营以种植水稻、水果为主，兼营种花生、番薯、芋头、大豆等作物。现经营以种植有葡萄、火龙果等水果，

◎ 官塅围赏荷花（摄于 2016 年）

◎ 葡萄园（摄于 2016 年）

开展农家乐等乡村旅游。村民主要经济收入来源有农业、商业、外出务工工资收入等。特色产品有葡萄、莲藕、火龙果。

传统节日食品有：春节的客家脍肉、客家酿豆腐、炒米饼、油糍、糖环、角子，清明节的糯糍、艾糍，端午节的粽子，中秋节的月饼等。

村前县道 839 线（河西公路）原是旧烟岭街至高岗镇，再到英德古商道必经之路，现仍从村前穿过，北通龙冈，东接 106 国道，西北连高岗镇。中华人民共和国成立后，经过该村的古商道经过两次大的改造。第一次是 1958 年人民公社化运动时由沙质路面扩建为泥质路面；第二次是 2009 年建成县道 839 线。该村于 1970 年通电，1972 年通电话，1995 年通网络，2008 年全村村道实现水泥硬底化。该村重视文娱体育设施建设，建有篮球场、官逗山公园、官塅围文化室、官塅围图书室，藏书 500 多册。

该村后背山名为官逗山，树木茂盛，有一条乡间道路由山下通过。据村里老人所说，古代每一个经过此山的朝廷命官，都会被此山秀丽的风景深深吸引，逗留在此山欣赏江山美景，不愿离去，所以称为“官逗山”。“文化大革命”时期，粮食不足，村民为了救饥度荒，大量砍伐原始林木，开荒种粮，对官逗山原始生态造成一定的破坏。2013 年，官塅围在名村建设过程中，对官逗山进行修复改造。工程规模为 4 万平方米，主要依借原有的自然山体、松林、竹林、农家小院等资源，建设包括登山道路、景观亭、景观平台、刻有村庄历史渊源和两广水师提督历史文化的景观竹架、景墙，以及与农家乐相连接的水边栈道、休息椅凳等，形成现在的官塅围后山公园。加上已建成的环村道路，村前文化广场、村文化室和灯光篮球场等设施，以及种植已成规模的“百亩荷花、百亩葡萄园”，使官塅围成为迳头河西休闲风情长廊。

传统民居为客家围屋，建于清朝乾隆年间（1736—1795 年）。古围屋坐西向东，面阔 33 米，进深 34.3 米，建筑占地面积 1100 多平方米。围屋主体分为 4 栋，有一条南北走向横街、两条东西走向直街，成“目”字形布局。第 1 栋左右两边各有 1 间房屋及 1 间厨房；第 2 栋中厅为议事厅，左右两边各有 1 间房屋；第 2 栋和第 3 栋之间为天井，天

◎ 美丽乡村新貌（摄于 2016 年）

◎ 官塅围传统民居（摄于 2016 年）

井两边均有个横门；第3栋厅堂设有“土地伯公”，厅堂左右两边各有1间房屋；第4栋有7间房屋；围屋两边回水各8间，共计31间。墙体由三合土、黄泥砖构成，硬山顶，盖灰瓦。房屋街道由河石铺成。

门楼上悬挂有清道光年间（1821—1850年）木雕牌匾1件，上面刻有“三代恩荣”字样。门楼与第2、3栋大厅相通。第2栋正门有落款为咸丰三年（1853年）和光绪十七年（1891年）木质牌匾各1件，分别刻有“泮壁峥嵘”和“旨赏戴蓝翎”字样。第3栋中厅后壁中间建有神楼，神楼上有神龛，神龛中间放置木刻先祖神像。神像两侧还放置有祖先牌位。神楼前，摆有供桌，供桌上设有香炉、灯盏、烛台等，供族人祭拜祖先使用。整座围屋保存基本完好，有典型的客家围建筑风格，为研究客家围建筑提供实物性资料。

◎ 木牌匾（摄于2016年8月）

围前右侧10米处有一口古井，相传已经有400多年的历史。水井深度3米，井口宽70厘米。此井神奇之处在于不管是丰水期还是枯水期，井水的水平面都比地表高几厘米却又不溢出水。该井现仍作为村民的饮用水源。

民间传统节日有春节、元宵节、清明节、端午节、中秋节、冬至等，还有二月二、四月八、六月六、七月半、九月重阳、十月朝等。元宵上灯是该村的重要节日。传统婚嫁习俗中保留仍中原古制从议婚至完婚过程中的六种礼节，即：纳彩、问名、纳吉、纳征、请期、亲迎。纳彩即男方家请媒人去女方家提亲，女方家答应议婚后，男方家备礼去求婚。问名，即男方家请媒人问女方的名字和出生年月日。纳吉，即男方将女子的名字、八字取回后，在祖庙进行占卜。纳征，亦称纳币，即男方家以聘礼送给女方家。请期，男家

◎ 官塅围狮队在县人民中心表演（摄于2016年12月）

择定婚期，备礼告知女方家，求其同意。亲迎，即新郎亲至女家迎娶。随着社会的进步，这六礼已被新式婚俗所取代，其中部分程序一直沿用至今，送小担、踏家门、迎亲等嫁娶礼俗依然存在。传统的丧葬风俗庄严繁杂，多沿用古中原的传统，以土葬为主。其程序有：竖灵、收殓、引灵、接体、奠礼、出殡、火化、安葬等。1990年逐步实行火葬。

主要历史事件：1938年10月23日村遭日本军机轰炸，死伤惨重。解放战争期间，该村是游击队活动区之一，解放后经上级人民政府批准为解放战争游击老区根据地。2013年，官塅围被评为清远市美丽乡村示范点并获得嘉奖。2015年被广东省爱国卫生运动委员会授予“广东省卫生村”称号。

官塅围是一个有着400多年历史的古村落。村庄地灵人杰，自古以来村民以耕读为本，人才辈出，文化底蕴深厚。清代名勋有范尚腾、范干庭、范时荣、范奇勋、范翰元、范尚文等。范尚腾（1875—1908），清代光绪年间，奉旨在台湾中军当官，旨赏戴蓝翎，光绪十七年（1891年），获“旨赏戴蓝翎”牌匾。范双龄（1903—1968），老游击队队员，曾任佛冈白石乡乡长。朱会群，1952年生，曾任广东省作家协会处长。范云美，1954年生，曾任佛冈县畜牧水产局高级工程师。

（资料填报：范秀军；初稿撰写：范兰炳、范秀赠、易德堃、梁晓杰；总纂：李协湖）

新兴围

◎ 新兴围村貌（摄于 2016 年）

新兴围，位于迳头镇东北部，距镇政府 4.5 千米。村始建于崇祯三年（1630 年），从英德县大陂都白石乡（今佛冈县迳头镇）楼下村分支迁入而形成。起初村名叫老围，1643 年后人口增多，新做的民居逐年增多，故后又改村名叫“新兴围”，曾用名高坝村。

该围坐落于山间谷地，坐西向东。东连白石岭村，南临烟岭河，西南与官塅围相接，北为靠河排岭（海拔约 750 米）。县道 839 线（河西公路）从村前穿过，北通龙冈，东接 106 国道，西北连高岗镇。烟岭河从村前向北直流而过，经龙冈、井冈村，流向英德，汇入北江。

该村形成时属英德县大陂都白石乡，清嘉庆十八年（1813 年）属佛冈厅白石乡，民国时期属佛冈县白石乡，中华人民共和国成立后属佛冈县第二区白石乡，1958 年 10 月属从化县跃进（迳头）人民公社高坝大队，1961 年 5 月属佛冈县烟岭人民公社高坝大队，1983 年 12 月属烟岭区公所高坝乡，1987 年 1 月属烟岭乡高坝行政村，1994 年 2 月属烟岭镇高坝管理区，1998 年 11 月属烟岭镇高坝行政村，2004 年 5 月属迳头镇高坝行政村，2005 年 5 月属迳头镇楼下行政村至今。

世居村民范姓，是范仲淹的后裔。据史料记载，南宋中期，范氏祖先从福建上杭县南湖村迁移到广东潮州府海阳县恋州都清溪乡（后改饶平县，再后改为大埔县管辖），再迁至英德高基排，几年后迁到横石塘琵琶山、石灰铺背村，又迁至英东大镇柑塘咀。明正统十二年（1447 年）迁至英德县白石乡楼下村，并成为佛冈范氏的发祥地。崇祯三年（1630 年）从楼下村分村迁移至此。

◎ 油菜花盛开季节（摄于 2016 年）

2015年末，村有户籍人口205人，其中男性104人、女性101人。80岁以上老人8人，最年长者104岁（女）。实有在村居住135人，其中留守儿童6人，生活主要依靠农业收入的有113人，常年在城镇生活和打工的有70人。祖籍该村的香港同胞25人；华人华侨约5人，居住美国。村民均为汉族，客家民系，使用客家方言。

村有耕地10.53公顷、山地93.33公顷。传统经营以农业生产为主，村民以种植水稻为主，兼营种花生、番薯、芋头、大豆等作物。现时经营以种植粮食作物、果树、油菜花、经济林木为主。现村民主要经济收入来源为农业生产、商业经营、工资性收入等。近年来特色产品有葡萄、莲藕、火龙果、青枣。

传统节日食品有：春节的客家腍肉、客家酿豆腐、炒米饼、油糍、糖环、角子，清明的糯糍、艾糍，端午节的粽子，中秋节月饼等。

村于1995年通电话，2007年全村村道实现水泥硬底化，2013年通网络。该村重视公共设施建设，建有篮球场、垃圾收集站。

传统民居为客家围屋，坐东向西，始建于清朝前期，后重修于2015年。围屋主体有4栋，有2条东西走向的直街和3条南北走向的横街，整体构造成目字形。大门迳由石门坎、木门框构成，大门左右两边各3个木窗和3个枪炮眼。第1栋左右两边各有2间房屋及1间厨房；第2栋有1间议事厅，左右两边各有2间房屋；第3栋有5间房屋；第四栋有7间房屋；左右两边回水各4间，共有房屋28间。墙体下节基础由三合土构成，墙体上节为黄泥砖结构，屋檐铺石板。围屋街道用河石嵌成。围屋整体保存基本完好，现有少数人居住。近年来村民纷纷在旧围屋周边建成风格各异的楼房。

民间传统节日有春节、元宵节、清明节、端午节、中秋节、冬至等，还有二月二、四月八、六月六、七月半、九月重阳、十月朝等。元宵上灯是该村的重要活动，传统婚嫁习俗中保留的中原古制从议婚至完婚过程中的六种礼节，即：纳彩、问名、纳吉、纳征、请期、亲迎。随着社会的进步，这六种礼仪

◎ 新兴围狮子队表演（摄于2015年）

◎ 新兴村传统民居（摄于2016年）

已被新式婚俗所取代，其中部分程序一直沿用至今，送小担、踏家门、迎亲等嫁娶礼俗依然存在。传统的丧葬风俗庄严繁杂，多沿用古中原的传统，以土葬为主。1990年逐步实行火葬，其程序有：竖灵、收殓、引灵、接体、奠礼、出殡、火化、安葬等。

解放战争期间，该村是游击队活动区之一，1989年，清远市人民政府批准该村为解放战争游击老区根据地。1941年发生特大洪水，全村被淹没，未转移的畜禽被冲走或淹死，房屋倒塌18间。1964年洪水再次冲破河堤，房屋倒塌5间。全村被迫在政府支持下于1972年起逐步搬迁至今居住地。2015年被广东爱国卫生委员会评为“广东省卫生村”。

该村代表人物，范廷良（1874—1930），别号“教打良”。他在深圳宝安县摆摊补鞋时，遇上一位漂泊江湖的卖药老人。这位老者原来是河南少林高手，绰号“铁沙头”。范廷良成为“铁沙头”的徒弟，跟着师傅闯荡江湖。范良廷艺成后，决心把武术和医学（跌打、刀伤等）知识传授给亲人，在家开设武馆。抗日战争时期，国民党62军军长黄涛赏识范廷良的武艺和人品，曾聘他到军部做武术教练，共襄抗日大业；曾出现武林世家之称的“范氏五杰”，即：范廷良、范飞龙、范华胜、范少雄、范少威。范少威（1895—1967）（又名阿奎），好打抱不平。他不仅掌握父亲（范廷良）传授的武艺，而且还超越前辈。他善舞双刀和大刀，所用的“青龙刀”连刀带柄重达八十多斤。有人说：“少威的青龙刀堪比三国时关公用的青龙偃月刀。”当他舞双刀时，只见寒光闪闪，风声呼呼，观者无不赞叹叫绝。特别是其“二指禅”功可插壁取砖，令人屏气凝神、瞠目结舌。他曾赴暹罗（今泰国）打擂台，打死当时英国著名的武林高手皇里依玛（人称“皇老虎”），以雪“东亚病夫”之耻，大长东方民族的志气。范逢兰（1855—？），光绪八年（1882年）在英德白沙为谢姓人打官司，同英德县官对答如流，让县官无词以对，打赢官司。县官对此非常佩服，给他封号“盲眼口才，好口角”。后在光绪二十六年（1900年）本围建小门楼，再次打官司。英德县官见到范逢兰，只说了盲眼口才，这场官司不用打了，你赢了，回去建门楼吧。范飞龙（生卒年不详）（原名范深精），擅打飞铊和飞耙。每次摆街演武开场，他都用飞铊指挥围观群众，扩大表演场地。飞铊如长蛇腾空，几乎触及群众面部、腹部、上肢、下肢，而又没不伤到人。他的飞耙如旋风急转，锐不可当。范华胜（花名牛胜），擅拳击和白手救刀，他与其父范飞龙一样，身躯魁伟，臂力过人，动作快捷。当他献技时，轻若飞鸿，矫若游龙。

（资料填报：范记候；初稿撰写：范兰炳、梁晓杰；总纂：李协湖）

禾洞坑村

◎ 禾洞坑村村貌（摄于 2016 年）

禾洞坑村，位于迳头镇北部，距镇政府 9 千米。村始建于明朝后期，从英德县大陂都白石乡（今佛冈县迳头镇）高坝沙坣下村（现新兴围）分支迁入而形成。因村落两边是小山丘，中间是稻田，村前有条小溪（客家话称“山坑”），故取名禾洞坑村。

村建在山间谷地，坐东北向西南，东南是龟形岭，西南是稻田，西北是园岭山，东北是背夫岭。村前是鱼塘、稻田，小溪流入烟岭河。水泥路从该村通往县道 839 线。

该村形成时属英德县大陂都白石乡，清嘉庆十八年（1813 年）属佛冈厅白石乡，民国时期属佛冈县白石乡，中华人民共和国成立后属佛冈县第二区白石乡，1958 年 10 月属从化县跃进（迳头）人民公社楼下大队，1961 年 5 月属佛冈县烟岭人民公社楼下大队，1983 年 12 月属烟岭区楼下乡，1987 年 1 月属烟岭乡楼下行政村，1994 年 2 月属烟岭镇楼下管理区，1998 年 11 月属烟岭镇楼下行政村，2004 年 5 月属迳头镇楼下行政村至今。

世居村民为范姓，是范仲淹的后裔。据史料记载，南宋中期，范氏祖先从福建上杭县南湖村迁移到广东潮州府海阳县恋州都清溪乡（后改饶平县，再后改为大埔县管辖），再迁至英德高基排，几年后迁到横石塘琵琶山、石灰铺背村，又迁至英东大镇柑塘咀。明正统十二年（1447 年）迁至英德县白石乡楼下村，并成为佛冈范氏的发祥地。崇祯三年（1630 年），先祖从烟岭楼下村迁移至高坝沙坣下村（现新兴围），后因人口增长，村民于明代后期到 3 千米远的禾洞坑开荒扩种，建起民居而形成村落。

2015 年末，村有户籍人口 129 人，其中男性 66 人、女性 63 人。80 岁以上 2 人，村中最长者 83 岁（女）。实际在村有 81 人，其中留守儿童 1 人，生活主要依靠农业收入的有 81 人，常年在城镇生活和打工的有 48 人。村民均为汉族，客家民系，使用客家方言。

村有耕地 6.87 公顷、山地 113.33 公顷。林业资源有松树、杉树、樟树、枫树、柯树等。村传统经营以农业为主，主要种植水稻，甘薯、芋头、木薯、花生、大豆等农作物为辅。现多种植水稻、果树、经济林。村民主要经济收入来源于农业收入，以及外出打工收入，也有少数人经商。

传统节庆食品有：春节的客家脸肉、酿豆腐、

◎ 村民种植的杉树林（摄于 2016 年）

糖环、油角、炒弹籽，元宵节汤圆，新屋进伙发糍，清明节艾糍，端午节粽子，试新米（六月六）舂糍，中秋节月饼等。妇女生小孩，喝糯米甜酒、猪脚煲甜醋。传统美食：客家脍肉。“脍肉”是客家人春节餐桌上的第一道主菜。客家人的所谓“脍肉味”，就是“味道十分好”的意思。春节前后，客家人谈年货时一定会互相问：“今年打算蒸多少脍肉？”“年过得去么？”这话已经引申为“年是否过得丰盛”之意。脍肉制法简易，就是将买回的猪肉（带皮的半肥瘦五花肉）先吊起来晾水，然后切成 100—150 克的肉块，配以五香粉、蒜苗、蚝油、陈皮、烧酒、豆豉、南乳、白糖、味精等，将佐料与猪肉拌匀，装瓦钵放在锅里蒸熟。蒸熟的脍肉放在通风干爽的棚上藏好，以后每餐食用时再蒸一次即成。蒸时加以笋干、冬菇等配料，其味道更加香醇可口。

该村 1975 年通电，2000 年通电话，2009 年通自来水，2006 年实现街道水泥硬底化，2013 年通网络，2014 年建成篮球场。

该村有一条旧围，为客家围屋，始建于清前期（1644—1735 年）。围屋建在山丘下，坐东北向西南，由 4 栋房子、2 条东北向西南走向的直街、3 条东南向西北走向的横街组成。围屋正门由 2 个大门组成，分别位于左右两边直街。大门由石门坎、木门框组成。第一栋至第四栋均有 8 间房子，整个围屋共有 32 间房子，街道均铺上河石。墙体下节由三合土构成，上节用黄泥砖砌到顶。屋顶一色硬山顶，盖灰瓦。

◎ 禾洞坑村传统民居一角（摄于 2016 年）

近年来村民纷纷在旧围屋周边建成风格各异的楼房。

在旧围东南面 300 米处，有“社下伯公”，供奉着“土地伯公”，每逢节日村民都会带上祭品到“社下伯公”拜祭，祈求风调雨顺、国泰民安。

民间传统节日有春节、元宵节、二月二、清明节、四月八、端午节、六月六、七月半、中秋节、十月朝、冬至等。民间习俗的正月初十“上灯”、生日、进伙等保留下来。上灯亦称“添丁”，仪式有：拜祠堂、

◎ 传统照明汽灯（摄于 2016 年）

拜土地龙王、拜丁家（迎福—采青—祈福）、登堂（拜丁家先人—伏地礼）、迎丁、众灯入祠（升灯—燃香—供神）、醒狮（唱福—祈福—赠福）、吉炮齐鸣（迎红—接礼—点火—续火—满堂红）等环节。

传统客家嫁娶还保留中原古制从议婚至完婚过程中的六种礼节，即：纳彩、问名、纳吉、纳征、请期、亲迎。纳彩即男方家请媒人去女方家提亲，女方家答应议婚后，男方家备礼前去求婚。问名，即男方家请媒人问女方的名字和出生年月日。纳吉，即男方将女子的名字、八字取回后，在祖庙进行占卜。纳征，亦称纳币，即男方家以聘礼送给女方家。请期，男家择定婚期，备礼告知女方家，求其同意。亲迎，即新郎亲至女家迎娶。随着社会的进步，这六礼已被新式婚俗所取代，其中部分程序一直沿用至今，如说谋、算八字、定日子、送聘金、接亲等。

主要历史事件：1944 年 12 月，村民闻讯日本侵略者要实行“三光”政策，逃进山中，日本侵略者把村庄烧毁。1954 年 7 月 28 日，该村的秧田发生蛀心虫、行军虫、浮尘子、铁甲虫等 11 种害虫，受害面积 3.73 公顷，轻则秧苗发黄，重则枯死。县委动员干部分头下乡除虫。

该村的范茂文，1981 年生，中学一级教师，任佛冈四九中学校长，他热心帮助村中困难家庭子女读书，辅导学习进度较慢的学生，深受村民赞赏。

（资料填报：范桂衮；初稿撰写：范兰炳、易德堃、梁晓杰；总纂：李协湖）

楼下村

◎ 楼下村村貌（摄于 2016 年）

楼下村，位于迳头镇北部，距镇政府约 6 千米。村始建于明正统十二年（1447 年），从英德县石灰铺分支迁入而形成。因村前地势低洼，积水形成湖洋塘，所以村名叫湖洋塘村。后来因说村子龙垠山地形形似卧牛而白石岭形似禾秆堆，人称“卧牛舔秆”山，而村子建在山下，所以村民把村名改为牛下村。后以谐音改为楼下村。

村坐落在烟岭河北岸的丘陵地带，坐西北向东南，东南是鱼塘、莲藕塘和一大片平坦的稻田，西南是镇场岭村，西北是龙垠山，东北是白石岭。主要山岭有白石岭和龙垠山，海拔分别为 400 米和 350 米。烟岭河在村前向北直流而过，经龙冈、井冈村流向英德，汇入北江。

该村形成时属英德县大陂都白石乡，清嘉庆十八年（1813 年）属佛冈厅白石乡，民国时期属佛冈县白石乡，中华人民共和国成立后属佛冈县第二区白石乡，1958 年 10 月属从化县跃进（迳头）人民公社楼下大队，1961 年 5 月属佛冈县烟岭人民公社楼下大队，1983 年 12 月属烟岭区楼下乡，1987 年 1 月属烟岭乡楼下行政村，1994 年 2 月属烟岭镇楼下管理区，1998 年 11 月属烟岭镇楼下行政村，2004 年 5 月属迳头镇楼下行政村至今。

世居村民为范姓。据范仲淹纪念馆刻文记载，南宋中期，范氏祖先从福建上杭县南湖村迁移到广东潮州府海阳县恋州都清溪乡（后改饶平县，再后改为大埔县管辖），明永乐年间迁至英德高基排，几年后又迁到横石塘琵琶山、石灰铺背村。明正统元年（1436 年）迁至英东大镇柑塘咀，明正统十二年（1447 年）迁至英德县白石乡楼下村，并成为佛冈范氏的发祥地。

2015 年末，村有户籍人口 526 人，其中男性 268 人、女性 258 人。80 岁以上 9 人，最年长者 93 岁（女）。实际在村有 283 人，其中留守儿童 4 人，非户籍外来 8 人，生活主要依靠农业收入的有 248 人，常年在城镇生活和打工有 243 人。祖籍该村的香港同胞 37 人。村民均为汉族，客家民系，使用客家方言。

村有耕地 25.07 公顷、山地 140 公顷。森林资源有松树、杉树、樟树、枫树、柯树等。传统经济以农业为主，以种植水稻为主，甘薯、芋头、木薯、花生、大豆等农作物为辅。现多种植水稻、果树、经济林木。村民主要经济收入来源于农业收入，以及外出打工收入，也有少数人经商。特产有“深坑莲、楼下藕”，驰名县内外。

传统节庆食品有：客家脍肉、酿豆腐、糖环、油角、炒弹籽、汤圆、发糍、艾糍、粽子、月饼及各种米饼。妇女生小孩，喝糯米甜酒、猪脚煲甜醋。

村于20世纪70年代通电，1994年通电话，1999年实现街道水泥硬底化，2010年通自来水，2013年通网络，2015年县道839线（河西公路）通公交车，村文化室正在筹建中。

村由楼下围和新围两个居住点组成。楼下围坐西北向东南，始建于明中期（1457—1566年），由两边对称10栋正座古居和两边对称的2栋围水屋组成。每栋古居2单元，每单元4房1厅1厨房；每栋围水屋6单元，每单元4房1厅，总共有32个单元。民居墙体下节以三合土做基础，上节用青砖砌筑而成。房门由石门坎、木门框组成。旧围有5条西北向东南走向的街道组成。楼下村的街巷相通，铺上河石，被称为“石街”。随着经济的发展，原来的老屋有部分被拆建成新的楼宇。

◎ 楼下村传统民居（摄于2016年）

村中范氏宗祠是纪念开基祖范万二公的祠堂，位于楼下村中心。始建于明中期，重修于1986年。宗祠坐西北向东南，大门台阶有三级石板，大门由石门坎、石门框组成。门额上石碑刻有“范氏宗祠”四个大字。大门前有两条石柱，门前是一块由鹅卵石铺成的厅下坪，面积约450平方米。厅下坪前有一条“照墙”，是古时为挡风水而建的。宗祠为两进

◎ 楼下村范氏祠堂（摄于2016年）

一天井结构，第一进为过道；第一进和第二进之间为天井，天井两旁各有一横门；第二进为香火堂，内设有祖先牌位（原牌位在1958年被毁，现牌位是在1986年重修祠堂时设立），牌位前设有炉香、烛台。墙体是青砖到顶，屋顶是灰瓦木结构，祠内和大门外均采用石柱支撑，彰显祠堂气势雄伟，造工精致。每年农历正月初二，族人舞瑞狮和携带供品去祠堂祭拜供奉。

村西南面、近河西公路建有一座福音堂。福音堂为楼下村基督教会集体所有，作为宗教活动使用，2012年被列入佛冈县不可移动文物名录，现保存良好。清光绪十七年（1891年）基督英国循道公会英德上教堂布道人杨本善、陆瑞巨到高岗社岗下传教和出售《圣经》，烟岭人李登云于清光绪二十一年（1895年）在烟岭庙嘴头租赁范姓铺屋作教堂，成为基督教英国循道公会在佛冈的第一所教堂，教会

◎ 楼下村福音堂（摄于2016年）

指定李登云主持教务。后来，信徒日益增多，将原租赁的铺屋买下改建为教堂，取名“福音堂”。中华人民共和国成立后，该教堂停止宗教活动，但乡间仍有信徒几十人。1996年经清远市人民政府宗教事务局批准，由基督香港教会和广东省基督三自爱国会出资扩建福音堂的活动场所，增添设备。1999年重建“福音堂”，占地面积190平方米，钢筋混凝土楼房建筑，面宽19米，进深10米，楼高三层半。整个楼宇外墙镶嵌紫红色瓷砖，楼梯间外墙镶“福音堂”三个楷体白色大字，下方镶嵌“基督教楼下福音堂”八个楷体白色较小的字。首层为儿童活动室，二层为教徒朝拜礼堂，三层为教务工作室与宿舍。

距祠堂东面80米有一口古井，建于明朝中期，该井为圆形。井口石护栏40厘米，内径150厘米，外径170厘米，井深200厘米，井水清透、无色无味、清凉可口、冬暖夏凉、水量大，井可容水量约11.30立方米，可满足1000多人的生活用水。古井外四周铺有石板，面积30平方米，古井东北面建有护墙，南面设有石凳。

◎ 楼下村古井（摄于2016年）

在距古居东南面150米处有一“社下伯公”，供奉着“土地伯公”。每逢节日，村民都会带上祭品到“社下伯公”拜祭，祈求风调雨顺、国泰民安。

民间传统节日有春节、元宵节、二月二、清明节、四月八、端午节、六月六、七月半、中秋节、十月朝、冬至等。民间习俗中正月初十“上灯”、生日、进伙等保留下来。

传统客家嫁娶还保留中原古制从议婚至完婚过程中的六种礼节，即：纳彩、问名、纳吉、纳征、请期、亲迎。随着社会的进步，这六礼已被新式婚俗所取代，其中部分程序一直沿用至今，有说媒、算八字、定日子、送聘金、接亲等。传统丧葬风俗以土葬为主。还有一个风俗一直流传至今，每当村中老人辞世，招待亲朋好友的菜肴标准三样菜有猪肉、青菜、豆腐，不许饮酒作乐，以示哀悼。但葬礼的基本形式不变，包括择时辰、建灵牌、收殓、引灵、接体、奠礼、出殡、火化、安葬等。

1975年，几百年船舶运输业停运了。之前，烟岭河沿岸无公路、无汽车，主要运输工具是木船，烟岭河是水上运输航道，往上游航行可到大陂都的陂头下和高岗三江圩，往下游航行可到达英德、清远、广州等地。

该村主要人物有：清代有范本丰，任清廷按察司；范振亨，任清廷守府千总；范深通，曾立军功，官至六品。范桂霞（1905—1994），女，从小随父母到广州生活和读书，1926年加入中国共产党，1927年4月15日，曾被国民党反动派军警围捕，逃脱后潜往香港找到中共广东省委，被安排在省委秘书处工作。八一南昌起义后，周恩来得了严重伤寒病，党中央把周恩来送到香港医治，并选派范桂霞担负特殊护理。范桂霞以“夫人”身份陪伴护理。范桂霞在香港中共广东省委秘书处工作期间，还接待过李立三、恽代英、瞿秋白、彭湃、阮啸仙、林伯渠、董必武、叶挺等党的领导同志。周恩来病愈离开香港之前，鼓励范桂霞参加广州起义。中华人民共和国成立后，范桂霞一直在广州从事教育工作，并受到周恩来夫妇多次接见。范秀苑（1915—2008），曾任广东基督教会领导、广东省政协委员。范秀埠，1945年生，曾任韶关市轻工业公司工委副书记。范伟波，1973年生，任韶关广发银行信息中心副总经理。

（资料填报：范秀坤；初稿撰写：范兰炳、范秀赠、易德堃、梁晓杰；总纂：李协湖）

镇场岭村

◎ 镇场岭村村貌（摄于 2016 年）

镇场岭村，位于迳头镇北部，距镇政府 6 千米。村始建于明万历四十二年（1614 年），从英德县大陂都白石乡（今佛冈县迳头镇）楼下村分支迁入而形成。据传说，该地原是一个小山岭，范氏族人（范万二后代）在该山岭中建一座范文兴公坟墓，面积 0.13 公顷，又在坟墓右边建范氏宗祠，驱赶牛鬼蛇神，镇住场地山岭，故取名镇场岭村。

村坐落于丘陵地带，坐东北向西南，东南是烟岭河，西南是鱼塘和一大片稻田，西北是竹园塘村，东北是楼下村。该村水陆路交通方便，烟岭河从村前向北直流而过，经龙冈、井冈村，流向英德，汇入北江。

该村形成时属英德县大陂都白石乡，清嘉庆十八年（1813 年）属佛冈厅白石乡，民国时期属佛冈县白石乡，中华人民共和国成立后属佛冈县第二区白石乡，1958 年 10 月属从化县跃进（迳头）人民公社楼下大队，1961 年 5 月属佛冈县烟岭人民公社楼下大队，1987 年 1 月属烟岭乡楼下行政村，1994 年 2 月属烟岭镇楼下管理区，1998 年 11 月属烟岭镇楼下行政村，2004 年 5 月属迳头镇楼下行政村至今。

世居村民为范姓，是范仲淹的后裔。据史料记载，南宋中期，范氏祖先从福建上杭县南湖村迁移到广东潮州府海阳县恋州都清溪乡（后改饶平县，再后改为大埔县管辖），再迁至英德高基排，几年后迁到横石塘琵琶山、石灰铺背村。明正统元年（1436 年）迁至英东大镇柑塘咀，明正统十二年（1447 年）迁至英德县白石乡楼下村，明朝万历四十二年（1614 年）先祖从楼下村迁移至镇场岭村。后因人口增长，于清康熙二年（1663 年）分村至下龙冈村、中心村等地。

2015 年末，村有户籍人口 427 人，其中男性 218 人、女性 209 人。80 岁以上 8 人，最年长者 90 岁（女）。实际在村有 268 人，其中留守儿童 19 人，生活主要依靠农业收入的有 216 人，常年在城镇生活和打工的有 159 人。祖籍该村的台湾同胞 6 人、香港同胞 5 人。村民均为汉族，客家民系，使用客家方言。

村有耕地 18.8 公顷、山地 86.67 公顷。传统经济以农业为主，主要以种植水稻为主，甘薯、芋头、木薯、花生、大豆等农作物为辅。现多种植粮食作物、果树、经济林木。村民主要收入来源为农业收入，以及外出打工收入，也有少数人经商。

◎ 镇场岭村传统民居（摄于2016年）

村于1970年通电，1995年通电话，2010年全村道路实现水泥硬底化，2011年通自来水，2013年通网络。村建有篮球场。

村东南面有一小学。据史料记载，清光绪二十一年（1895年）英国基督教传士在烟岭楼下建“福音堂”后，再建学校，名为华英小学，1949年中华人民共和国成立后，该小学改名为佛冈县第三区水龙完全小学，1961年改名为佛冈县烟岭公社中心小学，1966年改名为佛冈县烟岭公社楼下小学。当时办有小学一到五年级，初中一到二年级，全校16个班，学生600多人，教职工19人。现校名改为佛冈县迳头镇楼下小学，只有3个班，分别是幼儿园、一年级、二年级，学生46人，教职工3人。

该村传统民居为客家围屋，旧围屋由上街围、下街围、楼角围3个居住点组成。以镇场岭村下街旧围为例，它是坐东北向西南，始建于清朝前期。下街旧围大门迳由石门坎、石门框组成，两旁各有1条石柱，门径上方画有1幅双龙抢珠图。下街旧围四周均由厚达40厘米的围墙包围，围墙均有用于防御的枪炮眼，构成自成一体的防御结构。旧围分为5栋楼和2条东南向西北走向的横街。第一栋原是防御性围墙，在大门两旁各有1间仓库。后因人口扩增，在左右两旁扩建各4间房屋。第二栋原为厅下坪，后来在左右两边先后各建房屋2间，中间仍为厅下坪。第三栋左右两边各有5间房屋。第四栋左右两边各有5间房屋。第五栋两边各有5间房屋。整个围屋共有44间房屋。墙体下部为三合土，上部为黄泥砖结构。街道由鹅卵石铺成，被称为石街。

村建有范氏宗祠。是纪念蓝氏祖婆的祠堂，始

◎ 镇场岭村楼下小学（摄于2016年）

◎ 镇场岭村范氏宗祠（摄于2016年）

建于清朝前期（1644—1735年），后于道光年间（1821—1850年）进行第一次重修，于1988年进行第二次重修。宗祠坐东北向西南，位于下街旧围的中央。宗祠是三进二天井结构，香火堂右侧墙上挂有一块刻有“三代恩荣”的牌匾。香火堂内设置三级香火台及祖宗牌位。牌位后面有一暗间，用于存放祭品，以便村民随时可供奉祖先。每年农历正月初二日，锣鼓爆竹齐鸣，族人舞瑞狮和携带供品前去祭拜供奉，祈求添丁发财，过上好日子。

传统婚嫁习俗，仍保留中原古制从议婚至完婚过程中的六种礼节：纳彩、问名、纳吉、纳征、请期、亲迎。随着社会的进步，这六礼已被新式婚俗所取代，其中部分程序一直沿用至今。如送小担、踏家门、迎亲等嫁娶礼俗依然存在。传统丧葬以土葬为主。1990年后逐步实行火葬，其程序有：竖灵、收殓、引灵、接体、奠礼、出殡、火化、安葬等。

解放战争期间，村民范伯令家是中共地下党堡垒户，经常接待游击队交通员和游击队员，无偿提供粮食、油盐等各种物资给游击队，刚成立的佛冈县白石乡人民政府就设在他家中。

清代，该村就建有私塾，由村中父老用公尝延师，教族中子弟读书。村中子弟在乡试中考有名次的，族中还设有奖励，鼓励子弟继续求学进取。明万历四十四年（1616年）农历八月，该村范汉、范潮两兄弟奉朝廷之命，领旨率兵回乡剿匪擒贼，得知可恶的土匪在野猪坪（现邓光头野猪湾附近）作案时，立即策马点兵，英勇出击，顽匪极力抵抗，范汉、范潮率领的官兵越战越勇，打得土匪节节败退，死伤百余人，官兵活捉匪首，夺回被抢的财物，取得了胜利。范汉、范潮两兄弟率兵回师，当走到离家乡不远之处，中了残匪埋伏，在乱刀下，范潮的颈部被砍了半截，一时失去知觉。范汉怒发冲冠，“拍”一声，扬鞭挥刀，拼命追杀土匪，将残匪杀得一个不留。范潮虽受重伤，但他凭借顽强的毅力，手握关刀，俯在马背上，一路奔驰而回。战马背着主人回到庙咀头（今楼下小学）时，刚好遇镇场岭村一妇女去河里挑水，见状她急问：“潮叔，你为何满身是血？”话音未落，潮叔便从马背上摔了下来。不久，由刘穗胜带领的韶州府援兵赶到，他目睹这一不幸捐躯的壮士，随之泪下，俯首致哀。朝廷得知匪患已被平息，下旨赐授范汉、范潮“勇冠三军”称号的牌匾和百两黄金的奖赏。范汉、范潮两兄弟都是朝廷名将，功绩显著，受世人敬仰。广大乡民为了纪念打土匪英雄范潮，在他身躯从马背落下之处，建起一座庙宇，建筑面积约80平方米，青砖灰瓦，木质结构，造工精致，名为保安庙，意思是土匪已平息，今后可永保平安。自建庙以来，每逢年节，村民前往保安庙烧香点烛祭拜。20世纪50年代“大跃进”期间，保安庙被拆除。

（资料填报：范爱兵；初稿撰写：范兰炳、易德堃、梁晓杰；总纂：李协湖）

白石岭村

◎ 白石岭村村貌（摄于 2016 年）

白石岭村，位于迳头镇北部，距镇政府 6 千米。村始建于清光绪三年(1877 年)。从佛冈厅白石乡(今佛冈县迳头镇）楼下村分支迁入而形成。该村原为佛冈厅白石乡下楼村民，因发生特大洪水，下楼村被冲毁，村民搬到白石岭脚下建村，因村背山名为白石岭，故取名白石岭村。

村坐落于丘陵地带，坐东向西，东与正子村相邻，南是烟岭河，西与楼下村相接，北靠白石岭山。主要山岭有白石岭，海拔 400 米。县道 839 线（河西公路）从村前穿过，北通龙冈，东接 106 国道，西北连高岗镇。烟岭河向北直流过村前 630 米，经龙冈、井冈村，流向英德，汇入北江。

该村形成时属佛冈厅白石乡，民国时期属佛冈县白石乡，中华人民共和国成立后属佛冈县第二区白石乡，1958 年 10 月属从化县跃进（迳头）人民公社楼下大队，1961 年 5 月属佛冈县烟岭人民公社楼下大队，1983 年 12 月属烟岭区楼下乡，1987 年 1 月属烟岭乡楼下行政村，1994 年 2 月属烟岭镇楼下管理区，1998 年 11 月属烟岭镇楼下行政村，2004 年 5 月属迳头镇楼下行政村至今。

世居村民为范姓。南宋中期，范氏祖先从福建上杭县南湖村迁移到广东潮州府海阳县恋州都清溪乡（改归饶平县，后改为大埔县管辖），再迁至英德高基排，几年后迁到横石塘琵琶山、石灰铺背村，又迁至英东大镇柑塘咀。明正统十二年（1447 年）迁至英德县白石乡楼下村，并成为佛冈范氏的发祥地。清光绪三年(1877 年)从原下楼村迁入白石岭村，部分村民在民国时期因龙塘村、鸡斗窝村村民通过购买置换土地迁入白石岭村，他们均是范万二（淹纪十六世祖）的后代。

2015 年末，村有户籍人口 222 人，其中男性 113 人、女性 109 人。80 岁以上 3 人，最年长者 94 岁（女）。实际在村居住 149 人，其中留守儿童 5 人，生活主要依靠农业收入的有 112 人；常年在城镇生活和打工的有 73 人。村民均为汉族，客家民系，使用客家方言。

村有耕地 5.73 公顷、山地 40 公顷。自然资源主要有稀土、石英、瓷土、山林等。传统经营以农业为主，主要种植水稻、莲藕、番薯、芋头、木薯、花生等农作物。现多种植水稻、果树、经济林木。

◎ 莲藕种植基地（摄于 2016 年）

村民主要经济收入来源于农业收入，以及外出打工收入，也有少数人经商。

县道 839 线原是白石岭村的古商道，是烟岭村村民往返高岗镇和旧烟岭街的必经之路。中华人民共和国成立后，这条古商道于 1958 年和 2009 年经过两次大的修整。村于 70 年代通电，1992 年通电话，2000 年实现街道水泥硬底化，2013 年通网络。

村传统民居为客家围屋，坐东向西，有白石岭围旧围和新龙围旧围。围屋始建于清光绪三年（1877 年），由 2 栋房子和 1 条东西走向的直街组成，整体成“日”字形布局。大门是由石门坎，木门框组成。第一栋和第二栋各有 3 间房子，每间房子各有 2 个木门窗，两栋房子之间有 1 间厨房，整个围屋房子共 7 间。街道是由河石铺成的，称为石街。墙体下

◎ 白石岭村民居门楼（摄于 2016 年）

◎ 七圣仙娘庙（摄于 2016 年）

节是三合土，上节用黄泥砖砌到顶，硬山顶，盖灰瓦。随着经济的发展，原来的老屋有部分被拆建成新的楼房，形成新旧交融的新景观。

村背有一座高山，满山都是白石英，故称白石岭。山顶有“七姑庙”“瑶婆石和鹞子石”“贞武庙”等古迹，满山长着谷箩般大的古松树，树木参天，奇石林立。每逢节日、娶新娘、小孩弥月等，白石岭方圆几千米的群众络绎不绝登上山顶祭拜，盼七姑保佑风调雨顺、五谷丰登、添丁发财、健康长寿，因此七姑庙的香火不断，寄托村民们的祈求。

在 1958 年人民公社化期间，白石岭的七姑庙、贞武庙等庙宇被拆毁。70 年代，烟岭公社组织炸石队，炸白石岭的石英卖钱建大坪通龙冈的大桥，白石岭面目全非，昔日的风光不再。

中华人民共和国成立前，男婚女嫁为“父母之命，媒妁之言”。村中有抱养穷人家女童作“童养媳”、未生男孩的人家抱养“等郎妹”的习俗。男女婚嫁是终身大事，都要经过相亲、订婚、迎亲等程序。

首先由媒人牵线，约男家的人去女家看人。若男家有意，即授意媒人向女方家长索取女子出生的年月日时（俗称“年生八字”），带回男家。男方家长请人卜算后，如男女“相生”，则男家叫媒人陪伴送礼去女家“报合”；如男女“相克”，则将女子“年生八字”退回女家，婚事作罢。订婚的第一步是下定礼（俗称座茶或叫小担），即男方送定金、酒米、肉类给女方，表示合成婚事。商定成亲日期及礼金后，按照礼规进行过礼，由男方出具礼帖把礼物、聘金送给女方，女方要回一份礼帖给男方。男家叫算命先生择定结婚吉日，由媒人通知女方。届时男方的迎亲队伍带着礼帖、礼物，吹起八音，敲锣打鼓，抬着花轿到女家迎新娘（俗称迎亲）。女家把嫁妆、礼物随新娘一起送回男家（俗称送亲）。新娘到达男家后，举行拜堂仪式，随后送入洞房，闹洞房后迎亲仪式即告结束。中华人民共和国成立后，婚嫁习俗逐渐发生变化。随着历史的进步，婚事新办的风气越来越浓厚。男女双方自由恋爱到结婚，必须先到民政部门登记才成为合法夫妻。登记后，一般都到酒店或在家中宴请宾客。近年来也有采取旅行结婚度蜜月或参加集体婚礼的。

传统丧葬习俗以土葬为主。还有一个风俗一直流传至今，每当村中老人辞世，招待亲朋好友的菜肴标准三样菜有猪肉、青菜、豆腐，不许饮酒作乐，以示哀悼。1990 年逐步实行火葬，但葬礼形式基本不变，包括择时辰、建灵牌、收殓、引灵、接体、奠礼、出殡、火化、安葬等。

1975 年，村几百年的船舶运输业停运。2008 年，村民捐资在白石岭七姑庙和贞武庙旧址进行了重建，以供村民拜祭祈福。

该村的范馥邦（1904—1983），又名培馨，医药世家出身，从 1928 年开始行医，不久便成为佛冈二区有名医生，中华人民共和国成立后，曾任佛冈县卫生工作同业工会委员，烟岭、迳头卫生院院长。根据当年仁济堂药店药剂师回忆，范馥邦行医 55 年从未出过医疗事故。范秀祝，1945 年生，曾任佛冈县第一中学副校长，获“全国优秀教师”称号。

（资料填报：范桂细；初稿撰写：范兰炳、易德堃、梁晓杰；总纂：李协湖）

正子村

◎ 正子村村貌（摄于 2016 年）

正子村，位于迳头镇北部，距镇政府 6 千米，村始建于明景泰年间（1450—1456 年），从英德县大陂都白石乡（今佛冈县迳头镇）楼下村迁移而形成。起初该村到处长着茅草，故取名为“丝茅坪”，后来村里有一妇女的丈夫很早去世，但是她没有改嫁，一直照顾夫家亲人，村里人觉得她很正气，值得学习，故改村名为“正子村”。

该村坐落在丘陵地带，坐东北向西南。东南为稻田，西南与白石岭村相接，西北紧靠乾山，东北与上龙冈村相接。村子中间突起一个小山丘如龟状，前人称它为“莲叶盖金龟”。正子村的主要山岭为乾山，海拔为 350 米。县道 839 线（河西公路）从村前穿过，北通龙冈，东接 106 国道，西北连高岗镇。烟岭河村从前向北直流而过，经龙冈、井冈村，流向英德，汇入北江。

该村形成时属英德县大陂都白石乡，清嘉庆十八年（1813 年）属佛冈厅白石乡，民国时期属佛冈县白石乡，中华人民共和国成立后属佛冈县第二区白石乡，1958 年 10 月属从化县跃进（迳头）人民公社楼下大队，1961 年 5 月属佛冈县烟岭人民公社楼下大队，1983 年 12 月属烟岭区公所楼下乡，1987 年 1 月属烟岭乡楼下行政村，1994 年 2 月属烟岭镇楼下管理区，1998 年 11 月属烟岭镇楼下行政村，2004 年 5 月属迳头镇楼下行政村至今。

世居村民为范姓，是范仲淹的后裔。据史料记载，南宋中期，范氏祖先从福建上杭县南湖村迁移到广东潮州府海阳县恋州都清溪乡（后改饶平县，再后改为大埔县管辖），再迁至英德高基排，几年后迁到横石塘琵琶山、石灰铺背村，又迁至英东大镇柑塘咀。明景泰年间，从英德县大陂都白石乡楼下村分支迁入该地。

2015 年末，村有户籍人口 251 人，其中男性 128 人、女性 123 人；80 岁以上老人有 6 人，村中最年长者 90 岁（女）。在村居住 153 人，其中留守儿童 8 人，生活主要依靠农业收入的有 138 人，常年在城镇生活和打工的有 98 人。祖籍该村的香港同胞 6 人。村民均为汉族，客家民系，使用客家方言。

该村有耕地 11.4 公顷、山地 60 公顷。自然资源主要有森林，主要树种有松树、杉树、樟树、枫树、柯树等。传统经营以农业为主，主要种植水稻、番薯、芋头、木薯、花生、大豆等农作物。现多种植水稻、果树、经济林木。村民主要收入为农业收入、外出打工工资收入，也有少数人经商。

村于20世纪70年代通电，1992年通电话，2000年实现街道水泥硬底化，2013年通网络。建有文化体育设施、篮球场等。

◎ 正子村门楼（摄于2016年）

◎ 正子村传统围屋（摄于2016年）

村旧民居由为上、下两座客家围屋组成。上正子：坐东北向西南，始建于明朝中期，整座围屋正面有1个大门和对称的2个廊门，在围屋内的祠堂前面还开有1个侧门，里面有东南向西北走向横街和东北向西南走向直巷各有3条，成田字形客家围屋风格，其中前横街巷和中横街巷各有12间房，后横街巷有13间房，左回水有13间房，右回水有12间房，整个旧围屋共有62间房。其围屋内的街巷道路均由鹅卵石铺垫而成，墙体下节以三合土做基础，上节用泥砖砌成，墙边铺有石板。围屋四个角外面约10米处各有1座碉楼，共有4座碉楼，形成完整的防御体系。旧民居大部分已被拆旧建新楼，还有不少倒塌，仅存甚少，早已无人居住。20世纪80年代，不少村民是在旧围屋周边建成风格各异的楼房。

村建有一座用于纪念范万一公的"范氏宗祠"，始建于明代中期，2012年村民在原址重修正子村范氏宗祠。现在范氏宗祠占地面积约200平方米，为两进结构：一进为议事厅，供族老们商议族群大事，一进与二进之间有一个天井，左右两边各有一横门；二进为香火堂，设祖宗神牌，神牌两边是两副楹联，分别是："萬公伟业千古在，一祠重光万代兴"。

◎ 范氏宗祠
（摄于2016年）

“万年衍庆先宗浩气昭日月，一脉相承祠宇灵光耀乾坤”。祠堂的墙体为混合结构，水泥铺地。原宗祠大门迳上曾挂有四款牌匾，据村中老人回忆其中两块为“翰林”和“武魁”牌匾，后在“文化大革命”时期遭到毁坏。

民间习俗，多为客家人习俗的延续。民间节日以春节、元宵节、清明节、端阳节、中秋节、冬至等节为主，还有四月八、七月半、十月朝等节日。该村传统婚嫁习俗，保留中原古制的“六礼”，现已少见，迎亲嫁娶等礼俗依然存在。传统的丧葬风俗庄严而繁杂，以土葬为主，20 世纪 90 年代后逐步实行火葬，主要程序有：收殓、引灵、奠礼、出殡、火化、安葬等。传统习俗还有大年初二瑞狮拜门、正月初八上灯、清明节祭祖等。

据村史记载：1975 年停开了几百年船舶运输业，停开之前烟岭河沿岸无公路、无汽车，主要运输工具是木船，烟岭河是水上运输航道，往上游航行可到大陂都的陂头下和高岗三江圩，往下游航行可到达英德、清远、广州等地。

该村主要人物有：范琼（1461—？），明代敕封“功职三司”。范秀林（1917—1970），黄埔军校毕业，曾任国民党军连长。范茂庆，1951 年生，曾任广州市天河区体育局局长。

（资料填报：范茂绘；初稿撰写：范秀赠、易德堃、梁晓杰；总纂：李协湖）

竹园塘村

◎ 竹园塘村村貌（摄于 2016 年）

竹园塘村，位于迳头镇北部，距镇政府 6 千米。始建于清雍正年间（1723—1735 年），开基祖范敷荣从英德县大陂都白石乡（今佛冈县迳头镇）下龙冈分支迁入该地而形成。因村子原是一个大竹园，竹园前面有一口塘，故取名为竹园塘村。

村坐落在丘陵地带，坐东北向西南，村东北面紧靠油樟岭，东南面与镇场岭村相接，西南面是稻田，西北面紧靠油樟岭。主要山岭是油樟岭，海拔 550 米。烟岭河从村前向北直流而过，经龙冈、井冈村，流向英德，与北江汇合。

该村形成时属英德县大陂都白石乡，清嘉庆十八年（1813 年）属佛冈厅白石乡，民国时期属佛冈县白石乡，中华人民共和国成立后属佛冈县第二区白石乡，1958 年 10 月属从化县跃进（迳头）人民公社楼下大队，1961 年 5 月属佛冈县烟岭人民公社楼下大队，1983 年 12 月属烟岭区楼下乡，1987 年 1 月属烟岭乡楼下行政村，1994 年 2 月属烟岭镇楼下管理区，1998 年 11 月属烟岭镇楼下行政村，2004 年 5 月属迳头镇楼下行政村至今。

世居村民范姓，是范仲淹的后裔。据史料记载，南宋中期，范氏祖先从福建上杭县南湖村迁移到广东潮州府海阳县恋州都清溪乡（后改饶平县，再后改为大埔县管辖）。明永乐年间迁到英德高基排，几年后又迁到横石塘琵琶山、石灰铺背村。明正统元年（1436 年）迁至英东大镇柑塘咀，明正统十二年（1447 年）迁至英德县白石乡楼下村，并成为佛冈范氏的发祥地。明万历四十二年（1614 年）先祖从楼下村迁移至镇场岭村，后因人口增长，于清康熙二年（1663 年）分村迁入下龙冈村，后于清雍正年间先祖敷荣公从下龙冈村迁入竹园塘开基。

2015 年末，村有户籍人口 180 人，其中男性 95 人、女性 85 人；80 岁以上 1 人，最年长者年龄 90 岁（男）。实际在村 101 人，其中留守儿童 1 人，生活主要依靠农业收入的 84 人，常年在城镇生活和打工的有 79 人。有海外留学 1 人。非户籍外来人员 1 人。祖籍该村的澳门同胞 1 人。村民均为汉族，客家民系，使用客家方言。

村有耕地 7.8 公顷、山地 60 公顷。有丰富的森林，主要树种有松树、杉树、樟树、枫树、柯树等。传统经营以农业生产为主，主要种植水稻、番薯、芋头、木薯、花生、大豆等农作物。现多种植水稻、果树、经济林木。村民主要经济收入来源于农业收入，以及外出打工收入，也有少数人经商、办厂。

该村传统节庆食品有：春节的客家脍肉、酿豆腐、糖环、油角、米饼、炒蛋子，元宵节的汤圆、发糍，清明艾糍，端午节粽子，六月六椿糍，中秋节月饼等。妇女生小孩，喝糯米甜酒、猪脚煲甜醋。

村于20世纪70年代通电，1994年通电话，1997年实现街道水泥硬底化，2010年通自来水，2013年通网络。

村传统围屋有一座。围屋始建于清乾隆年间（1736—1795年），坐东北向西南，以信政公祠为中心，向祠堂两边各建有3栋房。围屋的两边各有1个廊门，廊门由石门坎、石门框组成。廊门上方有1个枪炮眼，形成围屋的防御体系。围屋两边均有2条东北向西南走向的直街及2条东南向西北走向的横巷，与信政公祠横门相通，围屋整体均成“回”字形构造。围屋第一栋左右两边各有3间房间，第二栋和三栋各有5间房间，共有26间房间。每间房屋均有3个窗，窗是由石门框和砂石柱组成，其中砂石柱上面是圆柱形，下面是长方形。围屋街巷均铺有河石。

◎ 信政公祠内三级烛台（摄于2016年）

信政公祠建在油樟岭脚下，占地面积约350平方米，是纪念先祖信公和政公的宗祠。信政公祠始建于清光绪元年（1875年），1985年、2005年、2010年先后进行3次重修。公祠的正门有两条石柱和一个大门迳。大门迳是由石门坎和石门框组成。公祠内为三进两天井结构，第三进为香火堂，内设祖宗神牌和供奉之用的三级烛台，便于村民祭拜。公祠墙体下节是由三合土组成，上节青砖砌到顶，墙角均有石板。

◎ 竹园塘村传统民居（摄于2016年）

民国时期，村民范庆余在村西面建起一座水碓屋，面积50平方米，灰砂墙、砖木结构屋内装有二张水碓，利用水向下流的落差动力推动木制的水轮转动，水轮带动碓工作（上下运动），把稻谷舂成米，是省力的工具。楼下村一带的村民都担谷到竹园塘村加工舂成米。该水碓屋于1972年被拆毁。

民间习俗，多为客家人习俗的延续。民间节日以春节、元宵节、清明节、端阳节、中秋节、冬至等节为主，还有四月八、七月半、十月朝等节日。正月十四为该村的上灯日。传统婚嫁习俗中，保留中原古制从议婚至完婚过程中的六种礼节，即：纳彩、问名、纳吉、纳征、请期、亲迎。随着社会的进步，这六种礼仪已被新式婚俗所取代，其中部分程序一直沿用至今，送小担、踏家门、迎亲等嫁娶礼俗依然存在。传统的丧葬风俗庄重而繁杂，多沿用中原的古传统，以土葬为主，1990年逐步实行火葬，葬礼的基本形式不变，包括择时辰、建灵牌、收殓、引灵、接体、奠礼、出殡、火化、安葬等。

1956年6月该村为运输高级社，有木帆船6艘。历史上烟岭河沿岸无公路、无汽车，主要运输工具是木船，烟岭河是水上运输航道，往上游航行可到大陂都的陂头下和高岗三江圩，往下游航行可到达英德、清远、广州等地。1975年起修通县道839线后逐步取代水运。告别几百年船舶运输历史。

该村的范庆余（？—1944），曾任烟岭范氏族长，在范氏族人中颇有声誉。

（资料填报：范茂防；初稿撰写：易德堃、梁晓杰；总纂：李协湖）

○龙冈行政村

邓王屋村

◎ 邓王屋村村貌（摄于 2016 年）

邓王屋村，位于迳头镇北部，距镇政府 9 千米。村始建于清乾隆三十年（1765 年），从英德县大陂都白石乡（今佛冈县迳头镇）野猪湾村王氏族人分支迁入而形成。因世居村民为王姓，故称王屋村。2005 年前归邓光头行政村管辖，相邻的龙冈行政村亦有一个王屋村。2005 年邓光头村委与龙冈村委合并，为区分两个王屋村，将此王屋村更名为邓王屋村。

该村坐落于丘陵地带，坐西北向东南。村东为 286 乡道和烟岭河，南与围仔营村相邻，西有县道 839 线，北与谢屋村相望，东北方是野猪湾村。烟岭河从南转向东北绕过该村。县道 839 线自南往北从村旁经过，经五洞坑通英德县境。乡道 286 线依烟岭河堤而建，绕过该村，上通柯木冈村、井前村，下达龙冈村、烟岭圩，并与国道 106 线相接。

该村建成时属英德县大陂都白石乡，清嘉庆十八年（1813 年）属佛冈厅白石乡，民国时期属佛冈县白石乡，中华人民共和国成立后属佛冈县第二区白石乡，1958 年 10 月属从化县跃进（迳头）人民公社邓光头大队，1961 年 5 月属佛冈县烟岭人民公社邓光头大队，1983 年 12 月属烟岭区邓光头乡，1987 年 1 月属烟岭乡邓光头行政村，1994 年 2 月属烟岭镇邓光头管理区，1998 年 11 月属烟岭镇邓光头行政村，2004 年 5 月属迳头镇邓光头行政村，2005 年 5 月属迳头镇龙冈行政村至今。

◎《王氏族谱》（摄于 2016 年）

世居村民为王、潘姓。根据《王氏族谱》记载，王姓于明正统四年（1439 年），从福建迁移至广东新丰回龙，后迁至英德县大陂都白石乡野猪湾。清乾隆三十年（1765 年），其后裔从野猪湾分支迁入该地。潘姓先祖于清朝前期从福建迁移至广东新丰县，其后裔于1947年从新丰县迁移至该地。

2015年末，村有户籍人口168人，其中男性86人、女性82人。80岁以上8人，最年长者89岁（女）。在村居住139人，其中留守儿童4人，生活主要依靠农业收入的人口有123人，常年在城镇生活和打工的人口29人。有海外留学人员1人。祖籍该村的香港同胞7人、台湾同胞3人。该村村民均为汉族，客家民系，使用客家方言。

村有耕地12.8公顷、山地73.33公顷。传统经济以农业收入为主，20世纪70年代以前，主要作物有水稻、番薯、木薯、花生、果树等。现多种植粮食作物，以水稻、冬瓜、花生、番薯、果树为主。现村民主要经济收入来源为农业收入、手工业及商业经营收入、打工工资收入等。

◎ 早季冬瓜（摄于2016年）

传统节庆食品有：春节的客家腍肉、酿豆腐、糖环、油角、炒米饼，元宵节的汤圆，清明节的糯米艾糍，端午节的粽子，中秋节的月饼等。妇女坐月子时，喝糯米甜酒、猪脚甜醋等。传统美食有客家腍肉，是佛冈客家人春节餐桌上的第一道主菜。客家人的所谓“腍肉味”，就是“味道十分好”的意思。春节前后，客家人谈年货时一定会互相问：“今年打算蒸多少腍肉？”“年过得去么？”这话已经引申为“年是否过得丰盛”之意。腍肉制法简易，就是将买回的猪肉（带皮的半肥瘦五花肉）先吊起来晾干水，然后切成100—150克的肉块，配以五香粉、蒜苗、蚝油、陈皮、烧酒、豆豉、南乳、白糖、味精等，将佐料与猪肉拌匀，装瓦钵放在锅里蒸熟。蒸熟的

◎ 邓王屋村旧民居（摄于2016年）

腍肉放在通风干爽的棚上藏好，以后每餐食用时再蒸一次即成。蒸时加以笋干、冬菇等配料，其味道更加香醇可口。

村于1975年通电，1996年通电话，2003年村内实现道路硬底化，2015年通自来水和网络。

该村有围肚、王屋、佛子高、坳子塘4个居住点。围肚属于客家围屋，整体呈卧“日”字形，向南偏东，大门侧偏转向正南。大门由石门坎、木门框、趟龙构成。构成围屋的外围方框建筑包围着纵向1列平房、2条纵街与前后2条横街连通的全部住屋。住屋为单间结构，一列9间，共计30多间。其以三合土及泥砖为墙体，悬山顶，盖灰瓦，三合土墙檐。门为木门框、石门坎、木门扇结构，全木窗户，泥土街道。今部分房屋已经坍塌，无人居住。东片角为排列房屋，共9列平房，每列4间单房。房屋结构基本相同，整体保留完整。20世纪80年代起，随着村民生活水平不断提高，兴建楼房越来越多，钢筋水泥结构的楼房逐渐代替了旧民居。

村没有建自己的祠堂，只有一个社坛“郎中社”。郎中社位于村西山脚下，主体为石板阴雕。正中刻“郎中社同王公王神位”，两边刻“郎帝祥云笼圣座，中天恩露覆民户”。上部石雕瓦面，宛如一间小屋。两边石狮子为守护神（已经被盗），前面一个石香炉。逢年过节、添丁、结婚，村民都带上供品到这里点燃香烛，燃放爆竹，祈求神灵保佑风调雨顺、添丁

◎ 郎中社（摄于2016年）

发财、平安长寿。有人还献上几尊观音，一同拜祭。

民间习俗为客家人习俗的延续。民间节日以春节、元宵节、清明节、端阳节、中秋节、冬至等节为主，还有四月八、七月半、十月朝等节日。

传统节日有七月半，亦称盂兰节或鬼节。相传在元朝以前每年的农历七月十五日，民间都举行祭祀祖宗活动，故称七月半。后为避元兵入侵的战乱，民间提前一天祭祀祖宗，从此每年农历七月十四日过七月半。此习沿袭至今，该村还有七月十四制作米糍或杀鸡加菜等方式进行简单庆贺的习俗。

村民唯一宗族活动就是清明节祭拜公众祖先。传统习俗还有大年初二瑞狮拜门、正月初八上灯、清明节祭祖等活动。该村传统婚嫁习俗，保留中原古制纳彩、问名、纳吉、纳征、请期、亲迎。此规已少见，迎亲嫁娶等礼俗依然存在。传统的丧葬风俗庄严而繁杂，以土葬为主，1990年逐步实行火葬，主要程序有:收殓、引灵、奠礼、出殡、火化、安葬等。

村有《王氏族谱》，由王泰渔于2013年4月编修。里面记载本村王姓历代祖先的血缘关系。

该村曾为中国人民解放事业作出贡献：抗日战争时期，属于游击区自然村。解放战争时期，属于游击根据地自然村。1953年和1975年，曾发生特大洪水，洪水淹没村庄，房屋倒塌6间。水灾后，由于一些农户损失严重，全村人互相帮助，受灾家庭尽快恢复生产生活。

该村崇文重教，人才辈出，近年来考入大学本科的有17人，为全镇本科生占比最高的自然村之一。王泰渔，1943年生，中国人民大学毕业，曾为清远市委党校副教授，编修《王氏族谱》。王干劲，1958年生，江门鹤山市公安消防中队队长，退役后任江门鹤山石油公司经理。王金城，1978年生，本科毕业，任佛冈县交通运输局路桥工程师。

（资料填报:王战可;初稿撰写:朱南岳、郑承沧;总纂:李协湖）

谢屋村

◎ 谢屋村村貌（摄于 2016 年）

谢屋村，位于迳头镇北部，距镇政府 10 千米。村始建于清乾隆五十年（1785 年），从英德县大陂都白石乡（今佛冈县迳头镇）深坑村高门楼谢氏族人分支迁入而形成。世居村民为谢姓，故称谢屋村。

村坐落于丘陵地带，坐西向东，东、南、北三面大片田畴环绕村庄，西面为青山，西南面紧接邓王屋村，北面与野猪湾相望。村交通方便，南北走向的县道 839 线穿过村背，经五洞坑直通英德县境，村道经野猪湾连接乡道 286 线，上通柯木冈村、井前村，下达龙冈村、烟岭圩，与国道 106 线相接。烟岭河从南转向东北绕过该村，在英德县汇入北江。

村落建成时属英德县大陂都白石乡，清嘉庆十八年（1813 年）属佛冈厅白石乡，民国时期属佛冈县白石乡，中华人民共和国成立后属佛冈县第二区白石乡，1958 年 10 月属从化县跃进（迳头）人民公社邓光头大队，1961 年 5 月属佛冈县烟岭人民公社邓光头大队，1983 年 12 月属烟岭区邓光头乡，1987 年 1 月属烟岭乡邓光头行政村，1994 年 2 月属烟岭镇邓光头管理区，1998 年 11 月属烟岭镇邓光头行政村，2004 年 5 月属迳头镇邓光头行政村，2005 年 5 月属迳头镇龙冈行政村至今。

世居村民为谢、李、潘姓。谢姓先祖于明后期从福建迁移至广东南雄，其后裔经迁英德大镇、苏茅坪到佛冈县烟岭大村。清乾隆五十年（1785 年），谢群公从深坑高门楼村（大村管辖）迁移至该地，成为谢屋开村始祖。李姓为民国期间招进门（入赘）未改姓的李姓后人。潘姓，1947 年从新丰县迁居到该村。

2015 年末，村有户籍人口 274 人，其中男性

◎ 磨盘（摄于 2016 年）

140 人、女性 134 人。80 岁以上 13 人，最年长者 101 岁（男）。实际在村人口 214 人，其中留守儿童 19 人，生活主要依靠农业收入的人口有 197 人，常年在城镇生活和打工的人口 60 人。有海外留学人员 2 人。祖籍该村的香港同胞 15 人，台湾同胞 7 人。还有华人华侨有 10 人，侨居美国。村民均为汉族，客家民系，使用客家方言。

村有耕地 12.07 公顷、山地 70 公顷。传统经济以农业收入为主，主要作物有水稻、番薯、木薯、花生、大豆等。水果有枇杷、青梅、三华李等。现村民主要经济收入来源为农业收入、手工业及商业经营收入、打工工资收入等。

◎ 村民种植的枇杷（摄于 2016 年）

村于 1975 年通电，1995 年通电话，2006 年村内实现道路硬底化，2010 年通自来水和网络。村重视村民的文体活动，有宽阔的活动场所，如篮球场、文化室、美丽乡村公园，还有 1 个图书馆，图书馆藏书达 500 册。

村古居属于客家围屋。围屋大门向北，里面纵向排列 3 排住屋，2 条纵向直街；3 排住屋又以 2 条横街分开 3 段。住房由 2 间构成两房归厅格局，共计约 52 套两房归厅住屋。围屋门楼由石门坎、木门框组成，门前石础木柱，两边木柱上面以圆木柱横向连接。大门墙体经过重修，外墙批石米。围内住屋有全三合土结构墙体，也有泥砖为主的墙体。全三合土墙体的住屋，窗户多为石框铁栅结构，有的铁栅每根铁条直径达 5 厘米。以泥砖为主的住屋，窗户全为木结构。围中街道用小石嵌成，两边墙檐以三合土护墙加铺石板，悬山顶，盖灰瓦。古围屋早已无人居住，今已部分坍塌，大部分保存完整。20 世纪 80 年代起，村民兴建钢筋水泥结构的楼房逐渐代替了旧民居。

传统民间习俗，多为客家人习俗的延续。民间节日以春节、元宵节、清明节、端阳节、中秋节、冬至等节为主，还有四月八、七月半、十月朝等节日。该村村民唯一宗族活动就是清明节祭拜公众祖先。村传统节庆食品有：春节的客家腍肉、酿豆腐、糖环、油角、炒米饼，元宵节的汤圆，清明节的艾糍，端午节的粽子，中秋节的月饼等。妇女坐月子时，喝糯米甜酒、猪脚甜醋等。

传统婚嫁习俗，保留中原古制六礼：即：纳彩、问名、纳吉、纳征、请期、亲迎。纳彩即男方家请

◎ 谢屋村文化室（摄于 2016 年）

◎ 谢屋村旧民居一角（摄于 2016 年）

媒人去女方家提亲，女方家答应议婚后，男方家备礼前去求婚。问名，即男方家请媒人问女方的名字和出生年月日。纳吉，即男方将女子的名字、八字取回后，在祖庙进行占卜。纳征，亦称纳币，即男方家以聘礼送给女方家。请期，男家择定婚期，备礼告知女方家，求其同意。亲迎，即新郎亲至女家迎娶。随着社会的进步，这六礼已被新式婚俗所取代，其中部分程序一直沿用至今，送小担、踏家门、迎亲等嫁娶礼俗依然存在。小孩出生 20 天左右要给亲戚送糯米甜酒报喜，择日举办“满月”吉庆。丧葬风俗，多沿用中原的古传统，以土葬为主。20 世纪 80 年代后逐步实行火葬，但葬礼的基本形式不变。其程序包含有择时辰、建灵牌、收殓、引灵、接体、奠礼、出殡、火化、安葬等。

村有手抄本《谢氏族谱》。记载本村谢姓历代祖先的血缘关系。

抗日战争和解放战争时期，该村是游击队根据地。1939 年，曾发生王、谢姓氏械斗。1953 年和 1975 年，曾发生特大洪水，村内水淹 1 米多高，房屋倒塌 10 间。2015 年该村被广东省爱国卫生运动委员会评为“广东省卫生村”。

村传承耕读文化传统习俗，不少人自幼勤学苦读，好学上进，许多村民走上革命道路，为中国人民解放事业作出贡献。谢锡文（1921—1946），中共党员，革命烈士，中共白石乡支部书记，1946 年在英德青塘被捕遇害。谢锡成（？—1945），中共党员，革命烈士，中共地下工作者，1945 年 7 月在家里被捕送去韶关狱中就义。谢初松（1923—1955），革命烈士，中国人民解放军某部干部，1955 年因公牺牲。

（资料填报：李宇盐；初稿撰写：朱南岳、郑承沧；总纂：李协湖）

五洞坑村

◎ 五洞坑村村貌（摄于2016年）

五洞坑村，位于迳头镇北部，距镇政府14千米。村始建于清乾隆十四年（1749年），从英德县大陂都白石乡水洞坑村族分支迁入而形成。因碓下坑、众塘坑、疗广塘坑、纳水塘坑、角仔塘坑等五条小坑（溪）的流水在村前汇合，故取名五洞坑村。

村坐落于山间谷地，东临县道839线，南为五条坑水（溪流）汇合点，西靠背夫岭，北是耕地。居屋沿溪而建，溪东称下围，溪西叫上围。村旁县道839线南通谢屋、邓王屋至镇政府，北达黄拐塘、黄呈角（英德地带）。

村建成时属英德县大陂都白石乡，清嘉庆十八年（1813年）属佛冈厅白石乡，民国时期属佛冈县白石乡，中华人民共和国成立后属佛冈县第二区白石乡，1958年10月属从化县跃进（迳头）人民公社邓光头大队，1987年1月属烟岭乡邓光头行政村，1994年2月属烟岭镇邓光头管理区，1998年11月属烟岭镇邓光头行政村，2004年5月属迳头镇邓光头行政村，2005年5月属迳头镇龙冈行政村至今。

世居村民为王姓。明正统四年（1439年），王姓先祖从福建省上杭县珠玑巷迁移至广东新丰县回龙，其后裔分支到烟岭野猪湾村，再从野猪湾村分支到水洞坑村。清乾隆十四年（1749年），再从烟岭水洞坑村迁移至该地。

2015年末，村有户籍人口346人，其中男性176人、女性170人。80岁以上13人，最年长者90岁（肖伍妹，女）。实际在村人口280人，其中留守儿童19人，生活主要依靠农业收入231人，常年在城镇生活和打工66人。该村村民均为汉族，客家民系，使用客家方言。

该村有耕地22.67公顷、山地300公顷。传统经济以林业、农业收入为主。20世纪70年代以前，主要作物有水稻、番薯、木薯、花生、大豆等。现多种植经济林木、水稻、花生、番薯等。现村民主

◎ 灌溉用木质引水渠（摄于2016年）

要经济收入来源为林业收入、农业收入、工资收入、商业经营收入等。

传统美食为端午节的碱水粽。制作方法：原料为糯米、碱水、生油。先将糯米淘洗干净，沥去水，倒上碱水拌匀，待碱水被米粒吸收后，再倒入生油拌匀。长芒粽叶洗净焯过浸泡在清水里。先取长芒粽叶两三张，折拢成筒形，放置一头齐一头尖的竹通，放入糯米，轻轻抽出竹通，折好粽叶，包裹成圆柱形粽子，用细小的竹篾或线绳扎牢。然后将米粽放入锅内加水旺火煮 1 小时，再改用文火焖煮 2 个多小时即可。吃时剥去粽叶，撒上白糖或蘸些黄糖水即可食用。

村于 1975 年通电，1980 年通电话，2006 年村内实现道路硬底化，2010 年通自来水和网络。

◎ 农具竹耙（摄于 2016 年）

村分上围、下围两部分，以溪流分开两边。现存古居 2 座，属于客家围屋。围屋以大致南北走向的 5 列平房为主体，两端护水房组成客家围屋。大门向北，里面住屋向东。大门其实没有门，就是街道上面搭上瓦面而已。中间 3 列平房各由 9 间单房组成，两边 2 列各 11 间，加上护水房，约 70 多个单间，

◎ 五洞坑围屋（摄于 2016 年）

可容纳住户 20 多家。住屋以三合土和泥砖为墙体，悬山顶，盖灰瓦。墙体下面以三合土护墙，住房门由石门坎、木质门构成，门前铺石板。街巷用河石铺成。围屋今已无人居住，大部分保存完整。20 世纪 80 年代以来，村民逐步开始拆旧建新楼，是全县没有占用耕地建楼房的村庄之一，受到县“三旧改造”办公室表彰。

村南小山脚下有一棵高大的古榕树，传说有几百年树龄，树上挂有县级保护牌。大树下设有石下社坛。社坛结构比较简单，用砖头砌成主体，石灰批荡外表，社牌位前围成圆弧状前堂。如今社牌位已废，只留下一个方框，但香火旺盛。村民唯一的宗族活动是清明节祭拜公众祖先。

◎ 古树和社坛（摄于 2016 年）

民间传统节日以春节、元宵节、清明节、端阳节、中秋节、冬至等节为主，还有四月八、六月六、七月半、十月朝等节日。其中六月六，村民称它为尝新节。因本地六月初六期间正是“割早禾”之时。下造育禾苗的基地（秧苗田），上造必须种植早熟种（早禾）。这是农民一年中最早收割的稻子。为了庆祝一年的

最早收成，家家户户做一顿糍来庆贺。所以六月六也叫做“尝新米”。该村传统节庆食品有：春节的客家脸肉、酿豆腐、糖环、油角、炒米饼，元宵节的汤圆，清明节的糯米艾糍，端午节的粽子，中秋节的月饼等。妇女坐月子时，喝糯米甜酒、猪脚甜醋等。

传统客家嫁娶过程有一整套约定俗成的礼仪：说媒、看妹子、算八字、看家风（女方亲戚到男方家看门户）、定日子、送小担和聘金、接亲、摆结婚酒、闹洞房、三朝回门（新婚丈夫陪妻子回娘家）等。小孩出生 20 天左右要给亲戚送糯米甜酒报喜，择日举办“满月”吉庆。丧葬风俗，多沿用中原的古传统，以土葬为主。20 世纪 80 年代后逐步实行火葬，但葬礼的基本形式不变，其程序包含有择时辰、建灵牌、收殓、引灵、接体、奠礼、出殡、火化、安葬等。

该村在抗日战争时期和解放战争时期为游击队提供活动场所、粮食，参与站岗放哨，许多村民投身到革命队伍中，为中国人民解放事业作出重大贡献。1954 年 7 月 28 日，村中秧田发生蛀心虫、行军虫、浮尘子、铁甲虫等 11 种害虫，受害面积 15.8 公顷，轻则秧苗发黄，重则枯死。县委机关、公社、大队干部分头下乡帮助除虫。1964 年发生特大旱灾，大部分水田改种番薯，粮食短缺，靠政府下拨救济粮度饥荒。

村主要人物：王昌坛（1908—1946），革命烈士，东江纵队北江支队独立一大队战士，基干民兵副中队长，1946 年在翁源县石寨战斗中牺牲。王耀朋（生卒年不祥），曾用名王彩彰，中共地下党党员，利用在“敏捷学校”任教身份从事地下工作，传播革命道理。王超，1929 年生，曾为北江中队手枪队队长。王祖件，1964 年生，曾任职于广东省交通厅，后任长大公司设计师兼项目经理。

（资料填报：王祖国；初稿撰写：朱南岳、郑承沧；总纂：李协湖）

上龙冈村

◎ 上龙冈村村貌（摄于 2016 年）

上龙冈村，位于迳头镇北部，距镇政府 7 千米。始建于清雍正三年（1725 年），从英德县大陂都白石乡（今佛冈县迳头镇）下龙冈村分支迁入而形成。因村落选址于婉如一条沉睡巨龙的青山咀，面临烟岭河如同龙临江河，因而取名龙冈村。龙冈村分两部分，河上游为上龙冈村，河下游为下龙冈村。因地势较为平坦，又得名龙冈坪村。

村坐落于山间谷地。东面一片耕地，南临烟岭河，西边田畴宽阔，青山延绵，北边是胡屋村和下龙冈村，南面河堤是县道 839 线，沿河而上，上连镇子村、楼下村、官塅围、水来镇村，下接围子营杜、邓王屋等村。烟岭河边兴建有范仲淹纪念馆、范文正公祠、魁星楼和龙冈古庙。河对岸是烟岭圩和国道 106 线。

村落建成时属英德县大陂都白石乡，清嘉庆十八年（1813 年）属佛冈厅白石乡，民国时期属佛冈县白石乡，中华人民共和国成立后属佛冈县第二区白石乡，1958 年 10 月属从化县跃进（迳头）人民公社龙冈大队，1961 年 5 月属佛冈县烟岭人民公社龙冈大队，1983 年 12 月属烟岭区龙冈乡，1987 年 1 月属烟岭乡龙冈行政村，1994 年属 2 月烟岭镇龙冈管理区，1998 年属 11 月烟岭镇龙冈行政村，2004 年 5 月属迳头镇龙冈行政村至今。

世居村民为范姓。南宋中期，范姓先祖从福建上杭县南湖村迁移到广东潮州府海阳县恋州都清溪乡（后改饶平县，再后改为大埔县管辖），其后裔迁至英德高基排，几年后迁到横石塘琵琶山、石灰铺背村，再迁至英东大镇柑塘咀。明正统十二年（1447 年）迁至英德县白石乡楼下村，再迁至居下龙冈村，于清雍正三年（1725 年）再分支迁入该地。

2015 年末，村有户籍人口 352 人，其中男性 180 人、女性 172 人。80 岁以上 28 人，最年长者 91 岁（女）。在村居住 179 人，其中留守儿童 19 人，生活主要依靠农业收入的人口有 206 人，常年在城镇生活和打工的 173 人。祖籍该村的香港同胞 11 人，台湾同胞 5 人；还有华侨约 4 人，侨居美国。该村村民均为汉族，客家民系，使用客家方言。

该村有耕地 22.67 公顷、山地 25.89 公顷。传统经济以农业收入为主，作物有水稻、番薯、木薯、花生、大豆等。现多种植粮食作物和经济作物。村民主要经济收入来源为农业收入、商业经营收入、工资收入等。

该村传统节庆食品有：春节的客家脍肉、酿豆腐、糖环、油角、炒米饼，元宵节的汤圆，清明节的糯米艾糍，端午节的粽子，中秋节的月饼等。妇女坐月子时，喝糯米甜酒、猪脚甜醋等。20 世纪 70 年代以前，特色农产品有沙梨。

村于 1975 年通电，1986 年通电话，2005 年村内实现道路硬底化，2015 年通自来水和网络。

传统古居属于客家围屋。围屋大门向南，建筑以祠堂为中心，两进祠堂两边为住屋，后面还有 3 列排屋。后来又在祠堂前面兴建 6 列排屋，共 11 列排屋。两边护水把 11 列排屋连成客家围屋，正中大门的直街直通祠堂大门。该祠堂为老祠堂，里面供奉范氏十二世祖国兰公及其蓝姓夫人的神位牌。右边墙上，挂着古匾一块，上书“副榜”两字。相传国兰公的孙子范昌言，于清乾隆四十九年（1784 年）朝廷特地恩赐“副榜”以备其做官机会。二进祠堂之间有石板天井，石板阶梯，石础石柱。祠堂及后面 5 列排屋，墙体为三合土到顶，有的窗户为石铁结构。祠堂前面 6 列排屋则以三合土和泥砖为墙体，石灰砌石护墙，部分加铺石板。屋顶全为悬山顶，盖灰瓦。新祠堂在村南河边，始建于清光绪六年（1880 年），重修于 1994 年，占地面积 136 平方米。该祠堂坐东北向西南，门楼高 4 米，宽 3.3 米，石灰批荡红砖墙体。悬山顶，盖灰瓦。黄红色琉璃瓦檐，栋顶彩瓷四龙戏珠，瓦檐下彩画飘风，石板门额。门额雕刻大字：“人杰地灵”，右边竖刻小字：“光绪六年仲冬立”。门额牌匾：范文正公祠。二进祠堂

◎ 范文正公祠（摄于 2016 年）

间，砖砌方口成天井，花岗岩石板铺面，方砖地板，方形贴黄红色瓷片的顶梁柱。里面供奉着范氏文正公神位牌，两边楹联“文祖英豪卫国为民德厚功高扬万代，正公子弟承先启后重光祠宇衍千秋”。正栋下面横架着一条直径 30 厘米的木横梁，横梁中挂有装着钱粮的红布袋。

范仲淹纪念馆始建于 1881 年，于 2011 年 7 月 31 日动工重修，占地面积 624 平方米，建筑面积 1020 平方米，总投资 185 万元，2014 年 10 月竣工。

◎ 范仲淹纪念馆（摄于 2016 年）

◎ 上龙冈村旧民居一角（摄于 2016 年）

靠近范文正公祠的南面河堤上，兴建有一馆一庙一楼：范仲淹纪念馆，龙冈古庙（建于 1881 年，1975 年重建。供奉观音），魁星楼（建于 1881 年）。纪念亭为纪念馆的附属建筑，古庙为镇河神（镇河水泛滥成灾）。龙冈人建魁星楼，一为显示本地有才高八斗的人才，二为祈求人才辈出。

民间习俗为客家人习俗的延续。民间节日以春节、元宵节、清明节、端阳节、中秋节、冬至等节为主，还有四月八、七月半、十月朝等节日。客家嫁娶过程，

◎ 龙冈古庙（摄于 2016 年）

◎ 魁星楼（摄于 2016 年）

有一整套约定俗成的礼仪：说媒、看妹子、算八字、看家风（女方亲戚到男方家看门户）、定日子、送小担和聘金、接亲、摆结婚酒、闹洞房、三朝回门（新婚丈夫陪妻子回娘家）等。小孩出生 20 天左右要给亲戚送糯米甜酒报喜，择日举办“满月”吉庆。丧葬风俗，多沿用中原的古传统，以土葬为主。20 世纪 80 年代后逐步实行火葬，但葬礼的基本形式不变。其程序包含有择时辰、建灵牌、收殓、引灵、接体、奠礼、出殡、火化、安葬等。该村村民唯一宗族活动就是清明节祭拜公众祖先。

村有《烟岭范氏族谱》，纂修于清朝前期，纂修者不祥。

该村《大龙江志》记载，民国期间，利用祖尝公房设立学堂，由村中父老集资聘请先生教学。当时学堂规模较大，到学堂学习的儿童一般都有几十人。民国时，烟岭范氏族人范积臣、范俊庭在上龙冈今范仲淹纪念馆处兴办维新小学，其中范积臣管理财务，账目清楚，用钱合理，族人为纪念他，建起一座积臣纪念亭。范福庭为校长，教学严格，教出的学生德智体均属优良，在英德、新丰、佛冈三县负有盛名，办学以来三县在此就读的学生有几千人之多。中华人民共和国成立后，维新小学改名为龙冈小学，一直办校到 2008 年。

该村主要人物有：范昌信（生卒年不祥），清乾隆五十年（1785 年）钦赐副榜。范家齐（1919—2012），黄埔军校第七期学员，曾任国民党军连长。范少波（1927—1998），1948 年参加北江支队，中华人民共和国成立后曾任英德县委书记。范桂贤（1927—2003），1948 年参加北江支队，抗美援朝时是志愿军某部连长，荣立三等功。范点功，1930 年生，1948 年参加北江支队，中华人民共和国成立后先后任佛冈县白石乡文书、粤北行政公署财政处副科长、仁化县财贸部副部长、韶关市浈江区副区长，现已离休。范武，1931 年生，1948 年参加北江支队，中华人民共和国成立后曾任广东省新华书店副总经理。范春阳，1963 年生，中山医学院硕士研究生，后在英国曼彻斯特大学医学院读博士，在美国西北大学医学院修读博士后，现在阿肯色州大学医学院任教，教授、病理学专家。

（资料填报：范松灵；初稿撰写：朱南岳、郑承沧；总纂：李协湖）

下龙冈村

◎ 下龙冈村村貌（摄于 2016 年）

下龙冈村，位于迳头镇西北部，距镇政府 8 千米，据《大龙冈村志》记载，该村始建于明中期，由五世祖范丽带领其子六世祖范应标从英德县大陂都白石乡（今佛冈县迳头镇）楼下镇场岭村分支迁入而形成。在烟岭境内有一条自西北向东南走向的山脉，相传是南岭的伸延，到六角塘尾开始分支，一条由北向南伸延（龙冈坪），一条从西北走向东南（龙冈）伸延，称之为双龙。对面的高岭升像颗明珠（又称少文星），两景传说是双龙戏珠，宛如一双龙眼注视着烟岭河。东有飞鹅吮水，如同龙飞凤舞气势磅礴；西有三山两塘，青松翠竹碧波辉映；南有少文星，像颗明珠远照；北有小溪流水，像一条青龙摇曳着尾巴从西北向东南奔入烟岭河，构成了这幅龙吟虎啸的福地。由于地处青龙咽处，是大河小溪交汇的地方，该村取名为大龙（江）冈。同时又因地处烟岭河下游，位于上龙冈村下面，故又称下龙冈村。

村坐落于山间谷地，坐西北向东南。东面是鱼塘，往前是水田，再往前是烟岭河支流水洞坑小溪、围仔营村；南是大坪圩至水洞坑的村道，往前是水田、烟岭河、大坪圩；西是胡屋村、上龙冈村；北是背夫岭、中心村。

该村形成时属英德县大陂都白石乡，清嘉庆十八年（1813 年）属佛冈厅白石乡，民国时期属佛冈县白石乡，中华人民共和国成立后属佛冈县第二区白石乡，1958 年 10 月属从化县跃进（迳头）人民公社龙冈大队，1961 年 5 月属佛冈县烟岭人民公社龙冈大队，1983 年 12 月属烟岭区龙冈乡，1987 年 1 月属烟岭乡龙冈行政村，1994 年 2 月属烟岭镇龙冈管理区，1998 年 11 月属烟岭镇龙冈行政村，2004 年 5 月属迳头镇龙冈行政村至今。

世居村民为范姓。根据《范氏族谱》记载，范仲淹后代七世祖远冈公从福建上杭迁移至大浦，十三世祖范佛胜迁移定居于英德石灰铺，十五世祖范千三公之子十六世祖范万二从石灰铺迁移至烟岭楼下定居。明中期，二十一世祖范丽带领其子二十二世祖范应标定居大龙冈村（下龙冈），范应标的后代部分向外分支迁移到龙冈坪、中心村、竹元塘等地。

2015 年末，村有户籍人口 432 人，其中男 221 人、女 211 人。80 岁以上 23 人，最年长者 93 岁（范茂崔，男）。在村居住 350 人，生活主要依靠农业收入 315 人，常年在城镇生活和打工 82 人。祖籍该村的香港同胞 17 人、台湾同胞 6 人。村民均为汉族，客家民系，使用客家方言。

该村有水田耕地 20.82 公顷、山地 103.20 公顷。传统经济以农业为主。20 世纪 80 年代以前，主要作物有水稻、番薯、芋头、木薯、花生、大豆。现多种植粮食作物、果树、经济林木。现村民主要经济收入来源有农业收入、个体经营收入、务工工资等。传统的节庆食品有春节的客家腍肉、酿豆腐、糖环、油角、炒米饼，元宵节汤圆，清明节糯米艾糍，端午节粽子，中秋节月饼等。妇女坐月子时，喝糯米甜酒，吃猪脚、鸡蛋煲甜醋等。

◎ 春耕插秧（摄于 2016 年）

该村交通便利，大坪圩至水洞坑乡道约 800 米路段绕村东面和南面而过，连接河西公路和 106 国道。该村 20 世纪 80 年代通电、通电视，90 年代通电话，2005 年实现道路硬底化，2013 年通光纤网络，2015 年通自来水，建有文化室，村外设有垃圾收集站。

◎ 下龙冈村文化室（摄于 2016 年）

该村旧民居建筑保存比较完好。该村围屋讲究对称，整齐划一，民居以祠堂为中心，围绕祠堂而

◎ 旧民居（摄于 2016 年）

建，左右各有 10 排 9 街，共有 2 房 1 厅式 294 套住房，可供 800 人居住的大村落。街道以前多以麻石或者青砖铺地，20 世纪 80 年代后大多改用水泥硬底化。围屋中心有高曾祖祠堂。下龙冈村另 1 座客家围屋，为 3 幢 2 回水（护水）1 大门，具有明显的岭南客家特点，每幢屋中心 1 间分为上厅、中厅、下厅，中幢的中厅可通上街、下街，设有神位。住屋布局多为 1 厅 4 房或 1 厅 2 房，也有单间排列。3 幢屋左右两边为回水屋，回水屋比堂屋矮小，厨房多设在回水屋。围屋悬山顶，墙体下部用三合土，上部多用泥砖砌成。青砖街道，麻石板墙檐，易于排水散热。围屋的窗户也大多是用麻石和铁柱建成，易于通风透气，更主要是便于防御盗匪。

琼华楼位于门楼右边，坐西向东，其门框和门槛都是用麻石砌成的，大门门楣的麻石上有用繁体写的“琼华楼”三个字。琼华楼由前后两排各四间房屋组成，两排房屋之间的中庭街道的地面是由青砖铺砌而成的，中庭有一口水井，中庭两端各有 1 个侧门，在 2 个侧门的左下方都有 1 个用麻石凿成

◎ 青砖巷道石板墙檐（摄于 2016 年）

的狗洞。琼华楼的大门和侧门，由两扇木门和应急木栅栏门（趟栊）组成，如遇盗贼入侵，将木栅栏拉好，关上大门，有效防御外敌。

围中心祠堂为两进式，叠式悬山顶，盖灰瓦，琉璃瓦檐，檐牙高跷。栋顶上有琉璃双龙戏珠，气势磅礴。祠堂大门前左右两根用青砖砌成的圆柱，圆柱底座以花岗岩凿成。两条柱子都画有一条盘旋而上的龙，嘴里含着一颗明珠，栩栩如生。大门两侧的墙上画有鸾凤两幅图案，左为鸾，右为凤，意为鸾凤和鸣。大门由石门坎、木门框构成，门额上楷体大字写"范氏宗祠"。祠堂为两进式，两进之间是用于采光的天井。正厅中央有祭祖用的神台，神台上放神龛，神龛里面有"范门堂大龙冈高曾祖（考妣）历代宗亲之神位"字迹，左昭右穆记录了大龙冈历代范氏祖先的名字。神位牌两边为木刻雕花，上方为双龙戏珠雕刻图案和"永代兴隆"题词。题词下方带"福"字。神龛外围上方有题词"奕世其昌"，神龛最上方为驾着祥云的鸾和凤。正厅上方有横梁，为民俗"上灯"时挂灯笼之用。下龙冈村建村至今经过历代繁衍，人口发展到430多人，20世纪80年代以后，村民逐渐在传统的围屋外建钢筋混凝土楼房。

◎ 范氏宗祠（摄于2016年）

民间节日以春节、元宵节、清明节、端午节、中秋节、冬至为主，还有四月八、七月半、九月重阳、十月朝等节。围中人还有正月十九许神，年三十还神，正月初二带上供品到祠堂祭拜供奉的习俗。

传统的婚嫁习俗中，保留古中原古制纳彩、问名、纳吉、纳征、请期、亲迎。现已少见，现代有一整套约定俗成礼仪：说媒、看妹子、算八字、看家风（女方亲戚到男方家看家风）、定日子、送小担和聘金、接亲、摆结婚酒、闹洞房、三朝回门（新婚丈夫陪妻子回娘家）等。传统丧葬风俗多沿用中原古制，土葬为主，1990年后逐步实行火葬，其程序为：竖灵、收殓、引灵、接体、奠礼、出殡、火化、安葬等。

村族谱、家谱保存比较完整，有范育中主编的《范氏族谱》、范德中主编的《文兴公家谱》，以及范勇辉主编的《大龙冈村志》。

该村主要历史事件有：1975年起，因有汽车运输，停止了几百年船泊运输历史。过去船运主要运输石灰石，用于烧石灰，其次是运粮，还有用于烟岭河两岸运送上下游迎亲送嫁队伍。

该村主要人物有：范作周（1871—1943），清末秀才。范汉英（1905—？），黄埔军校毕业，抗战时期两广军需处处长，储司司令，少将军衔。范俊杰（1909—1943），黄埔军校毕业，少校军衔，于1943年在一次抗击日军的战斗中牺牲。范勇英，1940年9月生，曾经广州冶金厂厂长，高级工程师。

（资料填报：范茂可；初稿撰写：朱南岳、郑承沧；总纂：李协湖）

枫树塅村

◎ 枫树塅村村貌（摄于 2016 年）

枫树塅村，位于迳头镇北部，距镇政府 8 千米。始建于 1950 年，因村民从佛冈县第二区白石乡王屋村分支迁入而形成。建村原址有棵高大枫树，村前为田塅，因而取名枫树塅村。

村坐落于丘陵地带，村落依山而建。东是乡道 340 线，南是水洞坑（烟岭河支流），西是瓦屋下村，北是青山。村前有烟岭河的水洞坑支流，村后靠青山背夫岭，村旁耕地成片，四周山林茂盛。

该村形成时属佛冈县第二区白石乡，1958 年 10 月属从化县跃进（迳头）人民公社龙冈大队，1961 年 5 月属佛冈县烟岭人民公社龙冈大队，1983 年 12 月属烟岭区龙冈乡，1987 年 1 月属烟岭乡龙冈行政村，1994 年 2 月属烟岭镇龙冈管理区，1998 年 11 月属烟岭镇龙冈行政村，2004 年 5 月属迳头镇龙冈行政村至今。

世居村民为王姓。明正统四年（1439 年），王姓祖先从福建上杭县珠玑巷迁移至广东新丰县回龙，其后裔后迁至英州白石乡龙冈野猪塆。清康熙三十八年（1699 年），族人分支迁移至王屋村。1950 年再分支迁入该地。

2015 年末，村有户籍人口 161 人，其中男性 82 人、女性 79 人。80 岁以上 4 人，最年长者 90 岁（女）。实际在村人口 130 人，其中留守儿童 2 人，生活主要依靠农业收入的人口有 103 人，常年在城镇生活和打工的人口 31 人。该村村民均为汉族，客家民系，使用客家方言。

村有水田耕地 9.65 公顷、山地 82.03 公顷。传统经济以林业、农业收入为主。20 世纪 70 年代以前，主要作物有水稻、番薯、木薯、花生、大豆等。现多种植经济林、水稻、花生、番薯、木薯等，特色农产

◎ 淮山、木薯地（摄于 2016 年）

品为淮山药。现村民主要经济收入来源为农业收入、林业收入、外出务工工资收入、商业经营收入等。

该村传统节庆食品有：春节的客家腍肉、酿豆腐、糖环、油角、炒米饼，元宵节的汤圆，清明节的糯米艾糍，端午节的粽子，中秋节的月饼等。妇女坐月子时，喝糯米甜酒、猪脚甜醋等。

村边乡道340线西北方向通往瓦屋下村，往东南方向经中心村到下龙冈村，再经大坪圩连接县道839线和国道106线。该村1986年通电，1996年通电话，2000年村内实现道路硬底化，2015年通自来水和网络。

村由枫树塅、过路塘口、大人村（路下）三部分组成。其中枫树段是最初村落，属于客家围屋。全围共计30多套两房归厅套房，20多间单房。房屋以三合土和泥砖为墙，悬山顶，盖灰瓦，一色木门框石门坎，三合土护墙，门前有排水沟，街道铺三合土。过路塘口、大人村（路下）的规模则小得多，其结构大体相同。20世纪80年代起，大部分村民都住上钢筋混凝土结构楼房。

◎ 枫树段村围巷（摄于2016年）

民间习俗，多为客家人习俗的延续。除正月十五元宵节、三月清明节、五月端午节、七月半、八月十五中秋节、九月重阳节、十一月冬至节、十二月除夕过大年之外，还有二月二、四月八、六月六、十月朝等传统节日。村中有“二月二，龙抬头”的说法。据说经过冬眠的龙，到二月二这一天，就被隆隆的春雷惊醒，便抬头而起。所以古人称农历二月初二为春龙节，又叫龙抬头节或青龙节。其实，人们关心“龙抬头”节并用各种形式进行纪念，根本原因是与农业生产有关系。正如民谣所云：“二月二，龙抬头，大仓满，小仓流。”因为二月正是农作物播种的季节，百姓们通过各种纪念活动，寄托了祈龙赐福、保佑风调雨顺、五谷丰登的强烈愿望。在民间还流传着这样一首打油诗：“二月二，龙抬头，天子耕地臣赶牛；正宫娘娘来送饭，当朝大臣把种丢。春耕夏耘率天下，五谷丰登太平秋。”皇帝率满朝大臣都参加春耕生产，足见春耕不误农时之重要。“二月初二，惊蛰已到，赶紧耙田播种（落谷），吃顿好的就开耕。”节日就这样延续下来。中华人民共和国成立初期尚有“唱春牛歌”“舞春牛”之类传统活动，后慢慢淡化。

婚嫁习俗，有一整套的约定俗成的礼仪：说媒、看妹子、算八字、看家风（女方亲戚到男方家看门户）、定日子、送小担和聘金、接亲、摆结婚酒、闹洞房、三朝回门（新婚丈夫陪妻子回娘家）等。小孩出生20天左右要给亲戚送糯米甜酒报喜，择日举办“满月”吉庆。

◎ 儿童椅（摄于2016年）

丧葬风俗，多沿用中原的古传统，以土葬为主。1990年后逐步实行火葬，但葬礼的基本形式不变。其程序包含择时辰、建灵牌、收殓、引灵、接体、奠礼、出殡、火化、安葬等。还有一个风俗一直流传至今，每当村中老人辞世，招待亲朋好友的三样菜有猪肉、青菜、豆腐，不许饮酒作乐，以示哀悼。

1964年发生特大旱灾，5.33公顷水田改种番薯，造成1965年上半年粮食严重短缺，依靠政府下拨救济粮度饥荒。1966年，因土地纠纷，发生范、王姓氏械斗，多人受伤。

该村的王列后（1921—2001年），曾任佛冈县十六小学和礼溪小学校长。

（资料填报：王思跃；初稿撰写：朱南岳、郑承沧；总纂：李协湖）

瓦屋下村

◎ 瓦屋下村村貌（摄于 2016 年）

瓦屋下村，位于迳头镇北部，距镇政府 9 千米，始建于清乾隆三十年（1765 年），从英德县大陂都白石乡（今佛冈县迳头镇）楼下村分支迁入该地而形成。该村先祖用“人在屋檐下不得不低头”之意告诫后人，大丈夫要能伸能屈，而取名瓦屋下村，曾用名大塘角。

村坐落于丘陵地带，依山而建。东边有枫树塅村，南为耕地，西连 340 乡道，北是村背岭。村前有烟岭河支流水洞坑。

该村形成时属英德县大陂都白石乡，清嘉庆十八年（1813 年）属佛冈厅白石乡，民国时期属佛冈县白石乡，中华人民共和国成立后属佛冈县第二区白石乡，1958 年 10 月属从化县跃进（迳头）人民公社龙冈大队，1961 年 5 月属佛冈县烟岭人民公社龙冈大队，1983 年 12 月属烟岭区龙冈乡，1987 年 1 月属烟岭乡龙冈行政村，1994 年 2 月属烟岭镇龙冈管理区，1998 年 11 月属烟岭镇龙冈行政村，2004 年 5 月属迳头镇龙冈行政村至今。

世居村民为范姓。南宋中期，范姓先祖从福建上杭县南湖村迁移到广东潮州府海阳县恋州都清溪乡（后改饶平县，再后改为大埔县管辖），其后裔迁至英德高基排，几年后迁到横石塘琵琶山、石灰铺背村，又迁至英东大镇柑塘咀。明正统十二年（1447 年）迁至英德县大陂都白石乡（今佛冈县迳头镇）楼下村。清乾隆三十年（1765 年），范氏族人分支到瓦屋下村。

2015 年末，村有户籍人口 161 人，其中男性 82 人、女性 79 人。80 岁以上 4 人，最年长者 88 岁（男）。

◎ 乌石古石桥（摄于 2016 年）

实际在村人口126人，其中留守儿童9人，生活主要依靠农业收入的人口有105人，常年在城镇生活和打工的人口35人。村民均为汉族，客家民系，使用客家方言。

该村有耕地10.07公顷、山地103公顷。传统经济以林业、农业收入为主，主要作物有水稻、番薯、木薯、花生、大豆等。现多种植水果、经济林木、粮食作物，以水稻、花生、番薯为主。现村民主要经济收入来源为农业收入、林业收入、商业经营收入、务工性工资收入等。乡道龙王公路经过本村，沿西北方向通往王屋村，东南方经枫树段村、中心村到下龙冈村，再经大坪圩连接县道839线和国道106线。

该村传统节庆食品有：春节的客家腍肉、酿豆腐、糖环、油角、炒米饼，元宵节的汤圆，清明节的糯米艾糍，端午节的粽子，中秋节的月饼等。妇女坐月子时，喝糯米甜酒、猪脚甜醋等。

该村1985年通电，1996年通电话，2001年村内实现道路硬底化，2014年通自来水和网络。

瓦屋下村由乌石古、瓦屋下、大坪岭三部分组成。范姓先祖迁入时，首先落户于乌石古，到乌石古要经过一座石桥。古石桥由两条方石柱并成，石柱宽0.25米，长2.5米。村落规模较小，一字摆开的3幢平房。每幢由两套2房归厅构成。房子早已坍塌，只留下三合土墙基。后来有人在原址兴建一列平房，亦无人居住。原住户于1973年搬迁至瓦屋下和大坪岭两个居住点落户。两地先盖起几列平房，以三合土和泥砖为墙，硬山顶，盖灰瓦，木质窗，石门坎。20世纪80年代起，大部分村民住上钢筋混凝土结构的楼房。

◎ 瓦屋下村旧民居一角（摄于2016年）

◎ 传统石磨（摄于2015年）

民间习俗，多为客家人习俗的延续。民间节日以春节、元宵节、清明节、端阳节、中秋节、冬至等节为主，还有四月八、七月半、十月朝等节日。每年正月十三日上灯。传统婚嫁习俗，保留中原古制从议婚至完婚过程中的六种礼节，即：纳彩、问名、纳吉、纳征、请期、亲迎。纳彩即男方家请媒人去女方家提亲，女方家答应议婚后，男方家备礼前去求婚。问名，即男方家请媒人问女方的名字和出生年月日。纳吉，即男方将女子的名字、八字取回后，在祖庙进行占卜。纳征，亦称纳币，即男方家以聘礼送给女方家。请期，男家择定婚期，备礼告知女方家，求其同意。亲迎，即新郎亲至女家迎娶。随着社会的进步，这六礼已被新式婚俗所取代，其中部分程序一直沿用至今。传统的丧葬风俗庄严而繁杂，以土葬为主，1990年逐步实行火葬，主要程序有：收殓、引灵、奠礼、出殡、火化、安葬等。传统习俗还有大年初二瑞狮拜门、清明节祭祖等活动。此外，还有祭扫新坟的习俗，即新修筑的坟墓要在社日（立春后第五个戊日，具体日期在春分前后）之前祭祀，故此习俗亦称“拦社”。

丧葬风俗，多沿用中原的古传统，以土葬为主。20世纪80年代后逐步实行火葬，但葬礼的基本形式不变。其程序包含有择时辰、建灵牌、收殓、引灵、接体、奠礼、出殡、火化、安葬等。60岁以上老人临去世前要移至厅堂或廊下。去世后由子孙日夜守孝，死者入殓前，子孙要到河里取水（俗称“买水”），为死者擦身、更衣，亲视入殓。如果在村外过世，不准进村，要在外搭棚守孝。出殡时，请巫师开路，吹响牛角，送殡队敲锣打鼓、燃放爆竹送行。埋葬死者后，孝子孝女等从坟上抓回一把黄土，并且同牵1条寿红（红布）由另一路线回家，将灵牌送往祠堂，先点香拜过祖宗，报告逝者姓名，随后砍开灵牌烧掉，点燃爆竹，示意逝者灵魂已归故里。孝子孝女各保存1套逝者的衣服带回家放到衣柜最底下。用于拜祭的鸡，逝者的长辈和配偶不能食用，由儿女及晚辈食用，这叫“衣食父母”。葬后要为死者做“头七”，主要是复坟头。“二七”“三七”做法事，至此丧事才告完结。

1943年，强盗用火烧村大门，抢劫1大户财物，还把村里妇女全抓上了山。1966年因土地纠纷发生范、王姓氏械斗。2013年6月，由政府支持，集体出资，个人捐款等方式筹款，用时1个月，修建张公坑、鸟石古、茜塘等三条机耕路，总长达8千米。

该村的范桂引，1957年生，1977年入伍，1979年参加中越边境自卫还击战并荣立三等功一次。范秀精，1964年生，佛山南海高平红木家俬厂总经理，是热心家乡公益事业的实业家，先后为家乡修桥、铺水泥路、为范仲淹纪念馆等捐款10多万元。范辉煌，1974年生，任佛冈县副县长。

（资料填报：王思跃；初稿撰写：朱南岳、郑承沧；总纂：李协湖）

王屋村

◎ 王屋村村貌（摄于 2016 年）

王屋村，位于迳头镇北部，距镇政府 12 千米。始建于清康熙三十八年（1699 年），从英德县大陂都白石乡（今佛冈县迳头镇）龙冈野猪湾村王氏族人分支迁入而形成。因村民皆姓王，故取名为王屋村。

村坐落于山地，东靠村背山，南临 340 乡道，西面水洞坑（小溪，烟岭河支流），北面青头岭。村依山而建，整体南北走向，四周山林茂密。乡道 340 线龙王公路通往瓦屋下、枫树段、中心村及下龙冈各村，再经大坪圩连接县道 839 线和国道 106 线。

该村形成时属英德县大陂都白石乡，清嘉庆十八年（1813 年）属佛冈厅白石乡，民国时期属佛冈县白石乡，中华人民共和国成立后属佛冈县第二区白石乡，1958 年 10 月属从化县跃进（迳头）人民公社龙冈大队，1961 年 5 月属佛冈县烟岭人民公社龙冈大队，1983 年 12 月属烟岭区龙冈乡，1987 年 1 月属烟岭乡龙冈行政村，1994 年 2 月属烟岭镇龙冈管理区，1998 年 11 月属烟岭镇龙冈行政村，2004 年 5 月属迳头镇龙冈行政村至今。

世居村民为王姓。根据《王氏族谱》记载，明正统四年（1439 年），王姓先祖从福建省上杭县珠玑巷迁移至广东新丰回龙，其后裔分支到英德县大陂都白石乡龙冈野猪湾。清康熙三十八年(1699 年)，王成彰、王成善兄弟再从烟岭野猪湾迁移至该地成为开村始祖，亦有后裔迁居王屋、五洞坑、水洞坑及县外的广西与本省的肇庆、清远、四会、东莞等地。

2015 年末，村有户籍人口 293 人，其中男性 158 人、女性 135 人。80 岁以上 6 人，最年长者 96 岁（女）；实际在村 194 人，其中留守儿童 19 人；生活主要依靠农业收入的有 176 人；常年在城镇生活和打工的 99 人。该村村民均为汉族，客家民系，使用客家方言。

村有耕地 17.33 公顷、山地 464.13 公顷。传统经济以林业和农业收入为主，20 世纪 70 年代以前，主要作物有水稻、番薯、木薯、花生、大豆等。现多种植经济林木和粮食作物。特色农产品有松香、蜂蜜，70 年代曾是全县松树种植基地。现村民主要经济收入来源为林业收入、农业收入、经商收入、工资收入等。

该村传统节庆食品有：春节的客家脍肉、酿豆腐、糖环、油角、炒米饼，元宵节的汤圆，清明节的糯米艾糍，端午节的粽子，中秋节的月饼等。妇女坐月子时，喝糯米甜酒、猪脚甜醋等。

村1986年通电，1996年通电话，2000年村内实现道路硬底化，2010年通自来水和网络。

村古居由高围、晴角、大围三部分组成，属于客家围屋，结构基本一致。以大围古居为例，围屋门楼向北偏西，由3列纵向平房加前后护水组成。因平房纵向排列，故住屋大致向西偏南。一列平房由9个单间组成，3列加护水总计约40个单间，可供10多户农户居住。门楼前左右两边石础木柱，上边横梁相连。整条棱形横梁布满阳雕画，一面有双龙戏珠，另一面有祥云、蝙蝠、花朵。门径上面用木桁、木板做成阁楼。街道用小石嵌成。街道两边为墙檐，以三合土护墙。两条直街和前后横街连通三列住屋。住屋皆以三合土和泥砖为墙，悬山顶，盖灰瓦。古围屋今已大部分坍塌，有的农户在原地盖起钢筋混凝土结构楼房。

◎ 古居门楼（摄于2016年）

村原有的三座祠堂已经坍塌，现存的大围祠堂建于清道光年间（1821—1850年），1996年重修，占地70平方米。它以一列住屋的中间房为门径，里面为二进结构祠堂。两进之间以天井和屏风分隔，里面供奉着王氏九世祖天位公牌位。两边楹联：天位永登济济豪贤兴基业，玉楼光彩玉凤朝阳展翼飞。

民间习俗，多为客家人习俗的延续。除正月十五元宵节、三月清明节、五月端午节、七月半鬼节、八月十五中秋节、九月重阳节、十一月冬至节、十二月除夕过大年之外，还有二月二、四月八、六月六、十月朝等传统节日。小孩出生20天左右要给亲戚送糯米甜酒报喜，择日举办满月吉庆。丧葬风俗，多沿用中原的古传统，以土葬为主。1990年逐步实行火葬，主要程序有：收殓、引灵、奠礼、出殡、火化、安葬等。传统习俗还有大年初二瑞狮拜门、正月初八上灯、清明节祭祖等活动。

村原有私塾（学堂）一间。由王人宠兴办，始建于清光绪年间(1875—1908年)。起初有1名老师、四间课堂，学生人数最多时达50多人，分四个班级，还有操场等设施。民国时期扩建为敏捷学校，有7名教师，近100名学生。1951年更名为第十六完全小学，1953年改名为龙冈小学水洞坑分校，至1970年停办。该校在抗日战争和解放战争期间，先后有中共地下党员王耀明、胡占泉、李先仕等，利用任教身份宣传革命道理，进行革命活动，培养青少年走向革命道路。如经培养的王俊才、王超、王启明、王启中、王列芬、王列国（烈士）、王祖长、王昌坛等，都为革命作出贡献。敏捷学校内原放置有四人抬的大轿一乘，后被毁。

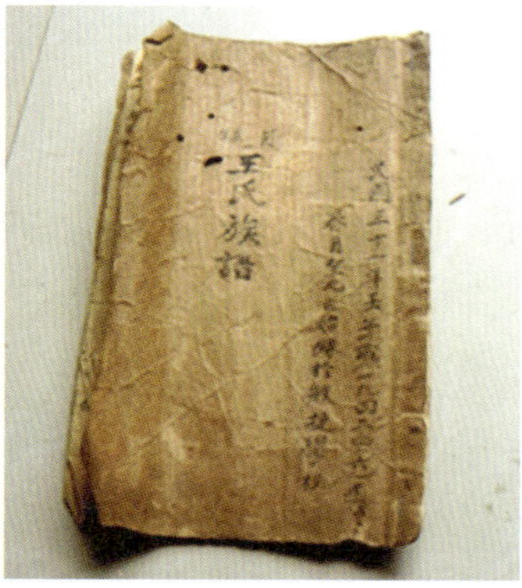

◎《王氏族谱》（摄于2016年）

村有《王氏族谱》，王耀明于1942年纂修，记载该村王姓历代祖先的血缘关系。王列健于2005年3月纂修《王列健家谱》。

民间传说有“选村址”的故事。传说王屋村的开村始祖成彰公，一天天未亮出村去遛马。到烟岭河龙冈岸边时，朦胧中隐隐约约见一巨物在眼前闪过，觉得很蹊跷，立即策马追去。追上前看清是一头大象。大象回过头来向他点点头，又转身继续往前走，就这样走走停停，把王成彰带到水洞尾。这时天已大亮，大象一闪不见了，面前只有一座山。王成彰回过神来，急忙赶回野猪湾村家中，把发生的事情告诉父母兄弟。父亲说以前听先辈讲过类似的故事，还说出现这些神物的地方都是风水宝地。其弟成善决定与哥哥举家迁徙到水洞尾居住，并以姓为村名（王屋），山也得名象山。现村前瑞山亭刻有3副楹联：远看群山卧龙虎，近听峻岭鸣凤凰。瑞峰孕人杰频增福寿，山月映地灵辈出英才。读书才恨知识浅，观海方知天地宽。

该村为抗日战争和解放战争时期游击队活动区，村民为中国人民解放事业作出重要贡献。

该村较有影响的人物有：王人宠（生卒年不详），清光绪年间监生，在王屋村创办私塾小学，为水洞坑办学奠定基础，从清代创办私塾，到民国办学，再到中华人民共和国成立后扩建学校，向村民传播知识，为培养人才作出贡献，其感染力影响着村里一代又一代人。王吉眉（生卒年不详），清光绪年间进士，曾任英州（现英德）州长。王列国（1903—1945），革命烈士，东江纵队北江支队独立一大队战士，1945年8月在韶关被捕遇害。王祖祥（1923—1945），革命烈士，东江纵队北江支队独立一大队交通员，1946年6月在新丰遥田被捕遇害。王俊才，1932年生，北江支队钢铁中队队长，后任英德县武装部部长。王祖免，1952年出生，曾任清远市公安局刑警大队队长，曾获全国十大优秀青年奖、广东省十大优秀警官奖。

◎ 瑞山亭（摄于2016年）

（资料填报：王列波；初稿撰写：朱南岳、郑承沧；总纂：李协湖）

围仔营村

◎ 围仔营村村貌（摄于 2016 年）

围仔营村，位于迳头镇东北部，距镇政府 10 千米。始建于清乾隆年间（1736—1795 年），从清远县吉河乡（今佛冈县水头镇）高水塘村分支迁入该地而形成。因村中有一小型围屋，形似营盘，故取名为围仔营。曾用名刘屋。

村坐落于山间谷地，坐南向北。东边和西边是大片田畴。东南面是烟岭河北连片的小山丘。

村建成时属英德县大陂都白石乡，清嘉庆十八年（1813 年）属佛冈厅白石乡，民国时期属佛冈县白石乡，中华人民共和国成立后属佛冈县第二区白石乡，1958 年 10 月属从化县跃进（迳头）人民公社邓光头大队，1961 年 5 月属佛冈县烟岭人民公社邓光头大队，1983 年 12 月属烟岭区邓光头乡，1987 年 1 月属烟岭乡邓光头行政村，1994 年 2 月属烟岭镇邓光头管理区，1998 年 11 月属烟岭镇邓光头行政村，2004 年 5 月属迳头镇邓光头行政村，2005 年 5 月属迳头镇龙冈行政村至今。

世居村民为刘、谢、姓、王姓（围仔营原来还有梅姓，但在民国时期已经全部迁到别处）。刘姓最早来到围仔营。刘姓先祖于宋末从福建迁至广东潮州，其后裔分支到清远县吉河乡高水塘，清乾隆年间从高水塘再分支到此地。谢姓，明末迁至广东，民国时从佛冈县迳头镇龙冈谢屋村迁徙到该地。潘姓和王姓都是 1953 年土改时迁徙到此，其中王姓来自水洞坑、邓王屋等地，潘姓来自新丰县。

2015 年末，村有户籍人口 124 人，其中男性 64 人、女性 60 人。80 岁以上老人 4 人，最年长者 96 岁（女）；实有居住人口 92 人，其中留守儿童 5 人；生活主要依靠农业收入 76 人；常年在城镇生活和打工 32 人。有海外留学生 1 人。村民均为汉族，客家民系，使用客家方言。

河西公路（县道 839 线）在村东南边经过。村于 1980 年通电，1995 年通电话，2004 年通自来水，2005 年实现街道水泥硬底化，2013 年通网络。

村有耕地 7.67 公顷、山地 13.33 公顷。传统经济以农业为主，主要作物有水稻、番薯、大豆等。村民主要收入来源为外出务工收入、农业收入，也有少数经商者。

传统节日食品有春节客家脍肉、酿豆腐、糖环、油角、炒米饼、炒蛋仔，清明节艾糍，端午节粽子

◎ 村民养鹅场（摄于 2016 年）

◎ 刘氏宗祠（摄于 2016 年）

等。客家过年特色小吃有炒蛋仔。蛋仔，大体呈圆形，个如龙眼果。中空薄壳，白中带黄糖色，入口香脆，是孩子们过年最爱的小吃之一。外地人吃过蛋仔都大为赞赏。

该村由上围、新围、下围三部分组成。其中上围又称刘屋，有 3 排房屋，巷子呈一纵两横的布局。下围叫梅屋，是原来梅姓族人的居所。民国时期，梅姓族人人口凋零，将围屋卖给围仔营刘姓和谢姓族人后，全体迁移到别处。梅屋内，铺石板，屋内皆使用青砖制作门框，均为 1 房 2 厅。有门楼一座，保存完好，两旁留有用于抵御贼寇的炮口，居高临下。梅屋内有房间 40 多间，可供上百人居住。新围为近几年新规划的住宅，有几户村民在此建混凝土楼房。围仔营的建筑格局呈两边老、中间新的模式。

围仔营村有祠堂 1 座，位于上围的刘氏宗祠，

◎ 梅屋门楼（摄于 2016 年）

始建于清代，于 2002 年翻修。宗祠为两进结构，门口有副楹联：“刘氏彭城源远绵长传后裔，宗祠兴旺嗣孙衍享荣华”。

民间习俗为客家人习俗的延续。民间节日以春节、元宵节、清明节、端阳节、中秋节、冬至等节为主，还有四月八、七月半、十月朝等节日。传统习俗还有大年初二瑞狮拜门、正月初八上灯、清明节祭祖等活动。

传统婚嫁习俗，中原古制从议婚至完婚过程中的六种礼节，即纳彩、问名、纳吉、纳征、请期、亲迎。随着社会的进步，这六种礼仪已被新式婚俗所取代，其中部分程序一直沿用至今，送小担、踏家门、迎亲等嫁娶礼俗依然存在。传统的丧葬风俗庄严而繁杂，以土葬为主，1990 年逐步实行火葬，主要程序有收殓、引灵、奠礼、出殡、火化、安葬等。

抗日战争期间，日军曾入侵到烟岭圩，村民曾两度逃难，以躲避日寇。20 世纪 50—60 年代三年自然灾害时期，部分村民因饥饿营养不良犯水肿病严重。

该村主要人物有刘纯心，1965 年生，任佛冈县委组织部常务副部长。刘纯国，1966 年 12 月生，现任佛冈县迳头镇副镇长。2001 年至 2004 年任烟岭镇副镇长期间，引进盈泰印染厂、金岭工业园、飞祥机械厂等 13 家企业成功落户烟岭。

（资料填报：刘纯富；初稿撰写：黄汉超；总纂：李协湖）

野猪湾村

◎ 野猪湾村村貌（摄于2016年）

野猪湾村，位于迳头镇东北部，距镇政府9千米。始建于清乾隆五年（1740年），从新丰县回龙镇野猪湾村分支迁入而形成。思念故地，故亦取名野猪湾村。

村坐落于山间谷地，坐西向东。东为前所，南为大坪街，西为五洞坑，北为英德白沙门洞村。村道与河西公路（县道839线）和乡道286线相连。

村形成时属英德县大陂都白石乡，清嘉庆十八年（1813年）属佛冈厅白石乡，民国时期属佛冈县白石乡，中华人民共和国成立后属佛冈县第二区白石乡，1958年10月属从化县跃进（迳头）人民公社邓光头大队，1961年5月属佛冈县烟岭人民公社邓光头大队，1983年12月属烟岭区邓光头乡，1987年1月属烟岭乡邓光头行政村，1994年2月属烟岭镇邓光头管理区，1998年11月属烟岭镇邓光头行政村，2004年5月属迳头镇邓光头行政村，2005年5月属迳头镇龙冈行政村至今。

世居村民为王姓。据《王氏族谱》记载，王姓于明正统五年（1440年）从福建上杭珠玑巷迁移至今广东省新丰县回龙，清乾隆五年（1740年）迁移至该地。邓王屋王氏、五洞坑王氏、王屋王氏、枫树段王氏都是佛冈县迳头镇龙冈野猪湾王氏的分支。

2015年末，村有户籍人口193人，其中男性101人、女性92人。80岁以上老人4人，最年长者82岁（男）。实有居住105人，其中留守儿童12人。生活主要依靠农业收入91人。常年在城镇生活和打工88人。村民均为汉族，客家民系，使用客家方言。

村有耕地8.73公顷、山地28公顷。传统经济以种植水稻为主，兼种花生、番薯、木薯、芋头、

◎ 村民抛秧新技术（摄于2016年）

◎ 河筍（捕鱼具）（摄于 2016 年）

大豆等作物，个别农户有零星种植水果。改革开放以来，村中曾大规模种植沙糖桔，后因黄龙病疫情而大量荒废。村民主要收入为外出务工的工资性收入、农业生产或商业经营收入。

传统节日食品有：春节的客家腍肉、酿豆腐、糖环、油角、炒米饼、炒蛋仔，清明节艾糍，端午节粽子等。

民间节日以春节、元宵节、清明节、端阳节、中秋节、冬至等节为主，还有四月八、七月半、十月朝等节日。传统习俗还有大年初二瑞狮拜门、正月初八上灯、清明节祭祖等活动。

传统婚嫁习俗，保留中原古制从议婚至完婚过程中的六种礼节，即：纳彩、问名、纳吉、纳征、请期、亲迎，现已少见，迎亲嫁娶等礼俗依然存在。传统的丧葬风俗庄严而繁杂，以土葬为主，1990 年后逐步实行火葬，主要程序有：收殓、引灵、奠礼、出殡、火化、安葬等。民间习俗还有祭扫新坟，即新修筑（包括重修）的坟墓要在社日（立春后第五个戊日为春社，具体日期在春分前后）之前祭祀，故此习俗亦称“拦社”。

村 1972 年通电，1994 年通电话，2005 年全村村道实现水泥硬底化，2013 年通网络，2015 年通自

◎ 村民用上自来水（摄于 2016 年）

来水。

传统民居为客家民居，现存的老屋倒塌损毁严重，大部分建筑都是中华人民共和国成立后重建的。据村中老人回忆，野猪湾旧时的街巷呈东西一条街、南北两条巷的格局。东西有两座门楼，共有 3 排房屋，每排 20 间房，共 60 间，均是单间结构，算上门楼回水的房，可供 80 多户人居住。由此可见，从前野猪湾村的规模之大，人口之多。部分保存较为完好的野猪湾村古屋，以青砖为基底，上方为泥砖。由于年代久远，无从得知这是野猪湾先人建造的，抑或是后人在原来已经倒塌青砖屋的基础上用泥砖重建而成。总而言之，青砖屋在整个迳头地区都较为少见，可知当年野猪湾的富裕。在村西保留有一处门楼，虽然坍塌极其严重，但仍可以窥见原来的样貌。目前，仍居住在野猪湾村的村民大多将原来的老房拆除，建起新房，形成新旧交错的格局。

◎ 野猪湾村传统民居一角（摄于 2016 年）

◎ 野猪湾村神社（摄于 2016 年）

村东北设有神社，石制牌位上书："藺陈二位大夫人威灵神位"。神社旁有一风水树，下有石狮子一座。神社内有村民放置的瓦煲、柴捆。据村民介绍，要是家里的小孩多病或者不听话，村民就会带上祭品去拜祭，并且在神社内留下一个瓦煲以祈求小孩不生病免吃中药，或者留下柴捆祈求小孩听话而不需要抽打责罚。

村民传说，民国时有一村民外号叫九子汉，功夫了得，常在井下山边放牛、练武，拳脚有力，以至于井下山都被打平。他曾在佛山打擂台，威名远扬，赢得奖金无数。

该村在抗日战争期间是东江纵队北江支队的主要活动区域之一，许多野猪湾的村民参加游击队。1945 年，国民党反动派包围野猪湾村，游击队员王太俾在突围时牺牲，村中的男人都被押解至英德鱼湾，后由前所村曾肇基（国民党军团长）出面，筹粮将被捕村民赎回。中华人民共和国成立后，经上级人民政府批准，确认该村为抗日革命根据地。1953 年，该村遭遇特大洪灾，民房入水，村中水面高出地面 2 米多，水淹农田 2 公顷，至今仍可在民房墙壁上见到当时的水迹。

村代表人物有：王太俾（1907—1945），革命烈士，1939 年冬参加抗日先锋队，1945 年春参加东纵北江支队独一大队，1945 年 8 月在野猪湾被敌人包围，突围中牺牲。王瑞兰（1933—2006），曾在湛江海军某部担任副营长，转业至韶关市担任韶关市盐业公司总经理。

（资料填报：王战可；初稿撰写：黄汉超；总纂：李协湖）

胡屋村

◎ 胡屋村村貌（摄于 2016 年）

胡屋村，位于迳头镇东北部，距镇政府 9 千米。始建于明万历二十九年（1601 年），从广东韶州府英德县埔头甲（今新丰县遥田镇）分支迁入而形成。因村中世居胡姓人，故取名胡屋。

村坐落于山间谷地，坐西向东。村东北面是下龙冈，南边是上龙冈，东南是烟岭河，西北是背夫山。村道与东南 100 米处的河西公路（县道 839 线）相连。

该村形成时属英德县大陂都白石乡，清嘉庆十八年（1813 年）属佛冈厅白石乡，民国时期属佛冈县白石乡，中华人民共和国成立后属佛冈县第二区白石乡，1958 年 10 月属从化县跃进（迳头）人民公社龙冈大队，1961 年 5 月属佛冈县烟岭人民公社龙冈大队，1983 年 12 月属佛冈县烟岭区龙冈乡，1987 年 1 月属佛冈县烟岭乡龙冈行政村，1994 年属 2 月烟岭镇龙冈管理区，1998 年属 11 月佛冈县烟岭镇龙冈行政村，2004 年 5 月属佛冈县迳头镇龙冈行政村至今。

世居村民为胡姓。据《胡氏族谱》记载，胡屋村始祖为有通公，原住在福建汀州府长汀县，其子念七郎（为胡有通第七子）于明天顺年间（1457—1464 年）自福建迁至江西龙南县，念七郎之子千二郎胡德瑗（念七郎第四子）又自江西前往广东韶州府英德县埔头甲（今新丰县遥田镇）马蹄石榕树下。胡屋村开村始祖胡金铭与社坪胡屋始祖胡金蛮是兄弟，明万历二十九年（1601 年）自韶州府英德县埔头甲（今新丰县遥田镇）迁徙至该地。

2015 年末，村有户籍人口 55 人，其中男性 28 人、女性 27 人。最年长者为 84 岁（女）。实有居住人口 21 人，其中留守儿童 1 人。生活主要依靠农业收入 13 人。常年在城镇生活和打工的人口有 34 人。村民均为汉族，客家民系，使用客家方言。

村有耕地 2.87 公顷、山地 37.33 公顷。传统经

◎ 村民种植的青花梨树（摄于 2016 年）

济以农业为主，主要作物有水稻、番薯、大豆等，特色农产品有青花梨（水果）。村民主要收入来源为外出务工收入、农业收入，也有少数经商者。

传统节日食品有：春节的客家腍肉、酿豆腐、糖环、油角、炒米饼、炒蛋仔，清明节艾糍，端午节粽子等。

村于 1980 年通电，1995 年通电话，2004 年通自来水，2005 年实现街道水泥硬底化，2013 年通网络。

村距今已有 350 多年历史，古民居已经坍塌严重。现村中建筑大部分建造于中华人民共和国成立后。村中仍保留的老屋建造于土改时期，5 列房屋两边护水，共有 46 间房屋，均是一厅两房的结构。通体灰砂构建，白石灰抹墙，黑瓦作顶。村内的街巷纵横交错，有竖巷 4 条，横街 3 条。现存门楼 2 座，1 座为东北朝向，1 座为西北朝向。东北朝向的门楼正对胡屋的祖堂，该祖堂为两进结构，可做守灵或上灯之用。胡屋村的老屋大部分保存完好，仍有少数老人居住。部分人在村东南里建有钢筋水泥结构楼房，大部分村民在大坪街或县城居住。

◎ 村传统民居一角（摄于 2016 年）

◎ 胡屋村旧门楼（摄于 2016 年）

民间传统节日以春节、正月十五元宵节、三月清明节、五月端午节、六月六尝新节、八月十五中秋节、冬至等节为主，还有二月二、四月八、七月半、十月朝等节日。传统习俗还有正月初二鸡公狮拜门、正月初八上灯、清明节祭祖等活动。传统婚嫁习俗，保留中原古制从议婚至完婚过程中的六种礼节，即：纳彩、问名、纳吉、纳征、请期、亲迎。纳彩即男方家请媒人去女方家提亲，女方家答应议婚后，男方家备礼前去求婚。问名，即男方家请媒人问女方的名字和出生年月日。纳吉，即男方将女子的名字、八字取回后，在祖庙进行占卜。纳征，亦称纳币，即男方家以聘礼送给女方家。请期，男家择定婚期，备礼告知女方家，求其同意。亲迎，即新郎亲至女家迎娶。随着社会的进步，这六礼已被新式婚俗所取代，其中部分程序一直沿用至今，送小担、踏家门、迎亲等嫁娶礼俗依然存在，现已少见。传统的丧葬风俗庄严而繁杂，以土葬为主，1990 年逐步实行火葬，主要程序有：收殓、引灵、奠礼、出殡、火化、安葬等。

该村有年初二舞鸡公狮到各家各户拜门的习俗。鸡公狮的鼓谱称为十点梅花，敲击锣鼓器具（四样器具）时要转变十个板音，敲击的节拍较快，连环变音，听起来清脆悦耳。狮头的舞动就像一只大公鸡，随着鼓谱轻快的节拍而舞动，跳跃快捷，多花样。飞舞起颈花，如同斗鸡时挥起的鸡颈毛。

1952 年，村民在旧民居的基础上建起围屋，奠定了该村的建筑格局。1970 年 12 月 8 日，全体村民参加烟岭公社组织的 2600 多人整治烟岭河工程，从此改变了村庄年年被洪水淹没的状况。

该村的胡斯善（1945—2009），曾是第一任佛冈县外经贸局局长。

（资料填报：胡志光；初稿撰写：黄汉超；总纂：李协湖）

中心村

◎ 中心村村貌（摄于 2016 年）

中心村，位于迳头镇北部，距镇政府 10 千米。始建于清中期。据《文兴公家谱》记载，英德县大陂都白石乡（今佛冈县迳头镇）大龙冈的九世祖范姬春生四子：伟瑶、伟琚、伟珠、伟琨。第十世祖范伟瑶分支迁入而形成。由于此村在大龙冈村和水洞坑尾村的中心点，故该村取名为中心村。

村坐落于山间谷地，坐东南向西北。村落东面是大片田块，南面是公路、小溪，西面是田块，北面是背夫山。小溪从水洞坑尾自西向东流入烟岭河。该村交通便利，水洞坑乡村公路从西往东从村旁经过，通过河西公路（县道 839 线），进入 106 国道，形成便利的交通线。

该村形成时属英德县大陂都白石乡，清嘉庆十八年（1813 年）属佛冈厅大陂都白石乡，民国时期属佛冈县白石乡，中华人民共和国成立后属佛冈县第二区白石乡，1958 年 10 月属从化县跃进（迳头）人民公社龙冈大队，1961 年 5 月属佛冈县烟岭人民公社龙冈大队，1983 年 12 月属佛冈县烟岭区龙冈乡，1987 年 1 月属佛冈县烟岭乡龙冈行政村，1994 年属 2 月烟岭镇龙冈管理区，1998 年属 11 月佛冈县烟岭镇龙冈行政村，2004 年 5 月属佛冈县迳头镇龙冈行政村至今。

世居村民为范姓。根据《范氏族谱》记载，范仲淹后代七世祖范远冈从福建上杭迁移至大浦，范佛胜迁移定居于英德石灰铺，万二公从石灰铺迁移至英德县大陂都白石乡（今佛冈县迳头镇）楼下村定居，范应标定居大龙冈村（下龙冈）。清中期，第十世祖范伟瑶由下龙冈村迁移到该地。

2015 年末，村有户籍人口 147 人，其中男 79 人、女 68 人。80 岁以上 3 人，最长者 88 岁（女）。实有居住 111 人，其中留守儿童 5 人。生活主要依靠农业收入的 89 人。常年在城镇生活和打工的有 36 人。村民均为汉族，客家民系，使用客家方言。

村有耕地 7.07 公顷、山地 107.8 公顷。传统经济以农业为主。20 世纪 80 年代以前，主要作物有水稻、番薯、芋头、木薯、花生、大豆。现多为种植粮食作物、果树、经济林木。村民主要收入为林业收入、农业生产收入、工资性收入、商业经营收入等。

传统的节庆食品有春节的客家脍肉、酿豆腐、

◎ 快生丰产桉树林（摄于 2016 年）

◎ 石舂臼（摄于 2015 年）

糖环、油角、炒米饼，元宵节蒸发糕、食汤圆、做糍，清明节的糯米艾糍，端午节的粽子，中秋节的月饼等。妇女坐月子时，喝糯米甜酒，吃猪脚、鸡蛋煲甜醋等。该村的美食糯米糍，几乎家家会做，节假日亲朋拜访的时候，或者在收花生、豆子的时节，都会做上一些糯米糍。它的馅料和艾糍的大同小异，可咸可甜，有红豆馅、眉豆馅、花生白糖馅、猪肉韭菜馅等。制作过程并不复杂：首先将糯米粉倒入容器中，放入适当的水碱砂搅拌成糊状后，装入盘中（盘底放少许花生油）用锅蒸约 20 分钟。蒸熟后将糯米糍搓成糍团，用手指捏成勺子形状，把馅料放进去，再包成饼状，即可食用。其质感嫩滑可口。

村于 20 世纪 80 年代通电、装电视，90 年代通电话，2005 年实现道路硬底化，2013 年通光纤网络，2015 年通自来水，村外设有垃圾收集站。

据《文兴公家谱》记载，十世祖范伟瑶分支移居到该地后，成为中心村的始祖。围屋均为 3 幢 2 回水（旁屋）1 大门结构，具有明显的岭南客家特点。每幢屋分为上厅、中厅、下厅，中幢的中厅可通上街、下街，设有神位。堂屋布局多为 1 厅 4 房或 1 厅 2 房，也有单间排列，3 幢屋左右两边为回水屋，回水屋比堂屋矮小，厨房多设在回水屋。围屋为硬山顶，墙体下部用三合土，上部多用泥砖砌成，围中街道用石头铺成，易于排水散热。门楼坐东向西，大门是两扇木门，设有应急木栅栏。当遇到盗贼入侵时，将木栅栏拉好，关上大门，可有效防御外敌。村外建有上社、下社，祠堂设在大龙冈村。中心村建村至今已有 200 多年历史，经过历代人的繁衍，人口发展到近 200 人。20 世纪 70 年代以后，村民逐渐在传统的围屋外建房，另有 6 户人家共 30 多人已迁到大人村。90 年代后，新建的房子都以钢筋混凝土楼房为主，原来的围屋无人居住，现大部分已经倒塌。

◎ 中心村传统民居（摄于 2016 年）

民俗都为客家人习俗的延续。民间节日以春节、元宵节、清明节、端午节、中秋节、冬至为主，还有四月八、七月半、九月重阳、十月朝等节日，围中人还有正月十九许神、年三十还神、正月初二带上供品到祠堂祭拜供奉的习俗。

村现代婚嫁习俗为选好日子送彩礼结婚。送多少彩礼应征求女方家意见和视男方经济状况商定。结婚时间安排有的在担小担时商定，有的在领结婚证当天两家人一起到酒店吃饭时商定。在办酒席前一个月左右给女方彩礼，通常不给齐头数。接新娘用车为奇数，接嫁妆的车在最后（客家人），来回不走重复路。接新娘时，男家送的礼品（挑篮子）通常有鸡2只，猪肉2.5—5千克，雨伞，生葱、蒜苗、酒、红包。挑篮子的人通常为亲人，要命好的（如有儿女、夫妻齐全，较富有）。到女方家接新娘包的红包有大有小。大的100元，由新郎给新娘的父母、兄嫂。中的5—10元送给大人。小的1元用于重复送和送给小孩。接新娘时，由年轻的亲人和伴郎同行，孕妇不能去，来回的路上遇见桥时，要撒些米和谷。新娘入门时家公家婆回避，不能见面，待进门后由新郎新娘奉送茶水给父母及长辈，长辈发红包给新郎新娘。铺床由有儿女且经济条件较好的两人进行。酒席后跳床仪式，新郎新娘抛些红包、喜糖、花生等，由童子女在新床上抢，如果新娘已有身孕就不能举行跳床活动。

传统丧葬风俗以土葬为主。还有一个风俗一直流传至今，每当村中老人辞世，招待亲朋好友的菜肴标准三样菜有猪肉、青菜、豆腐，不许饮酒作乐，以示哀悼。现多为火葬，但葬礼的基本形式不变，包括择时辰、建灵牌、收殓、引灵、接体、奠礼、出殡、火化、安葬等。

2009年村民理事会筹措资金修建乡村公路1.6千米。

该村的范茂庄，1931年生，曾任烟岭镇办公室主任，担任《范氏族谱》和《文兴公家谱》的副主编，参与族谱的重修。

（资料填报：范桂权；初稿撰写：郑承沧、黄汉超；总纂：李协湖）

○井冈行政村

井前村

◎ 井前村村貌（摄于 2016 年）

井前村，位于迳头镇最北端，距镇政府 10 千米。村始建于明万历二十九年（1601 年），先祖胡玉清自新丰县遥田马石村迁入而形成。因村背山小溪水在山脚下形成天然的水井，故取名井前村。

村坐落于山间谷地，东面、南面为大片田畴，南与柯木冈村隔田相望，西、北大片山林，山林后面为英德市太平镇地域。烟岭河于东面田畴边自迳头镇向北进入英德境内。1978 年后兴建坑尾水库，重新规划当地农田布局，河堤也改建成县道公路。村道经柯木冈村、上文岭村连通国道 106 线，上通英德、韶关，下达佛冈、从化、广州；亦可经柯木冈进入县道 839 线，直达谢屋、邓王屋、围子营、下龙冈各村和井冈村。

村形成时属英德县大陂都白石乡，清嘉庆十八年（1813 年）属佛冈厅白石乡，民国时期属佛冈县白石乡，中华人民共和国成立后属佛冈县第二区井前乡，1958 年 10 月属从化县跃进（迳头）人民公社井冈大队，1961 年 5 月属佛冈县烟岭人民公社井冈大队，1983 年 12 月属烟岭区井冈乡，1987 年 1 月属烟岭乡井冈行政村，1994 年 2 月属烟岭镇井冈管理区，1998 年 11 月属烟岭镇井冈行政村，2004 年 5 月属迳头镇井冈行政村至今。

◎《胡千二郎（德瑗）公族谱》（摄于 2016 年）

世居村民为胡、范、黄姓。胡姓，据《胡千二郎（德瑗）公族谱》记载，胡姓先祖从福建上杭迁居江西龙南县，明天顺年间（1457—1464 年）迁居广东新丰县遥田马石，明万历二十九年（1601 年），该村始祖胡玉清自马石移居到井前开基发展。范姓，据龙冈范仲淹纪念馆《祖先迁徙历程》记载，南宋中期，范氏先祖从福建上杭县南湖村迁移到广东潮州府海阳县恋州都清溪乡。明正统十二年（1447 年）迁至英德县白石乡楼下村。清康熙四十一年（1702 年）范赞从烟岭楼下村移居到井前开基发展。黄姓，据黄氏族谱记载，元朝前期，黄氏族人从江西南丰县龙井乡双井头迁移至广东梅州，明洪武元年（1368 年），六峰公迁移到清远县吉河乡东坑村，成为佛冈黄姓始祖（佛冈黄姓一世祖）。明万历二年（1574 年）迁至移大陂井下塘村，其后裔黄其尧于清乾隆年间（约 1745 年）迁移至该地。该村有《胡千二郎（德瑗）公族谱》，于 2004 年纂修。还有《范氏族谱》，范茂庄于 1995 年 6 月纂修。

2015 年末，村有户籍人口 430 人，其中男性 219 人、女性 211 人。80 岁以上老人 11 人，最年长者 104 岁（男）。实际在村人口约 253 人，其中留守儿童 32 人。生活主要依靠农业收入 224 人。常年在城镇生活和打工 177 人。非户籍外来人口 12 人。祖籍该村的香港同胞有 6 人，台湾同胞有 1 人。村民均为汉族，客家民系，使用客家方言。

◎ 范屋民居门楼（摄于 2016 年）

村有耕地 30.67 公顷、山地 60 公顷。森林资源丰富，主要有松树、杉树、樟树、枫树、柯树等。传统经济以农业为主，主要作物有水稻、番薯、木薯、花生、大豆等。现多种植粮食作物、果树、经济林木。村民主要收入来源为农业收入、林业收入、外出务工收入，也有少数经商者。

该村传统节日食品有客家脍肉、酿豆腐、糖环、油角、艾糍、粽子、炒米饼等。民间活动有传统客家“上灯”“舞鸡公狮”等习俗。

该村 1968 年通电，1980 年通电话，2001 年通自来水，2010 年通网络。设有文化室、休闲园、图书室、各类健身器材，建有篮球场、垃圾收集站等。

村由胡屋、黄屋、范屋等三个居住点组成。胡姓古居以玉清公祠为中心，为井字形典型的客家围屋。胡屋坐西北向东南，直街 2 条，横巷 3 条，4 栋加两边回水屋，共有单间排列的住房 83 间。街巷用河石铺垫，下墙体为三合土，上半墙为泥砖砌成。现围屋保存较为完整。20 世纪 80 年代后，随着社会经济发展，村民于旧居前建新楼群。村民的住房也逐步楼房化，别墅式的钢筋水泥建筑越来越多。旧居已很少人居住，只作历史见证和怀古之用。

胡氏清公祠始建于清康熙年间（1662—1722 年），占地面积约 280 平方米，经 1996 年、2013 年两次重修。公祠为三进式结构，中间为天井，两旁为廊庑。一进为大门、前厅。大门额书“清公祠”三字，石门坎，木门框。门前石础木柱，木横梁。悬山顶，盖灰瓦，瓦檐配琉璃滴水瓦，灰沙作栋，两端有镂空图案。为青砖墙体，青砖底天井。三进供奉先祖玉清公牌位。两进间天面由顶梁柱、横梁支撑，抬梁式结构，两边木屏风已被拆除。胡姓有六十辈字序：“清时王金廷，文大志成立，其永而曰昌，必克斯可言，列宗维善久，栾世庆扬芳，美盛超前日，荣华绍昔光，富名高国邑，贵炽冠朝邦，家学渊源衍，经纶长发祥”。

范氏范濂公祠，始建于清乾隆年间（1736—1795 年），占地面积约 80 平方米，为二进形式。胡

◎ 清公祠（摄于 2016 年）

姓古居大门分南门和西门，南门前设风水塘，西门直通农田，方便村民农耕。民国初期，加建东廊门，主要用于防盗、防抢，保护村民财产。围屋内横列平房，为居民住所，计四列 47 间。两边回水屋 34 间。回水屋多作厨房之用。住屋以三合土和泥砖为墙，悬山顶，盖灰瓦，石门槛，木门框，木门扇，木窗户。嵌石为街，三合土墙檐。范姓古居结构相似，规模相对较小。根据范育中编辑的《高平堂范氏族谱》记载，范氏（英佛支系）辈序："范应春伟，谟猷钦仰，邦国荣昌，继志有常，本深华茂，鸿图克展，桂秀兰芳，永守书香，高平垂创，豪杰蔚起，事业辉煌，品学纯良，箕裘贻训，经纶佐治，佑启允臧，爵锡公堂，丕承先绪，家声大振，肇修烈光，福寿宁康，崇儒重道，孙曾嗣美，万载名扬，蕃衍绵长"。

抗日战争期间，井前村是地下交通站。1938 年成立中共党小组，地下党员有胡必棉、胡必原、胡必伦、胡声等人，由胡必棉任党小组组长，胡占丰任党支部书记。地下党人经常接待和秘密掩护李洁民、李忝等游击队员开展活动和进行武装斗争。1990 年，经广东省政府批准，该村为抗战革命老区和抗日战争时期游击区自然村。1957 年春，整治烟岭河，在文昌阁出口处加宽河道三分之一，改善行洪。村民具有良好的文明习惯，屋舍整洁，生活垃圾集中堆放和清运，保持文明整洁的居住环境。

村主要人物：胡声（1905—1999），1933 年参加革命，中华人民共和国成立后在韶关市军营赤犁看守所任所长，1954 年转业回乡，担任井冈大队党支部书记，1975 年离休。胡可良，1954 年 3 月生，2009 年 12 月被广东省人事厅聘为高级教师。

（资料填报：胡克行；初稿撰写：李功怀、朱南岳、郑承沧、陈艳婷；总纂：李协湖）

柯木冈村

◎ 柯木冈村村貌（摄于2016年）

柯木冈村，位于迳头镇最北部，烟岭河西岸，距镇政府10千米。村始建于明正德年间（约1511年），先祖李德生与兄弟四人（德生、德崇、德荣、德进），随同父亲李茂珊一起从英德县大陂都白石乡（今佛冈县迳头镇）社坪果田村迁至而形成。由于村落建在有许多柯树林的山丘上，故称柯木冈村。

村坐落于山间谷地，东靠烟岭河，与上文岭村隔河相望，南接水田，与前所村隔田相对，西为青山，北有大片田畴，乡道直通井前村。烟岭河自西南方向流入该村域，绕过村边转向北面，进入英德境域。

该村形成时属英德县大陂都白石乡，清嘉庆十八年（1813年）属佛冈厅白石乡，民国时期属佛冈县白石乡，中华人民共和国成立后属佛冈县第二区白石乡，1951年3月属佛冈县第三区人民政府社坪乡，1958年10月属从化县跃进（迳头）人民公社井冈大队，1961年5月属佛冈县烟岭人民公社井冈大队，1983年12月属烟岭区公所井冈乡，1987年1月属烟岭乡井冈行政村，1994年2月属烟岭镇井冈管理区，1998年11月属烟岭镇井冈行政村，2004年属迳头镇井冈行政村至今。

世居村民均为李姓。根据《火德史记》（1995年编）记载，七世祖李福智夫人曾太婆于明永乐元年（1403年），由福建上杭经江西迁入广东南雄珠玑巷居住一个时期，又移居英德白沙帽岭曾屋村定居开基。八世茂珊公、妣吴太婆乔迁英德县大陂都白石乡社坪果田村。明正德年间（约1511年），长子德生迁居柯木冈村。

2015年末，村有户籍人口1470人，其中男750人，女720人。80岁以上56人，最年长者96岁（男）。在村居住890人，其中留守儿童81人。生活主要依靠农林业收入的人口有816人。常年在城镇生活和打工580人。祖籍该村的香港同胞约有30人、台湾同胞约有30人。村民为汉族，客家民系，使用客家方言，是佛冈县李姓村民最多、最大的自然村。

村有耕地125.87公顷、山地600公顷。矿产资源有稀土矿。传统经济以养殖和加工业为主，大规模养母鸭，以李宗如、李华燥、李树群、李恩生为代表，其鸭苗、鸭蛋远销原英德东乡各地。生牛皮加工远近闻名，以李耀康为代表的集中加工地被称之为“牛皮巷”，他们后来迁居到清远榕树下村。民国以后，大量经营皮鞋产业，以李伴良、李接轩为代表，在广东各地从事皮鞋生产。村妇多为编织草席能手，所产草席销往英东各地和新丰的沙田、遥田，以及本地市场销售，持续到20世纪末。并兼营农业生产、捕鱼等。现多种植粮食作物、果树、经济林木。村民主要收入来源为农业收入、林业收入、外出务工收入，也有少数经商者。

特色传统食品有客家脍肉、酿豆腐、艾糍、粽子、炒米饼、油角、糖环等。

1978年后，村民在山坡上人工种植桉树等快速生长的林木。在坡下栽种沙糖桔、柚子等南方特色水果。耕地面积有125.67公顷，全是甲级水田。两造水稻，冬天再加种油菜、小麦。旱地里栽种黄豆、荷兰豆等经济作物。20世纪60—70年代，村曾多次获得“粮食丰产区”称号，曾被评为“农业学大寨”先进标兵大队。柯木冈人还创建了“四大手工业”：织席、做鞋、酿酒、磨豆腐。织草席是柯木冈独特色手工产业。村民利用村落周边特有的芦苇野草（席草），自创生产加工草席工艺，自制加工工具，生产草席。一副上好的草席需二个人共同操作，一人穿草，一人打织。村民制作的皮鞋颇有名气，“皮鞋佬”的足迹遍布英德、佛冈、广州、香港等地。村民李树财家的酿酒作坊颇具规模，在村南还有一间售酒铺，上等米酒和客家酿豆腐成为农家百姓宴席上不可缺少的佳肴。客家山歌“有女要嫁柯木冈，搓搓擦擦到天光；做鞋织席酿酒卖，生活富足好风光”就是柯木冈农村生活的真实写照。

◎ 酿酒作坊（摄于2016年）

1978年后，村兴建了坑尾水库，河堤改建成县道，河堤公路连通县道839线，直达谢屋、邓王屋、围子营、下龙冈和井冈村；跨过村边大桥，往前经上文岭村连接国道106线，上通英德、韶关，下达佛冈、从化、广州。

1968年村内通电网，1999年村道实现水泥硬底化，2001年通自来水，2010年通网络。建有文化室、篮球场、休闲园、图书室、健身坪、垃圾收集站等。

村现存古居有客家围屋、广府民居、排列平房三类共存。客家围屋楼门棚，建于明朝后期，楼高13米，宽11.5米，深11.5米。楼上用于族家议事，亦作为节日喜庆、朝拜先祖的地方。楼下设围屋大门，今已重新装修。门额书“虎榜镇”，门旁上联“虎居岁首”，下联“榜挂春魁”。围屋内横排五列住屋，两房一厅结构。三合土及泥砖墙体，悬山顶，盖灰瓦，嵌石为街，三合土墙檐。街道设排水渠，街中有石台古井。广府民居以李卓英古居为典型。前面三间，中间为大门、门径，两边为厢房。后面三间，组成四门归厅形式。

◎ 编制草席（摄于2016年）

◎ 2012年6月14日，清远市市长江凌考察井冈公园建设并与村民交谈

中间为天井，两旁为廊庑（上面有瓦面的通道，俗称走廊）。其特点有三：一是前面大门径和后面大厅的上层都用木材做成阁楼，面对天井，没有墙体。二是廊庑上面也是木材阁楼，呈四面阁楼状。三是全三合土墙体，石板墙檐，铁柱石窗，墙上有炮眼，趟栊大门。至于排列平房，分布广阔，结构单一。旧民居现已无人居住。20 世纪 80 年代起，村民逐步建成钢筋混凝土别墅式楼房。

村有两座宗祠。村内为开村始祖德生公祠，村外大坪山有李氏宗祠火德公祠，为当地李姓宗祠。李氏宗祠（火德公祠）坐落于柯木冈村北大坪山上，又称文昌阁，占地 3.33 公顷，于 1862 年动工，1864 年建成。“文化大革命”期间，被视为封建文化产物而拆毁。90 年代初，柯木冈村李蔚南发起各地李姓后裔集资近 200 多万元，在原址重修李氏宗祠。1993 年冬李氏宗祠修复完成，并于次年正月初四举行重光大典。2013 年再度维修。村内的德生公祠为三进结构，最大的特点是齐挂新旧匾，如“一支芳”“学士”“国任本科”“进士才子”等，都是为该村考入大学本科的学生而制，刻有获匾学生名字，还有“品学兼优，堪作后者楷模，立匾留念，以资鼓励”等文字。

◎ 李氏宗祠（摄于 2016 年）

村原有私塾一所，由该村李树群创办于 20 世纪 30 年代，邀请李办亲、李松开等人教学。解放后在原址办柯木冈小学至 1972 年。

位于村东北面，于清同治年间（1862—1874 年）建造文笔塔、奎星楼、文昌阁古建筑群体，成为佛冈县境内之唯一的不可移动文物集散地。文笔塔占地面积 27.2 平方米，坐东北向西南，面阔 5.6 米，进深 4.85 米，是文昌阁组成之一，形似一支六棱形琉璃瓦面尖顶笔塔。1992 年，社坪果田李健民捐资修缮一新。

奎星楼建占地面积 38.5 平方米。该楼坐东北向西南，面阔 6.2 米，进深 6.2 米，高 9 米，已经多

◎ 文笔塔（摄于 2016 年）

◎ 奎星楼（摄于 2016 年）

次重修，最近一次重修是1992年，由从化李榕波捐资。它是三层楼阁风格，是文昌阁组成之一，位于文昌阁与文笔塔中间。

文昌阁占地面积726平方米，坐东北向西南，面阔22米，进深33米，三间两廊回字形格局。文昌阁已经多次重修，最近一次重修是1993年。重修后为砖木与钢筋混凝土结构，主架全部采用钢筋混凝土圆柱、方柱，硬山顶，高大坚固。其总体布局基本完整，保持原有岭南文化艺术风格。为研究佛冈李氏族人繁衍提供有价值的史料。

◎ 文昌阁（摄于2016年）

村独有的民俗是每两年一次“做牛潮”，在中秋节举办。举办之日，全村人在“社下岗”围着公牛又唱又跳热闹一番，之后放两头牛殊死角斗。斗败的公牛随之被宰杀，全村人共吃。这是以斗牛为乐，吃牛肉为幸，全村人皆大欢喜的活动。“做牛潮”的当晚，还有“舞草龙”喜庆活动。“草龙”用竹篾扎成骨架，用稻草在骨架上扎成龙状，有龙头、龙身、龙尾三部分。表演时，在龙身上插满点燃的香火，由十多个壮汉协调舞动，星火流溢，上下翻动，刺激好看。草龙每经过一家门前，屋主都就会拔下草龙身上三根香火，插于自家门前，祈求风调雨顺，人畜兴旺，太平盛世。

◎“做牛潮”斗牛场景（摄于1988年中秋节）

1947年10月，国民党县府密令二区区长张芳池配合范烈光（英新佛联防主任）、李日华（联防中队长）率联防队三百多人向社冈下（柯木冈）进攻，意在消灭驻该村的民主先锋大队一部，反被先锋大队包围，击毙李新、张彭2名联防队员，余部败退。1988年，村告别几百年来船泊运输历史，最多时村拥有木船数十条，上可到大陂街，下可达鱼湾、白沙、青塘等地。1991年4月，经清远市人民政府批准该村为抗日战争根据地。

村主要人物：李桥琳（1828—？），字晓溪，官至九品巡政厅（省档案《广东自治杂志》记载）。李应周（1879—1947），字恩泽，又名芝伍。毕业于广东师范学校，青年时期受聘前往汕头私立中学教书，时下孙中山也在潮汕一带宣传民国革命，彼此志同道合，共为民主革命奔走。民国革命成功后，李应周于1921年11月回佛冈就任佛冈县县长（省档案《广东自治杂志》和《佛冈县志》记载）。1924年，孙中山在广州黄埔创办陆军军官学校，李应周又受聘前往黄埔军校任教官。李干风（1881—1955），曾任韶关市地质局勘探队工程师。李炗（1920—2012），又名信明。曾任北江游击支队中队长、解放军某部连长。中华人民共和国成立后，首任佛冈县公安局局长，后任连州市水利局局长。李蔚南（1938—2014），聪颖、勤奋、好学，琴棋书画弹拉吹唱样样皆能，是柯木冈村的能人，曾任柯木冈村村主任，为柯木冈村的村容村貌建设、村牌楼、村道街巷硬底化、村自来水工程建设倾尽心血，为柯木冈新农村建设做出贡献。李宗钮，1959年生，曾任清远市公安消防局副局长，后现任清远市交通局办公室主任。李启胜，1987年生，2010年入伍，2015年12月获立三等功一次。

（资料填报：李佰嘉；初稿撰写：李功怀、朱南岳、郑承沧、陈艳婷；总纂：李协湖）

○湖洋行政村

上岭排村

◎ 上岭排村村貌（摄于 2016 年）

上岭排村，位于迳头镇东南部，距镇政府 12 千米。村始建于清中期，开村始祖朱庆云自英德县大陂都迳头乡（今佛冈县迳头镇）云岭村分支迁入而形成。因建村时在村后山岭开垦出一排排梯田，且梯田在村落上方，故而取名上岭排村。

村坐落于山区，四周高山，独立成村落，仅有一条水泥路（西南方向）通向湖洋村委会。

该村形成时属英德县大陂都迳头乡，清嘉庆十八年（1813 年）属佛冈厅迳头乡，民国时期属佛冈县陂头乡，中华人民共和国成立后属佛冈县湖洋乡，1953 年 2 月属佛冈县第三区公所仓前乡，1958 年 10 月属从化县跃进（迳头）人民公社湖洋大队，1961 年 5 月属佛冈县迳头公社湖洋大队，1983 年 12 月属迳头区湖洋乡，1987 年 1 月属迳头乡湖洋行政村，1994 年 2 月属迳头镇湖洋管理区，1998 年 11 月属迳头镇湖洋行政村。

世居村民为朱姓，为朱熹后裔，迳头始祖朱景玉名下的二房、四房后人。根据《紫阳朱氏粤北衍传谱》记载，紫阳十世祖朱梓从赣州迁南昌府（今永修县）二十四都宽仁乡，并于元大德八年（1304 年）建造了白马村。元至正九年（1349 年）十二世祖朱廷琛从江西省到广东惠州府任职，十三世祖迁至和平县上陵，十四世祖迁居兴宁县，又迁至南雄保昌县牛田坊，朱景玉迁移至佛冈县迳头大房村，并成为迳头洞等地朱姓始祖。清中期，嫡孙朱庆云再由甲名大房迁入该地。该村仍是每年春节、清明时节与云岭、甲名大房的宗族兄弟一同祭拜祖先。

村有《紫阳朱氏粤北衍传谱》，是由朱氏后嗣朱兆熊编著，朱光天审编，1998 年 3 月印行。通族辈序：应运公咏辈时，从景玉公开始十代人的名字作为继念性辈分，从“绍”字开始的三十二字辈为应用辈分。“绍祖儒芳，先德永彰，沛然光显，国泰宁邦，奕业宏远，禩胤其康，荣登一品，昌佐朝纲”。该辈序“芳先德永彰沛然光显”等与高岗镇朱姓祖璋公咏辈序“秀士文如玉光明照上方”等形成平行关系。故此，朱景玉后裔也有使用祖璋公咏辈序的情况。

2015年末，村有户籍人口142人，其中男性74人、女性68人。80岁以上4人，最年长者89岁（女）。实际在村人口85人，其中留守儿童13人。生活主要依靠农业收入的人口有63人。常年在城镇生活和打工的人口有57人。村民均为汉族，客家民系，使用客家方言。

村有耕地4.73公顷、山地80.07公顷。自然资源主要有稀土矿、竹木、灵芝、白鹇、野猪等。传统经济以农业为主，主要种植水稻、花生、木薯、芋头、大豆、玉米。现代主要种植经济林果为沙糖桔、桉树、松树、杉树、竹子等，兼有养殖鸡、鸭、鹅、猪、牛等，基本上是自给自用。现代经济来源主要是农业生产收入、外出务工村民工资性收入、从事商业经营收入。

特色农产品有腌制酸笋、甜笋、笋干，制作竹木制品。特色传统（节庆）食品有糯米糍、艾糍、炸糖环、打米饼、炸油角、酿豆腐、裹粽子、腍肉、春糍等。

村美食素材为酸笋，是传统调味佳品。平时做

◎ 农家猪（摄于2016年）

◎ 上岭排村传统民居一角（摄于2015年）

菜时加入少量的酸笋，味道会变得更加浓郁。村民平时做好酸笋，放在家里，用于接待亲友或年节使用。菜式多数是：酸笋炒牛肉、酸笋焖鸭、酸笋炒五花肉等。

村于1970年通电，1997年通电话，2000年全村村道实现水泥硬底化，2011年通网络，2015年通自来水。

上岭排村由上岭排、大窿两个居住点组成。村传统民居为客家民居。旧屋位于大窿，坐南向北，70年代因房屋残旧而被拆毁，变成农田。大窿居民全搬迁至上岭排，现已无人居住。

该村并没有建立宗祠，每年春节、清明时节，都会与迳头云岭、甲名大房的宗族兄弟一同祭拜祖先。该村并没有自行一系的族谱、家谱，仍是沿用迳头云岭、甲名大房的族谱、家谱。

该村有一个社下伯公，位于村口大树下，左右两边并排着。该社供奉的是佛子，均是用石板简易搭成，每逢节庆，村民会到此烧香烛、纸钱，祈求

◎ 桉树林（摄于2016年）

◎ 清末期间使用的古衣柜、椅（摄于 2016 年）

村民平安、家和人兴。

传统民间习俗，多为客家人习俗的延续。民间节日以春节、元宵节、清明节、端阳节、中秋节、冬至等节为主，还有四月八、七月半、十月朝等节日。该村村民唯一宗族活动就是清明节祭拜公众祖先。

传统婚嫁习俗，保留中原古制六礼：即纳彩、问名、纳吉、纳征、请期、亲迎。纳彩即男方家请媒人去女方家提亲，女方家答应议婚后，男方家备礼前去求婚。问名，即男方家请媒人问女方的名字和出生年月日。纳吉，即男方将女子的名字、八字取回后，在祖庙进行占卜。纳征，亦称纳币，即男方家以聘礼送给女方家。请期，男家择定婚期，备礼告知女方家，求其同意。亲迎，即新郎亲至女家迎娶。随着社会的进步，这六礼已被新式婚俗所取代，其中部分程序一直沿用至今，送小担、踏家门、迎亲等嫁娶礼俗依然存在。小孩出生 20 天左右要给亲戚送糯米甜酒报喜，择日举办满月吉庆。丧葬风俗，多沿用中原的古传统，以土葬为主。1990 年后逐步实行火葬，但葬礼的基本形式不变。其程序包含有择时辰、建灵牌、收殓、引灵、接体、奠礼、出殡、火化、安葬等。

1929 年，农民大种罂粟售卖。1960 年春，饥荒，农村多以“黄狗头”、野菜、蕉头度荒。1993 年，清远市人民政府批准上岭排村为革命老区。2013 年 5 月 15 日晚上，上岭排村遭受洪水袭击，造成山体滑坡，有湖南籍农民工在大窿尾砍树过程中不幸罹难，洪灾造成 2 人死亡 1 人失踪。

该村的朱光结，1957 年 7 月生，曾参加中国人民解放军，在中越边境自卫还击战中荣立二等功，为三等伤残（甲）。

（资料填报：易华容；初稿撰写：郑明天、钟韵、易华容；总纂：李协湖）

桃岭下村

◎ 桃岭下村村貌（摄于 2016 年）

桃岭下村，位于迳头镇东南部，距镇政府 8 千米。始建于 1913 年，易世兆后裔文良、文腾兄弟从佛冈厅迳头乡（今佛冈县迳头镇）旗岭下村返迁入而形成。为纪念桃坑水、旗岭下村，分别取“桃”“岭下”合称，故而取名“桃岭下村”。

村坐落于山区，东北方向是旗岭下村，东是田心围村，县道 362 线从村南面通过，西北方向为迳头河湖洋段。村主要山岭为长冈岭，海拔 350 米。

该村形成时属佛冈厅迳头乡，中华人民共和国成立后属佛冈县湖洋乡，1953 年 2 月属佛冈县第三区公所仓前乡，1958 年 10 月属从化县跃进（迳头）人民公社湖洋大队，1961 年 5 月属佛冈县迳头公社湖洋大队，1983 年 12 月属迳头区湖洋乡，1987 年 1 月属迳头乡湖洋行政村，1994 年 2 月属迳头镇湖洋管理区，1998 年 11 月属迳头镇湖洋行政村至今。

世居村民为易姓。据《中华易氏通谱》记载，易氏先祖于南宋淳熙十一年（1184 年）从雄州（即南雄，古属江西）珠玑巷沙水埔牛田村迁至广州城南小市街石亭巷（海珠南解放南龙津路），史称“宋末大迁徙”，又叫“南雄珠玑巷走难”，正式入粤。元初（约 1279 年），为避战乱，后迁至广州九佛洪村，再迁至英德县三江龙颈村。明末清初，因三江龙颈屋场被毁，公易九郎之曾孙公雄（佛冈县易氏之祖）再迁至英德县大陂迳头乡南洞（今湖洋村）村老围𠂆子下。清朝初期，易雄长子易贤留居迳头乡南洞村（今湖洋），次子易宽分迁至水头下潭洞。清康熙十一年（1672 年）易贤后裔易珍玉携家从𠂆子下迁至旗岭下村，易珍玉为旗岭村易氏始迁祖。1913 年易世兆后裔易文良、易文腾兄弟返迁至桃岭下村。桃岭下村的辈分排列为：“曰世道宏兆文开永昌宗嗣品茂德业传扬”。

2015 年末，村有户籍人口 127 人，其中男性 65 人、女性 62 人。最年长者 85 岁（女）。实际在村 76 人，其中留守儿童 7 人。生活主要依靠农业收入的有 53 人。常年在城镇生活和打工的有 51 人。村民均为汉族，客家民系，使用客家方言。村民注重厚德善行，以和为贵，尊重互让，村民之间、家庭之间，以及邻村之间保持和睦的民风。

村有耕地 3.67 公顷、山地 30 公顷。自然资源主要有稀土矿。传统经济以农业为主，主要经济作

◎ 织布机（摄于 2016 年）

◎ 农家鸡（摄于 2016 年）

物有水稻、花生、番薯、芋头、大豆、玉米。现主要经济作物种植沙糖桔、桉树、杉树、竹子等，还有养殖鸡、鸭、鹅，基本上是自给自足。村民经济主要收入来源是农业生产、外出务工村民工资性收入。村建有黄氏木业板厂，于 2004 年采用“村委出租厂房、外商经营”的模式管理经营，主要是加工半成品大心板、夹板，销往广州地区。

传统节庆特色食品有糯米糍、艾糍、炸糖环、打米饼、炸油角、酿豆腐、裹粽子、腍肉、春糍等。

村于 1970 年通电，1998 年通电话，2000 年全村村道实现水泥硬底化，2011 年通网络，2015 年通

◎ 桃岭下村传统民居一角（摄于 2016 年）

自来水。

传统民居为广府民居。代表性民居为大门迳，始建于 1913 年，由易文良、易文腾兄弟搬迁至桃岭下村后兴建的，占地面积约 130 平方米，呈回字形布局。外墙用砖灰砂砌成，大门高 2.2 米，宽 1.1 米。大门两侧均是 3 间厢房，共计 6 间。进入大门后便是正厅，用来招待客人；厅后有 6 间厢房，做休息之用；正厅两边是回水，一边 4 间共 8 间；正厅和回水间 2 条南北走向的街巷是用鹅卵石铺成，取“四通八达”之意。屋前有口池塘，呈半月形状，为“风水塘”，村民认为门前有水就有“风水”——聚财、养人、防火。大门迳墙体基本保存完整，现已无人居住。20 世纪 80 年代起，村民逐步建成钢筋混凝土结构楼房。

◎ 九郎公祠堂（摄于 2016 年）

主要宗祠为九郎公祠，又叫旧祠堂，是旗岭下、田心围、桃岭下的总祠堂，原属厂子下。始建于民国期间，重修于20世纪90年代，仍然承担着宗祠祭祀、祈祷报喜的作用，现已残缺。该宗祠占地面积为220平方米，为三进式布局，一进、二进均是过道，二进墙体已残缺剥落。三进门前有一个天井，现已填封，不再承担采光和防积水的作用。三进为香火堂。正厅供奉着九郎公先祖灵位，牌位上刻有："易府先宗九世祖妣黎氏／考卫雄老太公婆之神位"，右边墙壁雕刻着捐修九郎公祠的易氏子孙名单。祠堂门前有口池塘，呈半月形状，为风水塘，也用于防火。每逢年节、喜庆日子，村民们都会到祠堂祭祖、祈祷；每年村有男孩出生，族人也会在次年农历正月十三这一天举行上灯仪式（俗称"吊灯"），向先祖报喜并示意这些男丁从此成为为族人的一分子。村与田心围村和旗岭下村一共供奉位于旗岭下村的社下伯公、土地庙，祈求风调雨顺、家和人兴、健康平安。

传统习俗注重除夕之夜团圆饭，配有丰盛酒菜，菜式多样。外出亲人也尽可能赶回家，阖家欢庆，喜庆团圆。传统客家嫁娶民间习俗有一整套的约定俗成的礼仪。传统丧葬风俗多沿用中原的古传统，以土葬为主。1990年后逐步实行火葬，但葬礼的基本形式不变。其程序包含有择时辰、建灵牌、收殓、引灵、接体、奠礼、出殡、火化、安葬等。村中习俗：即死者去世后，每隔七天做一次法事。"头七"是请和尚招魂回家，神主牌入座纸屋，放入堂中，早晚烧香祭拜。"二七""三七"亦请和尚做法事，过"三七"由道士焚化纸屋，神位牌送入祠堂入位，一般丧事才告结束。但有的要做到"七七"才结束。现在做"七"习俗仍然进行，只是不请和尚和道士而已。

1948年冬的一天，一伙土匪带枪冒充游击队员到该村叫开大门，只准村民进不准出，然后把村民集中赶到易永卓家里锁住看管，对全村进行抄家，抢走牛8头、猪21头，钱、粮、衣物一扫而空。

该村的易文良（1875—1916），清朝贡生，曾任高岗三江粮房长。易开宽（生卒年不详），清朝秀才。易永潭，1956年生，1976年服兵役，转业后任深圳市科学馆馆长。

（资料填报：易华容；初稿撰写：易昌煌、钟韵、易华容；总纂：李协湖）

苏屋村

◎ 苏屋村村貌（摄于 2016 年）

苏屋村，位于迳头镇东南部，距镇政府约 9 千米。始建于清康熙十六年（1677 年），由英德县大陂都迳头乡（今佛冈县迳头镇）旗岭下村搬迁至苏屋而形成。因建村人姓苏，故取名苏屋村。

村坐落于山间谷地，坐南向北。村东是刘屋村，西南是八角楼，西为大坝村、湖洋村委会，北面是旗岭下村。村前有县道 362 线，村后有青迳河（属迳头河湖洋段）流过。村曾是古道仓前至青竹、新丰遥田路段的主要交通要道，始建于明末至清初。东连青竹，西通仓前，途经石壁潭、头度河、本村、铺角、八宅围、大围、坝头、独王山河，到达长江岭长石桥，古道由长 4 米、宽 0.3 米的石板铺成，4 条石板而成古道的宽度。湖洋段全长约 2000 米，经长石桥到达仓前杨岭村。

该村形成时属英德县大陂都迳头乡，清嘉庆十八年（1813 年）属佛冈厅迳头乡，民国时期属佛冈县陂头乡，中华人民共和国成立后属佛冈县湖洋乡，1953 年 2 月属佛冈县第三区仓前乡，1958 年 10 月属从化县跃进（迳头）人民公社湖洋大队，1961 年 5 月属佛冈县迳头公社湖洋大队，1983 年 12 月属迳头区公所湖洋乡，1987 年 1 月属迳头乡湖洋行政村，1994 年 2 月属迳头镇湖洋管理区，1998 年 11 月属迳头镇湖洋行政村至今。

世居村民为苏、郑、罗、李姓。据苏屋族谱记载，明洪武十四年（1381 年），苏氏始祖苏源达自福建迁居广东英德太平乡黄滘村。清朝年间，苏大芳从英德太平黄滘村再迁英德县大陂迳头乡南洞村（今湖洋村）。清康熙十六年（1677 年）从旗岭下村搬迁至苏屋村。罗姓在清末至民国初，从新丰遥田高墩村迁移至该地。郑姓在清中期，从湖洋大围分支迁移至该地。李姓在清末至民国初，从烟岭何木冈村迁移至该地。

2015 年末，村有户籍人口有 124 人，其中男性 63 人、女性 61 人。80 岁以上 3 人，最年长者名为 88 岁（男）。实际在村 74 人，其中留守儿童 6 人。生活主要依靠农业收入的有 58 人，常年在城镇生活和打工的有 50 人。村民均为汉族，客家民系，使用客家方言。

村有耕地 3.33 公顷、山地 26.67 公顷。自然资源主要有稀土矿。传统经济以农业为主，主要经济作物有水稻、花生、番薯、芋头、大豆、玉米、沙糖桔、杉树、桉树、竹子等，还养殖鸡、鸭、鹅，基本上用于自给自足。村民经济收入来源主要是农业生产、外出务工工资收入。

村传统节庆食品有：春节的客家腍肉、酿豆腐、糖环、油角、炒米饼，元宵节的汤圆，清明节的糯米艾糍，端午节的粽子，中秋节的月饼等。妇女坐月子时，喝糯米甜酒、猪脚甜醋等。

村于1970年通电，1997年通电话，2000年村道实现水泥硬底化，2011年通网络，2014年通自来水。文化设施有篮球场、苏屋文化室。

◎ 苏屋村传统民居一角（摄于2016年）

村传统民居为客家围屋1座，坐南向北，回字形围屋结构。分前栋、中间栋和后栋3栋，前栋和后栋均是7间房屋，中间栋是3间房屋，回水左右各2间，合计21间房屋。前栋是由2间房间、1间大厅和1个单间混杂排列的，共有12户。房屋墙体下面是三合土，中间是泥砖，硬山顶，上面是泥砖结构到顶，盖灰瓦，街道用卵石铺成。现已无人居住，村民都在旧围外建起新楼房居住。

主要宗祠为仁公祠，始建于清康熙十六年（1677年）。因年久失修，现已坍塌。该宗祠占地面积100平方米，为二进式布局。天井两边为厢房；二进是香火堂，正厅简单摆放香台、桌烛火盆。祠堂门前有口池塘，呈半月形状。每年该村有男孩出生，族人也会在次年正月十三这一天举行上灯仪式（俗称“吊灯”），向先祖报喜并示意这些男丁从此成为为族人的一分子。宗祠因年代久远失修，现已被填封弃用。

村有两社一庙。村后约200米东北方向有一老社，供奉的是观音菩萨。老社是用混合土砌成拱门形状，一共供奉两尊观音菩萨。每年该村有男孩出生，族人除了在次年正月十三这一天到仁公祠举行上灯

◎ 苏屋村新民居一角（摄于2016年）

◎ 老社（摄于 2016 年）

◎ 舂臼（摄于 2016 年）

仪式外，也会在次年大年初八这一天到老社举行上灯仪式，区别在于十三这一天用的是大灯笼，而初八这一天用的是小灯笼。

新社位于村西约 200 米处，供奉的也是观音菩萨。新社是为区分老社而取名，用三合土砌成凹状，显破旧。每到节庆时候，村民们都会到新社进行祭拜，祈求新年万事如意。

村口边有一佛子伯公庙，供奉着关公和观音菩萨，用泥砖简易搭成凹状。庙正中放置关公神像，右边放置观音菩萨神像，每到节庆时候，村民们也会到佛子伯公庙进行祭拜，祈求新年万事如意。

传统民间习俗，多为客家人习俗的延续。民间节日以春节、元宵节、清明节、端阳节、中秋节、冬至等节为主，还有四月八、七月半、十月朝等节日。该村宗族活动是清明节祭拜公众祖先。客家嫁娶过程，有一整套的约定俗成的礼仪。小孩出生 20 天左右要给亲戚送糯米甜酒报喜，择日举办满月吉庆。丧葬风俗，以土葬为主。还有一个风俗一直流传至今，每当村中老人辞世，招待亲朋好友的菜肴标准有猪肉、青菜、豆腐三样菜，不许饮酒作乐，以示哀悼。但葬礼的基本形式不变，包括择时辰、建灵牌、收殓、引灵、接体、奠礼、出殡、火化、安葬等。

解放战争时期，国民党湖洋联防队封锁青竹革命根据地，苏屋郑秀、罗祥初等村民冒险经常到游击队驻扎的地方为游击队员送米、油盐等，支援游击队。

村主要人物有：苏彰发，1925 年生，1953 年任仓前乡乡长、农会主席。罗亚谊（1913—1989），钓蛙高手。他用 1 米长小竹竿，末端吊条绳，下面缠小青蛙，沿着田边、小溪边行走，用绝佳的小青蛙叫声口技，诱惑青蛙从洞穴出来寻食，被钓走。

（资料填报：易华容；初稿撰写：易昌煌、钟韵、易华容；总纂：李协湖）

田心围

◎ 田心围村貌（摄于 2016 年）

田心围，位于迳头镇东南部，距镇政府约 8.5 千米。始建于清康熙五十一年（1712 年），易世昌从英德县大陂都迳头乡（今佛冈县迳头镇）旗岭下村分迁入该地而形成。因该村地势像“园篱晒网”，故而取名田心围，曾用名园篱晒网村。

村坐落于山区，东北方向是旗岭下村，南面是县道 362 线和湖洋村委会，北靠独王山脉，西北面是桃岭下村，西临独王山溪。

该村形成时属英德县大陂都迳头乡，清嘉庆十八年（1813 年）属佛冈厅迳头乡，民国时期属佛冈县陂头乡，中华人民共和国成立后属佛冈县湖洋乡，1953 年 2 月属佛冈县第三区仓前乡，1958 年 10 月属从化县跃进（迳头）人民公社湖洋大队，1961 年 5 月属佛冈县迳头公社湖洋大队，1983 年 12 月属迳头区公所湖洋乡，1987 年 1 月属迳头乡湖洋行政村，1994 年 2 月属迳头镇湖洋管理区，1998 年 11 月属迳头镇湖洋行政村至今。

世居村民为易姓。据《中华易氏通谱》记载，易姓先祖于南宋淳熙十一年（1184 年）从雄州（即南雄，古属江西）珠玑巷沙水埔牛田村迁至广州城南小市街石亭巷（海珠南解放南龙津路），至后迁至广州九佛洪村，又迁至英德县三江龙颈村。明末至清初，因三江龙颈屋场被毁，再迁至英德县大陂迳头乡南洞（今湖洋）村老围厂（同“鸭”）子下。清朝初期，易雄长子易贤留居迳头乡南洞村（今湖洋），次子易宽分迁至水头下潭洞。清康熙十一年（1672 年）易贤后裔珍玉公携家从厂子下迁至旗岭下村，易珍玉为旗岭村易氏始迁祖。清康熙五十一年（1712 年），易珍玉之孙世昌分迁至田心围村。田心围村的辈分排列为“曰世道宏兆文开永昌宗嗣品茂德业传扬”。

2015 年末，村有户籍人口 202 人，其中男性 104 人、女性 98 人。80 岁以上 5 人，最年长者郑正（女）93 岁。实际在村 127 人，其中留守儿童 4 人。生活主要依靠农业收入有 110 人。常年在城镇生活和打工的有 75 人。村民均为汉族，客家民系，使用客家方言。

村有耕地 9.4 公顷、山地 124.87 公顷。自然资源主要有稀土矿。传统经济以农业为主，主要经济作物有水稻、花生、木薯、芋头、大豆、玉米、沙糖桔、桉树、杉树、竹子等，还养殖鸡、鸭、鹅和

◎ 冬瓜种植基地（摄于 2016 年）

蓄水养鱼等。曾有村民从事打铁手艺。2015 年，建有“臻泰农业标准蔬菜种植基地”，主要种植玉米、荷兰豆、冬瓜、辣椒等，销往广州地区。经济收入来源主要是农业生产，外出务工村民工资性收入。

村传统节庆食品有：春节的客家脍肉、酿豆腐、糖环、油角、炒米饼，元宵节的汤圆，清明节的艾糍，端午节的粽子，中秋节的月饼等。妇女坐月子时，喝糯米甜酒、猪脚甜醋等。

村于 1970 年通电，1997 年通电话，2000 年全村村道实现水泥硬底化，2011 年通网络，2013 年通自来水。

传统民居为客家围屋。代表性民居有田心围炮楼，建于清末至民国初。据说当时一位易姓男子娶妻郑氏，因居家房屋较小，岳父郑氏便提议女婿在田心围一处空地建楼安家。现该楼遗址仍在。

◎ 田心围炮楼（摄于 2016 年）

小门迳，位于田心围炮楼西面，始建于清康熙五十一年（1712 年），高 2 米，宽 0.8 米，占地面积 8 平方米，重修于 1997 年，现保存完好。门口上方写有“田心围”三个字，屋顶呈人字形，用筒子瓦搭建而成。

◎ 经公祠（摄于 2016 年）

主要宗祠有世昌公祠，又称经公祠，始建于清朝年间，重修于 1997 年，现保存完好。该宗祠占地面积 180 平方米，正门上写着“经公祠”三个大字。该祠堂为三进式布局，正厅供奉着世昌公先祖灵位，祠内有楹联：“世泽绵长祖荫祯祥千礻禺世；昌宏富贵儿孙繁衍万年昌”。右边墙壁雕刻着捐修世昌公祠的易氏子孙名单。每逢年节、喜庆日子，村民们都会到祠堂祭祖、祈祷。该村每年农历正月十三这一天在祠堂举行上灯仪式（俗称“吊灯”），向先祖报喜并示意这些男丁从此成为为族人的一分子。

传统民间习俗，多为客家人习俗的延续。民间节日以春节、元宵节、清明节、端阳节、中秋节、冬至等节为主，还有四月八、七月半、十月朝等节日。该村村民唯一宗族活动就是清明节祭拜公众祖先。传统嫁娶习俗还保留中原古制的“六礼”，即纳彩、问名、纳吉、纳征、请期、亲迎。小孩出生 20 天左右要给亲戚送糯米甜酒报喜，择日举办满月吉庆。丧葬风俗，多沿用中原的古传统，以土葬为主。1990 年后逐步实行火葬，但葬礼的基本形式不变。其程序包含有择时辰、建灵牌、收殓、引灵、接体、奠礼、出殡、火化、安葬等。

1997 年 6 月 2 日傍晚，龙卷风夹着倾盆大雨袭击田心围，损坏房屋 100 多间，直接经济损失 36 万元。

该村的易福如，1941 年生，曾为江苏南京军政干校电子部第五研究所高级工程师。

（资料填报：易华容；初稿撰写：易昌煌、钟韵、易华容；总纂：李协湖）

八宅围

◎ 八宅围村貌（摄于 2016 年）

八宅围，位于迳头镇东南部，距镇政府约 9 千米。村始建于清乾隆五十六年（1791 年），郑时发（即祖达公）从英德县大陂都迳头乡（今佛冈县迳头镇）官仓背村分支迁入而形成。因时发在兄弟排行第八，故取名八宅围，曾用名高举围。

村坐落于山区，东是山脉，南靠背夫岭。有一主要山岭独王山，海拔高 828.1 米。西是湖洋村委会、大围村，北边旗岭下村、田心围村。

该村形成时属英德县大陂都迳头乡，清嘉庆十八年（1813 年）属佛冈厅迳头乡，民国时期属佛冈县陂头乡，中华人民共和国成立后属佛冈县湖洋乡，1953 年 2 月属佛冈县第三区公所仓前乡，1958 年 10 月属从化县跃进（迳头）人民公社湖洋大队，1961 年 5 月属佛冈县迳头公社湖洋大队，1983 年 12 月属迳头区湖洋乡，1987 年 1 月属迳头乡湖洋行政村，1994 年 2 月属迳头镇湖洋管理区，1998 年 11 月属迳头镇湖洋行政村至今。

世居村民为郑、何姓。郑姓，据《大陂郑氏族谱》记载，太上祖冯乐宣的第十五世孙冯念四郎，约元末由福建移民迁居新丰县迴龙镇塘村，又迁徙到潮州之程乡（今广东省梅州市地域内），尊母命把冯姓改为郑姓，再迁至韶州府的英州迳头乡山下村落籍。十世祖郑兼四于康熙后期从迳头云岭村迁徙到官仓背村，后裔郑时发（即祖达）于清乾隆五十六年（1791 年）由官仓背移居该地，郑时发成为开村始祖。何姓于 1952 年从高岗镇入赘而迁入该地。

2015 年末，村有户籍人口 249 人，其中男性 127 人、女性 122 人。80 岁以上 6 人，最年长者 92 岁（男）。实际在村人口 137 人，其中留守儿童 18 人。生活主要依靠农业收入的人口有 126 人。常年在城镇生活和打工的人口有 112 人。祖籍该村的香港同胞 20 人。村民均为汉族，客家民系，使用客家方言。

村有耕地 4.33 公顷、山地 30 公顷。地自然资源主要有稀土矿。因八宅围村村民的稀土矿保护意识较强和湖洋村委的严厉打击，没有发生非法采矿行为。传统经济以农业为主，主要经济作物有水稻、花生、木薯、芋头、大豆、玉米等作物。现主要经济作物：种植沙糖桔、桉树、松树、杉树、竹子，养殖鸡、鸭、鹅，以及利用山塘水库蓄水养鱼等。村民经济来源是农业生产收入、外出务工工资收入、从事商业经营收入。

◎ 米斗（摄于 2016 年）

◎ 八宅围传统民居（摄于 2016 年）

村特色农产品有腌制酸笋、甜笋、笋干，制作竹木制品，基本上用于自用。特色传统（节庆）食品有糯米糍、艾糍、炸糖环、打米饼、炸油角、酿豆腐、裹粽子、脍肉、春糍等。

该村曾是古道青竹至迳头赴街路段的主要交通要道，始存于明末至清初。东连青竹，西通仓前，途经石壁潭、头渡河、苏屋、铺角、八宅围、大围、坝头、独王山河，最后到达长江岭长石桥，总长 2 千米，是旧时村民趁圩的必经之路。其中长江岭的长石桥是座古桥，长 4 米，是由三块石板搭制而成的，经长石桥可到达仓前杨岭村。

村于 1977 年通电，1997 年通电话，2000 年全村村道实现水泥硬底化，2011 年通网络，2015 年通自来水。

◎ 八宅围古居门楼（摄于 2016 年）

八宅围为古建筑（宅第民居），被列入佛冈县不可移动文物名录。八宅围位于佛冈县迳头镇湖洋村的下围，建成于清代，建筑面积 2522 平方米，坐东南向西北，总面阔 55.3 米，总进深 45.6 米。围村成回字形布局，围村四角有镬耳屋并高于其他房屋，称为“四点金”状。正门为龙船脊、悬山顶，进深 5 排共 11 栋房屋，左右护水屋 2 栋，为悬山顶、平脊民房，砖木结构。巷道原来是河卵石铺面，后在卵石上铺盖水泥。由 1 个正门进出，正门直入第二、第三进，为喜事聚会及拜祭祖先的大厅，其他均为平房民居，素胎瓦。村门前有水塘和一口古井。

主要宗祠是时发公祠，始建于清朝乾隆后期，承担着宗祠祭祀、祈祷报喜的作用，现保存完好。《佛冈县志》有记载，其具有研究客家人文化历史价值。该宗祠占地面积为 200 平方米。外墙为镬耳墙，顶部

◎ 时发公祠（摄于 2016 年）

形似龟背，呈半圆流线型飞檐滴水，构成起伏有致的天际轮廓线，形似镬耳。门迳与宗祠之间的过道墙体已损坏。该祠堂为二进式布局，一进为议事厅，一进与二进间的门体为旧式红木，门前有天井，用于采光和防积水，右边墙体供奉着观音娘娘的神位；二进是香火堂，正厅供奉着时发公先祖灵位。祠堂门前有口池塘，呈半月形状，为“风水塘”，村民认为门前有水就有“风水”——聚财、养人、防火。池塘前有口古井，现已停用。每逢年节、喜庆日子，村民们都会到祠堂祭祖、祈祷。村民在每年农历正月十三这一天举行上灯仪式（俗称“吊灯”），向先祖报喜并示意这些男丁从此成为为族人的一分子。

传统民间习俗，多为客家人习俗的延续。民间节日以春节、元宵节、清明节、端阳节、中秋节、冬至等节为主，还有四月八、七月半、十月朝等节日。该村村民唯一宗族活动就是清明节祭拜公众祖先。客家嫁娶过程，有一整套约定俗成的礼仪。小孩出生20天左右要给亲戚送糯米甜酒报喜，择日举办满月吉庆。丧葬风俗，多沿用中原的古传统，以土葬为主。1990年后逐步实行火葬，但葬礼的基本形式不变。其程序包含有择时辰、建灵牌、收殓、引灵、接体、奠礼、出殡、火化、安葬等。

村流传张氏怒惩恶村妇的故事：相传明末至清初，郑祖达的老婆张氏携儿子时发身避战乱，迁到了相对偏僻的迳头镇湖洋村栖身，但却时常受到当地异姓人的欺负。一天，张家难得来了客人，好客的张氏准备烧水冲茶待客。但想不到的是，当她辛苦打水之后，有个外姓村妇竟当面将泥土撒进她的水桶。张氏好言相劝，但是蛮横的村妇根本不听张氏的劝告，见张氏态度谦和，还以为遇到了“软柿子”，后来索性抢过张氏的扁担就打。张氏终于忍无可忍，摆开架势，三拳两脚就把那个恶妇打倒在地。此事过后，张氏和邻里之间相处和睦。

1971年9月10日，湖洋电站建成投产，该电站于1969年冬动工，投产时装机2台、装机容量320千瓦，后扩建一台，总装机3台、装机容量640千瓦。

该村的郑发中，1965年生，任广东四会海关关长。

（资料填报：易华容；初稿撰写：郑明天、钟韵、易华容；总纂：李协湖）

大 围

◎ 大围村貌（摄于 2016 年）

大围，位于迳头镇东南部，距镇政府约 9 千米。村始建于清乾隆六十年（1795 年），郑时通从英德县大陂都迳头乡（今佛冈县迳头镇）官仓背村分支迁入而形成。大围村由大围、张屋围、细围、中间围、上围、上坝、下坝七个小围组成，因村落较大，且宗族祠堂设在大围，故而称大围，该村曾用名为万盛围。

村坐落于山区，村东是湖洋村委会，东南是八宅围村、上岭排村，南靠背夫山，西北是桃岭下村，东北是苏屋村、旗岭下村，北临田心围村。村前为县道 362 线。村南不远处有独王山，海拔高 828.1 米。该村是仓前至新丰遥田古道必经之处，始存于明末至清初，东连青竹，西通仓前，途经石壁潭、头度河、苏屋、铺角、八宅围、大围、坝头、独王山河，最后到达长江岭长石桥，总长 2000 米，是历史上村民趁圩的必经之路。其中长江岭的长石桥是座古桥，长 4 米，由 4 块石板搭制而成，经长石桥可到达仓前杨岭村。

◎ 仓前至新丰遥田古道湖洋段（摄于 2016 年）

该村形成时属英德县大陂都迳头乡，清嘉庆十八年（1813 年）属佛冈厅迳头乡，民国时期属佛冈县陂头乡，中华人民共和国成立后属佛冈县湖洋乡，1958 年 10 月属从化县跃进（迳头）人民公社湖洋大队，1961 年 5 月属佛冈县迳头公社湖洋大队，1983 年 12 月属迳头区公所湖洋乡，1987 年 1 月属迳头乡湖洋行政村，1994 年 2 月属迳头镇湖洋管理区，1998 年 11 月属迳头镇湖洋行政村至今。

世居村民为郑姓。据《大陂郑氏族谱》记载，先祖元末由福建移民迁居新丰廻龙镇塘村，迁徙到潮州之程乡（今广东省梅州市地域内），尊母命把冯

◎ 大围古民居（摄于 2016 年）

姓改为郑姓。于明正统年间（1436—1449 年），迁至韶州府的英州大陂都迳头乡山下村落籍。十世祖兼四公于康熙后期从迳头云岭村迁徙到官仓背村，其后裔时通公（即祖畅公）于清乾隆六十年（1795 年）由官仓背移居湖洋大围村，成为开村始祖。

2015 年末，村有户籍人口 1077 人，其中男性 560 人、女性 517 人。80 岁以上 16 人，最年长者 103 岁（男）。实际在村 592 人，其中留守儿童 85 人。生活主要依靠农业收入的有 512 人。常年在城镇生活和打工 485 人。祖籍该村的香港同胞 3 人，台湾同胞 5 人。村民均为汉族，客家民系，使用客家方言。

村有耕地 22.13 公顷、山地 342.73 公顷。自然资源主要有稀土矿。传统经济以农业为主，种植水稻、

◎ 大围种植的荷兰豆（摄于 2016 年）

花生、番薯、芋头、大豆、玉米、沙糖桔、桉树、松树、杉树、竹子等，曾有人从事打铁手艺。现代经济以农业为主，兼有养殖鸡、鸭、鹅、鱼，基本上是自给自用。经济来源主要是农业生产收入、村民外出务工工资性收入、从事商业经营收入。

特色农产品有腌制酸笋、甜笋、笋干，制作竹木制品，荷兰豆种植。特色传统（节庆）食品有糯米糍、艾糍、炸糖环、打米饼、炸油角、酿豆腐、裹粽子、脍肉、春糍等。

村于 1970 年通电，1997 年通电话，2000 年全村村道实现水泥硬底化，2011 年通网络，2015 年通自来水。

村有大围、张屋围两处古建筑（宅第民居），均被列入佛冈县不可移动文物名录。大围海拔高程 175 米，建筑占地面积 2730 平方米。张屋围海拔高程 159 米，建筑占地面积 692 平方米。大围、张屋围均是作居住场所使用，保存较好。大围、张屋围为典型的客家围建筑，为研究客家围屋提供较有价值的资料。

比较著名的客家围屋是开化公房屋，是时通公之孙开化公居住的地方，位于张屋围，始建于清嘉庆十八年（1813 年），据说是开化公考中进士，清政府御赐给他的。该房屋占地面积为 200 平方米，《佛冈县志》有记载，现已残缺，具有文物历史价值。整个房屋呈回字形布局，砖木与灰砂结构，一个门

口进出，四个角为“四点金”。门迳外墙体同样是用石板制成，厚30厘米，高3米。大门的两扇耳门，设有9根应急木栅栏（俗称“趟栊”），当遇到盗贼或是侵扰时，将木栅栏拉好，关上耳门，可有效防御外侵。大门两侧均是3间厢房，共计6间。进入大门后便是正厅，门体为旧式红木，刻有雕花，花姿绰约、花纹清晰、花体凹凸有致。整个正厅比较大，是用来招待客人的。厅后有两间厢房，做休息之用。正厅两边是回水，一边4间共8间，回水门框均是石板制成。正厅和回水间中的2条南北走向的街巷是用鹅卵石铺成。房屋右侧有口古井，已不再使用。另有一座大楼，是十七世祖超士公（武秀才）所建造的，占地面积约80平方米。楼高约25米左右，共五层，两房一厅。整座楼房全部是石灰冲墙结构，转角用竹片作拉力，气势宏伟，是当时湖洋村的标志性建筑。该楼在20世纪70年代坍塌，现只剩下残砖断瓦。围屋有两大特点：一是墙体全为精料三合土结构，没有砖墙。即使天面坍塌，经几百年墙体仍然屹立完好。二是使用石料。地面铺满石板，用石板做门框，用石板做窗户，大门配石梁石柱。现村民在围外建起新楼房，该村的围屋仅有4户人家居住。

时通公祠堂，始建于清乾隆年间（1736—1795年），重修于2006年，承担着宗祠祭祀、祈祷的作用，现保存完好。该宗祠占地面积为220平方米，坐东南向西北。祠堂为二进式布局，厅的右边墙体供奉着观音娘娘的神位，旁边还有小门通向其他民居。二进是香火堂，门口两旁有木制楹联：“祖畅太公宝座重修留得溯源问本追怀先辈”，“时通玄裔鸿图再展堪当扬徽效范训示后人”。正厅供奉着时通公先祖灵位，两边有楹联：“时日不忘有先才有后”，“通常记紧无古则无今”。祠堂门前有口半月形池塘，每逢年节、喜庆日子，村民们都会到祠堂祭祖祈祷；每年该村有男孩出生，族人也会在次年正月十三这一天举行上灯仪式（俗称“吊灯”），向先祖报喜并示意这些男丁从此成为为族人的一分子。门迳外墙体比较厚，门是用石板制成，厚60厘米，高5米，精制三合土结构到顶，上下大小枪炮眼排列有序，全方位防御盗贼、土匪。建筑布局为井字形，分前栋、中间栋和后栋，前栋和后栋均是15间房屋，中间栋两边各9间共18间房屋，回水两边各10间共20间，合计68间房屋。除一部分回水门是木框制成外，其他门都是石板制成，窗栅栏为粗大圆形铁杆，而且都是活动结构，遇到紧急情况，可从窗户进出。围内有东西走向街巷4条，南北走向街巷2条，互相连通。门迳左边有1口古井，曾是村民用水的地方，但如今已被大石板堵住，不再使用。

社下公庙，开村时建成，2002年重修。该庙位于时通公祠旁约200米处，占地12平方米，用石砌成圆形，典型客家围屋结构。庙身上刻有碑文，但字迹已模糊不清。庙身前有石头制成的香火板，摆放瓜果祭品；正前方亦有石砌香火盆，用于插香。每年春节、清明，村民都会到此祭拜祖先。

该村崇文尚教，光绪年间（1875—1908年）曾

◎ 时通公祠（摄于2016年）

◎ 社下公社坛（摄于2016年）

建有私塾“大书房”，现已毁坏。1948 年创建湖洋小学，占地面积 4800 平方米（内有教学楼 2 栋、篮球场 1 个、足球场 1 个）。设有 1 至 6 年级，200 余名学生，10 名教职工；2009 年并入迳头小学后只有学前班、1 年级、2 年级约 40 人左右，教职工 2 人，代课老师 1 人。

2008 年由开化后人郑国畅、郑从心等人编印《开化公族谱》，记有祖训：“要爱祖、念祖，清明时节雨茫茫，先祖不用后裔养，只望后裔不忘本，除尽坟草烧扎香”。

传统民间习俗，客家嫁娶过程有一整套约定俗成的礼仪。丧葬风俗，多沿用中原的古传统，以土葬为主。1990 年后逐步实行火葬，但葬礼的基本形式不变。其程序包含择时辰、建灵牌、收殓、引灵、接体、奠礼、出殡、火化、安葬等。

1940 年冬，村民郑大作在石坡头附近犁田，闻讯日本侵略军马上来扫荡，通知村民到田边隐藏，其女儿郑日西大哭不止。为了大家的安全，郑大作夫妇只好把女儿埋在刚犁好的稻田沟里。后来得知日本侵略军已撤走，郑大作见女儿已停止呼吸，准备将其移送山上埋葬。妻子抱起女儿悲痛欲绝，用力搓弄，正好起到人工呼吸作用，郑日西竟然活过来了。从此郑日西就多了“犁头妹”的别名。1997 年 6 月 2 日傍晚，龙卷风夹着倾盆大雨袭击大围、田心围、八宅围等村，损坏房屋 343 间，直接经济损失 36 万元。

该村主要人物有：郑开化（1851—1893 年），郑时通之孙，清朝年间进士。郑玉符（又名郑瑞璋），大律师，青年时代曾在广东省高等法院工作，后在汕头经商，成为工商界巨富，1947 年 11 月当选国大代表。郑超群（？—1949 年），革命烈士，在韶关从事中共地下工作，1949 年 9 月在韶关被捕就义。郑国相（？—1948 年），革命烈士。1926 年为新丰田丰队战士，1948 年 9 月在翁源杨家坝战斗中牺牲。郑育中，曾任新兴县长。郑国祥，1945 年生，曾任广东省军区干部处处长等职。郑中校，1956 年生，中越边境自卫还击战中荣立“三等功”。郑龙关，1956 年生，曾任韶关火车站站长，羊城铁路公司副总经理。郑巧文，1964 年生，中学教师，曾获“1999 年清远市教书育人优秀教师”“广东省 2001 年南粤教书育人优秀教师”“2011 年清远市模范教育工作者”“佛冈县专业技术拔尖人才称号”等荣誉称号。

（资料填报：易华容；初稿撰写：郑明天、钟韵、易华容；总纂：李协湖）

旗岭下村

◎ 旗岭下村村貌（摄于 2016 年）

旗岭下村，位于迳头镇东南部，距镇政府约 9 千米。始建于清康熙十一年（1672 年），由易丹阳后裔珍玉从英德县大陂都迳头乡（今佛冈县迳头镇）湖洋𠂆子下（旧称老围）迁入该地而形成。村后有背夫岭，因背夫岭像旗形，故取名旗岭下村。

该村坐落于山区，东是山脉，西南是田心围村，西面是桃岭下村，北靠背夫岭。迳头河在村前从东往西流过，河长 1000 多米。村有尖风顶山，海拔 500 米。

该村形成时属英德县大陂都迳头乡，清嘉庆十八年（1813 年）属佛冈厅迳头乡，民国时期属佛冈县陂头乡，中华人民共和国成立后属佛冈县湖洋乡，1953 年 2 月属佛冈县第三区仓前乡，1958 年 10 月属从化县跃进（迳头）人民公社湖洋大队，1961 年 5 月属佛冈县迳头公社湖洋大队，1983 年 12 月属迳头区公所湖洋乡，1987 年 1 月属迳头乡湖洋行政村，1994 年 2 月属迳头镇湖洋管理区，1998 年 11 月属迳头镇湖洋行政村至今。

世居村民为易、李姓。据《中华易氏通谱》记载，易姓祖先于南宋淳熙十一年（1184 年），从雄州（即南雄，古属江西）珠玑巷沙水埔牛田村迁至广州城南小市街石亭巷（海珠南解放南龙津路），史称“宋末大迁徙”，易氏先祖正式入粤。后迁至广州九佛洪村，又迁至英德县三江龙颈村，再迁至英德县大陂迳头乡南洞（今湖洋）村老围鸭子下。清初，易雄长子易贤留居迳头乡南洞村（今湖洋），次子易宽分迁至佛冈县水头镇下潭洞。清康熙十一年（1672 年）易贤后裔易珍玉携家从𠂆子下举迁至该地建村。李姓，于民国初年从遥田入赘而迁入该地。

2015 年末，村有户籍人口 484 人，其中男性 247 人、女性 237 人。80 岁以上 18 人，最年长者 91 岁（男）。实际在村 290 人，其中留守儿童 24 人。生活主要依靠农业收入有 215 人。常年在城镇生活和打工的有 194 人。祖籍该村的台湾同胞 5 人。村民均为汉族，客家民系，使用客家方言。

村有耕地 12 公顷、山地 252 公顷，自然资源主要有稀土矿。传统经济以农业为主，粮食作物主要种植水稻、番薯、芋头、大豆、玉米。曾有人从事打铁手艺。现代主要种植经济作物有沙糖桔、桉树、松树、杉树、竹子等，兼养殖鸡、鸭、鹅。现村民经济来源是农业生产收入、外出务工工资性收入、

◎ 麦子脱粒用具：绞子（摄于 2016 年）

◎ 旗岭下村传统民居一角（摄于 2016 年）

从事商业经营和建筑装修收入等。特色农产品有腌制酸笋、甜笋、笋干，制作竹木制品，大部分为自用。

村于 1970 年通电，1997 年通电话，2000 年全村村道实现水泥硬底化，2004 年建立三级冲击式水电站。2010 年建有篮球场、文化室和乡村公园。2011 年通网络，2013 年通自来水。

传统民居为客家围屋，典型的有永心围和中心围。永心围，始建于清康熙三十年（1691 年），占地面积约 500 平方米，成回字形布局。外墙为砖木与灰砂结构，大门高 2.4 米，宽 1.2 米，大门两侧各 4 间厢房，共计 8 间。大门后为正厅，共 5 间房，正厅后有 9 间厢房；正厅两边为回水，两边各 4 间共 8 间房；正厅和回水间有 2 条南北走向的街巷用鹅卵石铺成，取“四通八达”之意。永心围部分残缺，现仅 1 户人家居住。中心围，始建于清康熙十一年（1672 年），占地面积约 300 平方米，呈“L”形布局。外墙为砖与灰砂结构；大门高 2.4 米，宽 1.2 米，有 5 排石坎拾级而上；大门左边有 9 间厢房，右边 11 间厢房，中间街道，转弯处 6 间厢房，厢房左边一小廊门，廊门外一条小溪，用于防火。中心围部分残缺，现已无人居住。村民在旧围周边建造钢筋混凝土结构楼房。

主要宗祠为珍玉公祠，始建于清嘉庆十六年（1811 年），重修于 2005 年，现保存完好。该宗祠占地面积为 300 平方米，正门门楣上写着“易珍玉公祠”五个大字，二门门楣上写着“珍玉公祠”四个大字。该祠堂为四进式布局，一进是过道，位于正门与二门之间。二进两边厢房。二进与三进间为天井，用于采光和防积水，右边是厢房，左边供奉着陈太尉公牌位，牌位两侧有楹联：“功建汉朝扶赤帝；恩流粤海荫丹阳”。据一老辈介绍：汉朝时期，易氏先祖为皇帝右丞相，陈太尉为皇帝左丞相。易氏先祖因在朝堂上为百姓仗义执言，遭奸人所害。陈太尉通知易氏先祖夫人、儿子逃亡南下得以保存性命。为纪念陈太尉功德，故而在宗祠上供奉陈太尉牌位。三进与四进间有一天井，四进为香火堂，正厅墙壁

◎ 珍玉公祠（摄于 2016 年）

供奉着珍玉公先祖灵位，右边墙壁雕刻着捐修珍玉公祠的易氏子孙名单。每逢年节、喜庆日子，村民们都会到祠堂祭祖、祈祷；每年农历正月十三这一天举行上灯仪式（俗称“吊灯”），村里上一年生男孩的家庭向先祖报喜并示意这些男丁从此成为为族人的一分子。旗岭下村易氏的辈分排列为：“曰世道宏兆文开永昌宗嗣品茂德业传扬”。

村有一社一庙。社下伯公位于村子右边约 350 米处，坐北向南，坐落在青竹水、独王山溪流交界处。土地庙位于村子北边约 250 米处，坐南向北，用一间 8 平方米简易平房里面供奉着佛子，每逢节庆时候，村民会到此烧香烛、纸钱，祈祷家人健康平安。

村有一种传统农具叫绞子，也叫连枷。原为农村手工脱粒农具，由木（竹）柄及敲杆组成，工作时上下挥动柄，使敲杆绕轴转动，敲打麦穗使麦皮脱落。

舞猫头狮是旗岭下村的特色民俗技艺，形成于清末至民国初，因狮头形状像猫，且舞狮动作类似于猫，故而被称为“猫头狮”。猫头狮属于“武狮”，“武狮”遇见“文狮”，按照“先文后武”的礼让习俗，狮头高度不能超过“文狮”。猫头狮是“瑞狮”，寓意是“狮拜门庭，吉祥如意”。造型比一般本地狮个头要小一点，头顶插着两根雌鸡毛，额头镶嵌着一面小圆镜，为“护心镜”。狮头两边和后面按照八卦顺序挂有小圆镜，用于祛邪镇妖。狮子双目突出如金鱼眼，双眼朝下且可转动。狮口大开，舌头伸出，颇有“气吞山河”的气势。狮身用布制成。猫头狮队约 20 人，

◎ 猫头狮器具（摄于 2016 年）

4 人负责锣鼓镲（一种击打乐器），6 人负责飞耙、快耙、双刀、柏木棍、凳，4 人负责狮子和大小猴，剩下的人员轮流替换上场，全套舞狮动作做完大约要 2—3 小时。每逢春节、农历正月十三上灯、红白两事期间，猫头狮便开始大显神威。舞狮开始时，伴随着鞭炮声和锣鼓镲的节奏，一人舞狮头、一人操狮尾，时而疾驰跳跃，时而磨蹭徘徊，闪展腾挪；大小猴是丑角，配合着乐器节拍在前方引导、挑逗狮子。“采青”是舞猫头狮的重要环节，“青”（红包和生菜）会挂在祠堂门口左边，按照“先左（青龙）后右（白虎）再中间、最后转圈”的顺序舞狮拜门，如此反复三次后再采“青”，整个舞狮过程都要像猫一样低爬走步。舞狮结束后，队员会拿起飞耙、快耙、双刀、柏木棍、凳，打棍、弄刀、耍拳进行表演助兴。据一些老师傅介绍，随着时间的流逝，现在的猫头狮的舞技已大不如从前，大小猴和武术助兴表演已没有。

传统民间习俗，多为客家人习俗的延续。民间节日以春节、元宵节、清明节、端阳节、中秋节、冬至等节为主，还有四月八、七月半、十月朝等节日。传统婚嫁习俗保留中原古制从议婚至完婚过程中的六种礼节，即：纳彩、问名、纳吉、纳征、请期、亲迎。随着社会的进步，这六种礼仪已被新式婚俗所取代，其中部分程序一直沿用至今，送小担、踏家门、迎亲等嫁娶礼俗依然存在。传统丧葬风俗，以土葬为主，但葬礼的基本形式不变，包括择时辰、建灵牌、收殓、引灵、接体、奠礼、出殡、火化、安葬等。还有一个风俗一直流传至今，每当村中老人辞世，招待亲朋好友的菜肴标准有猪肉、青菜、豆腐三样菜，不许饮酒作乐，以示哀悼。

该村主要人物：易曰朗，生卒年不详，明末至清初任英州（现英德县）县令书办（秘书）。易济民（文灿），1922 年生，曾就读于广东省中山医科大学，后任三水市人民医院院长。易永山，1938 年生，曾在部队荣立三等功一次。易伟明，1943 年生，曾先后任佛冈县委常委、县纪委书记，县政协主席。

（资料填报：易华容；初稿撰写：易昌煌、钟韵、易华容；总纂：李协湖）

○迳头行政村

菜洞口村

◎ 菜洞口村村貌（摄于 2016 年）

菜洞口村，位于迳头镇东南部，距镇政府约 5 千米。村始建于清乾隆年间（1736—1795 年），朱姓景玉公二、三房从英德县大陂都迳头乡（今佛冈县迳头镇）鸭屾坑村，五房从仓前利村分别迁移至此而形成。建村初期姓蔡人在此居住，且地形如“洞”形状，清朝以前村名为蔡洞村。相传朱姓迁入，蔡姓迁出，民间有“猪（朱）吃菜（蔡）”之说法，民国年间故更名为菜洞村。溪（坑）水上游为菜洞尾，下游为菜洞口，因该村地处溪流下游而取名为菜洞口村。

村坐落于丘陵地带，四面环山，整体坐西向东。东为仓前利村，南方为大房村、迳头街，西边是九牛圳、九龙围村，北面青山连绵，与菜洞尾隔山相连。村前有迳头河支流菜洞坑水自东南向西北从村中穿流而去。

该村形成时属英德县大陂都迳头乡，清嘉庆十八年（1813 年）年属佛冈厅迳头乡，民国时期属佛冈县陂头乡，中华人民共和国成立后属佛冈县第二区陂头乡，1958 年 10 月属从化县跃进（迳头）人民公社迳头大队，1961 年 5 月属佛冈县迳头人民公社迳头大队，1983 年 12 月属迳头区迳头乡，1987 年 1 月属迳头乡迳头行政村，1994 年 1 月属迳头镇迳头管理区，2005 年 5 月属迳头镇迳头行政村至今。

世居村民为朱姓，为朱熹后裔。根据《紫阳朱氏粤北衍传谱》记载，朱熹祖籍江西婺源。紫阳十世祖朱梓从赣州迁至南昌府（今永修县）二十四都

◎《紫阳朱氏粤北衍传谱》（摄于 2015 年）

宽仁乡，并于元大德八年（1304 年）建造了白马村。元朝至正九年（1349 年）十二世祖朱廷琛从江西省到广东惠州府任职。后朱氏先后迁至和平、兴宁、南雄居住。明成化年间（1465—1487 年），朱景玉从南雄保昌县牛田坊迁移至佛冈县迳头镇大房，成为迳头镇等地朱姓始祖。清乾隆年间（1736—1795 年），景玉公名下二房、三房及五房迁入本地。

2015 年末，村有户籍人口 140 人，其中男性 71 人、女性 69 人。80 岁以上 2 人，最年长者 84 岁（男）。实际在村 88 人，其中留守儿童 6 人。生活主要依靠农业收入有 67 人。常年在城镇生活和打工的有 52 人。村民均为汉族，客家民系，使用客家方言。

村有耕地 9.33 公顷、山地 71 公顷。自然资源主要有稀土矿、桉树、松树等。传统经营以农业为主。粮食作物主要种植有水稻、番薯、木薯，经济作物有花生、大豆、果树、林木等，禽畜主要饲养鸡、鸭、鹅和猪、牛、羊等，渔业主要以山塘水库蓄水养殖各种鱼。村民主要经济收入来源为农业、商业经营、外出务工性工资等。

特色农业品有沙糖桔、四季李、香蕉、霸王花。传统节庆食品有：客家脍肉、酿豆腐、糖环、油角、糍、炒米饼、汤圆、艾糍、粽子。当地妇女坐月子时，有喝糯米酿制的甜酒、吃猪脚姜煮的甜醋的习惯。其传统特色美食是艾糍。是客家人的清明食品。先

◎ 香蕉种植（摄于 2016 年）

将艾叶稍煮一下，去掉苦味；将糯米碾成粉，与艾叶混合搓匀。用糖、花生碎粒、芝麻作馅，捏为小块，包成三角形或圆形，蒸熟即可；或是捏成椭圆形，不放馅，蒸熟即可。

村前乡道往东经菜洞尾村连通新丰县上庐村等地，往西经九龙围连接县道 373 线。

村于 20 世纪 70 年代通电，1995 年通电话，2000 年村内实现道路硬底化，2012 年通光纤网络。

村由马栏场、上围和老围三个小村落组成。村传统民居均为典型的回字形客家围屋。以上围为例，围屋前后总共有三列住屋，两边为回水屋。围屋由

◎ 菜洞口村传统民居一角（摄于 2016 年）

◎ 粉筛（做糍用具）（摄于2016年）

一个大门口出入，两边有2条纵向直街，中间2条横街。住房全是单间结构，里面横向排列的三列住屋总共有12间，两边护水房一样用做住屋，每边各有6间房，整个围屋共计有24个单间住房。围屋使用石门坎、木质门，窗户多为石框铁枝结构，墙下三合土护墙，外铺石板，墙基稳固，上方用泥砖或青砖砌成。屋顶为硬山顶，盖灰瓦，混合土墙体。围中两列住屋间街巷用河石铺设，方便排水。围屋墙体还保留着枪炮眼，用以防御盗匪。20世纪80年代后，随着社会经济发展，旧居几乎无人居住，原来的老屋有不少拆旧房建新楼，形成新旧交融的特点。

民间节日以春节、元宵节、清明节、端午节、中秋节、冬至、元旦为主。农历正月十三为上灯日。传统的婚嫁习俗中，保留中原古制从议婚至完婚过程中的六种礼节，即：纳彩、问名、纳吉、纳征、请期、亲迎。纳彩即男方家请媒人去女方家提亲，女方家答应议婚后，男方家备礼前去求婚。问名，即男方家请媒人问女方的名字和出生年月日。纳吉，即男方将女子的名字、八字取回后，在祖庙进行占卜。纳征，亦称纳币，即男方家以聘礼送给女方家。请期，男家择定婚期，备礼告知女方家，求其同意。亲迎，即新郎亲至女家迎娶。随着社会的进步，这六礼已被新式婚俗所取代，其中部分程序一直沿用至今，如说媒、看妹子、算八字、看家风（女方亲戚到男方家看门户）、定日子、送小担和聘金、接亲、摆结婚酒、闹洞房、三朝回门（新婚丈夫陪妻子回娘家）等。传统丧葬风俗以土葬为主。

解放战争时期，该村属于游击根据地自然村，村民治疗过多位受伤的游击队员。2009年5月，菜洞口、菜洞尾村村民共同集资修建一条由迳头粮所通向菜洞尾的一条水泥路，长达5千米，结束了泥沙路的历史。

改革开放后，村民勤劳致富，不久就出现种养专业大户，成为当时的万元户。朱懂猛，1967年生，是当地小有名气的养猪能手，掌握了不同生育期生猪的饲养技术，获得较丰厚的经济效益，带动很多农户发展养殖业。

（资料填报：朱懂猛；初稿撰写：徐淑君；总纂：李协湖）

菜洞尾村

◎ 菜洞尾村村貌（摄于 2016 年）

菜洞尾村，位于迳头镇东部，距镇政府约 8 千米。始建于清乾隆年间（1736—1795 年），朱姓大房、三房后裔从英德县大陂都迳头乡（今佛冈县迳头镇）鸭屾坑村分别迁移至此而形成。建村初期是姓蔡的人在此居住，且山间居地俗称“洞”，清朝时期以前称为蔡洞村。相传朱姓迁入，蔡姓迁出，民间有“猪（朱）吃菜（蔡）”之说法，民国年间故更名为菜洞，溪（坑）水上游为菜洞尾村，下游为菜洞口，因该村地处溪流上游而取名为菜洞尾村。曾用名蔡洞村。

村坐落于丘陵地带，四面环山。东边山脉与新丰县瑶田上卢村相连，南与隔山脉的湖洋桃岭下村相近，西与菜洞口相连，北部隔山相望县林科所。村前有一条小溪自东向西流过，流经菜洞村、九龙围，在县道 373 线出口外与迳头河相会。乡村公路从新丰县瑶田上卢到达该村长约 4.8 千米，再经过菜洞口、王丆村背后连接原国道 106 线（现改为县道 373 线）。

该村形成时，属英德县大陂都迳头乡。清嘉庆十八年（1813 年）年属佛冈厅迳头乡。民国时期属佛冈县陂头乡。中华人民共和国成立后属佛冈县第二区陂头乡。1958 年 10 月属从化县跃进（迳头）人民公社迳头大队。1961 年 5 月属佛冈县迳头人民公社迳头大队。1983 年 12 月属迳头区迳头乡。1987 年 1 月属迳头乡迳头行政村。1994 年 1 月属迳头镇迳头管理区。1998 年 11 月属迳头镇迳头行政村至今。

世居村民为朱姓，为朱熹后裔。根据《紫阳朱氏粤北衍传谱》记载，紫阳十世祖朱梓从赣州迁南昌府（今永修县）二十四都宽仁乡，并于元大德八年（1304 年）建造了白马村。元至正九年（1349 年）十二世祖朱廷琛从江西省到广东惠州府任职。后朱氏先后迁至和平、兴宁、南雄居住。明成化年间（1465—1487 年），朱景玉从南雄保昌县牛田坊迁移至佛冈县迳头大房，成为迳头镇等地朱姓始祖，清乾隆年间（1736—1795 年），朱景玉名下大房及三房后人迁入该地。

2015 年末，村有户籍人口为 335 人，其中男性为 171 人、女性为 164 人。80 岁以上 11 人，最年长者 96 岁（女）。实际在村 215 人，其中留守儿童 13 人。在村以农业收入为主的 189 人。常年生活在城镇或外出打工的有 120 人。村民均为汉族，客家

◎ 传统犁头（摄于 2016 年）

◎ 菜洞尾村古居一角（摄于 2016 年）

◎ 菜洞尾村连片杉树林（摄于 2016 年）

民系，使用客家方言。

村有耕地 16.2 公顷、山地 458.73 公顷。自然资源主要有稀土矿、桉树、杉树、松树。传统经营以农业为主，主要作物有水稻、番薯、木薯、花生、大豆等。现主要种植水果及桉树。现村民主要经济收入来源为农业收入、经济竹木收入、商业经营收入、务工性工资收入等。特色农业品有毛竹、松树、杉树、樟树、霸王花。

该村传统节庆食品有：客家脍肉、酿豆腐、糖环、油角、糍、炒米饼，汤圆、糯米艾糍、粽子、月饼等。当地妇女坐月子时，有喝糯米酿制的甜酒、吃猪脚姜煮的甜醋的习惯。

村于 20 世纪 70 年代通电，1995 年通电话，2003 年村内实现道路硬底化，2014 年通光纤网络。村里建有篮球场。

村由上角、下角、围屋三个居民点组成。传统民居均为典型的回字形客家围屋。以上角为例，围屋中间四列住房为住屋，左右两边为护水。围屋由 1 个大门口出入，两边 2 条纵向直街，4 列间 3 条横街，构成全围通道。堂屋的布局为单间或一厅两房，护水屋比堂屋小，每排住屋左右两边各有两间房，两边护水各 5 间共 26 间房。围屋使用石门坎、木质门，窗户多为石框铁枝结构。墙下为三合土护墙，外铺石板，墙基稳固，上方用泥砖砌成，部分用青砖或泥砖砌成。屋顶为悬山顶，盖灰瓦，混合土墙体。围中两列住屋间街巷用河石铺设，方便排水。墙体还保留着枪炮眼，用以防御盗匪。随着社会经济发展，旧居几乎无人居住，原来的老屋有不少被拆迁建成新楼房，如今高楼

◎ 协庆楼（摄于 2016 年）

◎ 福华祠堂（摄于 2016 年）

林立，崭新的菜洞尾村呈现在世人面前，形成新旧交融的新景观。

村现存宗祠有协庆楼和福华祠堂，协庆楼建于清初，占地 300 平方米，按客家围屋结构兴建的，该宗祠的特点是硬山顶，盖黄色琉璃瓦，二进式布局。一进为过道，同时是族人议事地点，一进与二进间为天井。二进为香火堂，正厅墙壁有先祖灵位和景玉公后裔名单。协庆楼平时除了用于“崇宗祀祖”外，各房子孙平有办理婚、丧、寿、喜等事时，亦利用这个宽广的祠堂作为办事场所。另外，族亲们有时为了商议族内的重要事务，也利用协庆楼作为聚会场所。协庆楼现存主体建筑较为完整。福华祠建于清初，占地 120 平方米，重修于 1996 年。但凡年节或喜庆，村民到祠堂祭拜，是族人每年正月十三上灯仪式的举办地。上灯（俗称“吊灯”），意为向祖先报喜，也示意新添的男丁从此成为族人一分子。

民间节日以春节、元宵节、清明节、端午节、中秋节、冬至、元旦为主。传统的婚嫁习俗中，保留中原古制从议婚至完婚过程中的六种礼节，即：纳彩、问名、纳吉、纳征、请期、亲迎。随着社会的进步，这六种礼节已被新式婚俗所取代，其中部分程序一直沿用至今。但迎亲嫁娶等礼俗依然存在说媒、看妹子、算八字、看家风（女方亲戚到男方家看门户）、定日子、送小担和聘金、接亲、摆结婚酒、闹洞房、三朝回门（新婚丈夫陪妻子回娘家）等。传统的丧葬风俗庄严而繁杂，多数延用古中原的传统，以土葬为主。1990 年后，逐步实行火葬，其程序有守灵、收殓、引灵、接体、奠礼、出殡、火化、安葬等。

解放战争时期，游击队在该村建立根据地，村民为解放战争作出重要贡献。2009 年 5 月，菜洞口、菜洞尾村民共同集资修建一条由县道 373 线王乛村路段起，通向菜洞尾的一条水泥路，长达 5 千米，结束了泥沙路的历史。1987 年 5 月 21 日，迳头菜洞尾（村）局部小区降雨达 300 毫米以上，洪水冲毁水利工程设施和农田。

该村的朱天保（1913—2005），是远近闻名的乡村医生。

（资料填报：朱继燕；初稿撰写：朱志东、徐淑君；总纂：李协湖）

甲名村

◎ 甲名村村貌（摄于 2016 年）

甲名村，位于迳头镇东南部，距镇政府约 5 千米。始建于明嘉靖年间（1522—1566 年），由英德县大陂都迳头乡（今佛冈县迳头镇）大房朱姓分支而形成。因该村名人朱翰芬的字号为“甲名”而定村名甲名村。曾用名仓库村。

村坐落于丘陵地带，坐东向西。东背靠狮子岭，南临新联村，西面为耕地、迳头河，与云岭村隔河相望，北面毗邻大房村。村前迳头河水自东南向西北，流经车角，与三江水汇成烟岭河。

该村形成时属英德县大陂都迳头乡，清嘉庆十八年（1813 年）属佛冈厅迳头乡，民国时期属佛冈县陂头乡，中华人民共和国建立后属佛冈县二区陂头乡，1953 年 11 月属佛冈县三区迳头乡，1954 年 5 月属佛冈县迳头区迳头乡，1958 年 10 月属从化县跃进（迳头）人民公社甲名大队，1961 年 5 月属佛冈县迳头人民公社甲名大队，1983 年 12 月属迳头区甲名乡，1987 年 1 月属迳头乡甲名行政村，1994 年 2 月属迳头镇甲名管理区，1998 年 11 月属迳头镇甲名行政村，2005 年属迳头镇迳头行政村至今。

世居村民为朱姓。据《紫阳朱氏粤北衍传谱》记载，元至正九年（1349 年）十二世祖朱廷琛从江西省到广东惠州府任职，十三世祖迁至和平县上陵镇，十四世祖迁居兴宁县，后裔迁至南雄保昌县牛田坊，朱景玉从南雄保昌县牛田坊迁移至佛冈县迳头镇大房，成为迳头镇等地朱姓始祖。明嘉靖年间（1522—1566 年），大房朱姓分支到该地。

2015 年末，村有户籍人口 605 人，其中男性 326 人、女性 279 人。80 岁以上老人 25 人，最年长者 96 岁（男）。实有居住人口 327 人，其中留守儿童 38 人。生活主要依靠农业收入的人口 281 人。常年在城镇生活和打工的人口有 278 人。祖籍该村的香港同胞 32 人，台湾同胞 13 人。村民均为汉族，客家民系，使用客家方言。

村有耕地 49.33 公顷、山地 47.87 公顷。传统经济以农业为主，主要作物有水稻、番薯、木薯、花生、大豆等。现多种植水稻、蔬菜、水果和经济林木。20 世纪 90 年代后，大部分青年外出打工。村民主要收入来源为农业收入、外出务工工资收入和经营小本生意收入。

◎ 古榕树公园一角（摄于 2016 年）

◎ 古井（摄于 2016 年）

传统食品有客家腍肉、酿豆腐、艾糍、粽子、糖环、油角、月饼等。

县道 373 线从村前经过。村于 1970 年通电，1995 年电话，1999 年建篮球场，2010 年全村村道实现水泥硬底化，并建村文化室，藏书 2500 多册。2013 年通网络。2015 年建立古榕树公园。

村现存客家围屋 1 座，为甲名围屋，建于明嘉靖年间。该围屋坐东向西，围内住房为梳行排列，前后共有 5 排住房，两边护水，护水比住房要矮小。住屋为单间住房，共有 176 间。该村围屋的屋顶均为硬山顶，盖灰瓦，三合土墙体，部分由泥砖砌成。街巷是用大小相同的鹅卵石铺成。围屋的大门为木门，木门前设有大理石门槛，窗户小以石板做成，窗户除了通风外，还可做枪炮眼，用于抵御外侵。原来的老屋有不少拆除建起了新楼，形成新旧交融的新景观。

围屋正门为耕读楼，前面有一口水井，背后为斐公祠堂。仓库村古井在该村耕读楼左前方，建于清代。井的东面设有井神之位，井口为四方形，井身为圆形，井沿略高于地面，四边凿有排污水的小水沟。井身内径 95 厘米，外径 160 厘米。井面面积 52 平方米，由花岗岩条石铺砌，仍在使用中。

村最古老的祠堂为斐公祠。祠堂为两进一天井的建筑。一进为前厅即议事厅，中间为天井，天井两边是走廊。二进是香火厅，内设斐文公神位，供奉着已故祖先牌位。香火厅内有对楹联为："咫尺间辟开一洞天眼力莫非福力；方寸内谋成片锦地心机即是兴机"。该祠堂屋顶为硬山顶，盖灰瓦，三合土墙体。门前有 1 口水塘，水塘边有三棵百年大树。

山塘书室。建于清同治年间（1862—1874 年），在甲名村背后右侧山塘之上，定名"萃英书室"。前栋建有两间寝室，后栋立讲堂，两旁有回水走廊，讲堂可容五六十人。建室初衷原为本村富贵乡绅，用以培养优秀人才应科试，后逐渐开放穷人子弟就读。曾为当地文化教育起过一定作用。

村修有《沛国郡朱氏源流族谱》，由景玉公第七代孙朱应运编著，后由景玉公第十八代孙朱兆熊编修，该谱载有组训三篇：朱子家政、朱文公家训、朱柏庐治家格言。

耕读楼被列为佛冈县不可移动文物，建于清初，海拔 130 米，建筑面积 414 平方米。该楼坐东向西，砖木结构，成平脊歇山顶建筑。门口上为圆拱形，下为长方形，门额上书："耕读楼"牌匾，两旁有对联"耕种为温饱丰衣足食；读书为进步辈出人才"。

传统婚嫁习俗中原保留中原古制"六礼"，今已很少见到，但迎亲等礼俗依然存在。该村传统丧葬风俗多沿用古中原的传统，以土葬为主。1990 年后，逐步实行火葬，期程序包括守灵、收殓、引灵、接体、

◎ 耕读楼（摄于 2016 年）

奠礼、出殡、火化、安葬等。村主要宗族活动有清明祭祖和正月十一吊灯活动。

2015 年，村成立甲名村美丽乡村建设理事会，朱健宁任会长。理事会决定投资 180 余万元兴建美丽乡村。

清代，该村建有私塾，由村中父老用公尝延师，教族中子弟读书。村中子弟在乡试中考有名次的，族中还设有奖励，鼓励子弟继续求学进取。在尊师重教的村风熏陶下，许多有识之士成为社会栋梁之材。主要人物有：朱翰芬（1882—1921 年），1914 年任广东罗定县县长，1916 年任连平县县长。朱永居（1919—1947 年），解放战争革命烈士。林云（1898—1996 年），革命母亲，积极支持长子朱继良投身革命，担任地下党和游击队交通员，经常冒着生命危险走山路，为游击队送情报，送食盐、粮食、纸笔，1995 年被佛冈县妇联授予“革命母亲”称号。朱玉碗（1925—1946 年），解放战争革命烈士。朱继良（1919—2003 年），曾任广东省委党校科学社会主义研究室主任，教授，1939 年参加革命，同年入党，1951 年被授予“解放华中南纪念章”，2004 年 7 月上缴“特别党费”1 万元，2004 年著书《风雨征程》。朱念明（1903—1955 年），1944 年起任粤桂盐税督察兼任广西柳州《民生报》社社长。朱如泉（1920—2006 年），离休教师，教育世家，其弟、妹、儿、孙三代 10 人先后从事教育工作。朱策，1924 年生，曾任广东省公安干部学院副院长，离休后任省关工委常务理事兼秘书长。朱光天，1947 年生，历任《南风》文艺报、《现代画报》《广州文艺家》杂志副主编、主编。曾任广东作协诗歌创作委员。现为中国诗歌学会、中国散文诗学会、广东作协会员，广州市文联委员、广州市作协理事、《广州文艺》杂志社编辑。著有诗集《爱的化石》等 8 部，中篇小说集《黑手伸向金狮》等 2 部，长篇传记文学《百年树人•陈树人传》1 部，报告文学集《江湖怪杰》等 3 部，散文集《野性的山》等 4 部，电视剧集《金狮谜》2 集，电视艺术片《情满天涯》等 3 部。

◎ 2015 年 10 月 31 日，中山大学原校长曾汉民教授（左二）、中共广东省委统战部原副部长罗概祥（右二）和清远市人大常委会原常务副主任邓光荣（左一）等一行到村调研

（资料填报：朱玉桧；初稿撰写：朱志东、朱如秉、刘良后；总纂：李协湖）

大房村

◎ 大房村村貌（摄于 2016 年）

大房村，位于迳头镇东南部，距镇政府约 3 千米。村始建于明成化年间（1465—1487 年），朱景玉从保昌县（今南雄市）牛田坊迁入该地而形成，成为迳头等地朱姓发祥地。因村现居住的人口主要为万一公的后代，故取名为大房（大房，家族长子之意）。曾用名：鸭嶦坑村、甲名村。

村坐落于狮子岭向西延伸山脉的山脚下。山腰有一条用于仓迳电站发电和灌溉水圳。村落依山傍水，坐北向南。村东是青山，东南为仓库村，南是大片耕地（甲名塅），西是迳头河、县道 373 线、迳头街，北是王𠂆村。迳头河自南向北经村前流向大陂、烟岭，至英德境内汇入北江。

该村形成时属英德县大坡都迳头乡，清嘉庆十八年（1813 年）属佛冈厅迳头乡，民国时期佛冈县陂头乡，中华人民共和国建立后属佛冈县二区坡头乡，1953 年 11 月属佛冈县三区迳头乡，1954 年 5 月属佛冈县迳头区迳头乡，1958 年 10 月属从化县跃进（迳头）人民公社甲名大队，1961 年 5 月属佛冈县迳头人民公社甲名大队，1983 年 12 月属迳头区甲名乡，1987 年 1 月属迳头乡甲名行政村，1994 年 2 月属迳头镇甲名管理区，1998 年 11 月隶属迳头镇甲名行政村，2005 年 5 月属迳头镇迳头行政村至今。

世居村民为朱姓。据《紫阳朱氏粤北衍传谱》记载，元至正九年（1349 年）十二世祖朱廷琛从江西省到广东惠州府任职，再迁至和平、兴宁、南雄居住。明成化年间（1465—1487 年），朱景玉迁移至英德县大坡都迳头乡大房村，并成为迳头等地朱姓始祖，大房村成为朱姓发祥地。

2015 年末，村有户籍人口 202 人，其中男性 102 人、女性 100 人。80 岁以上有 4 人，最高年长者 89 岁（女）。实有居住 114 人，其中留守儿童 3 人。在村以农业收入为主的 114 人。常年在城镇生活或外打工 88 人。该村村民均为汉族，客家民系，使用客家方言。

村有耕地 12 公顷、山地 39.07 公顷。自然资源主要有稀土矿、松树、樟树、枫树、黄猄。传统经营以农业为主，种植水稻、薯类及制作豆腐，养猪、鸡、鸭等。现时经营水稻、木薯、花生、甘蔗等，少数村民养猪。特色农产品有霸王花、节瓜、冬瓜、香芋、

◎ 风柜（摄于 2016 年）

◎ 二房总宗祠（摄于 2016 年）

荷兰豆、木薯等。1993 年后，村的大部分青年到外地打工。村民主要收入来源为农业生产、打工工资、商业经营。2010 年至 2012 年，村民曾给外地商人租赁田地种植甘蔗，2003 年村办夹板加工厂。

传统节庆食品有客家脍肉、酿豆腐、糖环、油角、炒米饼、焖鹅、白切鸡、烧鸭、粽子、捏糍、糯米糍等。村主要美食是捏糍。制作并食用捏糍的历史悠久，是客家传统糕点。村民们利用当地种植的糯米经过浸透舂成粉，然后和用过滤过的草木灰水搓成粉团，将粉团做皮，馅是半熟的肉粒、韭菜、笋干、冬菇或萝卜、青菜，将粉皮做成比北方饺子大的皮，包上馅料捏起花边，最后用瓦托盘蒸熟，其口感爽滑、清醇，色、香、味、嫩俱全，有益身体。

村于 1975 年通电，1994 年通电话，2000 年全村村道实现水泥硬底化，2010 年通网络。

传统民居为客家围屋。村民居由四座围屋组成，分别是大房后裔居住的围屋，二房后裔居住的围屋，三房后裔居住的上河龙、下河龙围屋。大房村古居

◎ 夹板加工基地（摄于 2016 年）

均为典型的回字形布局。以大房围屋为例，围屋前后总共有 4 列住屋，两边为回水屋。围屋由一个大门出入，两边有 2 条纵向直街，住房全是单间结构。里面横向排列 3 列共 18 间。两边回水房一样用于住房、厨房。每边回水有 8 间。整个围屋共计有 34 间住房。围屋使用石门坎、木质门，窗户多为石框铁枝结构，墙下三合土护墙，外铺石板，墙基稳固，墙体下方使用三合土、上方用泥砖砌成。屋顶为悬山顶、盖灰瓦。围屋两列住房间街巷用鹅卵石铺设，称石街。由于历史原因，围屋损坏严重，已没人居住。20 世纪 80 年代以后，村民在旧居周边大量兴建楼房。

20 世纪 80 年代二房村的总宗祠重修，石制匾额“端公祖祠”保留原样，族人朱继周作对联：“端言端行端方成大义；公心公德公志永长存”。

传统主要节日有春节、元宵节、清明节、端午节、重阳节、冬至等。村民中秋赏月特点：每逢中秋圆月升起时，人们早早便在庭院、楼台，或屋前的禾坪对着月亮升起的地方，摆出月饼、花生、柚子等食品，准备“敬月光”活动。拜过月后，一家大小在外面赏月、吃东西。赏月是大人们的事，小孩子一般不会端端正正地坐在那里赏月，而是在皎洁的月色下追逐嬉戏。吃东西也是有讲究，把祭品分吃掉，这样整个祭祀礼仪结束。有种说法是，吃了这些祭品更“乖”，有福气、吉利。

村婚嫁习俗有：说媒、看妹子、看八字、看家风、定日子、送小担和聘金、接亲、摆结婚酒、闹洞房、三朝回门。传统的丧葬风俗以土葬为主，20 世纪 90 年代后逐步实行火葬，主要程序有：收殓、引灵、奠礼、出殡、火化、安葬等。

据村民回忆，清末至民国初，曾发生过朱、郑两姓械斗。而在 20 世纪 60 年代末，朱姓五大房所建的 5 座祠堂被当作封建思想产物而拆除。

村主要人物有：朱如義，1921 年生，解放战争时期曾任火星连连长，作战勇敢，智勇双全，荣立大功。朱广民（1931—2014），曾是抗美援朝的志愿军，之后和毛主席合影（相片当时曾存放甲名分校）。朱策民（1940—2006），曾为武汉大学教授。

（资料填报：朱恩民；初稿撰写：朱志东、朱俊杰、朱沛松；总纂：李协湖）

风耕中村

◎ 风耕中村村貌（摄于 2016 年）

风耕中村，位于迳头镇东南部，距镇政府约 5 千米。该村始建于清乾隆年间（1736—1795 年），从英德县大陂都迳头乡（今佛冈县迳头镇）大房村族人分支到此而形成。因该村处于两座山冈之中，山风强劲，村前有连片的耕地，所以取名为风耕中。村地处丘陵地带，坐西向东，东为耕地、迳头河，南为云岭村，西为山脉西坑山，北与坭城隔田相望。迳头河自南向北转向西北，绕过村前耕地。

该村建成时属英德县大陂都迳头乡，清嘉庆十八年（1813 年）年属佛冈厅迳头乡，民国时期属佛冈县陂头乡，中华人民共和国成立后属佛冈县第二区陂头乡，1958 年 10 月属从化县跃进（迳头）人民公社迳头大队，1961 年 5 月属佛冈县迳头人民公社迳头大队，1983 年 12 月属迳头区迳头乡，1987 年 1 月属迳头乡迳头行政村，1994 年 1 月属迳头镇迳头管理区，1998 年 11 月隶属迳头镇迳头行政村至今。

世居村民为朱姓，为朱熹后裔。据《紫阳朱氏粤北衍传谱》记载，朱熹祖籍江西婺源。紫阳十世为祖朱梓从赣州迁南昌府（今永修县）二十四都宽仁乡，并于元大德八年（1304 年）建造了白马村。元至正九年（1349 年），十二世祖朱廷琛从江西省到广东惠州府任职。后朱氏先后迁至和平、兴宁、南雄居住。明成化年间（1465—1487 年），朱景玉从南雄保昌县牛田坊迁移至佛冈县迳头镇迳头大房。清乾隆年间（1736—1795 年），朱景玉名下二房人口迁入该地。

2015 年末，村有户籍人口 65 人，其中男性 34 人、女性 31 人。村中最长者 75 岁(男)。实际在村 38 人，其中留守儿童 1 人。生活主要依靠农业收入的有 26 人。常年在城镇生活和外出务工的有 27 人。该村村民为汉族，客家民系，使用客家方言。

村有耕地 4.33 公顷、山地 13 公顷。自然资源主要有稀土矿、桉树、松树。传统经营以农业为主，主要作物有水稻、番薯、木薯、花生、大豆等。现多种植经营经济林木，以农业生产为主。现村民主要经济收入来源为农业、经济林木、商业经营、务工性工资等。特色农业品有霸王花、粉葛、荷兰豆。

村道直通迳头旧街墟接县道 373 线。20 世纪 80 年代通电，1994 年通电话，2001 年村内实现道路硬

◎ 百亩荷兰豆（摄于 2016 年）

底化，2013 年通光纤网络。

传统民居属客家围屋，村围屋规模比较小，围屋内的街巷只有一到两条，街巷用麻石铺成，易于排水散热。风耕中村的围屋仅有一座门楼，正对门楼的房屋用做“厅下”（上可停放棺材，地面可用于守灵），两边为住房，房屋有两房一厅或单间排列。屋顶为悬山顶，盖灰瓦。墙体下部为三合土，上部砌泥砖。墙体还保留着枪炮眼，用以防御盗匪。如今部分围屋仍有老人居住，但由于年代较为久远，保存情况较差。20 世纪 80 年代后，村民的经济改善，陆续拆旧房建成新楼房。

◎ 村旧围屋一角（摄于 2016 年）

村民间习俗有舞鸡公狮。其主要程序分为：舞狮、拜门、采青。整个过程都配合锣、鼓、镲、钉进行。鸡公狮的锣鼓声叫“十点梅花”，锣、鼓、镲、钉有快板、中板和慢板之分，舞狮以中板为主，拜门以快板为主然后转中板，而采青则以中板为主。舞鸡公狮一般由小猴引出大猴，然后大小猴开始向东、南、西、北四个方向拜四向，意为拜四方神灵。拜完四向之后，小猴就开始戏弄大猴，围绕着大猴做抓虱、剃头、烫烟斗等动作。之后，还有拳、棍、耙、锄、刀等表演，一场舞狮下来大约需要两个小时。而舞鸡公狮对狮或拜门时，都要进行一小段豪门歌诀，歌中之词随情景而随口而出。

村传统民间习俗，多为客家人习俗的延续。民间节日以春节、元宵、清明、端阳、中秋、冬至等节为主，还有四月八、七月半、十月朝等节日。

传统客家嫁娶习俗沿用中原从议婚至完婚过程中的六种礼节，即：纳彩、问名、纳吉、纳征、请期、亲迎。纳彩即男方家请媒人去女方家提亲，女方家答应议婚后，男方家备礼前去求婚。问名，即男方家请媒人问女方的名字和出生年月日时。纳吉，即男方将女子的名字、八字取回后，在祖庙进行占卜。纳征，亦称纳币，即男方家以聘礼送给女方家。请期，男家择定婚期，备礼告知女方家，求其同意。亲迎，即新郎亲至女家迎娶。随着社会的进步，这六礼已被新式婚俗所取代，其中部分程序一直沿用至今。小孩出生 20 天左右要给亲戚送糯米甜酒报喜，择日举办“满月”吉庆。

丧葬风俗，多沿用中原的古传统，以土葬为主。1990 年后逐步实行火葬，但葬礼的基本形式不变。其程序包含有择时辰、建灵牌、收殓、引灵、接体、奠礼、出殡、火化、安葬等。

解放战争时期，该村属游击根据地自然村落，村民曾为游击队员运送粮食。1938 年 10 月 23 日，该村遭日本军机轰炸，死伤惨重。2013 年 3 月，由坭城、风耕中、中心坝三村村民集资修建一条总长为 6 千米的乡村公路，从迳头老人院通向坭城、风耕中、中心坝。

该村的朱阴村（1921—1991），是远近闻名的赤脚医生，专治毒蛇咬伤等疑难杂症。朱光永，1941 年生，是该村的打铁工艺师和农业耕种能手。

（资料填报：朱彰富；初稿撰写：朱志东、徐淑君；总纂：李协湖）

高岗村

◎ 高岗村村貌（摄于 2016 年）

高岗村，位于迳头镇东南部，距镇政府 5 千米。始建于明正德十四年（1519 年），从英德县大陂都迳头乡（今佛冈县迳头镇）大房分支迁入而形成。因建村于山冈地势较高，故取名为高岗村。

村坐落于丘陵地带，整体坐西向东，东面是迳头河，始南向北流向大陂、烟岭，在英德地界汇入北江。南与云丰村相连，西为黄塘山余脉狮子山，北为云岭村。

该村形成时属英德县大陂都迳头乡，清嘉庆十八年（1813 年）属佛冈厅迳头乡，民国时期佛冈县陂头乡，中华人民共和国建立后属佛冈县二区坡头乡，1958 年 10 月属从化县跃进（迳头）人民公社甲名大队，1961 年 5 月属佛冈县迳头人民公社甲名大队，1983 年 12 月属迳头区甲名乡，1987 年 1 月属迳头乡甲名行政村，1994 年 2 月属迳头镇甲名管理区，1998 年 11 月属迳头镇甲名行政村，2005 年 5 月属迳头镇迳头行政村至今。

世居村民为朱姓，为朱熹后裔。据《紫阳朱氏粤北衍传谱》记载，朱熹祖籍江西婺源。元至正九年（1349 年）十二世祖朱廷琛从江西省到广东惠州府任职。后朱氏迁至和平、兴宁、南雄居住。明成化年间（1465—1487 年），朱景玉迁移至英德县大陂都迳头乡大房村。明正德十四年（1519 年），其后裔迁入该地。

2015 年末，村有户籍人口 220 人，其中男性 113 人、女性 107 人。80 岁以上 6 人，最年长者 99 岁（女）。实际在村人口 145 人，其中留守儿童 2 人。生活主要依靠农业收入的人口 123 人。常年在城镇生活和打工的人口 75 人。有祖籍该村的香港同胞 8 人，台湾同胞 13 人。祖籍该村的华侨有 18 人，侨居新加坡、加拿大。村民均为汉族，客家民系，使用客家方言。

村有耕地 15.67 公顷、山地 146.67 公顷。自然资源主要有稀土矿、松树、樟树、枫树、黄猄、泥竹。特色农产品有节瓜、冬瓜、香芋、荷兰豆等。传统经济以农业为主，主要作物有水稻、番薯、木薯、花生、大豆等。现多种植水稻、蔬菜、水果和经济林木。20 世纪 90 年代后，大部分青年外出打工。村民主要收入来源为农业收入、外出务工工资收入和经营小本生意。

◎ 村文化室（摄于 2016 年）

传统食品有客家脍肉、酿豆腐、艾糍、粽子、炒米饼、油角、糖环等。

村门前迳头河东岸为县道 373 线，乡道从本村连接云岭、迳头街、迳头桥与县道 373 线相交。1975 年通电，1994 年通电话，2000 年全村村道实现水泥硬底化，2010 年通网络，2015 年建起村文化室。

村现存古居 2 座（下围、永围）。以永围为例，围屋整体为回字形布局，围屋坐西向东，依山傍水而建。屋前、屋后及中间三排为住屋，左右两边为回水护水。回水比住屋矮小，厨房一般设在回水屋。住屋使用石门坎、木质门，窗户多为木框木板结构，墙下有三合土护墙，墙体下为三合土，上方为泥砖砌成。屋顶为悬山顶，盖灰瓦。围屋两排住房间街巷用河石嵌成石街，方便排水。围屋建有门径，方便村民出入。围屋两边纵向街巷有 2 条，横向街巷有 2 条。每排有住房 6 间，两边回水各 5 间，共有单间结构的住房 28 间。20 世纪 80 年代后，村民在旧居周边兴建楼房。

◎ 村传统民居一角（摄于 2016 年）

村现存一座朱璿公祠。祠堂前面有一围墙，围墙两边各建有一个门楼（门径），南边为大门径，取名为永围，北为小门径（后门）。从大门径进入便是朱璿公祠。该祠为二进形式，中间为天井，两旁为走廊。一进前厅为议事厅，门额刻有“朱璿公祠”四个字，门两边刻有对联“朱祖先贤德业炳言兴世宅；璿公后裔礼乐诗书振家风”。门前采用石座木柱，钢筋水泥横梁。硬山顶，盖筒子瓦，瓦檐配琉璃滴水瓦，红砖底天井。二进供奉先祖朱璿公祠牌位，逢年节日、吊灯时日，村民便舞瑞狮携节日供品前往祭拜。祠堂两边街巷全部铺设水泥地面，排水设施周全，祠堂围墙外有一鱼塘，用于防火。

《紫阳朱氏粤北衍传谱》记载：朱景玉的后人使用字辈为：“景万月朱润，孔应世立九。绍祖儒芳，

◎ 高岗村门楼（摄于 2016 年）

◎ 朱璿公祠（摄于 2016 年）

先德永彰，沛然光显，国泰宁邦，奕业宏远，禩胤其康，荣登一品，昌佐朝纲。”同时“芳、先、德、永、彰、沛、然、光、显、国”等与高岗镇朱姓祖璋公咏辈序“秀、士、文、如、玉、光、明、照、上、方”等形成平行关系。故此，景玉公后裔也有使用祖璋公咏辈序的情况。

村传统民间习俗，多为客家人习俗的延续。民间节日以春节、元宵节、清明节、端阳节、中秋节、冬至等节为主，还有四月八、七月半、十月朝等节日。传统婚嫁习俗保留中原古制从议婚至完婚过程中的六种礼节，即：纳彩、问名、纳吉、纳征、请期、亲迎。随着社会的进步，这六礼已被新式婚俗所取代，其中部分程序一直沿用至今。主要宗族活动有清明祭祖、正月初八吊灯。在“上灯”那天，摆酒请客，邀请亲友前去庆祝。凡是家中添了男丁的人家，要在祖屋或祠堂挂上花灯，向祖先禀报，同时祈求祖先庇佑他们健康成长。主户都要上交“丁鸡”一只，购买添丁灯笼一个。上灯仪式开始，点燃高挂的爆竹，锣鼓齐鸣。用滑轮高高吊起添丁灯笼，由主持人大声宣读新生男丁名字。父母带上新生男孩跪拜祖先，送上最美好的祝福。之后，彩车装上其余灯笼，众人抬着丁鸡、猪头，随舞狮队离去，热闹非凡。该村传统丧葬风俗庄严繁杂，多沿用古中原的传统，以土葬为主。1990 年后，逐步实行火葬，其程序包括守灵、收殓、引灵、接体、奠礼、出殡、火化、安葬等。

1991 年高岗村被省政府评定为革命老区。2013 年受特大洪水冲击，村民损失惨重，全村 80% 的房屋受浸，河道里的污泥顺着洪水冲进房屋里。村中遭受水灾后，全村人互相帮忙，受灾的村民尽快恢复生产生活。2015 年村民自发集资 60 万元，兴建村文化室、铺设村道 800 米、安装路灯、修建水圳等设施。

村主要人物有：朱沛旺，1929 年生，曾任仁化县检察长。朱卓民，1930 年生，曾任清远市畜牧局局长。朱玉赋，1933 年生，曾任佛冈县人大常委会副主任。朱继存，1935 年生，曾任曲江县人大常委会主任。朱彰全，1935 年生，曾任韶关市劳动局局长。朱继明，1938 年生，曾是华南理工大学教授。

（资料填报：朱沛兴；初稿撰写：朱志东、朱俊杰；总纂：李协湖）

迳头街

◎ 迳头街村貌（摄于 2016 年）

迳头街，位于迳头镇东南部，距镇政府约 5 千米。始建于明嘉靖年间（1522—1566 年），因居民多数从英德县大陂都迳头乡甲名村迁居到此地经商而形成。由于地处周边村落（中心坝、坭城、风耕中、云岭、甲名、大房等）中心，乡道由此通各村，故称迳头，后于此地建圩，故称“迳头圩”，后改为“迳头街”。

迳头街坐落于山间谷地，东边是迳头河，南面紧连中心坝村，西面连接旧迳头镇政府，北面为大房村。迳头河从仓前自东向北流向大陂。迳头街从建圩起，到成为迳头地区政治、文化中心和商业聚散地，历 500 年历史，是广东南北古往今来的重要通道，为当地的经济与发展作出了重要的贡献。

迳头街形成时属英德县大陂都迳头乡，清嘉庆十八（1813 年）年属佛冈厅迳头乡，民国时期属佛冈县陂头乡，中华人民共和国成立后属佛冈县第二区陂头乡，1958 年 10 月属从化县跃进（迳头）人民公社迳头大队，1961 年 5 月属佛冈县迳头人民公社迳头大队，1983 年 12 月属迳头区迳头乡，1987 年 1 月属迳头乡迳头行政村，1994 年 1 月属迳头镇迳头管理区，2005 年 5 月属迳头镇迳头行政村至今。

村世居居民为朱姓。据《紫阳朱氏粤北衍传谱》记载，元至正九年（1349 年）十二世祖廷琛公从江西省到广东惠州府任职。后朱氏先后迁至和平、兴宁、南雄居住。明成化年间（1465—1487 年），朱景玉从南雄保昌县牛田坊迁移至迳头大房村，成为迳头镇等地朱姓始祖。明朝嘉靖年间（1522—1566 年），朱景玉名下五大房中的精英聚地在此经商。

2015 年末，村有户籍人口 295 人，其中男性 151 人、女性 144 人。80 岁以上 17 人，最年长者 97 岁（女）。生活主要依靠商业收入的有 123 人。常年在城镇生活和打工的有 172 人。祖籍该村的香港同胞约有 40 人。该村居民为汉族，客家民系，使用客家方言。

村有耕地 17.67 公顷、山地 29.13 公顷。传统经营以商业为主，传统经营日杂百货，现时经营日杂百货、家电、农具塑料制品、菜市等。现居民主要经济收入来源有商业经营、工资性收入、铺位出租、农业生产等。

该地特色传统节庆食品有鹅、鸭、客家腍肉、客家酿豆腐、糯米糍、粽子、油角、糖环、炒米饼等。当地妇女坐月子时，有喝糯米酿制的甜酒、吃猪脚姜煮的甜醋的习惯。

1946年设立邮政代办所，20世纪60年代通电，1981年通电话，1993年圩内实现道路硬底化，2010年通光纤网络。2013年建设迳头街文化室、篮球场，2015年建设休闲公园，为居民平时提供休闲娱乐健身场所。1922年开办私立明德学校，抗日战争时期改名为中心小学，2003年又改为迳头小学，在校生有450人，教职工有16人；幼儿园2所，有幼儿320人，教职工有13人。

◎ 迳头街文化室（摄于2016年）

迳头街是个圩镇，传统民居为铺位，现存52间。圩中店铺呈整齐的三列分布，每列约有20间铺位，每列房屋之间各有一条宽敞笔直的水泥路，方便商家把商品摆放在店铺前供顾客挑选。两边则为纵向直街，分别与通往村道的两座大桥相接。该圩建筑物多为砖木结构，铺店前为“骑楼”结构，砖柱、木梁、木板阁楼，呈块状聚落，挨河而建。一般而言，每所房屋占地约90平方米，为二进结构，一进用作商铺门面，经营各种生意（现时主要经营日杂百货、家电、农具塑料制品以及菜市等），上面的“棚”（楼上）用作货仓，二进为住屋，二进间为天井，有自己的水井。二进后盖有厨房，厨房后则是菜园。圩市的前后各建有大桥，方便周边的群众在圩日时进行农副产品交易。

清咸丰九年（1859年）创建紫阳书院，当时迳头周边各大姓都建有祠堂，而迳头紫阳朱氏却是建紫阳书院而不是建朱氏祠堂，正堂内的所有房舍都用作讲学授课，培育人才。不久，因紫阳书院房舍不敷教读之用，又在近旁建一座明德学校，组成了

◎ 迳头街门楼（摄于2016年）

◎ 迳头街一角（摄于2016年）

◎ 明德学校旧址（摄于2016年）

当地的教育中心，直到抗日战争时期才改名为中心小学。可惜的是，紫阳书院于1958年被毁。

民间节日以春节、元宵节、清明节、端午节、中秋节、冬至、元旦为主。农历正月十一为二房上灯日，正月十三为三房上灯日，十二点准时上灯。传统的婚嫁习俗中，保留中原古制从议婚至完婚过程中的六种礼节，即：纳彩、问名、纳吉、纳征、请期、亲迎。随着社会的进步，这六礼已被新式婚俗所取代，其中部分程序一直沿用至今，比如说媒、看妹子、算八字、看家风（女方亲戚到男方家看门户）、定日子、送小担和聘金、接亲、摆结婚酒、闹洞房、三朝回门（新婚丈夫陪妻子回娘家）等。传统的丧葬风俗庄严而繁杂，多数沿用古中原的传统，以土葬为主。1990年后，逐步实行火葬，其程序有守灵、收殓、引灵、接体、奠礼、出殡、火化、安葬等。

明嘉靖年间（1522—1566年），初步建立市场。清嘉庆十七年（1812年）设立英德县大陂都迳头乡，确立为迳头地区政治、文化、商业、医疗中心地位。解放战争时期，该圩属于游击根据地自然村落。2003年迳头镇政府迁移到大陂新106国道边，政治、文化中心地位随之转移。2008年，由政府出大部分资金，村民出土地和部分资金修建乡村公路。受2013年、2014年特大洪水影响，通往迳头街的南北两座大桥被冲毁，筹资145万元重建两座大桥。

主要人物有：朱如后（1923—1948），革命烈士，佛冈义勇大队班长，在攻打石龙战斗牺牲。朱千秋，1931年生，曾在海南省乐东县、广东省佛冈县中学教书，取得中学语文高级教师职称，曾任《佛冈县教育志》主编，是广东省清远市作家协会会员。朱彰策，1933年出生，原广州政法学院院长，正处级干部。朱小松，1965年生，任佛冈县人民政府副县长。朱沛东，1984年生，为广东省人民检察院高级检察官。

（资料填报：朱彰克；初稿撰写：朱志东、徐淑君；总纂：李协湖）

九龙围

◎ 九龙围村貌（摄于 2016 年）

九龙围，位于迳头镇的东南部，距镇政府约 4 千米。始建于明万历年间（1573—1620 年），从英德县大陂都迳头乡（今佛冈县迳头镇）王𠂆村族人分支迁来而形成。传说郑氏（六世）紫方梦见九条福龙降临该村，故取名为九龙围。

村坐落于丘陵地带，由九大围、九花园、九牛圳三个围屋组成，该村落建于山冈上。东为耕地、菜洞口村，南为耕地、王𠂆村，西是迳头河、石嘴头村，北为青山。

该围形成时属英德县大陂都迳头乡，清嘉庆十八年（1813 年）属佛冈厅迳头乡，民国时期属佛冈县陂头乡，中华人民共和国建立后属佛冈县二区陂头乡，1953 年 11 月佛冈县三区迳头乡，1954 年 5 月属佛冈县迳头区迳头乡，1958 年 10 月属从化县跃进（迳头）人民公社迳头大队，1961 年 5 月属佛冈县迳头人民公社迳头大队，1983 年 12 月属迳头区迳头乡，1987 年 1 月属迳头乡迳头行政村，1998 年 11 月隶属迳头镇迳头行政村至今。

世居村民为郑姓。据《大陂郑氏族谱》记载，冯姓改为郑姓。约元朝由福建南迁移民迁居广东新丰县廻龙镇塘村，迁徙到潮州之程乡（今广东省梅州市地域内），又迁至韶州之英州迳头乡大陂山下村落籍。明万历年间，郑紫方从迳头乡石咀头村迁居到此，并成为开村始祖。

2015 年末，村有户籍人口 305 人，其中男性 155 人、女性 150 人。80 岁以上老人 12 人，最年长者 93 岁（女）。实有居住 185 人，其中留守儿童 6 人。生活主要依靠农业收入的 163 人。常年在城镇生活和打工的有 120 人。祖籍该村的香港同胞 6 人。村民均为汉族，客家民系，使用客家方言。

该村有耕地 19.33 公顷、山地 143.33 公顷。传

◎ 连片种植苦瓜（摄于 2016 年）

统经营以农业为主。主要作物有水稻、番薯、木薯、花生、大豆等，现多种植水稻、苦瓜、荷兰豆等。现村民主要经济收入来源为农业收入、经济林果收入、商业经营收入、务工性工资收入等。

传统节庆食品有：春节的客家脍肉、酿豆腐、糖环、油角、炒蛋子、炒米饼，元宵节的汤圆，清明节的糯米艾糍，端午节的粽子，中秋节的月饼等。妇女坐月子时，有喝糯米甜酒、吃猪脚甜醋的习俗。糯米糍是遍布客家地区的美食，节假日亲朋来访的时候，或者收花生、豆子的时节，都会做上一些糯米糍。它的馅料和艾糍的大同小异，可咸可甜，有红豆馅、眉豆馅、花生白糖馅、猪肉韭菜馅等。制作过程并不复杂，首先将糯米粉倒入容器中，放入适当的水碱砂搅拌成糊状，装入盘中（盘底放少许花生油）用锅蒸约 20 分钟。蒸熟后将糯米糍搓成糍团，用手指捏成勺子形状，把馅料放进去，再包成饼状即可食用，其质感嫩滑可口。

村于 20 世纪 70 年代通电，1995 年通电话，2010 年通光纤网络，2011 年村内实现道路硬底化，2013 年建文化室，2014 年安装路灯。

村由九大围、九花园、九牛圳三座围屋组成，它们都具有明显岭南客家围屋特点，其中以九大围围屋最为古老、最为典型。该围屋为回字形布局，前中后共有 7 列平房，两边为护水，共有 78 间单间平房，占地面积为 760 平方米。九大围门楼为砖木与混合土结构，建造大气雄伟，为重檐歇山顶龙船脊建筑。进入门楼，围内横巷六条，纵巷三条，有一条直的中心巷，用鹅卵石和花岗石铺巷，巷的末端是紫方公祠。住房属于普通平房，悬山顶，盖灰瓦，有较明显的客家围屋风格。20 世纪 80 年代起，钢筋水泥结构的楼房逐渐代替了旧民居。

◎ 九龙围内巷（摄于 2016 年）

紫方公祠位于九大围内，单间式，用三合土及泥砖墙体，内设有紫方公神位，供奉历代祖先牌位。逢年过节村民都会携贡品前去祭拜供奉。村中还有社坛福德社，位于村口的右侧方，供奉着福德社神位，是村民平时祭拜的场所之一。

◎ 九龙围古民居一角（摄于 2016 年）

◎ 紫方公祠（摄于2016年）

传统民间节日以春节、元宵节、清明节、端午节、中秋节、冬至、元旦为主。春节，俗称“过年”，这是送旧迎新的大节。佛冈地处广州与粤北山区的交会地带，各地都有自己的庆贺方式。一般来说，春节节庆都经过几道程序：农历十二月二十三日叫“过小年”，家家户户打扫庭院、做年货。过去还有在“小年夜”的晚饭后送灶君、年三十晚接灶君的习俗，后来已消失。到年三十，吃“团年饭”，饭后长者要给小孩“压岁钱”。年初一清早，各家各户相互拜年，后来拜年方式改为电话、贺卡和手机短信、微信等进行。年初七为“人日”，相传女娲娘娘在这天创造了人，各地也有相应的庆贺活动。

传统的婚嫁习俗中，保留中原古制从议婚至完婚过程中的六种礼节，即：纳彩、问名、纳吉、纳征、请期、亲迎。纳彩即男方家请媒人去女方家提亲，女方家答应议婚后，男方家备礼前去求婚。问名，即男方家请媒人问女方的名字和出生年月日。纳吉，即男方将女子的名字、八字取回后，在祖庙进行占卜。纳征，亦称纳币，即男方家以聘礼送给女方家。请期，男家择定婚期，备礼告知女方家，求其同意。亲迎，即新郎亲至女家迎娶。随着社会的进步，这六礼已被新式婚俗所取代，其中部分程序一直沿用至今。传统的丧葬风俗庄严而繁杂，多数沿用古中原的传统，以土葬为主。1990年后逐步实行火葬，其程序有守灵、收殓、引灵、接体、奠礼、火化、安葬等。

1984年12月11—12日，迳头九龙围、王了村等7个生产队1000多群众，上山乱伐杉树7500多棵，县司法部门前往处理。村开展普法教育，办有普法橱窗，教育村民做守法公民。

该村主要人物有：郑中康（1927—1991），曾任清远市卫生局局长。郑大浪，1940年生，曾任广州市航运局局长兼党委书记，正厅级。郑石新，1954年生，曾任广东省残疾人联合会副处长。郑志高，1965年生，任广州市白云区无线电办党委书记。

（资料填报：郑从法；初稿撰写：朱志东，刘良后；总纂：李协湖）

坭城村

◎ 坭城村村貌（摄于 2016 年）

坭城村，位于迳头镇东南部，距镇政府约 5 千米。始建于清康熙年间（1662—1722 年），由英德县大陂都迳头乡（今佛冈县迳头镇）大房村族人分支迁入该地而形成。该村因在建村时，为了抵制防御盗匪，将围屋四周用泥砖围起，构成封闭式城墙，所以取名坭城。

村地处丘陵地带，坐西向东。东有一条小溪叫西坑圳，南与风耕中村相连，西面背靠老阵排山，再往前有迳头河自南向北流过，北面是一片甲级良田。村道直通中心坝、迳头村，原 106 国道（现为县道 373 线）在东面自南向北贯穿而过。

该村形成时属英德县大陂都迳头乡，清嘉庆十八年（1813 年）年属佛冈厅迳头乡，民国时期属佛冈县陂头乡，中华人民共和国成立后属佛冈县第二区陂头乡，1958 年 10 月属从化县跃进（迳头）人民公社迳头大队，1961 年 5 月属佛冈县迳头人民公社迳头大队，1983 年 12 月属迳头区迳头乡，1987 年 1 月属迳头乡迳头行政村，1994 年 1 月属迳头镇迳头管理区，2005 年 5 月属迳头镇迳头行政村至今。

世居村民为朱姓。据《紫阳朱氏粤北衍传谱》记载，元至正九年（1349 年），十二世祖朱廷琛从江西省到广东惠州府任职。后朱氏先后迁至和平、兴宁、南雄居住。明成化年间（1465—1487 年），朱景玉从保昌县（今南雄市）牛田坊迁移至英德县大陂都迳头乡大房村。清康熙年间，朱景玉名下二房迁入该地。

2015 年末，村有户籍人口 162 人，其中男性 83 人、女性 79 人。16 岁以下 38 人，80 岁以上 10 人，最年长者 96 岁（女）。实际在村 98 人，其中留守儿童 3 人。生活主要依靠农业收入的有 76 人。常年在城镇生活和外出务工的有 64 人。该村村民为汉族，客家民系，使用客家方言。

村有耕地 9.67 公顷、山地 24 公顷。传统经营以农业为主。主要作物有水稻、番薯、木薯、花生、大豆和水果。现村民主要经济收入来源为农业收入、经济林木收入、商业经营收入、务工性工资收入等。

村于 20 世纪 70 年代通电，1994 年通电话，1998 年村内实现道路硬底化，2010 年通光纤网络。

该村传统节庆食品有：客家脍肉、酿豆腐、糖环、油角、糍、炒米饼、汤圆、糯米艾糍、粽子、月饼等。

◎ 传统农具笼头（磨谷）（摄于 2016 年）

◎ 坭城村围屋门楼（摄于 2016 年）

该村妇女坐月子时，有喝糯米酿制的甜酒、吃猪脚姜煮的甜醋习惯。

传统民居为客家围屋，围屋整体为回字形布局，前、后排及中间的共有四排住屋，左右两边为护水，护水比堂尾矮小，厨房一般设在回水屋。住屋大门使用石门坎、木质门，窗户多为石框铁枝结构，墙下三合土护墙，外铺石板，墙基稳固。墙体下方使用三合土，上方用泥砖，部分用青砖砌成。屋顶为悬山顶，盖灰瓦。两排住屋间嵌石为街道，称作石街。围屋正面建有门楼，村民可由门楼出入，围内两边纵向直街中间 3 条横街。住房全是单间结构，横向排列的中厅两边同样各 6 间房，四排堂屋总共有 48 间住房，两边护水房用作住屋或厨房，每边护水各有九间房，整个围屋共计有 66 间单间结构的住房。围屋外围墙体还保留着枪炮眼，可用以防御盗匪。除了传统的客家围屋以外，该村也有单间排列的简单平房。如今部分围屋和平房仍有老人居住，但由于年代较为久远，保存较差。20 世纪 80 年代以后，村中经济得到发展，村民生活水平得到大幅度提高，大多数村民建起了两层以上新楼房。

◎ 传统煤油灯
（摄于 2016 年）

村民间节日以春节、元宵节、清明节、端午节、中秋节、冬至、元旦为主。农历正月十一为二房上灯日，当天十二点准时上灯。传统的婚嫁习俗中，保留中原古制的“六礼”，随着社会的进步，这六礼已被新式婚俗所取代，其中部分程序一直沿用至今，如说媒、看妹子、算八字、看家风（女方亲戚到男方家看门户）、定日子、送小担和聘金、接亲、摆结婚酒、闹洞房、三朝回门（新婚丈夫陪妻子回娘家）等。传统的丧葬风俗庄严而繁杂，多数沿用古中原的传统，以土葬为主。1990 年后，逐步实行火葬，其程序有守灵、收殓、引灵、接体、奠礼、出殡、火化、安葬等。

该村民风朴实，富有光荣传统：解放战争时期，该村属于游击根据地自然村落，村民曾为游击队队员作掩护并运送粮食。

该村的朱志交，1946 年生，曾任广州天河区交警大队大队长。

（资料填报：朱彰齐；初稿撰写：朱志东、徐淑君；总纂：李协湖）

群联村

◎ 群联村村貌（摄于 2016 年）

群联村，位于迳头镇东南部，距镇政府 5 千米。始建于清前期，是迳头乡开基祖景玉公的后裔，自英德县大陂都迳头乡（今佛冈县迳头镇）大房村分支迁入而形成。中华人民共和国成立后，公社化期间，将墩一、墩二、坎面、梭肚合并而成群联村。曾用名：鸭乪坑村、甲名村。

村坐落于丘陵地带，整体坐东向西。村落的东面是狮子岭余脉背夫山，南面与仓前村委一六街相邻，西面是一大片良田，与云丰村隔河相望，北与新联村相连。该村依山傍水，视野开阔。村为古道必经之处，从村南北通过，南通水头、广州，北通翁源、韶关。

该村形成时属英德县大陂都迳头乡，清嘉庆十八年（1813 年）属佛冈厅迳头乡，民国时期佛冈县陂头乡，中华人民共和国建立后属佛冈县二区陂头乡，1953 年 11 月属佛冈县三区迳头乡，1954 年 5 月属佛冈县迳头区迳头乡，1958 年 10 月属从化县跃进（迳头）人民公社甲名大队，1961 年 5 月属佛冈县迳头人民公社甲名大队，1983 年 12 月属迳头区甲名乡，1987 年 1 月属迳头乡甲名行政村，1994 年 2 月属迳头镇甲名管理区，1998 年 11 月隶属迳头镇甲名行政村，2005 年 5 月属迳头镇迳头行政村至今。

世居村民为朱姓，为朱熹后裔。根据《紫阳朱氏粤北衍传谱》记载，朱熹祖籍江西婺源。紫阳十世祖朱梓从赣州迁南昌府（今永修县）二十四都宽仁乡，并于元大德八年（1304 年）建造了白马村。元至正九年（1349 年）十二世祖朱廷琛从江西省到广东惠州府任职。后朱氏迁至和平、兴宁、南雄居住。明成化年间（1465—1487 年），朱景玉迁移至佛冈

◎ 群联村一角（摄于 2016 年）

县迳头镇大房村，成为迳头镇等地朱姓始祖。现今群联的五房人约 1696 年从利村迁移至此。

2015 年末，村有户籍人口 315 人，其中男性 160 人、女性 155 人。80 岁以上 5 人，最年长者 100 岁（女）。实际在村 210 人，其中留守儿童 9 人。生活主要依靠农业收入的有 182 人。常年在城镇生活和打工的有 105 人。村民均为汉族，客家民系，使用客家方言。

村有水田 14 公顷、山地 22 公顷、林地 270.4 公顷。自然资源主要有稀土矿、松树、樟树、枫树、山猪。传统经营以农业为主，主要种植水稻、番薯、木薯、花生、大豆和蔬菜、水果、经济林木。20 世纪 90 年代后，大部分青年外出打工。村民主要收入来源为外出务工性工资收入、农业收入和经商收入。特色农产品有霸王花、冬瓜、香芋、饭豆、辣椒等。

◎ 辣椒种植基地（摄于 2016 年）

村于 1970 年通电，1994 年通电话，2005 年全村村道实现水泥硬底，2013 年通网络及建村文化室。

传统民居为客家围屋。其原有古居围屋 3 座，分别是墩背、坎面、梭肚围屋，由于历史原因，坎面、梭肚围屋大部分已坍塌，现保存较好的只有墩背围屋。该村围屋坐东向西，门楼（门径）向南，围屋整体为回字形布局，屋前、屋后及中间三排为住屋，左右两边为护水。回水比堂屋矮小，厨房一般设在护水屋。住屋使用石门坎、石门框、木质门，窗户多为石框铁柱结构，墙下三合土护墙，外铺石板，墙基稳固。墙体下方使用三合体，上方用泥砖砌成，屋顶为悬山顶、盖灰瓦。围中街巷用河乱石铺设，方便排水。两边有 2 条直街、2 条横街。住

◎ 群联村古居围屋（摄于 2016 年）

房全是单间结构，前后排住屋各有 5 间，中间住屋有 3 间，两边回水各有 3 间，围屋共有 19 间单间住房。20 世纪 80 年代以后，村民在旧居周边大量兴建楼房。

朱仙姑婆庙位于群联村东边约 1 千米，该庙依山而建，坐东向西，始建于清末至民国初时期。“文化大革命”期间被毁，2006 年在原地重新修建。该庙整体为两进形式，中间为天井，两边为走廊。一进为大门、前厅，大门额刻有“朱仙姑庙”，两边刻有楹联：“仙逝六百载勤劳节俭万民崇敬，姑荫万千人乐善好施百世流芳”。二进为香火堂，堂内供有朱

◎ 朱仙姑庙（摄于 2016 年）

仙姑神像，村民逢年过节携带节日供品前来祭拜。该庙建筑面积约为60平方米，墙体全部采用红砖砌成，内外嵌有瓷片，悬山顶，盖筒子瓦，瓦檐配琉璃滴水瓦。

该村使用《紫阳朱氏粤北衍传谱》。在朱氏通族辈序中，从“绍”字开始的三十二字辈才被景玉公的后裔作为辈分通用。应运公编排的字辈为：绍祖儒芳，先德永彰，沛然光显，国泰宁邦，奕业宏远，禩胤其康，荣登一品，昌佐朝纲。

村传统婚嫁习俗保留中原古制从议婚至完婚过程中的六种礼节，即：纳彩、问名、纳吉、纳征、请期、亲迎。随着社会的进步，这六种礼节已被新式婚俗所取代，其中部分程序一直沿用至今，比如说媒、看妹子、算八字、看家风（女方亲戚到男方家看门户）、定日子、送小担和聘金、接亲、摆结婚酒、闹洞房、三朝回门（新婚丈夫陪妻子回娘家）等。该村传统丧葬风俗庄严繁杂依然存在，多沿用古中原的传统，以土葬为主。客家风俗重视送终。出门在外的亲人千方百计赶回家，以求在临终前见最后一面，显示孝道。旧时在人去世的头一天要“闹丧”，通宵达旦，鼓乐喧天。发丧时先举行祭奠，再起柩出殡。讲究排场，以显示儿女孝顺。安葬时将灵柩放入墓地，墓地选择讲究“风水”。坟墓外观很似客家人的围屋，是客家人崇拜祖先的一种表现。埋葬后第三天，亲属穿孝衣到坟上哭拜祭奠，烧纸钱，谓“醮三朝”。人死后，每逢七日，要举行祭奠，俗称“做七”。一般只做“五七”。最后举行祭奠，焚化灵屋（纸屋），叫“完七”，以示丧事的结束。以后，周年举行祭礼，叫开小孝；三年举行祭礼，叫开大孝。开大孝时，门前、厅堂换上红联，一切恢复正常。1990年后，逐步实行火葬，其程序包括守灵、收殓、引灵、接体、奠礼、出殡、火化、安葬等。

光绪三十三年（1907年），村中朱、郑两姓因宿仇，复械斗。2013年，经村民自发筹集资金48万元，建起坎面文化室，铺设村道800米，安装路灯。

该村的朱彰快，1943年生，精通祠堂打造，碑石、木质雕刻。

（资料填报：朱志通；初稿撰写：朱志东、朱俊杰；总纂：李协湖）

石咀头村

◎ 石咀头村村貌（摄于 2015 年）

石咀头村，位于迳头镇东南部，距镇政府约 3 千米。村始建于明成化年间（1465—1487 年），从英德县大陂都迳头乡（今佛冈县迳头镇）山下村分支迁入而形成。因居住的地方大部分是石头，门前岩石伸出到村前迳头河中，形似兽嘴，故取名石咀头。

村坐落于丘陵地带，坐西北向东南。东与九龙围隔河相望，南临司马第，西靠大爬岭，北面是迳头道班遗址。迳头河自东南向西北流经村前，在车角村与高岗河汇合成烟岭河。该村交通便利，乡道从村前直通原国道 106 线。

该村形成时属英德县大陂都迳头乡，清嘉庆十八年（1813 年）属佛冈厅迳头乡，民国时期属佛冈县陂头乡，中华人民共和国成立后属佛冈县二区坡头乡，1953 年 11 月数佛冈县三区陂头乡，1958 年 10 月属从化县跃进（迳头）人民公社迳头大队，1961 年 5 月属佛冈县迳头人民公社迳头大队，1983 年 12 月属迳头区迳头乡，1987 年 1 月属迳头乡迳头行政村，1994 年 2 月属迳头镇迳头管理区，1998 年 11 月隶属迳头镇迳头管理区，2005 年 5 月至今隶属迳头镇迳头行政村。

世居村民为郑、邱姓。据《大陂郑氏族谱》记载，郑姓祖先元末由福建南迁移民迁居广东新丰县廻龙镇塘村，依次迁徙到潮州之程乡（今广东省梅州市地域内）。其先祖尊母命把冯姓改为郑姓，到韶州之英州迳头乡山下村落籍，其后裔于明成化年间从迳头镇大陂山下村分支到该地建村。邱氏，于 1941 年从清远入赘迁至该地。

2015 年末，村有户籍人口 202 人，其中男性 103 人、女性 99 人。80 岁以上老人 4 人，最年长者 95 岁（男）。生活主要依靠农业收入的 112 人，实有居住 112 人，其中留守儿童 2 人。常年在城镇生活和打工的有 90 人。祖籍该村的香港同胞 5 人，台湾同胞 8 人。村民均为汉族，客家民系，使用客家方言。

村有耕地 11 公顷、山地 37.67 公顷。传统经营以农业为主，主要作物有水稻、番薯、木薯、花生、大豆等。现多种植水稻、蔬菜、水果和经济林木。90 年代后，大部分青年外出打工。村民主要收入来源为农业收入、外出务工工资收入和经商收入。

传统民间节日美食有：春节的客家脍肉、酿豆腐、糖环、油角、炒蛋子、炒米饼，元宵节的汤圆，清明节的糯米艾糍，端午节的粽子，中秋节的月饼等。

村于 1975 年通电，1995 年电话，2000 年全村村道实现水泥硬底化，2013 年通网络。

村现存传统民居 1 座，为石咀头围场，建于明成化年间（1465—1487 年），为古建筑。坐西北向东南，长 59 米，宽 24.2 米，建筑面积 1428 平方米。石咀头围场为砖木与夯土结构。主要包括有门楼、民居、祠堂和古井。门楼为重檐歇山顶龙船脊建筑，两侧角楼略低。门楼、角楼通道设有 12 个枪眼，用于防盗贼、抵御外侵。门楼墙高 3 米，前有厚重木门，后有木栅栏。门楼正门上挂有明皇恩赐“一方保障”牌匾，为郑懋中于明万历年间（1573—1620 年）任北城兵马司指挥时获得的封赠，于“文化大革命”期间被破坏，现留挂牌匾铁钉两根。围内 6 排民居，

◎ 石咀头古门楼（摄于 2016 年）

◎ 柱础（摄于 2016 年）

横巷 7 条，纵巷 1 条，有一条弯曲的中心巷，鹅卵石和花岗岩铺巷。巷边有一口水井，巷的末端是祠堂。民居属于普通民居，悬山顶，盖素胎瓦。民居内是泥地面，门楼墙楣处有博古壁画。

村口有座古墓葬，名为郑安人墓，建成于明万历三十八年（1610 年）。高 100 米，面积 39 平方米。该墓坐西北向东南，灰沙砖筑，由墓堂、拜台、半月形等部分组成。碑龛位于垅环正中，三间硬山顶建筑形，墓碑镶嵌于明间，碑文记载墓主是迳头郑氏的始祖婆，并记载该墓于明万历三十九年（1611 年）重修。该墓两旁有“先妣功德、后孙繁昌”“率儿开郑，离祖创族”，明示冯姓祖先改姓郑的历史。该墓

◎ 石基（摄于 2016 年）

◎ 郑安人墓（摄于 2016 年）

架构稳定，保存完好，重修时以水泥铺面，残损部分按原样修复。

传统民间节日有：春节、元宵节、清明节、四月八、端午节、六月六的尝新节、七月半、中秋节、重阳节、十月朝、冬至等，还有正月初十上灯的日子（叫吊灯）和舞鸡公狮。

该村沿用客家婚俗，其过程烦琐。传统的丧葬风俗庄严而繁杂，多数延用古中原的传统，以土葬为主。1990 年后逐步实行火葬，其程序有守灵、收殓、引灵、接体、奠礼、出殡、火化、安葬等。

◎ 建设中的乡村公园（摄于 2016 年）

舞鸡公狮多在春节等重大节日和举办喜庆活动中进行。鸡公狮的鼓谱多称为十点梅花，敲击锣鼓器具（四样器具）时要转变十个板音，敲击的节拍较快，连环变音，听起来清脆悦耳。狮头的舞动就像一只大公鸡，雄赳赳地立于鸡群之中。关键的舞技在于机灵，随着鼓谱轻快节拍而动作，跳跃快捷，多花样，飞舞起颈花，如同斗鸡时挥起的鸡颈毛。节庆期间开展舞狮等集体活动时，全村人都积极参与，传承和发扬民俗文化，体现团结友爱的气氛。

清光绪三十三年（1907 年），该村朱、郑两姓因宿仇，复械斗。2015 年修建石咀头桥。

改革开放后，该村村民勤劳致富，改革开放初期就出现种养专业户，建立养猪、养鸡等规模化生产基地。郑锦豹，1966 年生，该村村主任、村公益事业带头人。郑百伦，1970 年生，本村种果养猪大户、村致富带头人。

（资料填报：郑锦豹；初稿撰写：朱志东，刘良后；总纂：李协湖）

司马第村

◎ 司马第村村貌（摄于 2015 年）

司马第村，位于迳头镇东南部，距镇政府约 3 千米。始建于明万历十八年（1590 年），村民从英德县大陂都迳头乡（今佛冈县迳头镇）石咀头村分支迁入而形成。相传石咀头郑懋中任兵马司指挥时，出钱在该址建村刻名司马第，而得此村名。

村坐落于米子碎埂岭的山脚下，坐西向东。东与王丫村隔河相望，南临油罗排村，西靠米子碎埂山，北紧连石咀头村。迳头河从村旁经过，在车角与三江水汇合成烟岭河。乡道始村中向东通往迳头街，往西通向石咀头村并与县道 373 线连接。

该村形成时属英德县大陂都迳头乡，清嘉庆十八年（1813 年）属佛冈厅迳头乡，民国时期属佛冈县陂头乡，中华人民共和国建立后属佛冈县二区陂头乡，1953 年 11 月属佛冈县三区迳头乡，1954 年 5 月属佛冈县迳头区迳头乡，1958 年 10 月属从化县跃进（迳头）人民公社迳头大队，1961 年 5 月属佛冈县迳头人民公社迳头大队，1983 年 12 月属迳头区迳头乡，1987 年 1 月属迳头乡迳头行政村，1994 年 2 月属迳头镇迳头管理区，1998 年 11 月隶属迳头镇迳头行政村至今。

世居村民为郑姓。据《大陂郑氏族谱》记载，冯姓改为郑姓。约元朝由福建南迁移民迁居广东新丰县廻龙镇塘村，又迁徙到潮州之程乡（今广东省梅州市地域内），再迁至韶州之英州迳头乡大陂山下村落籍。明万历十八年（1590 年），其后裔从迳头乡石咀头村分支到该村。

2015 年末，该村有户籍人口 165 人，其中男性 85 人、女性 80 人。80 岁以上老人 8 人，最年长者 89 岁（男）。实有居住人口 96 人，其中留守儿童 2 人，生活主要依靠农业收入的人口 81 人。常年在城镇生活和打工的人口有 69 人。祖籍该村的香港同胞 25 人。村民均为汉族，客家民系，使用客家方言。

村有耕地 10 公顷、山地 104.53 公顷。传统经营以农业为主，主要作物有水稻、番薯、木薯、花生、大豆等。现多种植水稻、蔬菜、水果和经济林木。90 年代后，大部分青年外出打工。村民主要收入来源为农业收入、外出务工工资收入和经营小本生意收入。

传统食品有客家腍肉、酿豆腐、艾糍、粽子、炒米饼、油角、糖环等。

◎ 传统雨具蓑衣、竹帽（摄于2016年）

◎ 司马第牌坊（摄于2015年）

村于20世纪70年代通电，1995年通电话，2011年村内实现道路硬底化，2012年通光纤网络。

司马第传统民居为客家围屋。现存的客家围屋1座，建于明万历年间（1573—1620年），建筑面积615.5平方米。该围屋坐西南向东北，阔11.7米，深52.6米，砖木结构。围村成目字布局，巷道成E字形。一个正门出入，正门用花岗岩作门框，门匾镌刻阳文“司马第”。进门第一、二排房屋为三间两廊民居，四周为单间民居。司马第是郑懋中在明万历年间获“附监授北城兵马司指挥”后，从石咀头村搬迁到现址兴建而成，今仅剩下一座客家围屋。村口有个牌坊，建于明万历年间，刻着“司马第”三个大字。

◎ 郑宽公祠（摄于2015年）

◎ 司马第村传统民居一角（摄于2015年）

村中有一座郑宽公祠，是大陂郑氏宗祠中兴建最早的祠堂之一。郑宽公祠建于明万历十八年（1590年），相传是因为郑子龙得“一方保障之功”而修建郑宽公祠。该祠堂为三进式建筑，一进为大门，门额上刻着“郑宽公祠”，大门两边有对联“宗祠风生水起千秋盛；宽公护佐儿孙万代兴”。中间为天井，两旁为走廊。二进为议事厅，三进供奉先祖宽公牌位。2014年由司马第村民小组郑中进、郑中威倡议，经族人商议一致赞成重修祖祠，集资40多万元，于同年12月竣工。

传统习俗、民间节目有：春节、元宵节、端午节、中秋节、冬至等。农历正月十二是该村新丁上灯的日子（叫吊灯），12 时为正式上灯。以武狮、烧鞭炮为庆贺。农历五月初五为端午节，俗称“五月节”。五月初五，各家各户包粽子纪念爱国诗人屈原，农村农户在门楣挂艾叶、枫树叶、桃叶、菖蒲，点燃蚊香，以避邪逐恶。这一天青年人开始到江河游泳，叫洗龙舟水，以祈消灾去祸。咸肉粽，用料为糯米、猪肋条肉、香菇、花生仁、花生油等，包成立体三角形粽子，用湿咸水草或细篾片拦腰捆系好。将包好的粽子放入锅内，加入清水用旺火煮约二小时，再用文火焖约三小时，即可食用。此咸肉粽子的特色：气味郁香，油润适口。

传统的婚嫁习俗有说媒、看妹子、算八卦、看家风、定日子、送小担和聘金、接亲、拜堂摆酒、闹洞房、三朝回门、送满月。村现代迎接新婚通常做法是：选好日子结婚，送彩礼多少要征求女方家意见和视男家头经济状况商定。结婚时间安排有的在担小担时商定，有的在领结婚证当天两家人一起到酒店吃饭时商定，在办酒席前一个月左右给彩礼，通常不给齐头数。接新娘用车为单数，接嫁妆的车在最后（客家人），来回不走重复路。去接新娘时，男家送些礼品去（挑篮子），礼品通常有鸡 2 只，猪肉 2.5—5 千克，雨伞，生葱、蒜苗、酒、红包。挑篮子的人通常为亲人，命要好（如有儿女、夫妻齐全，较富有）。到女方家接新娘包的红包有大有小，大的 100 元，由新郎送给父母、兄嫂。中的 5—10 元送给大人，小的 1 元用于送给小孩。去接新娘时，由年轻的亲人和伴郎同行，孕妇不能去。来回的路上，遇见桥撒些米和谷，遇见送葬车撒些米和谷、红包。新娘入门时，家公家婆回避一下，不要直接见面，待进门后由新郎新娘奉送茶水给父母及长辈喝，长辈发红包给新郎新娘。铺床由有儿女且经济较好的两人进行。酒席后跳床，新郎新娘抛些红包、喜糖、花生等由童子女在新床上抢，如果新娘已有身孕就不能跳床。传统丧葬以土葬为主。1990 年后逐步实行火葬，其程序有守灵、收殓、引灵、接体、奠礼、出殡、火化、安葬等。

1939 年 10 月至 1940 年 2 月的抗战时期，村民被日军杀害打伤多人，房屋损毁 31 间。1998 年重建司马第门楼，2015 年筹集 40 多万元重修郑宽公祠和兴建村文化室。

该村的郑懋中，为明万历年间（1573—1620 年）兵马司指挥官。郑中进，1962 年生，该村养殖能手，村致富带头人。

（资料填报：郑中进；初稿撰写：朱志东、刘良后；总纂：李协湖）

王丆村

◎ 王丆村村貌（摄于 2016 年）

王丆村，位于迳头镇的东南部，距镇政府约 4 千米。村始建于明正德年间（1506—1521 年），因郑氏族人从英德县大陂都迳头乡（今佛冈县迳头镇）石咀头村迁来而形成。此处原先住着陈姓的族人，因郑氏迁入而迁走。因村建在山边，“王”即为赢的意思，“丆”山边凹入之意，故村名为王丆村。

村坐落于丘陵地带，坐东向西，东背靠狮子山脉，南紧挨迳头街，西为迳头河，与石咀头、司马第、油罗排隔岸相望，北为全村的一大片良田。该村依山傍水，视野开阔。王丆村交通方便，原 106 国道（现为县道 373 线）南北贯穿，从村前通过。

该村形成时属英德县大陂都迳头乡，清嘉庆十八年（1813 年）属佛冈厅迳头乡，民国时期属佛冈县二区陂头乡，中华人民共和国建立后属佛冈县二区迳头乡，1953 年属佛冈县三区迳头乡，1954 年属佛冈县迳头区迳头乡，1958 年属从化县跃进（迳头）人民公社迳头大队，1961 年属佛冈县迳头人民公社迳头大队，1983 年属迳头区迳头乡，1987 年属迳头乡迳头行政村，1994 年 1 月属迳头镇迳头管理区，1998 年 11 月隶属迳头镇迳头行政村至今。

世居村民为郑姓。据《大陂郑氏族谱》记载，约元末由福建南迁移民迁居广东新丰县廻龙镇塘村，又迁徙到潮州之程乡（今广东省梅州市地域内），为免遭强房豪族的欺凌，尊母命把冯姓改为郑姓。后迁至韶州之英州迳头乡山下村落籍。明正德年间（1506—1521 年），从迳头乡石咀头村迁入该村。

2015 年末，村有户籍人口 495 人，其中男性 252 人、女性 243 人。80 岁以上老人 31 人，最年长者 92 岁（女）。生活主要依靠农业收入的 264 人。实有居住 289 人，其中留守儿童 19 人。常年在城镇生活和打工的有 206 人。村民均为汉族，客家民系，使用客家方言。

村有耕地 26.47 公顷、山地 203.93 公顷。传统经营以农业为主，主要作物有水稻、番薯、木薯、花生、大豆、果树等。现多种植水稻、蔬菜、水果和经济林木。20 世纪 90 年代后，大部分青年外出打工。村民主要收入来源为农业收入、外出务工工资收入和小生意收入。

村传统节庆食品有：春节的客家腍肉、酿豆腐、糖环、油角、炒米饼，元宵节的汤圆，清明节的

◎“父子联登”门楼（摄于2016年）

糯米艾糍，端午节的粽子，六月六捏糍，中秋节的月饼等。妇女坐月子时，喝糯米甜酒，吃猪脚甜醋等。

村于20世纪70年代通电，1992年通电话，2001年兴建篮球场一个，2002年村内实现道路硬底化，2010年通光纤网络，2012年建成王𠂆村文化室、老人活动之家。

村现存故居五座，分别为井头下、老围（父子联登）、山房下、塘老下和新屋。井头下最为古老，最有代表性。井头下围屋为回字形布局，具有明显岭南客家围屋特点，左右两边为护水，住屋的布局一厅四房或一厅两房，也有单间排列。回水屋要比堂屋小，围屋的屋顶均为悬山顶，盖灰瓦。三合土墙体，部分青砖砌成。因年久失修老围屋几乎没有人居住，现大部分已坍塌。

“父子联登”是指该村七世祖郑重、八世祖郑昌胤父子在明代万历年间同时高中岁贡。后建“父子联登”门楼，门楼瓦檐下绘有壁画及诗文和木雕花，门口两边石柱凿有闩洞，可装门闩作为护卫设施。门楼内铺砌石地板，石础木柱，硬山顶，龙船脊，琉璃瓦桁。

村现最古老的祠堂是青云公祠。祠堂为2进1天井的结构。一进为前厅即议事厅，二进间为天井，天井两边是走廊。二进香火厅，内设先祖神位，供奉着各祖先牌位，逢年过节族人携贡品前去祭拜供奉。建筑面积约130平方米，重修于1998年。

回龙社位于村边北面200米。该社始建于明末，距今已有400多年的历史。社用水泥砂石建成。社里供奉着福主公王神位，两边种有二棵树。逢年过节或者村民有红白事都会到这里祭拜。每年正月十五“上灯日”，村民挂着祭品敲锣打鼓、舞着醒狮、焚香、放着鞭炮前去祭拜，以告诉祖先新添男丁。

传统民间节日有春节、元宵节、端午节、六月六、中秋节、冬至等。客家婚俗过程：说媒、看妹

◎ 青云公祠
（摄于2016年）

子、算八卦、看家风、定日子、送小担和聘金、接亲、拜堂摆酒、闹洞房、三朝回门、送满月。传统的丧葬风俗庄严而繁杂，多数沿用古代中原的传统，以土葬为主。1990年后逐步实行火葬，其程序有守灵、收殓、引灵、接体、奠礼、出殡、火化、安葬等。

民间有“丰迳锣鼓，王𠂆豆腐”的传说。王𠂆豆腐始于清朝，相传当时黄豆高产，村里人就用豆腐来庆祝丰收。王𠂆豆腐以嫩、滑、清甜爽口而出名。逢年过节十里八乡的村民都会到这里购买豆腐。

◎ 农家石磨（摄于2016年）

中华人民共和国成立后，该村被批准为革命老区。1987年5月21日，王𠂆桥被洪水冲毁，中断公路交通72小时，滞留过往车辆1000台以上。2007年建设乡村公路，2013年建成文化室。

村主要人物有：郑剑寒（1919—1991），1939年加入中国共产党，同年组织王𠂆等村50多名村民参加抗日救亡队并任队长，同年11月22日，带领抗日救亡队在张屋背后山阻击日军，击毙日军1名、战马1匹。解放战争期间，做通国民党联防大队二

◎ 客家酿豆腐（摄于2016年）

中队队长郑国庚思想工作，使其卒部起义。郑公侠（1923—1998），1945年动员王𠂆村青年参加新丰遥田游击队，做通王𠂆村联防队员工作，把村里的白朗林机枪1挺、步枪20余支、弹药一批送给游击队。郑锡泉（1921—2001），1970—1978年任佛冈县副县长。郑公侠（1922—1983），曾任从化县兵役局长。郑蔼仪（1927—？），1968—1975年任连南县县长。郑中绍，1940年生，曾任佛冈县广播电视局局长；1991年12月获“全国造林绿化劳动模范”称号。

（资料填报：郑志雄；初稿撰写：朱志东，刘良后；总纂：李协湖）

新联村

◎ 新联村村貌（摄于2016年）

新联村，位于迳头镇东南部，距镇政府5千米。村始建于明正德五年（1510年），十九世祖月昌公从英德县大陂都迳头乡（今佛冈县迳头镇）大房分支迁入而形成。新联村由老围、上列、墩咀三个居住点合并而成，公社化时取名新联村，曾用名：鸭乸坑村、甲名村。

村坐落于山间谷地。坐东向西，东靠背夫山，西面（村前）有大片甲级良田，与云岭村隔河相望，南北分别与同镇的群联村、仓库村相邻。村落依山傍水，视野开阔。村前有迳头河自东南向西北流过。

该村形成时属英德县大陂都迳头乡，清嘉庆十八年（1813年）属佛冈厅迳头乡，民国时期佛冈县陂头乡，中华人民共和国建立后属佛冈县二区陂头乡，1953年11月属佛冈县三区迳头乡，1954年5月属佛冈县迳头区迳头乡，1958年10月属从化县跃进（迳头）人民公社甲名大队，1961年5月属佛冈县迳头人民公社甲名大队，1983年12月属迳头区甲名乡，1987年1月属迳头乡甲名行政村，1994年2月属迳头镇甲名管理区，1998年11月隶属迳头镇甲名行政村，2005年5月属迳头镇迳头行政村至今。

世居村民为朱姓，为朱熹后裔。根据《紫阳朱氏粤北衍传谱》记载，朱熹祖籍江西婺源。紫阳十世祖朱梓从赣州迁至南昌府（今永修县）二十四都宽仁乡，并于元大德八年（1304年）建造了白马村。元朝至正九年（1349年），十二世祖朱廷琛从江西省到广东惠州府任职。后朱氏迁至和平、兴宁、南雄居住。明成化年间（约1470年），朱景玉迁移至迳头大房。朱月昌于明正德五年（1510年），从大房迁入本地。

2015年末，村有户籍人口330人，其中男性169人、女性161人。80岁以上有7人，最年长者91岁（女）。生活主要依靠农业收入的有187人。实际在村208人，其中留守儿童16人。常年在城镇生活和打工的有122人。村民均为汉族，客家民系，使用客家方言。

村有耕地15.27公顷、山地61.07公顷。自然资源主要有稀土矿、松树、樟树、枫树、黄惊。传统经营以农业为主，主要作物有水稻、番薯、木薯、花生、大豆等。现多种植水稻、蔬菜、水果和经济林木。

◎ 成片茄子种植（摄于 2016 年）

◎ 甲名小学旧址（摄于 2016 年）

20 世纪 90 年代后，大部分青年外出打工。村民主要收入来源为农业收入、外出务工工资收入和小生意收入。

特色农产品有霸王花、节瓜、冬瓜、香芋、荷兰豆、茄子等。传统食品有客家脍肉、酿豆腐、艾糍、粽子、炒米饼、油角、糖环等。

县道 373 线从村前穿过，交通便利。新联村有古道一条，从村南北通过，南通水头、广州，北通翁源、韶关，长约 1 千米，是当时外界商贸经营所走古道。1953 年建立甲名学校，1970 年起设完全小学附设初中，最多时在校生 280 多人、教职工 35 人，1990 年停办。村于 1970 年通电，1993 年通电话，1995 年全村村道实现水泥硬底化，2007 年建起村文化室及一个篮球场，文化室藏书 2500 多册，2010 年通网络。

现存传统民居有三座，均为客家围屋。分别是老围、上列、墩咀。其中老围建造时间最长，占地建筑面积最大。围屋整体为回字形布局，围屋坐东向西，门楼坐北向南。门楼前方有古井一口，往前是鱼塘。围屋前后共有 5 排住屋，左右两边为护水。回水比堂屋矮小，厨房一般设在回水屋。住屋大门使用石门坎、木质门。窗户多为石框铁柱结构，墙下三合土护墙，外铺石板，墙基稳固。墙体下为三合体，上方用泥砖砌成。屋顶为悬山顶、盖灰瓦。两排堂屋间嵌石为街道。围屋正面建有门楼，石板门额上雕刻大字“老围”。围屋后面有一小门，方便村民出入。围屋中间建有月昌公祠，两边各有 2 条

◎ 村文化室（摄于 2015 年）

◎ 传统门楼（摄于 2016 年）

◎ 月昌公祠（摄于 2016 年）

纵向直街、4 条横街，祠堂两边各有住房 6 间，5 排共有 60 间住房。两边护水房用作厨房，两边共有回水房 12 间。整个围屋共有 84 间单间结构的住房。除了客家围屋外，该村也有少量的单间排列简单的住房。围屋外围墙体还保留着枪炮眼，用于防御盗匪。由于年代较为久远，围屋保存较差，已没有人在围屋居住。20 世纪 80 年代以后，村民在旧居周边大量兴建楼房。

现保存的祠堂为月昌公祠。祠堂为三进结构，一进为过道，一进与二进之间为天井，二进为议事厅，三进为香火堂，堂内供奉月昌公神位，逢年过节新生男孩村民都舞端狮和携带节日供品前去祭拜。神位两边雕刻着告诫后人的楹联：月色映华堂儿孙秀气通古今，昌支繁桑梓后裔擎天写春秋。祠堂建筑面积约为 120 平方米，建造采用门前石座木柱，弓形横梁，白墙灰瓦，做工精致，祠堂香火旺盛。

村使用《紫阳朱氏粤北衍传谱》。在朱氏通族辈序中朱景玉的后人认可和使用字辈为：景万月朱润孔应世立九，从“绍”字开始的三十二字辈才被景玉公的后裔作为辈分通用。应运公编排的字辈为：绍祖儒芳，先德永彰，沛然光显，国泰宁邦，奕业宏远，禩胤其康，荣登一品，昌佐朝纲。

民间传统节日以春节、元宵节、清明节、端午节、中秋节、冬至、元旦为主。农历正月十三为上灯日。传统婚嫁习俗保留中原古制“六礼”，现在已很少见到。但迎亲等礼俗依然存在。该村传统丧葬风俗多沿用古中原的传统，以土葬为主。1990 年后，逐步实行火葬，其程序包括坚灵、收殓、引灵、接体、奠礼、出殡、火化、安葬等。

主要特色民俗有：春节开大门。正月初一凌晨（即零时）为送旧迎新时刻，家家户户将大门打开，大放鞭炮，这时每个角落都可以听到震耳欲聋的鞭炮声，真是万炮齐鸣，此起彼落，十分热闹。一般由长辈打开大门，开大门的人要大声吆喝：“开门大吉、大吉大昌”。厅堂、灶膛、大门、小门均点上大红烛，焚香礼拜，迎接新年，迎接财神。

据村民回忆，清末至民国初，曾发生过朱郑两姓械斗。1938 年 10 月 23 日，国民党军队驻扎在新联（鸭乸坑）的一个连队遭日本军机轰炸，村民死伤惨重。

该村的朱如沙，1933 年生，曾任广东省韶关监狱教导员。朱敏章（1935—1985），广东华南工学院副教授。朱沛爽，1957 年 8 月生，1977 年服兵役，1979 年参加中越边境自卫还击战，在部队三次立三等功，现任佛冈县政协副主席，曾被评为“中国人民解放军广东省军区先进个人”“清远市优秀共产党员”称号。

（资料填报：朱细威；初稿撰写：朱志东、朱俊杰；总纂：李协湖）

油罗排村

◎ 油罗排村村貌（摄于 2015 年）

油罗排村，位于迳头镇东南部，距镇政府约 5 千米。始建于明崇祯年间（1628—1644 年），从英德县大陂都迳头乡（今佛冈县迳头镇）司马第村分支迁入而形成。因该村盛产花生，产油多，住房平行排列，而取名油罗排。

村坐落于丘陵地带，整体坐西南向东北。村落错落有序，沿中轴线两边对称建设，呈梯田式。东与王丆村隔河相望，南临中心坝村，西靠背夫山，北邻司马第村。迳头河在村前自南向北延伸，经大陂村、张屋村、车角村与三江水汇合成烟岭河。

该村形成时属英德县大陂都迳头乡，清嘉庆十八年（1813 年）属佛冈厅迳头乡，民国时期属佛冈县陂头乡，中华人民共和国建立后属佛冈县二区迳头乡，1953 年属佛冈县三区陂头乡，1954 年属佛冈县迳头区迳头乡，1958 年属从化县跃进（迳头）人民公社迳头大队，1961 年属佛冈县迳头人民公社迳头大队，1983 年属迳头区迳头乡，1987 年属迳头乡迳头行政村，1994 年 2 月属迳头镇迳头管理区，1998 年 11 月隶属迳头镇迳头行政村，2005 年 5 月至今隶属佛冈县迳头镇迳头行政村。

世居村民为郑姓。据《大陂郑氏族谱》记载，冯姓改为郑姓。元朝时由福建南迁移民迁居新丰县廻龙镇塘村，又迁徙到潮州之程乡（今广东省梅州市地域内），再迁至韶州之英州迳头乡大陂山下村落籍。明崇祯年间，从迳头乡司马第族人分支而形成。

2015 年末，村有户籍人口 170 人，其中男性 87 人、女性 83 人。80 岁以上老人 6 人，最年长者 81 岁（女）。生活主要依靠农业收入的有 108 人。常年在城镇生活和打工的有 62 人，实有居住 108 人。祖籍该村的香港同胞 6 人，台湾同胞 4 人。村民均为汉族，客家民系，使用客家方言。

◎ 脚踏碓（摄于 2016 年）

村有耕地 10.53 公顷、山地 48.53 公顷。传统经营以农业为主，主要种植水稻、番薯、木薯、花生、大豆和蔬菜、水果、经济林木。20 世纪 80 年代以后，大部分青年外出打工。村民主要收入来源为农业收入、外出务工性工资收入和经商收入。

传统民间节日美食有：春节的客家脍肉、酿豆腐、糖环、油角、炒蛋子、炒米饼，元宵节的汤圆，清明节的糯米艾糍，端午节的粽子，六月六的尝新节春糍，中秋节的月饼等。春糍，用糯米经水浸泡数小时，洗净滤干后放入饭笼蒸熟或用锅煮熟，然后倒入石臼里，把糯米饭舂打成黏稠泥状，民间把这种加工方法俗称“舂糍”。然后将糍团搓成一个个丸子，放进装有炒熟的芝麻、花生（捣碎）、糖粉的碗滚过沾满后即可食用。或把糍粑捏薄，放进芝麻、花生、糖粉作的馅，包裹起来，一个个摆放在盘子里食用。这是糖糍，味道清香，软滑甜润，有舒气和胃、多食不腻之特点。还有一种菜糍，用舂打好的糍粑搓成丸子，和肉丝（或肉片）、笋干、冬菇、菜心等一起拌炒，吃起来甘和可口，增进食欲，也是农家餐桌上的一道好菜。

◎ 舂臼（摄于 2016 年）

乡道东连迳头圩，北接石咀头村、县道 373 线。村于 1975 年通电，1995 年通电话，2000 年实现街道水泥硬底化，2013 年通网络。

传统民居为客家围屋。其围屋为回字形布局，坐东向西，具有明显岭南客家围屋特点，左右两边为护水，住屋为单间住房，共有 56 间。围屋的屋顶均为硬悬山顶，盖灰瓦。三合土墙体，部分为泥砖砌成，街巷是用基本相同的鹅卵石铺成。围屋的大门为木门，门前设有大理石门槛。窗户比较小，为木头做成，窗户除通风外，还可以当枪炮眼，用于抵御外侵。如今老围屋几乎没有人居住，大部分已坍塌。随着村民生活水平不断提高，兴建楼房越来

◎ 观音厅（摄于 2016 年）

越多，钢筋水泥结构的楼房逐渐代替了旧民居。

◎ 油罗排村旧民居一角（摄于2016年）

村旧围屋设有一座厅，名为观音厅，是村民祭拜的场所。观音厅内供奉着观音娘娘，两边刻着“观向天地坐高望远，音威乾坤大显威灵”的楹联。2011年曾作翻修。

传统民间节日有：春节、元宵节、端午节、中秋节、冬至、四月八、六月六、七月半、重阳节、十月朝等。还有正月十二上灯节（俗称吊灯）。

中华人民共和国成立前，男婚女嫁为“父母之命，媒妁之言”。佛冈农村存有抱养穷人家女童作“童养媳”、未生男孩的人家抱养“等郎妹”的习俗。男女婚嫁是终身大事，都要经过相亲、订婚、迎亲等程序。中华人民共和国成立后，婚嫁习俗逐渐发生变化。随着历史的进步，婚事新办的风气越来越浓厚。男女双方自由恋爱，结婚必须先到民政部门登记才成为合法夫妻。登记后，一般都到酒店或在家中宴请宾客。近年来也有采取旅行结婚度蜜月或参加集体婚礼的。

传统的丧葬风俗庄严而繁杂，多数沿用古中原的传统，以土葬为主。1990年后逐步实行火葬，其程序有守灵、收殓、引灵、接体、奠礼、出殡、火化、安葬等。

1954年7月28日，该村的秧田发生蛀心虫、行军虫、浮尘子、铁甲虫等11种害虫，受害面积7.87公顷，轻则秧苗发黄，重则枯死。县委动员干部分头下乡除虫。1959年4月，该村出现营养性水肿病人。2007年建设乡村公路。

该村的郑东昌，清后期人，秀才。郑国旗，1946年生，是闻名的灯笼编织传承人。郑国开，1969年生，是闻名的灯笼编织高手，每临近上灯的时候，周边村民都会去购买他家做的灯笼。

（资料填报：郑国珠；初稿撰写：朱志东，刘良后；总纂：李协湖）

云岭村

◎ 云岭村村貌（摄于 2016 年）

云岭村，位于迳头镇东南部，距镇政府约 5 千米。村始建于清康熙三十八年（1699 年），朱绍炳从英德县大陂都迳头乡（今佛冈县迳头镇）大房村分支迁入该地而形成。原袁姓居住时叫袁岭，袁姓迁走后将袁岭改名为云岭。

村坐落于丘陵地带，坐西向东。该村东和仓库村隔迳头河相望，南临高岗村，西靠西坑山，北面与敬老院、迳头街相邻。迳头河自东南向西北在村前流过。该村交通便利，村落依山傍水，视野开阔。乡道经迳头街连接县道 373 线，亦可以从村南高岗村进入县道。

该村形成时属英德县大陂都迳头乡，清嘉庆十八年（1813 年）属佛冈厅迳头乡。民国时期佛冈县陂头乡，中华人民共和国建立后属佛冈县二区陂头乡，1953 年 11 月属佛冈县三区迳头乡，1954 年 5 月属佛冈县迳头区迳头乡，1958 年 10 月属从化县跃进（迳头）人民公社甲名大队，1961 年 5 月属佛冈县迳头人民公社甲名大队，1983 年 12 月属迳头区甲名乡，1987 年 1 月属迳头乡甲名行政村，1994 年 2 月属迳头镇甲名管理区，1998 年 11 月隶属迳头镇甲名行政村，2005 年 5 月属迳头镇迳头行政村至今。

世居村民为朱姓，为朱熹后裔。根据《紫阳朱氏粤北衍传谱》记载，朱熹祖籍江西婺源。紫阳十世祖朱梓从赣州迁至南昌府（今永修县）二十四都宽仁乡，并于元大德八年（1304 年）建造了白马村。元至正九年（1349 年）十二世祖朱廷琛从江西省到广东惠州府任职。后朱氏迁至和平、兴宁、南雄居住。明成化六年（1470 年），朱景玉迁移至佛冈县迳头大房，成为迳头镇等地朱姓始祖。景玉公第十一代嫡孙绍炳公于清康熙三十八年（1699 年）迁入该地。

2015 年末，村有户籍人口 325 人，其中男性 166 人、女性 159 人。80 岁以上 8 人，最年长者 96 岁（女）。生活主要依靠农业收入的有 197 人。实际在村 197 人。其中留守儿童 17 人，常年在城镇生活和打工的有 128 人。村民均为汉族，客家民系，使用客家方言。

村有耕地 19.2 公顷、山地 251.2 公顷。自然资源主要有稀土矿、松树、樟树、枫树、黄猄、毛竹。传统经营以农业为主，主要作物有水稻、番薯、木薯、花生、大豆，种植蔬菜水果和经济林木。20 世纪 90 年代后，大部分青年外出打工。村民主要收入来源为农业收入、外出务工工资性收入和小生意收入。

特色农产品有节瓜、冬瓜、香芋、荷兰豆、木薯等。传统民间节日美食有：春节的客家脍肉、酿豆腐、糖环、油角、炒蛋子、炒米饼，元宵节的汤圆，清明节的糯米艾糍，端午节的粽子，中秋节的月饼等。

村于 1975 年通电，1994 年通电话，1995 年全村村道实现水泥硬底化，2010 年建起村文化室、云岭休闲公园及篮球场，文化室藏书 2000 多册，2012 年通网络，2015 年通自来水。

◎ 文化室（摄于 2016 年）

现存客家围屋一座，围屋整体为回字形布局，前后四排住屋，两边回水。屋顶一色悬山顶，盖灰瓦。墙体下部三合土，上部砌泥砖。围屋大门由石门槛、木门框、木门扇组成。进大门为门径，两边各 4 间房子。正对大门的房屋为绍炳公祠堂，两边同样各 4 间房。两边单间回水用做厨房。每一边的 4 间房，都做成两房归厅形式，共 16 套住屋。住屋一色石门槛、木门框、木窗户。墙下三合土护墙，外铺石板。两列住屋间嵌石为街道，称作石街。围屋保存完好，但少有人居住。20 世纪 80 年代以后，村民在旧居周边大量兴建楼房。

◎ 云岭村传统民居一角（摄于 2016 年）

村祠堂为绍炳公祠，建于清朝中期。祠堂为二进结构，一进为过道或议事厅，一进与二进之间为天井，二进为香火堂，堂内供奉绍炳公神位，逢年过节，村民舞狮和携带节日供品前去祭拜，当年新生男孩的人家也会在此举行吊灯。墙上雕刻着警示后人的对联“心作良田耕不尽；善为至宝用有余”。祠堂建筑面积约为 120 平方米，白墙灰瓦，香火旺盛。

◎ 绍炳公祠（摄于 2016 年）

村使用《紫阳朱氏粤北衍传谱》。从“绍”字开始的三十二字辈才被景玉公的后裔作为辈分通用。应运公编排的字辈为：“绍祖儒芳，先德永彰，沛然光显，国泰宁邦，奕业宏远，禶胤其康，荣登一品，昌佐朝纲。”

村主要特色民俗有：扫穷鬼。大年初三，又叫“穷鬼日”。一早起床，全家动手大扫除，俗称“扫穷鬼”，扫得越干净越好，地上有一点点纸屑之类东西没扫净就会视为“穷鬼”。总之，要把一切垃圾悉数扫地出门。打扫时还要念“穷鬼出、富贵入”。打扫的垃圾集中起来送至远离家门的野外河边、路边点火烧掉。

“王丫豆腐，云岭锣鼓”，说的是该村锣鼓敲的特别好。其节奏有快、中、慢板，声音动听（1983年县广播站站长郑中北已录音）。该村舞猫头狮，是迳头镇独一无二的，动作如猫一样生动。“圆匠”是本村村民的特长。很多长辈都会做木桶、木锅盖、木脚盆、洗脸盆等，凡是生活中圆形木制品都会做。还有打铁、染布、打银制器等传统工艺。

传统民间节日有春节、元宵节、清明节、四月八、端午节、六月六的尝新节、七月半、中秋节、重阳节、十月朝、冬至等。传统婚嫁习俗保留中原古制从议婚至完婚过程中的六种礼节，即纳彩、问名、纳吉、纳征、请期、亲迎。随着社会的进步，这六礼已被新式婚俗所取代，其中部分程序一直沿用至今，现已很少见到，但迎亲等礼俗依然存在。该村传统丧葬风俗庄严繁杂，多沿用古中原的传统，以土葬为主。1990年后逐步实行火葬，其程序包括守灵、收殓、引灵、接体、奠礼、出殡、火化、安葬等。

1938年10月23日该村遭日本军机轰炸，死伤惨重。2013年受特大洪水影响，村民损失惨重，全村受浸房屋达52间，直接受灾群众250多人。

该村的主要人物有：朱沛棒，1934年生，曾任广东省从化县人民政府正处级干部，已退休。朱沛民，1958年生，任广东省农业发展银行副厅级干部。

（资料填报：朱明钳；初稿撰写：朱志东、朱俊杰；总纂：李协湖）

云丰村

◎ 云丰村村貌（摄于 2016 年）

云丰村，位于迳头镇东南部，距镇政府 5 千米。始建于清乾隆四十四年（1779 年），从英德县大陂都迳头乡（今佛冈县迳头镇）大房村分支迁入而形成。该村以前有廖姓人居住，叫廖公窝。由于自然条件较差，村民在春节期间就到河里捉鱼售卖，因此其他村的人叫该村为猫公窝。最后廖姓人迁走。后来景玉公的四房后裔月圆（袁岭）、月轮兄弟分支进住此村，取名亮公村。1940 年左右，村维修祠堂大门，经村长老们商议，用月圆长子的名字“云丰”作为村名，把“云丰”刻在门楼上方，“云丰村”这个名字从此沿用至今。

村坐落于丘陵地带，坐西向东，东为迳头河、群联村，南为群联村山，西为背夫山、高埂山，北面是高岗村。村落依山傍水，视野开阔，迳头河自南向北从村前流过。

该村形成时属英德县大陂都迳头乡，清嘉庆十八年（1813 年）属佛冈厅迳头乡，民国时期属佛冈县陂头乡，中华人民共和国成立后属佛冈县二区陂头乡，1953 年 11 月属佛冈县三区迳头乡，1954 年 5 月属佛冈县迳头区迳头乡，1958 年 10 月属从化县跃进（迳头）人民公社甲名大队，1961 年 5 月属佛冈县迳头人民公社甲名大队，1983 年 12 月属迳头区甲名乡，1987 年 1 月属迳头乡甲名行政村，1994 年 2 月属迳头镇甲名管理区，1998 年 11 月隶属迳头镇甲名行政村，2005 年 5 月属迳头镇迳头行政村至今。

世居村民为朱姓，为朱熹后裔。根据《紫阳朱氏粤北衍传谱》记载，朱熹祖籍江西婺源。紫阳十世祖朱梓从赣州迁至南昌府（今永修县）二十四都宽仁乡，并于元大德八年（1304 年）建造了白马村。元至正九年（1349 年）十二世祖朱廷琛从江西省到广东惠州府任职。后朱氏迁至和平、兴宁、南雄居住。明成化年间（约为 1470 年），朱景玉迁移至迳头大房，成为迳头镇等地朱姓始祖，朱景玉第十五代后裔朱永统于清乾隆四十四年（1779 年），自大房村迁入该地。

2015 年末，该村人口 155 人，其中男性 78 人，女性 77 人；80 岁以上 3 人，村中最长者 81（男）；生活主要靠农业收入的有 80 人；常年外出的有 75 人；实际在村 80 人。祖籍该村的香港同胞 3 人。华

◎ 泥砖模（摄于 2015 年）

◎ 永统公祠（摄于 2015 年）

侨 13 人。该村村民均为汉族，客家民系，使用客家方言。

村有耕地 6.33 公顷、山地 22.13 公顷。自然资源主要有稀土矿、松树、樟树、枫树、黄猄、山猪、毛竹。传统经营以农业为主，主要作物有水稻、番薯、木薯、花生、大豆，种植水稻、蔬菜、水果、经济林木等。特色农产品有葡萄、节瓜、冬瓜、香芋、荷兰豆、木薯等。20 世纪 90 年代后，大部分青年外出打工，村民主要收入来源为农业收入、外出务工工资收入和经营小本生意收入。

该村传统节庆食品有：春节的客家脍肉、酿豆腐、糖环、油角、糍、炒米饼，元宵节的汤圆，清明节的糯米艾糍，端午节的粽子，中秋节的月饼等。

20 世纪 70 年代通电，1992 年通电话，2000 年村内实现道路硬底化，2010 年通光纤网络。原 106 国道（现为县道 373 线）从村前经过，交通十分方便。

村有传统古民居围屋 1 座，该围屋整体为回字形布局，依山傍水而建，坐西向东。围屋前后 4 排住屋，两边为护水，护水比住屋矮小，厨房一般设在护水，住屋大门为石门槛、木质门，窗户多为木框木柱结构。墙下三合土护墙，墙基稳固。墙体下方为三合土，上方为泥砖砌成，屋顶为悬山顶、盖灰瓦。两排住屋之间嵌石为街道，称作石街。围屋第一排建有门楼（门径），门额书有“云丰村”三字，围屋中间建有永统公祠，两边各有 2 条直街、3 条横向街道。祠堂两边各有住房 4 间，4 排共有 32 间；两边回水各有 4 间，共 8 间回水屋。整个围屋总共有单间住房 48 间。由于年代已久，围屋现保存情况较差，已没人居住。20 世纪 80 年代以后，村民在旧居周边大量兴建楼房，风格各自独特。

村现存的祠堂为永统公祠。据村里老人讲述，该祠堂建于清中期，祠堂为二进结构。一进为过道或议事厅，一进与二进之间为天井，二进为香火堂，堂内供奉永统公神位。逢年过节、新生男孩吊灯时，村民们会舞狮和携带节日供品前去祭拜。祠堂建筑面积约为 120 平方米，白墙灰瓦。据说两进之间有木屏风遮挡，屏风两边各有扇木门进出。经 2009 年重修后，屏风和木门已被拆除，原本的木柱已改为水泥柱。

村使用《紫阳朱氏粤北衍传谱》。在朱氏通族辈序中：从“绍”字开始的三十二字辈才被朱景玉的后裔作为辈分通用。应运公编排的字辈为：“绍祖儒芳，先德永彰，沛然光显，国泰宁邦，奕业宏远，禨胤其康，荣登一品，昌佐朝纲。”

主要传统习俗有：正月初八吊灯活动。生女孩

◎ 榨油工具（摄于 2016 年）

只有摆满月酒；生男孩不但摆满月酒，还要在“上灯”那天摆酒请客，邀请亲友前去庆祝。凡是家中添了男丁的人家就要在祖屋或祠堂挂上花灯，向祖先禀报家族中又添了新成员，同时祈求祖先庇佑他健康成长。凡添丁主户都要上交“丁鸡”一只，购买添丁灯笼一个。上灯仪式开始时，点燃高挂的爆竹，锣鼓齐鸣。用滑轮高高吊起添丁灯笼，大声宣读新生男丁名字。父母带上新生男孩跪拜祖先，送上最美好的祝福。

传统婚嫁习俗保留中原古制“六礼”，如今已很少见到，但迎亲等礼俗依然存在。该村传统丧葬风俗多沿用古中原的传统，以土葬为主。1990 年后，逐步实行火葬，其程序包括守灵、收殓、引灵、接体、奠礼、出殡、火化、安葬等。

1947 年 10 月中共迳头地方组织成立佛冈人民抗征救亡大队，村民朱如森为大队长。现由村民推选出来的村民理事会，带领村民开展社会主义新农村建设，尽心负责，讲求信誉，逐项落实村中的建设规划，维修村道，改造危房，造福于村民。2006 年，为解决村民出行难问题，村民理事会自发组织筹集资金修建云丰桥。

该村的朱富初，1935 年生，榨花生油技艺人。其榨出的花生油受到广大村民的喜爱，使用的技艺有九道工序：一是磨壳，二是筛花生肉，三是磨粉，四是烘粉，五是压饼，六是放槽，七是桩打，八是过滤，九是沉淀。朱国辉，1973 年生，种植能手，2014 年利用自家耕地及租用村民的耕地种植葡萄和百香果，开发生态旅游。

（资料填报：朱富初；初稿撰写：朱志东、朱俊杰；总纂：李协湖）

中心坝村

◎ 中心坝村村貌（摄于 2016 年）

中心坝村，位于迳头镇东南部，距镇政府约 5 千米。始建于清康熙年间（1662—1722 年），从英德县大坡都迳头乡（今佛冈县迳头镇）大房村族人分支迁入而形成，因该村两旁为山冈，中间为河道，该村建在河道旁边的堤坝上，所以取名为中心坝。

该村坐落于山间谷地，东连迳头旧圩场，南与风耕中村隔田相望，西靠坭城村，北面一片田畴。村道往南连通坭城、风耕中、云岭等村。源自独王山的迳头河水，自南流入该村区域，转向西北绕过迳头旧圩场，再向北进入英德地域。村依山傍水，往村东经旧圩场连接县道 373 线，上通英德、韶关，下达佛冈、从化、广州等地。

该村形成时属英德县大坡都迳头乡，清嘉庆十八年（1813 年）属佛冈厅迳头乡，民国时期属佛冈县陂头乡，中华人民共和国成立后属佛冈县第二区陂头乡，1958 年 10 月属从化县跃进（迳头）人民公社迳头大队，1961 年 5 月属佛冈县迳头人民公社迳头大队，1983 年 12 月属迳头区迳头乡，1987 年 1 月属迳头乡迳头行政村，1994 年 1 月属迳头镇迳头管理区，2005 年 5 月属迳头镇迳头行政村至今。

世居村民均为朱姓，为朱熹后裔。根据《紫阳朱氏粤北衍传谱》记载，朱熹祖籍江西婺源。紫阳十世祖梓公从赣州迁至南昌府（今永修县）二十四都宽仁乡，并于元大德八年（1304 年）建造了白马村。元至正九年（1349 年）十二世祖廷琛公从江西省到广东惠州府任职。后朱氏先后迁至和平、兴宁、南雄居住。明成化年间（1465—1487 年），景玉公从南雄保昌县牛田坊迁移至佛冈县迳头大房，成为迳头镇等地朱姓始祖。清康熙年间(1662—1722 年)，景玉公名下二房迁入该地。

2015 年末，村有户籍人口 160 人，其中男性 82 人，女性 78 人；80 岁以上有 8 人，最年长者 90 岁（男）；生活主要依靠农业收入的人口有 92 人；常年在城镇生活和外出务工的人口有 68 人；实际在村人口 92 人，其中留守儿童 3 人。祖籍该村的香港同胞 6 人，台湾同胞 8 人。村民为汉族，客家民系，使用客家方言。

村有水田 8.53 公顷、旱地 1.33 公顷、山地 29.67 公顷。自然资源主要有稀土矿、桉树、松树。传统经营以农业为主。主要作物有水稻、番薯、木薯、花生、大豆、果树等。特色农业品有四季李、霸王花、

◎ 磨盘（摄于 2016 年）

◎ 强公祠堂（摄于 2016 年）

莲藕。现村民主要经济收入来源为农业收入、经济果木收入、商业经营收入、务工性工资收入等。

传统节庆食品有：春节的客家脍肉、酿豆腐、糖环、油角、炒蛋子、炒米饼，元宵节的汤圆，清明节的糯米艾糍，端午节的粽子，中秋节的月饼等。

村于 20 世纪 70 年代通电，1996 年通电话，2000 年村内实现道路硬底化，2013 年通光纤网络。

村传统民居为客家围屋，围屋整体为回字形布局，前排、后排及中间的四排为住屋，左右两边为护水。护水比住屋矮小，厨房一般设在护水屋。围屋为石门槛、木质门，窗户多为石框铁枝结构。墙下三合土护墙，外铺石板，墙基稳固，墙体下方使用三合土，上方用泥砖部分用青砖砌成。屋顶为悬山顶，盖灰瓦。围屋间街巷用河石铺设，方便排水。围屋正面建有门楼，围屋由门楼出入，两边护水前面是 2 条纵向直街。住房全是单间结构，每排中厅两边各 6 间房，四排堂屋总共有 48 间住房。两边护水房用作住屋或厨房，每边护水各有 13 间房，整个围屋共计有 74 间单间结构的住房。随着经济发展，该村旧居几乎无人居住，原来的老屋被拆除

◎ 中心坝村传统民居一角（摄于 2016 年）

建成新楼房。

现有古老祠堂为强公祠，为二房祠堂，建于清乾隆四年（1739 年），占地面积 280 平方米，按客家围屋构造的二进式布局。一进为过道，同时是族人议事地点，一进与二进之间是用于采光的天井。二进为香火堂，正厅正中有祭祖用的神台，神台上方墙壁设有神位牌："中心坝创始者朱君伴、妻郑氏宗亲之座位"。祠堂平时除了用于崇宗祀祖外，族中有子弟办理婚、丧、寿、喜等事时，便利用这个宽广的祠堂作为办事场所。另外，族亲们有时为了商议族内的重要事务，也利用该祠堂作为聚会场所。祠堂建筑白墙灰瓦，做工精细。

民间节日以春节、元宵节、清明节、端午节、七夕、中秋节、冬至、元旦为主，还有农历正月初八为二房上灯日。

七夕，村民杀鸡鸭聚餐，晚间举行"拜七仙"活动。这天清晨各家到露天取水贮存。七夕水可长期贮存而不变质，用来浸泡冬瓜、凉粉，制作夏天的清凉饮料，传说有治病之功效。

传统的婚嫁习俗：说媒、看妹子、算八字、看家风（女方亲戚到男方家看门户）、定日子、送小担和聘金、接亲、摆结婚酒、闹洞房、三朝回门（新婚丈夫陪妻子回娘家）等。传统的丧葬以土葬为主。1990 年后，逐步实行火葬，其程序有守灵、收殓、引灵、接体、奠礼、出殡、火化、安葬等。

◎ 月饼模具（摄于 2016 年）

解放战争时期，该村是游击队根据地，村民为中国解放战争作出重要贡献。2013 年 3 月，由坭城、风耕中、中心坝三个村村民共同集资修建一条总长为 6 千米的乡村公路，解决村民行路难问题。

该村的朱永光，1961 年生，任佛山钻石厂总经理，长期捐款支持村里各项公益事业。

（资料填报：朱飞进；初稿撰写：朱志东、徐淑君；总纂：李协湖）

○大陂行政村

社背村

◎ 社背村村貌（摄于2016年）

社背村，迳头镇南部，距镇政府约2千米。村始建于明崇祯年间（1628—1644年），从英德县大陂都迳头乡（今佛冈县迳头镇）井下塘村和王丆村分支迁入而形成。因该村建在神社背后，故名社背村。

村坐落于丘陵山区地带，东靠米子碎山，南靠千奇落更山，西靠背夫山，北接桥围。村内有米脂碎（部分）、黄竹坑、大水冚等山。社背村的井公王水、船坑等是粟坑河的发源地。粟坑河流经桥围、社湾和井下塘，在上新围河角村前汇入大陂河，全长约5千米。村交通便利，国道106线从村中通过（自西转向北绕过该村）。

该村形成时属英德县大陂都迳头乡，清嘉庆十八年（1813年）属佛冈厅迳头乡，民国时期属佛冈县陂头乡，中华人民共和国成立后属佛冈县第三区迳头乡，1958年10月属从化县跃进迳头公社大陂大队，1961年5月属佛冈县迳头公社大陂大队，1983年12月属迳头区大陂大队，1987年1月属迳头乡大陂行政村，1998年11月属迳头镇大陂行政村至今。

世居村民为黄、郑姓。黄姓从大陂井下塘迁来。村民大部分姓郑。据《大陂郑氏族谱》记载，大陂郑氏昌瑞公于明崇祯年间（1628—1644年）从迳头王丆迁至此地。村民皆按大陂郑氏辈序命名。大陂郑氏辈序是“伯祖永开东，新嗣大国中，从龙基世德，佑尔万年丰”。

2015年末，村有户籍人口430人，其中男性219人；女性211人；80岁以上老人有10人，最年长者86岁（男）；生活主要依靠农业经济313人；实际居住人口334人，其中留守儿童5人；常年生活或打工在城镇96人。村民均为汉族，客家民系，使用客家方言。

村有耕地12.27公顷、山地580公顷。自然资源有木材、萤石、金矿、稀土矿、山矿泉水等。传统经济以农业为主，主要农作物有水稻、番薯、芋头、花生、大豆、木薯等，现多种植水稻、番薯、芋头、花生、果树、林木等。该村的经济收入以农业为主，

◎ 社坛（摄于 2016 年）

兼有小部分山林收入，务工工资收入也为经济收入的一部分。

传统节日食品有：春节的客家脸肉、酿豆腐、炒米饼、炸油糍、糖环、角子，清明节的艾糍、糯米糍，端午节的粽子，中秋节的月饼，重阳节的芋头糍等。

◎ 杨梅（摄于 2016 年）

村于 1968 年通电，2000 年通电话，2008 年村道实现水泥硬底化，2010 年建起了文化室，2013 年通自来水，2014 年通网络。

旧民居沿山边呈环形带状分布，面积大概 1000 平方米，旧屋多为砖木结构平房。部分旧屋的墙体

◎ 社背村民居一角（摄于 2016 年）

◎ 昌瑞公祠（摄于 2016 年）

下部分是三合土构成，上部分是泥砖。有些房子墙体都是泥砖。旧屋都是木门、木窗。石街都是采用河沙铺成。

村内有昌瑞公祠堂，2013 年重建，面积大约 60 平方米。祠堂门前有一副楹联“昌祖修来荣华富贵房房发，瑞公创育丁财两旺代代兴”。祠堂门口有两条石柱支撑到底，门前的墙体都是贴有瓷砖。现在的祠堂墙体都是砖砌成，屋顶是三合土烧制的瓦，并雕花，门口是石门槛。祠堂属于二进式。一进是议事厅，中间是天井，两侧是门口，二进是香火堂，供奉昌瑞公神牌。

建新国道 106 线时，该村的社坛及几处大石墩皆有所改变，现留下一处石墩作为该村的神社。

传统节日以春节、元宵节、清明节、端午节、中秋节、冬至等较热闹，春节和元宵节上灯均要敲锣打鼓舞狮。还有二月二、四月八、六月六、七月半、九月重阳、十月朝等也较被重视。该村曾有做神工的习俗。中华人民共和国成立后，此种习俗消失。

传统嫁娶过程还保留中原古制从议婚至完婚过程中的六种礼节，即纳彩、问名、纳吉、纳征、请期、亲迎。随着社会的进步，这六种礼仪已被新式婚俗所取代，其中部分程序一直沿用至今，如说媒、算八字、定日子、送聘金、接亲等。丧葬风俗，多沿用中原的古传统，以土葬为主，20 世 90 年代后逐步实行火葬，但葬礼的基本形式不变，包括择时辰、建灵牌、收敛、引灵、接体、奠礼、出殡、火化、安葬等。村中还有一个风俗一直流传至今，每当村中老人辞世，招待亲朋好友的菜肴标准三样菜有猪肉、青菜、豆腐，不许饮酒作乐，以示哀悼。

二十世纪以前，土匪经常到社背村抢劫耕牛等财物，奸淫掳掠妇女，使该村居无宁日。至民国初年，该村有一男青年郑林，又名郑鸳鸯，不忍村民惨遭土匪欺负，带领村民加强防卫力量，抵御外来侵害，招人买枪，组织队伍，成为远近闻名的“贼”大哥。郑鸳鸯实力不断壮大，附近贼人闻风丧胆。他对乡邻百般保护，不分姓氏，谁家有耕牛等什么东西丢失，找到他后都很快失而复得。他从来不恃强凌弱，经常劫富济贫。他们来来往往都扛着大旗，敲锣打鼓，威风凛凛，震慑那些土豪劣绅。

主要人物有：张艮顺，1932 年 5 月生，曾是市人大代表，1988 年被评为清远市“三八”红旗手，1991 年 3 月获“全国造林绿化劳动模范”称号，1991 年被评为清远市“十项女能手”造林冠军，多次被评为市、县优秀共产党员，获得各项荣誉奖章。郑从赞，1971 年生，1991 年以清远市文科状元的优秀成绩考入武汉大学国际金融系，现任深圳市国际开发银行处长。

（资料填报：郑国怀；初稿撰写：郑国怀、谢圣举；总纂：李协湖）

社湾村

◎ 社湾村村貌（摄于 2016 年）

社湾村，位于迳头镇西南部，距镇政府约 1 千米，村始建于清中期，从佛冈厅迳头乡（今佛冈县迳头镇）王𠃞村分支迁入而形成。因该村处于社庙的转角，故称为社湾村。

村坐落于丘陵地带，坐北向南，东靠井下塘村，南接桥围，西临白石洞村，北临镇政府。村内有小山岭叫横坑。粟坑河从村前 100 米处流过，自西向东流经该村河长 200 米，在大陂村前右侧隔岸汇入大陂河，距离大陂村 3 千米。村前有国道 106 线经过。

该村形成时属佛冈厅迳头乡，清嘉庆十八年（1813 年）属佛冈厅迳头乡，民国时期属佛冈县陂头乡，中华人民共和国成立后属佛冈县第二区陂头乡，1958 年 10 月属从化县跃进迳头公社大陂大队，1961 年 5 月属佛冈县迳头公社大陂大队，1983 年 12 月属迳头区大陂大队，1987 年 1 月属迳头乡大陂行政村，1998 年 11 月属迳头镇大陂行政村至今。

世居村民为郑姓。据《大陂郑氏族谱》记载，元末由福建移民迁居新丰回龙塘村，又迁徙到潮州之程乡（今广东省梅州市地域内），尊母命把冯姓改为郑姓。于明正统年间（1436—1449 年）迁至韶州府的英州（今英德市）迳头乡山下村落籍。明正德年间（1506—1521 年），从迳头乡石咀头村迁入王𠃞，清中期分支迁入该地。

2015 年末，村有户籍人口 76 人，其中男性 39 人，女性 37 人；80 岁以上 4 人，最年长者 88 岁（男）；实有居住人口 45 人，其中留守儿童 2 人；生活主要依靠农业收入的人口有 41 人；常年在城镇生活和打

◎ 分拣沙糖桔出售（摄于 2015 年）

工的人口有 31 人。祖籍该村的香港同胞 5 人。村民均为汉族，客家民系，使用客家方言。

村有耕地 2.27 公顷，山地 7.33 公顷。传统经济以农业为主，主要作物为水稻、番薯、芋头、花生、黄豆、木薯。现多种植水稻、番薯、花生、黄豆、沙糖桔，以及其他水果等。经济收入以农业收入为主，兼外出务工工资收入。外出村民中，有的通过外出务工掌握专业技术后回乡服务乡邻；有的在外成功经商创业，致富不忘乡亲，资助村里举办公益事业。

传统食品有春节的客家脍肉、客家酿豆腐、白切鸡、炒米饼、糖环、油角，清明节的艾糍，端午节的粽子，中秋节的月饼等。

◎ 白切鸡（摄于 2016 年）

村于 1968 年通电，2000 年通电话，2008 年村道水泥硬底化，2013 年通自来水，2014 年通网络。

旧民居属客家围屋和广式民居并存的方式。总面积 500 平方米，有两条直街，两条巷子，1 排 12 间房。房屋基本上都是一厅两房的结构。内有一座 70 平方米左右的围屋，单间结构。旧屋都是采用墙体下部分为三合土、上部分是泥砖的结构。石街都是河石铺成。现在一半的房子已经倒塌。村内没祠堂，节日都是去大陂龙王庵拜祭。现在该村人逐渐在旧屋前面建设钢筋水泥混合的楼房，2 层的居多。村口有 1 口古井，以前是村民的取水之处，现已废置。

传统节日以春节、元宵节、清明节、端午节、中秋节、冬至等节日为主。还有二月二、四月八、六月六尝新米、七月半、九月重阳、十月朝等节日。

◎ 社湾村旧民居一角（摄于 2016 年）

传统婚俗中保留的中原从议婚至完婚过程中的六种礼节，即纳彩、问名、纳吉、纳征、请期、亲迎。随着社会的进步，这六种礼仪已被新式婚俗所取代，其中部分程序一直沿用至今，迎亲嫁娶等礼俗依然存在。中华人民共和国成立前，男婚女嫁为“父母之命，媒妁之言”。佛冈农村存有抱养穷人家女童作“童养媳”、未生男孩的人家抱养“等郎妹”的习俗。男女婚嫁是终身大事，都要经过相亲、订婚、迎亲等程序。相亲是由媒人牵线，约男家的人去女家看人。若男家有意，即授意媒人向女方家长索取其女儿出生的年月日时（俗称“年生八字”），带回男家。男方家长请人卜算后，如男女“相生”，则男家叫媒人陪伴送礼去女家“报合”。如男女“相克”，则将女子“年生八字”退回女家，婚事作罢。订婚

◎ 传统枕头（摄于 2016 年）

的第一步是下定礼（俗称座茶或叫小担），即男方送定金、酒米、肉类给女方，表示合成婚事。商定成亲日期及礼金后，按照礼规进行过礼，由男方出具礼帖把礼物、聘金送给女方，女方要回一份礼帖给男方。迎亲是男家叫算命先生择定结婚吉日，由媒人通知女方。届时男方的迎亲队伍带着礼帖、礼物，吹起八音，敲锣打鼓，抬着花轿到女家迎新娘（俗称迎亲）。女家把嫁妆、礼物随新娘一起送回男家（俗称送亲）。新娘到达男家后，举行拜堂仪式，随后送入洞房，闹洞房后迎亲仪式即告结束。中华人民共和国成立后，婚嫁习俗逐渐发生变化。随着历史的进步，婚事新办的风气越来越浓厚。男女双方从自由恋爱到结婚，必须先到民政部门登记才成为合法夫妻。登记后，一般在酒店或在家中宴请宾客。近年来也有采取旅行结婚度蜜月或参加集体婚礼的。

丧葬风俗，以土葬为主，基本形式包括择时辰、建灵牌、收敛、引灵、接体、奠礼、出殡、火化、安葬等。村民还有一个风俗一直流传至今，每当村中老人辞世，招待亲朋好友的菜肴标准三样菜有猪肉、青菜、豆腐，不许饮酒作乐，以示哀悼。

1964 年，发生特大旱灾，无法播谷种，改种番薯，造成 1965 年粮食供应困难，村民依靠国家下拨救济粮度饥荒。因下游泥土过多，水位高，从 2010 年至今村前水田一直被水浸，导致 0.67 公顷的田不能耕种，荒废。

该村的郑国华，1944 年生，曾任韶关有色机修厂厂长。郑国快，1956 年生，曾参加中越边境自卫还击战，荣立三等功。

（资料填报：郑国怀；初稿撰写：郑国怀、谢圣举；总纂：李协湖）

桥 围

◎ 桥围村貌（摄于 2016 年）

桥围，位于迳头镇南部，距镇政府约 1.5 千米。始建于清康熙年间（1662—1722 年），从英德县大陂都迳头乡（今佛冈县迳头镇）王丫村分支迁入而形成。因进出村必经村前栗坑河上小桥，故取名为桥围。

村坐落于丘陵地带，坐西南向东北。村东紧靠国道 106 线，西南 250 米为社背村，西面有大片青山，东北方 150 米为社湾村。村有灵牌石山，海拔 650 米。还有阿婆塘山。村右侧有粟坑河，发源于社背村大山，流向大陂村右侧，汇入大陂河，流经该村 150 米。

桥围形成时属英德县大陂都迳头乡，清嘉庆十八年（1813 年）属佛冈厅迳头乡，民国时期属佛冈县陂头乡，1949 年 10 月属佛冈县第三区迳头乡，1958 年 10 月属从化县跃进迳头公社大陂大队，1961 年 5 月属佛冈县迳头公社大陂大队，1987 年 1 月属迳头乡大陂行政村，1998 年 11 月属迳头镇大陂行政村至今。

世居村民为郑姓。据《大陂郑氏族谱》记载，元末由福建移民迁居新丰县迴龙镇塘村，又迁徙到潮州之程乡（今广东省梅州市地域内），尊母命把冯姓改为郑姓。于明正统年间（1436—1449 年），迁至韶州府的英州（今英德市）迳头乡山下村落籍。清康熙年间，秀才郑义玉从迳头王丫村迁入该地。

2015 年末，村有户籍人口 165 人，其中男 85 人、女 80 人。80 岁以上老人有 5 人，最年长者 95 岁（女）。生活主要依靠农业收入的有 89 人；实际居住 120 人，其中留守儿童 3 人，常年在城镇生活和打工有 45 人。该村村民均为汉族，客家民系，使用客家方言。

◎ 桥围文化室（摄于 2016 年）

◎ 义玉公祠（摄于 2016 年）

村于 1968 年通电，2000 年通电话，2005 年全村已实现了道路水泥硬底化，2013 年通自来水，2014 年通网络，村民楼房不断增多，村中建起了文化室。

村有耕地 5.8 公顷、山地 140 公顷。传统经济以农业为主，自然资源有麻石、木材。主要农作物有水稻、番薯、芋头、花生、大豆、木薯等。现多种植水稻、番薯、花生、大豆、芋头、林木、果树等。该村经济收入以农业收入为主，近年来，青壮年大部外出打工，务工工资收入也成为该村经济收入的一部分。此外，还有部分集体山林收入。

传统节日食品有：春节的客家腍肉、客家酿豆腐、炒米饼、油糍、糖环、角子，清明节的糯糍、艾糍，端午节的粽子，中秋节的大月光饼等。

传统民居为客家围屋。村的围屋较大，面积 600 平方米，坐东向西。围屋是由中间 1 条巷子分开，共有 5 排房子，前 2 排比较长，左右两边各 16 间，后 3 排左右两边各 10 间。有一部分房子的墙体都是三合土构成；另一部分房子的墙体下半部分是三合土，上半部分是泥砖。石街都是用河沙铺成。围屋有一半已经倒塌。现在的村民围绕旧屋向四周建起钢筋水泥混合的楼房，其中 2 层楼房居多。

◎ 桥围旧居一角（摄于 2016 年）

村有义玉公祠堂，占地面积 30 平方米，现仍作供奉祖先之用。该祠堂是单厅，墙体下半部分是三合土，上半部分是泥砖，木门和木窗。1994 年重修过。每年出生的本村男孩都会由父母在正月十二日这天带着去祠堂上灯。村口有一间文化室，70 平方米，为村民的娱乐场所。

传统的节日有春节、元宵节、清明节、端午节、中秋节、冬至等，还有二月二、四月八、六月六、七月半、九月重阳、十月朝等节日。元宵上灯是该村的重要节日，“做神功”“万人缘”也是该村村民必定参加的传统风俗活动。

传统婚嫁习俗中保留中原古制从议婚至完婚过程中的六种礼节，即：纳彩、问名、纳吉、纳征、请期、亲迎。随着社会的进步，这六种礼仪已被新式婚俗所取代，其中部分程序一直沿用至今。

村现代婚嫁习俗中彩礼数要征求女方家意见和视男家经济状况而定。结婚时间安排有的在担小担时商定，有的在领结婚证当天两家人一起到酒店吃饭时商定。在办酒席前一个月左右送彩礼，通常不送齐头数。接新娘用车为单数，接嫁妆的车在最后（客家人），来回不走回头路。接新娘时，男家送的礼品（挑篮子）通常有鸡2只，猪肉2.5—5千克，雨伞，生葱、蒜苗、酒、红包，挑篮子的人通常为亲人，命要好的（如有儿女、夫妻齐全，较富有）。到女方家接新娘包的红包有大有小：大的100元，由新郎送给新娘的父母、兄嫂；中的5—10元，送给大人；小的1元，用于重复送或给小孩子的。接新娘时，由年轻的亲人和伴郎同行，孕妇不能去，来回的路上遇见桥时，要撒些米和谷。新娘入门时家公家婆回避，不直接见面，待进门后由新郎新娘奉送茶水给父母及长辈，长辈发红包给新郎新娘。铺床由有儿女且经济较好的两人进行。酒席后跳床，由新郎新娘抛些红包、喜糖、花生等由童子女在新床上抢。

传统的丧葬风俗庄严繁杂，多沿用古中原的传统，以土葬为主。中华人民共和国成立后，逐步实行火葬，其程序有竖灵、收殓、引灵、接体、奠礼、出殡、火化、安葬等。

1960年春，发生饥荒，农村多以“黄狗头”、野菜、蕉头度荒。

村主要人物有：郑圣棠（1916—1997），中共党员，曾任佛冈县第三区大陂乡第一任乡长。郑喜（1908—1959），山歌歌手，他的山歌有多种艺术唱法，吟唱自如，随口而出，为群众喜爱的，如“你不干来我不干，社会桥梁也会断。三字拿来横着过，莫给敌人来看川”（“川”与“穿”谐音），鼓励人们紧跟共产党，大胆干革命。

（资料填报：郑国怀；初稿撰写：郑国怀、谢圣举；总纂：李协湖）

官屋村

◎ 官屋村村貌（摄于 2016 年）

官屋村，位于迳头镇东北部，距镇政府约 2 千米。始建于明正德十四年（1519 年），从英德市青塘镇黄牛头村分支迁入而形成。因村民都是姓官而取名官屋村。

该村坐落于丘陵地带，坐北向南。村东面靠山，南面是农田，与下埕村隔田相望。西临土仓下村、农田、迳头河，与土仓下村隔河相望，北有迳头河。迳头河水自南向北从村西流过，流经该村河长 100 米。县道 373 线自村边经过，北可通翁源、韶关，南可达从化、广州。

该村形成时属英德县大陂都迳头乡，清嘉庆十八年（1813 年）属佛冈厅迳头乡，民国时期属佛冈县陂头乡，中华人民共和国成立后属佛冈县第二区陂头乡，1958 年 10 月属从化县跃进迳头人民公社陂下大队，1961 年 5 月属佛冈县迳头人民公社陂下大队，1983 年 12 月属迳头区公所陂下乡，1987 年 1 月属迳头乡陂下行政村，1994 年 2 月属迳头镇陂下管理区，1998 年 11 月属迳头镇陂下行政村，2005 年 5 月属迳头镇大陂行政村至今。

村民皆为官姓。据《千九郎公族谱》记载，明朝正统七年（1442 年），官氏祖先从福建漳州上杭县迁移至广东英德市青塘镇黄牛头村。明正德十四年（1519 年）再迁移至该地。

2015 年末，村有户籍人口 110 人，其中男性 55 人，女性 55 人；最年长者 73 岁（男）；生活主要依靠农业收入 48 人；实际在村人口 60 人，其中留守儿童有 1 人；常年在城镇生活和打工 50 人。村民均为汉族，客家民系，使用客家方言。

村有耕地 5.53 公顷，山地 13.6 公顷。传统经

◎ 脚踏碓（摄于 2016 年）

济以农业为主，主要作物有水稻、花生、番薯、芋头、黄豆、木薯等。现多种植水稻、芋头、花生、黄豆、果树等。2000年后该村的主要特色农产品是沙糖桔，让很多村民经济收入大幅度增加。村民主要经济收入以农业收入为主，兼务工性工资收入。

传统食品有春节的脍肉、客家酿豆腐、炒米饼、糖环、油角，清明节的艾糍、糯米糍，端午节的粽子，中秋节的月饼等。春节美食油角（俗称角仔），做法是用面粉加清水搓匀，分成小团，用圆木棒碾成薄面块，再用圆形印模印成小圆形面块，然后在面块上放以碎花生、芝麻、白糖等馅，捏花边包好，用油炸熟，香脆可口。

村1980年通电，2001年通电话，2001年村道实现水泥硬底化，2004年通网络，2012年通自来水。村中有一间文化室，200平方米，是平时村中娱乐休闲的地方，有简单的运动器材。

该村的传统民居是一座比较小的围屋，坐东向西。围屋的结构主要是单间排列，每排7间，共3列。旧居墙体下部分是三合土，上部分是泥砖，木门和木窗、灰瓦面。石街都是河石铺成。旧民居已经没人居住，部分已坍塌。现在村民都在旧围四周建造钢筋水泥混合结构的两层楼房。

◎ 官屋村传统围屋一角（摄于2016年）

围屋内有官氏厅下（功能类似祠堂）。厅下内比较简陋，直进是香火堂，没有其他房间，供奉的牌位被香火烧毁。

◎ 官屋祠堂（摄于2016年）

村有《千九郎公族谱》，由官氏千久郎公族谱编纂委员会于2012年纂修，族谱记载官氏血脉和迁徙过程，还立有官氏“九要”“九不”族规。

传统节日以春节、元宵节、清明节、端午节、中秋节、冬至等节日为主。清明节是该村重要节日之一，约在每年公历4月4日或5日。清明节是悼念祖先的节日，家家户户门楣插柳枝、桃叶、枫叶以驱邪，采艾（一种植物）做艾糍为供品，并进行扫墓活动。扫墓一般从清明前的春分起到农历四月初八日，在外地谋生的人都会尽可能赶回去祭扫祖墓。

传统婚嫁习俗保留中原古制从议婚至完婚过程中的六种礼节，即纳彩、问名、纳吉、纳征、请期、亲迎。行结婚礼时，要摆酒请客，传统的丧葬风俗庄严而繁杂，多沿用古中原的传统，以土葬为主，1990年后逐步实行火葬，其程序有：竖灵、收殓、引灵、接体、奠礼、出殡、火化、安葬等。

该村于1938年10月23日遭日军轰炸，死伤惨重。1953年发生特大洪水，房屋被浸，17间房屋倒塌。灾后，全村人互相帮忙，受灾村民尽快恢复生产生活，水灾后村民在原地重建新房。

（资料填报：谢圣举；初稿撰写：谢圣举、朱南岳；总纂：李协湖）

黄泥塘村

◎ 黄泥塘村村貌（摄于 2016 年）

黄泥塘村，位于迳头镇政府东部，距镇政府约 1 千米。村始建于清康熙二十八年（1689 年），从英德县大陂都迳头乡（今佛冈县迳头镇）井下塘村分支迁入该地而形成。因该村以前有多口鱼塘，并且池塘底部都是黄泥而取名黄泥塘村。

村坐落于丘陵地带，东面是耕地、迳头河，跟张屋村隔河相望，南接下新围村和大陂村，西临白石洞村，北近土仓下村和坳下村。村西山岭 46.67 公顷，村前迳头河流经该村 500 米。

该村形成时属英德县大陂都迳头乡，清嘉庆十八年（1813 年）属佛冈厅迳头乡，民国时期属佛冈县陂头乡，中华人民共和国成立后属佛冈县第二区陂头乡，1958 年 10 月属从化县跃进（迳头）人民公社陂下大队，1961 年 5 月属佛冈县迳头人民公社陂下大队，1983 年 12 月属迳头区公所陂下乡，1987 年 1 月属迳头乡陂下行政村，1994 年 2 月属迳头镇陂下管理区，1998 年 11 月属迳头镇陂下行政村，2005 年 5 月属迳头镇大陂行政村至今。

世居村民姓氏为黄、郑姓。黄姓，元朝期间，其始祖从江西南丰县龙井乡双井头迁移至广东梅州，后迁至潮州、南雄珠玑巷、顺德、新会、鹤山、肇庆。明洪武元年（1368 年），黄胜（字黄君，大号六峰）迁移到清远县吉河乡东坑村，成为今佛冈一世祖，俗称一世祖六峰公。黄六峰的第六代（七世祖）黄秀清又迁居，从吉河乡新村迁至英德大陂粟坑桥围，后因穷在桥围受欺，于明嘉靖八年（1529 年）又迁至英德县大陂都迳头乡大陂井下塘村，清康熙二十八年(1689 年)十六世祖黄虞音迁移到该地。黄氏代辈的排序是:祖德崇宏，奕世其昌。成儒永大，伟立朝彰。天赐汝禄，万年有光。事业显赫，财源高涨，育才赞助，慈善宣扬。仰念流远，常思衍长。郑氏，据《大陂郑氏族谱》记载，由河唇围村迁至该村。

2015 年末，村有户籍人口 715 人，其中男性 410 人，女性 305 人；80 岁以上老人 18 人，最年长者年龄 99 岁（男）；实际在村有 547 人，其中留守儿童有 2 人；生活主要依靠农业收入的有 405 人；常年在城镇生活和打工的有 168 人。祖籍该村的香港同胞 68 人，台湾同胞 21 人。祖籍该村的华人华侨有 12 人，主要分布在澳大利亚。村民均为汉族，

◎ 黄泥塘村旧民居一角（摄于2016年）

◎ 2013年11月19日，清远市督导组到村督导高标准农田建设项目

客家民系，使用客家方言。

村有耕地13.67公顷、山地13.33公顷。传统经济以农业为主，主要作物有水稻、花生、番薯、芋头、黄豆、木薯等。现多种植水稻、芋头、花生、黄豆、果树等。2000年后该村主要特色农产品是沙糖桔，让很多村民经济收入大幅度增加。经济收入以农业收入为主，另有务工工资收入。

传统民间节日美食有：春节的客家脍肉、酿豆腐、糖环、油角、炒蛋子、炒米饼，元宵节的汤圆，清明节的糯米艾糍，端午节的粽子，六月六的尝新节春糍，中秋节的月饼等。

村1978年通电，2000年通电话，2008年街道实现水泥硬底化，2013年通自来水，2014年通网络。该村现有文化室，主楼为2层，占地面积200平方米。

传统民居是1座很大的围屋，坐北向南，由大巷、下街、禾坪下、冷角四部分组成。围屋的结构主要有四房归厅、2房归厅和单间，中间1条大巷把围屋分成两边。石街是由鹅卵石铺成，房子墙体下半部分是三合土、上部分是泥砖，木门、木窗、青瓦面。现在大部分都保存完好，还有少部分人居住，总面积有1000多平方米。大部分居民围绕旧屋建起钢筋混凝土两层楼房。

黄氏祠堂，始建于清嘉庆二十一年（1816年），重修于1990年，现占地面积300平方米。祠堂为三

◎ 黄泥塘村文化室（摄于2016年）

进式，墙体都是三合土建造，门口有两条石柱支撑到底，门槛是石门槛，木窗、木门、瓦面结构。祠堂供奉的是开村世祖虞音公，内有楹联“虞弥灵光照杰地；音章瑞气盖华堂”。

该村曾有1个学堂，名为尔张学堂，中华人民共和国成立后荒废，现已拆除。佛冈县迳头镇中心小学的前身是迳头镇陂下小学，位于黄泥塘村和下埕村，始建于1963年，2004年9月迳头和烟岭并镇后升格为迳头镇中心小学，2004年晋升为县一级学校，2007年晋升为市一级学校。该校2008年被评为清远市规范化学校。学校占地面积近21440平方米，建筑总面积7037平方米，绿化面积达5000平方米。2015年，学校设有1到6年级，共12个教学班，526位学生。学校有教学区、宿舍区、运动区。教职工29人，其中高级教师26人。

传统民间节日有春节、元宵节、清明节、四月八、端午节、六月六的尝新米、七月半、中秋节、重阳节、十月朝、冬至等。还有农历正月十二上灯(俗称吊灯)日。

◎ 迳头镇中心小学（摄于2016年）

传统婚嫁习俗中保留中原古制的“六礼”，现已少见，但迎亲嫁娶礼俗依然存在。男女开始交往时女方家要到男方家看家境，结婚前要办订婚茶，择日子、送礼金、定嫁妆。行结婚礼时，要摆酒请客，迎亲和送亲。传统的丧葬风俗以土葬为主，1990年后逐步实行火葬，其程序有：竖灵、收殓、引灵、接体、奠礼、出殡、火化、安葬等。

外出村民中，有的通过务工掌握专业技术后回乡服务乡邻；有的在外成功经商创业，致富不忘乡亲，资助村里公益事业。2004年修建了从村口到新国道106线的乡村道路500米。2015年投资80万元兴建文化室，占地面积200平方米。

村中父老经常教育子女，勤耕苦读是为人立身之本，同时把教育儿孙洁身自好、求学进取、尊敬师长的内容列入家训族规，在良好村风熏陶下，成为社会栋梁之材。黄昌贤（1908—1994），1933年中山大学毕业，1934年赴美留学，1940年回国先后任岭南大学副教授兼柑橘试验室主任，中山大学教授兼柑橘试验室主任，九龄农学院院长兼台湾风山热带园艺所长，华南农学院教授，中国园艺学会副理事长，1959—1994年广东省政协常委。黄其雄，1940年生，曾为深圳市体育馆机电高级工程师。黄志圣，1977年生，任广东边防总队第六支队队长。

（资料填报：谢圣举；初稿撰写：谢圣举、郑小裕、朱南岳；总纂：李协湖）

土仓下村

◎ 土仓下村村貌（摄于 2016 年）

土仓下村，位于迳头镇西北部，距镇政府约 1 千米，始建于清乾隆二十五年（1760 年）。郑英瑞（号占三，字凤亭，永字辈）幼时随父郑祖兹居住英德县大陂都迳头乡（今佛冈县迳头镇）仓前塅心村，读书考取功名后，于清乾隆中期官拜四品，被封为“奉直大夫”。英瑞公英年得志，决心另择他处兴建自己的府第，选定土仓下依山傍水这块宝地，按照客家围屋的风格兴建，历经两代人，耗时 60 年建成。因该村以前位于官仓下方而取名土仓下村。又名存诚村。

该村坐落于山间谷地，坐北向南。村东临国道 106 线，南与迳头中心集镇相连，西靠后龙山，北与坳下村接壤。村交通便利，国道 106 线从村前经过，县道 373 线、374 线由村旁经过，迳头河自南向北从村前流过，在车角村与高岗河汇流成烟岭河。

该村形成时属英德县大陂都迳头乡，清嘉庆十八年（1813 年）属佛冈厅迳头乡，民国时期属佛冈县陂头乡，中华人民共和国成立后属佛冈县第二区陂头乡，1958 年 10 月属从化县跃进迳头人民公社陂下大队，1961 年 5 月属佛冈县迳头人民公社陂下大队，1983 年 12 月属迳头区公所陂下乡，1987 年 1 月属迳头乡陂下行政村，1994 年 2 月属迳头镇陂下管理区，1998 年 11 月属迳头镇陂下行政村，2005 年 5 月属迳头镇大陂行政村至今。

世居村民为郑、李姓。据《大陂郑氏族谱》记载，元末郑姓由福建南迁至新丰县廻龙镇塘村，又迁徙到潮州之程乡（今广东省梅州市地域内），尊母命把冯姓改为郑姓。再迁至韶州之英州（今英德市）迳头乡山下村落籍，于清乾隆二十五年（1760 年）从迳头塅心村迁至该地。李姓，据《前所奇纮公族谱》记载，明朝后期，李姓由闽省迁至韶州府英德东乡帽岭村居住，又迁至佛冈县白石乡（今为迳头镇）果田村居住，1953 年从社坪果田村搬到该村。

2015 年末，有户籍人口 320 人，其中男性 163 人，女性 157 人；80 岁以上老人 4 人，最年长者 99 岁（男）；实际在村有 192 人，其中留守儿童有 2 人；生活主要依靠农业收入的有 167 人；常年在城镇生活和打工的有 128 人。祖籍该村的香港同胞 68 人，台湾同胞 26 人。祖籍该村的华人华侨 12 人，主要分布在澳大利亚。村民均为汉族，客家民系，使用客家方言。

村有耕地 8 公顷、山地 16.67 公顷。村属亚热带气候，光照充足，温暖湿润，冬短夏长，雨量充沛，土地肥沃，一年四季均可种植农作物。村历来以农业耕作为主，主要作物有水稻、花生、番薯、芋头、黄豆、木薯等。20世纪90年代后主要种植沙糖桔，成为村民经济收入支柱产业。但在2013年后，沙糖桔因黄龙病逐渐失收而改种其他农作物。村民经济收入以农业收入为主，兼外出务工性工资收入。

传统食品有春节的腍肉、客家酿豆腐、炒米饼、糖环、油角，清明节的艾糍、糯米糍、端午节的粽子，中秋的月饼等。

村于1978年通电，2000年通电话，2008年街道实现水泥硬底化，2013年通自来水，2014年通网络。2008年被定为佛冈县名村建设示范点。村建设排水排污管网，整治池塘，村道、乡村文化公园实施了美化、亮化工程，还建有篮球场、乒乓球台，配置健身器材、悠闲座椅等公共设施，丰富村民文化生活。

传统民居属围屋。围前有一口呈半月形的风水塘。围中门旁边有一条明渠直通水塘，水渠成一支箭状，水塘形似弯弓，两者结合形似一把弓箭。整个建筑群集办公、驻兵、祭祀、居住为一体。村庄布局形式为回字形“四点金”，面阔80米，进深95米，建筑占地面积7600平方米。中路为宗祠形制建筑，中轴线对称，前后两侧均为居民住宅，具有明显岭南客家围屋特点。古围村前后共5栋，前栋正门高大雄伟，正门门楼为博古脊，悬山顶，精制花岗岩门框，由四条高5米方中带圆石柱支撑，浮雕石横梁、石门框、石地板、雕刻精致石梅花鹿构件和荷叶石狮子，建筑工艺精湛。正门两扇大门板高达3米，镶嵌鼓钉、铁板，非常坚固。正门上方悬挂牌匾，

◎ 土仓下村传统客家围屋（摄于2016年）

◎ 古村石板铺砌的巷道（摄于2016年）

◎“名高制阃”匾（摄于2016年）

匾上70厘米见方浮雕“大夫第”大字。正门前安放一对石鼓、一对石貔貅，还有上马石、旗杆台等。

中路2栋、3栋、4栋悬挂有大牌匾三块，分别书有“凤亭郑公祠”“名高制阃”“存诚堂”。其中悬挂在2栋屏风上的，是清嘉庆二十一年（1816年）兵部尚书题为“名高制阃”匾。四周的居民建筑为四房一厅、两廊一照的四合院，门檐上有福寿灰雕，石门框，天井与客厅相通，屏风上花鸟木雕通透，栩栩如生。巷道用磨制大石板铺砌（据统计，全村所用大小石块有2000多块），巷道内下水道设施至今仍使用，已有200多年，起到良好的排水作用。村内左右小门安放两张石舂碓，现还可以舂米粉。

该村凤亭郑公祠，是由太公郑英瑞（官拜四品的奉直大夫）始建于清乾隆中期（约1770年），嘉庆二十一年（1816年）落成。凤亭郑公祠堂宽约12米、深约60米，三进两厢布局，石柱支撑，天井两边为宽阔走廊，天井后为供堂，供堂后墙上悬挂着祖宗牌位，牌位前有高大的石板神台，两侧厢房为八音棚。墙体用磨制的青砖砌至屋顶，瓦檐下绘有壁画及诗词。这些壁画及诗词虽经200多年岁月，但仍清晰可辨。“文化大革命”期间破“四旧”运动中，祠堂遭到人为毁坏，二栋、三栋被拆除。

◎ 凤亭郑公祠（摄于 2016 年）

◎ 石梁及瑞兽石雕（摄于 2016 年）

◎ 郑吉云画像（翻拍于 2017 年）

村传统节日以春节、元宵、清明、端午、中秋、冬至等节日为主。还有正月十三的祠堂上灯日。

传统婚嫁保留中原古制从议婚至完婚过程中的六种礼节，即纳彩、问名、纳吉、纳征、请期、亲迎。随着社会的进步，这六种礼仪已被新式婚俗所取代，其中部分程序一直沿用至今，送小担、踏家门、迎亲等嫁娶礼俗依然存在。丧葬风俗，以土葬为主，葬礼的基本形式不变，包括择时辰、建灵牌、收敛、引灵、接体、奠礼、出殡、火化、安葬等。还有一个风俗一直流传至今，每当村中老人辞世，招待亲朋好友的菜肴标准三样菜有猪肉、青菜、豆腐，不许饮酒作乐，以示哀悼。

1948 年国民政府军 106 师进驻该村，并把私塾学校作为后方医院。2015 年，土仓下村被批准为中国传统名村落，2015 年 2 月，理事会组织全村村民专门商讨祠堂重建事宜。

村史记载的人物有：郑英瑞，清乾隆中期皇封的“奉直大夫”，五品官。他在设计建造村落的同时，还在离村百多米的东边建有一座书院，建筑用材与围村屋宇相同，也是石街、石门、石窗框，还有花园、鱼池，占地总面积 0.23 公顷，能容纳几十个学生就读，聘请本村塾师教学。郑开钜，郑英瑞的大儿子，举人，曾任广西平乐府贺县典史，后擢升为武阳巡检、八达州同（从六品副知州）。郑开珍，郑英瑞的二儿子，布政司经历（从六品官）。郑开钰，郑英瑞的三儿子，曾任都司职衔（正四品官）。郑雨村，郑英瑞的曾孙，任台湾守备（正五品官）。郑兴泉，郑英瑞的曾孙，曾任广西兴业县正堂（七品官）。郑吉云，郑英瑞的曾孙，曾任台湾刺史，领兵百万。郑大松，郑英瑞的玄孙，曾任台湾盐务局局长。郑灼三（1853—1938），秀才。郑中达，1937 年生，为武钢高级工程师。郑丛岸，1943 年生，曾为湖南省军区医学教授。

（资料填报：谢圣举；初稿撰写：谢圣举、郑小裕、朱南岳；总纂：李协湖）

山下村

◎ 山下村村貌（摄于 2016 年）

山下村，位于迳头镇南部，距镇政府 1.5 千米。始建于明正统年间（1436—1449 年），从潮之程乡迁移至韶之英州（后称英德）再迁该地。因建村在米脂碎山下，而取名山下村。村由大门径、楼角和新屋围三座客家围屋组成。

村坐落于丘陵地带，坐南向北。村东为县道 373 线、大陂中学，南靠山丘，西临国道 106 线、上新围、迳头镇政府，北连大陂村。村东 400 米处有大陂河自南向北流，经河唇围、烟岭、太平、鱼湾、狮子口、长湖水库，在英德城附近汇入北江，属珠江水系。

该村形成时属英州大陂都迳头乡，清嘉庆十八年（1813 年）属佛冈厅迳头乡，民国时期属佛冈县陂头乡，中华人民共和国成立后属佛冈县第二区陂头乡，1953 年属佛冈县三区公所大陂乡，1958 年 10 月属从化县跃进人民公社大陂大队，1961 年 5 月属佛冈县迳头人民公社大陂大队，1983 年 12 月属迳头区公所大陂乡，1987 年 1 月属迳头乡大陂行政村，1994 年 2 月属迳头镇大陂管理区，1998 年 11 月属佛冈县迳头镇大陂行政村至今。

世居村民为郑姓。据《大陂郑氏族谱》记载，太上祖为冯乐宣。元代中后期冯乐宣第十三世孙冯法进从福建迁移至广东连平，其后代经翁源、新丰，于明洪武年间（1368—1398 年）迁到潮之程乡（今梅州地区），第十六代改母姓（郑）。明正统（1436—1449 年）初年，郑佰三从潮之程乡迁移至韶之英州（后称英德）大陂都迳头乡山下村落籍，成为佛冈县冯改郑发源地。郑佰三成为大陂郑氏始祖。

2015 年末，该村有 33 户人，户籍人口 144 人，其中男性 81 人、女性 63 人。80 岁以上 7 人，最年长者 93 岁（女）。实际居住 71 人，其中留守儿童 5 人；生活主要依靠农业收入有 63 人；常年在城镇生活和打工有 73 人。村民均为汉族，客家民系，使用客家方言。

村有耕地 5 公顷、山地 66.67 公顷。传统经济以农业为主，主要作物有水稻、花生、

◎ 村民种植的优质枇杷（摄于 2016 年）

番薯、芋头、木薯、大豆等。现多种植水稻、番薯、花生、莲藕、枇杷果树，以及经济林木等。村民主要收入为农业生产、经济林木、务工性工资收入。

传统食品有：炒米饼、糯米糍、艾糍、脍肉、豆腐、糖环、角子、油炸鬼（桧）、猪乸皮等。

村于1968年通电，2000年通电话，2008年村道水泥硬底化，2013年通自来水，2014年通网络，2012年建起了文化室。

围屋整体为口字形布局，前后住屋两边回水，回水外侧又有后回水。屋顶一色硬山顶，盖灰瓦。墙体下部三合土砌石，上部砌泥砖。围屋大门由石门槛、木门框、木门扇组成。进大门为门径，两边各4间房子。正对大门的房屋用做厅下，两边同样各3间房。两边单间回水用做厨房。每一边的3间房，有两房归厅形式，也有单间形式。住屋门槛由河石和三合土砌成，木制门框、木制窗户。两列住屋间嵌石为街道，称作石街。至2015年，山下村民大多搬出到大陂街，只有2户人家还在山下村长期居住。

村民是郑聪千第二子的后裔，村内有祠堂，是万二公及其两个儿子玉兰公、王洪公祠。该祠堂主要承担村中宗祠祭祀、祈祷报喜的作用。如当年有新添男丁，每逢正月初十，村民到此举行“上灯”仪式。祠堂始建于清朝初年，原占地面积约120平方米，由于日久失修，今还保留30平方米左右的单间。围屋外有上水社，村民每逢过节都到此祭祀祈福。

传统节日以春节、元宵节、清明节、端午节、中秋节、冬至等节日为主，还有元宵上灯、“做神功”

◎ 山下村文化室（摄于2016年）

◎ 山下村祠堂（摄于2016年）

二月二、四月八、六月六、七月半、九月重阳、十月朝等习俗。元宵上灯，“做神功”“万人缘”是山下村最为热闹的民间习俗。特别是“做神功”七年举办一次，“万人缘”十年举办一次，参加活动的人来自四面八方，人山人海，地点就在山下坝（又叫大陂坝），来自广州的戏班在这里接连演出30多天。

传统婚嫁习俗中保留中原古制从议婚至完婚过程中的六种礼节，即：纳彩、问名、纳吉、纳征、请期、亲迎。随着社会的进步，这六种礼仪已被新式婚俗所取代，其中迎亲嫁娶礼俗部分程序一直沿用至今。传统的丧葬风俗庄严而繁杂，多沿用古中原的传统，以土葬为主，1990年后逐步实行火葬，其程序有：竖灵、收殓、引灵、接体、奠礼、出殡、火化、安葬等。

过去该村因交通不便，村民陆续向对面的大陂搬迁建房。2009年，村支部书记郑国天积极争取政府和各界人士支持，在大陂河上建起了大桥，该村能直通县道373线。

村民积极上进，20世纪50年代以前加入中国共产党就有多人，有“党员之家”称号的郑大荣、朱宝暖夫妇都是50年代入党的老党员，两个儿子也是中共党员。

该村代表人物郑国天，1959年生，2002年4月起连任大陂村书记、村委会主任，是清远市第六届人大代表，2008年被评为清远市优秀共产党员，2010年获得佛冈县“好父亲”称号，其家庭2012年被评为2010年—2011年度“佛冈五好文明家庭”。

（资料填报：郑国怀；初稿撰写：郑国怀、郑小裕、钟伟剑；总纂：李协湖）

河唇围

◎ 河唇围村貌（摄于 2016 年）

河唇围，位于迳头镇东部，距镇政府 1 千米。始建于清中期，从英德县大陂都迳头乡（今佛冈县迳头镇）九龙围分支迁入而形成。因河水冲刷，河道逼近村庄，故取名河唇围。河唇围旧址在现河道西岸。

该村坐落于丘陵地带山脚，坐东向西。东靠背夫岭，南临布心坪村，西为县道 373 线、迳头河，与下新围、106 国道、镇政府隔河相望，北邻张屋村。村有石峡山，有小溪自东南向北流，从村前流过 200 米汇入迳头河。未建英德长湖水库拦河坝之前，木船可从英德直达大陂头下。做“万人缘”时，在大陂坝搭建戏棚，请广州戏班唱戏连续 30 天，演员都是从英德坐船到大陂圩。

村形成时属英德县大陂都迳头乡，清嘉庆十八年（1813 年）属佛冈厅迳头乡，民国时期属佛冈县陂头乡，中华人民共和国成立后属佛冈县第二区陂头乡，1953 年属佛冈县三区公所大陂乡，1958 年 10 月属从化县跃进（迳头）人民公社大陂大队，1961 年 5 月属佛冈县迳头人民公社大陂大队，1983 年 12 月属迳头区公所大陂乡，1987 年 1 月属迳头乡大陂行政村，1994 年 2 月属迳头镇大陂管理区，1998 年 11 月属佛冈县迳头镇大陂行政村至今。

世居村民为姓郑。据《大陂郑氏族谱》记载，太上祖冯乐宣于元朝从福建迁移至广东连平，其后代经翁源、新丰，于明洪武年间（1368—1398 年）迁到潮之程乡（今梅州地区），第十六代改母姓（郑）。明正统初年，从潮之程乡迁移至韶之英州（后称英德），在大陂都迳头乡山下村落籍。清中期，十世祖从九龙围迁到大陂河拦河陂下游 700 米处建立村庄，始称土库围。

2015 年末，村有户籍人口 160 人，其中男性 84 人，女性 76 人；80 岁以上 6 人，现村中最年长者 85 岁（女）；实际在村人口 81 人，其中留守儿童 3 人；生活主要依靠农业收入的人口有 79 人；常年在城镇生活和打工的人口有 79 人。世居民族为汉族，客家民系，使用客家方言。祖籍该村的香港同胞 16 人，台湾同胞 7 人。祖籍该村的华人华侨 50 人，主要分布在马来西亚、新加坡。清朝后期至民国早期，村男丁多数外出南洋谋生，后有的回来，有的在南洋生息发展。

村有耕地 6.67 公顷、山地 13.33 公顷。自然资

◎ 山塘莲藕（摄于 2016 年）

源主要是石英石。传统经济以农业为主，主要作物有水稻、番薯、木薯、花生、大豆等。现主要种植水稻、花生、番薯、莲藕、果树、林木等。经济收入为农业收入、经济林木收入、外出务工工资收入等。

春节传统美食为客家腍肉。腍肉是村民春节餐桌上的第一道主菜。客家人的所谓腍肉味，就是“味道十分好”的意思。春节前后，客家人谈年货时一定会互相问：“今年打算蒸多少腍肉？”“年过得去么？”这话已经引申为“年是否过得丰盛”之意。腍肉制法简易，就是将买回的猪肉（带皮的半肥瘦五花肉）先吊起来晾水，然后切成 100—150 克的肉块，配以五香粉、蒜苗、蚝油、陈皮、烧酒、豆豉、南乳、白糖、味精等，将佐料与猪肉拌匀，装瓦钵放在锅里蒸熟。蒸熟的腍肉放在通风干爽的棚上藏好，以后每餐食用时再蒸一次即成。蒸时加以笋干、冬菇等配料，其味道更加香醇可口。

◎ 河唇围传统围屋一角（摄于 2016 年）

村于 1968 年通电，2000 年通电话，2008 年实现村道硬底化，2013 年通自来水，2014 年通网络。村中文化设施有文化室 1 个、篮球场 1 个、乡村公园 1 个。村民历来勤耕苦读，民风淳朴，有一定文化氛围。村民喜爱讲故事、唱客家山歌和文娱体育活动。

村传统民居由楼角、上新屋、下新屋三部分组成。为典型客家围屋结构，已全毁。三座客家围屋结构大体一致。以楼角为例，围屋整体为口字形布局，前后住屋两边回水。屋顶一色硬山顶，盖灰瓦。墙体下部为三合土砌石，上部砌泥砖。围屋大门由石门槛、木门框、木门扇组成。门径两边各 2 间房子。正对大门的房屋用做厅下，两边单间回水用做厨房。每一边的 2 间房都是两房归厅形式。住屋门槛由河石和三合土砌成，木制门框、木制窗户。三合土墙脚，墙体上部砌泥砖。两列住屋间嵌石为街道，称作石

◎ 河唇围“大夫第”（摄于 2016 年）

街。村民郑东槐在外任官回村，在村北边新建房屋，形式为“四角点金镬耳楼”，大门门楣书有“大夫第”三个大字，整座楼富丽堂皇。清后期，坳下村秀才郑文星曾在此教书。

村外有福德社，每逢传统节日村民到此祭祀。该村主要宗族活动有每年农历初二拜大陂郑氏宗祠，每年春分日祭拜位于英德河的蚁子地（即冯法进公墓），春分后五日，祭拜大陂郑氏族地。

民间节日以春节、元宵、清明、端阳、中秋、冬至等节为主，还有四月八、六月六、七月半、十月朝等节日。中华人民共和国成立前，大型的民间娱乐活动还有做神功、万人缘、圣公母等。传统节庆食品有：春节的客家腍肉、酿豆腐、炒米饼、油糍、糖环、角仔，清明节的艾糍，端午节的粽子，中秋节的月光饼等。

传统婚嫁习俗中保留的中原古制“六礼”，现已少见，但迎亲嫁娶等礼俗依然存在。传统的丧葬风俗庄严繁杂，多沿用古中原的传统，以土葬为主。中华人民共和国成立后逐步实行火葬，其程序有：竖灵、收殓、引灵、接体、奠礼、出殡、火化、安葬等。

抗日战争时期，国民政府军 160 师曾在村驻扎，遭日军轰炸。1953 年 5 月村发生特大洪灾，水浸房屋超过 2 米，倒塌房屋 10 多间。1965 年，河唇围启动全村集体迁移计划，在对岸山边建村，到 70 年代末，全部搬迁完毕。

该村 2010 年被广东省爱国卫生运动委员会评为“广东省卫生村”。

该村的郑东槐（1513—1609 年），清中期任大夫，出资在该村北边新建房屋。郑燕中（1930—1975 年），1950 年参加抗美援朝战争，后曾任湖南省保靖县委书记。郑国千（1936—2015 年），曾任佛冈县文化馆馆长，为广东省书法家协会会员，他的许多书法作品在省、市、县参展并获奖。

（资料填报：郑小裕；撰稿员：朱南岳、郑小裕、钟伟剑；总纂：李协湖）

布心坪村

◎ 布心坪村村貌（摄于 2016 年）

布心坪村，位于迳头镇东部，距镇政府 1 千米。村始建于清中期，郑福兴从英德县大陂都迳头乡（今佛冈县迳头镇）王𠂆村分支迁入而形成。因古代村妇个个都是织布能手，外村妇多去请教，成为远近纺织中心，故取名姑心坪村。民国时期更名为布心坪村，曾用名陈布坪村、布修坪村。

村坐落于围墩山脚下的平地上，坐东向西。东靠背夫岭，南为大陂中学，西是县道 373 线、迳头河，与上新围、国道 106 线隔河相望，北临河唇围、坣头围。东面有黄竹坑水自东向西流汇入迳头河。村北面有大坑水自东向西流，经河唇围汇入迳头河。

该村形成时属英德县大陂都迳头乡，清嘉庆十八年（1813 年）属佛冈厅迳头乡，民国时期属佛冈县陂头乡，中华人民共和国成立后属佛冈县第二区陂头乡，1953 年属佛冈县三区大陂乡，1958 年 10 月属从化县跃进人民公社大陂大队，1961 年 5 月属佛冈县迳头人民公社大陂大队，1983 年 12 月属迳头区公所大陂乡，1987 年 1 月属迳头乡大陂行政村，1994 年 2 月属迳头镇大陂管理区，1998 年 11 月属佛冈县迳头镇大陂行政村至今。

世居村民为姓郑。据《大陂郑氏族谱》记载，太上祖冯乐宣于元朝从福建迁移至广东连平，其后代经翁源、新丰，于明洪武年间（1368—1398 年）迁到潮之程乡（今梅州地区），第十六代改母姓（郑）。明正统（1436—1449 年）初年，从潮之程乡迁移至韶之英州（后称英德），在大陂都迳头乡山下村落籍。清中期，郑福兴从佛冈县迳头王𠂆分支迁入该地。

2015 年末，村有户籍人口 197 人，其中男性 101 人，女性 96 人；80 岁以上 6 人，最年长者 94 岁（女）；生活主要依靠农业收入有 91 人；实际居住 107 人，其中留守儿童 1 人；常年在城镇生活和打工有 90 人。祖籍该村的香港同胞 25 人，台湾同胞 5 人。祖籍该村的华人华侨 15 人，主要分布在马来西亚、新加坡等地。村民均为汉族，客家民系，使用客家方言。

村有耕地 12.13 公顷、山地 30 公顷。传统经济以农业为主，主要作物有水稻、番薯、芋头、花生、木薯、大豆等，部分村民从事织布、打铁、建筑业。现主要种植水稻、花生、番薯、果树、林木等。经济收入以农业收入为主，还有经济林木收入，经商、外出务工工资收入。

◎ 织布机（摄于 2016 年）

节庆食品有：春节的客家腍肉、酿豆腐、炒米饼、油糍、糖环、角仔，清明节的艾糍，端午节的粽子，中秋节的月光饼、油炸鬼（桧）等。

村于 1970 年通电，1998 年通电话，2008 年实现道路水泥硬底化，2012 年通自来水，2014 年通网络。

村由老屋和新屋两部分组成。老屋由龙首下、上围、中心围、下围和上角共五座客家围屋组成。五座客家围屋结构大体一致。以中心围为例，围屋整体为口字形布局，前后住屋两边回水。屋顶一色硬山顶，盖灰瓦。墙体下部为三合土砌石，上部砌泥砖。围屋大门原由石门槛、木门框、木门扇组成，现存木门槛。进大门为门径，两边各 4 间房子。正对大门的房屋用做厅下，两边同样各 3 间房。两边单间回水用做厨房。三合土砌石墙脚，墙体上部砌泥砖。两列住屋间嵌石为街道，称作石街。目前，上围、中心围、下围已无人居住，龙首下、上角还有几户人家居住。20 世纪 80 年代以来建造的房屋为砖混结构，民居大部分楼房化。

◎ 布心坪村传统民居一角（摄于 2016 年）

布心坪村有一座祠堂，名福兴祠，村民用作祭祀、祈祷报喜。该祠堂建于清后期，2006 年重修，占地面积约 50 平方米，单间布局，祠堂大门门槛、门框均是使用大理石板砌成，门额提有“福兴祠”三字。原墙体为三合土结构，重修后一面墙体为砖墙。主要宗族活动有：每年大年初二拜大陂郑氏宗祠（总祠），每年春分日拜祭位于英德横石水的蚊子地和位于新丰回龙塘村的念四公，春分后五日拜祭大陂郑氏族地。该村原本是正月十四上灯，在 20 世纪 90 年代后将上灯时间改为正月初七。

◎ 福兴祠（摄于 2016 年）

村东南方 400 米处有圣公母庙，是方圆数十千米群众前去朝拜的公庙。公庙建于清朝同治年间（1862—1874 年），庙内供奉着圣公圣母和金童玉女四尊佛像，雕塑于清同治十一年（1872 年）。相传离圣公母庙不远（约 200 米）的胡春迳（地名）住有 1 户人家，夫名田

◎ 圣公母庙（摄于 2016 年）

守仁，妻名姜六娘，夫妻 2 人以卖豆腐为生，无儿无女，勤劳俭朴，乐善好施，不论谁家遇有困难，皆热心帮助，总是夜里偷偷把银圆从窗户塞给人家，并视别人家小孩如同己出。他们的善行深受群众感动，他们去世后深受群众拥戴，受到百姓的纪念。远近群众，不分姓氏纷纷捐款建造庙堂。庙宇附属建筑还有钟鼓楼、八音棚、庙祝居住屋等。中华人民共和国成立前，远近前去朝拜的善男信女络绎不绝，较远的有来自高岗、水头、英德潭头、白沙等地。每年的年三十和年初一最为热闹。人们要向圣公圣母还愿，报答圣公圣母一年的保佑。大年初一，人们纷纷前去许愿，祈求圣公圣母显灵保一家人无灾无难，风调雨顺，发财添丁。特别是各地的狮队，不分姓氏，争先恐后朝拜圣公母，祈求和谐幸福。

中华人民共和国成立前，大陂做“神功”“万人缘”活动，烟岭柯木岗做“牛朝”活动，都要抬着圣公母游行一番，俗称等圣公母。“文化大革命”期间，庙宇被拆，佛像被毁。1987 年重修庙宇，重雕佛像，并刻有名为《对重修圣公母庙有感》碑文:“圣神大道受人迎，传说原来住世间，欲问两人各姓氏，田姜结伴一良园，公庙无双独一间，庆殿辉煌又壮观，神堂设有铜烛架，酸枝神桌亦闻名，两旁设置钟鼓鼎，珠江昭祐显新颜，业绩远留铭纪念，荫福人民保安康。”如今，朝拜的气氛不亚于当年，守庙的人每天都有四五人。圣公母庙第一个守庙人是该村的郑嗣铭。民俗做神功和万人缘，形成（流行）于清朝前期，做神功每七年举行一次，万人缘每十年举行一次，不分姓氏，不分地域，皆可参加。活动期间，请广州戏班做大戏，等圣公母，请师爷佬打火屎炼、上刀山等，意在驱邪赶煞，祈求风调雨顺，国泰民安。

民间传统节日以春节、元宵、清明、端阳、中秋、冬至等节为主，还有四月八、六月六、七月半、十月朝等节日。

传统婚嫁习俗中保留中原古制从议婚至完婚过程中的六种礼节，即纳彩、问名、纳吉、纳征、请期、亲迎。随着社会的进步，这六种礼仪已被新式婚俗所取代，其中部分程序一直沿用至今，送小担、踏家门、迎亲等嫁娶礼俗依然存在。传统的丧葬风俗庄严而繁杂，多沿用古中原的传统，以土葬为主，中华人民共和国成立后逐步实行火葬，其程序有：竖灵、收殓、引灵、接体、奠礼、出殡、火化、安葬等。

解放战争时期，郑公侠曾带领游击队在该村活动。该村参加游击队的人有郑富、郑汉祥。在最困难的时候，队员郑汉祥回家偷偷把其兄长郑国斋的耕牛卖掉接济游击队。1945 年春，日本侵略军进入该村企图围剿游击队，被抓的村民巧妙将日本侵略军引进山中，避免一场灾难。

◎ 布心坪游击队住址和扫盲班夜校址（摄于 2016 年）

该村的郑圣夫曾任乡农会主席，带领村民进行土改工作。郑富（1908—1969），最早成立互助组，在迳头乡第一个成立农业生产合作社（初级社），任社主任。郑志强，1992 年 9 月生，参加 2008—2009 年第 19 届全国初中应用物理知识竞赛获二等奖。

（资料填报：郑国怀；撰稿员：郑国怀、郑小裕、钟伟剑；总纂：李协湖）

坣头围

◎ 坣头围村村貌（摄于 2016 年）

坣头围，位于迳头镇东部，距镇政府 1 千米，始建于清中期，从英德县大陂都迳头乡九龙围分支迁入而形成。因亦錩公后代搬到河对岸的旧河坣建村，故名坣头围。

村坐落于丘陵地带山脚，坐东向西。东靠背夫岭，南临布心坪村，西为县道 373 线、迳头河，与上新围、106 国道、镇政府隔河相望，北邻张屋村。村后有石峡山，海拔 500 米，还有大坑水从东向西流，在龙首下右侧折向北，流经河唇围、新得围和崩岗下，在崩岗下右侧 80 米处汇入迳头河。迳头河从南往北流，流经该村河长 200 米，流经烟岭、太平、渔湾和狮子口，在英德汇入北江。

该村形成时属英德县大陂都迳头乡，清嘉庆十八年（1813 年）属佛冈厅迳头乡，民国时期属佛冈县陂头乡，中华人民共和国成立后属佛冈县第二区陂头乡，1953 年属佛冈县三区公所大陂乡，1958 年 10 月属从化县跃进（迳头）人民公社大陂大队，1961 年 5 月属佛冈县迳头人民公社大陂大队，1983 年 12 月属迳头区公所大陂乡，1987 年 1 月属迳头乡大陂行政村，1994 年 2 月属迳头镇大陂管理区，1998 年 11 月属佛冈县迳头镇大陂行政村至今。

世居村民为郑姓，据《大陂郑氏族谱》记载，冯姓改为郑姓。元代由福建南移民迁居新丰县廻龙镇塘村，又迁徙到潮州之程乡（今广东省梅州市地域内），再迁至韶州之英州迳头乡大陂山下村落籍。明万历年间（1573—1620 年），郑氏紫方公从迳头乡石咀头村迁居到迳头九龙围。到清中期，郑亦錩举家迁入该地。

2015 年末，村有户籍人口 185 人，其中男性 95

◎ 水碓（摄于 2016 年）

人，女性90人；80岁以上6人，最年长者98岁（女）；实际在村人口136人，其中留守儿童6人；生活主要依靠农业收入的人口有136人；常年在城镇生活和打工的人口有49人。祖籍该村的华人华侨约10人，主要分布在马来西亚、新加坡。世居民族为汉族，客家民系，使用客家方言。村民历来勤耕苦种，民风淳朴，有一定文化氛围。村民喜爱讲故事、唱客家山歌。村中不少人都是讲故事的能人，其中又以郑大立讲的故事最引人入胜。

村有耕地7.13公顷、山地29.87公顷。自然资源主要有石英石。传统经济以农业为主，主要作物有水稻、番薯、木薯、花生、大豆等。现主要种植水稻、花生、番薯、果树、林木等。经济收入以农业收入为主，另有务工工资收入。

◎ 火龙果基地（摄于2016年）

村于1968年通电，2000年通电话，2008年实现村道硬底化，2013年通自来水，2014年通网络、

◎ 坣头围传统民居一角（摄于2016年）

建村文化室。

老屋由坣头围、崩岗下和新得围（胡屋）三部分组成，为典型客家围屋结构，目前已全毁。三座客家围屋结构大体一致。

村外有"社下伯公"，每逢传统节日村民到此祭祀。主要宗族活动有每年大年初二拜大陂郑氏宗祠，每年春分日祭拜位于英德河是水的蚊子地（即冯法进公墓），春分后五日，祭拜大陂郑氏族地。

民间传统节日以春节、元宵节、端午节、中秋节、冬至等节日为主，还有二月二、四月八、七月半、九月重阳、十月朝等节日。

传统婚嫁习俗中保留中原古制从议婚至完婚过程中的六种礼节，即纳彩、问名、纳吉、纳征、请期、亲迎。现已少见，但迎亲嫁娶等礼俗依然存在。村现代婚嫁习俗是选好日子结婚、送彩礼。送多少彩礼应征求女方家意见和视男方经济状况商定。结婚时间安排，有的在送小担时商定，有的在领结婚证当天两家人一起到酒店吃饭时商定。办酒席前一个月左右送彩礼（俗称大担），通常不给齐头数。接新娘时，由年轻的亲人和伴郎同行，孕妇不能去，路上遇见桥时要撒些米和谷。新娘入门时家公家婆回避，待进门后由新郎新娘奉送茶水给父母及长辈，长辈发红包给新郎新娘。铺床由有儿女且家庭经济条件较好的两人进行。酒席后是跳床活动，由新郎新娘抛些零钱、喜糖、花生等由童子女在新床上抢，如果新娘已有身孕就不能跳床。

传统的丧葬风俗庄严繁杂，多沿用古中原的传统，以土葬为主。中华人民共和国成立后逐步实行火葬。

1938年10月23日，村遭日本军机轰炸，死伤惨重。1953年5月，该村发生特大洪灾，水浸房屋超过0.6米。1960年春发生饥荒，村民多以"黄狗头"、野菜、蕉头度荒。

该村的郑国恩（1909—1978），被评为省先进教育工作者。

（资料填报：郑国怀；初稿撰写：郑国怀、钟伟剑；总纂：李协湖）

白石洞村

◎ 白石洞村村貌（摄于 2016 年）

白石洞村，位于迳头镇西南部，距镇政府 2.1 千米。村始建于清康熙二十八年（1689 年），从清远县吉河乡（今佛冈县水头镇）东坑村分支迁入而形成。因最早迁来时在亚赤坝山下有一块大白石，地形如洞，故取名白石洞村。

村坐落于丘陵地带，坐西向东。东面是井下塘村，南面是黄花冚村，西边为背夫山，北面是三江梅坪村。乡道从村中直达国道 106 线。主要河流有白石洞坑河，从南流向北，在楼下村汇入烟岭河。

该村形成时属英德县大陂都迳头乡，清嘉庆十八年（1813 年）属佛冈厅迳头乡，民国时期属佛冈县陂头乡，中华人民共和国成立后属佛冈县第二区陂头乡，1953 年属佛冈县三区公所大陂乡，1958 年 10 月属从化县跃进（迳头）人民公社陂下大队，1961 年 5 月属佛冈县迳头人民公社陂下大队，1983 年 12 月属迳头区公所陂下乡，1987 年 1 月属迳头乡陂下行政村，1994 年 2 月属迳头镇陂下管理区，1998 年 11 月属迳头镇陂下行政村，2005 年 5 月属迳头镇大陂行政村至今。

世居村民为黄、郑姓。据黄氏族谱记载，元朝前期，黄氏族人从江西南丰县龙井乡双井头迁移至广东梅州。明洪武元年（1368 年），六峰公迁移到清远县吉河乡东坑村，清康熙二十八年（1689 年），黄连迁至白石洞定居。郑姓，1920 年，郑大亦、郑大溱叔伯兄弟从湖洋村上围迁至白石洞东塅围。

2015 年末，村有户籍人口 208 人，其中男性 107 人，女性 101 人；80 岁以上 6 人，最年长者 92 岁（女）；实际在村 187 人，其中留守儿童 6 人；生活主要依靠农业收入的有 167 人；常年在城镇生活和打工的有 21 人。村民均为汉族，客家民系，使用客家方言。

村有耕地 9.67 公顷、山地 333.33 公顷。自然资源主要有白石、林木、山猪、黄猄、鹧鸪、猫头鹰等。传统经济以农业为主，主要作物有水稻、番薯、芋头、花生、木薯、大豆等。现时主要种植水稻、花生、番薯、果树等。村民主要收入来源为农业生产、外出劳务工资性收入。

特色传统（节庆）食品有腍肉、豆腐、糯米糍、艾糍、粽子、炒米饼等。春节小吃炒米饼的做法：将糯米用开水浸泡片刻，捞起滤干后炒熟，磨成粉，

◎ 春耕插秧（摄于 2015 年）

碾碎花生米、芝麻，连同米粉加黄糖或白糖水搓匀，再将加工好的米粉用饼模印成一个个的米饼即可。这种米饼久放不坏，既可自吃，也可送礼。

村于 20 世纪 60 年代通电，2000 年通电话，2007 年全村村道实现水泥硬底化，2009 年通自来水，2013 年通网络。

传统民居现存 1 座。白石洞围屋坐东北向西南，有南北走向三条街。每个街口都有一个大门，围屋大门原由石门槛、木门框、木门扇组成。每条街 5 间房屋，房屋是单间街口。房屋墙体下部为三合土砌石，上部砌泥砖。东西走向 2 条巷。住屋间嵌河石为街道，称作石街。

◎ 白石洞村古居一角（摄于 2016 年）

◎ 社坛（摄于 2016 年）

村外有“上社下公”和“下社下公”两个社坛，村民在此祭祀、祈福。

民间传统节日以春节、元宵节、清明节、端午节、中秋节、冬至等节日为主，还有二月二、四月八、七月半、九月重阳、十月朝等节日。

传统婚嫁习俗中保留中原古制从议婚至完婚过程中的六种礼节，即纳彩、问名、纳吉、纳征、请期、亲迎。现已少见，但迎亲嫁娶礼俗依然存在。传统的丧葬风俗庄严而繁杂，多沿用古中原的传统，以土葬为主。中华人民共和国成立后逐步实行火葬，其程序有：竖灵、收殓、引灵、接体、奠礼、出殡、火化、安葬等。该村现代丧葬习俗：60 岁以上老人临去世前要移至厅堂或走廊，去世后由子孙日夜守孝。如果在村外过世的，不准进村，要在村外搭棚守孝。死者入殓前，子孙要到河边丢下几枚硬币后

◎ 笼头（碾谷）（摄于 2016 年）

取水（俗称买水），为死者擦身、更衣，哭送入殓（不盖棺，俗称小殓），待到吉日良时送葬前进行大殓（告别仪式锣鼓爆竹齐鸣、大力手盖棺加钉）。出殡时，请巫师开路，吹响牛角，送殡队敲锣打鼓、燃放爆竹送行。将死者埋葬后，孝子孝女等从坟上抓回一把黄土，并且同牵一条寿红（红布）由另一路线回家。将灵牌送往祠堂，上香拜过祖宗神牌，大声告示逝者姓名后砍碎灵牌烧掉，以表逝者魂归故里与祖宗为伍，便于后人祭奠。孝子孝女各保存一套逝者的衣放到衣柜最底下。用于拜祭的鸡，逝者的长辈和配偶不能食用，由逝者儿女及晚辈食用，这叫“衣食父母”。葬后要为死者做“头七”“二七”“三七”的法事，至此丧事才告完结。

1964 年，发生特大旱灾，无法播谷种，全部改种番薯。2012 年在政府支持下，村民筹资建设水泥乡道 2 千米，从小山村可通 106 国道。

该村的郑大道（1920—1978 年），中共地下党员，于 1946 年至 1949 年，利用农村“称龙头”（碾谷）为名为游击队送情报、各种物资。郑华中，1962 年生，曾任佛冈县城北中学校长，现任佛冈县职业技术学校校长，长期帮助村中困难家庭子女读书，深受村民赞赏。

（资料填报：郑国怀；初稿撰写：郑国怀、钟伟剑；总纂：李协湖）

张屋村

◎ 张屋村村貌（摄于2016年）

张屋村，位于迳头镇东北部，距镇政府约1千米。村始建于清顺治年间（1644—1661年），从新丰县顶头村分支迁入而形成。以姓命村名为张屋村。曾用名鹿汝窝村。

该村坐落于丘陵地带，坐北向南。村东是县道373线和小山，南是坐头围村，西面是黄泥塘村，北是下埕村。县道373线从村东面约40米通过，往南通水头、佛冈，往北1千米在车角村与国道106线连接。村西面约300米处，迳头河从南向北流经烟岭、社坪、井冈，在英德地界汇入北江。

该村形成时属英德县大陂都迳头乡，清嘉庆十八年（1813年）属佛冈厅迳头乡，民国时期属佛冈县陂头乡，中华人民共和国成立后属佛冈县第二区陂头乡，1953年属佛冈县三区公所大陂乡，1958年10月属从化县跃进（迳头）人民公社陂下大队，1961年5月属佛冈县迳头人民公社陂下大队，1983年12月属迳头区公所陂下乡，1987年1月属迳头乡陂下行政村，1994年2月属迳头镇陂下管理区，1998年11月属迳头镇陂下行政村，2005年5月属迳头镇大陂行政村至今。

世居村民为张姓。据《张氏族谱》记载，明嘉靖年间（1522—1566年），昊宝公由福建上杭迁徙至广东英德鱼湾象冈村，后迁徙至翁邑（今英德）横石水新街村大路下，再迁徙至长宁县（今新丰县）遥田长安村顶头下围。清顺治年间，万一公的孙子念三郎公由新丰县顶头村迁徙至佛冈县迳头大陂村鹿汝窝（今张屋村）。

2015年末，村有户籍人口329人，其中男性169人，女性160人；80岁以上7人，最年长者88岁（男）；实际在村255人，其中留守儿童13人；生活主要依靠农业收入有223人；常年在城镇生活和打工有74人。祖籍该村的香港同胞13人，台湾同胞5人。祖籍该村的华人华侨有6人，主要分布在美国。村民均为汉族，客家民系，使用客家方言。

村有耕地8公顷、山地40公顷。传统经济以农业为主，主要作物有水稻、番薯、木薯、花生、大豆等。现主要种植水稻、花生、番薯、果树、林木等。经济收入以农业收入为主，还有外出务工性工资收入。

传统节庆美食有：春节的客家脍肉、酿豆腐、炒米饼、油糍、糖环、角仔，清明节的艾糍，端午

◎ 磨盘架（摄于 2016 年）

◎ 张氏宗祠（摄于 2016 年）

节的粽子，中秋节的月光饼等。

村于 1972 年通电，2000 年通电话，2007 年全村村道实现水泥硬底化，2009 年通自来水，21 世纪初通网络。

老屋由上巷、下围、围肚三个居住点组成。三座客家围屋结构大体一致。以围肚为例，围屋整体为中字形布局，东西走向三条街，南北走向两条街。屋顶一色悬山顶，盖灰瓦。墙体下部为三合土砌石，上部砌泥砖。住屋为石门槛、木制门框、木制窗户。两列住屋间嵌石为街道，称作石街。

村主要宗祠为张氏宗祠，始建于清初。第一次重修于清雍正二年（1724 年），第二次重修于清嘉庆十六年（1811 年），第三次重修于 1951 年。占地面积 200 平方米，二进式格局。一进用作过道和议事厅，两边设置厢房，二进为香火堂，两边也设置厢房。因香火旺盛，神位牌不小心被烧毁。

民间传统节日以春节、元宵节、清明节、端午节、中秋节、冬至等节日为主，还有二月二、四月八、六月六、七月半、九月重阳、十月朝等节日。

传统婚嫁习俗保留中原古制从议婚至完婚过程中的六种礼节，即：纳彩、问名、纳吉、纳征、请期、亲迎。随着社会的进步，这六种礼仪已被新式婚俗所取代，其中部分程序一直沿用至今，送小担、踏家门、迎亲等嫁娶礼俗依然存在。

传统的丧葬风俗庄严繁杂，多沿用古中原的传统，以土葬为主。中华人民共和国成立后逐步实行火葬，其程序有：竖灵、收殓、引灵、接体、奠礼、出殡、火化、安葬等。村中还有一个风俗一直流传至今，每当村中老人辞世，招待亲朋好友的菜肴标准三样菜有猪肉、青菜、豆腐，不许饮酒作乐，以示哀悼。

1944 年冬，日本侵略军攻打翁城受阻后在退回佛冈驻地途中，路过张屋村时，被早就埋伏在村后山的佛冈先锋队袭击，打死侵略军 1 名，缴获战马 2 匹，佛冈先锋队也有 3 名战士受伤。1951 年，对张氏祠堂进行第三次修缮。

该村继承和发扬耕读的优良传统，在尊师重教的村风熏陶下许多村民好学上进，成为社会有用之才。张晓辉，1920 年出生，博士，乔居美国。张廷耀（1937—1997），为广州造船厂高级工程师。张邦尊（1939—2001），任广州铁路局生产处处长。张邦勋，1939 年生，曾为佛冈县进修学校高级讲师。张邦树，1956 年 8 月生，自从 1977 年在张屋卫生站从医以来，医术精湛，服务周全，群众口碑佳。张少敏，1965 年生，任佛冈县交通运输局局长。张少捷，1968 年 12 月生，任佛冈县委宣传部常务副部长，广东省书法家协会会员。张志辉，1971 年生，任广州市从化区监狱副监狱长。

（资料填报：钟伟剑；初稿撰写：钟伟剑；总纂：李协湖）

上新围

◎ 上新围村貌（摄于 2016 年）

上新围，位于迳头镇东南部，距镇政府约 400 米。始建于清康熙中期，从英德县大陂都迳头乡（今佛冈县迳头镇）石咀头村分支迁入该地而形成。因在大陂村之后而新建两个村，该村在迳头河上游新建，故取名上新围。

该村坐落于丘陵地带，坐西向东。东为大陂村，南接井下塘村，西边有背夫山、新迳头市场，北有下新围。村前有大陂河自南向北流，流经该村约 180 米，在英德汇入北江。因与北江流向相反，故大陂河又叫倒流水。村背后 1.5 千米处有个山塘叫三寡塘，于 1963 年加大堤坝，成为一个小型水库，灌溉上下新围农田 6.67 公顷。山后有国道 106 线，村左侧有县道 374 线通往高岗，大陂河上有大陂桥通往对岸的县道 373 线。

该村形成时属英德县大陂都迳头乡，清嘉庆十八年（1813 年）属佛冈厅迳头乡，民国时期属佛冈县陂头乡，中华人民共和国成立后属佛冈县第二区陂头乡，1953 年属佛冈县三区公所大陂乡，1958 年 10 月属从化县跃进（迳头）人民公社大陂大队，1961 年 5 月属佛冈县迳头人民公社大陂大队，1983 年 12 月属迳头区公所大陂乡，1987 年 1 月属迳头乡大陂行政村，1994 年 2 月属迳头镇大陂管理区，1998 年 11 月属迳头镇大陂行政村至今。

世居村民为郑姓。据《大陂郑氏族谱》记载，郑姓族人由福建移民迁居新丰县回龙塘村，再迁徙到潮州之程乡（今广东省梅州市地域内），遵母命把冯姓改为郑姓。于明正统年间（1436—1449 年），从潮州之程乡迁至韶州府的英州迳头乡山下村落籍，成为佛冈“冯改郑”姓发源地。二世祖郑聪千之子三世祖万一迁至石咀头。清康熙中期，九世祖郑尔俊之子源宪从佛冈县迳头镇石咀头迁移至此。

2015 年末，村有户籍人口 282 人，其中男性 183 人，女性 99 人；80 岁以上老人有 6 人，最年长者 90 岁（女）；实际在村 132 人；生活主要依靠农业收入的人口有 84 人；常年在城镇生活和打工的人口有 150 人。据不完全统计，祖籍该村的香港同胞 6 人。该村村民皆为汉族，属客家民系，使用客家方言。

村有耕地 6.13 公顷、山地 21.33 公顷。传统经济以农业为主，主要作物有水稻、番薯、花生、大豆、木薯等。现多种植水稻、番薯、花生、芋头、果树等。

◎ 三叉塘水库（摄于 2004 年）

该村经济以农业收入为主，1998 年以后青壮年大部外出打工，本地工厂也逐渐增多，务工工资收入也成为该村经济收入的一部分。

该村于 1968 年通电，2000 年通电话，2006 年创建大陂中心幼儿园，2008 年村道全部实现水泥硬底化，2013 年通自来水，2014 年通网络。该村重视文娱体育设施建设，2011 年建成文化室。2015 年，大陂中心幼儿园有 6 个班，在园幼儿 178 人，教职工有 14 人。2016 年建立乡村公园。

◎ 2011 年 12 月 27 日，上新围文化室落成

该村有上新围、河角、镇坪三处居民点，上新围人口较多，历史较久远。镇坪是 20 世纪 70 年代以后从河角、上新围部分村民迁至而形成的村庄。上新围现存较为完好的传统民居有两座，建于清康熙中期。围屋整体为口字形布局，前后住屋两边回水。屋顶一色硬山顶，盖灰瓦。墙体下部为三合土，上部砌泥砖。围屋大门由石门槛、木门框、木门扇组成。进大门为门径，两边共有 7 间房。正对大门的房屋用做厅下，左手边有 4 间房，右手边有 3 间房。两边单间回水用做厨房。每一边的 4 间房，都做成两房归厅形式，共 14 套住屋。住屋一色石门槛、木门框、木窗户。墙下三合土护墙，外铺石板。两列住屋间嵌石为街道，称作石街。现已基本坍塌，无人居住。20 世纪 80 年代以后，村民聚集乡道北面大量兴建高档二层楼房，风格各异。

村有一居住处叫牌坊下。该处的地名来源有一个真实的故事：郑氏第十世郑源宠之妻范氏，13 岁做娘，18 岁丈夫亡故，生二子三女，她坚守节操嫁一从终，恪守礼节。清乾隆皇帝下江南时得知此事，遂于 1743 年下旨为太婆建立贞节牌坊，因名牌坊下。现该村仍留有“圣旨贞节牌坊”，高 6 米，宽 5 米。牌坊设三个圆拱门，拱门之间砌砖柱承托上部建筑，中间拱门比两侧拱门略高阔。整个牌坊以青砖砌筑，有图案。三个拱门上方均有灰塑文字，正门上方塑“贞节”两字，右侧门上方塑“振纲”，左侧门上方塑“维常”。牌坊背面，正门上方塑“贞节”，左侧门上方塑“冰清”，右侧门上方塑“玉洁”。正门前后柱旁两侧砌砖墩，上面置石鼓各一对（背面的石鼓已毁坏）。整座牌坊呈山字形，形制端庄、大方。“文化大革命”期间被人为破坏较大，其残垣依稀可见。

◎ 贞节牌坊（摄于 2016 年）

村修有《大陂郑氏族谱》，郑氏族谱中有祖训二则：一则：“中犯女盗，即族中处刑。有鼠窃不轨，倾家送官究治。或有不事农工商职业，好游荡，放恁无职男工女，听人唆犯，食药害人家者，公族查

出，唆摆系同姓者，处其抵偿，并药死的不许棺椁埋葬。若异姓唆摆致刑者，送官公结抵偿，全不藉命抄掠对该之这业大侯风化。劝我族众，或横行欺凌，宁可鸣官抽究，方是大家举动。切勿轻生服毒，做出无的之事。若验暴露，自坠没沦，大玷故家体统。愿听我言，戒之戒之。”二则：“一族中大小事口角，劝和解释，不可助当，恃强凌弱，结成大怨，致伤家庭和气。族中凡事忍，而谚云：忍气人留财，受气人长命。切勿逞勇刚强，阋墙内变。忠厚传家，子孙必然长远。狼狈欺人，当身定见覆灭。只要教子孙读书，明礼义，庶不愚呆失礼。督耕勤俭日用，庶不致贫困而求人。或耕或读，作商作卖，能活家。切勿充投衙门，恐坏心术，丧失天良，甚至不顾父母遗体，割腿肉、养口腹，至此无耻，终难回只。总要学好，使家庭和气，骨肉勿残伤。若有不遵约束，后生得罪尊长，祭日责罚，以儆将未。愿敢慎之。”

民间习俗，多为客家人习俗的延续。传统节日有春节、元宵节、清明节、端午节、中秋节、冬至等节日。20 世纪 80 年代后为照顾学生开学读书，上灯日改在大年初八至十三不定。还有二月二、四月八、六月六、七月半、十月朝等节日。传统食品有客家

◎ 迳头新圩市（摄于 2016 年）

脍肉、客家酿豆腐、糯米糍、艾糍、粽子、炒米饼、糖环、油角、发糍等。

特色民俗有做神功和万人缘，做神功每七年举行一次，万人缘每十年举行一次，两种民俗均不分姓氏、不分地域皆可参加。内容有请广州的戏班做大戏，等圣公母，请师爷表演上刀山、打火屎炼等，意在驱邪赶煞，祈求风调雨顺、国泰民安。传统婚嫁习俗中保留的中原古制六礼在该村已很少见到，但迎亲嫁娶等礼俗依然存在。传统的丧葬风俗庄严繁杂，多沿用古中原的传统，以土葬为主。中华人民共和国成立后，逐步实行火葬，其程序有：竖灵、收殓、引灵、接体、奠礼、出殡、火化、安葬等。

1999 年，上新围区域建设迳头镇新集市，2004 年新集市陆陆续续建起新楼房。2015 年底新集市已初具规模，交通便利、通信发达、物流便捷、餐饮丰富，新集市功能也慢慢突显。2015 年村实现了“户清洁、村收集、镇清运压缩、县处理”农村生活垃圾收运处理模式，改善了村容村貌。

该村的郑源宠之妻范氏（乾隆年间），18 岁时丈夫亡故，她坚守节操，嫁夫从终，未有改嫁，朝廷为表彰她的操守，特御诏立“圣旨贞节牌坊”。郑火秋，1925 年生，开泰武功传人，王杜赠门下高徒之一，热心传授武功给后辈，乐于公众事物，善于医治跌打损伤病人，还是木匠师傅等多面手。郑大卫，1931 年生，离休干部，1950 年同河唇围的郑燕中一起从大陂中学参加中国人民志愿军，赴朝作战。

（资料填报：郑国怀；撰稿员：郑国怀，周文婧；总纂：李协湖）

下新围

◎ 下新围村貌（摄于2016年）

下新围，位于迳头镇东部，距镇政府300米。始建于康熙中期，从英德县大陂都迳头乡（今佛冈县迳头镇）石咀头村分支迁入而形成。因在大陂村之后而新建两个村，该村在迳头河下游，故取名下新围。

下新围坐落于丘陵地带，坐西南向东北。东为迳头河，河对岸是布心坪村、河唇围、坣头围，南面上新围，西靠高栋埂山、迳头新圩镇、国道106线、迳头镇政府，北为车角村。村后有国道106线通过，村右侧有县道374线通往高岗，还有大陂桥通往对岸的省道373线。村前450米处有迳头河自南向北流，在车角村与高岗河汇流成烟岭河，在英德界汇入北江水系。

下新围形成时属英德县大陂都迳头乡，清嘉庆十八年（1813年）属佛冈厅迳头乡，民国时期属佛冈县陂头乡，中华人民共和国成立后属佛冈县第二区陂头乡，1953年属佛冈县三区大陂乡，1958年10月属从化县跃进（迳头）人民公社大陂大队，1961年5月属佛冈县迳头人民公社大陂大队，1983年12月属迳头区公所大陂乡，1987年1月属迳头乡大陂行政村，1994年2月属迳头镇大陂管理区，1998年11月属迳头镇大陂行政村至今。

世居村民为郑姓。据《大陂郑氏族谱》记载，元末由福建迁居新丰县回龙塘村，再迁徙到潮州之程乡（今广东省梅州市地域内），遵母命把冯姓改为郑姓。于明正统年间（1436—1448年），从潮州之程乡迁韶州府的英州迳头乡山下村落籍，成为佛冈“冯改郑”姓发源地。二世祖聪千公之子三世祖万一公迁至佛冈县迳头镇石咀头村。清康熙中期，郑氏第九世祖尔俊公从石咀头村迁移至本地。

2015年末，村有户籍人口182人，其中男性93人，女性89人；80岁以上1人，最年长者81岁（男）；生活主要依靠农业收入的有42人；常年在城镇生活和打工的有85人；实际在村有97人，其中留守儿童6人；祖籍该村的香港同胞6人，台湾同胞4人。祖籍该村的海外侨胞约10人，主要分布在马来西亚、新加坡等地。村民皆为汉族，属客家民系，使用客家方言。

村有耕地2.8公顷、山地10公顷。传统经济以农业为主，主要作物有水稻、花生、番薯、芋头、黄豆、木薯等。现多种植水稻、芋头、花生、黄豆、果树等。

◎ 水稻（摄于 2016 年）

村民主要经济收入以农业收入为主，另有务工工资收入，有部分人经商。

传统节日美食有春节的腍肉、酿豆腐、炒米饼、糖环、油角，清明节的艾糍、糯米糍，端午的粽子，中秋节的月饼等。

村有座年代不远的单边回水客家围屋。它规划统一，整齐有序，有南北走向的 2 条街，东西走向

◎ 下新围村传统围屋（摄于 2016 年）

◎ 尔俊公祠（摄于 2016 年）

的 1 条街，共 2 栋房，回水 7 间，单间式住房 14 间。民居用河卵石铺垫街巷，墙体均为三合土到顶，硬山顶，盖青瓦，青砖门框，木门。保存完整，现还有一人居住。20 世纪 80 年代以后，随着社会经济快速发展，村民聚集乡道北面大量兴建混凝土框架楼房。

围屋尽头有一公祠，叫尔俊公祠，始建于清朝末年，于 2011 年重建，占地面积 130 平方米，为砖木结构，三开门，两进两廊一天井的格局。第一进为土黄色琉璃筒瓦面，博古脊。第二进为土黄色琉璃筒瓦面，石块铺地。正门门额上有“尔俊公祠”石额匾，门旁有石雕对联“郑族荣誉扬四海，桥公裔孙志全球”。门前左右各有石檐柱支撑，上为木柱支撑檐口，檐口右边刻有龙雕，左边为凤雕。一进两边的墙上刻有捐款芳名碑，正门到二进有天井相连，二进为祭堂，供奉祖先牌位。祠堂内墙画有山水千鹤图与诗词。祠堂重修后，由大陂郑族俊公理事会于 2011 年 5 月 22 日，在祠堂立有碑刻：重修俊公婆李氏范氏募捐款芳名碑。碑记：饮水思源，纪念祖先是中华民族的传统美德，缅怀祖先恩德是后人应尽的孝道之心，此祖墓年久失修已破烂不堪，众裔孙诚心捐资重修祖墓，以光祖德，以妥先灵，重修后将佑裔孙丁财两旺，人才辈出，事业成功，现将捐资芳名铭刻，流芳百世。

村修有《大陂郑氏族谱》，郑氏族谱中有族训二则。一则为：“中犯女盗，即族中处刑。”二则为：“一

族中大小事口角，劝和解释，不可助当，恃强凌弱，结成大怨，致伤家庭和气。”

村于1968年通电，1985年通电话，2008年全村村道实现水泥硬底化，2013年通自来水，2014年通网络。2015年村实现了“户清洁、村收集、镇清运压缩、县处理”农村生活垃圾收运处理模式，改善了村容村貌。民间传统节日以春节、元宵节、清明节、端阳节、中秋节、冬至等节为主，还有四月八、六月六、七月半、十月朝等节日。正月十四为该村的上灯日。

© 2012年7月，迳头镇团委与暨南大学联合开展便民实践活动

传统婚嫁习俗中，保留中原古制的“六礼”，现已少见，但迎亲嫁娶等礼俗依然存在。开始交往时女方家要到男方家看家景，结婚前要办订婚茶，择日子、送礼金、定嫁妆。行结婚礼时，要摆酒请客，迎亲和送亲。传统的丧葬风俗庄严而繁杂，多沿用古中原的传统，以土葬为主，1990年后逐步实行火葬，其程序有：竖灵、收殓、引灵、接体、奠礼、出殡、火化、安葬等。

2004年，迳头镇政府从迳头圩搬迁至该村的背夫山，建设镇政府新驻地，集工商、财政、司法、食品药品监督管理、计生、劳动保障等行政服务中心于一体，方便村民办事。新迳头圩市初具规模，一批企业驻村发展。

该村的郑国盆，1950年生，曾任广州市芳村区房地产公司总经理。郑奇智，1968年生，副主任医师，任佛冈县人民医院副院长。

（资料填报：郑国怀；撰稿员：郑国怀，周文婧；总纂：李协湖）

井下塘村

◎ 井下塘村村貌（摄于 2016 年）

井下塘村，位于迳头镇南部，距镇政府 1.2 千米。始建于明嘉靖八年（1529 年），由黄秀清从清远县吉河乡（今佛冈县水头镇）莲瑶村分支迁徙到此聚居而成。因村落里有较多的鱼塘和水井而取名井下塘村，曾用名粟坑村。

村坐落于丘陵地带，坐东向西。村东为山下村、大陂中学，南面高山米脂碎（部分），西为国道 106 线，北面新塘坑山、高岭背塘山。村前 300 米处有苏坑河，发源于社背村的大山，自西向东流，汇入迳头河。

该村形成时属英德县大陂都迳头乡，清嘉庆十八年（1813 年）属佛冈厅迳头乡，民国时期属佛冈县陂头乡，中华人民共和国成立后属佛冈县第二区陂头乡，1953 年属佛冈县三区公所大陂乡，1958 年 10 月属从化县跃进（迳头）人民公社大陂大队，1961 年 5 月属佛冈县迳头人民公社大陂大队，1983 年 12 月属迳头区大陂乡，1987 年 1 月属迳头乡大陂行政村，1994 年 2 月属迳头镇大陂管理区，1998 年 11 月属迳头镇大陂行政村至今。

世居村民为黄姓。元朝期间，黄姓始祖从江西南丰县龙井乡双井头迁移至广东梅州，先后迁至潮州、南雄珠玑巷、顺德、新会、鹤山、肇庆。明洪武元年（1368 年），黄胜（字黄君，大号六峰）迁移到水头东坑村，成为佛冈黄姓始祖（佛冈黄姓一世祖），俗称一世祖六峰公。六峰的第六代（七世祖）黄秀清又从水头新村迁至英德大陂粟坑桥围，后因穷在桥围受欺，于明嘉靖八年（1529 年）又迁至大陂井下塘村，从黄秀清至现在（如字辈）已繁衍 19 代。井下塘村黄氏辈序是：“祖德崇宏，亦世其昌，成如永大，万立朝纲。”

2015 年末，村有户籍人口 235 人，其中男性 121 人，女性 114 人；80 岁以上有 5 人，最年长者 89 岁（女）；实际在村 146 人；生活主要依靠农业收入有 85 人；常年在城镇生活和打工有 89 人。祖籍该村的台湾同胞 10 人。村民均为汉族，原居广府民系，迁居井下塘村后融入当地，使用客家方言。

村有耕地 6 公顷、山地 63.33 公顷。传统经济以农业为主，主要作物有水稻、花生、番薯、芋头、黄豆、木薯等。现多种植水稻、芋头、花生、黄豆、果树、经济林木等。村民主要经济收入以农业收入

◎ 黄氏宗祠（摄于 2016 年）

为主，兼有种水果、经济林木收入，有部分务工工资收入，还有部分人经商。

村于 1968 年通电，2000 年通电话，2008 年村道全部实现水泥硬底化，2013 年通自来水，2014 年通网络。该村重视文娱体育设施建设。

传统民居客家围屋有两座，建于明嘉靖八年（1529 年）。围屋坐西向东，整体为回字形布局，前后两排住屋两边回水。屋顶一色硬山顶，盖灰瓦。墙体下部三合土，上部砌泥砖。围屋大门由石门槛、木门框、木门扇组成。进大门为门径，两边各 4 间房子。两边单间回水用做厨房。每一边的 4 间房都做成两房归厅形式，共 8 套住屋。住屋一色石门槛、木门框、木窗户。墙下三合土护墙，外铺石板。从 1980 年起村民大部分开始拆旧建新楼，如今村民全部住进宽敞明亮新楼房。未拆的旧民居已无人居住，现大部分已坍塌。

黄氏宗祠，始建于清中期，坐东北向西南，为砖木结构，两进两廊一天井的格局。第一进为博古脊硬山顶，第二进为龙船脊硬山顶，正门门楣刻有“黄氏宗祠”四字，前檐两根檐柱下一米为石柱基，上面木柱支撑檐口，正门墙门画有双龙戏珠，两侧画有一对小鹿和鸳鸯。正门到二进门有天井相连，二进门额有“崇本堂”牌匾，由四根圆木柱支撑梁架，设有屏门。二进为祭堂，供奉祖先牌位。黄氏宗祠分别于 1989 年和 2004 年重修。现存有 2008 年黄什稳修编的《黄氏族谱》。

村有盘古王庙，坐东向西，占地面积 50 平方米，青砖墙，盖青瓦，硬山顶，龙船脊，屋顶有双龙戏珠，正门上方有“盘古王庙”灰塑文字。该庙于 1996 年重修。在庙正东约 50 米处有沙下公寺坛，由 1 个石

◎ 盘古王庙
（摄于 2016 年）

制神社牌位和两个社组成，其中神社牌位上书“洞主公皇”。每逢清明时节，村民在此烧香燃烛对其进行供奉，祈求风调雨顺、农作物丰收。

民间传统节日以春节、元宵节、清明节、端午节、中秋节、冬至等节日为主，还有二月二、四月八、七月半、九月重阳、十月朝等。传统的丧葬风俗庄严繁杂，多沿用中原的传统，以土葬为主。中华人民共和国成立后，逐步实行火葬，其程序有：竖灵、收殓、引灵、接体、奠礼、出殡、火化、安葬等。村有一个风俗一直流传至今，每当村中老人辞世，招待亲朋好友的菜肴标准有猪肉、青菜、豆腐三种菜式，不许饮酒作乐，以示哀悼。

1963 年发生水灾，村中水位高达 1 米，村内大多房屋被浸泡，农田作物受损，颗粒无收。灾后，全村人互相帮助，使受灾损失家庭尽快恢复生产生活。

该村的黄祥（1920—1971 年），曾参加解放战争中的三大战役，荣获四等功。黄成叠，1921 年生，1949 年去台湾后任“教育部”督导。黄成汝（1927—2011 年），1949 年参军，后参加志愿军赴朝作战，1953 年在东北宽甸城建设部队营房时荣立集体三等功。黄成池，1946 年生，曾任河南省郑州市政法委办公室副主任。黄如党，1956 年生，曾任烟岭镇、迳头镇司法所所长，2003 年荣立三等功。

（资料填报：郑国怀；撰稿员：郑国怀、周文婧；总纂：李协湖）

大陂村

◎ 大陂村村貌（摄于 2016 年）

大陂村，位于迳头镇东部，距镇政府约 1 千米。始建于明成化年间（1465—1487 年），郑姓从潮之程乡迁移至韶之英州（后称英德）迳头乡（今佛冈县迳头镇）山下落籍，再移民聚居该地而形成。因在村北侧 400 米处有一大型拦河陂头，故名大陂村。

大陂村坐落于丘陵田畴之中，坐东向西。东为靠神功山、大陂中学，南临山下村，西靠迳头河，与上新围隔河相望，北为黄泥塘村。县道 373 线从村背后 80 米处通过。

佛冈县大陂—英德太平古道，形成于明永乐年间（1403—1424 年）。古道起点佛冈县迳头镇（原英德县大陂都迳头乡）大陂圩，从大陂圩门楼，沿迳头河东岸向北走，经坐头围、张屋、车角，再沿烟岭河东岸北上，经深坑、禾田凹、太坪、社评、前所、文昌阁进入英德地界，经沈屋、丘屋、车头、苏屋到达太平。全程 20 千米。村旁有粟坑河从西向东流，在右前方 150 米处汇入迳头河。迳头河自南向北流，在英德汇入北江，又叫“倒流水”。

村形成时属英德县大陂都迳头乡，清嘉庆十八年（1813 年）属佛冈厅迳头乡，民国时期属佛冈县陂头乡，中华人民共和国成立后属佛冈县第二区陂头乡，1953 年属佛冈县三区大陂乡，1958 年 10 月属从化县跃进（迳头）人民公社大陂大队，1961 年

大陂——太平古道示意图

5月属佛冈县迳头人民公社大陂大队，1983年12月属迳头区公所大陂乡，1987年1月属迳头乡大陂行政村，1994年2月属迳头镇大陂管理区，1998年11月属迳头镇大陂行政村至今。

世居村民为郑姓。据《大陂郑氏族谱》记载，约元末由福建移民迁居新丰县回龙塘村，再迁徙到潮州之程乡（今广东省梅州市地域内），遵母命把冯姓改为郑姓。于明正统年间（1436—1449年），从潮州之程乡迁韶州府的英州迳头乡山下村落籍，成为佛冈“冯改郑”姓发源地。明成化年间（1465—1487年）迁徙到迳头大陂。

2015年末，村有户籍人口340人，其中男性173人，女性167人；80岁以上老人有5人，最年长者李章（女，93岁）；实际在村人口175人，其中留守儿童28人；生活主要依靠农业收入的人口有111人；常年在城镇生活和打工的人口有165人。祖籍该村的华侨20多人，主要分布在马来西亚、新加坡等地。村民均为汉族，属客家民系，使用客家方言。

◎ 2012年9月20日，市委书记葛长伟调研大陂卫生站建设情况

村有耕地9.53公顷、山地5.33公顷。村自然资源有温泉，位于含水塘，面积约600平方米，呈泥浆状，常年保持50度左右温度，植被无法生长。传统经济以农业为主，兼营经商。主要作物有水稻、花生、番薯、芋头、黄豆、木薯等。现多种植水稻、芋头、花生、黄豆、果树等。青壮年多外出务工，留村农民主要收入来源以农业为主。

传统食品有春节的脸肉、客家酿豆腐、炒米饼、

◎ 大陂中学全景（摄于2016年）

糖环、油角，清明节的艾糍、糯米糍，端午节的粽子，中秋节的月饼等。

村于1968年通电，2000年通电话，2008年村道全部实现水泥硬底化，2011年建有篮球场，2013年通自来水，2014年通网络。民国期间建立觉民学校，1949年觉民学校搬到大陂祠堂，后改名大陂小学。1949年6月，佛冈军事管制委员会在大陂成立，并决定设立大陂中学，校址在该村东面神功山原觉民学校位置，于1949年8月开办。曾更名为佛冈县第二中学，1998年12月晋升为县一级学校，2007年11月被认定为市一级办学水平的学校，2009年通过省级强校的验收，2014年被评为清远市绿色学校。学校占地面积5.76万多平方米，建筑面积达1.4万平方米，绿化面积达3万多平方米，绿化覆盖率达90%。学校现有教职工53人，教学班14个，学生人数664人。

原为圩场，形成于元朝后期郑姓未迁入前，地处于迳头、高岗、烟岭三角地带，有金三角之称，农历逢二、七墟日很多人赶集，故大陂村又叫大陂圩，1958年后，圩市贸易迁至迳头街。传统民居为铺位，现存10间。建筑物多为砖木结构，房屋中竖向承重结构的墙、柱等多采用砖或石块砌筑，楼板、屋架等采用木结构，为平房及低矮楼房，呈块状聚落。一般而言，每所房屋前面的大厅均用作商铺门面，经营各种生意，里面的厅房供店家日常居住。

古居为典型的回字形客家围屋。大陂街围屋前后共有三列住屋，两边为回水。围屋由1个大门出入，

两边有 2 条纵向直街。住房全是单间结构，里面横向排列的 3 列住屋共有 12 间，两边回水房一样用做住屋，每边回水各有六间房，整个围屋共有 24 个单间结构。围屋使用石门槛、木质门，窗户多为石框铁枝结构，墙下三合土护墙，外铺石板，墙基稳固，墙体下方使用三合土，上方用泥砖砌成，屋顶为硬山顶，盖灰瓦，混合土墙体，部分墙体用青砖或泥砖砌成。围中两列住屋间街巷用河石铺设，方便排水。由于本村在抗日时期是游击区，因此墙体还设置有枪炮眼，可以防御外敌。20 世纪 80 年代后，旧居周边建起新楼房。

村内古代建筑还有文昌楼，占地面积 20 平方米，始建于 1868 年，1996 年重修。楼分三层，下层为进入街道的通道，中层为祭祀之地，上层为魁星室，有魁星塑像一尊，是 1994 年重修时雕刻的（原雕像在“文化大革命”期间被毁坏）。文昌楼有东西两门供通行，东门（后门）门楣上有石刻“耆龄瑞里”四字，西门（前门）门楣上有石刻“冠带高风”四字，均为原建造时的遗物。两门额刻字的意思是：郑姓后裔，为官者都应高风亮节，为民者都能长寿安康。重修时，东、西两门都增加了木刻对联，西门对联为十九世孙郑济美撰联，联曰：“文翰永薪传继往开来贤明迭出；昌楼拔地起承前启后功德兼隆”。文昌楼也是大陂村的大门楼。

◎ 文昌楼（摄于 2016 年）

村内正中央建有大陂郑氏宗祠。祠堂建于清同治三年（1864 年），由该族十五世孙郑东展主持兴建。祠堂坐东向西，面阔 11.6 米，进深 40 米，建筑占地面积 464 平方米，硬山顶，博古脊，为三进两天井格局，砖木结构。正门石门眉镌刻有“郑氏宗祠”四个颜体大字，门前有两根花岗岩檐廊柱支撑檐廊，墙壁自下而上用 5 件花岗岩石板镶砌，高约 2 米。大门两旁的门枕石上有直径 70 厘米石鼓一对，檐廊墙眉绘有反映“吉祥”“绵长”的人物画，并配有题诗。首进屋脊有石湾烧制的飞凤一对，用素胎瓦接水，盖筒瓦面，用绿彩釉菊花作瓦当。该祠曾于 1986 年重修，现为郑氏供奉祖先及议事的场所。该祠是一处以广府与客家相结合的建筑，为研究客家融入广府建筑提供有价值的实物资料。每到春分后五日，大陂郑氏族人纷纷从各地前去祠堂商议族事，祭拜祖宗后，再去墓地祭拜祖先。祠堂中厅左边山墙墙壁上，镶有大陂郑氏现代以来历届大学生瓷像，是为“功名碑”，于 2004 年大陂郑族理事会设立，意在积聚大陂郑族人气，弘扬爱国敬业精神，激励后人不忘根本。大陂郑氏祠堂里，有三块碑刻，分别是 1994 年刻的重修文昌楼序言、1997 年刻的重修伯三公墓地序言和 2005 年写的功名碑。

民间传统节日以春节、元宵节、清明节、端午节、中秋节、冬至等节日为主。还有二月二、四月八、七月半、九月重阳、十月朝等节目。

传统婚嫁习俗，有客家人一套约定成俗的礼仪。传统的丧葬以土葬为主。中华人民共和国成立后，逐步实行火葬，其程序有：竖灵、收殓、引灵、接体、奠礼、出殡、火化、安葬等。大陂村的民间活动较多，庄严隆重。大年初二拜祠堂。每七年举行一次

◎ 大陂郑氏宗祠
（摄于2016年）

“做神功”，每十年举行一次“万人缘”活动。“做神功”由大陂郑族主办，主要活动有“等圣公母”，演戏，师爷佬表演上刀山、打火屎炼等。经费由族家负责筹集，神功山木材是主要经济来源。“万人缘”是由大陂郑姓人及附近黄姓人、张姓人共同主办的大型民间娱乐聚会，地点在大陂坝。内容与“做神功”基本相同，在大陂坝搭起大戏台，还搭建有许多商铺、熟食店等。从广州请戏班，大戏一连演出30多天，各生意档口都要交地租，看戏的人也要买票。

1953年发生特大洪灾，整座陂头被大水摧毁。河水浸过村庄1.5米，倒塌房屋10多间，死亡1人。1966年，为防洪，村建起水泥陂，非常坚固。1972年陂头建起大桥（石拱桥），成为一处景观。1974年发生洪灾，水浸该村1米。

该村代表人物有：郑大田，1936年生，曾在北京市保密局工作，20世纪80年代初受中央委派到深圳开拓特区建设；郑国有，1937年生，曾任从化县、南海县委办公室主任；郑中化，1966年出生，曾任佛冈县副县长，现任佛冈县人大常委会副主任。

（资料填报：郑国怀；撰稿员：郑国怀、周文婧；总纂：李协湖）

坳下村

◎ 坳下村村貌（摄于 2016 年）

坳下村，位于迳头镇北部，距镇政府约 2 千米。村始建于明崇祯年间（1628—1644 年），由英德县大陂都迳头乡（今佛冈县迳头镇）大陂郑氏分迁入而形成。因村址选定于山坳下边，故取名为坳下村。

村坐落于山间谷地，东临国道 106 线和迳头河，南接土仓下村，西面是青山，北面是黄社湾村。国道 106 线从村前经过，在北面车角村连接县道 373 线。从迳头、大陂、黄泥塘，经该村穿行至车角等地为古道。迳头河从南往北从村前流过，在北面车角村与三江水汇流成烟岭河。

该村形成时属于英德县大陂都迳头乡，清嘉庆十八年（1813 年）属佛冈厅迳头乡，民国时期属佛冈县陂头乡，1949 年 10 月中华人民共和国成立后属佛冈县第二区陂头乡，1953 年属佛冈县三区公所大陂乡，1958 年 10 月属从化县跃进（迳头）人民公社陂下大队，1961 年 5 月属佛冈县迳头人民公社陂下大队，1983 年 12 月属迳头区公所陂下乡，1987 年 1 月属迳头乡陂下行政村，1994 年 2 月属迳头镇陂下管理区，1998 年 11 月属迳头镇陂下行政村，2005 年 5 月属迳头镇大陂行政村至今。

世居村民为郑、李姓。据《大陂郑氏族谱》记载，郑姓族人由福建移民迁居新丰县回龙塘村，再迁徙到潮州之程乡（今广东省梅州市地域内），遵母命把冯姓改为郑姓。于明正统年间(1436—1448 年)，从潮州之程乡迁至韶州府的英州迳头乡山下村落籍，成为佛冈“冯改郑”姓发源地。后迁至迳头石咀头铁芦冲、迳头村九龙围，明崇祯年间（1628—1644 年）分支迁入该地。李姓，据《前所奇纮公族谱》记载，明后期，由闽省迁至韶州府英德东乡帽岭村居住。又迁至白石乡（今烟岭）课田村居住。后迁居佛冈县迳头镇柯木岗村。清乾隆时期（1736—1795 年）迁至现坳下村，李氏多居住在坳下村的竹社下和茶坪民居点。

2015 年末，村有户籍人口 330 人，其中男性 168 人，女性 162 人；生活主要依靠农业收入的人口有 209 人；常年在城镇生活和打工的人口有 121 人；80 岁以上老人有 3 人，最年长者 100 岁（女）。祖籍该村的香港同胞 1 人。祖籍该村的新加坡华侨 10 多人。该村村民皆为汉族，属客家民系，使用客家方言。

村有耕地 10.13 公顷、山地 18 公顷。传统经济

◎ 坳下村围屋一角
（摄于 2016 年）

◎ 坳下村文化室（摄于 2016 年）

以农业收入为主。20 世纪 70 年代以前，主要作物有水稻、番薯、木薯、花生、大豆等，现多种植粮食作物、果树、经济林木。特色农产品有百香果。现村民主要经济收入来源为农业收入和务工收入。

该村传统节庆食品有：客家酿豆腐、糖环、油角、炒蛋子、炒米饼、汤圆、糯米艾糍、粽子、月饼等。妇女坐月子时，喝糯米甜酒、猪脚甜醋等。

村于 1979 年通电，1998 年通电话，2006 年村内实现道路硬底化，2010 年通自来水，2011 年通光纤网络。该村重视文娱体育设施建设，2007 年兴建坳下文化室和篮球场，为村民娱乐和健身带来方便。

传统民居由开村始祖柏如公建造，为柏如公九个儿子的居屋，分别为外背围（老屋）、石门楼、新门楼、上围和黄社湾。兄弟各自一家，故围屋不大，属于“单家围屋”，五座围屋结构大体一致。以外背围为例，围屋整体为口字形布局，前后住屋两边回水。屋顶一色硬山顶，盖灰瓦。墙体下部为三合土，上部砌泥砖。围屋大门由石门槛、木门框、木门扇组成。进大门为门径，两边各 4 间房。正对大门的房屋用做厅下，两边同样各 4 间房。两边单间回水用做厨房。每一边的 4 间房都做成两房归厅形式，共八套住屋。住屋一色石门槛、木门框、木窗户。墙下为三合土护墙，外铺石板。两列住屋间嵌石为街道，称作石街。现已基本坍塌，无人居住。20 世纪 80 年代以后，随着社会经济快速发展，村民聚集乡道北面大量兴建高档次楼房，风格各异。

在坳下村村口往西北约 500 米处有一石制神社牌位，上书“飞鹅岭尊神位”，每逢清明时节，村民在此烧香燃烛对其进行供奉，祈求风调雨顺、农作物丰收。

◎ 坳下村社坛（摄于2016年）

◎ 2016年4月，迳头镇历史人文普查人员在坳下村走访村民

该村编修有《大陂郑氏族谱》，2010年由大陂郑氏族谱编纂委员会编纂。内容包括郑氏源流、渊源世系、郑氏辈序、郑氏族规与文献、祖墓碑志、郑氏历代知名人物、民间传说故事等，多方面记载郑氏的繁衍变迁。

民间习俗，多为客家人习俗的延续。民间节日以春节、元宵节、清明节、端阳节、中秋节、冬至等节为主，还有四月八、七月半、十月朝等节日。农历正月十四为该村的上灯日。

传统婚嫁习俗中，保留中原古制的“六礼”，现已少见，但迎亲嫁娶等礼俗依然存在。男女开始交往时女方家要到男方家看家景，结婚前要办订婚茶，择日子、送礼金、定嫁妆。行结婚礼时，要摆酒请客，迎亲和送亲。传统的丧葬风俗庄严而繁杂，多沿用古中原的传统，以土葬为主，20世纪80年代后逐步实行火葬，其程序有：竖灵、收殓、引灵、接体、奠礼、出殡、火化、安葬等。传统丧葬风俗庄严繁杂，多沿用古中原的传统，以土葬为主。中华人民共和国成立后逐步实行火葬，其程序包括竖灵、收殓、引灵、接体、奠礼、出殡、火化、安葬等。

1921年，高岗的土匪去韶关新丰，经坳下村时趁机劫坳下李氏钱财，村中郑氏族人多，势众，帮助李氏把土匪赶走，土匪从此再也不敢到该村。1953年发生水灾，洪水浸没竹下社，房屋倒塌。2015年村实现了“户清洁、村收集、镇清运压缩、县处理”农村生活垃圾收运处理模式，改善村容村貌。

村主要代表人物有：郑文星，清后期秀才，曾在土仓下村私塾教书。郑嗣云，清后期的秀才。郑大权，1936年生，1961年毕业于中南大学，高级工程师，先后在广东冶金设计院、广州天河区环保局工作。郑剑辉，1939年生，曾任广州天天化工集团教育处处长，教授。郑耀华，1971年生，广州市华劲机械制造有限公司总经理，创业成功后热衷于本村的公益事业。郑志坚，1989年生，广州市花都汽车运输公司总经理，创业成功后热衷于本村的公益事业。郑建文，1994年10月生，参加2009—2010年全国初中数学竞赛，获市一等奖。

（资料填报：郑小裕；撰稿员：朱南岳，周文婧；总纂：李协湖）

下埕村

◎ 下埕村村貌（摄于 2016 年）

下埕村，位于迳头镇东北部，距镇政府约 2 千米。始建于明崇祯十三年（1640 年），从英德县大陂都迳头乡井下围分支迁入而形成。因原有一块耕地叫下埕塅，故而得名下埕村。

村坐落于山间谷地，坐南向北，南临张屋村，西面迳头河，与黄泥塘村隔河相望，北邻官屋村。村东不足百米便是县道 373 线，南通迳头各村、水头镇，北连国道 106 线。迳头河从南向北，在英德汇入北江。

该村形成时属英德县大陂都迳头乡，清嘉庆十八年（1813 年）属佛冈厅迳头乡，民国时期属佛冈县陂头乡，中华人民共和国成立后属佛冈县第二区陂头乡，1958 年属从化县跃进（迳头）人民公社陂下队，1961 年属佛冈县迳头人民公社陂下大队，1983 年属迳头区公所陂下乡，1987 年属迳头乡陂下行政村，1994 年属迳头镇陂下管理区，1998 年属迳头镇陂下行政村，2005 年属迳头镇大陂行政村至今。

世居村民为张姓。据《张氏族谱》记载，元至正元年（1341 年）由闽入粤。张公先移居广东程乡县（今为梅县）太平堡圳下，后又先后徙至博罗县城住 5 年、归善（今惠阳县）东门住 3 年、河源园坑住 13 年，最后到粤北英德县东乡鱼仔湾象冈驻足开基（当时未设长宁县）。后第 149 世祖张念三徙居大陂。明崇祯十三年（1640 年）第 157 世张伯宏迁居大陂井下围。1954 年因洪水浸泡了整个井下围，第 164 世张邦桥带领村民集体迁移到下埕村居住，成为下埕村的开村始祖。

◎《张氏族谱》（摄于 2016 年）

2015 年末，村有户籍人口 480 人，其中男性 253 人，女性 227 人；80 岁以上老人有 9 人，最年长者 91 岁（女）；实际在村有 253 人，其中留守儿童 26 人；生活主要依靠农业收入的人口有 92 人；常年在城镇生活和打工的人口有 227 人。村民皆为汉族，属客家民系，使用客家方言。

村有耕地 10.87 公顷、山地 63.33 公顷。传统

◎ 屋内蘑菇（摄于 2016 年）

经济以农业为主。主要作物有水稻、花生、番薯、芋头、黄豆、木薯等。现多种植水稻、芋头、花生、黄豆、蘑菇、果树等。村民主要收入来源为农业生产收入、外出务工性工资、商业经营收入。

传统节日食品有客家脍肉、酿豆腐、炒米饼、糖环、油角，清明节的艾糍、糯米糍，端午节的粽子，中秋节的月饼等。

村于 1974 年通电，1990 年通电话，2008 年村道全部实现水泥硬底化。2010 年建有文化室，文化室有乒乓球台和篮球场。2011 年通自来水，2012 年通网络。

◎ 围屋门楼（摄于 2016 年）

村有座年代不远的单边回水客家围屋，统一规划，整齐有序，南北走向 3 条街，东西走向 4 条街，共 5 栋房，回水 21 间，单间式住房 63 间。旧居用河铺垫街巷，墙体均为三合土到顶，硬山顶，盖青瓦，青砖门框，八字开木门。围屋保存完整，现无人居住。20 世纪 80 年代以来，随着社会经济快速发展，村民聚集乡道北面大量兴建混凝土楼房。

埕二文化室有村民张步才撰文的碑刻，内容为："谦谦励志承先圣，循循善诱启俊贤。阳光普照，碧水长流，我族自始祖公迁入本洞以来，传至良字辈，已是二十代矣，在此生息繁衍，日出而作，日落而息，......"文化室自 2009 年 5 月破土动工，至次年 10 月，历时 1 年零 5 个月竣工。该村修有《张氏族谱》，2009 年由广东新丰万一族谱编委编印。

围屋尽头有一厅下，叫观音厅，供村民祭拜，每年正月十五上灯及节日活动使用。村口沿村道 500 米处有一棵 300 多年的榕树，榕树下有个大围社。村民过年过节或者初一、十五到此祈福、保平安。

传统节日以春节、元宵节、清明节、端午节、中秋节、冬至等节日为主。还有二月二、四月八、六月六、七月半、九月重阳、十月朝等节日。民间习俗有做生日、"满月"、"进伙"等。婴儿出生的第三天叫"三朝"，请亲友饮甜酒、吃甜醋。出生 20 多天摆酒叫满月，亦称弥月，很多人家在家中或酒店摆满月酒，设宴款待前去庆贺的亲友。迁入新屋叫"进伙"，不论贫富人家，"进伙"时都有请客庆贺的习俗，现在入住新购（建）的房屋也沿用此例。

1953 年发生大洪水，村民张邦桥带领村民迁移到下埕村。

该村的张芳根（1947—1970 年），在解放军某部服兵役，因公殉职。张明鉴，1947 年生，百货店创业能手，致富后对村集体事业作出贡献。张军能，1978 年生，创业能手，从事个体经商，致富后对村建设作出贡献。

（资料填报：张浩池；撰稿员：朱南岳、周文婧；总纂：李协湖）

○大村行政村

车角村

◎ 车角村村貌（摄于 2016 年）

车角村，位于迳头镇北部，距镇政府约 3 千米，村始建于明嘉靖三十二年（1553 年），从英德县大陂都白石乡（今佛冈县迳头镇）禾田村分支迁入而形成。南面有一条自南向北流的迳头河，西面有一条自西向东流的高岗河，两条河汇集成烟岭河。因村庄坐落于烟岭河东面的一个叉角处，故取名叉角村，又因“叉”与“车”在本地方言中同音，后人又把“叉”写成“车”，故称车角村。

村坐落于山间谷地，三面环水，一面靠山，南与坳下村、西与龙塘村、东北与深坑村毗邻，北与高坝村隔河相望。

该村形成时属英德县大陂都白石乡，清嘉庆十八年（1813 年）属佛冈厅白石乡，民国时期属佛冈县白石乡，中华人民共和国立后属佛冈县第二区白石乡，1958 年 10 月属从化县跃进（迳头）人民公社车角大队，1961 年 5 月属佛冈县烟岭人民公社车角大队，1983 年 12 月属烟岭区车角乡。1987 年 1 月属烟岭乡车角行政村，1994 年 2 月属烟岭镇车角管理区。1998 年 11 月属烟岭镇车角行政村，2004 年 5 月属迳头镇车角行政村，2005 年 5 月属迳头镇大村行政村至今。

世居村民为范、谢、郑姓。范姓在明永乐年间（1403—1424 年），十三世祖范佛胜从广东河源县贵东屯塘田村迁移到韶关府英德县高基排谋生，又迁到英德横石塘村。十五世迁移邻村石灰铺村，又移居英德大镇甘塘咀村居住，后转迁白石乡楼下村安居。清雍正六年（1728 年）第十四世祖邦翊公从楼下村搬迁到此定居。谢姓，元朝后期从福建迁移至广东连平，在明嘉靖三十二年（1553 年），从禾田村迁移至该地。郑姓八十四世祖郑榕庵，由福建永定先移居至广东增城，后迁往博罗，其子郑国美于明隆庆五年（1571 年）从博罗移居英德县大陂都白石乡龙塘村永兴围，1953 年迁移至该村。

2015 年末，村有户籍人口 679 人，其中男性 346 人，女性 333 人；80 岁以上有 12 人，最年长者 100 岁（女）；村实有居住 525 人，其中留守儿童 23

◎ 村民种植的莲藕（摄于2016年）

◎ 外头围旧居（摄于2016年）

人；生活主要依靠农业收入生活468人；常年在城镇生活和打工有154人。祖籍该村的香港同胞8人，台湾同胞6人。村民均为汉族，客家民系，使用客家方言。

村有水田20.53公顷、山地7.33公顷。土地肥沃，水量充沛，适宜耕种。传统经济以农业为主，主要作物有水稻、花生、木薯、番薯、黄豆等。现主要种植蔬菜、莲藕、水果、经济林木。2003年引进金岭工业园，位于大村和大陂村106国道旁，南起迳头集镇，北至大坪圩，全长约7.5千米，宽约2千米，规划面积15平方千米，首期开发166.67公顷。金岭工业园内有南玻、华劲、桂鑫金属、华亚纺织、壹朗印刷、翔鸿塑胶等大批企业，2015年工业总产值同比增加21.7%，固定投资同比增加76.3%，两项指标居全县第一。

现村主要收入来源为农业收入和外出务工收入，也有少量村民经商。民间节日以春节、元宵节、清明节、端阳节、中秋节、冬至等节为主，还有四月八、六月六、七月半、十月朝等节日。村传统节日食品有客家脍肉、糯米糍、艾糍、糖环、油角、炒米饼、酿豆腐等。

国道106线从村前经过，县道373线以村侧为起点，通往水头镇等地。佛冈县迳头镇大陂至英德市太平镇古道路线为：车角—深坑—塘背—大村路。

村于1977年通电，1994年通电话，2010年村道实现水泥硬底化，2011年通自来水，2013年通网络。建有车角村文化室。

传统民居是客家围屋，该村由外头、上围、下石、上石、下角、岭梗6个居民点组成。以外头围为例，门楼坐东南向西北，民居共3栋，均同一大门进入，呈回字形，由河石铺成街道，三合土从墙脚到墙顶。屋顶瓦很密，且瓦檐为圆形向下，外风不能吹进屋内。有回水各5间，分别由单间和两房一厅结构组成，门为木门框，石门槛，外墙四周设有枪炮眼。护水由一个过道直入，共7个单间。

该村没有祠堂，但有一处天龙社，村民到此参

◎ 金岭工业园（摄于2016年）

◎ 天龙社（摄于 2016 年）

◎ 放养红萍（绿肥）（摄于 1974 年）

拜土地伯公，保佑风调雨顺、人畜兴旺。天龙社香火兴旺，村民上灯活动在社坛旁边的大树下举行。还有另一个庙叫咀头伯公，重修于 2003 年，供奉观音，村民到此祈求多子多福、国泰民安。

传统婚嫁习俗中保留中原古制从议婚至完婚过程中的六种礼节，即纳彩、问名、纳吉、纳征、请期、亲迎。随着社会的进步，这六礼已被新式婚俗所取代，其中部分程序一直沿用至今，迎亲嫁娶等礼俗依然存在。传统的丧葬风俗庄重而繁杂，多沿用中原的古传统，以土葬为主。1990 年后逐步实行火葬。但葬礼的基本形式不变，包括择时辰、建灵牌、收敛、引灵、接体、奠礼、出殡、火化、安葬等。还有一个风俗一直流传至今，每当村中老人辞世，招待亲朋好友的菜肴标准有猪肉、青菜、豆腐三种菜，不许饮酒作乐，以示哀悼。

该村传统民俗是七月半，亦称盂兰节或鬼节。相传在元朝以前每年的农历七月十五日，民间都举行祭祀祖宗活动，故称七月半。后为避元兵入侵，民间提前一天祭祀祖宗，从此每年农历七月十四日过七月半，此习俗沿袭至今。

1953 年，村发生特大水灾，河堤被冲垮，6.67 公顷农作物失收。1964 年，发生特大旱灾，村民把河水拦截起来抗旱。1975 年，发生特大水灾，淹没房屋高达 1 米。水灾后，全村人互相帮助，使受灾家庭很快恢复生产生活。

该村的范启初（1715—1776），清代秀才。范秀天（1936—2014），高级教师，从 1964 年起在烟岭坐头铺小学（现楼下小学）执教，后调到大村小学任校长。

（资料填报：范桂德；撰稿员：陈喆、黄慧娟；总纂：李协湖）

大 村

◎ 大村村貌（摄于 2016 年）

大村，位于迳头镇北部，距镇政府约 3 千米。村始建于明宣德元年（1426 年），二世祖谢福缘从英德县迁移到该地建村。因当时村内有一棵大樟树，而且与附近村子相比该村人口最多、村子规模最大而取名大村。

村坐落于山间谷地，坐东向西，地势平坦偏低。东是高企埂山，南是 106 国道，西是从西流向北的烟岭河，北是楼下村。大陂至太平古道：车角—深坑—塘背经过该村，通往禾田坳、社坪等地。

该村形成时属英德县大陂都白石乡，清嘉庆十八年（1813 年）属佛冈厅白石乡，民国时期属佛冈县白石乡，中华人民共和国立后属佛冈县第二区白石乡，1958 年 10 月属从化县跃进（迳头）人民公社大村大队，1961 年 5 月属佛冈县烟岭人民公社大村大队，1983 年属烟岭区大村乡，1987 年 1 月属烟岭乡大村行政村，1994 年 2 月属烟岭镇大村管理区，1998 年 11 月属烟岭镇大村行政村，2004 年 5 月属迳头镇大村行政村至今。

世居村民有谢、范两姓。据谢氏族谱记载，明洪武十二年（1379 年）从福建迁移到广东英德，该村谢氏最早迁入是谢福缘，生有六子（宗成、宗文、宗能、宗明、宗胜、宗政），大子宗成和二子宗文居住大村，其余均迁往深坑村、禾田村、塘背村等地。范氏，于明建文二年（1400 年）从福建迁移到广东，大约清顺治四年（1647 年）从楼下新围村迁移到该地。

2015 年末，村有户籍人口 253 人，其中男性 129 人，女性 124 人；80 岁以上 8 人，最年长者 97 岁（女）；实际在村人口 124 人，其中留守儿童 2 人；生活主要依靠农业收入的人口有 106 人；常年在城镇生活和打工的人口有 129 人。祖籍该村的香港同胞 3 人，台湾同胞 5 人。村民均为汉族，客家民系，使用客家方言。范、谢两个姓氏自入村居住以来，红白两事都是共同参与的，关系亲如兄弟，从来没发生过争吵，保持着团结友爱的村风。

村有耕地 22.4 公顷、山地 14.2 公顷。传统经济以农业为主，主要作物有水稻、花生、木薯、番薯、黄豆等。现多种植粮食作物、果树、经济林木，发展莲藕和蔬菜等品种。主要收入来源为农业收入和外出务工收入，也有少量村民经商。

该村传统节庆食品有：客家脍肉、酿豆腐、糖环、

◎ 稻谷抢收忙（摄于 2016 年）

◎ 谢氏祠堂（摄于 2016 年）

油角、炒弹籽、汤圆、发糍、艾糍、粽子、月饼及各种米饼。妇女生小孩，喝糯米甜酒、猪脚煲甜醋。

村于 1977 年通电，1994 年通电话，2003 年全村村道实现水泥硬底化，2013 年通网络。

村由下围、上围、新屋三个小村落组成。以下围为例，门楼坐东南向西北，属于半包围结构，中栋为祠堂，平时村民的主要出入口都在祠堂门口，前面为围墙，后栋 7 间，回水各 7 间，均为单间结构，墙体下层为三合土，上层为泥砖结构。门为木质框、石门槛结构。20 世纪 80 年代开始，随着村民生活水平不断提高，兴建楼房越来越多，钢筋水泥结构的楼房逐渐代替旧民居。

村有三个祠堂。下围谢氏宗祠为福缘公宗祠，始建于明崇祯九年（1636 年），坐东北向西南，于 2015 年重修，至今未完工。重修后祠堂约 500 平方米，为三进式，整体结构为三合土墙体。一进、二进之间有天井，两边各有房间，二进为议事厅，供村民讨议村中大事所用；二进、三进之间有天井，两边也有房间，三进为香火堂和供奉台，供奉谢氏福缘公及其后代先辈神牌，神牌背后留有暗间，用于储

◎ 下围门楼
（摄于 2016 年）

◎ 范氏祠堂（摄于 2016 年）

放供奉物品。上围范氏宗祠为悦公祠，约 70 平方米，为两进式祠堂。一进为过道，一进于二进之间有天井，二进为香火堂，供奉范氏祖先，两侧有廊门，廊门通向祖围屋，共 6 排，2003 年重修。村中的陈氏祠堂是为纪念恩人陈竹发而兴建的。相传应灌公早逝后其妻谢氏改嫁荆竹园陈竹发，后来得知谢氏儿子生活凄惨，陈竹发与谢氏连夜回到大村，慷慨解囊照顾谢氏一家，从此后人为纪念陈竹发，在里巷兴建陈氏祠堂以作供奉。该村村民的宗族活动是正月十五（元宵节），在指定地点进行，这天户主抱去当年出生的男丁参拜祖先并举行吊灯仪式；每年春分时节、清明时节，在外谋生的村里人返乡祭拜祖先。

民间习俗，多为客家人习俗的延续。民间节日以春节、元宵节、清明节、端午节、中秋节、冬至等节日为主，还有四月八、七月半等是传统客家节日。传统嫁娶过程还保留中原古制的“六礼”，现已少见，只保留到说媒、算八字、定日子、送聘金、接亲等。丧葬风俗，多沿用中原的古传统，以土葬为主，1990 年后逐步实行火葬，但葬礼的基本形式不变，包括：择时辰、建灵牌、收殓、引灵、接体、奠礼、出殡、火化、安葬等。

1953 年，村发生特大水灾，河堤被冲垮，农田 6.67 公顷失收；1964 年，发生特大旱灾，无法播谷种，全部农田改种番薯。1968 年更改河道，扩大水田面积 0.67 公顷，增加年产粮食约 3000 千克，从而改善民众吃饭问题。1975 年，发生特大水灾，农田 6.67 公顷失收，多处旧房倒塌。灾后，全村人互相帮助，使受灾家庭很快恢复生产生活。

村传承耕读文化传统习俗，许多村民走上革命道路，为中国人民解放事业作出贡献。谢德华（谢太安）（1930—1949 年），革命烈士，1949 年参加北江支队独一大队，在解放佛冈战斗中牺牲。周玉兰，1963 年 11 月生，佛冈县政协副主席。范红海，1973 年 2 月生，热心为家乡乡村道路建设与文化建设，捐款 80 万元。

（资料填报：范桂清；撰稿员：范桂清、陈喆、黄慧娟；总纂：李协湖）

高山村

◎ 高山村村貌（摄于 2016 年）

高山村，位于迳头镇北部，距镇政府约 5 千米，始建于明崇祯七年（1634 年），村民从英德县大陂都白石乡（今佛冈县迳头镇）大村分支迁入该地而形成。因村建在山冈上，故取名高山村。

该村坐落于山间谷地，东临山，南与大村相连，西是禾田村，北为楼下村，东北是 106 国道。

该村形成时属英德县大陂都白石乡，清嘉庆十八年（1813 年）属佛冈厅白石乡，民国时期属佛冈县白石乡，中华人民共和国立后属佛冈县第三区白石乡，1958 年 10 月属从化县跃进（迳头）人民公社大村大队，1961 年 5 月属佛冈县烟岭人民公社大村大队，1983 年 12 月属烟岭区大村乡，1987 年 1 月属烟岭乡大村行政村，1994 年 2 月属烟岭镇大村管理区，1998 年 11 月属烟岭镇大村行政村，2004 年 5 月属迳头镇大村行政村至今。

世居村民为范、温两姓。范姓祖先在明永乐年间（1403—1424 年）迁至英德高基排，辗转多地，于明正统十二年（1447 年）由范千三之妻蓝氏携两儿迁到英德县大陂都白石乡楼下村，明崇祯七年（1634 年）范炳从大村搬迁到此。温姓是以招女婿的形式被招到高山村居住的姓氏。

2015 年末，村有户籍人口 95 人，其中男性 49 人，女性 46 人；80 岁以上 1 人，最年长者 95 岁（女）；实际居住人口 50 人，其中留守儿童 1 人；生活主要依靠农业收入的人口有 31 人；常年在城镇生活和打工的人口有 45 人。村民均为汉族，客家民系，使用客家方言。

村有耕地 3 公顷、山地 23.33 公顷。传统经济以农业收入为主，主要作物有水稻、番薯、花生、大豆等，现在多种植果树、经济林木等，主要收入来源为农业收入、外出务工收入，也有少量村民经商。

该村传统节庆食品有：春节的客家腍肉、酿豆腐、糖环、油角、炒蛋子、炒米饼，元宵节的汤圆，清明节的糯米艾糍，端午节的粽子，中秋节的月饼等。妇女坐月子时，有喝糯米甜酒、猪脚甜醋的习俗。

村于 1977 年通电，1994 年通电话，2012 年通自来水，2013 年通网络，2015 年全村村道实现水泥硬底化。

传统民居为回字形客家围屋。旧围走向为南北、西北各两条，由 1 个大门进出，两个廊门左右对称，

◎ 高山村传统民居一角
（摄于 2016 年）

◎ 范氏宗祠（摄于 2016 年）

回水一边 7 间，中栋为祠堂，旁边各 2 间，前栋各 3 间，后栋 7 间。由于年久失修，民居接近坍塌。20 世纪 80 年代后，随着生活水平的提高，村民先后在旧围的西南方向建起钢筋混凝土楼房。

村有范氏宗祠，约建于清康熙三十一年（1692 年），重修于 2004 年 9 月，占地面积 83 平方米。宗祠坐东南向西北，为二进式结构，中间有天井，两侧有廊门，后堂有一个供品台和香火台，右侧有一个暗间，用于存放祭品。屋檐以离子瓦为檐边，白墙为灰瓦，正厅前有范丙公牌位，牌位两边雕刻着各祖先名字。

民间习俗，多为客家人习俗的延续。民间节日以春节、元宵节、清明节、端阳节、中秋节、冬至等节为主，还有四月八、七月半、十月朝等节日。主要特色民俗为农历正月十五上灯活动。

农历十月初一叫“十月朝”或“牛生日”。在农业机械化之前，牛是农村耕作的畜力，该村有做“牛生日”的习俗。由农家做糯米糍粑贴在牛角、牛额、牛背脊、牛腰、牛尾部位，三四天后，牧童从牛身上将糯米糍粑剥下用火烤熟来吃。传说吃了“牛生日”

贴在牛身上的糍粑，能像牛一样力气大。中华人民共和国成立后，吃糍粑的习俗已取消，十月朝做糯米糍的习俗在该村仍存在。

传统婚嫁习俗中，保留中原古制从议婚至完婚过程中的六种礼节，即：纳彩、问名、纳吉、纳征、请期、亲迎。随着社会的进步，这六种礼节已被新式婚俗所取代，其中部分程序一直沿用至今，送小担、踏家门、迎亲等嫁娶礼俗依然存在。传统的丧葬风俗以土葬为主，1990 年逐步实行火葬，其程序有：竖灵、收敛、引灵、接体、奠礼、出殡、火化、安葬等。主要宗族活动有清明祭祖。

村有范少威出国打擂台的故事。范少威，是闻名大小北江的武术师，民国初年出生在佛冈烟岭的一个贫苦家庭。20 世纪 20 年代初，泰国某华侨写来一封信，大意是说，那里有位英国拳师名叫皇里依马，人称“皇老虎”，在华侨区设下擂台，曾有多个华人武师上台打擂，但都不幸死伤于他的拳脚之下。范少威看信后气愤难平，表示愿赴泰国打擂台。不久，泰国华人商会和广东会馆联合正式发出邀请，范少威排除万难，应邀前往。擂台摆在广场上，轮到范少威上台，经过大约 20 分钟的激战，交战了几十个回合后，范少威一个箭步上前，二指直插对方的喉咙。这一插，入肉三寸，范少威乘势一拧，拧断了“皇老虎”的咽喉。“皇老虎”软绵绵地倒在擂台上，激动的人们一拥而上，把范少威高高抬起来，一边高呼着“中华骄傲，中华威风”的口号，一边簇拥着范少威返回广东会馆。

◎ 村民饲养的生猪（摄于 2016 年）

1964 年秋发生特大旱灾，全村水田被迫改种番薯，造成 1965 年上半年村民依靠国家救济粮度饥荒。

该村的张媚（1883-1982），当地赤脚医生，主医疑难杂症、无名肿毒。范育华，1958 年 11 月生，2015 年任深圳市公安局盐田公安分局消防监督管理大队二级警长。

（资料填报：谢小华；撰稿员：谢小华、陈喆；总纂：李协湖）

禾田村

◎ 禾田村村貌（摄于 2016 年）

禾田村，位于迳头镇北部，距镇政府约 5 千米，始建于明嘉靖三十年（1551 年），七世祖谢祖金从英德县大陂都白石乡（今佛冈县迳头镇）大村分支迁入该地而形成。因建村于山坳边和稻田上而取名为禾田坳，后改名为禾田村。

村坐落于山间谷地，东与新风村相连，南与高山村相连，西紧靠 106 国道及烟岭河，北临近社坪村。

该村形成时属英德县大陂都白石乡，清嘉庆十八年（1813 年）属佛冈厅白石乡，民国时候属佛冈县白石乡，中华人民共和国成立后属佛冈县第三区烟岭乡，1958 年 10 月属从化县迳头人民公社大村大队，1961 年属佛冈县烟岭公社大村大队，1983 年月烟岭区大村乡，1987 年 1 月属烟岭乡大村行政村，1989 年 6 月属烟岭乡大村管理区，1994 年 2 月属烟岭镇大村行政村，1998 年 11 月属烟岭镇大村行政村，2004 年 5 月属迳头镇大村行政村至今。

世居村民为谢、李、范姓。据《谢氏一脉族谱》记载，谢姓起源，出自姜姓。元末至明初由福建上杭县南迁至广东英德。明永乐年间(1403—1424 年)，迁徙到英德县大陂都白石乡大村定居。明嘉靖三十年（1551 年），七世祖谢祖金再搬迁到禾田村定居。该村范氏，是 1953 年土改时期，从附近龙塘村搬迁到禾田村居住。李姓，民国时期从南海市九江镇到英德县大陂都白石乡禾田村。范氏，1953 年从佛冈县第三区烟岭乡龙塘村到禾田村。

2015 年末，该村有户籍人口 435 人，其中男性 226 人，女性 209 人；80 岁以上 10 人，最年长者 92 岁（女）；实有居住人口 320 人，其中留守儿童 31 人；生活主要依靠农业收入的人口有 286 人；常年在城镇生活和打工的人口有 115 人。村民均为汉族，客家民系，使用客家方言。

村有耕地 22.4 公顷、山地 14.6 公顷。土地肥沃，水量充沛，适宜耕种。传统经济以农业为主，主要作物有水稻、花生、木薯、番薯、黄豆等。现多种植粮食作物、果树、经济林木。主要收入来源为农业收入、外出务工收入，少部分村民经商。

村传统节日美食有：客家脍肉、糯米糍、艾糍、糖环、油角、打米饼、碱水粽、酿豆腐等。春节传统小吃为打米饼。做法是：将糯米用开水浸泡片刻，捞起滤干后炒熟，磨成粉，碾碎花生米、芝麻，连同

◎ 文化室（摄于 2016 年）

米粉加黄糖或白糖水搓匀，再将加工好的米粉用饼模印成一个个的米饼，这种米饼久放不坏，既可自吃，也可送礼。端午节传统食品为碱水粽。用料为糯米、碱水、生油。先将糯米淘洗干净，沥去水，倒上碱水拌匀，待碱水被米粒吸收后，再倒入生油拌匀。长芒粽叶洗净焯过浸泡在清水里。先取长芒粽叶两三张，折拢成筒形，放置一头齐一头尖的竹筒，放入糯米，轻轻抽出竹筒，折好粽叶，包裹成圆柱形粽子，用细小的竹篾或线绳扎牢。然后将米粽放入锅内加入井水旺火煮 1 小时，再改用文火焖煮 2 个多小时即可。吃时剥去粽叶，撒上白糖，或蘸些红糖水均可。

村于 1977 年通电，1994 年通电话，2003 年全村村道实现水泥硬底化，2013 年通网络。没通自来水。村中建有文化室一个。

村由上角、下角、凹坪、河唇围四个村民小组组成，有两座围屋。主要围屋属于客家围屋。其一围屋特点是以宗祠为中心，周围住户。七级阶梯上到围屋大门径，门框用石板材凿成，围屋墙下部用三合土筑成，上部用泥砖砌成。第一条横街进到三进结构谢祖金公祠。各进两边跟大门两边都是三户住屋，每户均为两房一厅结构。两边护水连接宗祠后面一排住屋和大门两边一排住屋，构成典型的客家围屋。围屋原有住户 31 户，占地面积约 2200 平方米。另一座是特别简单的口字形围屋。前面为大门和一户住屋，后面三户排列。一户四门归厅结构，三户两房一厅，占地面积约 300 平方米。两条直街，以祠堂为中心，一共 6 排房屋，左右两边各四间房，最后一排为储物间。因祖围屋已无人居住，年久失修，现已弃置。

村中有谢氏宗祠，建在村内中心，始建于明万历三十一年（1603 年）左右。重建于 1993 年，占

◎ 禾田村旧民居一角（摄于 2016 年）

◎ 谢氏宗祠（摄于 2016 年）

地面积 72 平方米。祠堂坐东南向西北，整体结构为三合土墙体，典型的三进祠堂。香火堂供奉思明公七世祖谢祖金及其后代先辈神牌，神牌背后留有暗间，用于储放供奉物品。祠堂中有楹联："修祠助款千金来；后裔芳名万世荣"。

民间传统节日以春节、元宵节、清明节、端阳节、中秋节、冬至等节为主，还有四月八、七月半、十月朝等节日。

传统婚嫁习俗中，保留中原古制从议婚至完婚过程中的六种礼节，即：纳彩、问名、纳吉、纳征、请期、亲迎。随着社会的进步，这六种礼节已被新式婚俗所取代，其中部分程序一直沿用至今。迎亲嫁娶等礼俗依然存在。传统的丧葬风俗庄重而繁杂，多沿用中原的古传统，以土葬为主。1990 年后逐步实行火葬，葬礼的基本形式不变，包括择时辰、建灵牌、收敛、引灵、接体、奠礼、出殡、火化、安葬等。村中还有一条不成文族规：村后的背夫岭山乃是全村的护神山，不能安葬遗体，否则会影响全村全族风水。

◎ 汇康荧光科技（清远）有限公司（摄于 2016 年）

◎ 谢连夺立功证（摄于 2016 年）

村有汇康荧光科技（清远）有限公司，成立于 2005 年 12 月，占地面积 2.67 公顷，年产值约 3000 万元，员工约 60 人。

1938 年 10 月 23 日，该村遭日本军机轰炸，死伤惨重。1953 年，村发生特大水灾，将烟岭河边的农田全部淹没，3.33 公顷农田无法收成。1964 年，发生特大旱灾，无法播谷种，全部改种番薯。1975 年，发生特大水灾，将河堤冲断多处，大部分农田被泥沙覆盖。

该村的谢连夺，1972 年生，入伍期间荣立三等功，现任广深铁路股份有限公司江村车站支部书记。

（资料填报：谢小华；撰稿员：谢小华、陈喆、黄慧娟；总纂：李协湖）

龙塘村

◎ 龙塘村村貌（摄于 2016 年）

龙塘村，位于迳头镇北部，距镇政府约 3 千米。村始建于明隆庆五年（1571 年），从博罗移居永兴围分支迁入而形成。因村建在高栋更山的龙脉中，村里有 36 口塘，故取名为龙塘村。

村坐落于丘陵地带，东部与坳下村、黄泥塘村相连，南部与大陂村、白石洞村相连，西边与高岗镇的梅坪村、高桥村毗邻，北部与车角村、水来镇村毗邻。

明隆庆五年（1571 年）该村形成属英德县大陂都白石乡，清嘉庆十八年（1813 年）属佛冈厅白石乡，民国时期属佛冈县白石乡，中华人民共和国成立后属佛冈县第二区白石乡，1958 年 10 月属从化县跃进（迳头）人民公社车角大队，1961 年 5 月属佛冈县烟岭人民公社车角大队，1987 年 1 月属烟岭乡车角行政村，1994 年 2 月属烟岭镇车角管理区，1998 年 11 月属烟岭镇车角行政村，2004 年 5 月属迳头镇车角行政村，2005 年 5 月属迳头镇大村行政村至今。

世居村民为范、郑姓。范氏在南宋中期，从福建上杭县南湖村迁移到广东潮州府海阳县峦州都清溪乡（后改饶平县、再后改为大埔县管辖），后迁至英德高基排，几年后迁到横石塘琵琶山、石灰铺背村，后再迁至英东大镇柑塘咀。明正统十二年（1447 年）迁至英德县白石乡楼下村。明崇祯三年（1630 年）迁移至该地。郑姓，明嘉靖二十五年（1546 年）从福建永定迁移至广东增城。明隆庆五年（1571 年）从惠州博罗县迁移至该地。

2015 年末，村有户籍人口 810 人，其中男性 413 人，女性 397 人；80 岁以上 20 人，最年长者 93 岁（男）；实际在村人口 526 人，其中留守儿童 15 人；生活主要依靠农业收入的人口有 526 人；常年在城镇生活和打工的人口有 284 人；非户籍外来人口 30 人。祖籍该村的香港同胞 18 人，台湾同胞 15 人。该村村民均为汉族，属客家民系，使用客家方言。

村有水田 32.6 公顷、山地 21.33 公顷。土地肥沃，雨量充沛。传统经济以农业收入为主，主要作物有水稻、番薯、花生、黄豆等。2008 年引进佛冈县德诚高分子材料有限公司，占地 1.33 公顷，年产值 500 万元，现有员工 18 人。现多种植粮食作物，

◎ 德诚高分子材料有限公司车间一角（摄于 2016 年）

果树、蔬菜等。村民现以农业收入为主，部分经商、外出务工。

该村传统节庆食品有：春节的客家腍肉、酿豆腐、糖环、炸油角、炒弹籽、汤圆、发糍、艾糍、粽子、月饼及各种米饼。妇女生小孩，喝糯米甜酒、猪脚煲甜醋。

佛冈县大陂—英德太平古道从该村经过。古道起点佛冈县迳头镇（原英德县大陂都迳头乡）大陂圩，从大陂圩门楼，沿迳头河东岸向北走，经坐头围、张屋、车角，再沿烟岭河东岸北上，经深坑、龙塘、禾田凹、太坪、社评、前所、文昌阁进入英德地界，经沈屋、丘屋、车头、苏屋到达太平，全程 20 千米。

村于 20 世纪 70 年代通电，1996 年通电话，1998 年实现村道硬底化，2007 年安装闭路电视。于 2000 年进行乡村道路建设，兴建了一个篮球场和老围文化室。

◎ 龙塘村司马第、武魁牌匾（摄于 2010 年）

村由下龙塘、下栅、城楼、正下岭、新屋、郑围、高方楼、林禾墩 8 个居民点组成。龙塘司马第围，是该村范志潼于清同治六年（1867 年）中举人后（武魁）建造的围屋，为古建筑，建筑占地面积 1255.5 平方米。整个围屋呈回字布局，只有一个正门出入，正门用花岗岩石作门框，花岗岩门匾镌刻有阳雕“司马第”三字。该围民居坐东南向西北，砖木建筑，面阔 40.5 米，进深 31 米，属客家围屋。正门上方有“武魁”木牌匾一件。门楼为歇山顶平脊，左右各有两米高围墙相连，围墙瓦脊使用“金玉满堂”瓦当。正门进入第二、第三进祠堂花厅，主要用于议事和供奉祖先，其他为普通民居。围村呈三进两护水格局，门楼内东边有水井，门前有半月形水塘，水塘东边竖举人旗杆夹石一副，现保存完好。1937 年，在司马第围中厅建有一学堂，由范华举出资，请朱如袁担任教书，两年后再由迳头仓库村朱继良任教。朱继良参加革命后，学校搬迁到范氏祠堂侧边再增建一间约 400 平方米的新校舍，开设小学一至四年级的课程，同时也接收邻村的孩子入学。直至 1972 年，又搬到龙塘村另一山冈兴建车角小学。

村有祠堂二座，一座郑氏宗祠，一座范氏宗祠。郑氏宗祠重修于 2013 年，坐东南向西北，为典型二进式祠堂，供奉国美公以下先辈，占地面积约 140 平方米。

范氏宗祠始建于清雍正八年（1730 年），是范氏后人为纪念范氏始祖范应光（字如日）而兴建

◎ 范氏宗祠（摄于 2016 年）

◎ 郑氏宗祠（摄于2016年）

的。祠堂占地面积250平方米，先后重修于1990年、1998年、2013年，曾用作学堂。祠堂共二进，气势雄伟，屋檐造工精细，白墙灰瓦，部分为童子瓦。门面采用石坐木柱，花岗石匾额，屏风门。有一天池，天池四边矗立4座石坐圆木柱，一进两边各有厢房。二进正厅前设立"第八世祖范老大人应光公"祖牌位，牌位两边雕刻着各先祖的名字，以供范氏后人参拜。正厅上梁横放一大木牌，雕刻"子孙蕃衍，百子千孙"八个大字，以供每年出生的男孩在元宵节上灯之用。

传统婚嫁习俗中，保留中原古制从议婚至完婚过程中的六种礼节，即纳彩、问名、纳吉、纳征、请期、亲迎。随着社会的进步，这六种礼节已被新式婚俗所取代，其中部分程序一直沿用至今。迎亲嫁娶等礼俗依然存在。传统的丧葬风俗庄重而繁杂，多沿用中原的古传统，以土葬为主。1990年后逐步实行火葬，葬礼的基本形式不变，包括择时辰、建灵牌、收敛、引灵、接体、奠礼、出殡、火化、安葬等。

传统民间节日以春节、元宵节、清明节、端阳节、中秋节、冬至等节为主，还有四月八、六月六的尝新节、七月半、重阳节、十月朝等节日。每到节庆，人们都担上祭品带上鞭炮，到祖祠祭拜祖先。特别是大年初一，由长辈、长者带上后生，齐聚祠堂拜祭祖宗，人们敲锣打鼓，舞狮放鞭，一派节日气氛。

1949年5月20日，该村的范烈光（英新佛联防主任）、范秀中（一区联防大队队长）被击毙于三江黄竹坜，二区联防大队队长郑国庚率部30余人，携机枪两挺、长短枪30余支起义，迳头联防中队队长朱如铮亦率部起义，英新佛联防队宣告彻底破灭。1953年，发生特大水灾，毁坏房屋25间，河堤5处、约150米；泥沙淹埋农田3.33公顷。1964年，发生特大旱灾，水稻农田失收面积达7.33公顷。1975年，发生特大水灾，房屋倒塌35间，冲毁河堤8处、约250米，泥沙淹埋农田5.33公顷。

该村主要人物有：范志潼（1842—1893年），清同治六年（1867年）举人（武魁），官至兵部尚书。范绩臣，生于清咸丰三年（1853年），清代秀才，清光绪九年（1883年）在龙岗坪建起纪念范仲淹的文正公祠及维新小学，在烟岭街的一处河滩建起十二层楼的烟岭当铺和烟岭高桥。由于历史的原因烟岭当铺及高桥毁坏灭失。为纪念先祖的功勋，烟岭人民在范式宗祠东阁兴建一座"绩臣纪念亭"。范桂宫（1929-2008年），1956年任广州市公安局代理局长。郑国庚（1917—1952年），1940年贵州辎重学校结业后，先后在国民党六十二军任营长、团长、军部军械处主任，1948年退伍后任佛冈二区联防大队队长，经游击队做工作，率领30余人起义，中华人民共和国成立后调粤北专署任科长，1950年任广州市公安局政治部主任，正处级干部。范桂就（1938—2014年），曾任连州人民法院副院长。范桂勇，1962年生，佛冈县检察院四级高级检察官，2012年任佛冈县检察院检察委员会专职委员。

（资料填报：范茂渣；撰稿员：陈喆、黄慧娟；总纂：李协湖）

深坑村

◎ 深坑村村貌（摄于 2016 年）

深坑村，位于迳头镇东北部，距镇政府约 2 千米。该村始建于明宣德十年（1435 年），从英德县大陂都白石乡（今佛冈县迳头镇）大村分支迁入而形成。因村门口有一条汊河很深，古时可行船，客家方言叫汊河为“坑”，故取名深坑村。

村坐落于山间谷地，东毗邻 106 国道，南与车角村相连，西是烟岭河，北是塘背村。

该村形成时属英德县大陂都白石乡，清嘉庆十八年（1813 年）属佛冈厅白石乡，民国时期属佛冈县白石乡，中华人民共和国立后属佛冈县第二区白石乡，1958 年 10 月属从化县跃进（迳头）人民公社大村大队，1961 年 5 月属佛冈县烟岭人民公社大村大队，1983 年 12 月属烟岭区大村乡，1987 年 1 月属烟岭乡大村行政村，1994 年 2 月属烟岭镇大村管理区，1998 年 11 月属烟岭镇大村行政村，2004 年属迳头镇大村行政村至今。

世居村民为谢、范姓。谢姓，明朝中期（1457-1566 年）从福建迁移至广东英德，明宣德十年（1435 年）从大村迁移至该地。范姓，南宋中期，从福建上杭县南湖村迁移到广东潮州府海阳县恋州都清溪乡（后改饶平县，再后改为大埔县管辖），又迁至英德高基排，几年后迁到横石塘琵琶山、石灰铺背村，再迁至英东大镇柑塘咀。明正统十二年（1447 年）迁至英德县白石乡楼下村。1953 年从佛冈县迳头镇龙塘村迁移至该地。

2015 年末，村有户籍人口 650 人，其中男性 338 人，女性 312 人；80 岁以上 17 人，最年长者 94 岁（女）；实际在村人口 455 人，其中留守儿童 5 人；生活主要依靠农业收入的人口有 403 人；常年在城镇生活和打工的人口有 195 人。非户籍外来人口 4 人。祖籍该村的香港同胞 9 人，台湾同胞 3 人。村民均为汉族，客家民系，使用客家方言。

村有耕地 24.87 公顷、山地 10 公顷。传统经济以农业为主，主要作物有水稻、番薯、木薯、花生、豆类等。多种植粮食作物、果树、经济林木。2010 年 12 月引进广东华劲汽车零部件制造有限公司，占地面积 12.67 公顷，建筑面积约 11 万平方米，年产值 1 亿元，员工约 400 人。2011 年 5 月引进清远南玻节能新材料有限公司，占地面积 30 公顷，年产值 1 亿元，员工约 200 人。

◎ 沙塘桔（摄于 2012 年）

◎ 华劲汽车零部件制造有限公司举行奠基仪式（摄于 2014 年）

村民主要收入来源为农业生产、商业经营。该村传统节日食物有春节的客家腍肉、酿豆腐、糖环、油角、炒米饼，元宵节的汤圆，清明节的糯米糍，端午节粽子，中秋节月饼等。妇女坐月时喝糯米甜酒、吃甜猪脚等。

村于 20 世纪 70 年代通电，90 年代通电话及主干道路硬底化。2015 年兴建文化室，让村民健身娱乐有一个适宜的场所。

村由大围、楼子、禾坪头、下陂坑四个小围屋组成，建筑模式不一，门楼结构基本相同，各围屋都从一个大门口出入。当遇到盗贼及入侵者时，大门关上，门楼顶部的窗户用于观察情况及射击之用。通道用河石铺成，易于排水散热。顶部为硬山顶盖灰瓦，墙体为三合土、泥砖，部分用青砖砌成。大围围屋坐北向南共 7 排，左右各 7 间，围屋呈炉状，是深坑最老的围屋，屋中还有一口风水井。楼子围屋共 5 排 35 间房屋，坐东向西。禾坪头围屋坐东向西，共 4 排约 50 间房屋。下陂坑围屋，坐东南向西北，为瑞山公祖屋，有一块司马第碑刻，是纪念谢恩炎之物。改革开放后，该村村民百分之九十以上从旧围屋迁到 106 国道旁建起楼房，旧围几乎无人居住，很多已倒塌。

该村最古老的宗祠是谢宗明公祠，始建于清前期（在现塘背村原学校路边）。祠堂内共二进，建筑面积 150 平方米。祠堂气势宏伟，屋檐造工精致，白墙灰瓦、硬山顶。门面采用石座木柱、拱形梁支撑，木制匾额，镂空雕楹联（原楹联已丢失）为：宗座重登宝树吐银花世世枝繁叶茂，明公远照东山长锦秀代代富贵荣华。两进边各有房两间，中心有天池，形成四水为堂。宗祠于“文化大革命”期间被拆除，2003 年在原地原貌重建。重建的公祠大门左边上刻

◎ 禾坪头围屋（摄于 2016 年）

◎ 谢宗明公祠（摄于 2016 年）

有谢氏辈序：福宗谢文、法祖志显、世运会元、成天思锡、万泰联康、爵屏蕃翰、復兴南邦、荣华富贵、名振朝纲、诗书付家、儒林飘香、俊杰英家、龙凤麟祥、经论才吕、锦秀兰芳、东山魁士、大德宏昌。辈序为乙己科进士谢兰首选。每年春分日，族人舞狮前往祭拜。村中还有一处下火龙社，村民逢年过节参拜。

清朝后期，村中谢、范两姓械斗，造成两姓不通婚的传统。中华人民共和国成立后，政府帮助他们逐步消除矛盾，今谢、范两姓和睦相处。解放战争时期，该村楼子、水碓屋为游击队活动地点。参加游击队的村民有谢权、谢圣凭、谢夕庚、谢万重、谢圣亨、谢达生、谢美、谢岳等人。1993 年经清远市人民政府批准，该村为解放战争游击根据地。1953 年和 1975 年，发生特大水灾，烟岭河决堤多处，20 公顷农田受浸，损失严重。1964 年，发生特大旱灾，受旱面积 13.33 公顷，6.67 公顷农田失收，农田改种番薯。

村民民风淳朴，崇文重教，以耕读为本，人才辈出。谢恩炎，生于光绪年间（1875—1908 年），武秀才。谢锡文（1912—1946 年），1939 年参加中共党组织，地下党员，革命烈士。曾任中共白石乡支部书记，1946 年在英德青塘被捕遇害。谢万丈，1926 年生，是外科医师兼医治奇难杂症的著名医师。谢万故，1936 年生，曾任佛冈县迳头公社书记、佛冈县副县长。谢万力，1947 年生，曾任广东省卫生监督所调研员，《中国职业医学》杂志副主编，省科研课题评审专家库、省高级职称专家库专家，获得 2013 年度中国职业健康科学技术一等奖、省卫生厅科技进步二等奖，先后在国家级、省级杂志发表论文 50 多篇。

（资料填报：谢藻波；撰稿员：黄慧娟、陈喆；总纂：李协湖）

塘背村

◎ 塘背村村貌（摄于 2016 年）

塘背村，位于迳头镇东北部，距镇政府约 3 千米。始建于明正德五年（1510 年），从英德县大陂都白石乡（今佛冈县迳头镇）大村迁移至该地而形成。因该地前面有口池塘，后面建村，因而得名塘背村。

塘背村位于大村和深坑村中间，东与新凤村相连，南是竹园山，西与深坑村相接，西北是禾田村，与烟岭河相望。国道 106 线、省道经过该村。

大陂至太平古道从大陂—车角—深坑—塘背，

◎ 大陂至太平古道的塘背段（摄于 2016 年）

通往大村等地。村民把河边一个地方叫糍寮坝，据悉从前此地有一排木质结构、毛草盖顶的茶亭，长期为古道南来北往过客提供茶水和糕点。

该村形成时属英德县大陂都白石乡，清嘉庆十八年（1813）属佛冈厅白石乡，民国时期属佛冈县白石乡，中华人民共和国立后属佛冈县第二区白石乡，1958 年 10 月属从化县跃进（迳头）人民公社大村大队，1961 年 5 月属佛冈县烟岭人民公社大村大队，1983 年 12 月属烟岭区大村乡，1987 年 1 月属烟岭乡大村行政村，1994 年 2 月属烟岭镇大村管理区，1998 年 11 月属烟岭镇大村行政村，2004 年 5 月属迳头镇大村行政村至今。

世居村民为谢、范、郑、朱姓。谢姓，明永乐元年（1403 年）由一世祖思明公从福建迁至广东英德，明宣德元年（1426 年）由其子二世祖福缘公从英德大镇迁居白石乡（大村），成为烟岭谢姓的开基始祖，于明天顺五年（1461 年）从大村迁移至该村。范姓祖先在明永乐年间（1403—1424 年）从福建迁移至广东英德，明崇祯三年（1630 年）范千三的第八世祖范应光（字如日）迁移到佛冈县迳头镇龙塘村，

1953年迁移至该村。郑姓八十四世祖郑榕庵，字永伦，由福建永定先移居广东增城，后迁往博罗，其子郑国美于明隆庆五年（1571年）从博罗移居龙塘村永兴围，1952年左右又由龙塘村迁移至该村。朱姓祖先于元至正九年（1349年）从江西迁移至广东惠州，1953年从佛冈县高岗镇学堂前村迁移至该村。

2015年末，村有户籍人口102人，其中男性52人，女性50人；80岁以上2人，最年长者85岁（男）；实有居住人口49人，其中留守儿童3人；生活主要依靠农业收入的人口有49人；常年在城镇生活和打工的人口有53人。村民均为汉族，客家民系，使用客家方言。

村有耕地6.4公顷、山地30公顷。传统经济以农业和山林为主，20世纪80年代以前主要农作物有水稻、番薯、芋头、木薯、花生、豆类等，林地面积有53.33公顷，以种植松树、杉树为主。90年代该村耕地转为承包的鱼塘和种植果树，山上连片种植风景林和经济林。该村特色农业为荷塘，云峰园葡萄和蔬菜基地等，还发展乡村生态旅游业。现村民主要经济收入来源是农业、商业经营，以及务工工资等。

◎ 云峰园水果、蔬菜种植基地（摄于2016年）

◎ 葡萄园（摄于2016年）

该村传统节日食物有春节的客家脍肉、酿豆腐、糖环、油角、炒米饼，元宵节的汤圆，清明节的糯米糍，端午节粽子，中秋节月饼等。妇女坐月时喝糯米甜酒、吃甜猪脚等。

村于1977年通电，1994年通电话，2005年全村村道实现水泥硬底化，2010年通网络，2012年通自来水。1967年在竹园山北边兴建大村小学，2013年因教育结构调整而停办。

现存客家传统围屋均为回字形布局，具有明显岭南客家围屋特点。旧围坐南向北，木质门框、门板，1个大门出入，分4栋，3条横街，1条直街，每栋有10间房，共40间房。回水一边7间，墙体下层均为三合土结构，上层为泥砖砌成，外墙设立枪炮眼防盗、防外侵。围屋因年久失修大部分倒塌，现已无人居住。宗政公祠堂位于围屋中堂，现已倒塌。20世纪80年代后，村民在106国道边大量兴建钢筋混凝土楼房。

◎ 塘背村旧围一角（摄于2016年）

民间习俗多为客家人风俗习惯的延续，节日以春节、元宵节、清明节、端午节、中秋节为主，还有四月八、七月半、十月朝等节日。正月十五为该村的上灯日。

塘背村失传的特产食品为米花糍。根据村中老人家回忆，米花糍在村中流传有几百年历史。其制作程序大体分五个步骤。第一步“浸臭米”。把糯米放入盆中，用井水浸泡 15 天。其间不搅拌，不换水，浸到发臭。第二步制米粉。捞出臭糯米，用清水漂干净，再晾干，放到碓臼里用碓舂，用粉筛不断从舂碎的糯米粉中筛出精粉。第三步和糍团。往精糯米粉中注水，不断搓捏均匀，成为糍团，并放到锅里蒸熟。第四步准备配料。一是糖浆。红糖加适量水，煮成糨糊状的浓糖水（俗称熔糖水）。二是爆米花。用锅炒糯米，爆开为米花。第五步做成品。把蒸熟的、富有弹性的糍团搓成直径约 1.8 厘米大小的颗颗圆粒，放到油锅里去炸，炸成中空的、直径约 3.5 厘米大小的油糍，捞起马上放到浓糖水中粘上一层糖皮，再放到米花中粘上一层米花，冷却后就形成了香甜可口的米花糍。因工序多而失传，目前市面上再也没有出现过这种食品。

传统婚嫁习俗中，保留中原古代从议婚至完婚过程中的六种礼节，即：纳彩、问名、纳吉、纳征、请期、亲迎。纳彩即男方家请媒人去女方家提亲，女方家答应议婚后，男方家备礼前去求婚。问名，即男方家请媒人问女方的名字和出生年月日。纳吉，即男方将女子的名字、生辰八字取回后，在祖庙进行占卜。纳征，亦称纳币，即男方家以聘礼送给女方家。请期，男家择定婚期，备礼告知女方家，求其同意。亲迎，即新郎亲至女家迎娶。随着社会的进步，这六礼已被新式婚俗所取代，其中部分程序一直沿用至今，送小担、踏家门、迎亲等嫁娶礼俗依然存在。传统的丧葬风俗依然庄严而繁杂，多沿用古代中原传统，1990 年逐步实行火葬以后，其程序为：接体、出殡、火化、安葬等。

1953 年，村发生特大水灾，淹没 4.67 公顷农田。1954 年 7 月，秧田发生蛀心虫、行军虫、浮尘子、铁甲虫等 11 种害虫，受害面积 13.4 公顷，轻则秧苗发黄，重则枯死。政府动员乡、村干部分头下乡除虫。1964 年，发生特大旱灾，无法播谷种，全部农田改种番薯。1975 年，发生特大水灾，河堤冲垮 50 多米，4.67 公顷农田被淹没。

主要人物有：谢恩粘、谢夕秋、谢夕姜等为清朝后期制作米花糍高手。

（资料填报：谢太明；撰稿员：黄慧娟、陈喆；总纂：李协湖）

新凤村

◎ 新凤村村貌（摄于 2016 年）

新凤村，位于迳头镇东北部，距镇政府约 10 千米。村始建于明景泰四年（1453 年），从英德县大陂都白石乡（今佛冈县迳头镇）禾田村分支迁入而形成。因村建在四面环山的山间谷地，且有一座山峰像牛的形状，山谷像山洞，因此曾取名为牛洞村。中华人民共和国成立后，县政府在牛洞村建新凤农场，便更名为新凤村。

村坐落于山区地域。坐东向西，有牛洞坑贯穿全村自西向东流，流向社坪果田桥汇合。村东靠社角背夫山，南边与社角村相连，西边紧靠官长山，北临崩光下山。

该村建成时属英德县大陂都白石乡，清嘉庆十八年（1813 年）属佛冈厅白石乡，民国时期属佛冈县白石乡，中华人民共和国成立后属佛冈县第二区白石乡，1958 年 10 月属从化县跃进（迳头）人民公社大村大队，1961 年 5 月属佛冈县烟岭人民公社大村大队，1983 年 12 月属烟岭区大村乡，1987 年 1 月属烟岭乡大村行政村，1994 年 2 月属烟岭镇大村管理区，1998 年 11 月属烟岭镇大村行政村，2004 年 5 月属迳头镇大村行政村至今。

世居村民为李、范、谢姓。谢氏，据《谢氏族谱》记载，明朝年间，一世祖谢思明从福建南迁至韶州英德，二世祖谢福缘迁至烟岭大村，三世祖谢宗胜从大村迁至禾田村，八世祖于明景泰四年（1453 年）从禾田村迁移至该地。李姓，明永乐元年（1403 年）从福建迁移至广东英德，1953 年从社坪迁移至该地。范姓，南宋中期，从福建上杭县南湖村迁移到广东潮州府海阳县恋州都清溪乡（后改饶平县、再后改为大埔县管辖），又迁至英德高基排，几年后迁到横石塘琵琶山、石灰铺背村，再迁至英东大镇柑塘咀。明正统十二年（1447 年）迁至英德县大陂白石乡楼下村。1953 年从佛冈县迳头镇楼下村迁移至该地。

2015 年末，村有户籍人口 183 人，其中男性 92 人，女性 91 人；80 岁以上 5 人，最年长者 86 岁（女）；生活主要依靠农业收入有 28 人；常年在城镇生活和打工有 155 人（分居在县城、新迳头圩镇、烟岭旧圩等地），已无实际在村人口。该村村民均为汉族，客家民系，使用客家方言。

村有水田 11.6 公顷、山地 73.33 公顷。村传统经济以农业收入为主，20 世纪 70 年代以前主要作

◎ 连片松树林（摄于 2016 年）

◎ 社下伯公（摄于 2016 年）

物有水稻、番薯、花生、大豆等，现多种植果树、经济林木等，养殖业以养鸡、鸭、鹅为主。现村民主要经济收入来源为务工性工资收入和部分村民商业经营、农业收入等。

◎ 大豆（摄于 2016 年）

村传统节日食物有春节的客家腍肉、酿豆腐、糖环、油角、炒米饼，元宵节的汤圆，清明的艾糍，端午节粽子，中秋节月饼等。妇女坐月时喝糯米甜酒、吃甜猪脚等。艾糍是客家人的清明食品。其做法是：先将艾叶稍煮一下，去掉苦味；将糯米碾成粉，与艾叶混合搓匀；用糖、花生碎粒、芝麻作馅，捏为小块，包成三角形或圆形，蒸熟即可。或是捏成椭圆形，不放馅，蒸熟即可。

村从 106 国道旁的燕岭幼儿园村道进入，约 2 千米有岔路，一条直通佛冈农科所现址焦和坪，另

◎ 新凤村旧民居（摄于 2016 年）

一条向东面延伸至下排。村于 1978 年通电，1994 年通电话，2005 年全村村道实现水泥硬底化，2013 年通网络。

村由崩光头、墩子下、下排、杉山下、下洞 5 个居民点组成。房屋多为广府民居，整齐排列，河石铺街巷，每组有 7 排，每排 7 间房，以一厅两房为一户。房屋墙体结构为上半部分为泥砖，下半部分三合土，砖瓦硬顶。因交通条件不好，现村民都已搬迁到大坪街等地居住，各姓围屋几乎无人居住，部分已坍塌。

村南边山脚下有一处社下伯公，每年正月十五上灯日在此许愿、供香。

民间传统节日以春节、元宵节、清明节、端午节、中秋节、冬至、元旦为主。还有四月八、七月半、

十月朝等节日。正月十五为该村的上灯日。传统节日冬至是农历二十四个节令之一，俗称“过冬”。这个节日意味着一年农事已做完，全家应欢聚吃一顿丰盛晚餐表示庆贺。佛冈县说粤方言地区有“冬大过年”之说，可见极其重视冬至节。

传统婚嫁习俗中，保留中原古制六礼，即纳彩、问名、纳吉、纳征、请期、亲迎。纳彩即男方家请媒人去女方家提亲，女方家答应议婚后，男方家备礼前去求婚。问名，即男方家请媒人问女方的名字和出生年月日。纳吉，即男方将女子的名字、八字取回后，在祖庙进行占卜。纳征，亦称纳币，即男方家以聘礼送给女方家。请期，男家择定婚期，备礼告知女方家，求其同意。亲迎，即新郎亲至女家迎娶。随着社会的进步，这六礼已被新式婚俗所取代，其中部分程序一直沿用至今，送小担、踏家门、迎亲等嫁娶礼俗依然存在。传统的丧葬风俗依然庄严而繁杂，多沿用古代中原传统，1990 年逐步实行火葬以后，其程序为：接体、出殡、火化、安葬等。

该村在抗日战争和解放战争时期是游击队主要活动区。1964 年，发生特大旱灾，无法播谷种，全部农田改种番薯。1980 年以来，由于该村交通不便，村民开始往县城、新迳头集市、烟岭圩市等地迁移，现无人居住。

该村为中国人民解放事业作出杰出贡献，代表人物有：谢歹祥（1911—1947 年），革命烈士，1949 年参加北汢支队独一大队，任副排长，在烟岭牛洞友围剿中牺牲。谢万淡（1919—1947 年），革命烈士，1945 年参加北汢支队独一大队，为战士，在烟岭牛洞友围剿中被俘至社坪就义。谢锡祥（1911—1947 年），革命烈士，1946 年参加东纵北江支队独一大队，曾任副排长，1947 年在烟岭牛洞反围剿中牺牲。谢万淡（1919—1947 年），革命烈士，1945 年参加东纵北江支队独一大队，1947 年在烟岭牛洞反围剿中被俘，在社坪就义。

（资料填报：谢小华；撰稿员：谢小华、陈喆；总纂：李协湖）

○社坪行政村

东涉水村

◎ 东涉水村村貌（摄于2016年）

东涉水村，位于迳头镇北部，距镇政府约6千米。村始建于清光绪二十七年（1901年），从佛冈厅白石乡（今佛冈县迳头镇）社坪果田分支迁入而形成。因村落位于烟岭河的东面，且门口的方向与烟岭河的流向相反，故取名东逆水村，后改名为东涉水村。

村坐落于山间谷地，村东是大村、牛洞村，南连车角村，西为烟岭河，流经村子长约500米，北紧挨着果田村。106国道从村前通过。

该村形成时属佛冈厅白石乡，民国时期属佛冈县白石乡，中华人民共和国成立后属佛冈县第二区白石乡，1958年10月属从化县跃进（迳头）人民公社前所大队，1961年5月属佛冈县烟岭人民公社前所大队，1983年12月属烟岭区前所乡，1987年1月属烟岭乡前所行政村，1994年2月属烟岭镇前所管理区，1998年11月属烟岭镇前所行政村，2004年2月属迳头镇前所行政村，2005年5月属迳头镇社坪行政村至今。

世居村民有李、杜、谢、裴、苏姓。据《前所奇纮公族谱》记载，李姓明后期由闽省迁至韶州府英德东乡帽岭村居住，吴祖婆携四子迁至白石乡果田村居住。20世纪初李德荣、李德崇迁徙到佛冈县白石乡东涉水村居住。杜姓，明万历年间（1573—1620年）从湖南临武迁移至广东连州，1916年从连州迁移至该地。谢姓，元朝后期从福建迁移至广东连平，明宣德元年（1426年）从英德大镇迁移至白石乡（大村），民国初期从佛冈白石乡迁徙到该地。裴姓，1920年从广西南宁迁移至佛冈厅白石乡东涉水村。苏姓族人迁徙情况不明。

2015年末，村有户籍人口215人，其中男性110人，女性105人；80岁以上9人，最年长者年龄90岁（女）；实际在村71人；生活主要依靠农业收入71人；常年在城镇生活和打工144人。祖籍该村的香港同胞8人，台湾同胞3人。村民均为汉族，客家民系，使用客家方言。

村有耕地7.07公顷、山地22公顷。传统经济

◎ 东涉水村养鸡场（摄于 2016 年）

以农业收入为主。村民以种植水稻为主，兼种木薯、花生、大豆，也有制作豆腐，养猪、鸭、鸡等。村民主要收入来源为农业生产、外出务工工资性收入、商业经营收入等。

该村传统节庆食品有：春节的客家腍肉、酿豆腐、糖环、油角、炒米饼，元宵节的汤圆，清明节的糯米艾糍，端午节的粽子，中秋节的月饼等。妇女坐月子时，有喝糯米甜酒、猪脚甜醋的习俗。

106 国道由南向北从村中穿过，是烟岭地区的集市所在地。村于 20 世纪 70 年代通电，20 世纪 80 年代通电话，21 世纪初全村村道实现水泥硬底化，2010 年通网络，2014 年通自来水。村内设有垃圾收集站。

村有佛冈县燕岭希望小学（总部原址是前烟岭中学），是佛冈县第一所希望小学。学校创建于 1994 年，由广东省希望工程提供建设启动资金、地方财政负责后续经费建成的一所较为“年轻”、设施齐全、

◎ 佛冈县燕岭希望小学（摄于 2010 年）

◎ 东涉水村传统民居一角（摄于 2010 年）

具备现代化办学条件的完全小学。2001 年学校晋升为县一级学校，2003 年晋升为市一级学校，学校现占地面积 2.83 万平方米，建筑面积达 6100 多平方米。校本部设有 15 个教学班，600 多人，下设楼下、井冈、社坪三个分校点。

传统民居为广府民居，房屋大部分为泥砖墙、木质门、瓦屋顶，多为两房一厅结构，保存较完整，至今仍有人居住。随着经济收入的增加，村民逐渐把旧房屋拆除，建造起钢筋混凝土结构楼房。

主要宗祠有良植公祠（李氏），位于该村的西部，占地面积约 150 平方米，现已坍塌，只剩下大门一部分墙体，现今祠堂已不做祭祀之用。村落分布较为散落，呈现出棋盘格局错落的形式。

该村是烟岭圩所在地，村史记载的传说有：它始建于明末至清初，建于烟岭河河床中间的沙滩上，四面受河水环绕，形状好像一个橄核。烟岭原本并不叫烟岭，而叫做燕岭。传说清初，有一伙牛贩来到这里，见这里地方偏僻，就建几间矮檐小屋作为生息繁衍的基地。这伙牛贩，是明太祖朱元璋的四皇子燕王的后裔。为纪念祖先的王号（燕王），他们就将此地称为燕岭。到清末，燕岭已经发展成为一个繁华的小圩市，由于街市处在河流中央，终日烟雾笼罩，渐渐地人们又把燕岭叫为烟岭。

民间习俗多为客家人习俗的延续。节日以春节、元宵节、清明节、端阳节、中秋节、冬至等节为主。传统婚嫁习俗中，原保留中原古制从议

婚至完婚过程中的六种礼节，即纳彩、问名、纳吉、纳征、请期、亲迎。随着社会的进步，这六礼已被新式婚俗所取代，其中部分程序一直沿用至今，送小担、踏家门、迎亲等嫁娶礼俗依然存在。传统的丧葬风俗庄严而繁杂，多沿用古中原的传统，以土葬为主，20 世纪 80 年代后逐步实行火葬，其程序有：竖灵、收殓、引灵、接体、奠礼、出殡、火化、安葬等。

村宗族活动是吊灯和祭祖。吊灯仪式（新生男孩上灯），即上年出生的男丁集中在每年农历正月十五这天向祖先报喜，示意该男孩从此成为本族人口的仪式。上午 9 时 30 分准时进行吊灯仪式。由本族人口中的长老大声宣读新生男丁名字及贺词，新丁父母带上新生男丁向神位三拜，示意祈祷祖宗保佑新生儿健康成长，向族人一拜，答谢大家的关爱、支持和帮助。然后点燃高挂的爆竹，锣鼓齐鸣，用滑轮高高吊起添丁灯笼，众人抬着丁鸡、猪头，和舞狮队到庙拜祭，进程结束后族人共进午餐。午餐收取一定的费用，新添丁每户 150 元、新婚夫妇每对 100 元、每个男人收 10 元、女人 5 元。如遇空丁年，每个男人收 10 元、女人 5 元（照常吊灯吃饭）。午饭时公布收支情况，如果超支，则由新丁户分摊，如果有结余，则转交下年使用。

◎ 吊灯（摄于 2016 年）

村民风纯朴，富有鲜明的是非观、正义感。作为抗日战争游击区，村民提供水、粮食、隐秘的居住场所，帮助烟岭地区的游击队。1938 年 10 月 23 日，村遭日军飞机轰炸，死伤惨重。

村主要人物有：李占中，1943 年生，曾任广东省韶关检察院副检察长。李金律，1950 年生，曾任佛冈县政协主席。李文斌，1968 年生，任韶关市始兴县副县长。

（资料填报：黄小威、李启积；初稿撰写：黄小威、李启积；总纂：李协湖）

果田村

◎ 果田村村貌（摄于 2016 年）

果田村，位于迳头镇北部，距镇政府约 9 千米。始建于明崇祯元年（1628 年），村民从英德东乡帽岭村分支迁入而形成。因住屋把田裹起来，不让牛吃禾及其他作物而取名果田村（果与裹同音），曾用名课田村。村坐落于山间谷地，东是老围村，南为农田和烟岭河，与井冈村隔河相望，西是一片农田，与连塘村隔田相望，北为 106 国道。

该村形成时属英德县大陂都白石乡，清嘉庆十八年（1813 年）属佛冈厅白石乡，民国时期属佛冈县白石乡，中华人民共和国成立后属佛冈县第二区白石乡，1951 年属佛冈县第三区人民政府社坪乡，1958 年 10 月属从化县跃进（迳头）人民公社前所大队，1961 年 5 月属佛冈县烟岭人民公社社坪大队，1983 年属 12 月烟岭区社坪乡，1987 年 1 月属烟岭乡社坪行政村，1994 年 2 月属烟岭镇社坪管理区，1998 年 11 月属烟岭镇社坪行政村，2004 年 5 月属迳头镇社坪行政村至今。

世居村民为李姓。据《前所奇纮公族谱》记载，明万历三十一年（1603 年），由闽省迁至韶州府英德东乡帽岭村居住。李茂珊娶妻吴氏。明崇祯元年（1628 年），吴祖婆携四子迁至该地，并成为佛冈县李姓发祥地。

2015 年末，村有户籍人口 1197 人，其中男性 610 人，女性 587 人；80 岁以上老人 51 人，最年长者 96 岁（男）；实有居住人口 870 人，其中留守儿童 26 人；生活主要依靠农业收入 716 人；常年在城镇生活和打工的人口有 327 人。祖籍该村的香港同胞有 10 人，台湾同胞有 8 人。祖籍该村的华人华侨有 15 人，主要分布于澳大利亚、美国。村民均为汉族，客家民系，使用客家方言。

村有水田 32.47 公顷、山地 14.6 公顷。自然资源主要有银矿、稀土矿、山林。村域面积广阔，主要树种有松树、杉树、桉树等。传统经济以农业为主，主要作物有水稻、番薯、木薯、花生、大豆等。现多种植粮食作物、果树、经济林木。村民主要收入来源为农业收入、外出务工收入，也有少数经商者。民间传统节日有春节、元宵节、端午节、中秋节、重阳节、冬至等节日为主，还有四月八、六月六、七月半、十月朝等节日。

传统节庆食品有：春节的客家脍肉、酿豆腐、糖环、油角、炒蛋子、炒米饼，元宵节的汤圆，清明节的艾糍，端午节的粽子，中秋节的月饼等。妇女坐月子时，喝糯米甜酒、猪脚甜醋等。

村于20世纪80年代通电，90年代通电话，2010年通网络，2011年实现街道水泥硬底化，2015年通自来水。该村建有篮球场一个，楼坪文化室一间。村中建有垃圾收集站。

社坪小学，创建于1964年8月，原为完全小学并附设初中。1970—1981年，有教学班8个，在校生263人。现为佛冈县燕岭希望小学的分校点之一，位于佛冈县迳头镇果田村，学校占地面积0.31公顷（内有教学楼2栋），有学前班、1年级、2年级教育，在读学生50人，教职工3人。

◎ 社坪小学（摄于2016年）

传统民居为客家围屋，由上高塅、新围、老围、镇坪、楼坪、塘肚6个村民小组构成，以塘肚围村的围屋较具特色。该围屋前后总共有10列住屋，两边为回水屋，有1条直街和9条横街。直街弯曲且窄，被村民称为“牛角围”。横街为散石铺砌的石街，巷道窄。直街把10列住屋一分为二，左右对开，住房全是单间结构。里面横向排列的10列住屋总共有100间，两边回水房一样用做住屋，每边各有21间房，整座围屋共计有142个单间结构的住房。初建时只有大门迳一个出入口，抗日时期为躲避日军而在村后面与大门斜对面开一个廊门。围屋使用石门槛、木质门，房屋及大门口皆是三合土基础，泥砖墙，墙基稳固，窗户多为石框铁枝结构。其他民居为单排平房，坐东向西，泥砖墙、木质门、瓦屋顶，多为两房一厅结构。现保存完好，仍有村民在其中居住。大部分村民都建起新楼房。

◎ 塘肚围屋（摄于2016年）

茂珊公祠始建于明崇祯元年（1628年），大门有三级石板台阶。大门迳是由石门槛、石门框组成。门额上石碑刻有“茂珊公祠”四字。大门迳前有两条石柱，门前是一块由混凝土铺成的厅下坪，面积约50平方米。祠堂为两进一天井结构。第一进为过道，第一进和第二进之间为天井，天井两旁各有一廊门。第二进为香火堂，内设有祖先牌位，牌位前设有香炉，供族人祭拜祖先之用。宗祠墙体是青砖到顶，屋顶是灰瓦木桁结构。祠堂大门采用石柱支撑。每年农历正月初二，族人携带供品前去祠堂祭拜供奉。

◎ 茂珊公祠（摄于2016年）

新围有一口古井，井面长宽各1米，深2米，一年四季井水充盈，冬暖夏凉，至今还使用。

◎ 新围古井（摄于 2016 年）

◎ 白石乡抗日动员委员会旧址改建成村委（摄于 2016 年）

传统嫁娶庄重繁杂。开始交往时，女家要到男家探家（俗称睇户）；结婚前，担订婚茶、报日子、送聘金、盘嫁妆；结婚时迎亲，吃贺饭送亲。传统丧葬是以土葬为主，1990 年以后逐步实行火葬，程序包括举丧成服、入殓、出殡、做法事、送葬、将亡灵送入祖堂。

宗族活动是吊灯和祭祖。吊灯：即上年出生的男丁集中在农历正月十五这天向祖先报喜，示意该男孩从此成为本族人口。点燃高挂的爆竹，锣鼓齐鸣。用滑轮高高吊起添丁灯笼，大声宣读新生男丁名字。父母带上新生男孩跪拜祖先，送上最美好的祝福。集体祭祖：每年农历春分后五日到果田村，外出李氏族人跟果田村族人一起举行祭祖，参加扫墓活动。

抗日战争时期，村民为游击队员提供水、粮食、隐秘的居住场所。2008 年洪水把门口塅的禾田全部淹没，造成较大损失。

该村主要人物有：李发村（1917—1945 年），中共党员，革命烈士，北江支队独一大队小队长，1945 年 8 月，到新丰县沙田新岭下（他岳父住地）筹粮款时被捕遭杀害。李蔚明，1933 年生，曾任佛冈县检察院检察长。李蔚效，1948 年生，曾任佛冈县委书记、清远市交通局局长。李小珑，1968 年生，任佛冈县水务局局长，主持重修潖江、烟岭河，使两河防洪能力达到 50 年一遇的标准，群众称之为民心工程。

（资料填报：黄小威；初稿撰写：黄小威、李启积；总纂：李协湖）

胡屋村

◎ 胡屋村村貌（摄于 2016 年）

胡屋村，位于迳头镇北部，距镇政府约 8 千米。始建于明中期，村民由新丰遥田马石胡氏族人分支迁入而形成。因世居村民为胡姓，故称胡屋村。

村属于丘陵地带，三面环山，东有新丰交界的上汪、风数塘，南是稀土矿区，西是一片田地。村中一条乡道延伸出去与国道 106 相接，相接之处位于果田村老围旁，北上可通达英德、韶关，南下能到佛冈县城、广州。

该村形成时属英德县大陂都白石乡，民国时期属佛冈县白石乡，中华人民共和国成立后属佛冈县第二区白石乡，1951 年 3 月属佛冈县第三区人民政府社坪乡，1956 年 5 月属佛冈县社坪乡，1958 年 10 月属从化县跃进（迳头）人民公社前所大队，1961 年 5 月属佛冈县烟岭人民公社前所大队，1983 年 12 月属烟岭区前所乡，1987 年 1 月属烟岭乡前所行政村，1994 年 2 月属烟岭镇前所管理区，1998 年属烟岭镇前所行政村，2005 年属迳头镇社坪行政村至今。

世居村民为胡姓。据《胡千二郎（德瑗）公族谱》记载，胡姓先祖从福建上杭迁居江西龙南县。明朝正统三年（1438 年），胡千二郎任职广东惠州府长宁县（今新丰县）知事，后迁移至新丰县遥田马石村。明中期，胡金鸾从新丰遥田马石迁移至该地。

2015 年末，村有户籍人口 117 人，其中男性 60 人，女性 57 人；80 岁以上 3 人，最年长者 85 岁（男）；实际在村 76 人；生活主要依靠农业收入 65 人；常年在城镇生活和打工 41 人。村民均为汉族，客家民系，使用客家方言。

◎ 鱼塘养鸭（摄于 2016 年）

村有耕地 6.13 公顷、山地 17.33 公顷。自然资源主要有松树、杉树、桉树等。传统经济以农业为主，主要作物以水稻为主，兼种花生、番薯、芋头等作物，种植少量果树等。现多种植粮食作物、果树、经济林木。村民主要收入来源为农业收入、外出务工工资性收入。村于 1978 年通电，1990 年通电话，2006 年全村村道实现水泥硬底化。

民间习俗多为客家人习俗的延续。民间节日以春节、元宵节、清明节、端午节、中秋节、冬至等节为主。传统节庆食品有客家腍肉、酿豆腐、糖环、油角、捏糍、粽子、糯米饼等。捏糍制作方法是，糯米经过浸透舂成粉，然后和用过滤过的草木灰水搓成粉团，将粉团做皮，馅是半熟的肉粒、韭菜、笋干、冬菇或萝卜、青菜，将粉团做成北方饺子大的皮，包上馅料捏起花边，最后用瓦托盘蒸熟，其口感爽滑、清醇、色、香、味、嫩俱全，有益身体。

传统民居为客家民居，建于明朝中期（约 1500 年前后），坐东向西，泥砖墙、木质门、瓦屋顶，多为两房一厅结构，保存完整程度高。至今仍有人居住。随着经济收入的增加，村民逐渐把旧房屋拆除，建起新楼房。

◎ 胡屋村传统民居一角（摄于 2016 年）

金鸾公祠，位于该村的正中间，始建于明中期（约 1500 年前后），占地面积约 300 平方米，现存主体建筑。大门是由石门槛、石门框组成。门额上石碑刻有“金鸞公祠”四字。宗祠为二进一天井结构。第一进为过道，第一进和第二进之间为天井，天井两旁各有一廊门；第二进为香火堂，内设有祖先牌位，

◎ 金鸾公祠（摄于 2016 年）

牌位前设有香炉，供族人祭拜祖先之用。宗祠墙体是青砖到顶，石灰批荡，屋顶是灰瓦木桁结构，每年农历正月初二，族人携带供品前往祠堂祭拜。今宗祠仍作祭祀之用。

传统婚嫁习俗中，保留中原古制从议婚至完婚过程中的六种礼节，即纳彩、问名、纳吉、纳征、请期、亲迎。随着社会的进步，这六种礼仪已被新式婚俗所取代，其中部分程序一直沿用至今。现村中婚嫁礼仪：开始交往时女方家要到男方家看家风，结婚前要办订婚茶，择日子、送礼金、定嫁妆。行结婚礼时，要摆酒请客，迎亲和送亲。

主要宗族活动有祭祖，每年清明前三天，本村胡氏村民都回乡扫墓。每年春分，村民会跟新丰遥田马石胡氏族人一起祭祖。丧葬习俗：60 岁以上老人临去世前要移至厅堂或廊下。去世后由子孙日夜守孝，死者入殓前，子孙要到河里取水（俗称买水），为死者擦身、更衣，亲视入殓。葬后要为死者做“头七”“二七”“三七”的法事，将神主牌送往祠堂入位。至此丧事才告完结。

外出村民中，有的通过外出务工掌握专业技术后回乡服务乡邻；有的在外成功经商创业，致富不忘乡亲，资助村里举办公益事业。20 世纪初，村民筹集资金铺设水泥村道，由村通至 106 国道。

该村的胡可标，1931 年生，擅长编畚箕，是远近闻名的竹器编织工匠。

（资料填报：黄小威、李启积；初稿撰写：黄小威、李启积；总纂：李协湖）

老屋村

◎ 老屋村村貌（摄于 2016 年）

老屋村，位于迳头镇北部，距镇政府约 10 千米，始建于清顺治年间（1644—1661 年），村民从英德县大陂都白石乡（今佛冈县迳头镇）柯木冈村分支迁入而形成。据《前所奇纮公族谱》记载，李氏族人先迁徙到此地居住，有部分村民再迁徙到另一处新的地方，相对于另一处新地方，属于老地方而取名老屋村。

村坐落于大片田畴旁，东靠 106 国道，南接田华围，西是一片农田、烟岭河，北连新屋村。烟岭河由南向北途经该村旁约 500 米。国道 106 从村旁穿过。

该村形成时属英德县大陂都白石乡，清嘉庆十八年（1813 年）属佛冈厅白石乡，民国时期属佛冈县白石乡，中华人民共和国成立后属佛冈县第二区白石乡，1958 年 10 月属从化县跃进（迳头）人民公社前所大队，1961 年 5 月属佛冈县烟岭人民公社前所大队，1983 年 12 月属烟岭区前所乡，1987 年 1 月属烟岭乡前所行政村，1994 年 2 月属烟岭镇前所管理区，1998 年 11 月属烟岭镇前所行政村，2004 年 5 月属迳头镇前所行政村，2005 年 5 月属迳头镇社坪行政村至今。

世居村民为李、张、胡三姓。李姓，据《前所奇纮公族谱》记载，其先祖福智公之妻（曾太婆）携二子（茂珊、茂瑛）于明永乐元年（1403 年）从闽省迁至韶州府英德东乡帽岭村，后迁至白石乡课田村，清顺治九年（1652 年）李钦及其后裔迁至本地。胡姓，于明朝正统三年（1438 年），胡千二郎公因任职广东惠州府长宁县（今新丰县）知事迁移至广东，明万历二十九年（1601 年）从新丰遥田马石村迁移至烟岭井前村，于清后期迁移至本地。张姓，明初从江西吉安迁移至广东，明中期从英德县东乡鱼仔湾象冈迁移至佛冈大陂井下塘村，再迁大陂张屋，清后期迁移至此地。

2015 年末，村有户籍人口 675 人，其中男性 345 人，女性 330 人；80 岁以上 34 人，最年长者 93 岁（女）；实际在村 456 人；生活主要依靠农业收入 319 人；常年在城镇生活和打工 219 人。祖籍该村的华侨 10 人，主要分布在马来西亚。归侨人约为 30 人。村民均为汉族，客家民系，使用客家方言。

村有耕地 10.07 公顷、山地 132 公顷。自然资

◎ 老屋村旧民居一角（摄于 2016 年）

源主要有稀土矿。传统经济以农业为主，商业为辅。主要农作物有水稻、花生、番薯、芋头、黄豆等，现多种植粮食作物、果树、经济林。20 世纪 80 年代以后，大部分青壮年外出打工。村民主要收入来源为农业收入、外出务工工资性收入，还有部分村民有商业经营收入。

传统的节日食品有春节的客家脍肉、酿豆腐、糖环、油角、蛋散、炒米饼，元宵节的汤圆，清明节的糯米艾糍，端午节的粽子等。妇女坐月子时，有喝糯米甜酒、猪脚甜醋的习俗。

村于 20 世纪 80 年代通电，90 年代通电话，21 世纪初全村村道实现水泥硬底化，2010 年通网络，2015 年通自来水。村有篮球场一个。

村现存传统民居两座。其中一座是坭城，建于清代末期，占地面积约 5000 平方米，因年久失修，墙体脱落，已无人居住。另一座是白城（已拆），只有一个大门进入，两旁碉楼。碉楼高两层，砖石墙，对称结构，墙上开有多个用来观察和防御的洞口。进去就是天街，再往里是中厅。中厅两旁皆是一房一厅结构的房屋，当时有 6 户人家在里面居住，城里的西面有一口水井，供 6 户人家生活使用。城墙约 10 米高，80 厘米厚，墙体上留有枪炮眼，用以防御外敌。城墙里有一跑马道，房屋与跑马道之间有一走廊环绕四周。城墙与跑马道皆围着房屋形成回字形。白城是当时抵御流寇、土匪的主要防御要塞，对保护村民起了重要的作用。现在白城旧址上已建起新楼房。

村宗祠为井下宗祠，位于该村的东面，占地面积约 200 平方米，2010 年有修缮。属于两进一天井结构。第一进为过道，第一进和第二进之间为天井，天井两旁各有一廊门。第二进为香火堂，内设有祖先牌位，牌位前设有烛台，供族人祭拜祖先之用。大门门框是麻石砌筑而成，红色大门，显得庄重而不失格调。墙体是由青砖砌筑而成，门口是两根石质顶、木梁柱，石柱上方连接有雕花木横梁。宗祠现今仍做祭祀之用。

村民间习俗，多为客家人习俗的延续。民间节日以春节、元宵节、清明节、端阳节、中秋节、冬至等节为主。传统婚嫁习俗中，保留中原古制从议婚至完婚过程中的六种礼节，即纳彩、问名、纳吉、

◎ 井下宗祠（摄于 2016 年）

纳征、请期、亲迎。现已少见，但迎亲嫁娶礼俗依然存在。该村婚嫁礼仪：开始交往时女方家要到男方家看家景，结婚前要办订婚茶，择日子、送礼金、定嫁妆。行结婚礼时，要摆酒请客，迎亲和送亲。传统的丧葬风俗庄严而繁杂，多沿用古中原的传统，以土葬为主。60岁以上老人临去世前要移至厅堂或廊下。人去世后由子孙日夜守孝，死者入殓前，子孙要把硬币丢到河里后取水（俗称买水），为死者擦身、更衣，亲视入殓。在村外过世的不准进村，要在外搭棚守孝。出殡时，请巫师开路，吹响牛角，送殡队敲锣打鼓、燃放爆竹。死者埋葬后，孝子孝女等从坟上抓回一把黄土，并且同牵一条寿红（红布）由另一路线回家。孝子孝女各保存一套逝者的

◎ 原前所小学（摄于2016年）

衣服带回家放到衣柜最底下。用于拜祭的鸡，逝者的长辈和配偶不能食用，由儿女及晚辈食用，这叫“衣食父母”。葬后要为死者做“头七”“二七”“三七”的法事，神主牌送往祠堂入位。至此丧事才告完结。每年农历初二（李姓）族人举行集体祭祖，外出李氏族人均回乡参加祭祖活动。

该村设有前所小学，原属完全小学，有教学班6个，教职工13人。2015年改设为迳头中心小学的教学支点，名为前所教学点，设有班级2个，在校学生16人，教职工1人。

该村属抗日战争游击区，1940年10月，村民利用白城建筑物，抵抗日军侵略及保护游击队撤退，有3名村民牺牲。2006年村民通过自筹资金、出劳动力建设村内道路，实现村道硬底化。

主要人物有：李少棠（1926—2010年），游击队队员，曾任韶关仁化县董塘公社书记、仁化县农林部部长。李松（1926—2011年），曾任韶关大宝山矿党委书记，韶关市党校校长。李功志，1960年生，任佛冈县人大常委会副主任。

（资料填报：黄小威、李启积；初稿撰写：黄小威、李启积；总纂：李协湖）

连塘村

◎ 连塘村村貌（摄于 2016 年）

连塘村，位于迳头镇北部，距镇政府约 7 千米。始建于清乾隆年间（1736—1795 年），村民从英德县大陂都白石乡（今佛冈县迳头镇）社坪新围分支迁入而形成。因村落后面有一口莲花塘而取名连塘村。村东紧挨 106 国道，南、西都是农田，北连接田心围村。

村坐落于大片田畴旁，村内水库有莲花塘水库，因当时水面上全是莲花，而称为莲花塘。

该村形成时属英德县大陂都白石乡，清嘉庆十八年（1813 年）属佛冈厅白石乡，民国时期属佛冈县白石乡，中华人民共和国成立后属佛冈县第二区白石乡，1951 年 3 月属佛冈县第三区社坪乡，1956 年 5 月属佛冈县社坪乡，1958 年 10 月属从化县跃进（迳头）人民公社社坪大队，1961 年 5 月属佛冈县烟岭人民公社社坪大队，1983 年 12 月属烟岭区社坪乡，1987 年 1 月属烟岭乡社坪行政村，1994 年 2 月属烟岭镇社坪管理区，1998 年 11 月属烟岭镇社坪行政村，2005 年 5 月属迳头镇社坪行政村至今。

世居村民为李姓。据《前所奇纮公族谱》记载，李氏宗族入闽始祖火德，出生于福建省宁化县石壁村，后迁至上杭胜运里，吴祖婆携四子迁至英德县大陂都白石乡课田村居住，清乾隆年间迁至该地。

2015 年末，村有户籍人口 253 人，其中男性 130 人，女性 123 人；80 岁以上 13 人，村中最年长者 92 岁（男）；实际在村人口 160 人，其中留守儿童 5 人；生活主要依靠农业收入的人口有 94 人；常年在城镇生活和打工的人口有 93 人。村民均为汉族，客家民系，使用客家方言。

全村有耕地 9.13 公顷、山地 30 公顷。自然资

◎ 莲花塘水库（摄于 2004 年）

源主要有稀土矿。传统经济以农业为主，主要作物有水稻、花生、番薯、芋头、黄豆等。现多种植粮食作物、果树、经济林。1985 年以后，大部分青壮年外出或进厂打工。村民主要收入来源为农业收入、外出务工村民的工资性收入。

传统的节日食品有春节的客家脍肉、酿豆腐、糖环、油角、蛋散、炒米饼，元宵节的汤圆，清明节的糯米艾糍，端午节的粽子等。正月十五为元宵节，村民有蒸发糕、食汤圆、做糍的习俗，以示庆贺春节圆满结束。

村于 1980 年通电，1990 年通电话，2007 年村道实现水泥硬底化，2010 年通网络，2014 年通自来水。

村民居为单排平房。建于清乾隆年间，房屋大部分为坐东向西，泥砖墙、木质门、瓦屋顶，多为两房一厅结构，现保存较好，仍有村民居住。随着村民生活水平的提高，现今大部分村民都建起新楼房。

村现存古建筑有 1 座，名为厅下（祠堂），始建于清乾隆年间，占地面积约 400 平方米。主要建筑特色是四周由房屋包围，只有一个出口。麻石做门框，灰沙墙体。房屋呈现左右对称分布，横排是四排房屋，每一排房屋有 8 间住房，住房全是单间结构，共 32 间。

民间习俗，多为客家人习俗的延续。民间节日以春节、元宵节、清明节、端阳节、中秋节、冬至等节为主。

◎ 连塘村古屋门楼（摄于 2016 年）

◎ 厅下（祠堂类）（摄于 2016 年）

传统婚嫁习俗仍保留中原古制从议婚至完婚过程中的六种礼节，即纳彩、问名、纳吉、纳征、请期、亲迎。随着社会的进步，这六种礼节已被新式婚俗所取代，其中部分程序一直沿用至今，送小担、踏家门、迎亲等嫁娶礼俗依然存在。传统的丧葬风俗庄严繁杂，多沿用古中原的传统，以土葬为主。有一个风俗一直流传至今，每当村中老人去世，招待亲朋好友的菜肴标准三样菜有猪肉、青菜、豆腐，不许饮酒作乐，以示哀悼。1990 年逐步实行火葬，其程序有：竖灵、收殓、引灵、接体、奠礼、出殡、火化、安葬等。每年清明族人举行集体祭祖，外出李氏族人均回乡参加祭祖活动。

1938 年 10 月 23 日遭日军飞机轰炸，死伤惨重；作为抗日战争游击区，村民提供水、粮食、隐秘的居住场所，帮助烟岭地区的游击队。1954 年 7 月 28 日，村中秧田发生蛀心虫、行军虫、浮尘子、铁甲虫等 11 种虫害，受害面积 3.8 公顷，轻则秧苗发黄，重则枯死。县委、公社、大队干部都分头下乡动员除虫。

该村的李步蛮（1920—1947 年），中共党员，革命烈士，北江支队独一大队战士，1947 年在烟岭牛洞反围剿中牺牲。胡占锋（生卒不详），曾任韶关市中级人民法院院长。

（资料填报：黄小威、李启积；初稿撰写：黄小威、李启积；总纂：李协湖）

上文岭村

◎ 上文岭村村貌（摄于2016年）

上文岭村，位于迳头镇北部，距镇政府约11千米。村始建于清乾隆五年（1740年），村民从新丰县遥田镇迁徙到此聚居而形成。因村落背靠文岭山，山岭较陡，进出该村要爬山路，故取名上文岭。

村坐落于山间谷地，东临106国道，南靠新龙围村，西是一片农田，北是下文岭村。在农田西面有烟岭河，由南向北途径该村约900米。

该村形成时属英德县大陂都白石乡，清嘉庆十八年（1813年）属佛冈厅白石乡，民国时期属佛冈县白石乡，中华人民共和国成立后属佛冈县第二区白石乡，1958年10月属从化县跃进（迳头）人民公社前所大队，1961年5月属佛冈县烟岭人民公社前所大队，1983年12月属烟岭区前所乡，1987年1月属烟岭乡前所行政村，1994年2月属烟岭镇前所管理区，1998年11月属烟岭镇前所行政村，2004年5月属迳头镇前所行政村，2005年5月属迳头镇社坪行政村至今。

世居村民为李姓。据《前所奇纮公族谱》记载，李氏宗族迁徙历史较为悠久。入闽始祖李火德，出生于福建省宁化县石壁村，后从宁化石壁迁至上杭胜运里。明朝后期，八世祖迁至新丰县遥田镇。清乾隆五年（1740年）八世祖李茂瑛后裔迁徙到该地。

2015年末，村有户籍人口237人，其中男性121人，女性116人；80岁以上老人10人，最年长者92岁（女）；实有居住180人，其中留守儿童7人；主要生活依靠农村经济收入153人；常年在城镇生活和打工有57人。村民均为汉族，客家民系，使用客家方言。

村有耕地9.93公顷、山地75.33公顷。传统经济以农业为主，主要作物以水稻为主，兼种花生、番薯、芋头、黄豆等作物，现多种植粮食作物、果树、

◎ 河滩养鸭（摄于2016年）

经济林木。沙糖桔曾为当地支柱产业，2013 年受虫灾影响，改种青花梨、火龙果等果树。村民主要收入来源为农业收入、外出务工收入，也有少数经商收入。

◎ 春节美食炒米饼（摄于 2016 年）

传统节庆食品有：春节的客家脍肉、酿豆腐、糖环、油角、炒蛋子、炒米饼，元宵节的汤圆，清明节的艾糍，端午节的粽子，中秋节的月饼等。妇女坐月子时，喝糯米甜酒、猪脚甜醋等。春节小吃油角（俗称角仔），做法：用面粉加清水搓匀，分成小团，用圆木棒碾成薄面块，再用圆形印模印成小圆形，然后在面块上放以碎花生、芝麻、白糖等馅，捏花边包好，用油炸熟。油角香脆可口。

该村是佛冈县大陂—英德太平古道必经之处。古道起点佛冈县迳头镇（原英德县大陂都迳头乡）大陂圩，从大陂圩门楼沿迳头河东岸向北走，经坣头围、张屋、车角，再沿烟岭河东岸北上，经深坑、禾田凹、太坪、社坪、上文岭、前所、文昌阁进入英德地界，经沈屋、丘屋、车头、苏屋到达太平。全程 20 千米。

村紧靠 106 国道，北上英德太平镇，南下迳头政府、佛冈县城、广州市。村与下文岭村之间有村道直通井冈村，把两村连接起来。村于 20 世纪 70 年代通电，20 世纪 90 年代实现街道水泥硬底化，2000 年通电话，2010 年通网络，2013 年通自来水。文化有文化室，还有篮球场一个，休闲场地一个，为村民的强身健体提供了好去处。村中建有垃圾收集站。

◎ 上文岭村文化室（摄于 2016 年）

◎ 奇瑄公祠（摄于 2016 年）

传统民居为客家围屋，现存多为两房一厅，底部为三合土，上部为泥砖建造，每列 9 间，共 5 列。围屋均为回字形屋，具有明显岭南客家围屋特点。回字屋前后及中间为堂屋，左右两边为回水。堂尾屋布局为一厅四房或一厅二房，也有单间排列。回水屋要比堂屋矮小，厨房设在回水屋。围屋顶均为火砖、灰沙封顶，土坯瓦房结构，街道用鹅卵石铺成，易于排水散热。回字屋四周墙角有圆形射击孔，起到安全防范作用。围屋保存完整，至今仍有人居住。20 世纪 90 年代末，大多数村民拆旧建起了一至三层的新楼房。

村现存两座祠堂。一座是奇瑄公祠，建于清乾隆五年（1740 年），占地面积约 300 平方米，1999 年有修缮。修缮后建筑面积 220 平方米，大门额书“奇瑄公祠”四个大字，两侧有虎眼，两边每年张贴不同的对联。大门由石门槛、木门框、泥砖墙组成。奇瑄公祠属于两进一天井结构。第一进为过道，第一进和第二进之间为天井，天井两旁各有一廊门。第二进为香火堂，内设有祖先牌位，牌位前设有香火台，供族人祭拜祖先之用。牌位两边雕刻有楹联："奇才杰广世纪光辉，瑄祖荣宗万载兴隆"。

第二座祠堂是飘宸公祠，占地面积约450平方米，20世纪80年代有修缮。其属于两进一天井结构。门前石板雕刻有楹联："飘公光日月，宸裔耀乾坤。"现今宗祠仍作祭祀之用。

民间习俗多为客家人习俗的延续。民间节日以春节、元宵节、清明节、端阳节、中秋节、冬至等节为主。

婚嫁习俗中，中原古制旧俗现已少见，但迎亲嫁娶、集体祭祖等礼俗依然存在。男女开始交往时女方家要到男方家看家景，结婚前要办订婚茶，择日子、送礼金、定嫁妆。行结婚礼时，要摆酒请客，迎亲和送亲。传统的丧葬风俗庄严而繁杂，多沿用古中原的传统，以土葬为主。1990年后逐步实行火葬，其程序有：竖灵、收殓、引灵、接体、奠礼、出殡、火化、安葬等。村宗族活动只有集体祭祖：每年清明节当天（李姓）族人举行集体祭祖，外出李氏族人均回乡参加祭祖活动。

20世纪90年代村民通过自筹资金、免费提供劳动力铺设村道，实现水泥硬底化。2015年村被纳入广东省美丽乡村建设规划。

该村的李司植（1900—1945年），革命烈士，1939年冬加入中共党组织并参加抗先队，1945年为北江支队独一大队班长，1945年5月，国民党军154师362团进攻英德鱼湾、坝子一带，为掩护负伤的黄彪中队长脱险而牺牲。李日超（1932—2013年），抗美援朝战士。

（资料填报：黄小威、李启积；初稿撰写：黄小威、李启积；总纂：李协湖）

田华围

◎ 田华围村貌（摄于 2016 年）

田华围，位于迳头镇北部，距镇政府约 8 千米。村始建于清乾隆五十一年（1786 年），李周冕从英德县大陂都白石乡（今佛冈县迳头镇）前所村分支迁入而形成。因村坐落于田中间，曾取名田寮下村，后称田华围。

村坐落于山间谷地，整体坐东向西。东紧靠旱塘村，南是田心村，西北与野猪湾遥遥相望，烟岭河在村的北面，西是一片田畴。旧居门前有一口大塘(鱼塘)。乡道往南通社坪街,往北连接国道 106 线。

该村形成时属英德县大陂都白石乡，清嘉庆十八年（1813 年）属佛冈厅白石乡，民国时期属佛冈县白石乡，中华人民共和国成立后属佛冈县第二区白石乡，1958 年 10 月属从化县跃进（迳头）人民公社前所大队，1961 年 5 月属佛冈县烟岭公社前所大队，1983 年 12 月属烟岭区前所乡，1987 年 1 月属烟岭乡前所行政村，1994 年 2 月属烟岭镇前所管理区，1998 年 11 月属烟岭镇前所行政村，2004 年 5 月属迳头镇前所行政村，2005 年 5 月属迳头镇社坪行政村至今。

世居村民为李姓。其先祖明初从福建迁至广东英德、新丰。明洪熙元年（1425 年）李福智先迁新丰遥田，后迁至英德高台（今佛冈高岗）、英德白石乡（今佛冈迳头镇烟岭）。明末至清初，因李周冕和李文冕于烟岭前所村分家，李周冕后裔在该地居住而形成。

2014 年，李氏制定《李氏家训十五则》，内容包括：孝父母、和兄弟、教子孙、睦宗族、和亲邻、守国法、生祭祀、修坟茔、务农业、去奢侈、重敬贤、慎婚配、禁毒品、禁非为、正人伦。该家训展示在墙上。

◎ 李氏家训（摄于 2016 年）

2015年末，村有户籍人口221人，其中男性113人，女性108人；80岁及以上8人，最年长者90岁（女）；生活主要依靠农业收入的有157人；常年在城镇生活和打工的人口有64人，实际在村人口157人。村民均为汉族，属客家民系，使用客家方言。

村有耕地14.42公顷、山地56公顷。自然资源主要有稀土矿。传统经济以农业为主，商业为辅。主要农业作物有水稻、花生、番薯、芋头、黄豆等，现多种植粮食作物、果树、经济林木，或在村里的小卖部及租赁社坪街门面做小生意。村民主要收入来源为农业收入、外出务工村民的工资性收入，商业经营收入。

◎ 花生种植（摄于2016年）

传统的节日食品有春节的客家腊肉、酿豆腐、糖环、油角、蛋散、炒米饼，元宵节的汤圆，清明节的糯米艾糍，端午节的粽子等。妇女坐月子时，有喝糯米甜酒、吃猪脚甜醋的习俗。腊肉是

◎ 田华围传统民居一角（摄于2016年）

◎ 佛冈翔鸿塑胶有限公司（摄于2016年）

该村客家人春节美食，其制法是：将买回的猪肉（带皮的半肥瘦五花肉）先吊起来晾水，然后切成100—150克的肉块，配以五香粉、蒜苗、蚝油、陈皮、烧酒、豆豉、南乳、白糖、味精等，将佐料与猪肉拌匀，装瓦钵放在锅里蒸熟。蒸熟的腊肉放在通风干爽的棚上藏好，以后每餐食用时再蒸一次即成。蒸时加以笋干、冬菇等配料，其味道更加香醇可口。

村于20世纪80年代通电，90年代通电话，21世纪初全村村道实现水泥硬底化，2010年通网络，2015年通自来水。村内设有垃圾收集站。

村有佛冈翔鸿塑胶有限公司，成立于2012年11月，员工250人，年产值8000万元，主营卷材地板胶、地板革、地板泡革、发泡地板胶等。其生产的家居家具——家用塑料制品，很受广大消费者欢迎。

村里的传统民居为客家围屋，位于村子的西北方位，现今还保存完整。两旁2条直街，4条横街。共5栋住屋，每1栋有13间房子。大门为石门槛、木质门，青砖砌筑墙体，琉璃瓦，龙船脊。由于围屋地形相对于村落周边较低，在下大雨时容易受浸。随着经济收入的增长，村民普遍建起楼房。

从佛冈县大陂—英德太平古道途经该村。古道起点佛冈县迳头镇（原英德县大陂都迳头乡）大陂圩，从大陂圩门楼，沿迳头河东岸向北走，经坣头围、张屋、车角，再沿烟岭河东岸北上，经深坑、禾田凹、太坪、社评、田华围、前所、文昌阁进入英德地界，经沈屋、丘屋、车头、苏屋到达太平。全程20千米。古道两边有大片具有南方特色的房子，古道南边有

63套2房1厅的房子，北边也有65套2房1厅的房子，这些房子后来因为废弃了而没有保存下来。

村现存一座黄秀龙社坛（福主公王神位），始建于清乾隆五十一年（1786年），重修于1998年，占地面积40平方米左右，现今依旧香火不断，每逢农历初一、十五村民都会到此祭拜。

民间传统节日以春节、元宵节、端午节、中秋节、重阳节、冬至等为主，还有四月八、六月六、七月半、十月朝等节日。其中四月八，中华人民共和国成立前，民间把农历四月初八仍无人祭扫的坟墓视为无主孤坟，村民集中在山冈上祭拜，为防孤魂侵扰，还鸣锣拒赶孤魂。中华人民共和国成立后，这种迷信习俗逐步消失。

村传统嫁娶庄重繁杂，男女开始交往时，女家要到男家探家（俗称睇家门）；结婚前，担订婚茶，报日子，送聘金，盘嫁妆；迎亲，吃贺饭送亲。最大的宗族活动就是每年的春分举行集体祭祖，外出李氏族人都回乡参加祭祖。传统丧葬是以土葬为主，1990年以后逐步实行火葬，程序包括举丧成服、入殓、出殡、做法事、送葬、将亡灵送入祖堂等。

民国时期，经常有土匪、兵痞流窜该地，为保卫家园，当地村民多次展开斗争，并成功击退土匪，保护村民安全。1953年发生水灾，全村被水浸，水位接近3米，房屋倒塌多间，人员受伤10多人，受淹农田3.33公顷。

该村的李昌九（？—1945年），革命烈士，中共地下交通员，1945年3月被国民党联防队李日华逮捕并杀害。李司林（1926—2006年），是中华人民共和国成立后第一任佛冈县公安局局长。

（资料填报：黄小威、李启积；初稿撰写：黄小威、李启积；总纂：李协湖）

田心村

◎ 田心村村貌（摄于 2016 年）

田心村，位于迳头镇北部，距镇政府约 8 千米。始建于清前期，从英德县大陂都白石乡（今佛冈县迳头镇）井冈村迁徙到此居住而形成。因村子处于田的正中间，故取名田心村。

村坐落于山间谷地，村东紧靠 106 旧国道，南是果田村，西是一片水田，北是田华围。

该村形成时属英德县大陂都白石乡，清嘉庆十八年（1813 年）建厅后属佛冈厅迳头乡，民国时期属佛冈县白石乡，中华人民共和国成立后属佛冈县第二区白石乡，1951 年 3 月属佛冈县第三区人民政府社坪乡，1956 年 5 月属佛冈县社坪乡，1958 年 10 月属从化县跃进（迳头）人民公社前所大队，1961 年 5 月属佛冈县烟岭人民公社前所大队，1983 年 12 月属烟岭区前所乡，1987 年 1 月属烟岭乡前所行政村，1994 年 2 月属烟岭镇前所管理区，1998 年属烟岭镇前所行政村，2004 年属迳头镇前所行政村，2005 年 5 月属迳头镇社坪行政村至今。

世居村民为李姓。据《前所奇纮公族谱》记载，李氏宗族迁徙历史较为悠久。入闽始祖李火德，出生于福建省宁化县石壁村，后迁至上杭胜运里。明后期，其八世祖李茂珊由闽省迁至韶州府英德东乡帽岭村居住，九世祖李德生迁至英德县大陂都白石乡果田村居住。十世祖李时福后裔在清朝前期迁至现田心村。

2015 年末，村有户籍人口 136 人，其中男性 70 人，女性 66 人；80 岁以上 6 人，最年长者 98 岁（女）；实际在村人口 92 人，其中留守儿童 3 人；生活主要依靠农业收入的人口有 63 人；常年在城镇生活和打工的人口有 44 人。村民均为汉族，客家民系，使用客家方言。

村于 1978 年通电，1990 年通电话，2005 年全村村道实现水泥硬底化，2010 年通网络，2014 年通

◎ 本地土鸡（摄于 2016 年）

自来水。

村有耕地 3.47 公顷、山地 15.33 公顷。自然资源主要有稀土矿。传统经济以农业为主，主要作物有水稻、花生、番薯、芋头、黄豆等。现多种植粮食作物、果树、经济林。21 世纪初，大部分青壮年外出或进厂打工。村民主要收入来源为农业、务工工资，部分村民经商。

该村传统节庆食品有：春节的客家脍肉、酿豆腐、糖环、油角、米饼、炒蛋子，元宵节汤圆、发糍，清明节艾糍，端午节粽子，六月六椿糍，中秋节月饼等。妇女生小孩，喝糯米甜酒、猪脚煲甜醋。艾糍是客家人的清明食品。其做法是：先将艾叶稍煮一下，去掉苦味；将糯米碾成粉，与艾叶混合搓匀；用糖、花生碎粒、芝麻作馅，捏为小块，包成三角形或圆形，蒸熟即可；或是捏成椭圆形，不放馅，蒸熟即可。

传统民居为广府民居，建于清朝前期，坐东向西，多为两房一厅结构。它规划统一，整齐有序，南北走向 3 条街，东西走向 4 条街，5 栋房，回水屋 21 间，共有单间式住房 63 间。旧居用河铺垫街巷，木质门。墙体均为三合土到顶，硬山顶，盖青瓦，青砖门框。旧居大部分保存完整。现已少有人居住。20 世纪 80 年代后，村民在乡道北面兴建钢筋混凝土结构楼房，风格各异，大多为 2 至 3 层。

◎ 田心村传统民居一角（摄于 2016 年）

村旧 106 国道旁有一社庙，瓦面由水泥铺设，瓦面下方正中写有“华庙”二字，四周由砖块混合水泥堆砌而成。社庙周围种有很多竹子，由于岁月久远，已稍显破旧。

◎ 田心社庙（摄于 2016 年）

民间习俗多为客家人习俗的延续。民间节日以春节、元宵节、清明节、端阳节、中秋节、冬至等节为主，还有四月八、七月半、十月朝等节日。正月十四为该村的上灯日。

传统婚嫁习俗中，仍保留中原古制从议婚至完婚过程中的六种礼节，即：纳彩、问名、纳吉、纳征、请期、亲迎。纳彩即男方家请媒人去女方家提亲，女方家答应议婚后，男方家备礼前去求婚。问名，即男方家请媒人问女方的名字和出生年月日。纳吉，即男方将女子的名字、八字取回后，在祖庙进行占卜。纳征，亦称纳币，即男方家以聘礼送给女方家。请期，男家择定婚期，备礼告知女方家，求其同意。亲迎，即新郎亲至女家迎娶。随着社会的进步，这六种礼仪已被新式婚俗所取代，其中部分程序一直沿用至今，送小担、踏家门、迎亲等嫁娶礼俗依然存在。

◎ 送小担或探亲用的客家箩格（摄于 1998 年）

传统丧葬风俗庄严而繁杂，多沿用中原古制，以土葬为主，60 岁以上老人临去世前要移至厅堂或廊下。去世后由子孙日夜守孝，死者入殓前，子孙要到河里取水（俗称买水），为死者擦身、更衣，亲视入殓。如果在村外过世的，是不准进村，要在外搭棚守孝。出殡时，请巫师开路，吹响牛角，送殡队敲锣打鼓、燃放爆竹送行。死者埋葬后，孝子孝女等从坟头上抓回一把黄土，并且同牵一条寿红（红布）由另一路线回家（不走回头路）。孝子孝女各保存一套逝者的衣服带回家放到衣柜最底下。用于拜祭的鸡，逝者的长辈和配偶不能食用，由儿女及晚辈食用，这叫“衣食父母”。葬后要为死者做“头七”“二七”“三七”的法事，神主牌送往祠堂入位。至此丧事才告完结。1990年后逐步实行火葬，其程序有:竖灵、收殓、引灵、接体、奠礼、出殡、火化、安葬等。

该村多在春节等重大节日和举办喜庆活动中舞鸡公狮。鸡公狮的鼓谱多称为十点梅花，敲击锣鼓器具（四样器具）时要转变十个板音，敲击的节拍较快，连环变音，听起来清脆悦耳。狮头的舞动就像一只大公鸡，随着鼓谱轻快节拍而动作，跳跃快捷，动作多花样，飞舞起颈花，如同斗鸡时挥起的鸡颈毛。

村主要宗族活动为祭祖，每年清明前当天本村李氏村民均回乡祭拜祖先濂公，清明后五天祭拜祖先瓒公墓。

该村的李司佑（1883—1923年），建筑木匠大师，曾参加过多座古村落设计和施工，代表作有前所“四点金”围屋等。李雪芳，1957年生，1979年参加对越自卫反击战中立三等功。

（资料填报：黄小威、李启积；初稿撰写：黄小威、李启积；总纂：李协湖）

下文岭村

◎ 下文岭村村貌（摄于 2016 年）

下文岭村，位于迳头镇北部，距镇政府约 12 千米。始建于明中期（约 1500 年前后），胡金嵩从新丰县遥田马石迁徙到现址而形成。因村子建在文岭下游，故取名为下文岭村。

村坐落于丘陵地带，村东紧挨 106 国道，北与英德市区接壤，西是一大片农田，隔田是烟岭河，南为上文岭村。

该村形成时属英德县大陂都白石乡，清嘉庆十八年（1813 年）属佛冈厅白石乡，民国时期属佛冈县白石乡，中华人民共和国成立后属佛冈县第二区白石乡，1958 年 10 月属从化县跃进（迳头）人民公社前所大队，1961 年 5 月属佛冈县烟岭人民公社前所大队，1983 年 12 月属烟岭区前所乡，1987 年 1 月属烟岭乡前所行政村，1994 年 2 月属烟岭镇前所管理区，1998 年 11 月属烟岭镇前所行政村，2004 年 5 月属迳头镇前所行政村，2005 年 5 月属迳头镇社坪行政村至今。

世居村民为胡姓。据《胡千二郎（德瑗）公族谱》记载，胡姓先祖从福建上杭迁居江西龙南县，明正统三年（1438 年），胡千二郎公因任职广东惠州府长宁县（今新丰县）知事迁移至广东，明天顺年间（1457—1464 年）迁居广东新丰县遥田马石。明中期（约 1552 年），胡金嵩从新丰遥田马石迁移至该地。

2015 年末，村有户籍人口 251 人，其中男性 130 人，女性 121 人；80 岁以上 5 人，最年长者 86 岁（男）；实际在村人口 180 人，其中留守儿童 6 人；生活主要依靠农业收入的人口有 180 人；常年在城镇生活和打工的人口有 71 人。村民均为汉族，客家民系，使用客家方言。

村有耕地 9.67 公顷、山地 72 公顷。传统经济

◎ 顺亚纺织染整有限公司（摄于 2016 年）

以农业为主，主要作物以水稻为主，兼种花生、番薯、芋头等，也有种植少量水果等。现多种植粮食作物、果树、经济林木。2006 年引进顺亚纺织染整有限公司，占地 3.33 公顷，员工 128 人，2015 年销售收入 3000 万元人民币。专注针织面料的生产和销售。经过多年的发展已经成为集原料生产、产品开发、坯布织造、染色和后整理一条龙生产的针织面料生产商。生产的单面汗布、双面布、珠地布、卫衣布、毛巾布、短毛绒、超柔短毛绒、边纶布、网布、蕾丝面料等，广泛使用于服装、鞋材、玩具、手袋、家纺、运动器材等领域。产品远销国内、欧美、东南亚等地。村民主要收入来源为农业收入、外出务工收入。

村传统节日食品有客家脍肉、酿豆腐、糖环、油角、艾糍、粽子、打米饼等。传统春节美食打米饼。其做法是将糯米用开水浸泡片刻，捞起滤干后炒熟，磨成粉，碾碎花生米、芝麻，连同米粉加黄糖或白糖水搓匀，再将加工好的米粉用饼模印成一个个的米饼，这种米饼久放不坏，既可自吃，也可以礼品送人。

◎ 下文岭村旧门楼（摄于 2016 年）

村于 1981 年通电，1990 年通电话，1998 年实现村道水泥硬底化，2008 年通网络，2013 年通自来水。

传统民居现存 1 座客家围屋。旧围坐南向北，为回字形结构，分前栋、中间栋和后栋，前栋和后栋均是 7 间房屋，中间栋是 3 间房屋，回水屋各 2 间，合计 21 间房屋。前栋是由 2 间房间、1 间大厅和 1 个单间混杂排列的，共有 12 户。房屋则为砖木结构，墙体下面是三合土，中间是泥砖，上面是泥砖结构到顶，石阶是卵石铺成。围屋只有一个大门进入，四周是连接在一起的房子，房屋门口皆朝向中间廷海公祠。现旧围已无人居住，村民都在旧围外建起新楼房。

村现存宗祠有 2 座。其中一座为胡氏公祠，占地面积 500 平方米，两进一天井结构。第一进为过道，第一进和第二进之间为天井，天井两旁各有一廊门。第二进为香火堂，内设有祖先牌位。牌位前设有香烛台，供族人祭拜祖先之用。宗祠墙体是泥砖到顶，屋顶是灰瓦木结构。每年农历正月初二，族人携带供品前去祠堂祭拜供奉。现仍作祭祀使用。

◎ 胡氏公祠（摄于 2016 年）

另一座宗祠为廷海公祠，占地面积 500 平方米。公祠位于中间，四周建立起房屋，只留一个出口，出口正对公祠大门口，以围屋的形式留传下来，现今仍作祭祀使用。

村主要社坛为柯木迳公王社。位于村子的北面、106 国道旁，占地面积 10 平方米，每逢农历初一、十五村民都会到社坛燃香点烛，祈求平安、幸福。

民间习俗多为客家人习俗的延续。民间节日以春节、元宵节、清明节、端阳节、中秋节、冬至等节为主。还有四月八、七月半、十月朝等节日。

传统婚嫁习俗中，保留中原古制从议婚至完婚过程中的六种礼节，即：纳彩、问名、纳吉、纳征、请期、亲迎。随着社会的进步，这六种礼仪已被新式婚俗所取代，其中部分程序一直沿用至今，迎亲嫁娶、集体祭祖等礼俗依然存在。婚嫁礼仪：开始交往时女方家要到男方家看家境，结婚前要办订婚茶，择日子、送礼金、定嫁妆。行结婚礼时，要摆酒请客，迎亲和送亲。村内婴儿出生的第三天叫“三朝”，请亲友饮甜酒、吃甜醋。满一个月时叫满月，亦称弥月，很多人家在家中或酒店摆满月酒，设宴款待前去庆贺的亲友。

传统的丧葬风俗庄严而繁杂，多沿用古中原的传统，以土葬为主 1990 年后逐步实行火葬，其程序有：竖灵、收殓、引灵、接体、奠礼、出殡、火化、安葬等。宗族活动为集体祭祖，外出胡氏族人均回乡参加祭祖活动。

村传承耕读文化传统习俗，许多村民走上革命道路，为中国人民解放事业作出重大贡献：下文岭村作为解放战争游击区，在解放战争时期涌现出一批为革命献身的战士。1946 年 11 月，国民党联防队突然袭击驻扎在该村的北江支队独一大队部分队员，其中北江支队独一大队小队长胡占泉为掩护群众顺利撤出，壮烈牺牲。进入到 21 世纪，政府为了纪念这些为革命献身的战士，在下文岭村建立了烈士纪念碑，纪念碑始建于 2004 年 3 月，重建于 2007 年 5 月。

◎ 烈士纪念碑（摄于 2016 年）

该村的胡占泉（1921—1946 年），中共党员，革命烈士，北江支队独一大队小队长，在下文岭战斗中牺牲。胡占丰，1912 年生，中共党员，1939 年任中共佛冈县二区委书记，1946—1949 年任英佛区先锋大队指导员，后任南雄县人民法院院长、粤北行署林业森工局副局长等职。胡天佑，1950 年生，曾先后任佛冈县副县长、县政协副主席、县人大常委会副主任。

（资料填报：黄小威；初稿撰写：黄小威；总纂：李协湖）

新龙围

◎ 新龙围村村貌（摄于 2016 年）

新龙围，位于迳头镇北部，距镇政府约 11 千米。该村始建于清顺治八年（1651 年），从英德县大陂都白石乡（今佛冈县迳头镇）井前范屋迁徙至现址。由于村民是由楼下新龙围迁徙过来，为怀念迁出地而沿用原村名，故取名新龙围。

村坐落于山间谷地，整体坐东南向西北。村东面紧挨 012 乡道和国道 106 线，大片青山，为稀土矿区，南与新屋村相邻，西为大片田畴，烟岭河自西向北流过，与野猪湾村、谢屋村隔河相望，北为井冈村。

该村形成时属英德县大陂都白石乡，清嘉庆十八年（1813 年）属佛冈厅白石乡，民国时期属佛冈县白石乡，中华人民共和国成立后属佛冈县第二区白石乡，1958 年 10 月属从化县跃进（迳头）人民公社前所大队，1961 年 5 月属佛冈县烟岭人民公社前所大队，1983 年 12 月属烟岭区前所乡，1987 年 1 月属烟岭乡前所行政村，1994 年 2 月属烟岭镇前所管理区，1998 年 11 月属烟岭镇前所行政村，2004 年 5 月属迳头镇前所行政村，2005 年 5 月属迳头镇社坪行政村至今。

世居村民为范、李姓。范氏于南宋中期，从福建上杭县南湖村迁移到广东潮州府海阳县恋州都清溪乡（后改饶平县，再后改为大埔县管辖），明永乐年间（1403—1424 年）迁至英德高基排，几年后迁到横石塘琵琶山、石灰铺背村，明正统元年（1436 年）迁至英东大镇柑塘咀，明正统十二年（1447 年）迁至英德县大陂都白石乡楼下村后，再迁移至白石岭村。清顺治八年（1651 年）从井前范屋迁徙至现址。李姓，根据《火德史记》记载，七世李福智夫人曾太婆于明永乐元年（1403 年）由福建上杭经江西迁入广东南雄珠玑巷居住一个时期，移居英德白沙帽岭曾屋村定居开基。八世李茂珊、妣吴太婆乔迁烟岭果田村。明正德年间（1506—1521 年）长子李德生迁居英德县大陂都白石乡柯木冈村。1951 年从井冈村迁移至现址。

2015 年末，村有户籍人口 155 人，其中男性 80 人，女性 75 人；80 岁以上 6 人，最年长者 91 岁（女）；实际在村人口 86 人，其中留守儿童 3 人；生活主要依靠农业收入的人口有 86 人；常年在城镇生活和打工的人口有 69 人。村民均为汉族，客家民系，使用

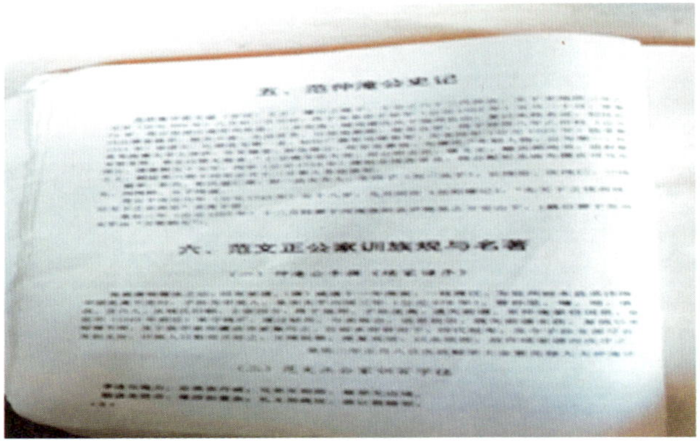

◎《范氏族谱》（摄于 2016 年）

◎ 文化室落成（摄于 2010 年）

客家方言。

1995 年重修的《范氏族谱》中记载范文正公家训百子铭，以及范仲淹告诫儿孙十要则（十要十不要）。

村有耕地 3.77 公顷、山地 34.67 公顷。自然资源主要有稀土矿。传统经济以农业为主，主要作物有水稻、花生、番薯、芋头、黄豆等。现多种植粮食作物、果树、经济林。进入 21 世纪，大部分青壮年外出经商或进厂打工。村民主要收入来源为农业收入、外出务工村民的工资性收入、经商收入。

传统的节日食品有春节的客家脍肉、酿豆腐、糖环、油角、蛋散、炒米饼，元宵节的汤圆，清明节的糯米艾糍、舂糍，端午节的粽子等。传统食品舂糍更具特色。制作方法是用糯米经水浸泡数小时，洗净滤干后放入饭笼蒸熟或用锅煮熟，然后倒入石臼里，把糯米饭舂打成黏稠泥状，民间把这种加工方法俗称"舂糍"。然后将糍团搓成一个个丸子，放进装有炒熟的芝麻、花生（捣碎）、糖粉的碗滚过沾满后即可食用。或把糍粑捏薄，放进芝麻、花生、糖粉作馅，包裹起来，一个个摆放在盘子里食用。这是糖糍，味道清香，软滑甜润，多食不腻，有舒气和胃之功效。还有一种菜糍，用舂打好的糍粑搓成丸子，和肉丝（或肉片）、笋干、冬菇、菜心等一起拌炒，吃起来甘和可口，增进食欲，也是农家餐桌上的一道好菜。

村于 1980 年通电、通电话，1993 年全村村道实现水泥硬底化，2010 年建起文化室，2012 年通网

◎ 新龙围风柜（摄于 2016 年）

◎ 新龙围旧居一角（摄于 2016 年）

络，2014 年通自来水。

风车是一种古农具，主要用于粮食脱壳的加工。部分村落到现在仍保留着最原始的脱壳方式。不过由于科技更新换代，现在一般都用收割机进行谷物脱壳的加工。

传统民居为客家围屋，始建于清光绪十八年（1892 年），整体坐东向西，里面是 3 条横街，1 条竖街，共 16 间房屋，多为两房一厅结构。民居为泥

砖墙、木质门、瓦屋顶。保存较好，至今仍有人居住。20 世纪 80 年代后，村民逐渐拆旧围屋建起楼房。

民间习俗多为客家人习俗的延续。民间节日以春节、元宵节、清明节、端阳节、中秋节、冬至等节为主，还有四月八、七月半、十月朝等节日。

传统婚嫁习俗中，保留中原古制从议婚至完婚过程中的六种礼节，即纳彩、问名、纳吉、纳征、请期、亲迎，现今已少见。随着社会的进步，这六种礼仪已被新式婚俗所取代，其中部分程序一直沿用至今，男女婚嫁是终身大事，都要经过相亲、订婚、迎亲等程序。首先是由媒人牵线，约男家的人去女家看人。若男家有意，即授意媒人向女方家长索取其女儿的出生年月日时（俗称“年生八字”），带回男家。男方家长请人卜算后，如男女“相生”，则男家叫媒人陪伴送礼去女家“报合”；如男女“相克”，则将女子“年生八字”退回女家，婚事作罢。订婚的第一步是下定礼，即男方送定金、酒米、肉类给女方，表示合成婚事。商定成亲日期及礼金后，按照礼规进行过礼，由男方出具礼帖把礼物、聘金送给女方，女方要回一份礼帖给男方。男家叫算命先生择定结婚吉日，由媒人通知女方。届时男方的迎亲队伍带着礼帖、礼物，吹起八音、敲锣打鼓、抬着花轿到女家迎新娘（俗称迎亲）。女家把嫁妆、礼物随新娘一起送回男家（俗称送亲）。新娘到达男家后，举行拜堂仪式，随后送入洞房，闹洞房后迎亲仪式即告结束。

传统的丧葬风俗庄严而繁杂，多沿用古中原的传统，以土葬为主。1990 年后逐步实行火葬，其程序有：竖灵、收殓、引灵、接体、奠礼、出殡、火化、安葬等。主要宗族活动有祭祖，每年清明节当天本村村民均回乡祭拜祖先濂公，清明节后五天祭拜祖先瓒公。

外出村民中，有的通过务工掌握专业技术后回乡服务乡邻；有的成功经商创业，致富不忘乡亲，资助村里举办公益事业。20 世纪 90 年代村民自筹资金、出动自家劳动力来建设村内道路，实现村道水泥硬底化。1996 年因国道 106 的线建设，从村落中穿过，方便村民出行。2010 年该村被广东省爱国卫生运动委员会评为“广东省卫生村”。

村人范足其，1962 年生，村里的致富能手，开办松香厂，承包山地植树，带领村民致富。

（资料填报：黄小威、李启积；初稿撰写：黄小威、李启积；总纂：李协湖）

新屋村

◎ 新屋村村貌（摄于 2016 年）

新屋村，位于迳头镇北部，距镇政府约 10 千米。该村始建于清乾隆年间（1736—1795 年），从英德县大陂都白石乡（今佛冈县迳头镇）老屋村分支迁入该地而形成。李氏族人先迁徙到老屋，然后再迁徙到别的地方，该村迁出新建，故取名新屋。

村坐落于山间谷地，东连接新龙围，南面大片田畴，西南与老屋村相连，西北临烟岭河，北接 106 国道。

该村形成时属英德县大陂都白石乡，清嘉庆十八年（1813 年）属佛冈厅白石乡，民国时期属佛冈县白石乡，中华人民共和国成立后属佛冈县第二区白石乡，1958 年 10 月属从化县跃进（迳头）人民公社前所大队，1961 年 5 月属佛冈县烟岭人民公社前所大队，1983 年 12 月属烟岭区前所乡，1987 年 1 月属烟岭乡前所行政村，1994 年 2 月属烟岭镇前所管理区，1998 年 11 月属烟岭镇前所行政村，2004 年 5 月属迳头镇前所行政村，2005 年 5 月属迳头镇社坪行政村至今。

世居村民为李、范姓。李姓，据《前所奇纮公族谱》记载，入闽始祖李火德，出生于福建省宁化县石壁村，后迁至上杭胜运里。明朝后期，其八世祖茂珊、茂瑛公由闽省迁至韶州府英德东乡帽岭村居住。九世祖德生、德进、德荣、德崇南迁至白石乡果田村居住。清顺治九年（1652 年）迁至老屋村，清乾隆间再迁徙到新屋村。范姓，南宋中期，从福建上杭县南湖村迁移到广东潮州府海阳县恋州都清溪乡（后改饶平县，再后改为大埔县管辖），又迁至英德高基排，几年后迁到横石塘琵琶山、石灰铺背村，再迁至英东大镇柑塘咀。明正统十二年（1447 年）迁至英德县白石乡楼下村，并成为佛冈范氏的发祥地。清光绪三年（1877 年）从原下楼村分支至白石岭村，清光绪十八年（1892 年）迁到社坪新龙围村，约 1951—1952 年从社坪新龙围分支至该地。

2015 年末，村有户籍人口 423 人，其中男性 216 人，女性 207 人；80 岁以上 19 人，最年长者 93 岁；实际在村 191 人，其中留守儿童 11 人；生活主要依靠农业收入 156 人；常年在城镇生活和打工 232 人。祖籍该村的香港同胞 5 人。村民均为汉族，客家民系，使用客家方言。

村有水田耕地 19.2 公顷、山地 122 公顷。村自

◎ 村民饲养的本地土鸡（摄于 2016 年）

然资源主要有稀土矿。传统经济以农业为主，主要作物有水稻、花生、番薯、芋头、黄豆等。现多种植粮食作物、果树、经济林。21 世纪初期，大部分青壮年外出经商或进厂打工。村民主要收入来源为农业收入、外出务工村民的工资性收入。

传统的节日食品有春节的客家脍肉、酿豆腐、糖环、油角、蛋散、炒米饼，元宵节的汤圆，清明节的糯米艾糍，端午节的粽子等。

村于 1973 年通电，1990 年通电话，1998 年实现水泥硬底化，2010 年通网络，2014 年通自来水。该村设有垃圾收集站一个。

◎ 农耕工具——秧盆（摄于 2016 年）

◎ 新屋村旧门楼（摄于 2016 年）

传统民居为客家围屋，始建于清乾隆年间（1736—1795 年），占地面积约 3000 平方米。围屋有 4 个门，分别是东、南、西、北门。东门现已拆除，南、西、北门现依旧存在。南门是木门，木门框；西门是主门，麻石门框，木门，大门前有两根石基础木柱支撑悬梁式的瓦面。木柱上方有拱式横木梁连接，横梁上雕刻有龙凤呈祥图案。墙体全是沙石灰三合土墙，大理石板护墙角。街道是鹅卵石铺设的，窗口多数是石板框结构。前后排住屋两边护水构成围屋外围，里面住屋以 2 房 1 厅形式排列，有一些房屋保留较为完整。随着社会发展，村民建起了新楼房，以前的旧民居只有少数人居住。

村在 106 国道旁设有一社坛，瓦面由水泥铺

◎ 新屋村社庙（摄于 2016 年）

设，四周由红砖块混合水泥堆砌，小门两侧有对联，但由于岁月的久远和重修，对联只剩下两个字，而且已完全看不清。社坛两旁各有尊佛像，村民逢年过节都会到那里拜祭，祈求家人平安，事业发达。

民间习俗多为客家人习俗的延续。民间节日以春节、元宵节、清明节、端阳节、中秋节、冬至等节为主，还有四月八、七月半、十月朝等节日。村传统嫁娶庄重繁杂。开始交往时，女家要到男家探家（俗称睇家风）；结婚前，担订婚茶，报日子，送聘金，盘嫁妆；迎亲，吃贺饭送亲。中华人民共和国成立前，村中男人到了 60 岁，女人要到 61 岁才做大生日，俗称“男双女单”。做生日时，一家人连同亲友围桌而坐，饮酒庆贺，享受盛宴，其乐融融，寿者要发红包（红包）给儿孙们。殷实人家的老人做生日，则遍请亲友光临，来宾则送寿礼祝贺。中华人民共和国成立后，随着人民生活改善，做生日不受年龄限制，很多人家不仅给老年人做生日祝寿，有些青年和小孩也做生日，以示庆贺。

婴儿出生的第三天叫“三朝”，请亲友饮甜酒、吃甜醋。满一个月时叫满月，亦称弥月，很多人家在家中或酒店摆满月酒，设宴款待前往庆贺的亲友。

迁入新屋叫“进伙”。不论贫富人家，“进伙”时，都有请客庆贺的习俗。现在入住、新购（建）的房屋，也沿此例。

传统丧葬是以土葬为主，1990 年以后逐步实行火葬，程序包括举丧成服、入殓、出殡、做法事、送葬、将亡灵送入祖堂。最大的宗族活动就是每年的春分后第五日举行集体祭祖，外出李氏均回乡参加祭祖。

民国时期，村为抗日战争游击区，村民为游击队提供帮助。

该村的李适存（1915—2014 年），又名李朝土，曾任北江一支队第五独立大队政委，中华人民共和国成立后曾任中共佛冈县委宣传部部长、清远县人大常委会副主任。

（资料填报：黄小威、李启积；初稿撰写：黄小威、李启积；总纂：李协湖）

全粤村情

高岗镇

高岗镇地图

比例尺　1:95000

审图号：粤S（清远2018）004号

○三江行政村

仓下村

◎ 仓下村村貌（摄于2016年）

仓下村，位于高岗镇东部，距镇政府6千米。始建于明末至清初，因从新丰搬迁至此而形成，村民希望粮仓丰实而取名为仓下村。相邻的村有香苏地村、瑶塘村。

村坐落于丘陵地带，东、西为耕地，南为瑶塘村和东风村，北为烟岭河。村庄距离县道374线不到1千米，位于三水交汇成烟岭河处。

在清嘉庆十八年（1813年）属佛冈厅独石乡，民国时期属佛冈县第二区观台乡，中华人民共和国成立时属佛冈县第二区观台乡，1958年10月属从化县跃进（迳头）人民公社，1961年5月属佛冈县高岗人民公社三江大队，1983年12月属高岗区三江乡，1987年1月属高岗镇三江行政村，1989年11月属高岗镇三江管理区，1998年11月属高岗镇三江行政村至今。

世居村民为罗姓。罗太一郎（号元翁）于明景泰初年从中原迁福建至广东南雄珠玑巷，后迁到新丰，明末至清初再迁移至该村。万公（即万一郎）为佛冈罗氏开基祖。

2015年末，村有户籍人口183人，其中男性96人，女性87人；80岁以上老人5人，最年长者84岁（男）；实际在村人口107人，其中留守儿童12人；生活主要依靠农业收入的人口有107人；常年在城镇生活和打工的人有76人。村民均为汉族，客家民系，使用客家方言。

村山多林密，自然资源丰富。林木资源有松树、杉树、柯树、樟树等树种。野生动物资源有斑鸠等飞禽类，还有眼镜蛇（俗称锅铲头）等爬行动物。

该村有山地40.53公顷，耕地10.53公顷。传统经济以农业为主，主要种植水稻、玉米、花生、黄豆、蔬菜等。养殖鸡、鸭、鹅、猪、牛，以及4大家鱼（鲤鱼、草鱼、鲢鱼、鳙鱼）。中华人民共和国成立前，由于种植水平低下，品种丰产性能差，水稻一般亩产为100千克，农民只能维持简单的生活。中华人民共和国成立后，该村先后组织互助组、合作社，参加人民公社，逐步推广应用先进的农业生产技术，农业生产效益有较大的提高。20 世纪 80 年代实行农村家庭联产承包责任制后，水稻一般亩产达到 400 千克，农业经济效益有较大的提高。同时，逐步调整农村经济结构，并积极发展水果产业。2013 年，该村种植沙糖桔面积 8.67 公顷，年收入 65 万元。2013 年以后，由于受黄龙病的影响，产业消退，村民改种百香果等其他经济作物。

传统食品有酿豆腐、腍肉、糯米艾糍等。

由于水源问题，仓下村至今没有通自来水，村民仍用井水。1982 年通电，2000 年通电话，2013 年全村村道实现水泥硬底化。村中建有垃圾收集点。

清中期，该村办有豫章社学，用公尝延师教村中儿童读书，入学者 10 多人。现社学原址及石刻匾额尚存。

◎ 豫章社学石刻（摄于 2016 年）

◎ 村传统民居一角（摄于 2016 年）

◎ 罗氏宗祠（摄于 2016 年）

传统民居现存 15 座。民居为 2 门归厅或 4 门归厅的横排砖木结构民房，周围建有围水屋，以作厨房使用。村外围修建牛棚、猪舍、鸡窝等，人畜分离，保持人居环境卫生整洁。房屋分为 2 层，用木板隔开，留有通道。第一层一般高 3 米，供人住宿为主；二层堆放粮食、杂物等，方便生活。民居冬暖夏凉，居住舒适。2000 年以后，村民建设钢筋混凝土结构楼房，楼房占地面积 80 平方米，三房一厅一厨一卫布局，门前多有小型花园或活动场所。仓下村现存有 1 座宗祠，为罗氏宗祠。该宗祠始建清中期，重修于 1998 年，占地面积 290 平方米，现仍作宗祠使用。

该村的族谱为《佛冈罗氏族谱》（与佛冈罗氏村合编），于 2000 年由罗家朋、罗家源、罗邦镇等主编，内有罗氏族训、祖训。

该村传统的节俗为春节、元宵节、清明节、四月八、端午节、中秋节、重阳节、冬至等。春节是送旧迎新的大节，从农历十二月二十三日“小年夜”起，家家户户打扫庭院，炸油角、做米饼、炸糖环、蒸年糕，给小孩添新衣、新鞋、玩具。到年三十，村民张贴门神、对联，吃团年饭。这一餐有意把鱼剩下，表示连年有余（鱼）。这天晚上，长者要给小孩红包，名曰压岁钱。村民有守岁的习惯，到晚上 12 点，鸣放鞭炮，迎接新年来临。年初三为送穷日，每家打扫卫生，把新年以来积聚的垃圾送到野外，烧香烧纸，焚烧垃圾，供品有米饼、糖环等，这一天是为忌日，一般不探亲访友。年初四为回门日，新婚男子携妻子去拜访岳父岳母。节日气氛浓厚的还有清明节。清明节是悼念祖先的节日，家家户户门楣插柳枝和桃叶以驱邪，采艾（一种植物）做糍，名为艾糍，并进行扫墓活动。扫墓一般从清明前的春分起到农历四月初八日，扫墓期间在外地谋生做事的人都尽可能赶回去祭扫祖墓，不回来扫墓的人会遭到村人的责骂。

村里的婚嫁习俗具有客家人的特点，其中担小担、担大担是客家人办婚事的流行风俗。即男方备齐礼物到女方家下聘礼订婚，称为担小担。男方备齐礼物到女方家接新娘，称为担大担。行结婚礼时，要摆酒请客、迎亲和送亲。结婚当天，新郎带着亲朋好友坐上婚车到新娘家接新娘。新娘的姐妹朋友关门阻止新郎进入新娘家。新郎需要用红包开路，并请亲朋好友帮助接新娘。在新娘家，新郎新娘一起向新娘家长辈敬茶，长辈给新郎新娘新婚红包。接着新娘弟弟撑红雨伞送新娘出门，由新娘的亲朋好友伴送新娘到男家。男家摆设喜席，由新郎新娘共同向亲朋好友和来宾敬茶。长辈接过新婚茶后，有的即兴唱起山歌，有的说祝贺词。山歌曰：手捧新娘一杯茶，吞下浓茶香桂花；保佑新娘生贵子，生活富贵又荣华。此外，该村办婚事仍保留铺床、闹洞房的风俗。

丧事习俗也具有客家人的特点。发生丧事时，传统以土葬为主，其程序为举丧、入殓、出殡、送葬，将灵牌送入祠堂或厅下。在办丧事时，不管是哪家的丧事，全村人都前去帮忙。打锣鼓、舞狮、放鞭炮是丧事的内容之一，由村民按分工各自负责。办丧事期间只能煮白饭、花菜、黄豆煮猪肉等简单的饭菜。葬礼开始时，有人与逝者生辰八字有相冲的均不能出现在葬礼上，必须回避。开始下葬时，送葬的家人必须提前离开，离开时不能回头看，要等下葬完毕后再回去祭拜。1990 年以后，虽然逐步实行火葬，但必要的程序仍然保留。

抗日战争时期，该村与邻村组建抗日自卫队。1939 年，该村民兵参加在三江河伏击日本侵略军的战斗。1944 年，该村几位优秀青年参加中国共产党，并参与组建抗日地下交通站，成立基干民兵小队。解放战争时期，该村基干民兵参加武装斗争。1947 年，配合游击队袭击国民政府二区区署和田赋处。1949 年 5 月，全力支援北一支队在黄竹坜、梅子坪击毙国民党二区联防大队大队长范烈光的战斗。1989 年 11 月，该村经清远市人民政府批准为抗日战争革命根据地。2012 年开展村道维修整治，清除村道障碍物，平整路面，铺设水泥硬底化。工程总投资 31 万元，采取争取上级补助、村民集资筹劳和社会支持等方式筹集资金，到 2013 年村道维修整治工程已全部完成。

村主要人物有：罗明伦（1915—1979 年），1938 年加入中共地下组织，中华人民共和国成立后曾任佛冈县第三区副区长，1952 年任和平县月水区副区长。罗继昌，1973 年生，佛冈一中信息技术高级教师。

（资料填报：罗召真；初稿撰写：唐文健；总纂：李协湖）

东风村

◎ 东风村村貌（摄于 2016 年）

东风村，位于高岗镇东部，距镇政府 6 千米。该村始建于清中期，由英德白石乡（今佛冈高岗镇）楼下村迁入而形成，因村位于龙颈山形旁，故取名龙颈村。“文化大革命”时期改名为东风村。相邻的村有梅坪村、瑶塘村。

该村坐落于丘陵地带，村东为梅子坪村和黄竹坜村，南为山地，西为瑶塘村，北为仓下村。县道 374 线从村南面通过，西接省道 252 线，东南接高岗镇。村北面为三江河。

该村在清嘉庆十八年（1813 年）属佛冈厅独石乡，民国时期属佛冈县第二区观台乡，1949 年中华人民共和国成立时属佛冈县第二区观台乡，1958 年 10 月属从化县跃进（迳头）人民公社，1961 年 5 月属佛冈县高岗人民公社三江大队，1983 年 12 月属高岗区三江乡，1987 年 1 月属高岗镇三江行政村，1989 年 11 月属高岗镇三江管理区，1998 年 11 月属高岗镇三江行政村至今。

世居村民为范姓，于清中期从英德白石乡（今佛冈县高岗镇）楼下村迁入该村。

2015 年末，村有户籍人口 445 人，其中男性 230 人，女性 215 人；80 岁以上 5 人，最年长者 91 岁（男）；实际在村居住人口 300 人，其中留守儿童 12 人；生活主要依靠农业收入的人口有 300 人；常年在城镇生活和打工的人口有 145 人。祖籍该村的港澳台同胞 21 人。村民均为汉族，客家民系，使用客家方言。

村山多林密，自然资源丰富。林木资源有松树、杉树等树种。野生动物资源有斑鸠、眼镜蛇（俗称锅铲头）等。

该村有山地 54.73 公顷，耕地 22.6 公顷。传统经济以农业为主，主要种植水稻、玉米、花生、黄豆、

◎ 村养猪场（摄于 2015 年）

蔬菜等。养殖鸡、鸭、鹅、猪、牛，以及 4 大家鱼（鲤鱼、草鱼、鲢鱼、鳙鱼）。种植花生是该村农业经济的重要来源。民国时期，花生油料产量极低，根本满足不了村民的生活需求。20 世纪 80 年代起，实行农村家庭联产承包责任制，花生亩产达到 200—250 千克（干荚）。同时，该村逐步调整农村经济结构，并积极发展水果产业及养猪业。2013 年，该村种植沙糖桔面积 8.67 公顷，年收入 65 万元。2013 年以后，由于受黄龙病的影响，产业消退，村民发展养殖业及改种李子等其他经济作物。

传统食品有酿豆腐、腍肉、糯米艾糍等。

由于水源问题，东风村至今没有通自来水，村民仍用井水。20 世纪 90 年代初通电，2000 年通电话，2010 年通网络。村中建有垃圾收集点。文化设施有文化室、篮球场等。

◎ 村文化室（摄于 2016 年）

◎《范氏族谱》（摄于 2016 年）

现存传统民居有 40 座。民居为 2 门归厅的横排砖木结构民房，周围建有围水屋，以作厨房使用。房屋分为 2 层，用木板隔开，留有通道。第一层一般高 3 米，供人住宿为主；二层堆放粮食、杂物等，方便生活。民居冬暖夏凉，居住舒适。2000 年以后，村民建钢筋混凝土结构楼房，楼房占地面积 80 平方米，三房一厅一厨一卫布局，门前多有小型花园或活动场所。代表性碑刻有《范经公祠碑刻》，现存于东风村园山。

村与佛冈范氏合编《范氏族谱》，于 1996 年编成。《文兴公家谱》纂修于 1998 年。有家训：《范文正公家训百字铭》，族训：《范仲淹告诫儿孙十要则》。

传统的节日有春节、二月二、清明节、四月八、端午节、六月六、七月十四、中秋节、重阳节、十月朝、冬至，其中春节、清明节、端午节、中秋节为大节，

◎ 村传统民居一角（摄于 2016 年）

其他为小节。大节比较隆重，做糍、剁鸡杀鸭，烧香拜门神、灶神，祈求平安多福。春节还拜祠堂、舞狮头等。节日气氛浓厚的还有端午节，各家各户包粽子纪念爱国诗人屈原，农户在门楣挂艾叶、菖蒲，点燃蚊香，以避邪逐恶，祈求保佑全家幸福安康。这一天青年人、小孩子到江河游泳，叫洗龙舟水，以祈消灾去祸，合家平安。

男婚女嫁是村中的大事，不论哪家有婚事，全村人都投入忙碌、热闹之中。传统的婚嫁礼仪有提亲、下聘礼（当地称担小担、担大担）、迎亲、摆酒、拜堂等。中华人民共和国成立后，逐步形成恋爱自由、婚姻自由的新风俗，但一些传统的婚礼特色仍然保留。接新娘的习俗是，结婚当天，新郎带着亲朋好友坐上婚车到新娘家接新娘。在新娘家，新郎新娘一起向新娘家长辈敬茶，长辈给新郎新娘新婚红包。接着新娘弟弟撑红雨伞送新娘出门，由新娘的亲朋好友伴送新娘到男家。在男家摆设的喜席上，新郎新娘共同向亲朋好友和来宾敬茶。长辈接过新婚茶后，有的即兴唱起山歌，有的说祝贺词。此外，该村办婚事仍保留铺床、闹洞房的风俗。

村里发生丧事，传统以土葬为主，其程序为举丧、入殓、出殡、送葬，将灵牌送入祠堂或厅下。村民互相帮忙，丧事伙食从简，以示哀悼。葬礼开始时，与逝者生辰八字相冲的人均不能出现在葬礼上，必须回避。开始下葬时，送葬的家人必须提前离开，离开时不能回头看，要等下葬完毕后再回去祭拜。1990 年以后，虽然逐步实行火葬，但安葬、祭拜等程序仍然保留。

2006 年起，该村按照县、镇开展公益事业一事一议的要求，由村理事会研究并经村民通过，采取争取上级补助、村民集资筹劳和社会支持等方式筹集资金，筹资 50 万元建造的文化室于 2015 年建成，成为村办事和聚会的公共场所。

民国期间，村利用祖尝公房设立学堂，由村中父老集资聘先生教学。后该村的范馥庭(1892—1950 年)，创办烟岭维新小学。1929 年初任烟岭维新小学校长时，想方设法筹资办学，创立一套新的教学方法，开设多门新课程。一时间，维新小学威名大振，英德、新丰、佛冈三县学子争着到该村读书。范秀锦，1930 生，毕业于重庆大学，曾任肇庆市卫生局副局长。范方勋，1966 年生，为佛冈一中英语中学高级教师。

（资料填报：范圣文；初稿撰写：唐文健；总纂：李协湖）

丰田村

◎ 丰田村村貌（摄于 2016 年）

丰田村，位于高岗镇东部，距镇政府 5 千米。该村始建于清朝中期，由附近新联瓦屋场村分村迁入而形成，取名罗上田村。“文化大革命”时期改名为丰田村。相邻的村有茶元坪村、新村。

该村坐落于丘陵地带，村东与新村相连，南为田，西与新联村茶元坪村相接，北为山地。主要河流有观音山河、高岗河，分别在村的南面、北面。京港澳高速公路和省道 252 线在村西面 1.5 千米处，县道 374 线在村南面通过，西接省道 252 线。

清嘉庆十八年（1813 年）属佛冈厅独石乡，民国时期属佛冈县第二区观台乡，中华人民共和国成立时属佛冈县第二区观台乡，1958 年 10 月属从化县跃进（迳头）人民公社，1961 年 5 月属佛冈县高岗人民公社三江大队，1983 年 12 月属高岗区三江乡，1987 年 1 月属高岗镇三江行政村，1989 年 11 月属高岗镇三江管理区，1998 年 11 月属高岗镇三江行政村至今。

世居村民为罗姓。罗太一郎（号元翁）于明景泰（1450—1456 年）初从中原迁福建又迁至广东南雄珠玑巷，后迁到新丰。明末清初再迁移至新联瓦屋场村。清中期从新联瓦屋场村分村迁入建成罗上

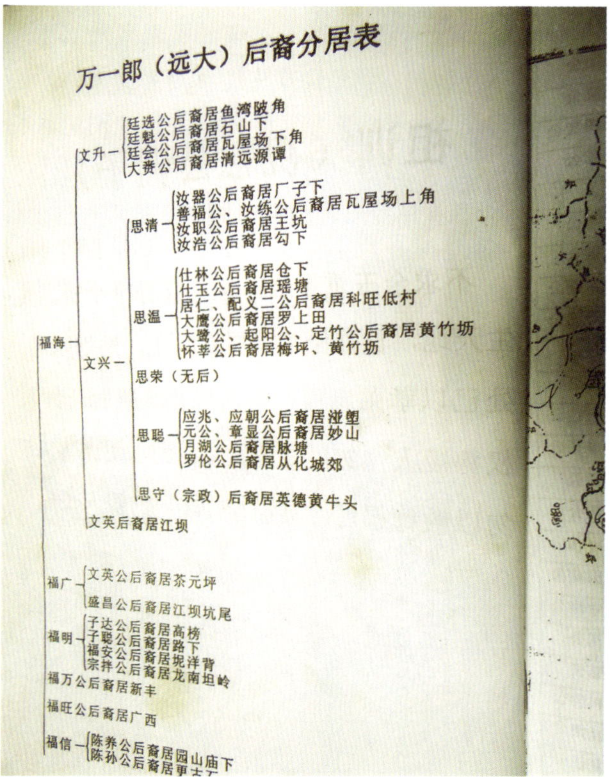

◎ 万一郎公分支图（摄于 2016 年）

田村（后改名丰田村）。罗万（即万一郎）为佛冈罗氏开基祖。

2015年末，村有户籍人口299人，其中男性163人，女性136人；80岁以上老人5人，最年长者88岁（女）；实际在村215人，其中留守儿童13人；生活主要依靠农业收入有215人；常年在城镇生活和打工有84人。村民均为汉族，客家民系，使用客家方言。

村山多林密，自然资源丰富。林木资源有松树、杉树等树种。野生动物资源有斑鸠等飞禽类，还有眼镜蛇（俗称锅铲头）等爬行动物。

该村有山地53.2公顷，耕地13.13公顷。传统经济以农业为主，主要种植水稻、玉米、花生、黄豆、蔬菜等。养殖鸡、鸭、鹅、猪、牛，以及4大家鱼（鲤鱼、草鱼、鲢鱼、鳙鱼）。蔬菜种植是该村经济的重要组成部分。实行农村家庭联产承包责任制前，蔬菜只是在村民在自留地种植，是自己生活的一部分。20世纪80年代农村全面实施联产承包责任制后，积极开展多种经营，大力发展蔬菜种植业，一般亩产达1000千克，有效地增加村民收入。2000年以后，大部分青壮年外出打工。该村还积极发展水果产业，2013年种植沙糖桔面积9公顷，年收入65万元。2013年以后，由于受黄龙病的影响，产业消退，村民改种药材等其他经济作物。

传统食品有酿豆腐、腍肉、糯米艾糍等。

由于水源问题，丰田村至今没有通自来水，村民仍用井水。1992年通电，1999年通电话。村中建有垃圾收集点。

◎ 莲藕生产基地（摄于2016年）

◎ 村传统民居一角（摄于2016年）

◎ 村新民居一角（摄于2016年）

传统民居现存40座。民居为2门归厅的横排砖木结构民房，周围建有围水屋。房屋分为2层，用木板隔开，留有通道。第一层一般高3米，供人住宿为主；二层堆放粮食、杂物等，方便生活。民居冬暖夏凉，居住舒适。2000年以后，村民建造钢筋混凝土结构楼房，楼房占地面积80平方米，三房一厅一厨一卫布局，设施较完善，门前多有小型花园或活动场所。

村的族谱为《佛冈罗氏族谱》，与佛冈罗氏村合编，于2000年由罗家朋、罗家源、罗邦镇等主编。

该村传统的节日有春节、元宵节、清明节、四月八、端午节、中秋节、重阳节、冬至等。清明节是悼念祖先的节日，家家户户门口插桃叶以驱邪，采艾蒿做糍，并进行扫墓活动。村民不论老少，离家多远，都要赶回家祭祖，以示孝敬。节日气氛浓厚的还有中秋节。每逢中秋之夜，男女老少一起赏

◎ 丰田村牌坊（摄于2016年）

月，用月饼、柚子及熟石螺等食品拜月，非常热闹。随着生活水平的不断提高，村民对欢庆中秋节的习俗也越来越重视，在外地工作的本地籍人都尽量回家与家人团聚，共度佳节。

村婚嫁习俗具有客家人的特点，其中担小担、担大担是客家人办婚事的风俗。即男方备齐礼物到女方家下聘礼订婚，称为担小担。男方备齐礼物到女方家接新娘，称为担大担。行结婚礼时，要摆酒请客、迎亲和送亲。在新娘家，新郎新娘一起向新娘家长辈敬茶，长辈给新郎新娘新婚红包。接着新娘弟弟撑红雨伞送新娘出门，由新娘的亲朋好友伴送新娘到男家。在男家摆设的喜席上，新郎新娘共同向亲朋好友和来宾敬茶。敬茶的先后次序也有讲究，即新郎新娘到每一席敬茶时，必须先敬辈分高的或年纪大的亲友，然后再敬其他宾客。亲朋好友接茶饮过后则回赠红包。还有说贺词的习俗，长辈接过新婚茶后，男的即兴唱起山歌，女的说祝贺词。有祝贺词为证：拿（给）的少，发（发财）的多，十子九登科。以示对新婚的祝福。

村中发生丧事，传统以土葬为主，其程序为举丧、入殓、出殡、送葬，将灵牌送入祠堂或厅下。在办丧事时，不管是哪家的丧事，全村人都汇集前去帮忙，打锣鼓、舞狮、放鞭炮，体现村民团结，共同缅怀故人。葬礼有相冲之说，葬礼开始时，有人与逝者生辰八字相冲的，均不能出现在葬礼上，必须回避。开始下葬时，送葬的家人必须提前离开，离开时不能回头看，要等下葬完毕后再回去祭拜。1990年以后，虽然逐步实行火葬，但安葬等程序仍然保留。

2010年，该村发动村民集资筹劳，开展农田灌溉水圳清理维修工作，维修灌溉水圳300米。2014年，发动村民集资，投入6万元改造独石陂头，维修引水渠，改善农田灌溉面积13.33公顷。

（资料填报：范圣文；初稿撰写：唐文健；总纂：李协湖）

岗如村

◎ 岗如村村貌（摄于 2016 年）

岗如村，位于高岗镇东部，距镇政府 5 千米，该村始建于明中期，由迳头甲名村（今）分村聚居而形成。因该村位于山冈下靠近茹迳村而取名岗如村。相邻的村有中围、梧塘村、茹迳村。

该村坐落于丘陵地带的小平原上，三江河有 500 多米自北向东流过该村南面。乡道（光基桥头至正下村）经过该村。

清嘉庆十八年（1813 年）属佛冈厅独石乡，民国时期属佛冈县第二区观台乡，中华人民共和国成立时属佛冈县第二区观台乡，1958 年 10 月属从化县跃进（迳头）人民公社，1961 年 5 月属佛冈县高岗人民公社三江大队，1983 年 12 月属高岗区三江乡，1987 年 1 月属高岗镇三江行政村，1989 年 11 月属高岗镇三江管理区，1998 年 11 月属高岗镇三江行政村至今。

世居村民为朱姓。据《学堂前朱氏源流支系谱》记载，明初，朱氏始祖朱景玉带领族人由福建迁入广东。明中期（约 1500 年）朱月清自迳头甲名村（今）移居该村繁衍生息。

2015 年末，村有户籍人口 439 人，其中男性 232 人，女性 207；80 岁以上老人 8 人，年最长者 97 岁（男）；生活主要依靠农业收入的人口有 180 人；实际在村人口 180 人，其中留守儿童 20 人；常年在城镇生活和打工的人口有 259 人。村民均为汉族，客家民系，使用客家方言。

村山多林密，自然资源丰富。林木资源有松树、杉树、柯树等树种。野生动物资源有斑鸠等飞禽类，还有眼镜蛇（俗称锅铲头）等爬行动物。

该村有山地 42.4 公顷，耕地 13.67 公顷。传统经济以农业为主，主要种植水稻、玉米、花生、黄豆、蔬菜等。养殖鸡、鸭、鹅、猪、牛，以及 4 大家鱼（鲤鱼、草鱼、鲢鱼、鳙鱼）。养殖家禽是该村农业经济的重要组成部分。中华人民共和国成立前，家禽养殖成活率低，生长慢，经济效益极差。20 世纪 80 年代起，该村出现家禽养殖专业户，实行规模化养殖，并带动周边村民致富。2000 年以后，大部分青壮年外出打工。同时，逐步调整农村经济结构，并积极发展水果产业，2013 年种植沙糖桔面积 9.33 公顷，年收入 70 万元。以后，由于受黄龙病的影响，产业消退，村民种植火龙果等其他作物。

◎ 岗如村新民居一角（摄于 2016 年）

传统食品有客家脍肉、客家豆腐、捏糍、糯米艾糍等。村民主要收入来源为农业收入、外出务工工资性收入。

该村 1982 年通电，2000 年通电话，2010 年全村村道实现水泥硬底化。村中建有垃圾收集站。

传统民居现存 5 座。民居为 2 门归厅或 4 门归厅的横排砖木结构民房，周围建有围水屋，以作厨房使用。房屋分为 2 层，用木板隔开，留有通道。第一层一般高 3 米，供人住宿为主；第二层堆放粮食、杂物等，方便生活。民居冬暖夏凉，居住舒适。2000 年以后，村民建造钢筋混凝土结构楼房，楼房占地面积 80 平方米，三房一厅一厨一卫布局，设施较完善，门前多有小型花园或活动场所。

◎ 村传统民居一角（摄于 2016 年）

该村的朱氏宗祠与中围、新屋村合建，宗祠在中围，始建于明朝中期，占地面积 80 平方米。后屡有修缮，1989 年重修至今。宗祠有三重厅，屋顶是特色的双龙戏珠，以琉璃瓦装盖，屋内红、青色调，柱子上绘有龙纹图案。祠堂里匾额、碑刻、楹联众多。代表性匾额有朱氏宗祠的“朱氏宗祠”“贡元”“文魁”“紫阳堂”“月清家风”。

◎ 悬挂于朱氏宗祠门额上的“月清家风”匾额（摄于 2016 年）

村修有《学堂前朱氏源流支系谱》，2006 年由学堂前村朱氏源流支系谱续谱委员会编印。朱氏族谱中有朱柏庐治家格言，称《朱子治家格言》《朱子家训》。

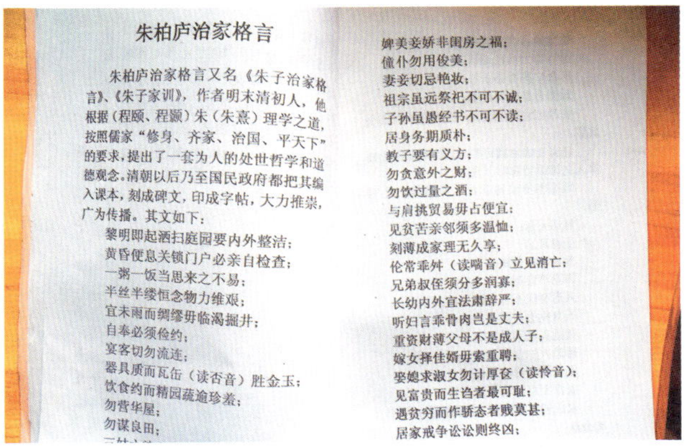

朱柏庐治家格言

朱柏庐治家格言又名《朱子治家格言》、《朱子家训》，作者明末清初人，他根据（程颐、程颢）朱（朱熹）理学之道，按照儒家“修身、齐家、治国、平天下”的要求，提出了一套为人的处世哲学和道德观念。清朝以后乃至国民政府都把其编入课本，刻成碑文，印成字帖，大力推崇，广为传播。其文如下：

黎明即起洒扫庭园要内外整洁；
黄昏便息关锁门户必亲自检查；
一粥一饭当思来之不易；
半丝半缕恒念物力维艰；
宜未雨而绸缪毋临渴掘井；
自奉必须俭约；
宴客切勿流连；
器具质而瓦缶（读否音）胜金玉；
饮食约而精园蔬逾珍羞；
勿营华屋；
勿谋良田；

婢美妾娇非闺房之福；
僮仆勿用俊美；
妻妾切忌艳妆；
祖宗虽远祭祀不可不诚；
子孙虽愚经书不可不读；
居身务期质朴；
教子要有义方；
勿贪意外之财；
勿饮过量之酒；
与肩挑贸易毋占便宜；
见贫苦亲邻须多温恤；
刻薄成家理无久享；
伦常乖舛（读喘音）立见消亡；
兄弟叔侄须分多润寡；
长幼内外宜法肃辞严；
听妇言乖骨肉岂是丈夫；
重资财薄父母不是成人子；
嫁女择佳婿毋索重聘；
娶媳求淑女勿计厚奁（读怜音）；
见富贵而生谄者最可耻；
遇贫穷而作骄态者贱莫甚；
居家戒争讼讼则终凶；

◎ 朱柏庐治家格言（摄于 2016 年）

该村仍保存传统民俗表演“哐夹狮”，形成（流行）于明朝中期。“哐夹狮”又叫狮子之王，据说是由当年朱元璋得天下后，赐给他们朱姓的狮子，别的狮子拥戴其为“狮王”，所有的狮子见到它都要礼让。“哐夹狮”与普通舞狮用的狮子区别在于：一是狮子头上有一个“王”字，其他狮子没有。二是狮口是用两块木板制成，成方形，凸在狮头前，舞动的时候，一只手控制狮头，一只手控制狮口，狮口在一张一合的时候，发出“夹、夹、夹”的声响。三是在拜门行锣的时候采用“七点梅花”的锣鼓声，走路的时候采用“三点头”的锣鼓声。

传统的节俗为春节、元宵节、清明节、四月八、端午节、中秋节、重阳节、冬至等。其中春节、清明节、端午节、中秋节为大节，其他为小节。该村有过四月八的习俗，此日近午时，村民便集中在山冈上祭拜无主山坟，晚上则在郊野祭幽灵，烧纸衣、冥钱，撒饭撒肉，鸣锣招引孤魂。中华人民共和国成立后，这种旧俗逐步消失，但村民仍保留在四月八做糍过节的习俗。节日气氛浓厚的还有清明节。清明节是悼念祖先的节日，家家户户门楣插柳枝和桃叶以驱邪，采艾（一种植物）做糍，名为艾糍，并进行扫墓活动。扫墓一般从清明前的春分起到农历四月初八日，扫墓期间，在外地谋生做事的人都尽可能赶回去祭扫祖墓，不回去扫墓的人会遭到村人的责骂。

传统婚嫁礼仪，男女开始交往时女家要到男家探家，结婚前男方需向女方家下聘礼，报日子、送聘金、定嫁妆。行结婚礼时，要摆酒请客，迎亲和送亲。结婚当天，新郎带着亲朋好友坐上婚车到新娘家接新娘。新娘的姐妹朋友关门阻止新郎进入新娘家。新郎需要用红包开路，并请亲朋好友帮助接新娘。在新娘家，新郎新娘一起向新娘家长辈敬茶，长辈给新郎新娘新婚红包。接着新娘弟弟撑红雨伞送新娘出门，出门前新娘家人拿用红纸包成条状的硬币给新娘，新娘掰断并放入自己的口袋，新娘出门后不可回头望，以示新婚顺利。

传统丧事以土葬为主，1990 年以后逐步实行火葬。其程序仍保留举丧、入殓、出殡、送葬，将灵牌送入祠堂或厅下。办丧事期间只能煮白饭、花菜、黄豆煮猪肉等简单的饭菜。葬礼开始时，有人与逝者生辰八字相冲的，均不能出现在葬礼上，必须回避。开始下葬时，送葬的家人必须提前离开，离开时不能回头看，要等下葬完毕后再回去祭拜。

该村属学堂前村范围，1939—1949 年，建立中共组织，建立起抗日自卫队、民兵、交通站、农会组织，并在中共组织的领导下开展各种革命活动，建立革命政权。发动青年参军参战，对革命作出贡献。1993 年 3 月，学堂前村经清远市人民政府批准为解放战争游击根据地。

（资料填报：林华斋；初稿撰写：朱晓文；总纂：李协湖）

高桥村

◎ 高桥村村貌（摄于 2016 年）

高桥村，位于高岗镇东部，距镇政府 6 千米。该村始建于清雍正十三年（1735 年），由在原烟岭柯木岗人放养母鸭搭建茅屋居住而形成。村民从佛冈县烟岭柯木岗搬迁到本地时要经过一座很高的桥而取名高桥村。相邻的村有仓下村、香苏地村。

该村坐落于三江河西北面的小平原上，有钢架山，海拔高度 100 米，三江河有 2000 多米自西南向东北流过该村东南面。县道 839 线从村旁南面经过。

清嘉庆十八年（1813 年）属佛冈厅独石乡，民国时期属佛冈县第二区观台乡，中华人民共和国成立时属佛冈县第二区观台乡，1958 年 10 月属从化县跃进（迳头）人民公社，1961 年 5 月属佛冈县高岗人民公社三江大队，1983 年 12 月属高岗区三江乡，1987 年 1 月属高岗镇三江行政村，1989 年 11 月属高岗镇三江管理区，1998 年 11 月属高岗镇三江行政村至今。

世居村民为李姓。族人在明宣德五年（1430 年）从陕甘交界迁移至广东南雄珠玑巷，后迁烟岭柯木岗，最后从烟岭柯木岗迁移至该地。

2015 年末，村有户籍人口 277 人，其中男性 144 人，女性 133 人；80 岁以上 7 人，最年长者年龄 95 岁（女）；实际在村人口 140 人，其中留守儿童 15 人；生活主要依靠农业收入的人口有 140 人；常年在城镇生活和打工的人口有 137 人。祖籍该村的海外留学人员 1 人。村民均为汉族，客家民系，使用客家方言。

村山多林密，自然资源丰富。林木资源有松树、杉树等树种。野生动物资源有斑鸠等动物。

该村有山地 51.4 公顷，耕地 15.27 公顷。传统

◎ 李子树（摄于 2016 年）

经济以农业为主，主要种植水稻、玉米、花生、黄豆、蔬菜等。养殖鸡、鸭、鹅、猪、牛，以及 4 大家鱼（鲤鱼、草鱼、鲢鱼、鳙鱼）。生猪养殖是该村农业经济的重要来源。中华人民共和国成立前，由于养殖技术水平低下，品种丰产性能差，畜牧养殖成活率低，农民只能维持简单的生活水平。20 世纪 80 年代起，该村出现生猪养殖专业户，年出售 300 头生猪以上。农村体制改革后，大部分青壮年外出打工。2013 年种植沙糖桔面积 8 公顷，年收入 60 万元。2013 年以后，由于受黄龙病的影响，产业消退，村民改种药材等其他作物。

传统食品有客家腍肉、客家豆腐、捏糍、糯米艾糍等。村民主要收入来源为农业收入、外出务工工资性收入。

该村 1982 年通电，2000 年通电话，2009 年通网络，2010 年全村村道实现水泥硬底化。村中建有垃圾收集站。

传统民居为长方形客家围屋，现存 30 座。民居为两门归厅的横排砖木结构民房，周围建有围水屋，以作厨房使用。再在村外围修建牛棚、猪舍、鸡窝等，人畜分离，保持人居环境卫生整洁。房屋分为 2 层，用木板隔开，留有通道。第一层一般高 3 米，供人住宿为主；第二层堆放粮食、杂物等，方便生活。民居冬暖夏凉，居住舒适。2000 年以后，村民建造钢筋混凝土结构楼房，楼房占地面积 80 平方米，三房一厅一厨一卫布局，门前多有小型花园或活动场所。

◎ 高桥村传统民居一角（摄于 2016 年）

◎ 村新民居一角（摄于 2016 年）

◎ 李氏宗祠（摄于 2016 年）

该村有李氏宗祠，始建于 1936 年，占地面积 120 平方米，2006 年重新翻修。宗祠具有特色的“三重厅”建筑风格，屋顶是以黄色琉璃瓦装盖。传统祠堂里，碑刻、匾额、楹联众多。代表性碑刻有“李氏宗祠”，代表性匾额有“近公家风”“陇西堂”。代表性楹联：“登龙世泽满乾坤；射虎家声震宇宙。”“《本草》传万代是男是女俱沾思；《道德》越千年唯心唯物皆取论。”“公恩比海深；近德如山重。”“近公鸿恩荫子为；丽祖懿德昭日月。”

传统的节日有春节、元宵节、清明节、四月八、端午节、中秋节、重阳节、冬至等。其中春节、清明节、端午节、中秋节为大节，其他为小节。农历五月初五日为端午节，又称“五月节”。各家各户包粽子纪念爱国诗人屈原，在门口桂艾叶、菖蒲等，以避邪逐恶。还有少年儿童到江河游泳，叫洗龙舟水，减少得病的概率。节日气氛浓厚的还有中秋节。

随着生活水平的不断提高，村民对欢庆中秋节的习俗也越来越重视，在外地工作的本地籍人都尽量回家与家人团聚。每逢中秋之夜，男女老少一起赏月，用月饼、柚子及熟石螺等食品拜月，热闹非常。

中华人民共和国成立前，男婚女嫁为“父母之命，媒妁之言”。农村有抱养穷人家女童做童养媳、未生男孩的人家抱养“等郎妹”的习俗。男女婚嫁是终身大事，都要经过相亲、订婚、迎亲等程序。首先由媒人牵线，约男家的人去女家看人。若男家有意，即授意媒人向女方家长索取其女儿生辰八字，带回男家。男方家长请人卜算后，如男女“相生”，则男家叫媒人陪伴送礼去女家“报合”；如男女“相克”，则将女子生辰八字退回女家，婚事作罢。订婚的第一步是下定礼（俗称座茶或叫小担），即男方送定金、酒米、肉类给女方，表示合成婚事。商定成亲日期及礼金后，按照礼规进行过礼，由男方出具礼帖把礼物、聘金送给女方，女方要回一份礼帖给男方。男家叫算命先生择定结婚吉日，由媒人通知女方。届时男方的迎亲队伍带着礼帖、礼物，吹起八音，敲锣打鼓，抬着花轿到女家迎新娘（俗称迎亲）。女家把嫁妆、礼物随新娘一起送回男家（俗称送亲）。新娘到达男家后，举行拜堂仪式，随后送入洞房，闹洞房后迎亲仪式即告结束。中华人民共和国成立后，婚嫁习俗逐渐发生变化，婚事新办的风气越来越浓厚。

中华人民共和国成立前，村民死后均以木棺土葬。死者未满 18 岁的只能用普通木料做棺材，竹杠抬，不上肩。死者在 60 岁以上的多有下列习俗：病人临去世前要移至厅堂或廊下。去世后由子孙日夜守孝，死者入殓前，子孙要到河里取水（俗称“买水”），为死者擦身、更衣，亲自入殓。出殡时，请巫师开路，吹响牛角，送殡队敲锣打鼓、燃放爆竹送行。埋葬死者后，孝子孝女等从坟上抓回一把黄土，并且同牵一条寿红（红布）由另一路线回家。葬后要为死者做“头七”“二七”“三七”的法事，神主牌送往祠堂入位。至此丧事才告完结。1990 年后逐步实行火葬。

20 世纪 60 年代中期，村民参加高岗人民公社组织的全社造林大会战，在挂牌山种上杉木 5.67 公顷。70 年代初，开展“农业学大寨”运动，改河造田 1 公顷，平整土地 1.67 公顷，农田实行田边、圳边、山边三面光。

该村的李理洋，1944 生，曾任广州市监察工程学院书记。

（资料填报：林华斋；初稿撰写：朱晓文；总纂：李协湖）

楼下村

◎ 楼下村村貌（摄于 2016 年）

楼下村，位于高岗镇东部，距镇政府 5 千米。该村始建于明末，村居是典型的客家围屋，围屋顶部四周建有水槽，用来盛水防火和抵御外敌，故取名水楼下村，后改名为楼下村。

村坐落于丘陵地带，村东为田，南为田，西与新村相接，北为田。县道 374 线从村中通过，交通便利。相邻的村有瑶塘村、仓下村、新村。

清嘉庆十八年（1813 年）属佛冈厅独石乡，民国时期属佛冈县第二区观台乡，中华人民共和国成立时属佛冈县二区观台乡，1958 年 10 月属从化县跃进（迳头）人民公社，1961 年 5 月属佛冈县高岗人民公社三江大队，1983 年 12 月属高岗区三江乡，1987 年 1 月属高岗镇三江行政村，1989 年 11 月属高岗镇三江管理区，1998 年 11 月属高岗镇三江行政村，2005 年属高岗镇三江行政村至今。

世居村民为曾姓。曾姓于明洪武年间（1368—1398 年）从江西吉阳迁移至广东南雄珠玑巷，明末从从化先后迁移至本地，共有 3 支曾姓族人迁移：一支迁往三联杨梅塘村，一支迁往楼下和香苏地村，一支迁往新村和梧塘等地。

2015 年末，村有户籍人口 163 人，其中男性 86 人，女性 77 人；80 岁以上老人 5 人，年最长者 91 岁（男）；实际在村 98 人，其中留守儿童 8 人；生活主要依靠农业收入有 98 人；常年在城镇生活和打工有 65 人。村民均为汉族，客家民系，使用客家方言。

村山多林密，自然资源丰富。林木资源有松树、杉树、柯树、樟树等树种。野生动物资源有野猪、黄猄、眼镜蛇（俗称锅铲头）等。

该村有山地 35.8 公顷，耕地 8.33 公顷。传统

◎ 位于楼下村的三江信用合作部（摄于 2016 年）

◎ 村民种植的蔬菜（摄于 2016 年）

还设有三江信用合作部。

传统民居为长方形客家围屋，现存 30 座。民居为 2 门归厅的横排砖木结构民房，周围建有围水屋，房屋建设布局较为合理，光线、通风好，居住方便舒适。2000 年以后，村民建设钢筋混凝土结构楼房，楼房占地面积 80 平方米，三房一厅一厨一卫布局，设施较完善，门前多有小型花园或活动场所。

族谱为《曾氏族谱》，与佛冈曾氏村合编，于 2004 年由广府曾氏泉公理事会重编。家规有《曾氏家规》，于清同治十一年（1872 年）制定。

经济以农业为主，主要种植水稻、玉米、花生、黄豆、蔬菜等；养殖鸡、鸭、鹅、猪、牛。中华人民共和国成立初期，该村农业经济效益极低，农民只能维持简单的生活。20 世纪 80 年代初期，农村实行家庭联产承包责任制，由于科技进步，水稻一般亩产为 400 千克，花生亩产 200—250 千克（干荚），蔬菜亩产 1000 千克，农业经济效益有较大的提高。2000 年以后，大部分青壮年外出打工，外出务工村民为工资性收入。

传统食品有酿豆腐、脍肉、糯米艾糍等。

由于水源问题，楼下村至今没有通自来水，村民仍用井水。1982 年通电，1999 年通电话，2001 年全村村道实现水泥硬底化。村中建有垃圾收集点。

传统的节俗为春节、元宵节、清明节、四月八、端午节、中秋节、重阳节、冬至等。其中春节、清明节、端午节、中秋节为大节，其他为小节。七月半亦称盂兰节或鬼节。该村有过七月半的习俗，这天村民既拜祭神明，也祭祀祖宗。宋代末年元兵入侵，时值盂兰节前，为避元兵侵扰，村民提前一天祭祀祖宗。从此每年农历七月十四日过七月半，此习沿袭至今。节日气氛浓厚的还有端午节，各家各户包粽子纪念爱国诗人屈原，农户在门楣挂艾叶、菖蒲，点燃蚊香，以避邪逐恶，祈求保佑全家幸福安康。这一天青年人、儿童到江河游泳，叫洗龙舟水，以祈消灾去祸，合家平安。

该村传统婚嫁仪式有托媒、说合、过礼、迎亲、

◎ 村旧民居一角（摄于 2016 年）

◎ 位于楼下村的三江农村幸福院（摄于 2016 年）

摆酒、拜堂、入洞房等程序。迎亲和摆酒当天，主家由亲友帮忙，在门楼的大门两旁贴上“百年好合”或“喜结良缘”的大红对联，主家住宅也贴上对联和红纸，营造喜庆气氛。迎亲时，新郎带着亲朋好友坐上婚车到新娘家接新娘。新娘的姐妹朋友关门阻止新郎进入新娘家。新郎需要用红包开路，并请亲朋好友帮助接新娘。在新娘家，新郎新娘一起向新娘家长辈敬茶，长辈给新郎新娘新婚红包。接着新娘弟弟撑红雨伞送新娘出门，由新娘的亲朋好友伴送新娘到男家。在男家摆设的喜席上，新郎新娘共同向亲朋好友和来宾敬茶。长辈接过新婚茶后，男的即兴唱起山歌，女的说祝贺词。此外，该村办婚事仍保留铺床、闹洞房的风俗。

丧事习俗也具有客家人的特点。发生丧事时，传统以土葬为主，其程序为举丧、入殓、出殡、送葬，将灵牌送入祠堂或厅下。不管是哪家的丧事，全村人都前去帮忙。办丧事期间只能煮白饭、花菜、黄豆煮猪肉等简单的饭菜。葬礼开始时，有人与逝者生辰八字相冲的，均不能出现在葬礼上，必须回避。开始下葬时，送葬的家人必须提前离开，离开时不能回头看，要等下葬完毕再回去祭拜。1990 年以后，虽然逐步实行火葬，但安葬、祭拜等程序仍然保留。

该村 20 世纪 50 年代中期，新建高岗三江粮仓，面积 491 平方米，设计容量 100 万千克，实际容量 55 万千克。1958 年开通至高岗的公路。1987 年修复三江桥，公路恢复通车。

主要人物有：曾宪贵，1934 年生，曾任中国人民解放军某部副师级干部。曾宪优，1945 年生，曾任茂名市财政局局长。曾道明，1965 年生，任佛冈县委宣传部副部长、县文广新局局长，组织编纂《佛冈民俗》《佛冈故事》《佛冈文物》等地情书。黄杏茹，1968 年 10 月生，曾道明妻，为广州市第十六中学英语高级教师。

（资料填报：范圣文；初稿撰写：唐文健；总纂：李协湖）

梅坪村

◎ 梅坪村村貌（摄于 2016 年）

梅坪村，位于高岗镇东部，距镇政府 6 千米。该村始建于清朝中期，因嘉靖年间豫章战乱搬迁至此而形成，村有梅氏人居住过而取名梅坪村。曾用名红旗村、黄竹塀村。相邻的村有东风村、仓下村。

该村坐落于丘陵地带，村东与高岗镇茶坪村相连，南为山，西与东风村相接，北为田。县道 374 线从村旁南面通过，烟岭河在村北面流过。

清嘉庆十八年（1813 年）属佛冈厅独石乡，民国时期属佛冈县第二区观台乡，中华人民共和国成立时属佛冈县第二区观台乡，1958 年 10 月属从化县跃进（迳头）人民公社，1961 年 5 月属佛冈县高岗人民公社三江大队，1983 年 12 月属高岗区三江乡，1987 年 1 月属高岗镇三江行政村，1989 年 11 月属高岗镇三江管理区，1998 年 11 月属高岗镇三江行政村至今。

该村世居村民为罗姓。罗太一郎（号元翁）于明景泰年间（1450—1456 年）从中原迁福建至广东南雄珠玑巷，后迁到新丰，清中期再迁移至该地。罗万（即万一郎）为佛冈罗氏开基祖。

2015 年末，村有户籍人口 474 人，其中男性 252 人，女性 222 人；80 岁以上老人 5 人，最年长者 99 岁（女）；实际在村 227 人，其中留守儿童 25 人；生活主要依靠农业收入有 227 人；常年在城镇生活和打工有 247 人。祖籍该村的港澳台同胞 6 人。祖籍该村的华人华侨有 3 人，居住在美国。村民均为汉族，客家民系，使用客家方言。

该村有山地 58.47 公顷，耕地 22.8 公顷。林木资源有松树、杉树等树种。传统经济以农业为主，主要种植水稻、玉米、花生、黄豆、蔬菜等。养殖

◎ 花生生产基地（摄于 2016 年）

鸡、鸭、鹅、猪、牛及4大家鱼（鲤鱼、草鱼、鲢鱼、鳙鱼）。中华人民共和国成立前，由于种植技术水平低下，品种丰产性能差，该村水稻一般亩产为100千克，农民只能维持简单的生活。中华人民共和国成立后，该村先后组织互助组、合作社，参加人民公社，逐步推广应用先进的农业生产技术，农业生产效益有较大的提高。20世纪60—70年代，农村经济以生产队为基本核算单位，村办有缸厂，烧制大量缸瓦产品，增加集体收入。20世纪80年代起实行农村家庭联产承包责任制，由于推广先进的生产技术，水稻一般亩产达到400千克，2005年调整农村经济结构，积极发展水果产业。2000年以后，大部分青壮年外出打工。2013年该村种植沙糖桔面积9.3公顷，年收入70万元。2013年以后，由于受黄龙病的影响，村民改种火龙果、百香果等其他经济作物。

传统食品有酿豆腐、腍肉、糖环、艾糍等。

由于水源问题，该村至今没有通自来水，村民仍用井水。1982年通电，2000年通电话，2012年通网络。村中建有垃圾收集点。

传统民居为长方形客家围屋，现存40座。民居为2门归厅或4门归厅的横排砖木结构民房，周围建有围水屋，作厨房使用。房屋分为2层，用木板隔开，留有通道。第一层一般高3米，供人住宿为主；二层堆放粮食、杂物等，方便生活。民居冬暖夏凉，居住舒适。2000年以后，村民建设钢筋混凝土结构楼房，楼房占地面积多为90平

◎ 村传统民居一角（摄于2016年）

◎ 罗稳公祠牌（摄于2016年）

方米，三房一厅一厨一卫布局，设施较完善。门前多有小型花园或活动场所。现存宗祠有1座，为罗稳公祠，始建于清中期，1939年重修，占地面积150平方米。

族谱为《佛冈罗氏族谱》，于2000年由罗家朋、罗家源、罗邦镇等纂修。族规、祖训于2000年制定。

传统的节日有春节、元宵节、清明节、四月八、端午节、中秋节、重阳节、冬至等，其中春节、清明节、端午节、中秋节为大节，其他为小节。中华人民共和国成立前，每逢中秋之夜，男女老少一起赏月，用月饼、柚子等食品拜月，并燃放鞭炮。青少年则成群结队放孔明灯（又叫天灯），非常热闹。节日气氛浓厚的还有清明节，家家户户门楣插柳枝和桃叶以驱邪，采艾（一种植物）做糍，名为艾糍，并进行扫墓活动。扫墓一般从清明前的春分起到农历四月初八日，扫墓期间在外地谋生做事的人也尽可能赶回去祭扫祖墓，不回来扫墓的人会遭到村人的责骂。

村传统婚嫁庄重繁杂。男女开始交往时，女家要到男家探家，结婚前男方需向女方家下聘礼，报日子、送聘金、定嫁妆。行结婚礼时，要摆酒请客，迎亲和送亲。在新娘家，新郎新娘一起向新娘家长辈敬茶，长辈给新郎新娘新婚红包。接着新娘弟弟撑红雨伞送新娘出门，出门前新娘家人拿用红纸包成条状的硬币给新娘掰断并放入自己的口袋，新娘出门后不可回头望，以示新婚顺利。

村里发生丧事时，传统以土葬为主。1990年以

后逐步实行火葬。其程序为举丧、入殓、出殡、送葬，将灵牌送入祠堂或厅下。办丧事期间只能煮白饭、花菜、黄豆煮猪肉等简单的饭菜。与逝者生辰八字相冲的，均不能出现在葬礼上，必须回避。开始下葬时，送葬的家人必须提前离开，离开时不能回头看，要等下葬完毕后再回去祭拜。

抗日战争时期，该村与邻村组建抗日自卫队。1939 年，该村民兵参加在三江河伏击日本侵略军的战斗。1944 年，该村几位优秀青年参加中国共产党，并参与组建抗日地下交通站，成立基干民兵小队。1947 年，民兵小队配合游击队袭击国民政府二区区署和田赋处。1949 年 5 月，民兵小队全力支援北一支在黄竹坜、梅子坪击毙国民政府二区联防大队大队长范烈光的战斗。1989 年 11 月，梅坪村及村内的黄竹坜小村经清远市人民政府批准为抗日时期革命根据地。2015 年，该村发动村民集资兴修农田水利，其中加固梅坪灌溉水圳护墙 200 米。

村民继承和发扬耕读文化，形成兴文重学、崇文重教的村风民风，在村民潜意识中认识到积钱不如教子、再穷也要读书、借钱也要送子女上学的理念。该村学有所成从政、从医、从商人士达 20 多人。如：罗邦朗（伟明）（1915—2009 年），1945—1949 年任连县警察局局长。罗家杰（1940—2006 年），曾荣获国家农业部农业基点先进调查员称号。罗邦来，1948 年 8 月生，1968 年 2 月参加中国人民解放军，1969 年 7 月在第二、第四航空学校当飞行员，1974 年空军高级教练机毕业后，被分配到空军第七航空师服役，是该村第一个飞行员；1985 年转业，曾任建行佛冈支行副行长。罗显中，1953 年生，现为留美博士。罗文慧，1976 年生，现为广东第二中医中药研究所副教授。罗福如，1975 年生，为佛冈县人民医院副主任医师，ICU 室主任。

（资料填报：罗召真；初稿撰写：唐文健；总纂：李协湖）

茹迳村

◎ 茹迳村村貌（摄于 2016 年）

茹迳村，位于高岗镇东部，距镇政府 5 千米。该村始建于 1940 年，由附近社岗下村村民移居而形成。因该村村民希望山区富裕，而取名裕迳村，后改名茹迳村。相邻的村有正下村、梧塘村。

该村坐落于三江河西平原上，有背夫梗山，海拔高度 50 米，三江河有 1200 多米自北向南流过该村东面。乡道岗如公路从村口经过。

该村于民国时期建成后属佛冈县第二区观台乡，中华人民共和国成立初属佛冈县第二区观台乡，1958 年 10 月属从化县跃进（迳头）人民公社，1961 年 5 月属佛冈县高岗人民公社三江大队，1983 年 12 月属高岗区三江乡，1987 年 1 月属高岗镇三江行政村，1989 年 11 月属高岗镇三江管理区，1998 年 11 月属高岗镇三江行政村至今。

世居村民为林姓。林氏《念六公族谱》记载：林念六朝至正二十六年（1366 年）因官祸从福建上杭县迁徙至广东省韶州翁源，后又迁到英德县横石水镇塔祖岗村。林念六的第五世孙林贵约明景泰前后迁居社岗下，1940 年社岗下村分村迁至该村，其后代在茹迳村繁衍生息。

2015 年末，村有户籍人口 63 人，其中男性 31 人，女性 32 人；80 岁以上 2 人，最年长者年龄 84 岁（女）；实际在村 20 人，其中留守儿童 3 人；生活主要依靠农业收入有 20 人；常年在城镇生活和打工有 43 人。

◎《林氏念六郎公族谱》（摄于 2016 年）

◎ 村民种植的李子树（摄于 2016 年）

◎ 村民种植的黄豆（摄于 2016 年）

村民均为汉族，客家民系，使用客家方言。

村山多林密，自然资源丰富。林木资源有松树、杉树、柯树、樟树等树种。野生动物资源有野猪、黄猄、斑鸠、眼镜蛇（俗称锅铲头）等。

该村有山地 32.07 公顷，耕地 1.93 公顷。传统经济以农业为主，主要种植水稻、玉米、花生、黄豆、蔬菜等。养殖鸡、鸭、鹅、猪、牛及 4 大家鱼（鲤鱼、草鱼、鲢鱼、鳙鱼）。种植花生是该村农业经济的重要收入来源。民国时期，花生油料产量极低，根本满足不了村民的生活需求。20 世纪 80 年代起，实行农村家庭联产承包责任制，村民采用良种和引进先进栽培技术，花生亩产达到 200—250 千克（干荚）。2000 年以后，大部分青壮年外出打工。同时，逐步调整农村经济结构，并积极发展水果产业。2013 年，该村种植沙糖桔面积 6.3 公顷，年收入 49.5 万元。2013 年以后，由于受黄龙病的影响，产业消退，村民改种李子等其他经济作物。村民主要收入来源为农业收入、外出务工工资性收入。

◎ 新民居一角（摄于 2016 年）

传统食品有客家腍肉、客家豆腐、捏糍、糯米艾糍等。

该村 1982 年通电，2010 年全村村道实现水泥硬底化。村中建有垃圾收集站。

传统民居现存 15 座。民居建设以若干 2 门归厅的横排砖木结构民房为主，周围建有围水屋，以作厨房使用。村外围修建牛棚、猪舍、鸡窝等，人畜分离，保持人居环境卫生整洁。村民住房布局合理，光线、通风好，改变了过去人畜共处的窘境。2000 年以后，村民建造钢筋混凝土结构楼房，楼房占地面积 80 平方米，三房一厅一厨一卫布局，门前多有小型花园或活动场所。

传统节俗为春节、元宵节、清明节、四月八、端午节、中秋节、重阳节、冬至等。其中春节、清明节、端午节、中秋节为大节，其他为小节。农历九月九日为重阳节，村民有重阳登高转运的习俗，登高地点多为较高山峰，小孩则以放风筝取乐。国家把重阳节定为敬老节后，村中老人的儿孙很多回家与老人团聚，表示敬老。节日气氛浓厚的还有清明节，家家户户门楣插柳枝和桃叶以驱邪，采艾（一种植物）做糍，名为艾糍，并进行扫墓活动。扫墓一般从清明前的春分起到农历四月初八日，扫墓期间在外地谋生做事的人都尽可能赶回去祭扫祖墓，不回去扫墓的人会遭到村人的责骂。

婚嫁习俗具有客家人的特点，其中担小担、担大担是客家人办婚事的流行风俗。即男方备齐礼物到女方家下聘礼订婚，称为担小担。男方备齐礼物

◎ 茹迳村洪水水位图（摄于 2016 年）

到女方家接新娘，称为担大担。行结婚礼时，要摆酒请客、迎亲和送亲。在新娘家，新郎新娘一起向新娘家长辈敬茶，长辈给新郎新娘新婚红包。接着新娘弟弟撑红雨伞送新娘出门，由新娘的亲朋好友伴送新娘到男家。在男家摆设的喜席上，新郎新娘共同向亲朋好友和来宾敬茶。长辈接过新婚茶后，有的即兴唱起山歌，有的说祝贺词。

该村的丧事习俗也具有客家人的特点。发生丧事时，传统以土葬为主，其程序为举丧、入殓、出殡、送葬，将灵牌送入祠堂或厅下。葬礼有相冲相克之说，若有相冲时，必须张贴告示通知。办丧事期间只能煮白饭、花菜、黄豆煮猪肉等简单的饭菜。葬礼开始时，家里有人与逝者生辰八字有相冲的均不能出现在葬礼上，必须回避。开始下葬时，送葬的家人必须提前离开，离开时不能回头看，要等下葬完毕后再回去祭拜。1990 年以后，虽然逐步实行火葬，但有些程序仍然保留。

1975 年，发生严重山洪，洪水冲进村庄，街道水深 2 米，一批房屋倒塌、毁坏，禽畜受浸淹死，损失惨重；水利设施被冲毁。广东省三防办、清远市三防办 2015 年 12 月在该村标有历史水位图。

（资料填报：林华斋；初稿撰写：朱晓文；总纂：李协湖）

梧塘村

◎ 梧塘村村貌（摄于 2016 年）

梧塘村，位于高岗镇东部，距镇政府 5 千米。该村始建于明中期，由从化黄罗村村民移居此地而形成。因该村原有五口鱼塘，并种植有梧桐树而得村名。相邻的村有正下村、岗如村。

该村坐落于丘陵地带的平原上，村内有寨闸顶山，海拔高度 80 米，三江河有 1000 多米自北向南流过该村。乡道梧塘公路从村口经过。

清嘉庆十八年（1813 年）属佛冈厅独石乡，民国时期属佛冈县第二区观台乡，中华人民共和国成立时属佛冈县第二区观台乡，1958 年 10 月属从化县跃进（径头）人民公社，1961 年 5 月属佛冈县高岗人民公社三江大队，1983 年 12 月属高岗区三江乡，1987 年 1 月属高岗镇三江行政村，1989 年 11 月属高岗镇三江管理区，1998 年 11 月属高岗镇三江行政村至今。

世居村民为曾姓。族人由山东迁入广东韶关南雄，明中期自从化黄罗移居该村繁衍生息。

2015 年末，村有户籍人口 288 人，其中男性 158 人，女性 130 人；80 岁以上 5 人，最年长者年龄 88 岁（女）；实际在村人口 150 人，其中留守儿童 15 人；生活主要依靠农业收入的人口有 150 人；常年在城镇生活和打工的人口有 138 人。村民均为汉族，客家民系，使用客家方言。

该村有山地 47.13 公顷，耕地 21.67 公顷。传统经济以农业为主，主要种植水稻、玉米、花生、黄豆、蔬菜等。养殖鸡、鸭、鹅、猪、牛。蔬菜种植是该村经济的重要组成部分。实行农村家庭联产承包责任制前，蔬菜生产只是在村民自留地种植，是自己生活的一部分。20 世纪 80 年代农村全面实

◎ 村民种植的花生（摄于 2016 年）

◎ 村火龙果种植基地（摄于 2015 年）

◎ 丰收的火龙果（摄于 2015 年）

施家庭联产承包责任制后，积极开展多种经营，该村大力发展蔬菜种植，蔬菜一般亩产达 1000 千克，有效地增加农民收入。2000 年以后，大部分青壮年外出打工。村里积极发展水果产业，2013 年种植沙糖桔面积达 9.33 公顷，年收入 70 万元。2013 年以后，由于受黄龙病的影响，产业消退，村民改种火龙果等经济作物。村民主要收入来源为农业收入、外出务工工资性收入。

村传统食品有客家腍肉、客家豆腐、捏糍、糯米艾糍等。

该村 1982 通电，2000 年通电话，2010 年全村村道实现水泥硬底化，2014 年通网络。村中建有垃圾收集站。

传统民居为长方形客家围屋，现存 15 座。民居为 2 门归厅或 4 门归厅的横排砖木结构民房，周围建有围水屋，以作厨房使用。房屋分为 2 层，用木板隔开，留有通道。第一层一般高 3 米，供人住宿为主；第二层堆放粮食、杂物等，方便生活。民居冬暖夏凉，居住舒适。2000 年以后，村民建设钢筋混凝土结构楼房，楼房占地面积 80 平方米，三房一厅一厨一卫布局，设施较完善，门前多有小型花园或活动场所。

◎ 村传统民居一角（摄于 2016 年）

20 世纪 60 年代建有梧塘耕读小学，办有两个扫盲班，由于教育资源精简合并，于 1985 年撤销。

传统节俗为春节、元宵节、清明节、四月八、端午节、中秋节、重阳节、冬至等。其中春节、清明节、端午节、中秋节为大节，其他为小节。农历十月初一叫“十月朝”或“牛生日”。村民做糯米糍粑贴在牛角、牛额、牛背脊、牛腰、牛尾部位，贴三四天后，牧童从牛身上将糯米糍粑剥下用火烤熟来吃。传说吃了“牛生日”贴在牛身上的糍粑，能像牛一样力气大。中华人民共和国成立后，这种习俗逐步被遗弃，但村民仍保留在十月初一做糍过节的习俗。节日气氛浓厚的还有中秋节。每逢中秋之夜，男女老少一起赏月，用月饼、柚子及熟石螺等食品拜月，热闹非常。随着生活水平的不断提高，村民欢庆中秋节的习俗也越来越重视，在外地工作的本地籍人都尽量回家与家人团聚，共度佳节。

中华人民共和国成立前，男婚女嫁为“父母之命，媒妁之言”。农村存有抱养穷人家女童做童养媳、未生男孩的人家抱养“等郎妹”的习俗。男女婚嫁是终身大事，都要经过相亲、订婚、迎亲等程

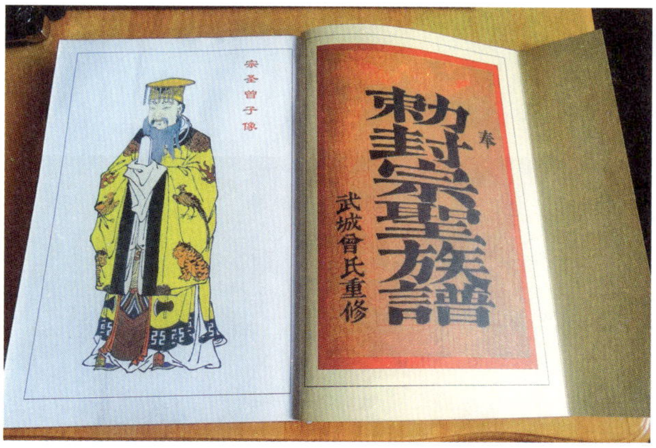

◎《敕封宗圣族谱》(摄于 2016 年)

序。相亲是由媒人牵线，约男家的人去女家看人。若男家有意，即授意媒人向女方家长索取其女儿生辰八字，带回男家。男方家长请人卜算，如男女“相生”，则叫媒人陪伴送礼去女家“报合”，如男女“相克”，则将女子生辰八字退回女家，婚事作罢。订婚的第一步是下定礼（俗称座茶或叫小担），即男方送定金、酒米、肉类给女方，表示合成婚事。商定礼金及成亲日期后，按照礼规进行过礼，由男方出具礼帖把礼物、聘金送给女方，女方要回一份礼帖给男方。随后，男家叫算命先生择定结婚的吉日，由媒人通知女方。届时男方的迎亲队伍带着礼帖、礼物，吹起八音，敲锣打鼓，抬着花轿到女家迎新娘（俗称迎亲）。女家把嫁妆、礼物随新娘一起送至男家（俗称送亲）。新娘到达男家后，举行拜堂仪式，随后送入洞房，闹洞房后迎亲仪式即告结束。中华人民共和国成立后，婚嫁习俗逐渐发生变化，婚事新办的风气越来越浓厚。

丧葬习俗传统以木棺土葬为主。死者未满 18 岁的只能用普通木料做棺材，竹杠抬，不上肩。死者在 60 岁以上的多有下列习俗：病人临去世前要移至厅堂或走廊。去世后由子孙日夜守孝，死者入殓前，子孙要到河里取水（俗称买水），为死者擦身、更衣，亲自入殓。出殡时，请巫师开路，吹响牛角，送殡队敲锣打鼓、燃放爆竹送行。埋葬死者后，孝子孝女等从坟上抓回一把黄土，并且同牵一条寿红（红布）由另一路线回家。葬后要为死者做“头七”“二七”“三七”的法事，神主牌送往祠堂入位，至此丧事才告完结。1990 年后逐步实行火葬。

20 世纪 60 年代中期，村劳动力参加高岗人民公社组织的全社造林大会战，在挂牌山种上杉木 8 公顷。70 年代初，开展农业学大寨运动，该村参加改河造田，平整土地 0.7 公顷。1985 年修建梧塘水库，解决近 13.33 公顷水田的灌溉问题。

村代表人物曾振华（1891—1971 年），曾任国民党三区（高岗、迳头、烟岭）书记。曾昭达（1893—1953 年），广州黄埔军校第四期毕业生。曾宪挠，1956 年生，2014 年任广东青年干部学院副处级干部。

（资料填报：林华斋；初稿撰写：朱晓文；总纂：李协湖）

香苏地村

◎ 香苏地村村貌（摄于 2016 年）

香苏地村，位于高岗镇东部，距镇政府 5.6 千米。该村建于清雍正十三年（1735 年），由附近杨梅塘村移民至此形成。相邻的村有高桥村、新屋村。

村坐落于漏坑河北平原上，村内有高栋埂山，海拔 200 米，漏坑河有 2200 多米自西向东流过该村南面。县道 839 线从村南面经过。

清嘉庆十八年（1813 年）属佛冈厅独石乡，民国时期属佛冈县第二区观台乡，中华人民共和国成立时属佛冈县第二区观台乡，1958 年 10 月属从化县跃进（迳头）人民公社，1961 年 5 月属佛冈县高岗人民公社三江大队，1983 年 12 月属高岗区三江乡，1987 年 1 月属高岗镇三江行政村，1989 年 11 月属高岗镇三江管理区，1998 年 11 月属高岗镇三江行政村至今。

该村世居村民为曾姓和郑姓。曾姓族人在元朝末期从江西迁移至广东南雄珠玑巷，后迁至从化；明后期由从化迁至附近杨梅塘村，后从杨梅塘村迁移至该村。郑姓族人，太上祖冯乐宣元末从福建河州府迁至韶关，13 世冯法进由闽迁至广东翁源。明正统年间（1436—1449 年）郑聪千从英州迁至大陂，中华人民共和国成立初期迁至该地。

2015 年末，村有户籍人口 175 人，其中男性 91 人，女性 84 人；80 岁以上 4 人，最年长者年龄 95 岁（曾昭业，男）；实际在村人口 74 人，其中留守儿童 8 人；生活主要依靠农业收入的人口有 74 人；常年在城镇生活和打工的人口有 101 人。村民均为汉族，客家民系，使用客家方言。

村山多林密，自然资源丰富。林木资源有松树、杉树等树种。野生动物资源有斑鸠、眼镜蛇（俗称锅铲头）等。

◎ 村番薯产业（摄于 2016 年）

该村有山地 56.53 公顷，耕地 7.07 公顷。传统经济以农业为主，主要种植水稻、玉米、花生、黄豆、蔬菜等。养殖鸡、鸭、鹅、猪、牛及 4 大家鱼（鲤鱼、草鱼、鲢鱼、鳙鱼）。养殖家禽是该村农业经济的重要组成部分。中华人民共和国成立前，家禽养殖成活率低，生长慢，经济效益极低。20 世纪 80 年代起，该村大力发展家禽养殖，实行规模化养殖，经济效益大幅度提高，村民收入迅速增加。2000 年以后，大部分青壮年外出打工。村民主要收入来源为农业收入、外出务工工资性收入。2013 年种植沙糖桔面积 15.33 公顷，年收入 115 万元。2013 年以后，由于受黄龙病的影响，产业消退，村民改种百香果、火龙果等其他作物。

传统食品有客家腍肉、客家豆腐、捏糍、糯米艾糍等。

该村 1982 年通电，2000 年通电话，2010 年全村村道实现水泥硬底化。村中建有垃圾收集站。

◎ 村传统民居一角（摄于 2016 年）

◎ 香苏地新民居（摄于 2016 年）

◎ 香苏地村口大榕树（摄于 2016 年）

传统民居为长方形客家围屋，现存 20 座。民居为 2 门归厅或 4 门归厅的横排砖木结构民房，周围建有围水屋，住宿与禽畜分离，卫生良好。房屋分为 2 层，用木板隔开，留有通道。第一层一般高 3 米，供人住宿为主；二层堆放粮食、杂物等，方便生活。民居冬暖夏凉，居住舒适。2000 年以后，村民建设钢筋混凝土结构楼房，楼房占地面积 80 平方米，三房一厅一厨一卫布局，门前多有小型花园或活动场所。

村有曾氏宗祠，与楼下村共建，宗祠建在香苏地村。始建于清中期，2005 年重修，占地 150 平方米。

传统节俗为春节、元宵节、清明节、四月八、端午节、中秋节、重阳节、冬至等。其中春节、清明节、端午节、中秋节为大节，其他为小节。冬至，该村俗称“过冬”。这个节日意味着一年农事已做完，

◎ 曾氏宗祠（摄于 2016 年）

全家应欢聚吃一顿丰盛晚餐表示庆贺。在这一天，村民各家各户做糍，打米饼，剁鸡杀鸭，欢度节日。节日气氛浓厚的还有清明节。家家户户门楣插柳枝和桃叶以驱邪，采艾（一种植物）做糍，名为艾糍，并进行扫墓活动。扫墓一般从清明前的春分起到农历四月初八日，扫墓期间在外地谋生做事的人都尽可能赶回去祭扫祖墓，不回来扫墓的人会遭到村人的责骂。

中华人民共和国成立前，男婚女嫁遵从“父母之命，媒妁之言”。农村存有抱养穷人家女童做童养媳、未生男孩的人家抱养“等郎妹”的习俗。男女婚嫁是终身大事，都要经过相亲、订婚、迎亲等程序。首先由媒人牵线，约男家的人去女家看人。若男家有意，即授意媒人向女方家长索取其女儿生辰八字，带回男家。男方家长请人卜算，如男女“相生”，则男家叫媒人陪伴送礼去女家“报合”，如男女“相克”，则将女子生辰八字退回女家，婚事作罢。订婚的第一步是下定礼（俗称座茶或叫小担），即男方送定金、酒米、肉类给女方，表示合成婚事。商定成亲日期及礼金后，按照礼规进行过礼，由男方出具礼帖把礼物、聘金送给女方，女方要回一份礼帖给男方。之后男家叫算命先生择定结婚吉日，由媒人通知女方。届时男方的迎亲队伍带着礼帖、礼物，吹起八音，敲锣打鼓，抬着花轿到女家迎新娘（俗称迎亲）。女家把嫁妆、礼物随新娘一起送去男家（俗称送亲）。新娘到达男家后，举行拜堂仪式，随后送入洞房，闹洞房后迎亲仪式即告结束。中华人民共和国成立后，婚嫁习俗逐渐发生变化，婚事新办的风气越来越浓厚，但迎亲、摆喜酒等风俗还存留下来。

中华人民共和国成立前，凡 60 岁以上的人去世叫寿终或归天，未成年人去世叫夭折或夭亡，死后均以木棺土葬。死者未满 18 岁的只能用普通木料做棺材，竹杠抬，不上肩。死者在 60 岁以上的多有下列习俗：病人临去世前要移至厅堂或走廊。去世后由子孙日夜守孝，死者入殓前，子孙要到河里取水（俗称买水），为死者擦身、更衣，亲自入殓。出殡时，请巫师开路，吹响牛角，送殡队敲锣打鼓、燃放爆竹送行。埋葬死者后，孝子孝女等从坟上抓回一把黄土，并且同牵一条寿红（红布）由另一路线回家。葬后要为死者做“头七”“二七”“三七”的法事，神主牌送往祠堂入位，至此丧事才告完结。1990 年后逐步实行火葬。

民国时期，在该村虾公塘附近挖战壕伏击日本侵略者。该村曾成为当地集市，办过“三江社学”，并办过国民党政府粮仓、监狱，中华人民共和国成立后办过小学。2005 年，三江至高坝公路升级为县道 839 线。

（资料填报：林华斋；初稿撰写：朱晓文；总纂：李协湖）

新 村

◎ 新村村貌（摄于 2016 年）

新村，位于高岗镇东部，距镇政府 5 千米。1954 年搬至现址而取名新村。相邻的村有楼下村。

村坐落于丘陵地带，村东与楼下村相连，南、西为耕地，北为山。县道 374 线从村中通过，交通便利。

1954 年搬迁至现村址时属佛冈县第二区观台乡，1958 年 10 月属从化县跃进（迳头）人民公社，1961 年 5 月属佛冈县高岗人民公社三江大队，1983 年 12 月属高岗区三江乡，1987 年 1 月属高岗镇三江行政村，1989 年 11 月属高岗镇三江管理区，1998 年 11 月属高岗镇三江行政村至今。

世居村民为曾姓。入粤始祖为曾瑜，高岗曾氏开墓祖曾培鲁。曾姓始祖于明洪武年间（1368—1398 年）从江西吉阳迁移至广东南雄珠玑巷。明末从从化迁移至该地。1954 年从附近杨梅塘村分村迁入形成新村。

2015 年末，村有户籍人口 298 人，其中男性 153 人，女性 145 人；80 岁以上老人 5 人，最年长者 89 岁（男）；实际在村 242 人，其中留守儿童 12 人；生活主要依靠农业收入有 242 人；常年在城镇生活和打工有 56 人。祖籍该村的港澳台同胞 6 人。村民均为汉族，客家民系，使用客家方言。

该村有山地 51.87 公顷，耕地 15.4 公顷。森林资源有松树、杉树等树种。传统经济以农业为主，主要种植水稻、玉米、花生、黄豆、蔬菜等。养殖鸡、鸭、鹅、猪、牛及 4 大家鱼（鲤鱼、草鱼、鲢鱼、鳙鱼）。生猪养殖是该村农业经济的重要来源。中华人民共和国成立前，由于养殖技术水平低下，品种丰产性能差，畜牧养殖成活率低，农民只能维持简

◎ 新村文化室（摄于 2016 年）

单的生活。20世纪80年代起，该村出现生猪养殖专业户，年出售300头生猪以上。2000年以后，大部分青壮年外出打工。2013年种植沙糖桔面积9.73公顷，年收入73万元。

传统食品有酿豆腐、腍肉、糯米艾糍等。

由于水源问题，新村至今没有通自来水，村民仍用井水。1982年通电，1999年通电话，2005年全村村道实现水泥硬底化。村中建有垃圾收集点。文化设施有文化室、篮球场和乡村公园等。

传统民居现存40座。民居为2门归厅的横排砖木结构民房，周围建有围水屋，以作厨房使用。全村共分3排，并建有1个门楼。房屋分为2层，用木板隔开，留有通道。第一层一般高3米，供人住宿为主；第二层堆放粮食、杂物等，方便生活。民居冬暖夏凉，居住舒适。2000年以后，村民居住新建造的钢筋混凝土结构楼房为主，楼房占地面积80平方米，三房一厅一厨一卫布局，设施较完善，门前多有小型花园或活动场所。

◎ 村传统民居一角（摄于2016年）

◎ 村新民居一角（摄于2016年）

◎ 曾氏宗祠（摄于2016年）

村有《曾氏族谱》，与佛冈曾氏村合编，于2004年由广府曾氏泉公理事会重编。有《曾氏家规》，于清同治十一年（1872年）制定。

传统的节日有春节、元宵节、清明节、四月八、端午节、中秋节、重阳节、冬至等。春节是送旧迎新的大节，从农历十二月二十三小年夜起，家家户户打扫庭院，炸油角、做米饼、炸糖环、蒸年糕，给小孩添新衣、新鞋、玩具。到年三十，村民张贴门神、对联，吃团年饭。这一餐有意把鱼剩下，表示连年有余（鱼）。这天晚上，长者要给小孩红包，名曰压岁钱。村民有守岁的习惯，到晚上12点，鸣放鞭炮，迎接新年来临。年初三为送穷日，每家打扫卫生，把新年以来积聚的垃圾送到野外，烧香烧纸，焚烧垃圾，供品有米饼、糖环等。这一天为忌日，一般不探亲访友。年初四为回门日，新婚男子携妻子去拜访岳父岳母。节日气氛浓厚的还有端午节，各家各户包粽子纪念爱国诗人屈原，农户在门楣挂艾叶、菖蒲，点燃蚊香，以避邪逐恶，祈求保佑全家幸福安康。这一天青年人、小孩子到江河游泳，叫洗龙舟水，以祈消灾去祸，合家平安。

婚嫁习俗有担小担、担大担等客家人办婚事的流行风俗。即男方备齐礼物到女方家下聘礼订婚，称为担小担。男方备齐礼物到女方家接新娘，称为担大担。行结婚礼时，要摆酒请客、迎亲和送亲。结婚当天，新郎带着亲朋好友坐上婚车到新娘家接新娘。新娘的姐妹朋友关门阻止新郎进入新娘家。新郎需要用红包开路，并请亲朋好友帮助接新娘。在新娘家，新郎新娘一起向新娘家长辈敬茶，长辈给新郎新娘新婚红包。接着新娘弟弟撑红雨伞送新娘出门，由新娘的亲朋好友伴送新娘到男家。在男家摆设的喜席上，新郎新娘共同向亲朋好友和来宾敬茶。长辈接过新婚茶后，有的即兴唱起山歌，有的说祝贺词。此外，该村办婚事仍保留铺床、闹洞房的风俗。

丧事习俗也具有客家人的特点。发生丧事时，传统以土葬为主，其程序为举丧、入殓、出殡、送葬，将灵牌送入祠堂或厅下。办丧事期间只能煮白饭、花菜、黄豆煮猪肉等简单的饭菜。葬礼开始时，家里有人与逝者生辰八字相冲的，均不能出现在葬礼上，必须回避。开始下葬时，送葬的家人必须提前离开，离开时不能回头看，要等下葬完毕后再回去祭拜。1990 年以后，虽然逐步实行火葬，但安葬、祭拜等程序仍然保留。

2012 年，新村被列为佛冈县第二批新农村建设示范村，由县财政补助资金 150 万元，开展村庄环境整治、危房改造和文化室建设工作。其中村文化室位于村文化公园，内设图书室、娱乐室、会议室。同时投入 5.8 万元，维修农田灌溉渠道，改善农田灌溉面积 20 公顷。

◎ 村门口广场（摄于 2016 年）

（资料填报：范圣文；初稿撰写：唐文健；总纂：李协湖）

新屋村

◎ 新屋村村貌（摄于 2016 年）

新屋村， 位于高岗镇东部，距镇政府 5 千米。该村始建于清中期，由学堂前村分村迁入现址建造新屋而形成，故取名新屋村。相邻的村有中围、岗如村。

该村坐落于丘陵地带，三江河有 100 多米自西向东流过该村南面。乡道（河西公路）从村旁经过。

清嘉庆十八年（1813 年）属佛冈厅独石乡，民国时期属佛冈县第二区观台乡，中华人民共和国成立时属佛冈县第二区观台乡，1958 年 10 月属从化县跃进（迳头）人民公社，1961 年 5 月属佛冈县高岗人民公社三江大队，1983 年 12 月属高岗区三江乡，1987 年 1 月属高岗镇三江行政村，1989 年 11 月属高岗镇三江管理区，1998 年 11 月属高岗镇三江行政村至今。

世居村民为朱姓。据《学堂前朱氏源流支系谱》记载，明初，朱氏始祖朱景玉带领族人由福建迁入广东，清中期从附近学堂前分村迁入该村。

2015 年末，村有户籍人口 254 人，其中男性 130 人，女性 124 人；80 岁以上老人 8 人，最年长者 97 岁（女）；实际在村 114 人，其中留守儿童 15 人；生活主要依靠农业收入有 114 人；常年在城镇生活和打工有 140 人。祖籍该村的海外留学人员 1 人。村民均为汉族，客家民系，使用客家方言。

村山多林密，自然资源丰富。林木资源有松树、杉树等树种。野生动物资源有斑鸠等飞禽类，还有眼镜蛇（俗称锅铲头）等爬行动物。

该村有山地 49.93 公顷，耕地 16.06 公顷。传统经济以农业为主，主要种植水稻、玉米、花生、黄豆、蔬菜等。养殖鸡、鸭、鹅、猪、牛及 4 大家鱼（鲤鱼、

◎ 新屋村门楼（摄于 2016 年）

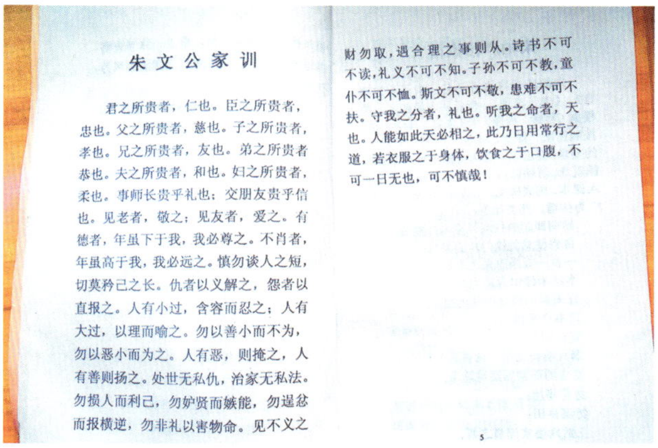

朱文公家训

君之所贵者，仁也。臣之所贵者，忠也。父之所贵者，慈也。子之所贵者，孝也。兄之所贵者，友也。弟之所贵者恭也。夫之所贵者，和也。妇之所贵者，柔也。事师长贵乎礼也；交朋友贵乎信也。见老者，敬之；见友者，爱之。有德者，年虽下于我，我必尊之。不肖者，年虽高于我，我必远之。慎勿谈人之短，切莫矜己之长。仇者以义解之，怨者以直报之。人有小过，含容而忍之；人有大过，以理而喻之。勿以善小而不为，勿以恶小而为之。人有恶，则掩之，人有善则扬之。处世无私仇，治家无私法。勿损人而利己，勿妒贤而嫉能，勿逞忿而报横逆，勿非礼以害物命。见不义之财勿取，遇合理之事则从。诗书不可不读，礼义不可不知。子孙不可不教，童仆不可不恤。斯文不可不敬，患难不可不扶。守我之分者，礼也。听我之命者，天也。人能如此天必相之，此乃日用常行之道，若衣服之于身体，饮食之于口腹，不可一日无也，可不慎哉！

5

◎ 朱文公家训（摄于 2016 年）

草鱼、鲢鱼、鳙鱼）。中华人民共和国成立初期，农业经济效益极低，农民只能维持简单的生活。到 20 世纪 80 年代初期农村实行家庭联产承包责任制起，水稻一般亩产为 400 千克，花生亩产 200—250 千克（干荚），蔬菜亩产 1000 千克，农业经济效益有较大的提高。2000 年以后，大部分青壮年外出打工；村积极发展水果产业，2013 年种植沙糖桔面积 8.4 公顷，年收入 63 万元。2013 年以后，由于受黄龙病的影响，产业消退，村民改种花生等其他经济作物。村民主要收入来源为农业收入、外出务工工资性收入。

传统食品有客家脍肉、客家豆腐、捏糍、糯米艾糍等。

该村 1982 年通电，2000 年通电话，2010 年全村村道实现水泥硬底化。村中建有垃圾收集站。

传统民居为长方形客家围屋，现存 5 座。民居为 2 门归厅或 4 门归厅的横排砖木结构民房，周围建有围水屋。房屋分为 2 层，用木板隔开，留有通道。第一层一般高 3 米，供人住宿为主；第二层堆放粮食、杂物等，方便生活。民居冬暖夏凉，居住舒适。2000 年以后，村民建设钢筋混凝土结构楼房，楼房占地面积 80 平方米，三房一厅一厨一卫布局，设施较完善，门前多有小型花园或活动场所。

宗祠与中围、岗如村合建，建在中围。始建于清朝中期，占地面积 80 平方米，后屡有修缮，1989 年重新翻修至今。宗祠是“三重厅”建筑风格，屋顶有双龙戏珠图案，以琉璃瓦装盖，屋内红、青色调，柱子上绘有龙纹图案。祠堂里匾额、碑刻、楹联众多。代表性匾额有厅下边朱氏宗祠的“朱氏宗祠”“贡元”“文魁”“紫阳堂”“月照家风”。

村修有《学堂前朱氏源流支系谱》，2006 年由学堂前朱氏源流支系谱续谱委员会编印。朱氏族谱中有朱柏庐治家格言，称《朱子治家格言》《朱子家训》，同时族谱中还有家训，称《月清公家训》，其内容为：“月朗天高浩气扬，清庐一脉世蕃昌，家传翰墨生香远，风采长存炳史长。”

该村有传统民俗表演“哐夹狮”。“哐夹狮”形成于明朝中期，据说是朱元璋得天下后赐给他们朱姓的狮子，别的狮子拥戴其为狮王。“哐夹狮”与普通舞狮用的狮子区别于：一是狮子头上有一个“王”字，其他狮子没有。二是狮口用两块方形木板制成，凸在狮头前，舞动的时候，一只手控制狮头，一只手控制狮口，狮口在一张一合的时候，发出“夹、夹、夹”的声响。三是朝拜门时采用“七点梅花”的锣鼓声，

◎ 村道（摄于 2016 年）

◎ 哐夹狮（摄于 2016 年）

走路时采用“三点头”的锣鼓声。

传统的节俗为春节、元宵节、清明节、四月八、端午节、中秋节、重阳节、冬至等。正月十五元宵节，该村有蒸发糕、做糍的习俗，以示庆贺春节圆满结束，转入新的一年农事活动，元宵节晚餐丰盛。节日气氛浓厚的还有中秋节。每逢中秋之夜，男女老少一起赏月，用月饼、柚子及熟石螺等食品拜月，热闹非常。随着生活水平的不断提高，村民对欢庆中秋节的习俗也越来越重视，在外地工作的本地籍人都尽量回家与家人团聚，共度佳节。

该村的婚嫁习俗具有客家人的特点，有担小担、担大担的风俗。即男方备齐礼物到女方家下聘礼订婚，称为担小担。男方备齐礼物到女方家接新娘，称为担大担。行结婚礼时，要摆酒请客、迎亲和送亲。

发生丧事时，传统以土葬为主，1990 年以后，虽然逐步实行火葬，但有些程序仍然保留，其程序为举丧、入殓、出殡、送葬，将灵牌送入祠堂或厅下。

该村属学堂前村范围，1939—1949 年，建立中共党组织，建立起抗日自卫队、交通站、农会组织，并在中共党的领导下，开展各种革命活动，建立革命政权，发动青年参军参战，对革命作出贡献。1993 年 3 月，学堂前村经清远市人民政府批准为解放战争游击根据地。

村有传承耕读文化的传统习俗，有不少人自幼勤学苦读，求学进取，学有所成。他们是朱祖章（清朝人），清朝举人。朱光基（民国时期人），民国时期在薛岳部队任电台台长。朱觉先，1936 年生，曾任韶关大学纪检书记、高级政工师。罗显杏，1940 年生，朱觉先妻，曾任韶关大学学生处处长。朱志方，1970 年生，国际乐伯士集团供应部总经理、统计师。

（资料填报：罗召真；初稿撰写：朱晓文；总纂：李协湖）

瑶塘村

◎ 瑶塘村村貌（摄于 2016 年）

瑶塘村，位于高岗镇东部，距镇政府 6 千米。该村始建于明末至清初，从新丰迁至此而形成。因以前有瑶族人居住过而取名瑶塘村。相邻的村为仓下村、东风村。

该村坐落于丘陵地带，村东与东风村相连，南为山，西与楼下村相接，北为仓下村。县道 374 线从村南面通过，烟岭河在村北面。

清嘉庆十八年（1813 年）属佛冈厅独石乡，民国时期属佛冈县第二区观台乡，中华人民共和国成立时属佛冈县第二区观台乡，1958 年 10 月属从化县跃进（迳头）人民公社，1961 年 5 月属佛冈县高岗人民公社三江大队，1983 年 12 月属高岗区三江乡，1987 年 1 月属高岗镇三江行政村，1989 年 11 月属高岗镇三江管理区，1998 年 11 月属高岗镇三江行政村至今。

该村世居村民为罗姓，罗太一郎（号元翁）于明景泰初年从中原迁至福建再至广东南雄珠玑巷，后迁到新丰，明末至清初再迁移至该地。罗万（即万一郎）为佛冈罗氏开基祖。

2015 年末，村有户籍人口 307 人，其中男性 163 人，女性 144 人；80 岁以上老人 5 人，最年长者 89 岁（女）；实际在村 175 人，其中留守儿童 18 人；生活主要依靠农业收入有 175 人；常年在城镇生活和打工有 132 人。村民均为汉族，客家民系，使用客家方言。

该村属亚热带湿润气候。受季风气候影响，光照充足，热量丰富，很适合种养业的发展。

该村有山地 56.53 公顷，耕地 16.87 公顷。主要种植水稻、玉米、花生、黄豆、蔬菜等。养殖鸡、

◎ 百香果基地（摄于 2016 年）

鸭、鹅、猪、牛及4大家鱼（鲤鱼、草鱼、鲢鱼、鳙鱼）。中华人民共和国成立前，由于种植技术水平低下，品种丰产性能差，水稻一般亩产为100千克，农民只能维持简单的生活。中华人民共和国成立后，该村先后组织互助组、合作社，参加人民公社，逐步推广应用先进的农业生产技术，农业生产效益有较大的提高。20世纪80年代起实行农村家庭联产承包责任制后，水稻一般亩产400千克。2000年以后，大部分青壮年外出打工。同时，逐步调整农村经济结构，并积极发展火龙果、百香果等其他经济作物。2015年成立广东故乡源生态农业有限公司，种植百香果26.67公顷，基地效应带动了周围农民的生产积极性。

◎ 瑶塘村水稻生产（摄于2016年）

传统食品有酿豆腐、脍肉、糯米艾糍等。

由于水源问题，瑶塘村至今没有通自来水，村民仍用井水。20世纪90年代初通电，2000年通电话，2010年通网络。村中建有垃圾收集点。文化设施有文化室、篮球场等。

◎ 村旧民居一角（摄于2016年）

传统民居为客家围屋，现存30座。民居为2门归厅的横排砖木结构民房，周围建有围水屋，以作厨房使用。房屋分为2层，用木板隔开，留有通道。第一层一般高3米，供人住宿为主；二层堆放粮食、杂物等，方便生活。民居冬暖夏凉，居住舒适。2000年以后，村民建设钢筋混凝土结构的楼房，楼房占地面积80平方米，三房一厅一厨一卫布局，门前多有小型花园或活动场所。

该村的族谱为《佛冈罗氏族谱》，与佛冈罗姓村合编，于2000年由罗家朋、罗家源、罗邦镇等主编。

传统的节俗为春节、元宵节、清明节、四月八、端午节、中秋节、重阳节、冬至等。清明节期间，家家户户门口插桃叶以驱邪，采艾蒿做糍，并进行扫墓、拜神活动。村民重视清明节的扫墓礼仪，不论老少，离家多远，都要赶回家祭祖，以示孝敬。节日气氛浓厚的还有端午节，各家各户包粽子纪念爱国诗人屈原，农户在门楣挂艾叶、菖蒲，点燃蚊香，以避邪逐恶，祈求保佑全家幸福安康。这一天青年人、小孩子到江河游泳，叫洗龙舟水，以祈消灾去祸，合家平安。

传统婚嫁习俗，中华人民共和国成立前，子女要听从父母之命，媒妁之言，穷苦人家养童养媳的封建习俗。中华人民共和国成立后，实行自由恋爱，自主结婚的新风尚，但是探家、定亲、择送吉日、摆酒结婚、迎亲送亲、回门礼俗仍存在。传统丧事以土葬为主。其程序为举丧、入殓、出殡、送葬和做法事，将灵牌送入祠堂或厅下。1990年以后逐步实行火葬。办丧事期间只能煮白饭、花菜、黄豆煮猪肉等简单的饭菜，用餐时不坐高台高凳，只能拆下事主家的门板放于门前的巷地上当饭台，以表哀痛。

村有一座林际安墓。该墓位于瑶塘村背后山，建于明代，面积80.3平方米。林际安是高岗镇社岗下村林姓始祖。该墓坐东南向西北，为石灰泥沙黏合结构，砌成土包墓形。面阔6.8米，进深11.8米。该墓有墓堂、墓台、墓坪，墓前1米处有拜台，拜台上的灰塑精美。墓前有月池，墓的环拢呈船形，墓壁上有灰塑。该墓规模宏大，保存完整，为佛冈

◎ 林际安墓（摄于 2016 年）

◎ 瑶塘村灌溉用水塘（摄于 2016 年）

县不可移动文物。

抗日战争时期，该村与邻村组建抗日自卫队。1939 年，村民兵参加在三江河伏击日本侵略军的战斗。1944 年，该村几位优秀青年参加中国共产党，并参与组建抗日地下交通站，成立基干民兵小队。解放战争时期，该村基干民兵参加武装斗争。1947 年，配合游击队袭击国民党二区区署和田赋处。1949 年 5 月，全力支援北一支在黄竹坜、梅子坪击毙国民党二区联防大队大队长范烈光的战斗。

1989 年 11 月，该村经清远市人民政府批准为抗日时期革命根据地。

2012 年，村结合美丽乡村建设，组织村民集资筹劳，整治村庄环境，村容生态美观。

主要人物有：罗耀旅（又名罗仲鲁），民国时人，北京大学毕业。罗恩条，民国时人，留学法国博士。罗培才（1906—1976 年），1936 年参加中共地下党组织，中华人民共和国成立后，曾任和平县供销社主任。罗显铭（1936—2012 年），曾任肇庆市国土局局长。

（资料填报：罗召真；初稿撰写：唐文健；总纂：李协湖）

正下村

◎ 正下村村貌（摄于 2016 年）

正下村，位于高岗镇东部，距镇政府 5 千米。始建于清中期，由长江白牛湖村移居至此而形成，因为村子附近有个正下庙而得名，1957 年，村一部分村民搬迁到附近茶元坪村。相邻的村有梧塘村、茹迳村。

该村坐落于三江河东面，村内有高埂山，海拔高度 150 米，三江河有 1500 多米自北向南从村穿过。村道与三江村委至正下村水泥公路相通。

清嘉庆十八年（1813 年）属佛冈厅独石乡，民国时期属佛冈县第二区观台乡，中华人民共和国成立时属佛冈县第二区观台乡，1958 年 10 月属从化县跃进（迳头）人民公社，1961 年 5 月属佛冈县高岗人民公社三江大队，1983 年 12 月属高岗区三江乡，1987 年 1 月属高岗镇三江行政村，1989 年 11 月属高岗镇三江管理区，1998 年 11 月属高岗镇三江行政村至今。

世居村民为范姓。明前期范姓祖先从陕西西安迁移至广东英德，清中期从长江白牛湖村迁移至该村。

2015 年末，村有户籍人口 131 人，其中男性 69 人，女性 62 人；80 岁以上 3 人，最年长者 93 岁（女）；实际在村 59 人，其中留守儿童 5 人；生活主要依靠农业收入有 59 人；常年在城镇生活和打工有 72 人。祖籍该村的海外留学人员 1 人。村民均为汉族，客家民系，使用客家方言。

村山多林密，自然资源丰富。林木资源有松树、杉树等树种。野生动物资源有雉鸡、白鹇、穿山甲、山兔、蛇等动物。

该村有山地 51.87 公顷，耕地 7.27 公顷。传统

◎ 成熟的百香果（摄于 2016 年）

经济以农业为主，主要种植水稻、玉米、花生、黄豆、蔬菜等。养殖鸡、鸭、鹅、猪、牛，以及4大家鱼（鲤鱼、草鱼、鲢鱼、鳙鱼）。种植花生是该村农业经济的重要来源。民国时期，花生油料产量极低，根本满足不了村民的生活需求。20世纪80年代起，实行农村家庭联产承包责任制，花生亩产达到200—250千克（干荚）。2000年以后，大部分青壮年外出打工。2015年开始种植百香果等水果，同时，发展养猪业，有效地增加收入。村民主要收入来源为农业收入、外出务工工资性收入。

◎ 村传统民居一角（摄于2016年）

◎ 村百香果种植（摄于2016年）

传统食品有客家脍肉、客家豆腐、捏糍、糯米艾糍等。

该村1982年通电，2010年全村村道实现水泥硬底化。村中建有垃圾收集站。

◎ 正下村新民居（摄于2016年）

传统民居为客家围屋，现存20座。民居为2门归厅或4门归厅的横排砖木结构民房，周围建有围水屋，以作厨房使用。村外围修建牛棚、猪舍、鸡窝等，人畜分离，保持人居环境卫生整洁。房屋分为2层，用木板隔开，留有通道。第一层一般高3米，供人住宿为主；第二层堆放粮食、杂物等，方便生活。民居冬暖夏凉，居住舒适。2000年以后，村民建设钢筋混凝土结构楼房，楼房占地面积80平方米，三房一厅一厨一卫布局，门前多有小型花园或活动场所。

村有正下庙，建于清中期，供奉土地公、菩萨，逢年过节村民前去烧香祭拜。该村修有《范氏实用历书》，范华前于1998年组织范氏实用历书委员会编印。范氏实用历书中倡导范氏先祖范仲淹的“先天下之忧而忧，后天下之乐而乐”精神。

◎《文兴公家谱》（摄于2016年）

传统节俗为春节、元宵节、清明节、四月八、端午节、中秋节、重阳节、冬至等。其中春节、清明节、端午节、中秋节为大节，其他为小节。该村有过四月八的习俗，此日近午时分，村民便集中在山冈上祭拜无主山坟，晚上则在郊野祭幽灵，烧纸衣、冥钱，撒饭撒肉，鸣锣招引孤魂。中华人民共和国成立后，这种旧俗逐步消失，但村民仍保留在四月八做糍过节的习俗。节日气氛浓厚的还有中秋节，每逢中秋之夜，男女老少一起赏月，用月饼、柚子及熟石螺等食品拜月，热闹非常。随着生活水平的不断提高，村民对欢庆中秋节的习俗也越来越重视，在外地工作的本地籍人都尽量回家与家人团聚，共度佳节。

婚嫁习俗具有客家人的特点，其中担小担、担大担是客家人办婚事的流行风俗。即男方备齐礼物到女方家下聘礼订婚，称为担小担。男方备齐礼物到女方家接新娘，称为担大担。行结婚礼时，要摆酒请客、迎亲和送亲。结婚当天，新郎带着亲朋好友坐上婚车到新娘家接新娘。新娘的姐妹朋友关门阻止新郎进入新娘家。新郎需要用红包开路，并请亲朋好友帮助接新娘。在新娘家，新郎新娘一起向新娘家长辈敬茶，长辈给新郎新娘新婚红包。接着新娘弟弟撑红雨伞送新娘出门，由新娘的亲朋好友伴送新娘到男家。在男家摆设的喜席上，新郎新娘共同向亲朋好友和来宾敬茶。长辈接过新婚茶后，男的即兴唱起山歌。山歌曰：手捧新娘一杯茶，吞下浓茶香桂花；保佑新娘生贵子，生活富贵又荣华。女的说祝贺词：拿（给）的少，发（发财）的多，十子九登科。以示对新婚的祝福。此外，该村办婚事仍保留铺床、闹洞房的风俗。

发生丧事，传统以土葬为主，其程序为举丧、入殓、出殡、送葬，将灵牌送入祠堂或厅下。办丧事期间只能煮白饭、花菜、黄豆煮猪肉等简单的饭菜。葬礼开始时，有人与逝者生辰八字相冲的，均不能出现在葬礼上，必须回避。开始下葬时，送葬的家人必须提前离开，离开时不能回头看，要等下葬完毕后再回去祭拜。1990 年以后，虽然逐步实行火葬，但有的程序仍然保留。

2011 年，村发动村民集资筹劳并争取上级补助，筹资 15 万元建设正下农田灌溉渡槽，有效解决 300 多公顷农田灌溉用水。2013 年，该村遭受水灾，造成农田灌溉渠道堵塞。村民筹资开展抗灾复产工作，维修水圳 500 多米。

该村的范华韶（1854—1939 年），曾在美国留学，归国后在韶关教书。范兰庆，1970 年生，养猪专业户，在家乡投资 600 万元办野猪养殖场，野猪养殖场成为当地养殖业的示范基地。

（资料填报：林华斋；初稿撰写：朱晓文；总纂：李协湖）

中 围

◎ 中围村貌（摄于 2016 年）

中围，位于高岗镇东南部，距镇政府 5 千米。该村始建于明中期，从迳头甲名（今）分村迁入而形成。村庄建在新屋村和岗如村中间，因夹在两村中间而得名。相邻的村有岗如村、新屋村、香苏地村。

该村坐落于北面丘陵带的南面平原上，村有蓝屋坪山和长埂咀山，三江河有 500 多米自西向东流过该村南面。光基桥头至正下村乡道从村口经过。

清嘉庆十八年（1813 年）属佛冈厅独石乡，民国期间属佛冈县二区观台乡，1949 年属佛冈县第二区观台乡，1958 年 10 月属从化县跃进（迳头）人民公社，1961 年 5 月属佛冈县高岗人民公社三江大队，1983 年 12 月属高岗区三江乡，1987 年 1 月属高岗镇三江行政村，1989 年 11 月属高岗镇三江行政村至今。

世居村民为朱姓。《学堂前朱氏源流支系谱》记载，明初，朱氏始祖朱景玉带领族人由福建迁入广东英德。明中期朱氏月清公自迳头甲名移居本地，其后代在中围繁衍生息。至清代中期，村发展至百人，开始向外迁移分支，后裔散居于佛冈县内水头、三八、石角、龙南等地。

2015 年末，村有户籍人口 503 人，其中男性 260 人，女性 243 人；80 岁以上 7 人，最年长者 86 岁（男）；实际在村 250 人，其中留守儿童 25 人；生活主要依靠农业收入 250 人；常年在城镇生活和打工有 253 人。村民均为汉族，客家民系，使用客家方言。祖籍该村的台湾同胞 11 人。

村山多林密，自然资源丰富。林木资源有松树、杉树等树种。野生动物资源有斑鸠等飞禽类，还有眼镜蛇（俗称锅铲头）等爬行动物。

该村有山地 40.53 公顷，耕地 11.06 公顷。传

◎ 村沙糖桔（摄于 2016 年）

统经济以农业为主，主要种植水稻、玉米、花生、黄豆、蔬菜、沙糖桔等水果。养殖鸡、鸭、鹅、猪、牛及4大家鱼（鲤鱼、草鱼、鲢鱼、鳙鱼）。蔬菜种植是该村经济的重要组成部分。实行农村家庭联产承包责任制前，蔬菜生产只是村民自留地种植，自己食用。20世纪80年代，农村全面实施家庭联产承包责任制后，积极开展多种经营，大力发展蔬菜种植业，一般亩产达1000千克，有效地增加村民收入。2000年以后，大部分青壮年外出打工，村民主要收入来源为农业收入、外出务工工资性收入。

传统食品有客家脍肉、客家豆腐、捏糍、糯米艾糍等。

◎ 村前景（摄于2016年）

该村1985年通电、通自来水，1995年通电话，2010年村道实现水泥硬底化，同年通网络。村中建有垃圾收集站。

传统民居为客家围屋，现存12座。民居为2门归厅或4门归厅的横排砖木结构民房，周围建有围水屋，以作厨房使用。房屋分为2层，用木板隔开，留有通道。第一层一般高3米，供人住宿为主；二层堆放粮食、杂物等，方便生活。民居冬暖夏凉，居住舒适。2000年以后，村民建设钢筋混凝土结构楼房，楼房占地面积80平方米，三房一厅一厨一卫布局，设施较完善，门前多有小型花园。

该村宗祠与新屋、岗如村共建，宗祠建在新屋村。宗祠始建于清朝中期，占地面积80平方米，1989年重新翻修至今。宗祠具有“三重厅”建筑风格，屋顶有双龙戏珠图案，以琉璃瓦装盖，屋内红、青色调，

◎ 朱氏宗祠（摄于2016年）

柱子上绘有龙纹图案。

该村祠堂里，匾额、碑刻、楹联众多。代表性匾额有朱氏宗祠的“朱氏宗祠”“贡元”“文魁”“紫阳堂”“月照家风”等。

该村修有《学堂前朱氏源流支系谱》，2006年由学堂前朱氏源流支系谱委员会编印。朱氏族谱中有朱柏庐治家格言，称《朱子治家格言》《朱子家训》，家训根据朱熹理学之道，按照儒家“修身、齐家、治国、平天下”的要求，提出了一套为人处世哲学和道德观念。族谱中有清初形成的《月清公家训》，其内容为：“月朗天高浩气扬，清庐一脉世蕃昌，家传翰墨生香远，风采长存炳史长。”

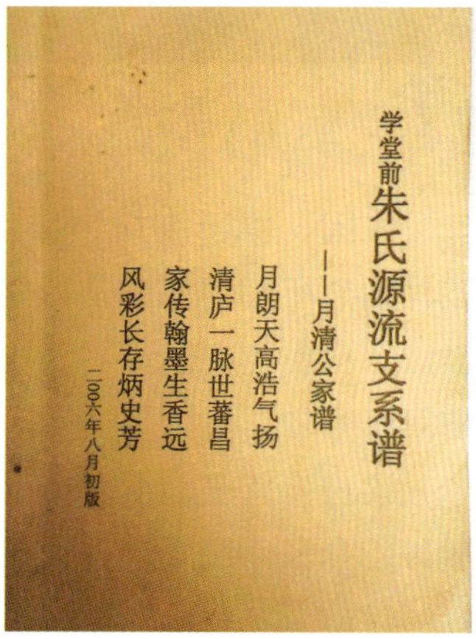

◎《学堂前朱氏源流支系谱》（摄于2016年）

传统节俗为春节、元宵节、清明节、四月八、端午节、中秋节、重阳节、冬至等。其中春节、清明节、端午节、中秋节为大节，其他为小节。端午节又称“五月节”。各家各户包粽子纪念爱国诗人屈原，在门口桂艾叶、菖蒲等，以避邪逐恶。还有少年儿童到江河游泳，叫洗龙舟水，减少儿童得病的概率。节日气氛浓厚的还有中秋节。每逢中秋之夜，男女老少一起赏月，用月饼、柚子及熟石螺等食品

拜月，热闹非常。随着生活水平的不断提高，村民对欢庆中秋节的习俗也越来越重视，在外地工作的本地籍人都尽量回家与家人团聚，共度佳节。

婚嫁礼仪，开始交往时女家要到男家探家，结婚前男方需向女方家下聘礼，报日子、送聘金、定嫁妆。行结婚礼时，要摆酒请客，迎亲和送亲。结婚当天，新郎带着亲朋好友坐上婚车到新娘家接新娘。在新娘家，新郎新娘一起向新娘家长辈敬茶，长辈给新郎新娘新婚红包。接着新娘弟弟撑红雨伞送新娘出门，出门前新娘家人拿用红纸包成条状的硬币给新娘，新娘掰断并放入自己的口袋，以示富贵吉庆；新娘出门后不可回头张望，以示天长地久，幸福白头。在喜席上，新郎、新娘双双向亲友敬茶，先敬辈分高而又年长的，然后敬其他亲友。亲友接茶饮后，会说一些“百年好合”“早生贵子”“夫妻和睦”等的贺词，有的还即兴唱一段山歌。席后，新郎、新娘由亲友簇拥着进入洞房，这时婚礼才告结束。

村里发生丧事时，传统以土葬为主。1990 年以后逐步实行火葬。其程序为举丧、入殓、出殡、送葬，将灵牌送入祠堂或厅下。办丧事期间只能煮白饭、花菜、黄豆煮猪肉等简单的饭菜。葬礼开始时，有人与逝者生辰八字相冲的，均不能出现在葬礼上，必须回避。开始下葬时，送葬的家人必须提前离开，离开时不能回头看，要等下葬完毕后再回去祭拜。

该村属学堂前村范围，1939—1949 年，建立中共党组织，建立起抗日自卫队、交通站、农会组织，并在中共党组织领导下，开展各种革命活动，建立革命政权，发动青年参军参战，对革命作出贡献。1993 年 3 月，学堂前村经清远市人民政府批准为解放战争游击根据地。20 世纪 50 年代初办农业合作社，该村发动村民以田地、耕牛入股等形式参加农业合作社，在当地起模范带头作用。70 年代后期搞农田基本建设，该村劳动力参加高岗人民公社组织的改河造田、平整土地工作，其中组织村民平整土地 0.67 公顷，改造低产田 1.34 公顷，改善农业耕作条件。

该村代表人物有：朱锦斋（1880—1945 年），民国时期曾任县长。朱光族（1930—2010 年），曾任广州市第一人民医院工会主席。朱明艺，1957 年生，曾任广州市进出口公司总经理。

（资料填报：林华斋；初稿撰写：朱晓文；总纂：李协湖）

○宝山行政村

岗下村

◎ 岗下村村貌（摄于2016年）

岗下村，位于高岗镇西北部，距镇政府5.8千米。该村始建于明成化年间（1465—1487年），因从宝结岭村分村迁入而形成。建村时，村后是一座山冈（现是田）而取名岗下村。相邻自然村有钟屋村、格田村、竹头下村。

该村坐落于高岗镇西北部丘陵地区。乡道宝山乡村公路直通省道252线。村东为竹头下村，南为钟屋村，西、北是山（与英德交界）。

清嘉庆十八年（1813年）属佛冈厅高台乡，民国时期属佛冈县第二区观台乡，中华人民共和国成立时属佛冈县第二区观台乡，1958年10月属从化县跃进（迳头）人民公社，1961年5月属佛冈县高岗人民公社宝山大队，1983年12月属高岗区宝山乡，1987年1月属高岗镇宝山行政村，1989年11月属高岗镇宝山管理区，1998年11月属高岗镇宝山行政村至今。

世居村民为钟姓。据《钟氏族谱》记载，钟氏观寿公于明宣德二年（1427年）从福建上杭县茶地乡久泰村迁徙至广东韶州府翁源县鲁溪第八甲（今岩庄镇笋洞村茜坑）开基，故为入粤始祖。明成化年间观寿公之子法旺公从宝结岭村迁移至该村。

2015年末，村有户籍人口140人，其中男性68人，女性72人；80岁以上老人3人，年最长者91岁（女）；实际在村居住65人；生活主要依靠农业收入有65人；常年在城镇生活和打工有75人。村民均为汉族，客家民系，使用客家方言。

◎ 村优质水稻田（摄于2016年）

◎ 村农田排灌圳（摄于 2016 年）

◎ 村传统民居（摄于 2016 年）

该村气候温和，雨量充沛，自然资源丰富。有山地 37.47 公顷，耕地 5.33 公顷。林木资源有松树、杉树、柯树、樟树等树种。野生动物资源有白鹇、画眉、穿山甲、山兔、蛇等动物。传统经济以农业为主，主要种植水稻、花生、黄豆、蔬菜等。养殖鸡、鸭、鹅、猪、牛及 4 大家鱼（鲤鱼、草鱼、鲢鱼、鳙鱼）。养殖家禽是该村农业经济的重要组成部分。中华人民共和国成立前，家禽养殖成活率低，生长慢，经济效益极低。20 世纪 80 年代起，该村大力发展家禽养殖，实行规模化养殖，大户、专业户年出售 2 万—5 万只鸡。2000 年以后，大部分青壮年外出打工。同时，逐步调整农村经济结构，积极发展水果产业，2013 年种植沙糖桔面积 5.33 公顷，年收入 40 万元。2013 年以后，由于受黄龙病的影响，产业消退，村民改种火龙果等其他作物。

传统食品有脍肉、酿豆腐、糯米艾糍、糯米糍、粽子、糖环等。

◎ 脚踏脱粒机（摄于 2016 年）

该村 1981 年通电，2005 年全村村道实现水泥硬底化并通电话，2011 年通网络，2012 年通自来水。村中建有垃圾收集点，文化设施有农家书屋、农村文化俱乐部等。

传统民居现存 36 座，保存现状整体完好，部分外墙破损。民居主要以 3 条直街为界，界内建房，民居为 2 门归厅或 4 门归厅的横排砖木结构民房，周围建有围水屋，以作厨房使用。村外围修建牛棚、猪舍、鸡窝等，人畜分离，保持人居环境卫生整洁。房屋分为 2 层，用木板隔开，留有通道。第一层一般高 3 米，供人住宿为主；第二层堆放粮食、杂物等，方便生活。民居冬暖夏凉，居住舒适。2000 年以后，村民建造钢筋混凝土结构楼房，楼房占地面积 85 平方米，装修比较实用，面前多有活动场所或小花园一类设施，住宿方便舒适。

传统节俗为春节、元宵节、清明节、四月八、端午节、中秋节、重阳节、冬至等。其中春节、清明节、端午节、中秋节为大节，其他为小节。端午节，又称“五月节”，各家各户包粽子纪念爱国诗人屈原，在门口挂艾叶、菖蒲等，以避邪逐恶。还有少年儿童到江河游泳，叫洗龙舟水，可减少儿童得病的概率。节日气氛浓厚的还有清明节，家家户户门楣插柳枝和桃叶以驱邪，采艾（一种植物）做糍，名为艾糍，并进行扫墓活动。扫墓一般从清明前的春分起到农历四月初八日，扫墓期间在外地谋生做事的人都尽可能赶回去祭扫祖墓，不回来扫墓的人会遭到村人的责骂。

婚嫁习俗有担小担、担大担等客家人办婚事的特有风俗。即男方备齐礼物到女方家下聘礼订婚，称为担小担。男方备齐礼物到女方家接新娘，称为担大担。行结婚礼时，要摆酒请客、迎亲和送亲。

丧事习俗传统以土葬为主，其程序为举丧、入殓、出殡、送葬，将灵牌送入祠堂或厅下。1990 年以后，虽然逐步实行火葬，但有的程序仍然保留。

村有飞娥庙传说。相传明中期，仙女阿娥要到凡间寻找姐姐，在天上看到位于高岗的宝山，只见它山峰直插云端，决定从天上直奔宝山。阿娥下凡这一天，有一郎中入山采摘灵芝，遇见阿娥。这位郎中采到灵芝后与阿娥告别，回到家中把自己进山采摘灵芝见到仙女的事讲给村民听，并把采摘到的仙灵芝分给村民。阿娥多日不见那位郎中，非常想念，于是下山寻找郎中。一来二往，仙女阿娥看中这位郎中，又一直找不到自己的姐姐，便留下来和这位郎中结婚生子，与当地村民一起生活、劳作，丰衣足食，日子过得十分幸福。自从仙女阿娥下凡后，宝山村年年五谷丰登、牛马肥壮、人人安康。因为仙女阿娥不是凡人，最终回到天庭。村民为了纪念仙女阿娥，就在大宝山，也就是仙女阿娥下凡落脚的大石头上建一座庙，叫“飞娥庙”。

2011 年起，村按照县、镇开展公益事业一事一议的部署，结合美丽乡村建设的要求，由村理事会研究并经村民通过，开展村基础设施建设，维修整治村道，清除村道障碍物，平整路面。2012 年村道整治工程完成，总投资 25 万元，营造了一个文明整洁的居住环境。

村主要人物有：钟鼎芳（1877—1927 年），晚清时期秀才，大革命时参加国民革命军，1927 年在英德策动农民暴动被捕杀。钟卜虎（1917—1948 年），革命烈士，东纵北江支队交通员，在宝结岭战斗中受伤被捕牺牲。

（资料填报：张名练；初稿撰写：黄金玉；总纂：李协湖）

格田村

◎ 格田村村貌（摄于 2016 年）

格田村， 位于高岗镇西北部，距镇政府 5.2 千米。始建于明万历十八年（1590 年），从英德长布移居本地居住而建村。因当时建村与原屋场（神下楼）有几块田相隔，故取名隔田村，后又取谐音格田村。相邻自然村有钟屋村、岗下村、竹头下村。

该村坐落于丘陵地区。乡道（宝山乡村公路）直通省道 252 线，村东、村南是山，西为钟屋村，北为竹头下村。

清嘉庆十八年（1813 年）属佛冈厅高台乡，民国时期属佛冈县第二区观台乡，中华人民共和国成立时属佛冈县第二区观台乡，1958 年 10 月属从化县跃进（迳头）人民公社，1961 年 5 月属佛冈县高岗人民公社宝山大队，1983 年 12 月属高岗区宝山乡，1987 年 1 月属高岗镇宝山行政村，1989 年 11 月属高岗镇宝山管理区，1998 年 11 月属高岗镇宝山行政村至今。

世居村民主要姓氏为张姓。宋初，张姓一支系从福建迁移至广东，明万历十八年（1590 年），赖氏祖婆带两子（千一公、千二公）从英德县长布乡荷树塘迁移至英德高台（今佛冈高岗）格田村。

2015 年末，村有户籍人口 525 人，其中男性 253 人，女性 272 人；80 岁以上老人 8 人，最年长者 91 岁（女）；实际在村居住 275 人，其中留守儿童 3 人；生活主要依靠农业收入的 275 人；常年在城镇生活和打工的有 250 人。村民均为汉族，客家民系，使用客家方言。

该村有山地 79.4 公顷，耕地 21.67 公顷。传统经济以农业为主，主要种植水稻、玉米、花生、黄豆、蔬菜等。养殖鸡、鸭、鹅、猪、牛及 4 大家鱼（鲤鱼、草鱼、鲢鱼、鳙鱼）。生猪养殖是该村农业经济的重要来源。中华人民共和国成立前，由于养殖技术水平低下，品种丰产性能差，畜牧养殖成活率低，农民只能维持简单的生活。20 世纪 80 年代起，该村出现生猪养殖专业户，年出售生猪 300 头以上。2000 年以后，大部分青壮年外出打工，外出村民为工资性收入。2013 年种植沙糖桔面积 6.67 公顷，年收入 50 万元。

传统食品有脍肉、酿豆腐、糯米艾糍、糯米糍、粽子、糖环等。

该村 1981 年通电，2005 年全村实现水泥硬底化，

◎ 传统食品糖环（摄于 2016 年）

◎ 张氏宗祠（摄于 2016 年）

◎ 村文化室（摄于 2016 年）

◎ 村传统民居一角（摄于 2016 年）

并通电话，2008 年通自来水，2011 年通网络。村中建有垃圾收集点。文化设施有农家书屋、农村文化俱乐部等。

传统民居现存 105 座，保存现状整体完好，部分外墙破损。民居建设主要以 3 条直街为界，界内建房，建设若干 2 门归厅或 4 门归厅的横排砖木结构民房，周围建有围水屋，以作厨房使用。房屋分为 2 层，用木板隔开，留有通道。第一层一般高 3 米，供人住宿为主；第二层堆放粮食、杂物等，方便生活。民居冬暖夏凉，居住舒适。2000 年以后，村民建设钢筋混凝土结构楼房，楼房占地面积 90 平方米，装修比较实用。

张氏宗祠，始建于清初。重修于 2003 年，占地面积 200 平方米。该祠为两进院落，山墙、悬山顶，属砖木结构，是宝山革命活动据点旧址，2011 年被评为佛冈革命史迹。

村有《张氏族谱》，由先撰公与君绍公共同撰修，于 2008 年 7 月由竹头下张芳握根据格田村张飞前保存的手稿及 1945 年无名手稿转录并整理。

传统的节日有春节、元宵节、清明节、四月八、端午节、中秋节、重阳节、冬至等，其中春节、清明节、端午节、中秋节为大节，其他为小节。七月半亦称盂兰节或鬼节。这天村民有祭拜神明的风俗，也祭祀祖宗。宋末时期元兵入侵，时值盂兰节前。为避元兵侵扰，村民提前一天祭祀祖宗。从此每年农历七月十四日过七月半，此习沿袭至今。节日气氛浓厚的还有端午节，各家各户包粽子纪念爱国诗人屈原，农户在门楣挂艾叶、菖蒲，点燃蚊香，以避邪逐恶，祈求保佑全家幸福安康。这一天青年人、小孩到江河游泳，叫洗龙舟水，以祈消灾去祸，合家平安。

该村的婚嫁有担小担、担大担的风俗。即男方备齐礼物到女方家下聘礼订婚，称为担小担。男方备齐礼物到女方家接新娘，称为担大担。行结婚礼时，要摆酒请客、迎亲和送亲。在男家摆设的喜席上，新郎新娘共同向亲朋好友和来宾敬茶。长辈接过新婚茶后，有的即兴唱起山歌，有的说祝贺词，以示对新婚的祝福。此外，该村办婚事仍保留铺床、闹洞房的风俗。

该村的丧事习俗也具有客家人的特点。发生丧事时，传统以土葬为主，其程序为举丧、入殓、出殡、送葬，将灵牌送入祠堂或厅下。办丧事期间只能煮白饭、花菜、黄豆煮猪肉等简单的饭菜。葬礼开始时，有人与逝者生辰八字相冲的，均不能出现在葬礼上，必须回避。开始下葬时，送葬的家人必须提前离开，离开时不能回头看，要等下葬完毕后再回去祭拜。1990 年以后，虽然逐步实行火葬，但安葬、祭拜的程序仍然保留。

1943 年，该村青年参加英翁佛民主先锋大队。1944 年成立村耕种会（农会），开展减租减息运动。1947 年，该村捐款捐粮支援游击队，当年该村青年参加游击队第九中队。1947 年 8 月，英翁佛民主先锋队大队长李拔才率队进驻宝山、观音山等地，建立和恢复民兵组织，成立宝山、东坑、观音山、岗咀头、社岗下、格田、墩下、路下八个基干民兵中队，扣押何德敷（县参议员），封存何的存粮 1000 多石，实行“二五”减租。1949 年，该村民兵配合游击队截击国民党联防队。1993 年 3 月，该村经清远市人民政府批准为解放战争游击根据地。该村于 2015 年建成格田村文化室。

主要人物有：张飞龙（1935—2014 年），曾任沈阳市中级人民法院正处级审判员，1947 年 2 月参加革命，1955 年 6 月加入中国共产党，先后在海军驻哈尔滨江北造船厂军代表、沈阳市中级人民法院等单位工作。张飞来（1955—1979 年），革命烈士，在 1979 年参加对越自卫还击战中牺牲。

（资料填报：张名练；初稿撰写：黄金玉；总纂：李协湖）

钟屋村

◎ 钟屋村村貌（摄于 2016 年）

钟屋村，位于高岗镇西北部，距镇政府约 6 千米。该村始建于明初，由钟姓先祖从翁源县迁入建村。因村建在人们称为宝地的山岭下，故取名宝结岭村，佛冈解放后因全村原籍居民均姓钟而改名钟屋村。相邻的村有岗下村、格田村。

该村坐落于高岗镇西北部丘陵地区。省道 252 线在村东面 3.5 千米处，乡道与省道 252 线连接。村东面为宝山溪，流向东面汇入墩下水。该村东为岗下村，南为宝山行政村，西、北是山，与英德交界。

清嘉庆十八年（1813 年）属佛冈厅高台乡，民国期间属佛冈县第二区观台乡，中华人民共和国成立时属佛冈县第二区观台乡，1958 年 10 月属从化县跃进（迳头）人民公社，1961 年 5 月属佛冈县高岗人民公社宝山大队，1983 年 12 月属高岗区宝山乡，1987 年 1 月属高岗镇宝山行政村，1989 年 11 月属高岗镇宝山管理区，1998 年 11 月属高岗镇宝山行政村至今。

世居村民为钟姓。明前期，钟德尚太祖从福建省迁往广东翁源，明宣德二年（1427 年）从翁源县鲁溪第八甲迁移至英德高台乡（今佛冈高岗）现址。

2015 年末，村有户籍人口 757 人，其中男性 380 人，女性 377 人；80 岁以上 12 人，最年长者 94 岁（女）；实际在村 400 人，其中留守儿童 3 人；生活主要依靠农业收入的有 400 人；常年在城镇生活和打工有 357 人。村民均为汉族，客家民系，使用客家方言。

村山多林密，自然资源丰富。林木资源有松树、杉树、柯树、樟树等树种。野生动物资源有野猪、黄猄、斑鸠、眼镜蛇（俗称锅铲头）等。

该村有山地 398.6 公顷，耕地 31.65 公顷。自然资源主要有白瓷土。传统经济以农业为主，主要种植水稻、玉米、花生、黄豆、蔬菜等。养殖鸡、鸭、鹅、猪、牛及 4 大家鱼（鲤鱼、草鱼、鲢鱼、鳙鱼）。中华人民共和国成立初期，该村农业经济效益极低，农民只能维持简单的生活。到 20 世纪 80 年代初期农村实行家庭联产承包责任制起，水稻一般亩产 400 千克，花生亩产 200—250 千克（干荚），蔬菜亩产 1000 千克，农业经济效益有较大的提高。2000 年以后，大部分青壮年外出打工。2010 年起，村民大种桉树，种植总面积约 666.67 公顷，还种植佛手等药

◎ 药材佛手（摄于 2015 年）

◎ 村传统民居一角（摄于 2016 年）

材；并积极发展水果产业，2013 年种植沙糖桔面积达 6.67 公顷，产值 50 万元。

传统食品有宝山豆腐、糯米艾糍等。名优产品为高岗米酒：高岗米酒选料上乘，制作精良，酒味醇厚，闻名当地。高岗米酒选用当地大米为原料。制法是：先将大米淘洗干净，煮熟后凉开，至 35℃—40℃时拌松，再拌入酒曲水，然后用水缸或酒瓮装好，储藏在比较温和的地方发酵 15 天成酒。一般蒸取量为 500 克大米取 400 克米酒，蒸量越多，酒味越淡。

该村 1981 年通电，2005 年村道实现水泥硬底化及通电话，2006 年通自来水，2011 年通网络。村中建有垃圾收集点。文化设施有农家书屋、农村文化俱乐部、乡村公园等。

传统民居为客家围屋，现存 250 座。房屋分为 2 层，用木板隔开，留有通道。第一层一般高 3 米，供人住宿为主；第二层堆放粮食、杂物等，方便生活。民居冬暖夏凉，居住舒适。1948 年，因该村为游击队根据地，国民党军队进行围剿，把全村房屋全部烧光。1953 年全村重新规划重建民居，即现今的长方形客家围屋。民居建设主要以 3 条直街为界，里面建设若干 2 门归厅或 4 门归厅的横排砖木结构民房，周围建有围水屋。2000 年以后，村民建造钢筋混凝土结构楼房，楼房占地面积 85 平方米，布局合理，设施完善。

2015 年，建宝山小学，有班级 2 个，在校学生 18 人，教职工 2 人。校内设有幼儿班 1 个，学生 13 人，教职工 1 人。

该村的钟氏宗祠，始建于清代，重建于 20 世纪 80 年代，现占地 300 平方米。该祠为三进院落，属砖木结构，曾是中国人民解放军东江纵队北江支队（简称东纵北江支队）司令部旧址，2011 年被评为县级革命史迹。

传统节日有春节、元宵节、清明节、四月八、端

◎ 宝山公园一角（摄于 2016 年）

◎ 钟氏宗祠（摄于 2016 年）

午节、中秋节、重阳节、冬至等。其中春节、清明节、端午节、中秋节为大节，其他为小节。中秋节或叫团圆节。中华人民共和国成立前，每逢中秋之夜，男女老少一起赏月，用月饼、柚子等食品拜月，并燃放鞭炮。青少年则成群结队放孔明灯（又叫天灯），非常热闹。中华人民共和国成立后，此习俗逐步消失。节日气氛浓厚的还有清明节，家家户户门楣插柳枝和桃叶以驱邪，采艾（一种植物）做糍，名为艾糍，并进行扫墓活动。扫墓一般从清明前的春分起到农历四月初八日，扫墓期间在外地谋生做事的人都尽可能赶回去祭扫祖墓，不回来扫墓的人会遭到村人的责骂。

婚嫁习俗有客家人担小担、担大担的风俗。即男方备齐礼物到女方家下聘礼订婚，称为担小担。男方备齐礼物到女方家接新娘，称为担大担。行结婚礼时，要摆酒请客、迎亲和送亲。

丧事习俗也具有客家人的特点。传统以土葬为主，其程序为举丧、入殓、出殡、送葬，将灵牌送入祠堂或厅下。不管是哪家的丧事，全村人都前去帮忙。办丧事期间只能煮白饭、花菜、黄豆煮猪肉等简单的饭菜，以示哀悼。葬礼开始时，有人与逝者生辰八字相冲的，均不能出现在葬礼上，必须回避。开始下葬时，送葬的家人必须提前离开，离开时不能回头看，要等下葬完毕后再回去祭拜。1990年以后，虽然逐步实行火葬，但安葬、拜祭等程序仍然保留。

该村有宝山、侧塘、黄岗古道。从村后山冈起，翻过山北南蛇汪，向北走，过侧塘到黄岗圩，然后乘船沿滃江而下达长湖，过遥铺桥直抵英德县城。全长50千米，因路险弯多，已无人行走。

1927—1928年，该村青年受英德鱼湾农民革命运动的影响，先后有32人参加农民组织“犁头会”，并参加刘裕光等领导的攻打英德县城的战斗。1931年4月村民参加英德鱼湾“鸡麻湖”暴动。1945年春至1946年夏，东纵北江支队司令部驻钟氏宗祠。解放战争时期，参加东纵北江支队的中队长钟拔才、副中队长钟凌云、中队班长钟良环等，与国民党军队开展游击战。1947年8月，英翁佛民主先锋队大队长李拔才率队进驻宝山、观音山等地，建立和恢复民兵组织，成立宝山等8个基干民兵中队，扣押

◎ 宝山、侧塘、黄岗古道（摄于2016年）

何德敷（县参议员），封存何的存粮1000多石，实行“二五”减租。1948年6月10—12日，国民党1500多人连续三次对宝山根据地“扫荡”，烧毁房屋100多间、掳去妇女10多名，抢掠耕牛、粮食、物资一批。1948—1949年，在与国民党军队战斗中，包括中队长钟拔才等6人壮烈牺牲。1953年，全村重新规划建设，即现今的客家围屋。1957年10月，经韶关公署批准该村为抗日游击区。

村民具有良好的卫生习惯，村巷整洁，生活垃圾集中堆放和清运，保持着文明清洁的居住环境。2015年，该村被广东省爱国卫生运动委员会评为省卫生村。

村民团结友爱，乡风淳朴，一批仁人志士积极向上，走上了革命道路。主要人物有：钟拔才（1900—1948年），革命烈士，东纵北江支队中队长。钟佰凌（灵）（1909—1948年），革命烈士，东纵北江支队医生。钟良环（完）（1919—1949年），革命烈士，东纵北江支队班长。钟良千（1919—1948年），革命烈士，东纵北江支队战士。钟良宪（1919—1949年），革命烈士，东纵北江支队班长。钟定珠（1921—2007年），曾任肇庆市怀集县国土规划局局长。钟利（1923—1948年），革命烈士，东纵北江支队炊事员。钟定炉（1925—1948年），革命烈士，东纵北江支队战士。钟定和，1933年出生，曾任广西壮族自治区百色市交通局局长。

（资料填报：张名练；初稿撰写：黄金玉；总纂：李协湖）

竹头下村

◎ 竹头下村村貌（摄于 2016 年）

竹头下村，位于高岗镇西北部，距镇政府 4.8 千米。该村始建于明万历十八年（1590 年），赖氏祖婆带两子（千一公、千二公）从英德县长布乡荷树塘移居佛冈县高台乡钳颈洞宝结岭神下楼居住而建村。因建村时村场原有一片芦苇竹园，故取名竹头下村。千二郎居竹头下村，千一郎居格田村。相邻自然村有格田村、岗下村。

该村坐落于高岗镇西北部丘陵地区。乡道（宝山村—省道 252 线）经过该村。村东、北是山，南为格田村，西为岗下村。

清嘉庆十八年（1813 年）属佛冈厅高台乡，民国时期属佛冈县第二区观台乡，1949 年中华人民共和国成立时属佛冈县第二区观台乡，1958 年 10 月属从化县跃进（迳头）人民公社，1961 年 5 月属佛冈县高岗人民公社宝山大队，1983 年 12 月属高岗区宝山乡，1987 年 1 月属高岗镇宝山行政村，1989 年 11 月属高岗镇宝山管理区，1998 年 11 月属高岗镇宝山行政村至今。

世居村民为张姓。宋初，张姓一支从福建迁移至广东，明万历十八年（1590 年）从英德县长布乡荷树塘迁移至英德高台（今佛冈高岗）竹头下村。

2015 年末，村有户籍人口 680 人，其中男性 335 人，女性 345 人；其中 80 岁以上老人 9 人，最年长者 100 岁（女）；实际在村居住 350 人，其中留守儿童 3 人；生活主要依靠农业收入有 350 人；常年在城镇生活和打工有 330 人。村民均为汉族，客家民系，使用客家方言。

该村有山地 223.27 公顷，耕地 25 公顷。林木资源有松树、杉树、柯树、樟树等树种。传统经济

◎ 百香果基地（摄于 2015 年）

以农业为主，主要种植水稻、玉米、花生、黄豆、蔬菜等。养殖鸡、鸭、鹅、猪、牛及4大家鱼（鲤鱼、草鱼、鲢鱼、鳙鱼）。中华人民共和国成立前，由于种植技术水平低下，品种丰产性能差，该村水稻一般亩产为110千克，农民只能维持简单的生活。中华人民共和国成立后，该村先后组织互助组、合作社，参加人民公社，逐步推广应用先进的农业生产技术，农业生产效益有较大的提高。20世纪80年代起，实行农村家庭联产承包责任制后，水稻一般亩产达到400千克，农业经济效益有较大的提高。同时，逐步调整农村经济结构，并积极发展水果产业。2013年该村种植沙糖桔面积6.67公顷，年收入50万元。2013年以后，由于受黄龙病的影响，产业消退，村民改种百香果等经济作物。

传统食品有腍肉、酿豆腐、糯米艾糍、糯米糍、粽子、糖环等。

该村1981年通电，2005年全村村道实现水泥硬底化及通电话，2011年通自来水、通网络。村中建有垃圾收集点。文化设施有农家书屋、农村文化室、篮球场等。

◎ 竹头下村文化室（摄于2016年）

传统民居为长方形客家围屋，现存200座。保存现状整体完好，部分外墙破损。民居建设主要以3条直街为界，里面建设若干2门归厅或4门归厅的横排砖木结构民房，周围建有围水屋，以作厨房使用。村外围修建牛棚、猪舍、鸡窝等，人畜分离，保持人居环境卫生整洁。房屋分为2层，用木板隔开，留有通道。第一层一般高3米，供人住宿为主；

◎ 村传统民居一角（摄于2016年）

第二层堆放粮食、杂物等，方便生活。民居冬暖夏凉，居住舒适。2000年以后，村民建设钢筋混凝土结构楼房，楼房占地面积90平方米，装修比较实用。

张氏宗祠（在格田村），始建于清初，重修于2003年，占地200平方米。该祠两进院落，山墙、悬山顶，属砖木结构，是宝山革命活动据点旧址，2011年被评为佛冈革命史迹。

据《张氏族谱》记载，张氏祖先为轩辕黄帝第五子（讳挥，字王爵，号天禄），始创弓矢，故在弓字旁加一长字，以张为姓。《张氏族谱》由先撰公与君绍公同撰修族谱，于2008年7月由竹头下村张芳握根据格田村张飞前保存的手稿及1945年无名手稿转录并整理而成。

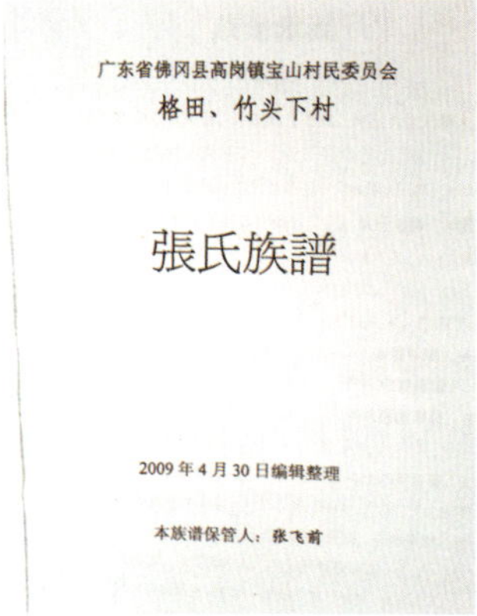

广东省佛冈县高岗镇宝山村民委员会
格田、竹头下村

張氏族譜

2009年4月30日编辑整理

本族谱保管人：张飞前

◎《张氏族谱》（摄于2016年）

传统节俗为春节、元宵节、清明节、四月八、端午节、中秋节、重阳节、冬至等。其中春节、清明节、端午节、中秋节为大节，其他为小节。村民有重阳登高转运的习俗，登高地点多为较高山峰，小孩则以放风筝取乐。国家把重阳节定为敬老节后，村中老人的儿孙很多回家与老人团聚，表示敬老。节日气氛浓厚的还有中秋节。每逢中秋之夜，男女老少一起赏月，用月饼、柚子及熟石螺等食品拜月，热闹非常。随着生活水平的不断提高，村民对欢庆中秋节的习俗也越来越重视，在外地工作的本地籍人都尽量回家与家人团聚，共度佳节。

婚嫁中有担小担、担大担习俗。即男方备齐礼物到女方家下聘礼订婚，称为担小担。男方备齐礼物到女方家接新娘，称为担大担。行结婚礼时，要摆酒请客、迎亲和送亲。

传统丧事习俗以土葬为主，其程序为举丧、入殓、出殡、送葬，将灵牌送入祠堂或厅下。1990 年以后，虽然逐步实行火葬，但有的程序仍然保留。

村有一座单孔石桥。桥整体呈南北走向，上游为西，下游为东，全长 26 米，宽 2 米，拱跨 8 米，桥最高处离地面 6.25 米，桥面用长 1.75 米、宽 2 米、厚 0.57 米石灰石平铺。两边砌桥栏长 4.6 米、宽 0.2 米、高 0.15 米。桥南砌 7 级石级，桥北砌 13 级石级。石拱桥见证了宝山行政村过去作为南北交通要道的历史，有着重要的研究价值。该桥为佛冈县不可移动文物之一。村还有一条至英德的古道。古道从该村起，向北翻过樟树坳径过三坑底，翻越上古仞径到侧塘、黄岗圩，然后乘船达英德县城，地势险要，道路弯曲，现已无人行走。

◎ 竹头下村古石拱桥（摄于 2016 年）

1943 年，该村青年参加英翁佛民主先锋大队。1944 年成立村耕种会（农会），开展减租减息运动。1947 年，该村捐款捐粮支援游击队，部分青年参加游击队第九中队。1949 年，该村民兵配合游击队截击国民政府联防队。1993 年，经清远市人民政府批准为解放战争游击根据地。

2011 年开展饮水安全工程建设，在建好净水蓄水设施的基础上铺设引水管到各家各户，让全村人饮用、使用干净、清洁、安全的自来水。工程总投资 17 万元，2012 年全部完成。2013 年，进行村道维修整治，清除村道障碍物，平整路面，铺设水泥使之硬底化。

（资料填报：张名练；初稿撰写：黄金玉；总纂：李协湖）

○墩下行政村

凹子村

◎ 凹子村村貌（摄于 2016 年）

凹子村，位于高岗镇西北部，距镇政府约 6 千米。凹子村形成于清光绪二十六年（1900 年），由于分村而形成，因自然村分上凹、下凹而取名。相邻的村有石颈村、竹头下村。

该村坐落于山区，村东与石颈村相邻，南为竹头下村，西为山，北与英德市交界。乡村公路直通省道 252 线，村旁的石更山海拔 200 米。

村建村时属佛冈厅高台乡，民国时期属佛冈县第二区观台乡，中华人民共和国成立时属佛冈县第二区观台乡，1958 年 10 月属从化县跃进（迳头）人民公社，1961 年 5 月属佛冈县高岗人民公社廖排大队，1983 年 12 月属高岗区廖排乡，1987 年 1 月属高岗镇廖排行政村，1989 年 11 月属高岗镇廖排管理区，1998 年 11 月属高岗镇廖排行政村，2005 年 5 月属高岗镇墩下行政村至今。

世居村民为林姓。林姓始祖于清光绪二十六年（1900 年）从高岗新联社岗下村迁移至该村。

2015 年末，村有户籍人口 85 人，其中男性 44 人，女性 41 人；80 岁以上老人 2 人，最年长者 86 岁（女）；实际在村 40 人；生活主要依靠农业收入有 40 人；常年在城镇生活和打工有 45 人；村民均为汉族，客家民系，使用客家方言。

村山多林密，自然资源丰富。林木资源有松树、杉树、柯树、樟树等树种。野生动物资源有野猪、黄猄、穿山甲等。

该村有山地 50 公顷，耕地 5.6 公顷。传统经济

◎ 村黄豆产业（摄于 2016 年）

以农业为主，主要种植水稻、玉米、花生、黄豆、蔬菜等。养殖鸡、鸭、鹅、猪、牛及4大家鱼（鲤鱼、草鱼、鲢鱼、鳙鱼）。种植花生是该村农业经济的重要来源。民国时期，花生油料产量极低，根本满足不了村民的生活需求。20世纪80年代起，实行农村家庭联产承包责任制，推广良种和先进的栽培技术，花生亩产达到200—250千克（干荚）。2000年以后，大部分青壮年外出打工，外出务工村民为工资性收入。同时，该村逐步调整农村产业结构，并积极兴修水利及发展水果产业，2013年，该村种植沙糖桔3.3公顷，年收入25万元。2013年以后，由于受黄龙病的影响，产业消退，村民改种黄豆等其他经济作物。

◎ 传统食品酿豆腐（摄于2016年）

传统食品有酿豆腐、糯米艾糍、腊肠、腊肉、粽子等。

该村1986年通电，2006年实现村道水泥硬底化。村中建有垃圾收集点。广东玖龙纸业公司在该村租地修建本单位干部职工休闲度假区。

传统民居为长方形客家围屋，现存18座。民居为2门归厅或4门归厅的横排砖木结构民房，周围建有围水屋，以作厨房使用。村庄只有3排房屋，

◎ 村灌溉水陂（摄于2016年）

◎ 凹子村传统民居一角（摄于2016年）

街道设置宽阔，用细石铺设，卫生较好。房屋分为2层，用木板隔开，留有通道。第一层一般高3米，供人住宿为主；第二层堆放粮食、杂物等，方便生活。民居冬暖夏凉，居住舒适。2000年以后，村民建设钢筋混凝土结构楼房，楼房占地面积85平方米，多为三房一厅一厨房一卫生间，设施较完善。

传统的节俗为春节、元宵节、清明节、四月八、端午节、中秋节、重阳节、冬至等。其中春节、清明节、端午节、中秋节为大节，其他为小节。农历十月初一叫“十月朝”或“牛生日”。村民做糯米糍粑贴在牛角、牛额、牛背脊、牛腰、牛尾部位，贴三四天后，牧童从牛身上将糯米糍粑剥下用火烤熟来吃。传说吃了“牛生日”贴在牛身上的糍粑，能像牛一样力气大。中华人民共和国成立后，这种习俗逐步被遗弃，但村民仍保留在十月初一做糍过节的习惯。节日气氛浓厚的还有清明节，家家户户门楣插柳枝和桃叶以驱邪，采艾

（一种植物）做糍，名为“艾糍”，并进行扫墓活动。扫墓一般从清明前的春分起到农历四月初八，扫墓期间在外地谋生做事的人都尽可能赶回去祭扫祖墓，不回来扫墓的人会遭到村人的责骂。

中华人民共和国成立前，男婚女嫁为“父母之命，媒妁之言”。农村存有抱养穷人家女童做童养媳、未生男孩的人家抱养“等郎妹”的习俗。男女婚嫁是终身大事，都要经过相亲、订婚、迎亲等程序。相亲是由媒人牵线，约男家的人去女家看人。若男家有意，即授意媒人向女方家长索取其女儿生辰八字，带回男家。男方家长请人卜算后，如男女“相生”，则男家叫媒人陪伴送礼去女家“报合”；如男女“相克”，则将女子生辰八字退回女家，婚事作罢。订婚的第一步是下定礼（俗称座茶或叫小担），即男方送定金、酒米、肉类给女方，表示合成婚事。商定成亲日期及礼金后，按照礼规进行过礼，由男方出具礼帖把礼物、聘金送给女方，女方要回一份礼帖给男方。迎亲是男家叫算命先生择定结婚吉日，由媒人通知女方。届时男方的迎亲队伍带着礼帖、礼物，吹起八音，敲锣打鼓，抬着花轿到女家迎新娘（俗称迎亲）。女家把嫁妆、礼物随新娘一起送去男家（俗称送亲）。新娘到达男家后，举行拜堂仪式，随后送入洞房，闹洞房后迎亲仪式即告结束。中华人民共和国成立后，婚嫁习俗逐渐发生变化，婚事新办的风气越来越浓厚。

中华人民共和国成立前，凡 60 岁以上的人去世叫寿终或归天，未成年人去世叫夭折或夭亡，死后均以木棺土葬。死者未满 18 岁的只能用普通木料做棺材，竹杠抬，不上肩。死者在 60 岁以上的多有下列习俗：病人临去世前要移至厅堂或廊下。去世后由子孙日夜守孝，死者入殓前，子孙要到河里取水（俗称买水），为死者擦身、更衣，亲自入殓。出殡时，请巫师开路，吹响牛角，送殡队敲锣打鼓、燃放爆竹送行。埋葬死者后，孝子孝女等从坟上抓回一把黄土，并且同牵一条寿红（红布）由另一路线回家。葬后要为死者做“头七”“二七”“三七”的法事，神主牌送往祠堂入位，至此丧事才告完结。

20 世纪 60 年代中期，村根据山地广阔的特点，组织村民种植杉树 6.7 公顷。2011 年，该村发动村民集资筹劳，开展凹下坝陂头、水圳的修复工作，改善农田灌溉面积 3.3 公顷。

（资料填报：何道宫；初稿撰写：吴家荣，总撰：李协湖）

陈洞村

◎ 陈洞村村貌（摄于 2016 年）

陈洞村，位于高岗镇北部，距镇政府 9.1 千米。该村始建于明末至清初，由墩下村何永崇祠族世系迁入而形成，因建村时村民姓剩而取名剩洞村，后用“陈”代替“剩”，故取名陈洞村。相邻的村有廖排村。

该村坐落在山间谷地，四面群山环抱，村南有乡村公路（陈洞村—廖排村—省道 252 线）。

清嘉庆十八年（1813 年）属佛冈厅高台乡，民国期间属佛冈县第二区观台乡，中华人民共和国成立时属佛冈县第二区观台乡，1958 年 10 月属从化县跃进（迳头）人民公社，1961 年 5 月属佛冈县高岗人民公社廖排大队，1983 年 12 月属高岗区廖排乡，1987 年 1 月属高岗镇廖排行政村，1989 年 11 月属高岗镇廖排管理区，1998 年 11 月属高岗镇廖排行政村，2005 年 5 月属高岗镇墩下行政村至今。

世居村民为何姓。何氏于南宋末由福建省武平县入粤，始居南雄珠玑巷，寻迁始兴，后裔再由始兴移居翁源新江。新江何氏开基祖叫何万培，后太祖婆邱太娘携子（6 世孙辈）永崇、永杰、永琳迁居英德高台（今佛冈高岗镇）墩下开创基业，至今已传承 20 余代。

2015 年末，村有户籍人口 483 人，其中男性 260 人，女性 223 人；80 岁以上 12 人，最年长者 93 岁（男）；实际在村 293 人，其中留守儿童 20 人；生活主要依靠农业收入有 293 人；常年在城镇生活和打工有 190 人。祖籍该村的香港同胞 4 人。

村山多林密，自然资源丰富。林木资源有松树、杉树、柯树、樟树等树种。野生动物资源有野猪、黄猄等兽类和斑鸠等飞禽类，还有眼镜蛇（俗称锅铲头）等爬行动物。

◎ 陈洞村乡村公路（摄于 2016 年）

该村有山地130.33公顷，耕地23.27公顷。传统经济以农业为主，主要种植水稻、玉米、花生、黄豆、蔬菜等。养殖鸡、鸭、鹅、猪、牛及4大家鱼（鲤鱼、草鱼、鲢鱼、鳙鱼）。蔬菜种植是该村经济的重要组成部分。实行农村家庭联产承包责任制前，蔬菜生产只在村民自留地种植，自己食用。陈洞村的大茶油在20世纪60—70年代期间，每年产茶油2000千克以上。80年代农村全面实行家庭联产承包责任制后，该村开展多种经营，大力发展蔬菜种植业，积极引进良种和推广先进的栽培技术，取得很好的效果，蔬菜亩产达到1000千克，有效地增加村民收入。1990年以后，大部分青壮年外出打工。随着改革开放的深入发展，村民挖大茶树出售，一定程度地影响了茶油生产，每年可产茶油1500千克。该村还积极发展水果产业，2013年种植沙糖桔面积5.33公顷，年收入40万元。2013年以后，由于受黄龙病的影响，产业消退，村民改种火龙果等其他经济作物。村民主要收入来源为农业收入、外出务工工资性收入。

◎ 花生种植（摄于2016年）

传统食品有客家脍肉、酿酸水豆腐、糯米艾糍、粽子、糖环等。

该村于1988年通电，2007年全村村道实现水泥硬底化，2008年通自来水。

传统民居为客家围屋，现存120座。民居为2门归厅或4门归厅的横排砖木结构民房，周围建有围水屋，以作厨房使用。村外围修建牛棚、猪舍、

◎ 大山茶油树（摄于2016年）

◎ 村传统民居一角（摄于2016年）

鸡窝等，人畜分离，保持人居环境卫生整洁。全村房屋的建造以各自的门楼为坐向，形成多方位的住房。街道以石铺设，方便出入。房屋分为2层，用木板隔开，留有通道。第一层一般高3米，供人住宿为主；第二层堆放粮食、杂物等，方便生活。民居冬暖夏凉，居住舒适。2000年以后，部分村民建设钢筋混凝土结构楼房，楼房占地面积85平方米，布局多为三房一厅一厨一卫。

村有“创业垂统”碑刻，立于清初，现存于何道勇家的祖祠上。

◎ 创业垂统碑刻（摄于2016年）

传统节俗为春节、元宵节、清明节、四月八、端午节、中秋节、重阳节、冬至等。其中春节、清明节、端午节、中秋节为大节，其他为小节。冬至，俗称“过冬”。这个节日意味着一年农事已做完，全家欢聚吃一顿丰盛晚餐表示庆贺。这一天，村民各家各户做糍，打米饼，剁鸡杀鸭，欢度节日。节日气氛浓厚的还有端午节，各家各户包粽子纪念爱国诗人屈原，农户在门楣挂艾叶、菖蒲，点燃蚊香，以避邪逐恶，祈求保佑全家幸福安康。这一天青年人、小孩子到江河游泳，叫洗龙舟水，以祈消灾去祸，合家平安。

婚嫁有担小担、担大担习俗。即男方备齐礼物到女方家下聘礼订婚，称为担小担。男方备齐礼物到女方家接新娘，称为担大担。行结婚礼时，要摆酒请客、迎亲和送亲。在新娘家，新郎新娘一起向新娘家长辈敬茶，长辈给新郎新娘新婚红包。接着新娘弟弟撑红雨伞送新娘出门，由新娘的亲朋好友伴送新娘到男家。在男家摆设的喜席上，新郎新娘共同向亲朋好友和来宾敬茶。长辈接过新婚茶后，有的即兴唱起山歌，有的说祝贺词。喜席散后，亲友把一对新人送入洞房，婚礼才告结束。

该村发生丧事时，传统以土葬为主，其程序为举丧、入殓、出殡、送葬，将灵牌送入祠堂或厅下。不管是哪家的丧事，全村人都前去帮忙，打锣鼓、舞狮、放鞭炮。办丧事期间只能煮白饭、花菜、黄豆煮猪肉等简单的饭菜。葬礼开始时，有人与逝者生辰八字相冲的，均不能出现在葬礼上，必须回避。开始下葬时，送葬的家人必须提前离开，离开时不能回头看，要等下葬完毕后再回去祭拜。1990年以后，虽然逐步实行火葬，但有的安葬、拜祭等程序仍然保留。

20世纪60年代中期，村根据山地多的特点，组织村民上山种植杉树13.33公顷、油茶树6.7公顷。实行家庭联产承包责任制以后，农户更加注重植树造林，每年栽杉树53.33公顷以上，山上已种满杉树，林业生产有较好的发展。

（资料填报：何道添；初稿撰写：范伟模；总纂：李协湖）

曹屋村

◎ 曹屋村村貌（摄于 2016 年）

曹屋村，位于高岗镇北部，距镇政府 3 千米。该村始建于清初，由清远县滘江地区迁移而形成。因全村村民均姓曹而得名。相邻的村有下张村。

该村坐落于丘陵地带，西南面有将军岭山（高约 400 米）。该村东为墩下行政村，南为梁屋村，西为隔田村，北为下张村。村北有宝山溪水，流经该村 1500 米，向东汇入墩下河。省道 252 线在村东面 800 米处通过。乡道从该村通至省道 252 线。

清嘉庆十八年（1813 年）曹屋村属佛冈厅高台乡，民国期间属佛冈县二区观台乡，佛冈解放初期属佛冈县二区观台乡，1958 年 10 月属从化县跃进（迳头）人民公社，1961 年 5 月属高岗人民公社墩下大队，1983 年 12 月属高岗区墩下乡，1987 年 1 月属高岗镇墩下行政村，1989 年 11 月属高岗镇墩下管理区，1998 年 11 月属高岗镇墩下行政村至今。

世居村民为曹姓。曹姓祖先，南宋时期从中原迁至广东南雄珠玑巷，清初从清远县滘江地区分村迁入。

2015 年末，曹屋村有户籍人口 582 人，其中男性 355 人，女性 227 人；80 岁以上 6 人，年最长者 88 岁（女）；实际在村 370 人，其中留守儿童 18 人；生活主要依靠农业收入 370 人；常年在城镇生活和打工有 212 人。村民均为汉族，属客家民系，使用客家方言。

该村山多林密，自然资源丰富。林木资源有松树、杉树等树种。野生动物资源有斑鸠等飞禽类，还有眼镜蛇（俗称锅铲头）等爬行动物。

该村有山地 43.87 公顷，耕地 21.8 公顷。传统经济以农业为主，主要种植水稻、玉米、花生、黄豆、

◎ 沙糖桔种植（摄于 2016 年）

蔬菜等。养殖鸡、鸭、鹅、猪、牛及4大家鱼（鲤鱼、草鱼、鲢鱼、鳙鱼）。养殖家禽是该村农业经济的重要组成部分。中华人民共和国成立前，家禽养殖成活率低，生长慢，经济效益极低。20世纪80年代起，该村大力发展家禽养殖业，实行规模化养殖，专业户年出售2万—5万只鸡。2000年后，大部分青壮年外出打工，村民主要收入来源为农业收入、外出务工工资性收入。同时，逐步调整农村经济结构，积极发展水果产业，2013年种植沙糖桔面积6.7公顷，年收入50万元。2013年以后，由于受黄龙病的影响，产业消退，村民改种李子、桃等树。

传统食品有客家脸肉、酸豆腐、糯米艾糍等。

◎ 曹屋村貌（摄于2016年）

该村20世纪70年代初通电，90年代初通电话，2000年全村村道实现水泥硬底化，2006年通自来水，2013年通网络和有线电视。村中建有文化室。

民居为客家围屋，现存传统民居79座。村巷纵

◎ 村传统民居一角（摄于2016年）

横交错，4条直巷，13条横巷。有砖瓦平房23座。房屋分为2层，用木板隔开，留有通道。第一层一般高3米，供人住宿为主；第二层堆放粮食、杂物等，方便生活。民居冬暖夏凉，居住舒适。至2016年，村有钢筋混凝土结构楼房一层的10座、二层及以上的小楼46座。楼房布局多为三房一厅一厨一卫，底层面积60平方米。

村中曹国瑞公祠，始建于清中期，占地面积50平方米，重修于2015年。

◎ 曹国瑞公祠（摄于2016年）

曹屋村人强调儒家正统观念，重仁、义、礼、智、信、恕、忠、孝、悌，轻佛、道宗教。即心胸宽阔，重情重义。知书达理，礼貌待人。发奋读书，博学多才。讲究信用，诚实做人。宽恕别人，善待自己。爱国爱家，精忠报效。尊老爱幼，孝敬父母。兄弟姐妹，亲如一家。

传统节俗为春节、元宵节、清明节、四月八、端午节、中秋节、重阳节、冬至等。春节是辞旧迎新的大节，从农历十二月二十三小年夜起，家家户户打扫庭院，炸油角、做米饼、炸糖环、蒸年糕，给小孩添新衣、新鞋、玩具。到年三十，村民张贴门神、对联，吃团年饭。这一餐有意把鱼剩下，表示连年有余（鱼）。这天晚上，长者要给小孩红包，名曰压岁钱。村民有守岁的习惯，到晚上12点，鸣放鞭炮，迎接新年来临。年初三为送穷日，每家打扫卫生，把新年以来积聚的垃圾送到野外，并烧香烧纸，焚烧垃圾，还有供品米饼、糖环等供奉。这一天是为忌日，一般不探亲访友。年初四为回门日，新婚男子携妻子去拜访岳父岳母。节日气氛浓厚的

还有中秋节，每逢中秋之夜，男女老少一起赏月，用月饼、柚子及熟石螺等食品拜月，非常热闹。随着生活水平的不断提高，村民对欢庆中秋节的习俗也越来越重视，在外地工作的本地籍人都尽量回家与家人团聚，共度佳节。

村传统婚嫁庄重繁杂。男女开始交往时女家要到男家探家，结婚前男方需向女方家下聘礼，报日子、送聘金、定嫁妆。行结婚礼时，要摆酒请客，迎亲和送亲。迎亲过程尤为有趣：新郎先租七辆或九辆车作婚车装饰好。结婚当天，新郎带着亲朋好友坐上婚车到新娘家接新娘。新娘的姐妹朋友关门阻止新郎进入新娘家。新郎需要用红包开路，并请亲朋好友帮助接新娘。在新娘家，新郎新娘一起向新娘家长辈敬茶，长辈给新郎新娘新婚红包。接着新娘弟弟撑红雨伞送新娘出门，出门前新娘家人拿用红纸包成条状的硬币给新娘掰断并放入自己的口袋，期盼富贵双全。新娘出门后不可回头张望，意为新婚幸福，白头偕老。新郎把新娘接回家后，喜筵即开席。在喜筵上，新郎、新娘一起向亲友敬茶，亲友也回赠红包。喜筵结束后，众人送新郎、新娘进入洞房，这时婚礼才告结束。

村里发生丧事时，传统以土葬为主。其程序为举丧、入殓、出殡、送葬，将灵牌送入祠堂或厅下。办丧事期间只能煮白饭、花菜、黄豆煮猪肉等简单的饭菜。葬礼有相冲之说，有人与逝者生辰八字相冲的，均不能出现在葬礼上，必须回避。开始下葬时，送葬的家人必须提前离开，离开时不能回头看，要等下葬完毕后再回去祭拜。1990年以后逐步实行火葬。

1947年，中共滃江工委以该村及附近村为根据地开展武装斗争。1948年，该村民兵参加英翁佛民主先锋大队攻打国民党联防队的战斗。1949年，该村捐枪、捐钱、捐粮支援游击队，并截击国民党联防队。1993年，经清远市人民政府批准该村为解放战争游击根据地。村具有良好的文明习惯，村巷整洁，保持着文明清洁的居住环境。

该村的曹成就，1954年出生，曾任广州市工商局局长。

（资料填报：何道宫；初稿撰写：范伟模；总纂：李协湖）

墩下村

◎ 墩下村村貌（摄于 2016 年）

墩下村，位于高岗镇北部，距镇政府 3 千米。该村始建于明洪武十四年（1381 年），因村房屋建在一个高约几十米的土墩下，故取名墩下村。相邻的村有赵屋村、新围村。

该村坐落在云屏障（海拔 638 米）山下，东为田心村，南为新围村，西与赵屋村相邻，北对云屏嶂而建。村旁墩下河，河流发源于高岗镇的宝山村，经墩下村与礼溪长江水汇合流向上陈村，汇入路下高岗河。京港澳高速公路、省道 252 线在村旁东面通过。

清嘉庆十八年（1813 年）属佛冈厅高台乡，民国时期属佛冈县第二区观台乡，中华人民共和国成立时属佛冈县第二区观台乡，1958 年 10 月属从化县跃进（迳头）人民公社，1961 年 5 月属佛冈县高岗人民公社墩下大队，1983 年 12 月属高岗区墩下乡，1987 年 1 月属高岗镇墩下行政村，1989 年 11 月属高岗镇墩下管理区，1998 年 11 月属高岗镇墩下行政村至今。

世居村民为何姓，墩下村人是何大郎第三子金行公的后裔。何氏祖先于南宋末由福建武平县入粤，始居南雄珠玑巷，后迁至始兴，后裔再由始兴移居翁源新江。新江何氏开基祖叫何万培，后太祖婆邱太娘携子（6 世孙辈）永崇、永杰、永琳迁居英德县高台乡（今佛冈县高岗镇）墩下开创基业，已传承 20 余代。

2015 年末，村有户籍人口 1450 人，其中男性 755 人，女性 695 人；80 岁以上 13 人，最年长者 90 岁（男）；实际在村 930 人，其中留守儿童 25 人；生活主要依靠农业收入的人口有 930 人；常年在城

◎ 蔬菜基地（摄于 2016 年）

镇生活和打工有 520 人。祖籍该村的香港同胞 1 人。

该村山多林密，自然资源丰富。林木资源有松树、杉树、柯树、樟树等树种。野生动物资源有野猪、黄猄、斑鸠、眼镜蛇等。

该村有山地 554.07 公顷，耕地 75.67 公顷。传统经济以农业为主，主要种植水稻、玉米、花生、黄豆、蔬菜等，养殖鸡、鸭、鹅、猪、牛及 4 大家鱼（鲤鱼、草鱼、鲢鱼、鳙鱼）。生猪养殖是该村农业经济的重要来源。中华人民共和国成立前，由于养殖技术水平低下，品种丰产性能差，畜牧养殖成活率低，农民只能维持简单的生活。20 世纪 80 年代起，该村出现生猪养殖专业户，年出售生猪 300 头以上。2013 年种植沙糖桔 66.67 公顷，年收入 500 万元。2000 年后，大部分青壮年外出打工。村民主要收入来源为农业收入、外出务工工资性收入。2013 年以后，村民种蔬菜、李子等经济作物。

传统食品有客家脍肉、酿酸水豆腐、糯米艾糍、粽子、糖环等。

该村于 1980 年通电，1994 年通电话，2006 年全村村道实现水泥硬底化，2013 年通网络和有线电视，2014 年通自来水。村中建有文化室、文化公园，配备有户外专用健身设施 12 套。

◎ 石雕（摄于 2016 年）

◎ 民居司马第（摄于 2016 年）

传统民居为长方形客家围屋，现存 295 座。民居建设为 2 门归厅或 4 门归厅的横排砖木结构民房，周围建有围水屋，作厨房使用。房屋分为 2 层，用木板隔开，留有通道。第一层一般高 3 米，供人住宿为主；第二层堆放粮食、杂物等，方便生活。民居冬暖夏凉，居住舒适。2000 年以后，村民建设钢筋混凝土结构楼房，楼房面积 110 平方米，楼房布局多为三房一厅一厨一卫。

高岗镇墩下村委会设在墩下自然村。2015 年，村有长江小学，班级 8 个，在校学生 224 人，教职工 19 人。校内设有幼儿班 4 个，学生 90 人，教职工 4 人。

有代表性民居君庐、三德园。君庐建于 1913 年，属于典型的客家围屋。三德园建于 1944 年，是用来会客和议事的地方。2012 年，君庐、三德园均被列入佛冈县不可移动文物名录。

该村有何永崇公祠，建于清朝年间，于 2014 年

◎ 何永崇公祠（摄于 2016 年）

◎ 墩下村文化公园（摄于 2016 年）

重修，占地面积 180 平方米，是墩下村何氏家族的总祠，也是一处典型的客家风格祠堂。该祠堂坐北向南，为三进二廊二天井格局，建筑布局基本完整，属砖木结构，青砖墙，悬山顶，盖灰瓦。正门为两块木板门，门额上的雕花十分精美，莲花形石柱础、坊锤柱和弯形的月梁保存完好。该祠堂采用木柱，天井处开了一扇门，方砖铺地。神主牌底座高出香案 0.15 米，香案高出供台 0.30 米。

墩下族谱记载了墩下始祖于明洪武十四年（1381 年）定居英德县高台乡（今佛冈县高岗）的史实，记载了墩下永崇公后 15 世子的繁衍情况。

该村的云屏嶂山脚下叫山心的地方，清朝时期建有一个斋堂（和尚寺），民国时期曾有一个师的军队驻扎斋堂，中华人民共和国成立后失修，坍塌为荒地。

传统节俗为春节、元宵节、清明节、四月八、端午节、中秋节、重阳节、冬至等。 正月十五为元宵节，该村有蒸发糕、做糍的习俗，以示庆贺春节圆满结束，转入新的一年农事活动，元宵节晚餐丰盛。节日气氛浓厚的还有清明节，家家户户门楣插柳枝和桃叶以驱邪，采艾（一种植物）做糍，名为艾糍，并进行扫墓活动。扫墓一般从清明前的春分起到农历四月初八日，扫墓期间在外地谋生做事的人都尽可能赶回去祭扫祖墓，不回来扫墓的人会遭到村人的责骂。

村有追龙活动。由农历正月初二开始到正月十五结束。龙由稻草编织而成。在舞动之前，将香点燃插在龙身上，然后舞动。舞动时从祠堂出发，绕村一周（祠堂—新围坐—回龙社—长江岭—镇子—祠堂）后回到祠堂。龙身上的香燃完，随行的村民就会更换新的插上去。正月十五活动结束后，舞龙的村民将龙带到河边悄悄烧掉，以示将龙神请走。

村婚嫁有担小担、担大担特有风俗。即男方备齐礼物到女方家下聘礼订婚，称为担小担。男方备齐礼物到女方家接新娘，称为担大担。行结婚礼时，要摆酒请客、迎亲和送亲。

丧事传统以土葬为主，其程序为举丧、入殓、出殡、送葬，将灵牌送入祠堂或厅下。1990 年以后，虽然逐步实行火葬，但有的程序仍然保留。

1944 年 2 月，二区乡绅（墩下何德敷）筹资创办长冈初级中学，校址在二区高台乡长冈圩，首任校长李演图。1947 年 8 月，英翁佛民主先锋队大队长李拔才率队进驻宝山、观音山等地，建立和恢复民兵组织，成立宝山、东坑、观音山、岗咀头、社岗下、格田、墩下、路下八个基干民兵中队，扣押该村何德敷（县参议员），封存何的存粮 1000 多石，实行“二五”减租。11 月， 该村何德敷请国民党军 1 个营进驻高冈、墩下、社岗下等地，向宝山、观音山等游击根据地进行多次围剿。1950 年 1 月，该村何德敷逃亡。1987 年，该村村民配合县交通部门开展乡村公路建设，将原山间小路改造为县道 322 线（佛冈二七—英德华侨农场），该线路于 2003 年起改建为省道 252 线。

该村有何道尖捉鳖的故事：何道尖生于 1921 年，

读过一两年书，略识字。因擅长捕捉甲鱼（又称鳖、俗称脚鱼）而闻名，人称“脚鱼尖”。由于何道尖掌握了甲鱼的生活习性和活动规律，所以他每到河里或池塘捕捉甲鱼，必有收获，少则几斤，多则几十斤。其足迹遍及佛冈、英德、新丰、从化、翁源、韶关等地。关于何道尖捕捉甲鱼，有许多神奇的传说。有人说，他只要掬一把河里的水闻一闻，就知道是否有甲鱼。还有人说，他会辨认甲鱼爬行的踪迹。这些都是人们的杜撰，不足为信。据何道尖的后人介绍，有一次他在从化良口捉甲鱼，弄得满脸是泥，他在河里掬水洗脸时，不久在离原地三五米处的上游捉到两只甲鱼，围观者把他掬水洗脸误以为他掬水来闻气味，因此神奇传说就不胫而走。

2013—2014 年，村投资 18 万元，开展饮水安全工程建设，在建好净水蓄水设施的基础上铺设引水管通到各家各户，让全村人饮用、使用干净、清洁、安全的自来水。

◎ 2012 年村老人节活动（摄于 2012 年）

该村具有兴文重学、崇文重教、尊老爱幼的村风，村民再穷要让孩子读书、借钱也要供子女上学。村中有不少人学有所成，投身到各行各业。村尊老爱幼，经常举办各种活动。

主要人物有：何君实（1867—1951 年），捐献家产（1000 石租的田产）兴办长冈中学和君实小学。何憩棠（1871—1953 年），晚清贡生，古文功底好，是一个温厚忠直、办事公正的绅士，也是一名教师，大半生的精力都倾注在教育事业上。何德敷（1909—1950 年）何君实之子，曾支持父亲捐献家产办学校，曾任佛冈县参议会议员，后任佛冈清剿委员会主任。何占初（1917—1949 年），革命烈士，铁鹰连战士，在黄洞战斗中牺牲。何贯（1928—1948 年），革命烈士，北江先遣支队英翁佛民主先锋大队中岳中队战士，在攻打佛冈石龙战斗中牺牲。何冠球，1937 年 1 月出生，佛冈县高岗供销社职工，1977 年被评为“广东省劳动模范”称号。何高必（1955—1979 年），革命烈士，1979 年 2 月在对越自卫还击战中牺牲。何超文，1963 年 11 月生，为佛冈一中中学物理高级教师。何高会，1965 年 10 月生，为佛冈一中中学物理高级教师，佛冈一中副校长。何高者，1964 年 9 月生，2016 年为政协佛冈县副主席兼秘书长。

（资料填报：范伟摸；初稿撰写：范伟模；总纂：李协湖）

禾坪头村

◎ 禾坪头村村貌（摄于 2016 年）

禾坪头村，位于高岗镇东北部，距镇政府 4.2 千米。该村始建于明中期，因村房屋建于禾坪之上，故取名禾坪头村。相邻的村有田心村、下湾村。

该村坐落在山间谷地，东为山，南为下湾村，西为温氏猪场，北与田心村相邻。

清嘉庆十八年（1813 年）属佛冈厅高台乡，民国时期属佛冈县第二区观台乡，中华人民共和国成立时属佛冈县第二区观台乡，1958 年 10 月属从化县跃进（迳头）人民公社，1961 年 5 月属佛冈县高岗人民公社墩下大队，1983 年 12 月属高岗区墩下乡，1987 年 1 月属高岗镇墩下行政村，1989 年 11 月属高岗镇墩下管理区，1998 年 11 月属高岗镇墩下行政村至今。

世居村民为何姓。南宋咸淳九年（1273 年）太祖贞五郎从福建武平县迁广东南雄府保县沙木村珠玑巷，后迁至始兴居住。宋景炎二年（1277 年）七月十三日彭氏八娘带子侄十余兄弟投至翁源县江子镇上、下坝定居开基创业。明洪武十四年（1381 年）因蒙志昌作反，携子投往英德县属高台乡（今佛冈县高岗镇）墩下老围圈。邱太娘带子永崇、永杰、永琳在墩下居住发迹。朱六娘携子永端、永正于上湾、茶山下安居创业。钟三娘带领海渊、海敬在镇子、下湾安基发展。至明中期，嗣孙分别居住在田心、下湾、禾坪头等地。

2015 年末，村有户籍人口 195 人，其中男性 102 人、女性 93 人。80 岁以上老人 11 人，最年长者 92 岁（女）。生活主要依靠农业收入有 103 人。常年在城镇生活和打工的有 92 人，实际在村 103 人，其中留守儿童 17 人。村民均为汉族，客家民系，使用客家方言。

该村山多林密，自然资源丰富。林木资源有松树、杉树、柯树、樟树等树种。野生动物资源有野猪、黄猄等兽类和斑鸠等飞禽类，还有眼镜蛇（俗称锅铲头）等爬行动物。

该村有山地 44.47 公顷，耕地 7.33 公顷。传统经济以农业为主，主要种植水稻、玉米、花生、黄豆、蔬菜等。养殖鸡、鸭、鹅、猪、牛及 4 大家鱼（鲤鱼、草鱼、鲢鱼、鳙鱼）。中华人民共和国成立初期，该村农业经济效益极低，农民只能维持简单的生活。到 20 世纪 80 年代初期实行家庭联产承包责任制起，

◎ 火龙果种植基地（摄于 2015 年）

◎ 村旧民居（摄于 2016 年）

水稻一般亩产为 400 千克，花生亩产 200—250 千克（干荚），蔬菜亩产 1000 千克，农业经济效益有较大的提高。1990 年以来，大部分青壮年外出打工。2000 年以后，积极发展水果产业，2013 年种植沙糖桔面积 6.7 公顷，产值 50 万元。2013 年以后，由于受黄龙病的影响，产业消退，村民改种火龙果等其他作物。村民主要收入来源为农业收入、外出务工工资性收入。

传统食品有客家脍肉、酿酸水豆腐、糯米艾糍、粽子、糖环等。

该村于 1985 年通电，1995 年通电话，2008 年全村村道实现水泥硬底化，2012 年通自来水，2014 年通网络和有线电视。村中建有文化室。

◎ 禾坪头村文化室（摄于 2016 年）

传统民居为长方形客家围屋，现存 43 座。民居为 2 门归厅或 4 门归厅的横排砖木结构民房，周围建有围水屋，以作厨房使用。村外围修建牛棚、猪舍、

◎ 村民新民居一角（摄于 2016 年）

鸡窝等，人畜分离，保持人居环境卫生整洁。房屋分为 2 层，用木板隔开，留有通道。第一层一般高 3 米，供人住宿为主；二层堆放粮食、杂物等，方便生活。民居冬暖夏凉，居住舒适。2000 年以后，村民建设钢筋混凝土结构楼房，楼房占地面积 85 平方米，多为三房一厅一厨一卫布局。

禾坪头村、田心村、下湾村共拜一个祠堂，位于下湾村，并编有《何氏族谱》，由何忠尧于 2012 年 3 月纂修。族谱记有何子治家格言，其中写道“一粥一饭，当思来处之不易。半丝半缕，恒念物力维艰”。

传统节俗为春节、元宵节、清明节、四月八、端午节、中秋节、重阳节、冬至等。清明节家家户户门口插桃叶以驱邪，采艾蒿做糍，并进行扫墓活动。村民不论老少，离家多远，都要赶回家祭祖，以示孝敬。节日气氛浓厚的还有端午节，端午节各家各

户包粽子纪念爱国诗人屈原，农户在门楣挂艾叶、菖蒲，点燃蚊香，以避邪逐恶，祈求保佑全家幸福安康。这一天青年人、小孩子到江河游泳，叫洗龙舟水，以祈消灾去祸，合家平安。

该村传统婚俗大部分保持清代风俗。男女开始交往时女家要到男家探家，结婚前男方需向女方家下聘礼，报日子、送聘金、定嫁妆。行结婚礼时，要摆酒请客，迎亲和送亲。迎亲过程现流行：新郎先租七辆或九辆车作婚车装饰好。结婚当天，新郎带着亲朋好友坐上婚车到新娘家接新娘。新娘的姐妹朋友关门阻止新郎进入新娘家。新郎需要用红包开路，并请亲朋好友帮助接新娘。在新娘家，新郎新娘一起向新娘家长辈敬茶，长辈给新郎新娘新婚红包。接着新娘弟弟撑红雨伞送新娘出门，出门前新娘家人拿用红纸包成条状的硬币给新娘掰断并放入自己的口袋，期盼富贵双全。新娘出门后不可回头张望，以示婚姻长久幸福。男家把新娘接回家后，喜席即开席，新郎、新娘到场与亲友相见，并到每席向亲友敬茶，亲友也回赠红包。席后，新郎新娘由亲友送入洞房，婚礼才告结束。

村里发生丧事时，传统以土葬为主。其程序为举丧、入殓、出殡、送葬，将灵牌送入祠堂或厅下。办丧事期间只能煮白饭、花菜、黄豆煮猪肉等简单的饭菜。葬礼有相冲之说，有人与逝者生辰八字相冲的，均不能出现在葬礼上，必须回避。开始下葬时，送葬的家人必须提前离开，离开时不能回头看，要等下葬完毕后再回去祭拜。1990 年以后逐步实行火葬。

2011 年，该村采取争取上级补助、村民集资筹劳的方式筹集资金 30 万元，兴建禾坪头文化室。2012 年，该村结合新农村建设，修整清理该村入村道路，彻底整治交通隐患，村庄环境有较大的改善。

（资料填报：邓绍香；初稿撰写：范伟模；总纂：李协湖）

廖排村

◎ 廖排村村貌（摄于 2016 年）

廖排村，位于高岗镇北部，距镇政府约 6 千米。廖排村形成于明万历二十八年（1600 年），因分村迁居而形成。因原住的村民姓廖而取名廖排村，后何姓入住，廖姓迁出，仍沿用廖排村村名。

廖排村坐落于丘陵地带，东是田心村，南为赵屋村，西与杨屋村相邻，北是山。省道 252 线在村东南面 1.5 千米处通过，乡道与省道 252 线连接。村中有小溪，村后面的云屏障是高岗镇的最高山峰，海拔高度 638 米。

清嘉庆十八年（1813 年）属佛冈厅高台乡，民国时期属佛冈县第二区观台乡，中华人民共和国成立初期属佛冈县第二区观台乡，1958 年 10 月属从化县跃进（迳头）人民公社，1961 年 5 月属佛冈县高岗人民公社廖排大队，1983 年 12 月属高岗区廖排乡，1987 年 1 月属高岗镇廖排行政村，1989 年 11 月属高岗镇廖排管理区，1998 年 11 月属高岗镇廖排行政村，2005 年 5 月属高岗镇墩下行政村至今。

世居村民为何姓。根据族谱记载，南宋后期，何氏入粤始祖由闽入粤南雄珠玑巷，后迁移到翁源江子镇，明洪武十四年（1381 年）从翁源江子镇迁移到墩下村，后由于人口增多，于明万历二十八年（1600 年）分村迁到廖排村。

2015 年末，村有户籍人口 570 人，其中男性 290 人、女性 280 人。其中 80 岁以上 6 人，最年长者 96 岁（女）。生活主要依靠农业收入有 280 人。常年在城镇生活和打工有 290 人，实际在村居住 280 人，其中留守儿童 10 人。村民均为汉族，客家民系，使用客家方言。

该村山多林密，自然资源丰富。林木资源有松树、杉树、柯树、樟树等树种。野生动物资源有野猪、黄猄、斑鸠、眼镜蛇等。

该村有山地 139.73 公顷，耕地 24.67 公顷。传统经济以农业为主，主要种植水稻、玉米、花生、黄豆、蔬菜等。养殖鸡、鸭、鹅、猪、牛及 4 大家鱼（鲤鱼、草鱼、鲢鱼、鳙鱼）。中华人民共和国成立前，由于种植技术水平低下，丰产性能差，该村水稻一般亩产为 100 千克，农民只能维持简单的生活。中华人民共和国成立后，该村先后组织互助组、合作社，参加人民公社，逐步推广应用先进的农业生产技术，农业生产效益有较大的提高。20 世纪 80

◎ 村水产养殖（摄于 2016 年）

◎ 村新民居一角（摄于 2016 年）

年代起实行农村家庭联产承包责任制后，水稻一般亩产 400 千克，农业经济效益有较大的提高。2000 年后，大部分青壮年村民外出打工。同时，逐步调整农村经济结构，并积极发展水果、水产业。2013 年该村种植沙糖桔面积 3.4 公顷，年收入 25 万元。2013 年以后，由于受黄龙病的影响，产业消退，村民改种李子、香蕉等其他经济作物。村民主要收入来源为农业收入、外出务工工资性收入。

传统食品有客家脍肉、酿酸水豆腐、糯米艾糍、粽子、糖环等。

该村 20 世纪 80 年代通电，1995 年通电话，2008 年实现村道水泥硬底化，2013 年通网络和自来水。

传统民居现存 91 座。民居为 2 门归厅或 4 门归厅的横排砖木结构民房，周围建有围水屋，以作厨房使用。房屋分为 2 层，用木板隔开，留有通道。

◎ 村传统民居一角（摄于 2016 年）

第一层一般高 3 米，供人住宿为主；第二层堆放粮食、杂物等，方便生活。民居冬暖夏凉，居住舒适。2000 年以后，村民建设钢筋混凝土结构楼房，楼房占地面积 90 平方米，结构多为三房一厅一厨一卫，设施较完善，有的还建有停车房。

该村现存祠堂 1 座，名为廖排祠堂，始建于清康熙三十六年（1697 年），2013 年重建，占地面积 120 平方米。廖排村与墩下何姓合编有《佛冈县高台何氏总族谱》，2005 年由何高言编纂。该族谱将墩下村何氏族人的村落由来、村貌概况、姓氏情况等进行整理记录，供村后人使用参考。

◎ 廖排村祠堂（摄于 2016 年 1 月）

2015 年廖排村有小学一所，名为廖排小学，仅有 1 个班级，在校学生 10 人，教职工 1 名。廖排小学内建有小型体育场一个。

◎ 廖排小学（摄于 2016 年）

传统节俗为春节、元宵节、清明节、四月八、端午节、中秋节、重阳节、冬至等。其中春节、清明节、端午节、中秋节为大节，其他为小节。该村有过四月八的习俗，此日近午时，村民便集中在山冈上祭拜无主山坟，晚上则在郊野祭幽灵，烧纸衣、冥钱，撒饭撒肉，鸣锣招引孤魂。中华人民共和国成立后，这种旧俗逐步消失，但村民仍保留在四月八做糍过节的习俗。节日气氛浓厚的还有中秋节，每逢中秋之夜，男女老少一起赏月，用月饼、柚子及熟石螺等食品拜月，热闹非常。随着生活水平的不断提高，村民对欢庆中秋节的习俗也越来越重视，在外地工作的本地籍人都尽量回家与家人团聚，共度佳节。

婚嫁习俗具有客家人的特点，其中担小担、担大担是客家人办婚事的流行风俗。即男方备齐礼物到女方家下聘礼订婚，称为担小担。男方备齐礼物到女方家接新娘，称为担大担。行结婚礼时，要摆酒请客、迎亲和送亲。在新娘家，新郎新娘一起向新娘家长辈敬茶，长辈给新郎新娘新婚红包。接着新娘弟弟撑红雨伞送新娘出门，由新娘的亲朋好友伴送新娘到男家。在男家摆设的喜席上，新郎新娘共同向亲朋好友和来宾敬茶。长辈接过新婚茶后，有的即兴唱起山歌，有的说祝贺词。

丧事传统以土葬为主，其程序为举丧、入殓、出殡、送葬，将灵牌送入祠堂或厅下。不管是哪家的丧事，全村人都前去帮忙，打锣鼓、舞狮、放鞭炮。办丧事期间只能煮白饭、花菜、黄豆煮猪肉等简单的饭菜。葬礼有相冲之说，有人与逝者生辰八字相冲的，均不能出现在葬礼上，必须回避。开始下葬时，送葬的家人必须提前离开，离开时不能回头看，要等下葬完毕后再回去祭拜。1990 年以后，虽然逐步实行火葬，但安葬、拜祭等程序仍然保留。

20 世纪 60 年代中期，村民参加高岗人民公社组织的全社造林大会战，在挂牌山全都种上杉木。该村按照高岗人民公社的部署，利用山地资源，在村中山坡地种植杉树 6.7 公顷，油茶树 3.4 公顷。70 年代初，村开展农田水利建设，清理农田灌溉渠道 200 米。1971 年，配合交通部门开展村道建设，建成乡道 292 线（墩下村—廖排村），通过村旁，长 2.4 千米。

主要人物有：何城（1921—1948），革命烈士，北江先遣支队英翁佛民主先锋大队中岳中队战士，在英德宝洞黄泥路被敌伏击牺牲。何胜（1925—1950），革命烈士，北一支战士，在乳源剿匪中牺牲。

（资料填报：何道宫；初稿撰写：吴家荣；总纂：李协湖）

石颈村

◎ 石颈村村貌（摄于2016年）

石颈村，位于高岗镇北部，距镇政府7千米。石颈村形成于清光绪二十二年（1896年），因村建在山体形状似颈部的山旁而取名。相邻的村有凹子村、杨屋村。

该村坐落于高岗山区，东与杨屋村相邻，西与凹子村相邻，村南与北都是高山。乡村公路直通省道252线，村的涨下坪山，十分陡峻，海拔300多米。

该村在清嘉庆十八年（1813年）属佛冈厅高台乡，民国时期属佛冈县第二区观台乡，中华人民共和国成立时属佛冈县第二区观台乡，1958年10月属从化县跃进（迳头）人民公社，1961年5月属佛冈县高岗人民公社廖排大队，1983年12月属高岗区廖排乡，1987年1月属高岗镇廖排行政村，1989年11月属高岗镇廖排管理区，1998年11月属高岗镇廖排行政村，2005年5月属高岗镇墩下行政村至今。

世居村民为何姓。何姓始祖于元初从福建迁移到广东省南雄珠玑巷，后从南雄珠玑巷迁至始兴、翁源，明洪武十四年（1381年）从翁源江子镇迁至墩下、廖排，清光绪二十二年（1896年），再迁至现址。

2015年末，村有户籍人口150人，其中男性78人、女性72人。80岁以上老人2人，最年长者88岁（女）。生活主要依靠农业收入有60人。常年在城镇生活和打工有90人，实际在村人口60人。村民均为汉族，客家民系，使用客家方言。

该村山多林密，自然资源丰富。林木资源有松树、杉树、柯树、樟树等树种。野生动物资源有野猪、黄猄等兽类和斑鸠等飞禽类，还有眼镜蛇（俗称锅铲头）等爬行动物。

该村有山地32.53公顷，耕地5.47公顷。传统

◎ 村桉树种植（摄于2016年）

经济以农业为主，主要种植水稻、玉米、花生、黄豆、蔬菜等。养殖鸡、鸭、鹅、猪、牛及4大家鱼（鲤鱼、草鱼、鲢鱼、鳙鱼）。种植花生是该村农业经济的重要来源。民国时期，花生油料产量极低，根本满足不了村民的生活需求。20世纪80年代起，实行农村家庭联产承包责任制，花生亩产达到200—250千克（干荚）。同时，该村逐步调整农村经济结构，并积极发展营林及水果产业。2000年以后，大部分青壮年外出打工，外出务工村民为工资性收入。2013年，该村种植沙糖桔面积4公顷，年收入30万元。2013年以后，由于受黄龙病的影响，产业消退，村民改种桉树、香蕉等其他经济作物。

◎ 玉米种植（摄于2015年）

传统食品有酿豆腐、糯米艾糍、腊肠、腊肉、粽子等。

该村1985年通电，2006年实现村道水泥硬底化。村中建有垃圾收集点。

传统民居为长方形客家围屋，现存32座。民居为2门归厅或4门归厅的横排砖木结构民房，周围

◎ 村传统民居一角（摄于2016年）

◎ 村新民居一角（摄于2016年）

建有围水屋，以作厨房使用。村外围修建牛棚、猪舍、鸡窝等，人畜分离，保持人居环境卫生整洁。房屋分为2层，用木板隔开，留有通道。第一层一般高3米，供人住宿为主；第二层堆放粮食、杂物等，方便生活。民居冬暖夏凉，居住舒适。2000年以后，村民建设钢筋混凝土结构楼房，楼房占地面积85平方米，多为三房一厅一厨房一卫生间，设施完善。

传统节俗为春节、元宵节、清明节、四月八、端午节、中秋节、重阳节、冬至等。其中春节、清明节、端午节、中秋节为大节，其他为小节。端午节又称“五月节”，各家各户包粽子纪念爱国诗人屈原，在门口桂艾叶、菖蒲等，以避邪逐恶。还有少年儿童到江河游泳，叫洗龙舟水，减少儿童得病的概率。节日气氛浓厚的还有清明节，家家户户门楣插柳枝和桃叶以驱邪，采艾（一种植物）做糍，名为艾糍，并进行扫墓活动。扫墓一般从清明前的春分起到农历四月初八日，扫墓期间在外地谋生做事的人都尽可能赶回去祭扫祖墓，不回来扫墓的人会遭到村人的责骂。

中华人民共和国成立前，男婚女嫁为“父母之命，媒妁之言”。农村存有抱养穷人家女童做童养媳、未生男孩的人家抱养“等郎妹”的习俗。男女婚嫁是终身大事，都要经过相亲、订婚、迎亲等程序。首先由媒人牵线，约男家的人去女家看人。若

男家有意，即授意媒人向女方家长索取其女儿生辰八字，带回男家。男方家长请人卜算后，如男女“相生”，则男家叫媒人陪伴送礼去女家“报合”，如男女“相克”，则将女子生辰八字退回女家，婚事作罢。订婚的第一步是下定礼（俗称“座茶”或叫“小担”），即男方送定金、酒米、肉类给女方，表示合成婚事。商定成亲日期及礼金后，按照礼规进行过礼，由男方出具礼帖把礼物、聘金送给女方，女方要回一份礼帖给男方。之后男家叫算命先生择定结婚吉日，由媒人通知女方。届时男方的迎亲队伍带着礼帖、礼物，吹起八音，敲锣打鼓，抬着花轿到女家迎新娘（俗称迎亲）。女家把嫁妆、礼物随新娘一起送回男家（俗称送亲）。新娘到达男家后，举行拜堂仪式，随后送入洞房，闹洞房后迎亲仪式即告结束。中华人民共和国成立后，婚嫁习俗逐渐发生变化，婚事新办的风气越来越浓厚。

中华人民共和国成立前，死后均以木棺土葬。死者未满18岁的只能用普通木料做棺材，竹杠抬，不上肩。死者在60岁以上的多有下列习俗：病人临去世前要移至厅堂或廊下。去世后由子孙日夜守孝，死者入殓前，子孙要到河里取水（俗称买水），为死者擦身、更衣，亲自入殓。出殡时，请巫师开路，吹响牛角，送殡队敲锣打鼓、燃放爆竹送行。埋葬死者后，孝子孝女等从坟上抓回一把黄土，并且同牵一条寿红（红布）由另一路线回家。葬后要为死者做“头七”“二七”“三七”的法事，神主牌送往祠堂入位，至此丧事才告完结。1990年后逐步实行火葬。

20世纪60年代中期，村民参加高岗人民公社组织的全社造林大会战，在挂牌山大都种杉木6.7公顷。70年代初，开展“农业学大寨”运动，改河造田，平整土地0.8公顷。农田实行田边、圳边、山边“三面光”。70年代中期，开展养猪积肥一条龙活动，村集体养殖生猪40头。

（资料填报：何道宫；初稿撰写：吴家荣；总纂：李协湖）

田心村

◎ 田心村村貌（摄于 2016 年）

田心村，位于高岗镇东北部，距镇政府 4.3 千米。该村始建于明中期，因村四周围均为田地，故取名田心村。相邻的村有下湾村、禾坪头村。

该村坐落在山间谷地，京港澳高速公路、省道 252 线在村 1 千米处通过，有乡道连接。村东为山，南与禾坪头村相邻，西为温氏猪场，北为山地。

清嘉庆十八年（1813 年）属佛冈厅高台乡，民国期间属佛冈县第二区观台乡，中华人民共和国成立时属佛冈县第二区观台乡，1958 年 10 月属从化县跃进（迳头）人民公社，1961 年 5 月属佛冈县高岗人民公社墩下大队，1983 年 12 月属高岗区墩下乡，1987 年 1 月属高岗镇墩下行政村，1989 年 11 月属高岗镇墩下管理区，1998 年 11 月属高岗镇墩下行政村至今。

世居村民为何姓。南宋咸淳九年（1273 年）太祖贞五郎从福建武平县迁至广东南雄府保县沙木村珠玑巷，后迁至始兴居住。南宋景炎二年（1277 年）七月十三日彭氏八娘带子侄十余兄弟投至翁源县江子镇上、下坝定居开基创业。明洪武十四年（1381 年）因蒙志昌作反，投往英德县属高台乡（今佛冈县高岗镇）墩下老围圈。邱太娘带子永崇、永杰、永琳在墩下居住发迹。朱六娘携子永端、永正于上湾、茶山下安居创业。钟三娘带领海渊、海敬在镇子、下湾安基发展。明中期，嗣孙分别居住在田心、下湾、禾坪头等地。

2015 年末，村有户籍人口 160 人，其中男性 86 人、女性 74 人。80 岁以上老人 9 人，最年长者 91 岁（张前，女）。生活主要依靠农业收入有 110 人。常年在城镇生活和打工有 50 人，实际在村 110 人，其中留守儿童 2 人。村民均为汉族，客家民系，使用客家方言。

该村山多林密，自然资源丰富。林木资源有松树、杉树、柯树、樟树等树种。野生动物资源有野猪、黄猄、斑鸠、眼镜蛇等。广东温氏集团租此地建设生猪养殖基地。

该村有山地 66.4 公顷，耕地 14.67 公顷。传统经济以农业为主，主要种植水稻、玉米、花生、黄豆、蔬菜等。养殖鸡、鸭、鹅、猪、牛及 4 大家鱼（鲤鱼、草鱼、鲢鱼、鳙鱼）。蔬菜种植是该村经济的重要组成部分。实行农村家庭联产承包责任制前，蔬菜生产只在村民自留地种植，自己食用。

◎ 番薯种植基地（摄于 2016 年）

20 世纪 80 年代农村全面实施家庭联产承包责任制后，积极开展多种经营，大力发展蔬菜种植业。1990 年后，大部分青壮年外出打工，外出务工村民为工资性收入。2005 年发展水果产业，2013 年种植沙糖桔面积达 6.7 公顷，年收入 50 万元。2013 年以后，由于受黄龙病的影响，产业消退，村民改种其他番薯、李子、火龙果等经济作物。村民主要收入来源为农业收入。

传统食品有客家脍肉、酿酸水豆腐、糯米艾糍、粽子、糖环等。

◎ 传统食品艾糍（摄于 2016 年）

◎ 田心村文化室（摄于 2016 年）

该村于 20 世纪 80 年代通电，90 年代通电话，2008 年全村村道实现水泥硬底化，2012 年通自来水，2014 年通网络和有线电视。村中建有文化室。

◎ 村民居一角（摄于 2016 年）

传统民居为客家围屋，现存 38 座。民居为 2 门归厅或 4 门归厅的横排砖木结构民房，周围建有围水屋，以作厨房使用。村外围修建牛棚、猪舍、鸡窝等，人畜分离，保持人居环境卫生整洁。房屋分为 2 层，用木板隔开，留有通道。第一层一般高 3 米，供人住宿为主；第二层堆放粮食、杂物等，方便生活。民居冬暖夏凉，居住舒适。2000 年以后，村民建设钢筋混凝土结构楼房，楼房占地面积 85 平方米，楼房布局多为三房一厅一厨一卫。

田心村、禾坪头村、下湾村共拜一个祠堂，祠堂位于下湾村。编有《何氏族谱》，由何忠尧于 2012 年 3 月纂修。族谱记有何氏治家格言，其中写道“一粥一饭，当思来处之不易。半丝半缕，恒念物力维艰”。

传统节俗为春节、元宵节、清明节、四月八、端午节、中秋节、重阳节、冬至等。其中春节、清明节、端午节、中秋节为大节，其他为小节。七月半亦称盂兰节或鬼节。这天村民既烧香拜神，也祭祀祖宗。宋代末年元兵入侵，时值盂兰节前，为避元兵侵扰，村民提前一天祭祀祖宗。从此每年农历七月十四日过七月半，此习沿袭至今。节日气氛浓厚的还有端午节，各家各户包粽子纪念爱国诗人屈原，在门楣挂艾叶、菖蒲，点燃蚊香，以避邪逐恶，祈求保佑全家幸福安康。这一天青年人、小孩子到江河游泳，叫洗龙舟水，以祈消灾去祸，合家平安。

婚嫁习俗有客家人的特点，其中担小担、担大担是客家人办婚事的流行风俗。即男方备齐礼物到女方家下聘礼订婚，称为担小担。男方备齐礼物到女方家接新娘，称为担大担。行结婚礼时，要摆酒请客、迎亲和送亲。在新娘家，新郎新娘一起向新娘家长辈敬茶，长辈给新郎新娘新婚红包。接着新娘弟弟撑红雨伞送新娘出门，由新娘的亲朋好友伴送新娘到男家。在男家摆设的喜席上，新郎新娘共同向亲朋好友和来宾敬茶。长辈接过新婚茶后，有的即兴唱起山歌，有的说祝贺词。

丧事习俗传统以土葬为主，其程序为举丧、入殓、出殡、送葬，将灵牌送入祠堂或厅下。办丧事期间只能煮白饭、花菜、黄豆煮猪肉等简单的饭菜。葬礼有相冲之说，有人与逝者生辰八字相冲的，均不能出现在葬礼上，必须回避。开始下葬时，送葬的家人必须提前离开，离开时不能回头看，要等下葬完毕后再回去祭拜。1990年以后，虽然逐步实行火葬，但安葬等程序仍然保留。

2011年，村筹资18万元，开展饮水工程管道建设，让全村人饮用、使用干净、清洁、安全的自来水。2013年，村筹资48万元，建设村文化室，文化室内设会议室、图书室、文娱室、村务办公室，为村民办事和学习聚会提供方便。2014年，筹资15万元建成篮球场。同年，发动村民集资兴修农田水利设施，其中投入4.6万元加固全村农田灌溉水渠的护墙300米。

（资料填报：邓绍香；初稿撰写：范伟模；总纂：李协湖）

下湾村

◎ 下湾村村貌（摄于 2016 年）

下湾村，位于高岗镇北部，距离高岗镇政府 4 千米。该村始建于明中期，因村坐落于一个转弯位的下面，故取名下湾村，曾用名下塆村。相邻的村有墩下村、田心村。

该村坐落在山间谷地，村东为山，南为墩下村，西为田地，北为禾坪头村。

清嘉庆十八年（1813 年）属佛冈厅高台乡，民国期间属佛冈县第二区观台乡，中华人民共和国成立时属佛冈县第二区观台乡，1958 年 10 月属从化县跃进（迳头）人民公社，1961 年 5 月属佛冈县高岗人民公社墩下大队，1983 年 12 月属高岗区墩下乡，1987 年 1 月属高岗镇墩下行政村，1989 年 11 月属高岗镇墩下管理区，1998 年 11 月属高岗镇墩下行政村至今。

世居村民为何姓，宋咸淳九年（1273 年）太祖贞五郎从福建武平县迁至广东南雄府保县沙木村珠玑巷，后迁至始兴居住。南宋景炎二年（1277 年）七月十三日彭氏八娘带子侄十余兄弟投至翁源县江子镇上、下坝定居开基创业。明洪武十四年（1381 年）因蒙志昌作反，投往英德县属高台乡（今佛冈县高岗镇）墩下老围圈。邱太娘带子永崇、永杰、永琳在墩下居住发迹。朱六娘携子永端、永正于上湾、茶山下安居创业。钟三娘带领海渊、海敬在镇子、下湾安基发展。明中期，嗣孙分别居住在田心、下湾、禾坪头等地。

2015 年末，该村有户籍人口 139 人。其中男性 72 人，女性 67 人。80 岁以上老人 7 人，最年长者 90 岁（女）。生活主要依靠农业收入有 95 人。常年在城镇生活和打工有 44 人，实际在村 95 人，其中留守儿童 6 人。村民均为汉族，客家民系，使用客家方言。

该村山多林密，自然资源丰富。林木资源有松树、杉树、柯树、樟树等树种。野生动物资源有野猪、黄猄等兽类和斑鸠等飞禽类，还有眼镜蛇（俗称锅铲头）等爬行动物。

该村有山地面积 49.7 公顷，耕地面积 7.67 公顷。传统经济以农业为主，主要种植水稻、玉米、花生、黄豆、蔬菜等。养殖鸡、鸭、鹅、猪、牛及 4 大家鱼（鲤鱼、草鱼、鲢鱼、鳙鱼）。养殖家禽是该村农业经济的重要组成部分。中华人民共和国成立前，家禽养殖成活率低，生长慢，经济效益极低。20 世纪 80

◎ 蔬菜基地（摄于 2016 年）

年代起，该村大力发展家禽养殖，实行规模化养殖，大专业户年出售 3 万只鸡。1990 年以来，大部分青壮年外出打工，村民主要收入来源为农业收入、外出务工工资性收入。同时，逐步调整农村经济结构，并积极发展蔬菜、水果产业，2013 年种植沙糖桔面积 4 公顷，年收入 30 万元。

传统食品有客家脍肉、酿酸水豆腐、艾糍、粽子、糖环等。

该村于 20 世纪 80 年代通电，90 年代通电话，2008 年全村村道实现水泥硬底化，2012 年通自来水，2014 年通网络和有线电视。村中建有文化室。

◎ 下湾村文化室（摄于 2016 年）

传统民居为客家围屋，现存 32 座。民居为 2 门归厅或 4 门归厅的横排砖木结构民房，周围建有围水屋，以作厨房使用。房屋分为 2 层，用木板隔开，留有通道。第一层一般高 3 米，供人住宿为主；第二层堆放粮食、杂物等，方便生活。民居冬暖夏凉，居住舒适。2000 年以后，村民建设钢筋混凝土结构楼房，楼房占地面积 85 平方米，楼房布局多为三房一厅一厨一卫。

村有何氏宗祠，始建于清光绪年间（1875—1908 年），重修于 2012 年，占地面积 160 平方米。海敬公有嗣孙在明、清时获取贡员、监生的牌匾，佛冈解放后（1949 年）在何氏宗祠中栋厅的左右两侧墙上悬挂，1966 年“文化大革命”时被毁掉。祠堂前面草坪竖有两支旗杆（又叫桅杆）。多支桅杆石板是 1958 年人民公社化、“大跃进”时期被挖掉。1998 年寻回 2 支旗杆竖在门坪以作纪念。

◎ 何氏宗祠（摄于 2016 年）

◎ 祠堂二进门匾（摄于 2016 年）

该村编有《何氏族谱》，由何忠尧于2012年3月纂修。族谱记有何子治家格言，其中写道："一粥一饭，当思来处之不易。半丝半缕，恒念物力维艰"。

◎《何氏族谱》（摄于2016年）

传统的节俗为春节、元宵节、清明节、四月八、端午节、中秋节、重阳节、冬至等。其中春节、清明节、端午节、中秋节为大节，其他为小节。中华人民共和国成立前，每逢中秋之夜，男女老少一起赏月，用月饼、柚子等食品拜月，并燃放鞭炮。青少年则成群结队放孔明灯（叫天灯），热闹非常。此习俗，中华人民共和国成立后，逐步消失。节日气氛浓厚的还有清明节，家家户户门楣插柳枝和桃叶以驱邪，采艾（一种植物）做糍，名为艾糍，并进行扫墓活动。扫墓一般从清明前的春分起到农历四月初八日，扫墓期间在外地谋生做事的人都尽可能赶回去祭扫祖墓，不回去扫墓的人会遭到村人的责骂。

婚嫁习俗有担小担、担大担的传统风俗。即男方备齐礼物到女方家下聘礼订婚，称为担小担。男方备齐礼物到女方家接新娘，称为担大担。行结婚礼时，要摆酒请客、迎亲和送亲。在新娘家，新郎新娘一起向新娘家长辈敬茶，长辈给新郎新娘新婚红包。接着新娘弟弟撑红雨伞送新娘出门，由新娘的亲朋好友伴送新娘到男家。在男家摆设的喜席上，新郎新娘共同向亲朋好友和来宾敬茶。

丧事习俗传统以土葬为主，其程序为举丧、入殓、出殡、送葬，将灵牌送入祠堂或厅下。办丧事期间只能煮白饭、花菜、黄豆煮猪肉等简单的饭菜，以示哀思。葬礼有相冲之说，有人与逝者生辰八字相冲时，要出告示，说明情况，相冲的人均不能出现在葬礼上，必须回避。开始下葬时，送葬的家人必须提前离开，离开时不能回头看，要等下葬完毕后再回去祭拜。1990年以后，虽然逐步实行火葬，但安葬、拜祭等程序仍然保留。

20世纪60年代中期，村劳动力参加高岗人民公社组织的全社造林大会战，在挂牌山种上杉木8公顷。70年代初，开展"农业学大寨"运动，改河造田，平整土地1.7公顷，农田实行田边、圳边、山边"三面光"。70年代中期，开展养猪积肥一条龙活动，村集体养猪50头。2012年农户集资修建宗祠。2015年新建村文化室。

（资料填报：邓绍香；初稿撰写：范伟模；总纂：李协湖）

下张村

◎ 下张村村貌（摄于2016年）

下张村，位于高岗镇北部，距镇政府3千米。该村始建于清初，从英德鱼湾移民聚居而形成。因该村村民均姓张，故取名下张村。相邻的村有曹屋村、赵屋村。

该村坐落在山间谷地，省道252线在村东面通过，有乡道连接至该村。村东面为田地，南为宝山河段，河流发源于宝山村，西南与曹屋村相邻，北为山地。

清嘉庆十八年（1813年）属佛冈厅高台乡，民国期间属佛冈县第二区观台乡，中华人民共和国成立时属佛冈县第二区观台乡，1958年10月属从化县跃进（迳头）人民公社，1961年5月属佛冈县高岗人民公社墩下大队，1983年12月属高岗区墩下乡，1987年1月属高岗镇墩下行政村，1989年11月属高岗镇墩下管理区，1998年11月属高岗镇墩下行政村至今。

世居村民为张姓。元代张化孙被尊为客家张姓始祖。明初张化第五代孙张吴宝后裔，从江西吉安入广东，清朝初期从英德鱼湾迁移至该村。

2015年末，该村有户籍人口392人，其中男性202人、女性190人。80岁以上老人13人，最年长者88岁（男）。生活主要依靠农业收入有250人。常年在城镇生活和打工有142人，实际在村250人，农村留守儿童24人。村民均为汉族，客家民系，使用客家方言。

该村山多林密，自然资源丰富。林木资源有松树、杉树、柯树、樟树等树种。野生动物资源有野猪、黄猄等兽类和斑鸠等飞禽类，还有眼镜蛇（俗称锅铲头）等爬行动物。

该村有山地面积19.4公顷，耕地面积20.7公顷。

◎ 火龙果过冬保护（摄于2016年）

传统经济以农业为主，主要种植水稻、玉米、花生、黄豆、蔬菜等。养殖鸡、鸭、鹅、猪、牛及 4 大家鱼（鲤鱼、草鱼、鲢鱼、鳙鱼）。生猪养殖是该村农业经济的重要来源。中华人民共和国成立前，由于养殖技术水平低下，丰产性能差，畜牧养殖成活率低，农民只能维持简单的生活。20 世纪 80 年代起，该村出现生猪养殖专业户，年出售 300 头生猪以上。1990 年来，大部分青壮年外出打工。2013 年种植沙糖桔面积 6.7 公顷，年收入 50 万元。2013 年以后，由于受黄龙病的影响，产业消退，村民改种火龙果等其他作物。村民主要收入来源为农业收入、外出务工工资性收入。

传统食品有客家脍肉、酿酸水豆腐、艾糍、粽子、糖环等。

该村 20 世纪 70 年代通电，90 年代通电话，2006 年全村村道实现水泥硬底化，2012 年通网络和有线电视，2015 年通自来水。村中建有文化室。

◎ 下张村文化室（摄于 2016 年）

◎ 村传统民居一角（摄于 2016 年）

◎ 村新民居一角（摄于 2016 年）

传统民居为长方形客家围屋，现存 87 座。民居为 2 门归厅或 4 门归厅的横排砖木结构民房，周围建有围水屋，以作厨房使用。村外围修建牛棚、猪舍、鸡窝等，人畜分离，保持人居环境卫生整洁。2000 年以后，村民建设钢筋混凝土结构楼房，楼房占地面积 85 平方米，楼房布局多为三房一厅一厨一卫。

该村宗祠有张氏宗祠，始建于清中期，重修于 2003 年，占地面积 60 平方米。

◎ 张氏宗祠正门（摄于 2016 年）

传统节俗为春节、元宵节、清明节、四月八、端午节、中秋节、重阳节、冬至等。其中春节、清明节、端午节、中秋节为大节，其他为小节。村民有重阳登高转运的习俗，登高地点多为较高山峰，小孩则以放风筝取乐。国家把重阳节定为敬老节后，村中老人的儿孙很多回家与老人团聚，以示敬老。节日气氛浓厚的还有端午节，各家各户包粽子纪念爱国诗人屈原，农户在门楣挂艾叶、菖蒲，点燃蚊香，以避邪逐恶，祈求保佑全家幸福安康。这一天青年人、小孩子到江河游泳，叫洗龙舟水，以祈消灾去祸，合家平安。

传统男婚女嫁为"父母之命，媒妁之言"。农村存有抱养穷人家女童做童养媳、未生男孩的人家抱养"等郎妹"的习俗。男女婚嫁是终身大事，都要经过相亲、订婚、迎亲等程序。先是由媒人牵线，约男家的人去女家看人。若男家有意，即授意媒人向女方家长索取其女儿生辰八字，带回男家。男方家长请人卜算后，如男女"相生"，则男家叫媒人陪伴送礼去女家"报合"，如男女"相克"，则将女子生辰八字退回女家，婚事作罢。订婚的第一步是下定礼（俗称座茶或叫小担），即男方送定金、酒米、肉类给女方，表示合成婚事。商定成亲日期及礼金后，按照礼规进行过礼，由男方出具礼帖把礼物、聘金送给女方，女方要回一份礼帖给男方。迎亲是男家叫算命先生择定结婚吉日，由媒人通知女方。届时男方的迎亲队伍带着礼帖、礼物，吹起八音，敲锣打鼓，抬着花轿到女家迎新娘（俗称迎亲）。女家把嫁妆、礼物随新娘一起送回男家（俗称送亲）。新娘到达男家后，举行拜堂仪式，随后送入洞房，闹洞房后迎亲仪式即告结束。中华人民共和国成立后，婚嫁习俗逐渐发生变化，婚事新办的风气越来越浓厚。

传统丧葬均以木棺土葬。死者未满 18 岁的只能用普通木料做棺材，竹杠抬，不上肩。死者在 60 岁以上的多有下列习俗：病人临去世前要移至厅堂或廊下。去世后由子孙日夜守孝，死者入殓前，子孙要到河里取水（俗称买水），为死者擦身、更衣，亲自入殓。出殡时，请巫师开路，吹响牛角，送殡队敲锣打鼓、燃放爆竹送行。埋葬死者后，孝子孝女等从坟上抓回一把黄土，并且同牵一条寿红（红布）由另一路线回家。葬后要为死者做"头七""二七""三七"的法事，神主牌送往祠堂入位。至此丧事才告完结。1990 年后逐步实行火葬。

1947 年，中共滃江工委以该村及附近村为根据地开展武装斗争。1948 年，该村民兵参加英翁佛民主先锋大队攻打国民党联防队的战斗。1949 年，该村捐枪、捐钱、捐粮支援游击队，并截击国民党联防队。1993 年，该村经清远市人民政府批准为解放战争游击根据地。2013 年，筹资 13 万元，开展村道维修整治。清除村道障碍物，平整路面，铺设水泥硬底化。2014 年筹资 48 万元，建成文化室，文化室内设会议室、图书室、文娱室、村务办公室，为村民办事和学习、聚会提供便利。

（资料填报：曹芳娣；初稿撰写：范伟模；总纂：李协湖）

杨屋村

◎ 杨屋村村貌（摄于 2016 年）

杨屋村，位于高岗镇北部，距镇政府约 7 千米。杨屋村形成于明末至清初，因村内世居村民姓杨而取名杨屋村。相邻的村有石颈村、廖排村。

该村坐落于高岗山区，村东与石颈村相邻，西与廖排村相邻，村南与北都是高山，乡村公路直通省道 252 线。

清嘉庆十八年（1813 年）属佛冈厅高台乡，民国期间属佛冈县第二区观台乡，中华人民共和国成立时属佛冈县第二区观台乡，1958 年 10 月属从化县跃进（迳头）人民公社，1961 年 5 月属佛冈县高岗人民公社廖排大队，1983 年 12 月属高岗区廖排乡，1987 年 1 月属高岗镇廖排行政村，1989 年 11 月属高岗镇廖排管理区，1998 年 11 月属高岗镇廖排行政村，2005 年 5 月属高岗镇墩下行政村至今。

世居村民为杨姓。明末至清初，该村始祖从格仔村（今高岗）附近迁至该地。

2015 年末，该村有户籍人口 70 人，其中男性 37 人、女性 33 人。80 岁以上老人 1 人，年最长者 81 岁（女）。生活主要依靠农业收入有 20 人。常年在城镇生活和打工有 50 人，实际在村 20 人。村民均为汉族，客家民系，使用客家方言。

该村有山地面积 10 公顷，耕地面积 3 公顷。传统经济以农业为主，主要种植水稻、玉米、花生、黄豆、蔬菜等。养殖鸡、鸭、鹅、猪、牛及 4 大家鱼（鲤鱼、草鱼、鲢鱼、鳙鱼）。中华人民共和国成立初期，该村农业经济效益极低，农民只能维持简单的生活。到 20 世纪 80 年代初期农村实行家庭联产承包责任制起，村民引进良种，大力推广先进的栽培技术，兴修水利，水稻一般亩产为 400 千克，花生

◎ 芋头种植基地（摄于 2016 年）

◎ 村农业灌圳（摄于 2016 年）

◎ 杨屋村乡村道路（摄于 2016 年）

亩产 200—250 千克（干荚），蔬菜亩产 1000 千克，农业经济效益有较大的提高。2000 年以后，大部分青壮年外出打工，并积极发展水果产业，2013 年种植沙糖桔面积 6.7 公顷，产值 50 万元。2013 年以后，由于受黄龙病的影响，产业消退，村民改种芋头、百香果、火龙果等其他作物。

传统食品有酿豆腐、艾糍、腊肠、腊肉、粽子等。出名食品有酿豆腐和客家脍肉。酿豆腐的做法是把豆腐切块并挖出小洞，再把腌制好的猪肉酿入豆腐里，最后将豆腐块用小火煎至金黄色，调味即可食用。客家脍肉的做法是将猪肉和各种佐料拌匀，装瓦钵放在锅里蒸熟，蒸熟的脍肉放在通风干爽的棚上藏好，以后每餐食用时再蒸一次即可食用。

该村于 1985 年通电，2006 年实现村道水泥硬底化。村中建有垃圾收集点。

杨屋村传统民居为客家围屋，现存 10 座。民居为 2 门归厅或 4 门归厅的横排砖木结构民房，周围建有围水屋。房屋分为 2 层，用木板隔开，留有通道。第一层一般高 3 米，供人住宿为主；二层堆放粮食、杂物等，方便生活。民居冬暖夏凉，居住舒适。2000 年以后，村民建设钢筋混凝土结构楼房，楼房占地面积 85 平方米，多为三房一厅一厨房一卫生间，设施较完善。

◎ 杨屋村传统民居一角（摄于 2016 年）

传统节俗为春节、元宵节、清明节、四月八、端午节、中秋节、重阳节、冬至等。其中春节、清明节、端午节、中秋节为大节，其他为小节。该村有过十月朝习俗。 农历十月初一叫“十月朝”或“牛生日”。村民做糯米糍粑贴在牛角、牛额、牛背脊、牛腰、牛尾部位，贴三四天后，牧童从牛身上将糯米糍粑剥下用火烤熟来吃。传说吃了“牛生日”贴在牛身上的糍粑，能像牛一样力气大。中华人民共和国成立后，这种习俗逐步被遗弃，但村民仍保留在十月初一做糍过节的习俗。节日气氛浓厚的还有中秋节。每逢中秋之夜，男女老少一起赏月，用月饼、柚子及熟石螺等食品拜月，热闹非常。随着生活水平的不断提高，村民对欢庆中秋节的习俗也越来越重视，在外地工作的本地籍人都尽量回家与家人团聚，共度佳节。

村传统婚嫁庄重繁杂。男女开始交往时，女家要到男家探家，结婚前男方需向女方家下聘礼，报日子、送聘金、定嫁妆。行结婚礼时，要摆酒请客，迎亲和送亲。迎亲过程现流行：新郎先租七辆或九辆车作婚车装饰好。结婚当天，新郎带着亲朋好友坐上婚车到新娘家接新娘。新娘的姐妹朋友关门阻止新郎进入新娘家。新郎需要用红包开路，并请亲朋好友帮助接新娘。在新娘家，新郎新娘一起向新娘家长辈敬茶，长辈给新郎新娘新婚红包。接着新娘弟弟撑红雨伞送新娘出门，出门前新娘家人拿用红纸包成条状的硬币给新娘掰断并放入自己的口袋，祈求富贵双全。新娘出门后不可回头张望，以示新婚幸福，白头偕老。

村里发生丧事时，传统以土葬为主。其程序为举丧、入殓、出殡、送葬，将灵牌送入祠堂或厅下。办丧事期间只能煮白饭、花菜、黄豆煮猪肉等简单的饭菜。葬礼有相冲之说，有人与逝者生辰八字相冲的，均不能出现在葬礼上，必须回避。开始下葬时，送葬的家人必须提前离开，离开时不能回头看，要等下葬完毕后再回来祭拜。1990 年以后逐步实行火葬。

20 世纪 60 年代中期，村民参加高岗人民公社组织的全社造林大会战，在挂牌山种上杉木 5.33 公顷。70 年代初，开展“农业学大寨”运动，改河造田，平整土地 1.33 公顷，农田田边、圳边、山边实行“三面光”。70 年代中期，开展养猪积肥一条龙活动，村集体养猪 25 头。

（资料填报：何道宫；初稿撰写：吴家荣；总纂：李协湖）

赵屋村

◎ 赵屋村村貌（摄于 2016 年）

赵屋村，位于高岗镇北部，距镇政府 4.6 千米。赵屋村形成于明洪武十四年（1381 年），当时由于分村而形成，因村民均姓赵而取名。相邻的村有墩下村、下湾村、廖排村。

该村坐落于山区，东为下湾村，南为下张村，西为山地，北为田心村。乡村公路直通省道 252 线，村后山海拔 80 米。

该村在清嘉庆十八年（1813 年）属佛冈厅高台乡，民国时期属佛冈县第二区观台乡，中华人民共和国成立时属佛冈县第二区观台乡，1958 年 10 月属从化县跃进（迳头）人民公社，1961 年 5 月属佛冈县高岗人民公社廖排大队，1983 年 12 月属高岗区廖排乡，1987 年 1 月属高岗镇廖排行政村，1989 年 11 月属高岗镇廖排管理区，1998 年 11 月属高岗镇廖排行政村，2005 年 5 月属高岗镇墩下行政村至今。

世居村民为赵姓。赵氏始祖于明洪武十四年（1381 年）从广东翁源迁移至该地。

2015 年末，村有户籍人口 190 人，其中男性 99 人、女性 91 人。80 岁以上老人 3 人，最年长者 84 岁（赵仕东，男）。生活主要依靠农业收入有 120 人。常年在城镇生活和打工有 70 人。实际在村 120 人。村民均为汉族，客家民系，用客家方言。

该村山多林密，自然资源丰富。林木资源有松树、杉树等树种。野生动物资源有斑鸠等飞禽类，还有眼镜蛇（俗称锅铲头）等爬行动物。

该村有山地面积 21.26 公顷，耕地面积 7.87 公顷。传统经济以农业为主，主要种植水稻、玉米、花生、黄豆、蔬菜等。养殖鸡、鸭、鹅、猪、牛及 4 大家鱼（鲤鱼、草鱼、鲢鱼、鳙鱼）。中华人民共和国成立前，由于种植技术水平低下，丰产性能差，该村水稻一般亩产为 100 千克，农民只能维持简单的生活。中华人民共和国成立后，该村先后组织互助组、合作社，参加人民公社，逐步推广应用先进的农业生产技术，农业生产效益有较大的提高。20 世纪 80 年代起实行农村家庭联产承包责任制后，水稻一般亩产达到 400 千克，农业经济效益有较大的提高。2000 年以后，大部分青壮年外出打工，外出务工村民为工资性收入。同时，逐步调整农村经济结构，并积极发展水果产业，2013 年该村种植沙糖桔面积 3.3 公顷，年收入 25 万元。2013 年以后，由于受黄龙病的影响，产业消退，

◎ 李树生产基地（摄于 2016 年）

◎ 村文化公园（摄于 2016 年）

村民改种李子等其他经济作物。

传统食品有酿豆腐、艾糍、腊肠、腊肉、粽子等。

该村于 1973 年通电，1994 年实现村道水泥硬底化，1995 年通电话，2013 年通网络。村中建有垃圾收集点。

传统民居为长方形客家围屋，现存 43 座。民居为 2 门归厅或 4 门归厅的横排砖木结构民房，周围建有围水屋，以作厨房使用。房屋分为 2 层，用木板隔开，留有通道。第一层一般高 3 米，供人住宿为主；第二层堆放粮食、杂物等，方便生活。民居冬暖夏凉，居住舒适。2000 年以后，村民建设钢筋混凝土结构楼房，楼房占地面积 85 平方米，多为三房一厅一厨房一卫生间，设施较完善。

赵屋村现存祠堂 1 座，名为赵氏宗祠，始建于明中期，2013 年原址重建，占地面积达 120 平方米。

传统的节俗为春节、元宵节、清明节、四月八、端午节、中秋节、重阳节、冬至等。其中春节、清明节、端午节、中秋节为大节，其他为小节。冬至节日意味着一年农事已做完，全家应欢聚吃一顿丰盛晚餐表示庆贺。这一天，村民各家各户做糍，打米饼，刣鸡杀鸭，欢度节日。节日气氛浓厚的还有清明节，家家户户门楣插柳枝和桃叶以驱邪，采艾（一种植物）做糍，名为艾糍，并进行扫墓活动。扫墓一般从清明前的春分起到农历四月初八日，扫墓期间在外地谋生做事的人都尽可能赶回去祭扫祖墓，不回去扫墓的人会遭到村人的责骂。

婚嫁习俗有担小担、担大担。即男方备齐礼物到女方家下聘礼订婚，称为担小担。男方备齐礼物到女方家接新娘，称为担大担。行结婚礼时，要摆酒请客、迎亲和送亲。在新娘家，新郎新娘一起向新娘家长辈敬茶，长辈给新郎新娘新婚红包。接着新娘弟弟撑红雨伞送新娘出门，由新娘的亲朋好友伴送新娘到男家。在男家摆设的喜席上，新郎新娘共同向亲朋好友和来宾敬茶。长辈接过新婚茶后，有的即兴唱起山歌，有

◎ 村新民居一角（摄于 2016 年）

◎ 赵氏宗祠（摄于 2016 年）

的说祝贺词。此外，该村办婚事仍保留铺床、闹洞房的风俗。

丧事习俗也具有客家人的特点。发生丧事时，传统以土葬为主，其程序为举丧、入殓、出殡、送葬，将灵牌送入祠堂或厅下。不管是哪家的丧事，全村人都前去帮忙，打锣鼓、舞狮、放鞭炮。办丧事期间只能煮白饭、花菜、黄豆煮猪肉等简单的饭菜。葬礼有相冲之说，有人与逝者生辰八字相冲的，均不能出现在葬礼上，必须回避。开始下葬时，送葬的家人必须提前离开，离开时不能回头看，要等下葬完毕后再回去祭拜。1990 年以后，虽然逐步实行火葬，但安葬等程序仍然保留。

2013 年，村民集资 40 万元，修建宗祠一间，面积 120 平方米。同年，该村遭受水灾，村民集资筹劳，投入抗灾复产工作，修复被洪水冲毁的赵屋陂，改善农田灌溉面积 3.4 公顷。

（资料填报：何道宫；初稿撰写：吴家荣；总纂：李协湖）

○高岗行政村

凹下村

◎ 凹下村村貌（摄于 2016 年）

凹下村，位于高岗镇中部，距镇政府 0.5 千米。该村始建于元至正二十六年（1366 年），从英德横石水分村迁入而形成。该村坐落于丘陵地带，村东是塘下村，南是岭下村，西是下流村，北是镇政府。省道 252 线在村东面经过，有乡道（下村一省道 252 线）连接。相邻的村有岭下村、塘下村、高岗村。

该村形成时属英德虎山乡，清嘉庆十八年（1813 年）属佛冈厅虎山乡，民国时期属佛冈县第二区观台乡，中华人民共和国成立时属佛冈县第二区观台乡，1958 年 10 月属从化县跃进（迳头）人民公社，1961 年 5 月属佛冈县高岗人民公社高岗大队，1983 年 12 月属高岗区高岗乡，1987 年 1 月属高岗镇高岗行政村，1989 年 11 月属高岗镇高岗管理区，1998 年 11 月属高岗镇高岗行政村至今。

世居村民为林姓。宋末从福建迁移至广东南雄珠玑巷，元至正二十六年（1366 年）从英德横石水迁移至该地。

2015 年末，村有户籍人口 60 人，其中男性 32 人、女性 28 人。80 岁及以上 1 人，最年长者 88 岁（女）。户籍人口中，生活主要依靠农业收入的人口有 12 人。常年在城镇生活和打工的人口有 48 人，实际在村人口 12 人，其中留守儿童 2 人。村民均为汉族，客家民系，使用客家方言。

该村山多、自然资源丰富。林木资源有松树、杉树等树种。野生动物资源有斑鸠、眼镜蛇（俗称锅铲头）等。

该村有山地 22.07 公顷，耕地 3.8 公顷。传统经济以农业为主，主要种植水稻、玉米、花生、黄豆、蔬菜等。养殖鸡、鸭、鹅、猪、牛及 4 大家鱼（鲤鱼、草鱼、鲢鱼、鳙鱼)。种植花生是该村农业经济的重要来源。民国时期，花生油料产量极低，根本满足不了村民的生活需求。20 世纪 80 年代起，实行农村家庭联产承包责任制，积极推广先进的栽培技术，花生亩产达到 200—250 千克（干荚）。同时，该村逐步调整农村经济结构，并积极发展水果产业。2000 年以后，大部分青壮年外出务工，到深圳、珠海、广州市居多。村民主要收入来源为农业生产收入、外出务工工资性收入。

春节食品有酿豆腐和客家腍肉最为出名，还有米饼、糖环等小吃。酿豆腐的做法是把豆腐切块并挖出小洞，再把腌制好的猪肉酿入豆腐里，最后将豆腐块用小火煎至金黄色，调味即可食用。客家腍肉的做法是将猪肉和各种佐料拌匀，装入瓦砵放在锅里蒸熟，蒸熟的腍肉放在通风干爽的棚上藏好，以后每餐食用时再蒸一次即可食用。

该村 1985 年通电，2000 年通电话，2005 年通自来水，2010 年实现村道水泥硬底化，2013 年通网络。

◎ 村传统民居一角（摄于 2016 年）

传统民居为长方形客家围屋，现存 5 座。民居为 2 门归厅的横排砖木结构民房，周围建有围水屋，以作厨房使用。房屋分为 2 层，用木板隔开，留有通道。第一层一般高 3 米，供人住宿为主；第二层堆放粮食、杂物等，方便生活。民居冬暖夏凉，居住舒适。2000 年以后，村民建设钢筋混凝土结构的楼房，楼房占地面积 85 平方米，门前有停车场或建有车库，楼房装修比较实用。

◎ 新民居一角（摄于 2016 年）

◎《林氏得聪联谱》封面（摄于 2016 年）

该村修有《林氏得聪联谱》，2004 年 12 月由林氏得聪族谱理事会纂修。林氏族谱中有家训，其内容为：“忠厚为人，正直做人，信义树人，严以宽人，文明待人，和善对人，孝悌教人，廉洁育人，勤俭做人，苦学成人。”

村现存林氏宗祠，始建于清朝，重修于 2015 年，占地 100 平方米。宗祠有碑刻为“林氏宗祠”。每逢清明，村民都会去寺庙拜神，祈求福佑。主要宗族活动有清明扫墓、春节拜祠堂、元宵上灯。

◎ 林氏祠堂（摄于 2016 年）

传统节俗为春节、元宵节、清明节、四月八、端午节、中秋节、重阳节、冬至等。其中春节、清明节、端午节、中秋节为大节，其他为小节。端午节（又称“五月节”），各家各户包粽子纪念爱国诗人屈原，在门口桂艾叶、菖蒲等，以避邪逐恶。还有少年儿童到江河游泳，叫洗龙舟水，减少儿童得病的概率。节日气氛浓厚的还有清明节，家家户户门楣插柳枝和桃叶以驱邪，采艾（一种植物）做糍，名为艾糍，并进行扫墓活动。扫墓一般从清明前的春分起到农历四月初八日，扫墓期间，在外地谋生做事的人都尽可能赶回去祭扫祖墓，不回去扫墓的人会遭到村人的责骂。

村男女开始交往时，女家要到男方探家，结婚前男方需向女方家下聘礼，报日子、送聘金、定嫁妆。行结婚礼时，要摆酒请客，迎亲和送亲。迎亲过程尤为有趣：新郎先租七辆或九辆车作婚车装饰好。结婚当天，新郎带着亲朋好友坐上婚车到新娘家接新娘。新娘的姐妹朋友关门阻止新郎进入新娘家。新郎需要用红包开路，并请亲朋好友帮助接新娘。在新娘家，新郎新娘一起向新娘家长辈敬茶，长辈给新郎新娘新婚红包。接着新娘弟弟撑红雨伞送新娘出门，出门前新娘家人拿用红纸包成条状的硬币给新娘，新娘掰断并放入自己的口袋，新娘出门后不可回头望，以示新婚顺利。男家把新娘接回家后，喜席即开始，接着有新婚夫妇向亲友敬茶、亲友回赠红包、送新婚夫妇入洞房等仪式。这些仪式完成后，婚礼才告结束。

村里发生丧事时，传统以土葬为主。1990 年以后逐步实行火葬。其程序为举丧、入殓、出殡、送葬，将灵牌送入祠堂或厅下。办丧事只能煮白饭、花菜、黄豆煮猪肉等简单的饭菜。葬礼有相冲之说，有人与逝者生辰八字有相冲的均不能出现在葬礼上，必须回避。开始下葬时，送葬的家人必须提前离开，并且离开时不能回头看，要等下葬完毕后再回来祭拜。

20 世纪 60 年代中期，村劳动力参加高岗人民公社组织的全社造林大会战，在挂牌山种杉木 3.3 公顷。70 年代初，开展农业学大寨运动，改河造田，平整土地 1.33 公顷，农田实行田边、圳边、山边三面光。1987 年，村民配合县交通部门开展乡村公路建设，将原山间小路改造为县道 322 线（二华线佛冈二七—英德华侨农场），该线路于 2003 年起改建为省道 252 线。

（资料填报：邝卫华；初稿撰写：黄韵怡；总纂：李协湖）

白石凹村

◎ 白石凹村村貌（摄于 2016 年）

白石凹村，位于高岗镇西部，距镇政府 7 千米。该村始建于明末至清初。白石凹村先祖率领族人从新丰搬迁到该址。从附近路下中心村进入白石凹村先要上一个比较长的陡坡，因直上坡顶再下坡就可以看见村子，坡顶有一块大白石，故取名白石凹村。

该村坐落群山之中，村东为山，南为路下水库，西、北为山。相邻的村有向阳村。

该村形成时属英德虎山乡，清嘉庆十八年（1813 年）属佛冈厅虎山乡，民国期间属佛冈县第二区观台乡，中华人民共和国成立时属佛冈县第二区观台乡，1958 年 10 月属从化县跃进（迳头）人民公社，1961 年 5 月属佛冈县高岗人民公社路下大队，1983 年 12 月属高岗区路下乡，1987 年 1 月属高岗镇路下行政村，1989 年 11 月属高岗镇路下管理区，1998 年 11 月属高岗镇路下行政村，2005 年 5 月，属佛冈县高岗镇高岗行政村至今。

世居村民姓罗。明景泰年间（1450—1456 年）罗姓从中原迁移至广东南雄珠玑巷，后迁到新丰。万公（即万一郎）为佛冈罗氏开基祖。其后裔于明末至清初迁入该址。

2015 年末，该村有户籍人口 300 人，其中男性 165 人，女性 135 人。80 岁以上 7 人，最年长者 88 岁（女）。生活主要依靠农业收入的人口有 160 人。常年在城镇生活和打工的人口有 140 人，实际在村居住人口 160 人，其中农村留守儿童 20 人。村民为汉族，客家民系，使用客家方言。

村林木资源有松树、杉树、柯树、樟树等树种。野生动物资源有野猪、黄猄、斑鸠、眼镜蛇等。

该村有山地 290 公顷，耕地 2.3 公顷。传统经济以农业为主，主要种植水稻、玉米、花生、黄豆、蔬

◎ 村民种植的花生、水稻（摄于 2015 年）

菜等。养殖鸡、鸭、鹅、猪、牛及4大家鱼（鲤鱼、草鱼、鲢鱼、鳙鱼）。蔬菜种植是该村经济的重要组成部分。实行农村家庭联产承包责任制前，蔬菜只在村民自留地种植，自己食用。20世纪80年代农村全面实施家庭联产承包责任制后，积极开展多种经营，大力发展蔬菜种植业，一般亩产1000千克，有效地增加村民收入。1980年以后,大部分青壮年外出打工。2005年种植沙糖桔，种植面积5.33公顷，年产值40万元。2013年以后受黄龙病的影响，产业消退，村民改种其他经济作物。村民主要收入来源为农业收入、外出务工工资性收入。

传统食品有姜葱鸡、焖鹅、烧鸭、粽子、糕点。

该村于20世纪70年代通电，90年代通电话，2009年全村实现水泥道路硬底化。村中建有文化室、垃圾收集站。

◎ 村文化室（摄于2016年）

传统民居为客家民居，现存30座，均两房一厅。民居内均有用木板、木柱撑起的阁楼，是放置当地村

◎ 村传统民居一角（摄于2016年）

◎ 水口社（摄于2016年）

民农业生产物品及一些日常生活用品的地方。21世纪初起，村民陆续建起钢筋混凝结构土楼房，多数楼房为两层，设施以方便实用为主。

水口社位于村东北片，始建于20世纪70年代。水口社用于村民叩拜土地公公等神明之用。逢年过节，村子有什么喜事，村民们都会前去叩拜。

该村现保存特色民俗舞狮打锣鼓，相传流行于清朝。每逢春节，当地村民都会自行舞狮打锣鼓，活跃村里的气氛。村里有人去世，也会舞狮打锣鼓，送别故人。

传统节俗为春节、元宵节、清明节、四月八、端午节、中秋节、重阳节、冬至等。其中春节、清明节、端午节、中秋节为大节，其他为小节。七月半亦称盂兰节或鬼节。这天村民既烧香拜神，也祭祀祖宗。宋代末年元兵入侵，时值盂兰节前，为避元兵侵扰，村民提前一天祭祀祖宗。从此每年农历七月十四日过七月半，此习沿袭至今。节日气氛浓厚的还有端午节，各家各户包粽子纪念爱国诗人屈原，农户在门楣挂艾叶、菖蒲，点燃蚊香，以避邪逐恶，祈求保佑全家幸福安康。这一天青年人、小孩子到江河游泳，叫洗龙舟水，以祈消灾去祸，合家平安。

婚嫁习俗具有客家人的特点，有担小担、担大担的风俗。即男方备齐礼物到女方家下聘礼订婚，称为担小担。男方备齐礼物到女方家接新娘，称为担大担。在新娘家，新郎新娘一起向新娘家长辈敬茶，长辈给新郎新娘新婚红包。接着新娘弟弟撑红雨伞送新娘出门，由新娘的亲朋好友伴送新娘到男家。在男家摆设的喜席上，新郎新娘共同向亲朋好友和来宾敬茶。长辈接过新婚茶后，有的即兴唱起山歌，有的说祝贺词。此外，该村办婚事仍保留铺床、闹洞房的风俗。

村里发生丧事时，传统以土葬为主。其程序为举丧、入殓、出殡、送葬，将灵牌送入祠堂或厅下。办丧事期间只能煮白饭、花菜、黄豆煮猪肉等简单的饭菜。葬礼开始时，家里有人与逝者生辰八字相冲的，均不能出现在葬礼上，必须回避。开始下葬时，送葬的家人必须提前离开，离开时不能回头看，要等下葬完毕后再回去祭拜。1990 年以后逐步实行火葬。

村中有大白石和气功抗敌的传说。据村民口传，村口的大白石以前是没有的，直到有一天，远方飞来了一匹通体雪白的大白马，后面追着一个神明。神明想捉白马为坐骑，白马不愿意，一直逃到村口。白马无处可逃后，一头撞在山坡上，就变成一块巨大的白石。抗日战争时期，该村有一位练习气功人士，带领高岗的乡亲与日本侵略者英勇抗争，保卫家园。

解放战争时期，村民参加地方游击队和民兵组织，开展对敌斗争。1993 年 3 月，该村经清远市人民政府批准为解放战争游击根据地。2013 年，投资 44 万元，建成文化室，文化室内设会议室、图书室、文娱室、村务办公室，为村民办事和学习、聚会提供方便。2015 年，遭受洪水灾害，冲毁农田灌溉陂头，淹没稻田 0.7 公顷。组织村民集资 4.2 万元，维修该村村口陂头，恢复灌溉能力。

（资料填报：邝卫华；初稿撰写：范志广；总纂：李协湖）

大营村

◎ 大营村村貌（摄于 2016 年）

大营村，位于高岗镇西部，距镇政府 7.5 千米。该村始建于明末，由英德鱼湾分村聚居而形成。该村坐落于丘陵地带，相邻的村是九曲坑村、上坪村。村旁有鸡公继山，高 850 米。

该村形成时属英德虎山乡，清嘉庆十八年（1813 年）属佛冈厅虎山乡，民国期间属佛冈县第二区观台乡，1949 年中华人民共和国成立时属佛冈县第二区观台乡，1958 年 10 月属从化县跃进（迳头）人民公社，1961 年 5 月属佛冈县高岗人民公社高岗大队，1983 年 12 月属高岗区高岗乡，1987 年 1 月属高岗镇高岗行政村，1989 年 11 月属高岗镇高岗管理区，1998 年 11 月属高岗镇高岗行政村至今。

世居村民为蓝姓。明初从福建上杭迁移至广东英德，明末从英德鱼湾迁移至该地。

2015 年末，该村有户籍人口 6 人，其中男性 4 人，女性 2 人。户籍人口中，生活主要依靠农业收入有 2 人。常年在城镇生活和打工有 4 人。现村中最年长者年龄 83 岁（男）。实际在村 2 人。村民均为汉族，客家民系，使用客家方言。

该村气候宜人，自然资源丰富。林木资源有松树、杉树、柯树、樟树等树种。野生动物资源有野猪、黄猄、斑鸠、眼镜蛇等。

该村有山地 9.4 公顷，耕地 0.47 公顷。传统经济以农业为主，主要种植水稻、玉米、花生、黄豆、蔬菜等。养殖鸡、鸭、鹅、猪、牛及 4 大家鱼（鲤鱼、草鱼、鲢鱼、鳙鱼）。养殖家禽是该村农业经济的重要组成部分。中华人民共和国成立前，家禽养殖成活率低，生长慢，经济效益极低。20 世纪 80 年代起，该村大力发展家禽养殖业，实行规模化养殖。2000 年以后，大部分青壮年外出务工，多数去往珠江三角

◎ 村番薯生产（摄于 2016 年）

洲的深圳、珠海、广州市等地。同时，逐步调整农村经济结构，并积极发展水果产业，2005 年开始种植沙糖桔，种植面积 4 公顷，年产值 30 万元。2013 年以后，由于受黄龙病的影响，产业消退，村民改种番薯、李子等其他作物。

◎ 耕作农具——耙（摄于 2016 年）

该村于 1985 年通电，2000 年通电话，2008 年实现村道水泥硬底化，2012 年通自来水，2013 年通网络。

传统民居为长方形客家围屋，现存 6 座。民居为 2 门归厅的横排砖木结构民房，建有围水屋，以作厨房使用。村外围修建牛棚、猪舍、鸡窝等，人畜分离，保持人居环境卫生整洁。房屋分为 2 层，用木板隔开，留有通道。第一层一般高 3 米，供人住宿为主；第二层堆放粮食、杂物等，方便生活。民居冬暖夏凉，居住舒适。

◎ 村传统民居一角（摄于 2016 年）

该村修有《蓝氏族谱》，2010 年 12 月由英德市鱼湾蓝氏理事会纂修。蓝氏族谱中有家训，其内容为："敦孝悌，端士品。和宗族，睦乡邻。严律己，礼待人。讲仁义，重诚信。务正业，需勤奋。戒淫恶，循人伦。忌赌毒，要认真。上报国，下益民。"

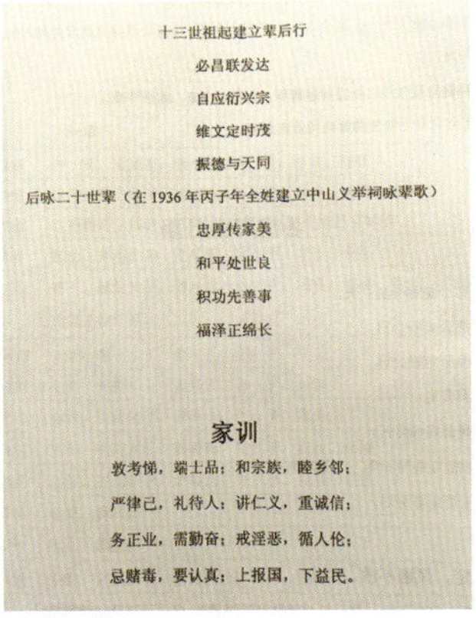

十三世祖起建立辈后行
必昌联发达
自应衍兴宗
维文定时茂
振德与天同
后咏二十世辈（在 1936 年丙子年全姓建立中山义举祠咏辈歌）
忠厚传家美
和平处世良
积功先善事
福泽正绵长

家训

敦孝悌，端士品；和宗族，睦乡邻；
严律己，礼待人；讲仁义，重诚信；
务正业，需勤奋；戒淫恶，循人伦；
忌赌毒，要认真；上报国，下益民。

◎ 蓝氏家训内容（摄于 2016 年）

传统节俗为春节、元宵节、清明节、四月八、端午节、中秋节、重阳节、冬至等。其中春节、清明节、端午节、中秋节为大节，其他为小节。中华人民共和国成立前，每逢中秋之夜，男女老少一起赏月，用月饼、柚子等食品拜月，并燃放鞭炮。青少年则成群结队放孔明灯（叫天灯），热闹非常。节日气氛浓厚的还有清明节，家家户户门楣插柳枝和桃叶以驱邪，采艾（一种植物）做糍，名为艾糍，并进行扫墓活动。扫墓一般从清明前的春分起到农历四月初八日，扫墓期间在外地谋生做事的人都尽可能赶回来祭扫祖墓，不回来扫墓的人会遭到村人的责骂。

春节食品有酿豆腐和客家腍肉。酿豆腐的做法是把豆腐切块并挖出小洞，再把腌制好的猪肉酿入豆腐里，最后将豆腐块用小火煎至金黄色，调味即可食用。客家腍肉的做法是将猪肉和各种佐料拌匀，装瓦钵放在锅里蒸熟，蒸熟的腍肉放在通风干爽的棚上藏好，以后每餐食用时再蒸一次即可食用。

中华人民共和国成立前，男婚女嫁为"父母之命，媒妁之言"所决定。农村存有抱养穷人家女童做童养媳、未生男孩的人家抱养"等郎妹"的习俗。男女婚嫁是终身大事，都要经过相亲、订婚、迎亲等程序。首先由媒人牵线，约男家的人去女家看人。若男家有意，即授意媒人向女方家长索取其女儿生辰八字，带回男家。男方家长请人卜算后，如男女"相生"，则男家叫媒人陪伴送礼去女家"报合"，如男女"相克"，则将女子生辰八字退回女家，婚事作罢。订婚的第一步是下定礼（俗称“座茶”或叫“小担”），即男方送定金、酒米、肉类给女方，表示合成婚事。商定成亲日期及礼金后，按照礼规进行过礼，由男方出具礼帖把礼物、聘金送给女方，女方要回一份礼帖给男方。之后男家叫算命先生择定结婚吉日，由媒人通知女方。届时男方的迎亲队伍带着礼帖、礼物，吹起八音，敲锣打鼓，抬着花轿到女家迎新娘（俗称迎亲）。女家把嫁妆、礼物随新娘一起送回男家（俗称送亲）。新娘到达男家后，举行拜堂仪式，随后送入洞房，闹洞房后迎亲仪式即告结束。中华人民共和国成立后，婚嫁习俗逐渐发生变化，婚事新办的风气越来越浓厚，但迎亲、摆喜酒的风俗仍然存留下来。

中华人民共和国成立前，村民死后均以木棺土葬。死者未满18岁的只能用普通木料做棺材，竹杠抬，不上肩。死者在60岁以上的多有下列习俗：病人临去世前要移至厅堂或廊下。去世后由子孙日夜守孝，死者入殓前，子孙要到河里取水（俗称买水），为死者擦身、更衣，亲自入殓。出殡时，请巫师开路，吹响牛角，送殡队敲锣打鼓、燃放爆竹送行。埋葬死者后，孝子孝女等从坟上抓回一把黄土，并且同牵一条寿红（红布）由另一路线回家。葬后要为死者做“头七”“二七”“三七”的法事，神主牌送往祠堂入位，至此丧事才告完结。中华人民共和国成立后，逐步实行火葬。

20世纪60年代中期，村民参加高岗人民公社组织的全社造林大会战，在挂牌山种上杉木1.3公顷。70年代中期，开展养猪积肥一条龙活动，村集体养猪20头。70年代后期，大营生产队就开始分田到户。当时县委认为不符合当时政策，于1979年7月20日派出工作队制止。不久建立家庭联产承包责任制的政策下达后，大营生产队分田到户的做法才得到肯定和认可。

（资料填报：邝卫华；初稿撰写：黄韵怡；总纂：李协湖）

高岗村

◎ 高岗村村貌（摄于2016年）

高岗村，位于高岗镇中部，镇人民政府所在地。该村建于明初，因该村处于一个小山岗上，故而取名高岗村。

村位于京港澳高速公路高岗出入口附近，省道252线、乡道288线经过该村。相邻自然村有岭下村、格仔村、刘屋村、梁屋村。

该村形成时属英德虎山乡，清嘉庆十八年（1813年）属佛冈厅虎山乡，民国时期属佛冈县第二区观台乡，中华人民共和国成立时属佛冈县第二区观台乡，1958年10月属从化县跃进（迳头）人民公社，1961年5月属佛冈县高岗人民公社高岗大队，1983年12月属高岗区高岗乡，1987年1月属高岗镇高岗行政村，1989年11月属高岗镇高岗管理区，1998年11月属高岗镇高岗行政村至今。

因该村地处高岗镇经济中心，汇聚了其他各个村的村民前来做生意，所以该村世居村民姓氏较多。其中人数比较多的姓氏有刘、陈、林姓。刘姓，宋末从福建迁移至广东兴宁，明初从兴宁迁移至科旺、汤塘、龙山，明中期迁到该地。陈姓，宋末从福建迁移至广东新丰，明中期从新丰迁移至该地。林姓，宋末从福建迁移至广东南雄珠玑巷，明初从英德横石水迁移至该地。

2015年末，村有户籍人口320人，其中男性186人、女性134人。80岁以上10人，最年长者85岁（女）。生活主要依靠农业收入的人口有220人。常年在城镇生活和打工的人口有100人，实际在村居住人口220人。村民全部为汉族，客家民系，使用客家方言。

该村有山地14.93公顷，耕地21.26公顷。传统经济以农业为主，主要种植水稻、玉米、花生、黄豆、蔬菜等。养殖鸡、鸭、鹅、猪、牛及4大家鱼（鲤

◎ 村水利设施供水陂（摄于2015年）

鱼、草鱼、鲢鱼、鳙鱼)。蔬菜种植是该村经济的重要组成部分。实行农村家庭联产承包责任制前，蔬菜只在村民自留地种植，村民自己食用。20 世纪 80 年代农村全面实施家庭联产承包责任制后，农业基础设施进一步完善，积极开展多种经营，大力发展蔬菜种植业，引进良种，推广先进的栽培技术，蔬菜亩产达 1000 千克，有效地增加农民收入。1980 年以后，大部分青壮年村民外出打工。该村还积极发展水果产业，2013 年种植沙糖桔面积 6.67 公顷，年收入 50 万元。2013 年以后，由于受黄龙病的影响，产业消退，村民改种李子、油茶等其他经济作物。

传统食品有姜葱鸡、焖鹅、烧鸭、粽子、糕点。

该村于 20 世纪 60 年代通电，90 年代通自来水、通电话，2000 年全村村道实现水泥硬底化，2008 年通网络。该村为高岗镇经济文化中心。2015 年，辖区内有高岗镇中心小学，有 6 个年级，15 个班，在校学生 700 多人，教职工 50 多人。有高岗镇中心幼儿园、艺海幼儿园，在园幼儿 500 多人，教职工 50 人。

◎ 位于高岗村的艺海幼儿园（摄于 2016 年）

◎ 2010 年，中国青少年发展基金会到佛冈县高岗镇中心小学开展星星点灯·关爱留守儿童公益计划·广东站活动

◎ 村传统民居一角（摄于 2016 年）

◎ 村新民居一角（摄于 2016 年）

传统民居为客家民居，现存约 80 座，均为两房一厅。民居内均有用木板、木柱撑起的阁楼，放当地村民农业生产物品及一些日常生活用品。21 世纪初，村里的村民陆续建起钢筋混凝土楼房，多数楼房均为两层，有的楼房内外装修实用，并留有停车位。

传统节俗为春节、元宵节、清明节、四月八、端午节、中秋节、重阳节、冬至等。其中春节、清明节、端午节、中秋节为大节，其他为小节。村民有重阳登高转运的习俗，登高地点多为较高山峰，小孩则以放风筝取乐。国家把重阳节定为敬老节后，村中老人的儿孙很多回家与老人团聚，以示敬老。节日气氛浓厚的还有端午节，各家各户包粽子纪念爱国诗人屈原，农户在门楣挂艾叶、菖蒲，点燃蚊香，以避邪逐恶，祈求保佑全家幸福安康。这一天，青年人、小孩子到江河游泳，叫洗龙舟水，以祈消灾去祸，合家平安。

村传统婚嫁庄重繁杂。男女开始交往时，女家要到男家探家，结婚前男方需向女方家下聘礼，报日子、送聘金、定嫁妆。行结婚礼时，要摆酒请客，迎亲和送亲。迎亲过程尤为有趣：新郎先租七辆或九辆车作婚车装饰好。结婚当天，新郎带着亲朋好友坐上婚车到新娘家接新娘。新娘的姐妹朋友关门阻止新郎进入新娘家。新郎需要用红包开路，并请亲朋好友帮助接新娘。在新娘家，新郎新娘一起向新娘家长辈敬茶，长辈给新郎新娘新婚红包。接着新娘弟弟撑红雨伞送新娘出门，出门前新娘家人拿用红纸包成条状的硬币给新娘掰断并放入自己的口袋，新娘出门后不可回头望。男家把新娘接回家后，经过喜席宴客、一对新人敬茶、把新婚夫妇送入洞房等仪式后，婚礼才结束。

村里发生丧事时，传统以土葬为主。其程序为举丧、入殓、出殡、送葬，将灵牌送入祠堂或厅下。办丧事期间只能煮白饭、花菜，黄豆煮猪肉等简单的饭菜。葬礼开始时，家里有人与逝者生辰八字相冲的，均不能出现在葬礼上，必须回避。开始下葬时，送葬的家人必须提前离开，离开时不能回头看，要等下葬完毕后再回去祭拜。村里发生丧事时，传统以土葬为主。1990 年以后逐步实行火葬。

1947 年 11 月，高冈何德敷让国民党军 1 个营进驻高冈村、墩下、社岗下等地，向宝山、观音山等游击根据地进行多次围剿。1948 年 1 月，英翁佛民主先锋大队攻打驻高冈圩联防队，炸毁炮楼。群众捐谷 100 石支援英翁佛民主先锋大队。

李功源（1925—1949），革命烈士，北江第一支队英翁佛民主先锋大队华山中队手枪队队长，在曲江罗坑遭伏击牺牲。刘粘（1925—1995），曾参加抗日战争、解放战争。李昌九（1927—1949），革命烈士，北江先遣支队五团（原东纵北一支队英翁佛民主先锋大队华山中队）战士，在解放龙仙战斗中牺牲。

（资料填报：邝卫华；初稿撰写：宋敏明；总纂：李协湖）

泥洋背村

◎ 泥洋背村村貌（摄于 2016 年）

泥洋背村，位于高岗镇西部，距镇政府 3 千米。该村始建于明初，由长宁（今新丰）移民而形成。由于村在泥泞的河流背面，故称泥洋背村。

该村依山傍水，村东、南为路下河，西为羊村岗村，北是山岭，乡道从泥洋背村至省道 252 线。主要山岭为八字岭，高 600 多米。相邻的村有羊村岗村、围湾村、新屋村。

该村形成时属英德虎山乡，清嘉庆十八年（1813 年）属佛冈厅虎山乡，民国年间至中华人民共和国成立属佛冈县第二区观石乡，1958 年 10 月佛冈县并入从化县，属从化县佛冈片跃进（迳头）人民公社，1961 年 5 月高岗人民公社分 13 个大队，属路下大队，1983 年 12 月属高岗区路下乡，1987 年 1 月属高岗镇路下行政村，1989 年 11 月属高岗镇路下管理区，1998 年 11 月属高岗镇路下行政村，2005 年 5 月属高岗镇高岗行政村至今。

世居村民姓罗。据记载，罗太一郎（号元翁）于明景泰年初期从中原迁至福建，再迁至广东南雄珠玑巷，后迁到新丰，罗万（即万一郎）为佛冈罗氏开基祖。据《佛冈罗氏族谱》记载，泥洋背村村民为罗万二郎子罗福明的后裔，先居长宁（新丰），后移居该地。

2015 年末，村有户籍人口 500 人，其中男性 260 人、女性 240 人。80 岁以上老人 23 人。最年长者 95 岁（女）。生活主要依靠农业收入有 350 人。常年在城镇生活和打工有 150 人。实际在村 350 人。村民均为汉族，客家民系，使用客家方言。

村林木资源有松树、杉树、柯树、樟树等树种。野生动物资源有野猪、黄猄、斑鸠、眼镜蛇等。

该村有山地 174.93 公顷，耕地 14.8 公顷。传统经济以农业为主，主要种植水稻、玉米、花生、黄豆、蔬菜等。养殖鸡、鸭、鹅、猪、牛及 4 大家鱼（鲤鱼、草鱼、鲢鱼、鳙鱼）。中华人民共和国成立初期，该村农业经济效益极低，农民只能维持简单的生活水平。到 20 世纪 80 年代初期农村实行家庭联产承包责任制起，水稻一般亩产为 200 千克，花生亩产 200—250 千克（干荚），蔬菜亩产 1000 千克，农业经济效益有较大的提高。该村积极发展水果产业，2005 年开始种植沙糖桔，成为村民经济的主要来源。2013 年以后，由于受黄龙病的影响，产业消退，村民改种花生、番薯等其他作物。

◎ 泥洋背村经济合作社（摄于 2016 年）

传统食品有酿豆腐，客家脍肉，艾糍、糖环、角子、米饼等。

该村于 20 世纪 70 年代通电，1997 年通电话，2011 年全村村道实现水泥硬底化，2014 年年通自来水，2015 年通网络。

村传统民居为客家民居，约 85 座，均为两房一厅。民居内均有用木板、木柱撑起的阁楼，存放些当地村民农业生产物品及一些日常生活用品。到 21 世纪，村里的村民陆续建起钢筋混凝土楼房，多数楼房均为两层，布局多为三房一厅一厨房一卫生间，有的楼房内外装修实用，并留有停车位。

该村修有《佛冈罗氏族谱》，2000 年 6 月由罗家源纂修。泥洋背村罗氏祖训（祝融公训子）：“不求金玉重重贵，但愿儿孙个个贤。人生天地，首重伦常，

◎ 村传统民居一角（摄于 2016 年）

◎ 村新民居一角（摄于 2016 年）

男女以正，婚姻以时，处已以肖悌忠信，接人以礼义廉耻。勿以权势凌人，勿以阴谋害人，勿以败德损己，勿以富荣傲人，勿以阴谋害人。”

传统的节俗为春节、元宵节、清明节、四月八、端午节、中秋节、重阳节、冬至等。其中春节、清明节、端午节、中秋节为大节，其他为小节。农历十月初一叫“十月朝”或“牛生日”，村民做糯米糍粑贴在牛角、牛额、牛背脊、牛腰、牛尾部位，贴三四天后，牧童从牛身上将糯米糍粑剥下用火烤熟来吃。传说吃了“牛生日”贴在牛身上的糍粑，能像牛一样力气大。中华人民共和国成立后，这种习俗逐步被遗弃，但村民仍保留在十月初一做糍过节的习俗。节日气氛浓厚的还有中秋节。每逢中秋之夜，男女老少一起赏月，用月饼、柚子及石螺等食品拜月，热闹非常。随着生活水平的不断提高，村民对欢庆中秋节的习俗也越来越重视，在外地工作的本地籍人都尽量回家与家人团聚，共度佳节。

中华人民共和国成立前，男婚女嫁为“父母之命，媒妁之言”。男女婚嫁是终身大事，都要经过相亲、订婚、迎亲等程序。首先由媒人牵线，约男家的人去女家看人。若男家有意，即授意媒人向女方家长索取其女儿生辰八字，带回男家。男方家长请人卜算后，如男女“相生”，则男家叫媒人陪伴送礼去女家“报合”，如男女“相克”，则将女子生辰八字退回女家，婚事作罢。订婚的第一步是下定礼（俗称座茶或叫小担），即男方送定金、酒米、肉类给女方，表示合成婚事。商定成亲日期及礼金后，按照礼规进行过

◎ 村前大道（摄于 2016 年）

礼，由男方出具礼帖把礼物、聘金送给女方，女方要回一份礼帖给男方。之后男家叫算命先生择定结婚吉日，由媒人通知女方。届时男方的迎亲队伍带着礼帖、礼物，吹起八音，敲锣打鼓，抬着花轿到女家迎新娘（俗称迎亲）。女家把嫁妆、礼物随新娘一起送回男家（俗称送亲）。新娘到达男家后，举行拜堂仪式，随后送入洞房，闹洞房后迎亲仪式即告结束。中华人民共和国成立后，婚嫁习俗逐渐发生变化，婚事新办的风气越来越浓厚。

村民死后传统均以木棺土葬。死者未满 18 岁的只能用普通木料做棺材，竹杠抬，不上肩。死者在 60 岁以上的多有下列习俗：病人临去世前要移至厅堂或廊下。去世后由子孙日夜守孝，死者入殓前，子孙要到河里取水（俗称买水），为死者擦身、更衣，亲自入殓。出殡时，请巫师开路，吹响牛角，送殡队敲锣打鼓、燃放爆竹送行。埋葬死者后，孝子孝女等从坟上抓回一把黄土，并且同牵一条寿红（红布）由另一路线回家。葬后要为死者做“头七”“二七”“三七”的法事，神主牌送往祠堂入位，至此丧事才告完结。

1944 年，村成立村耕种会（农会），并成立民兵组织，开展革命活动。1946 年，该村青年参加当地游击队，村成为游击队据点之一。1947 年，该村青年参加英翁佛民主先锋大队。1948 年参加攻打高岗圩战斗。1949 年，该村民兵配合游击队截击国民政府联防队。1993 年 3 月，该村经清远市人民政府批准为解放战争游击根据地。2011 年，筹资 10 万元，开展饮水安全工程建设，上铺设引水管通到各家各户，让全村人饮用、使用干净、清洁、安全的自来水。

罗昌如（1924—1948），革命烈士，北江先遣支队英翁佛民主先锋大队华山中队战士，后被捕牺牲。罗先蔚（1928—1948），革命烈士，1947 年 10 月参加基干民兵，在攻打高岗圩战斗中牺牲。

（资料填报：邝卫华；初稿撰写：范方艳；总纂：李协湖）

围湾村

◎ 围湾村村貌（摄于 2016 年）

围湾村，位于高岗镇西部，距镇政府 2.5 千米。该村始建于清中期，由长宁（今新丰县）分村迁入而形成。因村子被小河围绕，故称围湾村。相邻的村有桥头村、泥洋背村。

该村坐落于山间谷地，村东为桥头村，南为泥洋背村，西、北是山地。乡道从围湾村至省道 252 线，为水泥道路。主要山岭是村后山，高 300 多米。高岗河路下段在村东南面，流经该村 500 米。

清嘉庆十八年（1813 年）围湾村属佛冈厅虎山乡，1946 年至中华人民共和国成立属佛冈县第二区观台乡，1958 年 10 月佛冈县并入从化县，围湾村属从化县佛冈片跃进（迳头）人民公社，1961 年 5 月高岗人民公社分 13 个大队，围湾村属路下大队，1983 年 12 月属高岗区路下乡，1987 年 1 月属高岗镇路下行政村，1989 年 11 月属高岗镇路下管理区，1998 年 11 月属高岗镇路下行政村，2005 年 5 月围湾村属高岗镇高岗行政村至今。

世居村民姓罗。据记载，罗太一郎（号元翁）于明景泰年初期从中原迁至福建，再迁至广东南雄珠玑巷，后迁到新丰，万公（即万一郎）为佛冈罗氏开基祖。据《佛冈罗氏族谱》记载，罗氏主万一郎定居长宁（新丰），后移居清远、英德边境（佛冈）谋生，并生下六子（福海、福广、福明、福万、福旺、福信），围湾村罗氏，是罗福明后裔，于清中期从长宁（今新丰县）迁至该村。

2015 年末，村有户籍人口 130 人，其中男性 72 人、女性 58 人。其中 80 岁以上有 2 人，最年长者 87 岁（女）。生活主要依靠农业收入有 38 人。常年在城镇生活和打工有 92 人，实际在村居住 38 人，其中留守儿童 15 人。村民均为汉族，客家民系，使用客家方言。

该村山多林密，自然资源丰富。林木资源有松树、杉树、柯树、樟树等树种。野生动物资源有野猪、黄猄、斑鸠、眼镜蛇等。

该村有山地面积 76.4 公顷，耕地面积 4 公顷。传统经济以农业为主，主要种植水稻、玉米、花生、黄豆、蔬菜等。养殖鸡、鸭、鹅、猪、牛及 4 大家鱼（鲤鱼、草鱼、鲢鱼、鳙鱼）。中华人民共和国成立前，由于种植技术水平低下，丰产性能差，该村水稻一般亩产为 100 千克，农民只能维持简单的生活。中华人民共和国成立后，该村先后组织互助组、合作社，参

◎ 村花生产业（摄于 2016 年）

该村于 20 世纪 70 年代通电，1999 年通电话，2007 年全村村道实现水泥硬底化，2010 年通网络，2013 年通自来水。

传统民居为客家围屋。现存 18 座。民居主要是 2 门归厅的横排砖木结构民房，周围建有围水屋，以作厨房使用。房屋分为 2 层，用木板隔开，留有通道。第一层一般高 3 米，供人住宿为主；第二层堆放粮食、杂物等，方便生活。民居冬暖夏凉，居住舒适。2000 年以后，村民建设钢筋混凝土结构的楼房，楼房占地面积 85 平方米，设三房二厅一厨一卫，装修实用。

加人民公社，逐步推广应用先进的农业生产技术，农业生产效益有较大的提高。20 世纪 80 年代起实行农村家庭联产承包责任制后，推广先进的栽培技术，水稻亩产达到 400 千克。引进花生良种种植，实行宽行窄株栽培，产量成倍提高，农业经济效益有较大的增加。2000 年以后，大部分青壮年外出打工，村民主要收入来源为农业收入、外出务工工资性收入。同时，逐步调整农村经济结构，并积极发展水果产业，2013 年种植水果 3.67 公顷，产值 27 万元。

传统食品有酿豆腐，客家脍肉，艾糍、糖环、角子、米饼等。

◎ 传统食品米饼、角子（摄于 2016 年）

◎ 村传统民居一角（摄于 2016 年）

村建有罗氏宗祠。宗祠始建于清后期，重修于 1995 年。该宗祠为二进一天井布局，青砖到顶，硬山顶，盖灰瓦。宗祠大门门楣上方刻有“罗氏宗祠”四个大字，宗祠前门两旁对联为“龙腾狮跃飞宇宙；凤翔鹤立舞乾坤”。

村修有《佛冈罗氏族谱》，2000 年 6 月由罗家源纂修。围湾村罗氏祖训（祝融公训子）：“不求金玉重重贵，但愿儿孙个个贤。人生天地，首重伦常，男女以正，婚姻以时，处己以肖悌忠信，接人以礼义廉耻。

◎ 罗氏宗祠（摄于 2016 年）

勿以权势凌人，勿以阴谋害人，勿以败德损己，勿以富荣傲人，勿以阴谋害人。”

传统节俗为春节、元宵节、清明节、四月八、端午节、中秋节、重阳节、冬至等。其中春节、清明节、端午节、中秋节为大节，其他为小节。冬至 ，该村俗称“过冬”。这个节日意味着一年农事已做完，全家应欢聚吃一顿丰盛晚餐表示庆贺。这一天，村民各家各户做糍，打米饼，刣鸡杀鸭，欢度节日。节日气氛浓厚的还有清明，家家户户门楣插柳枝和桃叶以驱邪，采艾（一种植物）做糍，名为艾糍，并进行扫墓活动。扫墓一般从清明前的春分起到农历四月初八日，扫墓期间在外地谋生做事的人都尽可能赶回去祭扫祖墓，不回去扫墓的人会遭到村人的责骂。

传统婚嫁礼仪：男女开始交往时，女家要到男家探家，结婚前要担订婚茶（小担），报日子、送聘金、定嫁妆。行结婚礼时，要摆酒请客（大担），迎亲和送亲。

村里发生丧事时，传统以土葬为主。1990 年以后逐步实行火葬。其程序为举丧、入殓、出殡、送葬。

20 世纪 50 年代 60 年代中期，村劳动力参加高岗人民公社组织的全社造林大会战，在挂牌山种植杉木 5.33 公顷。70 年代初，开展“农业学大寨”运动，改河造田，平整土地 1.67 公顷，农田实行田边、圳边、山边“三面光”。70 年代中期，开展养猪积肥一条龙活动，村集体养猪 30 头。

（资料填报：邝卫华；初稿撰写：范方艳；总纂：李协湖）

向阳村

◎ 向阳村村貌（摄于 2016 年）

向阳村，位于高岗镇西南部，距镇政府 5.4 千米。该村建于 1975 年，因当地发生洪水灾害，由路下村搬至现址定居，取面向太阳、欣欣向荣之意，故称向阳村。

该村三面环河，依山傍水。村东、南为路下河，西为村后山，北是白石凹河。乡道从向阳村至省道 252 线，为水泥道路。主要山岭为背后山，高 200 多米。相邻的村有路下村、新村。

该村 1975 年建村时属高岗人民公社路下大队。1983 年 12 月属高岗区路下乡，1987 年 1 月属高岗镇路下行政村，1989 年 11 月属高岗镇路下行政管理区。1998 年 11 月属高岗镇路下村，2005 年 5 月向阳村属高岗镇高岗村。

世居村民姓罗。据记载，罗太一郎（号元翁）于明景泰年初期从中原迁至福建，再迁至广东南雄珠玑巷，后迁到新丰，万公（即万一郎）为佛冈罗氏开基祖。据《佛冈罗氏族谱》记载，罗氏主万一郎定居长宁（新丰），后移居清远、英德边境（佛冈）谋生，并生下六子（福海、福广、福明、福万、福旺、福信）。其中一支系于清初迁到英德虎山乡（今佛冈高岗），1975 年分村迁至该地形成向阳村。

2015 年末，村有户籍人口 150 人，其中男性 80 人、女性 70 人。80 岁以上老人 3 人，最年长者 87 岁（女）。生活主要依靠农业收入的人口有 95 人。常年在城镇生活和打工的人有 55 人，实际在村人口 95 人。村民均为汉族，客家民系，使用客家方言。

村山多林密，自然资源丰富。林木资源有松树、杉树、柯树、樟树等树种。野生动物资源有野猪、黄猄、斑鸠、眼镜蛇等。

该村有山地 9.4 公顷，耕地 2.27 公顷。村背山

◎ 沙糖桔生产（摄于 2015 年）

面水，有较好的自然环境和自然资源，山上有林木，山下有瓷土。当地的瓷土为耐火瓷土，适宜制作盘、碗，其中烧制的饭碗虽然较粗糙，但造价低廉，销于县内外，被称为高岗碗。该村传统经济以农业为主，主要种植水稻、玉米、花生、黄豆、蔬菜等。养殖鸡、鸭、鹅、猪、牛及4大家鱼（鲤鱼、草鱼、鲢鱼、鳙鱼）。种植花生是该村农业经济的重要来源。民国时期，花生油料产量极低，根本满足不了村民的生活需求。20世纪60—70年代，农村经济以生产队为基本核算单位时，村办有碗厂，年产饭碗30万只，产品销往广州、从化、花都、英德等，较好地增加村民收入。2000年以后，大部分青壮年外出打工。20世纪80年代起，实行农村家庭联产承包责任制，花生亩产达到200—250千克（干荚）。同时，该村逐步调整农村经济结构，并积极发展水果产业。2013年，该村种植沙糖桔面积6.67公顷，年收入50万元。2013年以后，由于受黄龙病的影响，产业消退，村民改种李子、花生等其他经济作物。

传统食品有酿豆腐，客家脍肉，艾糍、糖环、角子、米饼等。

该村20世纪70年代通电，1997年通电话，2007年全村村道实现水泥硬底化，2014年通自来水，2015年通网络。

◎ 向阳村文化室（摄于2016年）

传统民居为客家围屋，现存25座。民居为2门归厅的横排砖木结构民房，周围建有围水屋，以作厨房使用。村外围修建牛棚、猪舍、鸡窝等，人畜分离，保持人居环境卫生整洁。房屋分为2层，用木板隔开，留有通道。第一层一般高3米，供人住宿为主；第二层堆放粮食、杂物等，方便生活。民居冬暖夏凉，居住舒适。2000年以后，村民建设钢筋混凝土结构楼房，楼房占地面积85平方米，设三房二厅一厨一卫，装修实用。

该村修有《佛冈罗氏族谱》（与高岗罗氏村合编），2000年6月由罗家源纂修。向阳村罗氏祖训（祝融公训子）：“不求金玉重重贵，但愿儿孙个个贤。人生天地，首重伦常；男女以正，婚姻以时。处已以肖悌忠信，接人以礼义廉耻。勿以权势凌人，勿以阴谋害人，勿以败德损己，勿以富荣傲人。”

传统节俗为春节、元宵节、清明节、四月八、端午节、中秋节、重阳节、冬至等。春节是送旧迎新的大节，从农历十二月二十三日“小年夜”起，家家户户打扫庭院，炸油角、做米饼、炸糖环、蒸年糕，给小孩添新衣、新鞋、玩具。到年三十，村民张贴门神、对联，吃团年饭。这一餐有意把鱼剩下，表示连年有余（鱼）。这天晚上，长者要给小孩红包，名曰压岁钱。村民有守岁的习惯，到晚上12点，鸣放鞭炮，迎接新年来临。年初三为送穷日，每家打扫卫生，把新年以来积聚的垃圾送到野外，烧香烧纸，焚烧垃圾。这一天是为忌日，一般不探亲访友。年初四为回门日，新婚男子携妻子去拜访岳父岳母。节日气氛浓厚的还有端午节，各家各户包粽子纪念爱国诗人屈原，农户在门楣挂艾叶、菖蒲，点燃蚊香，以避邪逐恶，祈求保佑全家幸福安康。这一天青年人、小孩子到江河游泳，叫洗龙舟水，以祈消灾去祸，合家平安。

◎ 向阳经济合作社牌匾（摄于2016年）

村婚嫁习俗具有客家人的特点，有担小担、担大担的风俗。即男方备齐礼物到女方家下聘礼订婚，称为担小担。男方备齐礼物到女方家接新娘，称为担大担。在新娘家，新郎新娘一起向新娘家长辈敬茶，长辈给新郎新娘新婚红包。接着新娘弟弟撑红雨伞送新娘出门，由新娘的亲朋好友伴送新娘到男家。在男家摆设的喜席上，新郎新娘共同向亲朋好友和来宾敬茶。长辈接过新婚茶后，有的即兴唱起山歌，有的说祝贺词。新办婚事仍保留有铺床、闹洞房的风俗。

发生丧事时，传统以土葬为主，其程序为举丧、入殓、出殡、送葬，将灵牌送入祠堂或厅下。不管是哪家的丧事，全村人都前去帮忙。打锣鼓、舞狮、放鞭炮是丧事的内容之一，由村民按分工各自负责。葬礼开始时，有人与逝者生辰八字相冲者的，均不能出现在葬礼上，必须回避。开始下葬时，送葬的家人必须提前离开，离开时不能回头看，要等下葬完毕后再回去祭拜。1990年以后，虽然逐步实行火葬，但安葬、拜祭等程序仍然保留。

1975 年 5 月，佛冈县遭遇 50 年一遇的大暴雨，高岗地区受灾更为严重。特别是路下水库消力池护坦被冲毁，造成溢洪道塌方，路下村因崩山房屋倒塌死亡 3 人。暴雨过后，路下村村民根据县政府安排，部分迁到该址，建屋居住，为现向阳村。2014 年，投资 58 万元，建成文化室，内设图书室、会议室、村办公室和文娱室，成为村民办喜庆大事和聚会、学习、娱乐的场所。1993 年 3 月，经清远市人民政府批准该村为解放战争游击根据地。

罗先慰（1928—1948），革命烈士，1947 年 10 月参加基干民兵，在攻打高岗战斗中牺牲。罗金生（1925—1950），革命烈士，志愿军战士，在朝鲜战场牺牲。

（资料填报：范方艳；初稿撰写：范方艳；总纂：李协湖）

新 村

◎ 新村村貌（摄于2016年）

新村，位于高岗镇西部，距镇政府2.5千米。该村始建于明末，由英德移民聚居而形成。由于在民国后期新建村，故取名新村，曾用名为丘屋村。

该村坐落于山间谷地，村东为下流村，南为耕地，西为路下村，北为泥洋背村。村旁有丘屋坑山，高500米。村北面有路下河，省道252线在村东面2.5千米处通过，乡道—省道252线连接，为水泥道路。相邻的村有泥洋背村、羊村岗村。

该村形成时属英德虎山乡，清嘉庆十八年（1813年）新村属佛冈厅虎山乡，民国期间至中华人民共和国成立属佛冈县第二区观台乡，1958年10月佛冈县并入从化县，新村属从化县佛冈片跃进（迳头）人民公社，1961年5月高岗人民公社分13个大队，新村属路下大队，1983年12月属高岗区路下乡，1987年1月属高岗镇路下行政村，1989年11月属高岗镇路下管理区，1998年11月属高岗镇路下行政村，2005年5月路下属高岗镇高岗行政村至今。

世居村民姓氏为罗、丘、蓝姓。罗姓，据记载，罗太一郎（号元翁）于明景泰年初期从中原迁至福建，再迁至广东南雄珠玑巷，后迁到新丰，万公（即万一郎）为佛冈罗氏开基祖，路下村为万二郎子福明后裔。据《佛冈罗氏族谱》记载，罗氏主万一郎定居长宁（新丰），清初移居清远、英德边境（佛冈）谋生，并生下六子（福海、福广、福明、福万、福旺、福信），该村罗氏是福明后裔。丘姓，宋代从福建迁移至广东韶州、英德，明末从英德迁移至该村。蓝姓，明末从英德鱼湾迁到该村。

2015年末，该村有户籍人口180多人，其中男性85人、女性95人。80岁以上有4人，最年长者92岁（男）。生活主要依靠农业收入有100人。常年在城镇生活和打工有80人，实际在村居住100人，其中留守儿童23人。村民均为汉族，客家民系，使用客家方言。

该村有山地67公顷，耕地5.73公顷。林木资源有松树、杉树、柯树、樟树等树种。传统经济以农业为主，主要种植水稻、玉米、花生、黄豆、蔬菜等。养殖鸡、鸭、鹅、猪、牛及4大家鱼（鲤鱼、草鱼、鲢鱼、鳙鱼）。蔬菜种植是该村经济的重要组成部分。实行农村家庭联产承包责任制前，蔬菜只在村民自留地种植，村民自己食用。20世纪80年代农村全

◎ 村民鸭场（摄于 2016 年）

面实施联产承包责任制后，村积极开展多种经营，大力发展蔬菜种植业，蔬菜一般亩产达 1000 千克，有效地增加村民收入。2000 年以后，大部分青壮年外出打工。该村还积极发展水果产业，2013 年种植沙糖桔面积 6.67 公顷，年收入 50 万元。2013 年以后，由于受黄龙病的影响，产业消退，村民开始养殖家禽和改种火龙果等其他经济作物。

传统食品有酿豆腐，客家脍肉，艾糍、糖环、角子、米饼等。

该村于 20 世纪 70 年代通电，1997 年通电话，2007 年全村村道实现水泥硬底化，2011 年通自来水、通网络。

传统民居为客家围屋，现存 25 座。房屋分为 2 层，用木板隔开，留有通道。第一层一般高 3 米，供人住宿为主；第二层堆放粮食、杂物等，方便生活。民居冬暖夏凉，居住舒适。有代表性民居名为光厚第，建于清初，建筑基本保存完整，占地面积近 1200 平方米，现仍有人居住。

◎ 光厚第外观（摄于 2016 年）

◎《中华丘氏大宗谱广东佛冈分谱》（摄于 2016 年）

该村修有《佛冈罗氏族谱》（与佛冈罗姓村合编），2000 年 6 月由罗家源纂修。新村罗氏祖训（祝融公训子）：“不求金玉重重贵，但愿儿孙个个贤。人生天地，首重伦常；男女以正，婚姻以时。处己以肖悌忠信，接人以礼义廉耻。勿以权势凌人，勿以阴谋害人，勿以败德损己，勿以富荣傲人。”该村还修有《中华丘氏大宗谱（广东佛冈分谱）》，2010 年 8 月由广东佛冈分谱编委会纂修。

村中有青树下丘万一郎庙，位于该村村口约 1 千米，是方圆 3 千米民众拜祭的场所。还供奉财神爷神像。每年正月初一村民都会去寺庙拜祭。

◎ 丘万一郎庙（摄于 2016 年）

传统节俗为春节、元宵节、清明节、四月八、端午节、中秋节、重阳节、冬至等。正月十五元宵节，该村有蒸发糕、做糍的习俗，以示庆贺春节圆满结束，转入新的一年农事活动，元宵节晚餐丰盛。节日气氛浓厚的还有中秋节。每逢中秋之夜，男女老少一起赏月，用月饼、柚子及石螺等食品拜月，热闹非常。随着生活水平的不断提高，村民对欢庆中秋节的习俗也越来越重视，在外地工作的本地籍人都尽量回家与家人团聚，共度佳节。

中华人民共和国成立前，男婚女嫁为“父母之命，媒妁之言”。男女婚嫁是终身大事，都要经过相亲、订婚、迎亲等程序。首先由媒人牵线，约男家的人去女家看人。若男家有意，即授意媒人向女方家长索取其女儿生辰八字，带回男家。男方家长请人卜算后，如男女“相生”，则男家叫媒人陪伴送礼去女家“报合”，如男女“相克”，则将女子生辰八字退回女家，婚事作罢。订婚的第一步是下定礼（俗称座茶或叫小担），即男方送定金、酒米、肉类给女方，表示合成婚事。商定成亲日期及礼金后，按照礼规进行过礼，由男方出具礼帖把礼物、聘金送给女方，女方要回一份礼帖给男方。男家叫算命先生择定结婚吉日，由媒人通知女方。届时男方的迎亲队伍带着礼帖、礼物，吹起八音，敲锣打鼓，抬着花轿到女家迎新娘（俗称迎亲）。女家把嫁妆、礼物随新娘一起送回男家（俗称送亲）。新娘到达男家后，举行拜堂仪式，随后送入洞房，闹洞房后迎亲仪式即告结束。中华人民共和国成立后，婚嫁习俗逐渐发生变化，婚事新办的风气越来越浓厚。

村民死后传统均以木棺土葬。死者未满 18 岁的只能用普通木料做棺材，竹杠抬，不上肩。死者在 60 岁以上的多有下列习俗：病人临去世前要移至厅堂或廊下。去世后由子孙日夜守孝，死者入殓前，子孙要到河里取水（俗称买水），为死者擦身、更衣，亲自入殓。出殡时，请巫师开路，吹响牛角，送殡队敲锣打鼓、燃放爆竹送行。埋葬死者后，孝子孝女等从坟上抓回一把黄土，并且同牵一条寿红（红布）由另一路线回家。葬后要为死者做“头七”“二七”“三七”的法事，神主牌送往祠堂入位，至此丧事才告完结。1990 年后逐步实行火葬。

1946 年 10 月至 1949 年 6 月，组织群众参加地方游击队和民兵组织，开展对敌斗争。20 世纪 50 年代至 70 年代后期，搞农田基本建设，改河造田 1.33 公顷。1993 年 3 月，经清远市人民政府批准该村为解放战争游击根据地。

（资料填报：邝卫华；初稿撰写：范方艳；总纂：李协湖）

月坑村

◎ 月坑村村貌（摄于 2016 年）

月坑村，位于高岗镇西南部，距镇政府 5 千米。该村始建于明末，从英德鱼湾迁入而形成。因村旁山形状像弯月而取名月坑村。

该村三面环山，村东、南和西均为山岭，北是乡道公路，乡道通至省道 252 线，为水泥道路。村后山，高 200 多米。有溪水自村旁西面通过。相邻的村有向阳村、路下村。

该村形成时属英德虎山乡，清嘉庆十八年（1813 年）属佛冈厅虎山乡，民国年间至中华人民共和国成立属佛冈县第二区观台乡，1958 年 10 月属从化县跃进（迳头）人民公社，1961 年 5 月高岗人民公社分 13 个大队，月坑村属路下大队，1983 年 12 月属高岗区路下乡，1987 年 1 月属高岗镇路下行政村，1989 年 11 月属高岗镇路下管理区，1998 年 11 月属高岗镇路下行政村。2005 年 5 月属高岗镇高岗行政村至今。

世居村民有蓝、张、罗、丘 4 姓。其中蓝姓于明初从福建迁至广东，明末从英德鱼湾迁入该地。张姓于明初从江西入广东，清中期从英德鱼湾迁入该地。罗姓于明景泰年（1450—1456 年）从中原迁至福建后又迁至广东，清中期从新丰迁入该地。丘姓于明初从福建迁至广东，清中期从附近丘屋村迁入该地。

2015 年末，村有户籍人口 300 人，其中男性 140 人、女性 160 人。80 岁以上老人 10 人，最年长者 90 岁（女）。生活主要依靠农业收入有 180 人。常年在城镇生活和打工有 120 人，实际在村 180 人，其中留守儿童 21 人。村民均为汉族，客家民系，使用客家方言。

◎ 优质水稻生产（摄于 2016 年）

该村有山地145公顷，耕地8.8公顷。传统经济以农业为主，主要种植水稻、番薯、花生、黄豆、蔬菜等。养殖鸡、鸭、鹅、猪、牛及4大家鱼（鲤鱼、草鱼、鲢鱼、鳙鱼）。养殖家禽是该村农业经济的重要组成部分。中华人民共和国成立前，家禽养殖成活率低，生长慢，经济效益极低。20世纪60—70年代，农村经济以生产队为基本核算单位时期，该村办有碗厂，每年生产20多万饭碗供应社会，产品销往广州、从化等地，较大地提高了村民的收入。后多种植沙糖桔，为当地特色农产品。80年代起，该村大力发展家禽养殖业，实行规模化养殖，大专业户年出售3万只鸡。同时，逐步调整农村经济结构，并积极发展水果产业，2013年种植沙糖桔面积10公顷，年收入75万元。2013年以后，由于受黄龙病的影响，产业消退，村民改种火龙果等其他作物。

传统食品有酿豆腐、客家脍肉、艾糍、糖环、角子、米饼等。

该村20世纪70年代通电，1997年通电话，2013年全村村道实现水泥硬底化，2013年年通自来水，2014年通网络。

传统民居为客家民居，现存约50座，均为两房一厅。民居内均有用木板、木柱撑起的阁楼，放当地村民农业生产物品及一些日常生活用品。到21世纪，村民陆续建起钢筋混凝土楼房，多数楼房均为两层，有的楼房内外装修实用，并留有停车位。

该村蓝姓修有《蓝氏族谱》，2010年12月由英德市鱼湾蓝氏理事会纂修。蓝氏族谱中有家训，其内容为“敦孝悌，端士品。和宗族，睦乡邻。严律己，礼待人。讲仁义，重诚信。务正业，需勤奋。戒淫恶，循人伦。忌赌毒，要认真。上报国，下益民”。罗姓修有《佛冈罗氏族谱》，2000年6月由罗家源纂修。该村罗氏祖训（祝融公训子）：“不求金玉重重贵，但愿儿孙个个贤。人生天地，首重伦常；男女以正，婚姻以时。处已以肖悌忠信，接人以礼

◎ 传统食品角子（摄于2016年）

◎ 村新民居（摄于2016年）

◎ 村传统民居一角（摄于2016年）

◎ 宗祠内照（摄于2016年）

义廉耻。勿以权势凌人，勿以阴谋害人，勿以败德损己，勿以富荣傲人。”

传统节俗为春节、元宵节、清明节、四月八、端午节、中秋节、重阳节、冬至等。清明节，家家户户门口插桃叶以驱邪，采艾蒿做糍，并进行扫墓活动。村民不论老少，离家多远，都要赶回家祭祖，以示孝敬。节日气氛浓厚的还有端午节。各家各户包粽子纪念爱国诗人屈原，农户在门楣挂艾叶、菖蒲，点燃蚊香，以避邪逐恶，祈求保佑全家幸福安康。这一天青年人、小孩子到江河游泳，叫洗龙舟水，以祈消灾去祸，合家平安。

传统婚嫁礼仪：男女开始交往时，女家要到男家探家，结婚前要担订婚茶（小担），报日子、送聘金、定嫁妆。行结婚礼时，要摆酒请客（大担），迎亲和送亲。

村里发生丧事时，传统以土葬为主。其程序为举丧、入殓、出殡、送葬。1990年以后逐步实行火葬。

1944年，该村成立村耕种会（农会），并成立民兵组织，开展革命活动。1946年，该村青年参加当地游击队，村成为游击队据点之一。1947年，该村青年参加英翁佛民主先锋大队。1948年参加攻打高岗圩战斗。1949年，该村民兵配合游击队截击国民政府联防队。20世纪60年代中期，村民参加高岗人民公社组织的县社造林大会战，公路沿途山上植上杉木5.33公顷。70年代初，开展“农业学大寨”运动，改河造田，平整土地1.2公顷，农田实行田边、圳边、山边“三面光”，该村平整土地1.34公顷，开荒造田0.7公顷。

1993年，经清远市人民政府批准该村为解放战争游击根据地。

（资料填报：邝卫华；初稿撰写：范方艳；总纂：李协湖）

格仔村

◎ 格仔村村貌（摄于 2016 年）

格仔村，位于高岗镇东北部，距镇政府 1 千米。该村始建于清初，先祖从清远县滘江地区（今佛冈龙山）来到该址，看到此地依山傍水，还有一大片平坦肥沃的土地，决定定居于此。据说，建村时，看到母牛不肯把奶给自己的幼牛吃，只好把幼牛隔开，故因谐音取名为格子村，后改为格仔村。

该村坐落于村后山下的丘陵地带。东是高岗河，南是村后山，西与高岗村相邻，北为农田。高岗河、省道 252 线从村正前方经过，交通极为便利。相邻的村有高岗村、梁屋村。

清嘉庆十八年（1813 年）属佛冈厅虎山乡，民国年间属佛冈县第二区观台乡，1949 年中华人民共和国成立时属佛冈县第二区观台乡，1958 年 10 月属从化县跃进（迳头）人民公社，1961 年 5 月属佛冈县高岗人民公社高岗大队，1983 年 12 月属高岗区高岗乡，1987 年 1 月属高岗镇高岗行政村，1989 年 11 月属高岗镇高岗管理区，1998 年 11 月属高岗镇高岗行政村至今。

世居村民为曹姓。南宋初，曹氏从中原迁至广东南雄珠玑巷。元初，迁到清远县滘江地区（今佛冈龙山）。清初，迁到格仔村定居。

2015 年末，该村有户籍人口 418 人，其中男性 245 人、女性 173 人。80 岁以上 12 人，最年长者 90 岁（女）。生活主要依靠农业收入有 215 人。常年在城镇生活和打工有 203 人，其中留守儿童 30 人。实际在村 215 人。村民均为汉族，客家民系，使用客家方言。

该村有山地 68.53 公顷，耕地 19 公顷。该村山多林密，自然资源丰富。林木资源有松树、杉树、柯树、樟树等树种。传统经济以农业为主，主要种植水稻、玉米、花生、黄豆、蔬菜等。养殖鸡、鸭、鹅、猪、牛及 4 大家鱼（鲤鱼、草鱼、鲢鱼、鳙鱼）。生猪养殖是该村农业经济的重要来源。中华人民共和国成立前，由于养殖技术水平低下，丰产性能差，畜牧养殖成活率低，农民只能维持简单的生活。1980 年以后，大部分青壮年村民外出打工，村民主要收入来源为农业收入、外出务工工资性收入。20 世纪 90 年代初，该村出现生猪养殖专业户，年出售 300 头生猪以上。2013 年种植沙糖桔面积 6 公顷，年收入 45 万元。2013 年以后，由于受黄龙病的影响，产业消退，村民改种甘蔗等其他作物。

传统食品有姜葱鸡、焖鹅、烧鸭、粽子、糕点。

该村于20世纪70年代通电，2002年全村实现水泥硬底化，2004年通电话，2006年通网络和有线电视，2009年通自来水。村中建有垃圾收集站。

传统民居为客家民居，现存约60座。村巷纵横交错，5条直巷、6条横巷贯穿全村。传统客家民居均两房一厅，民居内均有用木板、木柱撑起的阁楼。21世纪开始，村民陆续建起钢筋混凝土楼房，楼房均为两层，有的楼房内外装修实用，并留有停车位。

◎ 村传统民居一角（摄于2016年）

◎ 新民居一角（摄于2016年）

村有曹氏宗祠，位于格仔村的正中央。曹氏宗祠建于清朝中期，重修于20世纪70年代，重建于1993年，占地面积200平方米。主要建筑特色为三厅两廊两进，砖木结构。祠堂坐北向南，背靠村后山，面向云屏嶂。宗祠门额上有碑刻："曹氏宗祠"四个大字。

传统婚丧嫁娶庄重繁杂。婚嫁礼仪，男女开始

◎ 格仔村曹氏宗祠（摄于2016年）

◎ 宗祠神位（摄于2016年）

交往时女家要到男家探家，结婚前男方需向女方家下聘礼，报日子、送聘金、定嫁妆。行结婚礼时，要摆酒请客，迎亲和送亲。迎亲过程尤为有趣：新郎先租七辆或九辆车作婚车装饰好。在新娘家，新郎新娘一起向新娘家长辈敬茶，长辈给新郎新娘新婚红包。接着新娘弟弟撑红雨伞送新娘出门，出门前新娘家人拿用红纸包成条状的硬币给新娘，新娘掰断并放入自己的口袋，新娘出门后不可回头望。村里发生丧事时，传统以土葬为主。其程序为举丧、入殓、出殡、送葬，将灵

牌送入祠堂或厅下。办丧事期间只能煮白饭、花菜、黄豆煮猪肉等简单的饭菜。葬礼开始时，家里有人与逝者生辰八字相冲的，均不能出现在葬礼上，必须回避。开始下葬时，送葬的家人必须提前离开，离开时不能回头看，要等下葬完毕后再回去祭拜。1990年后，逐步实行火葬。

传统的节俗为春节、元宵节、清明节、四月八、端午节、中秋节、重阳节、冬至等。其中春节、清明节、端午节、中秋节为大节，其他为小节。该村有过四月八的习俗。此日近午时，村民便集中在山冈上祭拜无主山坟，晚上则在郊野祭幽灵，烧纸衣、冥钱，撒饭撒肉，鸣锣招引孤魂。中华人民共和国成立后，这种旧俗逐步消失，但村民仍保留在四月八做糍过节的习俗。该村现保存舞狮打锣鼓有特色民俗，始流行于清代以来。每逢春节，当地村民都会自行舞狮打锣鼓，活跃当地村里的气氛。每逢村里有人去世都会舞狮打锣鼓送别故人。节日气氛浓厚的还有中秋节，每逢中秋之夜，男女老少一起赏月，用月饼、柚子及石螺等食品拜月，热闹非常。随着生活水平的不断提高，村民对欢庆中秋节的习俗也越来越重视，在外地工作的本地籍人都尽量回家与家人团聚，共度佳节。据老人传说，村里流传着奇人异士国始公施法保福地的故事。

1973年，在政府的支持下，修建永久性桥梁——格子桥，总投资32万元，桥长33.6米。1987年，开展乡村公路建设，将原山间小路改造为县道322线，该线路于2003年起改建为省道252线。2011年，该村村民集资6万多元，新建下流水圳，圳长100多米，为“三面光”水圳，部分圳段用混凝土铺设。水圳建成后，改善农田灌溉面积20公顷。

（资料填报：邝卫华。初稿撰写：范志广。总纂：李协湖）

勾下村

◎ 勾下村村貌（摄于2016年）

勾下村，位于高岗镇西南部，距镇政府约2千米。该村始建于明末，由分村聚居而形成。因村民迁移住房而逐渐形成"J"字形而取名勾下村。曾用名竹山下村。相邻的村有桥头村、蓝屋村。

该村坐落于丘陵地带，村东是下流村，南是农田，西是桥头村，北是蓝屋村。村旁有大坑山高300米，沙公埂山高200米。村的北面有高岗河蓝屋段，流经该村河长100米。与省道252线相连。

该村形成时属英德虎山乡，清嘉庆十八年（1813年）属佛冈厅虎山乡，民国时期属佛冈县第二区观台乡，1949年中华人民共和国成立时属佛冈县第二区观台乡，1958年10月属从化县跃进（迳头）人民公社，1961年5月属佛冈县高岗人民公社高岗大队，1983年12月属高岗区高岗乡，1987年1月属高岗镇高岗行政村，1989年11月属高岗镇高岗管理区，1998年11月属高岗镇高岗行政村至今。

世居村民为蓝、罗、张姓。蓝姓，明初从福建上杭迁移至广东英德，明末从英德鱼湾迁移至本地。罗姓，明初从福建迁移至广东南雄珠玑巷，明末从新丰迁移至本地。张姓，元代从江西吉安迁移至广东博罗，明初从英德鱼湾迁移至冈咀头村，清末从冈咀头村迁移至该地。

2015年末，村有户籍人口120人，其中男性63人、女性57人。80岁及以上2人，最年长者81岁（男）。户籍人口中，生活主要依靠农业收入的人口有70人。常年在城镇生活和打工的人口有50人，实际在村人口70人，其中留守儿童12人。村民均为汉族，客家民系，使用客家方言。

该村有山地41.73公顷，耕地4.6公顷。林木资源有松树、杉树等树种。传统经济以农业为主，主要种植水稻、玉米、花生、黄豆、蔬菜等。养殖鸡、鸭、鹅、猪、牛及4大家鱼（鲤鱼、草鱼、鲢鱼、鳙鱼）。中华人民共和国成立初期，该村农业经济效益极低，农民只能维持简单的生活。20世纪60—70年代，农村经济以生产队为基本核算单位时期，该村办有榨油厂，为附近村民加工花生油，增加集体收入。80年代初期农村实行家庭联产承包责任制起，水稻一般亩产为400千克，花生亩产200—250千克（干荚），蔬菜亩产1000千克，农业经济效益有较大的提高。2000年以后，大部分青壮年外出务工，去

◎ 绿化林培育基地（摄于 2016 年）

◎ 村新民居一角（摄于 2016 年）

往珠江三角洲的深圳、珠海、广州市居多。该村积极发展水果产业，2013 年种植沙糖桔面积 6.7 公顷，产值 50 万元。2013 年以后，由于受黄龙病的影响，产业消退，村民改种其他水果等其他作物。

春节食品有酿豆腐和客家脍肉。酿豆腐的做法是把豆腐切块并挖出小洞，再把腌制好的猪肉酿入豆腐里，最后将豆腐块用小火煎至金黄色，调味即可食用。客家脍肉的做法是将猪肉和各种佐料拌匀，装瓦钵放在锅里蒸熟，蒸熟的脍肉放在通风干爽的棚上藏好，以后每餐食用时再蒸一次即可食用。

该村 1975 年通电，1999 年实现村道水泥硬底化、通电话，2012 年通自来水。

◎ 村乡道（摄于 2016 年）

传统民居为长方形客家围屋，现存 22 座。民居为 2 门归厅或 4 门归厅的横排砖木结构民房，周围建有围水屋，以作厨房使用。房屋分为 2 层，用木板隔开，留有通道。第一层一般高 3 米，供人住宿为主；第二层堆放粮食、杂物等，方便生活。民居冬暖夏凉，居住舒适。2000 年以后，村民建设钢筋混凝土结构的楼房。

◎《张氏族谱》（摄于 2016 年）

该村修有《蓝氏族谱》，2010 年 12 月由英德市鱼湾蓝氏理事会纂修。蓝氏族谱中有家训，其内容为：“敦孝悌，端士品。和宗族，睦乡邻。严律己，礼待人。讲仁义，重诚信。务正业，需勤奋。戒淫恶，循人伦。忌赌毒，要认真。上报国，下益民。”该村修有《佛冈罗氏族谱》，2000 年 6 月由罗家源纂修。罗氏族谱中有祖训，称《祝融公训子》，其内容为：“不求金玉重重贵，但愿儿孙个个贤。人生天地，首重伦常；男女以正，婚姻以时。处己以孝弟忠信，接人以礼义廉耻。勿以权势凌人，勿以富荣傲人，勿以阴谋害人，勿以败德损己，勿说人是非，勿谈人长短。”该村还修有《中国张氏族谱》，2011 年 12 月由张芳恒纂修。张氏族谱中有张氏家训“四字经”十则：“继承祖德，忠孝国家，孝敬父母，和蔼兄弟，慎结婚姻，礼教子女，友睦族邻，勤为职业，崇尚节俭，禁戒非为。”

该村蓝氏与蓝屋村蓝氏宗族同拜蓝氏宗祠，蓝氏宗祠位于蓝屋村。该村张氏与新联冈咀头村张氏宗族共同拜张氏宗祠，张氏宗祠位于新联冈咀头村。

传统节俗为春节、元宵节、清明节、四月八、端午节、中秋节、重阳节、冬至等。其中春节、清明节、端午节、中秋节为大节，其他为小节。端午节又称“五月节”，各家各户包粽子纪念爱国诗人屈原，在门口桂艾叶、菖蒲等，以避邪逐恶。还有少年儿童到江河游泳，叫洗龙舟水，传说可减少儿童得病的概率。节日气氛浓厚的还有清明节，家家户户门楣插柳枝和桃叶以驱邪，采艾（一种植物）做糍，名为艾糍，并进行扫墓活动。扫墓一般从清明前的春分起到农历四月初八日，扫墓期间在外地谋生做事的人都尽可能赶回去祭扫祖墓，不回来扫墓的人会遭到村人的责骂。

中华人民共和国成立前，男婚女嫁为“父母之命，媒妁之言”。男女婚嫁是终身大事，都要经过相亲、订婚、迎亲等程序。首先由媒人牵线，约男家的人去女家看人。若男家有意，即授意媒人向女方家长索取其女儿生辰八字，带回男家。男方家长请人卜算后，如男女“相生”，则男家叫媒人陪伴送礼去女家“报合”，如男女“相克”，则将女子生辰八字退回女家，婚事作罢。订婚的第一步是下定礼（俗称座茶或叫小担），即男方送定金、酒米、肉类给女方，表示合成婚事。商定成亲日期及礼金后，按照礼规进行过礼，由男方出具礼帖把礼物、聘金送给女方，女方要回一份礼帖给男方。迎亲是男家叫算命先生择定结婚吉日，由媒人通知女方。届时男方的迎亲队伍带着礼帖、礼物，吹起八音，敲锣打鼓，抬着花轿到女家迎新娘（俗称迎亲）。女家把嫁妆、礼物随新娘一起送回男家(俗称送亲)。新娘到达男家后，举行拜堂仪式，随后送入洞房，闹洞房后迎亲仪式即告结束。中华人民共和国成立后，婚嫁习俗逐渐发生变化，婚事新办的风气越来越浓厚。

村民死后传统均以木棺土葬。死者未满 18 岁的只能用普通木料做棺材，竹杠抬，不上肩。死者在 60 岁以上的多有下列习俗：病人临去世前要移至厅堂或廊下。去世后由子孙日夜守孝，死者入殓前，子孙要到河里取水（俗称买水），为死者擦身、更衣，亲自入殓。出殡时，请巫师开路，吹响牛角，送殡队敲锣打鼓、燃放爆竹送行。埋葬死者后，孝子孝女等从坟上抓回一把黄土，并且同牵一条寿红（红布）由另一路线回家。葬后要为死者做“头七”“二七”“三七”的法事，神主牌送往祠堂入位。至此丧事才告完结。1990 年后，逐步实行火葬。

20 世纪 60 年代中期，村劳动力参加高岗人民公社组织的全社造林大会战，在挂牌山种植杉木 4.67 公顷。70 年代初，开展“农业学大寨”运动，改河造田，平整土地 1.34 公顷。70 年代中期，开展养猪积肥一条龙活动，村集体养猪 50 头。

村民具有良好的文明习惯，村巷整洁，村民享有良好的居住环境。

（资料填报：黄韵怡；初稿撰写：黄韵怡；总纂：李协湖）

九曲坑村

◎ 九曲坑村村貌（摄于 2016 年）

九曲坑村，曾用名田村，位于高岗镇西南部，距镇政府 7 千米。该村始建于明中期，邝氏先祖率领族人从英德下砝翻山越岭来到该地，当时该地依山傍水，山清水秀，决定定居于此。因从附近路下村进入此地的道路要经过多个弯曲，故而取名九曲坑村。

该村坐落在群山中，村东为月坑村，南为大营村，西南为上坪村，西为山，北 500 米处为路下水库。有乡道（九曲坑村—上角村—省道 252 线）通过该村，村北面有九曲坑水。村道较窄，交通不便。

该村形成时属英德虎山乡，清嘉庆十八年（1813 年）属佛冈厅虎山乡，民国时期属佛冈县第二区观台乡，中华人民共和国成立时属佛冈县第二区观台乡，1958 年 10 月属从化县跃进（迳头）人民公社，1961 年 5 月属佛冈县高岗人民公社路下大队，1983 年 12 月属高岗区路下乡，1987 年 1 月属高岗镇路下行政村，1989 年 11 月属高岗镇路下管理区，1998 年 11 月属高岗镇路下行政村，2005 年 5 月属佛冈县高岗镇高岗行政村至今。

世居村民为邝姓。元末邝姓祖先从安徽迁至广东南雄珠玑巷，后迁至河源、从化，明永乐年间，迁至英德下砝，开基祖邝玄秀，明中期从英德下砝迁至该地。

2015 年末，该村有户籍人口 240 人，其中男性 125 人、女性 115 人。80 岁以上 2 人，最年长者 93 岁（女）。生活主要依靠农业收入的人口有 110 人。常年在城镇生活和打工的人口有 130 人，实际在村居住人口 110 人，其中留守儿童 10 人。村民为汉族，客家民系，使用客家方言。

该村山多林密，自然资源丰富。林木资源有松树、杉树、柯树、樟树等树种。野生动物资源有野猪、黄猄、斑鸠、眼镜蛇等。

该村有山地 60.67 公顷，耕地 9.67 公顷。传统经济以农业为主，主要种植水稻、玉米、花生、黄豆、蔬菜等。养殖鸡、鸭、鹅、猪、牛及 4 大家鱼（鲤鱼、草鱼、鲢鱼、鳙鱼）。中华人民共和国成立前，由于种植技术水平低下，丰产性能差，该村水稻一般亩产为 100 千克，农民只能维持简单的生活。中华人民共和国成立后，该村先后组织互助组、合作社，参加人民公社，逐步推广应用先进的农业生产技术，农业生产效益有较大的提高。20 世纪 80 年代起实行农村家庭联产承包责任制后，水稻一般亩产达到 400 千克。1980 年以后，大部分青壮年村民外出打工。同时，逐步调整农村经济结构，并积极发展水果产业。2013 年该村种植沙糖桔面积 20 公顷，年收入 150 万元。2013 年以后，由于受黄龙病的影响，产业消退，村民注重发展林业及改种李子、火龙果等其他经济作物。

◎ 九曲坑村文化室（摄于 2016 年）

传统食品有姜葱鸡、焖鹅、烧鸭、粽子、糕点。

村 20 世纪 70 年代通电，2000 年全村实现水泥硬底化，2004 年通电话，2013 年通自来水。文化室于 2013 年末建成，位于该村公园内，主体工程为钢筋混凝土框架结构一层楼房，内设会议室、图书室、文娱室、村务办公室，为村民办事和学习、聚会提供公共场所。2013 年开展羽毛球场建设，2014 年建成。球场总投资 13 万元，羽毛球场建成后，为村民提供体育活动场所。村中建有垃圾收集站。

◎ 村传统民居一角（摄于 2016 年）

传统民居为客家民居，现存传统民居约 40 座。传统客家民居均两房一厅，民居内均有用木板、木柱撑起的阁楼，存放生产生活用品。到 21 世纪初，村里的村民陆续建起了钢筋混凝土楼房，多数楼房为两层。住房布局为三房一厅一厨房一卫生间。

文殊庙位于九曲坑村村口前方，始建于清末。文殊庙内祭拜的是土地公公等神明。逢年过节，村里有喜庆事，村民们都会前去叩拜，祈求平安。九曲坑村现保存舞狮打锣鼓特色民俗，流行于清朝。每逢春节，当地村民都会自行舞狮打锣鼓，活跃村里的气氛。村里有人去世时，也会舞狮打锣鼓送别故人。

◎ 文殊庙（摄于 2016 年）

传统节俗为春节、元宵节、清明节、四月八、端午节、中秋节、重阳节、冬至等。春节是送旧迎新的大节，从农历十二月二十三日“小年夜”起，家家户户打扫庭院，炸油角、做米饼、炸糖环、蒸年糕，给小孩添新衣、新鞋、玩具。到年三十，村民张贴门神、对联，吃团年饭。这一餐有意把鱼剩下，表示连年有余（鱼）。这天晚上，长者要给小孩红包，名曰压岁钱。村民有守岁的习惯，到晚上 12 点，鸣放鞭炮，迎接新年来临。年初三为送穷日，每家打扫卫生，把新年以来积聚的垃圾送到野外，烧香烧纸，焚烧垃圾。这一天是为忌日，一般不探亲访友。年初四为回门日，新婚男子携妻子去拜访岳父岳母。节日气氛浓厚的还有端午节。各家各户包粽子纪念爱国诗人屈原，农户在门楣挂艾叶、菖蒲，点燃蚊香，以避邪逐恶，祈求保佑全家幸福安康。这一天青年人、小孩子到江河游泳，叫洗龙舟水，以祈消灾去祸，合家平安。

传统婚嫁礼仪：男女开始交往时，女家要到男家探家，结婚前男方需向女方家下聘礼，报日子、送聘金、定嫁妆。行结婚礼时，要摆酒请客，迎亲和送亲。迎亲过程尤为有趣：新郎先租七辆或九辆车作婚车装饰好。在新娘家，新郎新娘一起向新娘家长辈敬茶，长辈给新郎新娘新婚红包。接着新娘弟弟撑红雨伞送新娘出门，出门前新娘家人拿用红纸包成条状的硬币给新娘，新娘掰断并放入自己的口袋，新娘出门后不可回头望。把新娘接到男家后，男家开席宴客，新郎、新娘向亲友敬茶，席敬后送新郎、新娘入洞房。婚礼即告结束。

村里发生丧事时，传统以土葬为主。其程序为举丧、入殓、出殡、送葬，将灵牌送入祠堂或厅下。办丧事期间只能煮白饭、花菜、黄豆煮猪肉等简单的饭菜。葬礼开始时，家里有人与逝者生辰八字相冲的，均不能出现在葬礼上，必须回避。开始下葬时，送葬的家人必须提前离开，离开时不能回头看，要等下葬完毕后再回去祭拜。1990 年以后逐步实行火葬。

该村有叔公退敌的传说。相传有一次山贼土匪要去九曲坑打家劫舍，村民杀鸡杀猪请求邝绿叔公保佑村子免于山贼土匪祸害。邝绿叔击退山贼土匪，从此村子再无山贼祸害。

2013 年，该村因遭遇连日大雨，路下水库泄洪，冲毁河堤，淹没农田 6.7 公顷。该村组织村民抗洪救灾，加固河堤，集资维修九曲坑陂头 2 座。1993 年 3 月，经清远市人民政府批准该村为解放战争游击根据地。

该村邝蔼民（1912—1967），民国期间曾担任佛冈县参议。

（资料填报：邝卫华；初稿撰写：范志广；总纂：李协湖）

蓝屋村

◎ 蓝屋村村貌（摄于 2016 年）

蓝屋村，位于高岗镇西北部，距镇政府 1.5 千米。该村始建于明末，因村民均为蓝姓，故取名为蓝屋村，曾用名为老楼村。

该村坐落在丘陵地带，村属山脉，平均海拔 200 米左右，村旁最高的山为葫芦顶山，高 300 米，村的北部清河曲水自西向东流过该村。省道 252 线在村东面 1 千米处通过，乡道与省道 252 线连接。相邻的村有勾下村、梁屋村。

该村形成时属英德虎山乡，清嘉庆十八年（1813 年）属佛冈厅虎山乡，民国期间属佛冈县第二区观台乡，1949 年中华人民共和国成立时属佛冈县第二区观台乡，1958 年 10 月属从化县跃进（迳头）人民公社，1961 年 5 月属佛冈县高岗人民公社高岗大队，1983 年 12 月属高岗区高岗乡，1987 年 1 月属高岗镇高岗行政村，1989 年 11 月属高岗镇高岗管理区，1998 年 11 月属高岗镇高岗行政村至今。

世居村民为蓝姓。据史料记载，蓝姓明初从福建迁至广东英德、翁源。明末从英德鱼湾横岭下迁移至该地。

2015 年末，该村户籍人口 450 人，其中男性 256 人、女性 194 人。80 岁以上 7 人，最年长者年龄 95 岁（女）。生活主要依靠农业收入的人口有 330 人。常年在城镇生活和打工的人口有 120 人，实际在村人口 330 人，其中留守儿童 10 人。村民均为汉族，客家民系，使用客家方言。

林木资源有松树、杉树等树种，野生动物资源有斑鸠、眼镜蛇等。

该村有山地 144.2 公顷，耕地 17.87 公顷。传统经济以农业为主，主要种植水稻、玉米、花生、黄豆、蔬菜等。养殖鸡、鸭、鹅、猪、牛以及 4 大

◎ 高标准农田建设（摄于 2014 年）

家鱼（鲤鱼、草鱼、鲢鱼、鳙鱼）。种植花生是该村农业经济的重要来源。民国时期，花生油料产量极低，根本满足不了村民的生活需求。20 世纪 80 年代起，实行农村家庭联产承包责任制，花生亩产达到 200—250 千克（干荚）。同时，该村逐步调整农村经济结构，建设高标准农田，并积极发展水果产业。特色农产品主要有沙糖桔、红薯、粉葛、淮山等。改革开放后，耕地面积减少，少量村民仍在家从事农业生产，种植沙糖桔。大部分村民外出务工，到深圳、东莞、广州居多，以入厂务工和服务业为主。村民主要收入来源为农业生产收入、工资性收入、商业经营收入，人均年收入约 1 万多元。该村已被列入乡镇级建设规划。2015 年开始发展现代农业项目，硬底化种植莲藕面积 0.7 公顷，亩产 4000 千克。

村传统食品有酿豆腐和客家脸肉。酿豆腐的做法是把豆腐切块并挖出小洞，再把腌制好的猪肉酿入豆腐里，最后将豆腐块用小火煎至金黄调味即可食用。客家脸肉的做法是将猪肉和各种佐料拌匀，装瓦钵放在锅里蒸熟，蒸熟的脸肉放在通风干爽的棚上藏好，以后每餐食用时再蒸一次即可食用。

该村 1978 年通电，2000 年通网络，2006 年实现村道硬底化，2012 年通自来水。

该村崇文尚教，为丰富村民的文化生活，增强村民的身体素质，村民筹资建成了蓝屋村文化广场。2014 年，投资 48 万元，建成村文化室。文化室内设会议室、图书室、文娱室、村务办公室，为村民办事和集会主要场所。

◎ 蓝屋村文化广场（摄于 2016 年）

传统民居为客家民居，现存约 40 座。均两房一厅。民居内均有用木板、木柱撑起的阁楼，存放村民生产生活用品。21 世纪初，村里的村民陆续建起了钢筋混凝土楼房，楼房均为两层。

◎ 村传统民居一角（摄于 2016 年）

村建有蓝氏宗祠，始建于民国初期，占地 100 平方米。近代屡有修缮，建筑格式为坐北向南、三间两廊两进、砖木结构。

村修有《蓝氏族谱》，均由该姓氏族谱理事会纂修，纂修于 2009 年 8 月至 2010 年 12 月，为家族传家之宝。

传统的节俗为春节、元宵节、清明节、四月八、

◎ 蓝氏宗祠（摄于 2016 年）

端午节、中秋节、重阳节、冬至等。正月十五为元宵节，该村有蒸发糕、做糍的习俗，以示庆贺春节圆满结束，转入新的一年农事活动，元宵节晚餐丰盛。节日气氛浓厚的还有中秋节。每逢中秋之夜，男女老少一起赏月，用月饼、柚子及石螺等食品拜月，热闹非常。随着生活水平的不断提高，村民对欢庆中秋节的习俗也越来越重视，在外地工作的本地籍人都尽量回家与家人团聚，共度佳节。

村婚嫁习俗具有客家人的特点，其中担小担、担大担是客家人办婚事的流行风俗。即男方备齐礼物到女方家下聘礼订婚，称为担小担。男方备齐礼物到女方家接新娘，称为担大担。行结婚礼时，要摆酒请客、迎亲和送亲。在新娘家，新郎新娘一起向新娘家长辈敬茶，长辈给新郎新娘新婚红包。接着新娘弟弟撑红雨伞送新娘出门，由新娘的亲朋好友伴送新娘到男家。在男家摆设的喜席上，新郎新娘共同向亲朋好友和来宾敬茶。长辈接过新婚茶后，有的即兴唱起山歌，有的说祝贺词。此外，该村办婚事仍保留铺床、闹洞房的风俗。

发生丧事时，传统以土葬为主，其程序为举丧、入殓、出殡、送葬，将灵牌送入祠堂或厅下。不管是哪家的丧事，全村人都前去帮忙，打锣鼓、舞狮、放鞭炮是丧事的内容之一，由村民按分工各自负责。葬礼开始时，家里有人与逝者生辰八字相冲的，均不能出现在葬礼上，必须回避。开始下葬时，送葬的家人必须提前离开，离开时不能回头看，要等下葬完毕后再回来祭拜。1990 年以后，虽然逐步实行火葬，但安葬、拜祭等程序仍然保留。

该村流传有建村的传说：据蓝氏族谱记载，阿渊公裔孙取名福振公、福兴公，其意乃福临蓝门，振兴家族。兄弟俩出生在英德鱼湾芋合村，生性聪颖，心性和善，勤奋好学，有胆识，喜朋客，广交乡邻。至年富力强，勤俭自勉，经营有方，致衣食无忧，家资丰富。某年，兄弟俩探得虎山乡（今佛冈高岗）有许多沃土未得开发，大可振兴家族，于是两兄弟来到此地，四处考察评估，得知葫芦顶山下有延绵起伏矮山如长龙活现，龙头百米处又有清河水环抱，前后左右沃土开阔平整，气象上乘，甚合人居，故确定迁居至该村。在龙嘴处寻址造地，建设村落，始名老楼村，后又以姓氏命名为蓝屋村。

2010 年 12 月，该村编有《蓝屋家训》，其文为："敦考悌，端士品。和宗族，睦乡邻。严律己，礼待人。讲仁义，重诚信。务正业，需勤奋。戒淫恶，循人伦。忌赌毒，要认真。上报国，下益民。"2011 年，该村制订《蓝屋村村规民约》，内容分为 10 条，全村人共同遵守。

2012 年，筹资 16 万元开展饮水安全工程建设，铺设引水管到各家各户，让全村人饮用、使用干净、清洁、安全的自来水。2013 年，该村遭受水灾，造成农田灌溉渠道堵塞。该村组织村民集资 3.7 万元，疏通灌溉水圳 600 米。

该村于 2015 年被省爱国卫生运动委员会评为省卫生村。

该村的蓝全（1930—1952），又名蓝维习，中国人民志愿军战士，在朝鲜战场牺牲。蓝山鹰，1964 年出生，曾任中共佛冈县委副书记、佛冈县人大常委会常务副主任，2016 年任佛冈县政协副主席。在其倡议下，撰写完成了《蓝氏族谱》编纂，修建完成了蓝屋文化广场。

（资料填报：邝卫华；初稿撰写：宋敏明；总纂：李协湖）

梁屋村

◎ 梁屋村村貌（摄于 2016 年）

梁屋村，位于高岗镇北部，距镇政府 1 千米。该村始建于清初，因入住村民梁姓较多，故取名为梁屋村。

该村坐落在高岗丘陵地带，平均海拔只有 200 米左右，村中最高的山为农庄部山，高 300 米，村的东南方向有高岗河自西向东流过。村东为省道 252 线，南为田塅心村，西为岭排村，北为山地。省道 252 线从村旁 1 千米处穿过，有乡道连接至该村。相邻的村有蓝屋村、岭排村、格仔村。

清嘉庆十八年（1813 年）属佛冈厅虎山乡，民国年间属佛冈县第二区观台乡，中华人民共和国成立时属佛冈县第二区观台乡，1958 年 10 月属从化县跃进（迳头）人民公社，1961 年 5 月属佛冈县高岗人民公社高岗大队，1983 年 12 月属高岗区高岗乡，1987 年 1 月属高岗镇高岗行政村，1989 年 11 月属高岗镇高岗管理区，1998 年 11 月属高岗镇高岗行政村至今。

世居村民为蓝、梁和张姓。蓝姓于明初从福建迁移至广东英德、翁源，清初从英德鱼湾迁移至该地。梁姓于宋末从中原迁移至广东南雄珠玑巷，民国初期从英德迁移至该地。张姓是民国中期从附近宝山格田村迁移至该地。

2015 年末，该村户籍人口 530 人，其中男性 270 人、女性 260 人。80 岁以上 50 人，最年长者年龄 93 岁（女）。生活主要依靠农业收入有 320 人。常年在城镇生活和打工有 210 人，实际在村 320 人，其中留守儿童 30 人。村民均为汉族，客家民系，使用客家方言。

村山多林密，自然资源丰富。林木资源有松树、杉树等树种。野生动物资源有斑鸠等飞禽类，还有

◎ 油茶山（摄于 2015 年）

蛇类等爬行动物。

该村有山地136.33公顷，耕地14.87公顷。传统经济以农业为主，主要种植水稻、玉米、花生、黄豆、蔬菜等。养殖鸡、鸭、鹅、猪、牛以及4大家鱼（鲤鱼、草鱼、鲢鱼、鳙鱼）。蔬菜种植是该村经济的重要组成部分。实行农村家庭联产承包责任制前，蔬菜只在村民自留地种植，村民自己食用。20世纪80年代农村全面实施家庭联产承包责任制后，积极开展多种经营，大力发展蔬菜种植业，蔬菜一般亩产达1000千克，有效地增加村民收入。该村还积极发展水果产业，曾种植沙糖桔面积6.67公顷，年收入50万元。2000年后，大部分村民外出务工，到深圳、东莞、广州居多，以入厂务工、服务业为主。2013年以后，村民改种油茶等经济作物。村民主要收入为农业生产收入、工资性收入、商业经营收入，人均年收入约1万多元。

特色农产品主要有沙糖桔、红薯、粉葛。传统食品有石磨水豆腐和客家猪肉，为招待客人必备菜肴。

该村1978年通电，1994年通电话，2008年实现村道硬底化、通自来水，2010年通网络。

传统民居现存有73座。房屋分为2层，用木板隔开，留有通道。第一层一般高3米，供人住宿为主；第二层堆放粮食、杂物等，方便生活。民居冬暖夏凉，居住舒适。基本保存完好的民居为光裕第，始建于民国时期，占地面积1000多平方米，主要建筑特色是花岗岩门楣、门框，门口直通大厅，民居环绕大厅而建。

该村主要宗祠为梁氏宗祠，始建于清朝年间，占地200多平方米，坐北向南、三间两廊两进、砖木结构。祠堂里有座碑刻，记载重建梁氏祠堂捐款芳名。

◎ 客家围屋光裕第（摄于2016年）

◎ 梁氏宗祠（摄于2016年）

◎ 村传统民居一角（摄于2016年）

村修有《梁氏族谱》和《蓝氏族谱》，均由该姓氏族谱理事会纂修，《梁氏族谱》纂修于20世纪50年代，《蓝氏族谱》纂修于2009年8月至2010年12月。

传统的节俗为春节、元宵节、清明节、四月八、端午节、中秋节、重阳节、冬至等。清明节期间，家家户户门口插桃叶以驱邪，采艾蒿做糍，并进行扫墓活动。村民不论老少，离家多远，都要赶回家祭祖，以示孝敬。节日气氛浓厚的还有中秋节。每逢中秋之夜，男女老少一起赏月，用月饼、柚子及石螺等食品拜月，热闹非常。随着生活水平的不断提高，村民对欢庆中秋节的习俗也越来越重视，在外地工作的本地籍人都尽量回家与家人团聚，共度佳节。

婚嫁习俗：新郎先租七辆或九辆车作婚车装饰好。结婚当天，新郎带着亲朋好友坐上婚车到新娘家抢新娘。新娘的姐妹朋友关门阻止新郎进入新娘家。新郎需要用红包开路，并请亲朋好友帮助新接新娘。在新娘家，新郎新娘一起向新娘家长辈敬茶，长辈给新郎新娘新婚红包。接着新娘弟弟撑红雨伞送新娘出门，出门前新娘，新娘家人拿用红纸包成条状的硬币给新娘掰断并放入自己的口袋，新娘出门后不可回头望。把新娘接到男家后，男家即开席宴客，新郎、新娘在席上向亲友敬茶，席敬后把新郎、新娘送入洞房，婚礼即告结束。

发生丧事时，传统以土葬为主，其程序为举丧、入殓、出殡、送葬，将灵牌送入祠堂或厅下。不管是哪家的丧事，全村人都前去帮忙，打锣鼓、舞狮、放鞭炮。办丧事期间只能煮白饭、花菜、黄豆煮猪肉等简单的饭菜。葬礼开始时，家里有人与逝者生辰八字相冲的，均不能出现在葬礼上，必须回避。开始下葬时，送葬的家人必须提前离开，离开时不能回头看，要等下葬完毕后再回去祭拜。1990 年以后，虽然逐步实行火葬，但安葬、拜祭的程序仍然保留。

村里流传着大力士搬石板的传说。传说在很久以前，该村道路泥泞难行，房屋构造简单容易倒塌。村里有一位大力士，名叫梁居尧，他能够双手举起半吨重的石猪槽围梁氏祠堂转五圈。为铺好村中道路，他从远处搬来了许多块大石板铺路，还搬来石板给村民建造房屋。从此，村中道路不再泥泞，村民房屋不再倒塌。

抗日战争时期，日本侵略者对高岗进行“围剿”，当地群众为保卫家乡进行顽强抵抗。20 世纪 60 年代中期，村民参加公社组织的县社造林大会战，在公路沿途种植杉木 4.67 公顷。2013 年，该村遭受水灾，造成农田灌溉渠道堵塞。该村组织村民集资 3.7 万元，疏通灌溉水圳 600 米。

该村的蓝应周（1923—1948），革命烈士。1943 年加入抗日游击队，担任交通员。1948 年，蓝应周所在部队在观音山被国民党反动派围击，他在反击战中壮烈牺牲。蓝宗利，1964 年 7 月出生，是佛冈一中历史高级教师。

（资料填报：邝卫华；初稿撰写：宋敏明；总纂：李协湖）

岭排村

◎ 岭排村村貌（摄于 2016 年）

岭排村，位于高岗镇西北部，距镇政府 3 千米。该村始建于明中期，从英德桥头迁至该村。因村子位于一排山岭之中而取名岭排村。

村坐落群山之中，东为蓝屋村，南为桥头村，西、北为山。乡道与省道 252 线连接。

该村形成时属英德虎山乡，清嘉庆十八年（1813 年）属佛冈厅虎山乡，民国时期属佛冈县第二区观台乡，中华人民共和国成立时属佛冈县第二区观台乡，1958 年 10 月属从化县跃进（迳头）人民公社，1961 年 5 月属佛冈县高岗人民公社高岗大队，1983 年 12 月属高岗区高岗乡，1987 年 1 月属高岗镇高岗行政村，1989 年 11 月属高岗镇高岗管理区，1998 年 11 月属高岗镇高岗行政村至今。

世居村民姓陈。陈氏，宋末从福建迁移至广东英德，明中期陈思盛率领族人从英德迁移至该村。

2015 年末，村有户籍人口 70 人，其中男性 40 人、女性 30 人。80 岁以上 3 人，最年长者 89 岁（男）。生活主要依靠农业收入的人口有 40 人。常年在城镇生活和打工的人口有 30 人，实际在村居住人口 40 人，其中留守儿童 10 人。村民为汉族，客家民系，使用客家方言。

该村有山地 64.6 公顷，耕地 4 公顷。自然资源丰富，有松树、杉树等树种。传统经济以农业为主，主要种植水稻、玉米、花生、黄豆、蔬菜等。养殖鸡、鸭、鹅、猪、牛及 4 大家鱼（鲤鱼、草鱼、鲢鱼、鳙鱼）。养殖家禽是该村农业经济的重要组成部分。中华人民共和国成立前，家禽养殖成活率低，生长慢，经济效益极低。20 世纪 80 年代起，随着农村体制改革的开展，村民有了生产的自主权，该村实行规模化养殖并出现家禽养殖专业户。1980 年以后，大部分青壮年村民外出打工。同时，逐步调整农村经济

◎ 莲藕种植基地（摄于 2016 年）

结构，积极发展水果产业，2013 年种植沙糖桔 4 公顷，年收入 30 万元。2013 年以后，由于受黄龙病的影响，产业消退，村民改种莲藕等其他作物。村民主要收入来源为农业收入、外出务工工资性收入。

传统食品有姜葱鸡、焖鹅、烧鸭、腊肠、粽子、糕点。出名食品有酿豆腐和客家脍肉。酿豆腐的做法是把豆腐切块并挖出小洞，再把腌制好的猪肉酿入豆腐里，最后将豆腐块用小火煎至金黄调味即可食用。客家脍肉的做法是将猪肉和各种佐料拌匀，装瓦钵放在锅里蒸熟，蒸熟的脍肉放在通风干爽的棚上藏好，以后每餐食用时再蒸一次即可食用。

◎ 传统食品腊肠（摄于 2016 年）

该村 20 世纪 70 年代通电，20 世纪 80 年代通电话，2007 年全村实现村道水泥硬底化。村中建有垃圾收集站。

传统民居现存约 20 座。民居均两房一厅，均有用木板、木柱撑起的阁楼，存放生产生活用品。到 21 世纪，村民陆续建起钢筋混凝土楼房，多数楼房为两层。

◎ 村传统民居一角（摄于 2016 年）

村内陈氏宗祠始建于明末至清初，重建于 2009 年。宗祠坐北向南，是一座典型的客家祠堂。砖木结构，盖灰瓦，悬山顶，石墙脚，方砖铺地。祠堂头门石碑上刻有“陈氏宗祠”的字样，有对联为：“念先辈公德万世册铭青史；思后裔事业千秋续造光辉。”正门门檐额木雕精美，花岗岩门面，屋顶门楣处有灰塑草尾图案。第二进有神台，有丘氏宗族堂号“太丘堂”木雕。

◎ 陈氏宗祠（摄于 2016 年）

◎ 太丘堂（摄于 2016 年）

传统节俗为春节、元宵节、清明节、四月八、端午节、中秋节、重阳节、冬至等。其中春节、清明节、端午节、中秋节为大节，其他为小节。农历十月初一叫“十月朝”或“牛生日”。村民做糯米糍粑贴在牛角、牛额、牛背脊、牛腰、牛尾部位，贴三四天后，牧童从牛身上将糯米糍粑剥下用火烤熟来吃。传说吃了“牛生日”贴在牛身上的糍粑，能像牛一样力气大。中华人民共和国成立后，这种习俗逐步被遗弃，但村民仍保留在十月初一做糍过节的习俗。节日气氛浓厚的还有清明节，家家户户门楣插柳枝和桃叶以驱邪，采艾（一种植物）做糍，名为艾糍，并进行扫墓活动。扫墓一般从清明前的春分起到农历四月初八日，扫墓期间在外地谋生做事的人都尽可能赶回去祭扫祖墓，不回去扫墓的人会遭到村人的责骂。

传统婚丧嫁娶庄重繁杂。婚嫁礼仪，男女开始交往时女家要到男家探家，结婚前男方需向女方家下聘礼，报日子、送聘金、定嫁妆。行结婚礼时，要摆酒请客，迎亲和送亲。迎亲过程尤为有趣：新郎先租七辆或九辆车作婚车装饰好。在新娘家，新郎新娘一起向新娘家长辈敬茶，长辈给新郎新娘新婚红包。接着新娘弟弟撑红雨伞送新娘出门，出门前新娘家人拿用红纸包成条状的硬币给新娘，新婚掰断并放入自己的口袋，新娘出门后不可回头望。男家把新娘接回家后，新娘先向男家长辈敬茶，然后到喜席上向长辈亲友敬茶，长辈亲友回赠红包。喜席散后，亲友把新郎、新娘送入洞房，婚礼才告结束。村里发生丧事时，传统以土葬为主。其程序为举丧、入殓、出殡、送葬，将灵牌送入祠堂或厅下。办丧事期间只能煮白饭、花菜、黄豆煮猪肉等简单的饭菜。葬礼开始时，家里有人与逝者生辰八字相冲的，均不能出现在葬礼上，必须回避。开始下葬时，送葬的家人必须提前离开，离开时不能回头看，要等下葬完毕后再回来祭拜。1990 年以后逐步实行火葬。

20 世纪 60 年代中期，村劳动力参加高岗人民公社组织的全社造林大会战，在挂牌山种杉木 4.67 公顷。

该村的陈华快，1928 年出生，曾任佛冈县石角公社党委书记，1958 年获“广东省先进工作者”称号。

（资料填报：邝卫华；初稿撰写：范志广；总纂：李协湖）

岭下村

◎ 岭下村村貌（摄于 2016 年）

岭下村，位于高岗镇中部，距镇政府 0.8 千米。该村始建于元末至明初，由英德横石水迁入而形成。因村民居住在山岭脚下而取名岭下村。

该村坐落于丘陵地带，东是塘下村，南、西是山地，北是凹下村和镇政府。该村有村后山，高 200 米。省道 252 线在村东面经过村口，与乡道连接。相邻的村有高岗村、塘下村。

清嘉庆十八年（1813 年）属佛冈厅虎山乡，民国年间属佛冈县第二区观台乡，中华人民共和国成立时属佛冈县第二区观台乡，1958 年 10 月属从化县跃进（迳头）人民公社，1961 年 5 月属佛冈县高岗人民公社高岗大队，1983 年 12 月属高岗区高岗乡，1987 年 1 月属高岗镇高岗行政村，1989 年 11 月属高岗镇高岗管理区，1998 年 11 月属高岗镇高岗行政村至今。

世居村民姓林，宋末从福建迁移至广东南雄珠玑巷，元末（1366 年）从英德横石水迁移至该地。

2015 年末，该村有户籍人口 250 人，其中男性 130 人、女性 120 人。户籍人口中，80 岁及以上 5 人，最年长者 88 岁（男）。生活主要依靠农业收入的有 130 人。常年在城镇生活和打工有 120 人，实际在村 130 人，其中留守儿童 16 人。村民均为汉族，客家民系，使用客家方言。

该村有山地 11.8 公顷，耕地 12.8 公顷。传统经济以农业为主，主要种植水稻、玉米、花生、黄豆、蔬菜等。养殖鸡、鸭、鹅、猪、牛及 4 大家鱼（鲤鱼、草鱼、鲢鱼、鳙鱼）。生猪养殖是该村农业经济的重要来源。中华人民共和国成立前，由于养殖技术水平低下，丰产性能差，畜牧养殖成活率低，农民只能维持简单的生活。20 世纪 80 年代起，该村出现生猪养殖专业户，年出售 300 头生猪以上。20 世纪 60—70 年代农村经济以生产队为基本核算单位时期，该村办有榨油厂，增加集体收入。2000 年以后，大部分青壮年外出务工，到深圳、珠海、广州市居多。村民主要收入来源为农业生产收入、外出务工工资性收入。

该村春节食品有酿豆腐和客家腍肉。酿豆腐的做法是把豆腐切块并挖出小洞，再把腌制好的猪肉酿入豆腐里，最后将豆腐块用小火煎至金黄色，调味即可食用。客家腍肉的做法是将猪肉和各种佐料拌匀，装入瓦砵放在锅里蒸熟，蒸熟的脍肉放在通风干爽的棚上藏好，以后每餐食用时再蒸一次即可食用。

该村 1985 年通电，2000 年通电话，2005 年通自来水，2010 年实现村道水泥硬底化，2013 年通网络。

传统民居为长方形客家围屋，现存 25 座。民居为 2 门归厅或 4 门归厅的横排砖木结构民房，周围建有围水屋，以作厨房使用。村外围修建牛棚、猪舍、鸡窝等，人畜分离，保持人居环境卫生整洁。房屋分为 2 层，用木板隔开，留有通道。第一层一般高 3 米，供人住宿为主；第二层堆放粮食、杂物等，方便生活。民居冬暖夏凉，居住舒适。2000 年以后，村民建设钢筋混凝土结构楼房，楼房占地面积 90 平方米，装修比较实用。

◎ 岭下村传统民居（摄于 2016 年）

◎ 岭下村新民居（摄于 2016 年）

村修有《林氏得聪族谱》，2004 年 12 月由林氏得聪族谱理事会纂修。林氏族谱中有家训，其内容为："忠厚为人，正直做人，信义树人，宽以待人，文明待人，和善对人，孝悌教人，廉洁育人，勤俭做人，苦学成人。"

◎ 林氏祠堂正面（摄于 2016 年）

◎ 林氏宗祠内景（摄于 2016 年）

村现存林氏宗祠始建于民国初期，重修于 2004 年，占地 70 平方米。每逢清明，村民都会去寺庙祭祖，祈求福佑。主要宗族活动有清明扫墓，春节拜祠堂，元宵上灯。

传统的节俗为春节、元宵节、清明节、四月八、端午节、中秋节、重阳节、冬至等。其中春节、清明节、端午节、中秋节为大节，其他为小节。冬至，该村俗称过冬。这个节日意味着一年农事已做完，全家应欢聚吃一顿丰盛晚餐表示庆贺。这一天，村民各家各户做糍，打米饼，刣鸡杀鸭，欢度节日。节日气氛浓厚的还有端午节，各家各户包粽子纪念爱国诗人屈原，农户在门楣挂艾叶、菖蒲，点燃蚊香，以避邪逐恶，祈求保佑全家幸福安康。这一天青年人、小孩子到江河游泳，叫洗龙舟水，以祈消灾去祸，合家平安。

中华人民共和国成立前，男婚女嫁为“父母之命，媒妁之言”。农村存有抱养穷人家女童做童养媳、未生男孩的人家抱养“等郎妹”的习俗。男女婚嫁是终身大事，都要经过相亲、订婚、迎亲等程序。首先由媒人牵线，约男家的人去女家看人。若男家有意，即授意媒人向女方家长索取其女儿生辰八字，带回男家。男方家长请人卜算后，如男女“相生”，则男家叫媒人陪伴送礼去女家“报合”，如男女“相克”，则将女子生辰八字退回女家，婚事作罢。订婚的第一步是下定礼（俗称座茶或叫小担），即男方送定金、酒米、肉类给女方，表示合成婚事。商定成亲日期及礼金后，按照礼规进行过礼，由男方出具礼帖把礼物、聘金送给女方，女方要回一份礼帖给男方。迎亲是男家叫算命先生择定结婚吉日，由媒人通知女方。届时男方的迎亲队伍带着礼帖、礼物，吹起八音，敲锣打鼓，抬着花轿到女家迎新娘（俗称迎亲）。女家把嫁妆、礼物随新娘一起送回男家（俗称送亲）。新娘到达男家后，举行拜堂仪式，随后送入洞房，闹洞房后迎亲仪式即告结束。中华人民共和国成立后，婚嫁习俗逐渐发生变化，婚事新办的风气越来越浓厚。

村民死后传统均以木棺土葬。死者未满18岁的只能用普通木料做棺材，竹杠抬，不上肩。死者在60岁以上的多有下列习俗：病人临去世前要移至厅堂或廊下。去世后由子孙日夜守孝，死者入殓前，子孙要到河里取水（俗称买水），为死者擦身、更衣，亲自入殓。出殡时，请巫师开路，吹响牛角，送殡队敲锣打鼓、燃放爆竹送行。埋葬死者后，孝子孝女等从坟上抓回一把黄土，并且同牵一条寿红（红布）由另一路线回家。葬后要为死者做“头七”“二七”“三七”的法事，神主牌送往祠堂入位。至此丧事才告完结。1990年后逐步实行土葬。

20世纪60年代中期，村劳动力参加高岗人民公社组织的全社造林大会战，在挂牌山种杉木4公顷。70年代中期开展养猪积肥一条龙活动，村集体养猪35头。

（资料填报：邝卫华；初稿撰写：黄韵怡；总纂：李协湖）

刘屋村

◎ 刘屋村村貌（摄于2016年）

刘屋村，位于高岗镇南部，距镇政府1千米。该村建于明中期，因该村世居村民姓刘，故取名刘屋村。曾用名为逆水流村。相邻村有冈咀头村、高岗村、社岗下村。

该村形成时属英德虎山乡，清嘉庆十八年（1813年）属佛冈厅虎山乡，民国时期属佛冈县第二区观台乡，中华人民共和国成立时属佛冈县第二区观台乡，1958年10月属从化县跃进（迳头）人民公社，1961年5月属佛冈县高岗人民公社高岗大队，1983年12月属高岗区高岗乡，1987年1月属高岗镇高岗行政村，1989年11月属高岗镇高岗管理区，1998年11月属高岗镇高岗行政村至今。

世居村民为刘姓。宋末从福建迁移至广东兴宁，明初从兴宁迁移至科旺、汤塘、龙山，明中期从清远县吉河乡（今佛冈石角）龙蟠村分村迁至现址。

2015年末，该村有户籍人口700人，其中男性370人、女性330人。80岁以上35人，最年长者91岁(男)。生活主要依靠农业收入的人口有450人。常年在城镇生活和打工的人口有250人，实际在村居住人口450人，其中留守儿童20人。村民为汉族，客家民系，使用客家方言。

该村有山地123.73公顷，耕地27.93公顷。传统经济以农业为主，主要种植水稻、玉米、花生、黄豆、蔬菜等。养殖鸡、鸭、鹅、猪、牛及4大家鱼（鲤鱼、草鱼、鲢鱼、鳙鱼）。中华人民共和国成立初期，该村农业经济效益极低，农民只能维持简单的生活。20世纪80年代初期农村实行家庭联产承包责任制起，水稻一般亩产为400千克，花生亩产200—250千克（干荚），蔬菜亩产1000千克，农业经济效益

◎ 花生种植（摄于2016年）

有较大的提高。2000年以后，大部分青壮年外出打工，并积极发展水果产业，2013年种植沙糖桔6.7公顷，产值50万元。2013年以后，由于受黄龙病的影响，产业消退，村民改种花生、李子等其他经济作物。村民主要收入来源为农业收入、外出务工工资性收入。

传统食品有姜葱鸡、焖鹅、烧鸭、粽子、糕点。

该村有省道252线经过该村。20世纪60年代通电，90年代通电话，2008年全村村道实现水泥硬底化，2010年通网络，2012年通自来水。2013年建成文化室，位于该村公园内，内设会议室、图书室、文娱室、村务办公室，为村民办事和学习、聚会提供方便。

传统民居为客家民居，现存约50座。均为两房一厅，民居内均有用木板、木柱撑起的阁楼。21世纪初村民陆续建起钢筋混凝土楼房，多数楼房均为两层。

◎ 村传统民居一角（摄于2016年）

◎ 刘屋村新民居一角（摄于2016年）

传统节俗为春节、元宵节、清明节、四月八、端午节、中秋节、重阳节、冬至等。春节是送旧迎新的大节，从农历十二月二十三日小年夜起，家家户户打扫庭院，炸油角、做米饼、炸糖环、蒸年糕，给小孩添新衣、新鞋、玩具。到年三十，村民张贴门神、对联，吃团年饭。这一餐有意把鱼剩下，表示连年有余（鱼）。这天晚上，长者要给小孩红包，名曰压岁钱。村民有守岁的习惯，到晚上12点，鸣放鞭炮，迎接新年来临。年初三为送穷日，每家打扫卫生，把新年以来积聚的垃圾送到野外，烧香烧纸，焚烧垃圾。这一天是为忌日，一般不探亲访友。年初四为“回门日”，新婚男子携妻子去拜访岳父岳母。节日气氛浓厚的还有清明节，家家户户门楣插柳枝和桃叶以驱邪，采艾（一种植物）做糍，名为艾糍，并进行扫墓活动。扫墓一般从清明前的春分起到农历四月初八日，扫墓期间在外地谋生做事的人都尽可能赶回去祭扫祖墓，不回去扫墓的人会遭到村人的责骂。

传统婚姻嫁娶庄重繁杂。男女开始交往时女家要到男家探家，结婚前男方需向女方家下聘礼，报日子、送聘金、定嫁妆。行结婚礼时，要摆酒请客，迎亲和送亲。迎亲过程尤为有趣：新郎先租七辆或九辆车作婚车装饰好。在新娘家，新郎新娘一起向新娘家长辈敬茶，长辈给新郎新娘新婚红包。接着新娘弟弟撑红雨伞送新娘出门，出门前新娘家人拿用红纸包成条状的硬币给新娘，新婚掰断并放入自己的口袋，新娘出门后不可回头望。

村里发生丧事时，传统以土葬为主。其程序为举丧、入殓、出殡、送葬，将灵牌送入祠堂或厅下。办丧事期间只能煮白饭、花菜、黄豆煮猪肉等简单的饭菜。葬礼开始时，家里有人与逝者生辰八字相冲的，均不能出现在葬礼上，必须回避。开始下葬时，送葬的家人必须提前离开，离开时不能回头看，要等下葬完毕后再回去祭拜。1990年以后逐步实行火葬。

刘氏宗祠位于刘屋村后山上，始建于清朝，坐北向南，面积1000平方米，是一座典型的客家祠堂。宗祠前方有两个石狮，砖木结构，盖灰瓦，悬山顶，

◎ 刘氏宗祠（摄于 2016 年）

石墙脚，方砖铺地。祠堂大门石碑上刻有“刘氏宗祠”的字样。第二进有神台，头门门檐额木雕精美，花岗岩门面，屋顶门楣处有灰塑草尾图案。

1944 年，该村成立村耕种会（农会），并成立民兵组织，开展革命活动。1946 年，该村青年参加当地游击队，成为游击队据点之一。1947 年，该村青年参加英翁佛民主先锋大队。1948 年参加攻打高岗圩战斗。1949 年，该村民兵配合游击队截击国民政府联防队。1993 年，经清远市人民政府批准该村为解放战争游击根据地。

该村主要人物有刘祥标（1918—1948），北江先遣支队英翁佛民主先锋大队华山中队战士，在高岗磨刀坑战斗中牺牲。刘祥森（1921—1947），北江先遣支队英翁佛民主先锋大队华山中队交通员，在送情报返回途中被捕牺牲。刘厚道（1922—1997），曾任佛冈县迳头区区委委员。刘贤深，1965 年生，曾任肇庆市副市长、市公安局局长。刘厚歉，1963 年 7 月生，为佛冈一中语文高级教师。

（资料填报：邝卫华；初稿撰写：宋敏明；总纂：李协湖）

路下村

◎ 路下村村貌（摄于 2016 年）

路下村，位于高岗镇西部，距镇政府 3 千米。该村始建于清初，因村建在一条路的下方而取名。村东为河流，南为向阳村，西为白石凹村，东北为下流村。

该村坐落于山间谷地，村中的村后山，高 400 米。村南有高岗河（路下段），流经该村 1000 米。省道 252 线在该村东 3 千米，乡道与省道 252 线连接。相邻的村有向阳村、新村。

该村形成时属英德虎山乡，清嘉庆十八年（1813 年）属佛冈厅虎山乡，民国时期属佛冈县第二区观台乡，1949 年中华人民共和国成立时属佛冈县第二区观台乡，1958 年 10 月属从化县跃进（迳头）人民公社，1961 年 5 月属佛冈县高岗人民公社路下大队，1983 年 12 月属高岗区路下乡，1987 年 1 月属高岗镇路下行政村，1989 年 11 月属高岗镇路下管理区，1998 年 11 月属高岗镇路下行政村，2005 年 5 月属高岗镇高岗行政村至今。

世居村民为罗姓。据《佛冈罗氏族谱》记载，罗氏主万一郎定居长宁（新丰），后移居清远、英德边境（佛冈）谋生，并生下六子（福海、福广、福明、福万、福旺、福信）。路下村村民是罗福明后裔，清初从长宁（今新丰县）迁移至该地。

2015 年末，村有户籍人口 600 人，其中男性 290 人、女性 310 人。80 岁以上老人 30 人。最年长者 96 岁（女）。生活主要依靠农业收入有 350 人。常年在城镇生活和打工有 250 人，实际在村 350 人，其中留守儿童 40 人。有港澳台同胞 12 人。村民均为汉族，客家民系，使用客家方言。

该村有山地 219.07 公顷，耕地 9.93 公顷。林木资源有松树、杉树、柯树、樟树等树种。传

◎ 蔬菜种植（摄于 2016 年）

◎ 优质水稻收割（摄于 2016 年）

统经济以农业为主，主要种植水稻、玉米、花生、黄豆、蔬菜等。养殖鸡、鸭、鹅、猪、牛及 4 大家鱼（鲤鱼、草鱼、鲢鱼、鳙鱼）。中华人民共和国成立前，由于种植技术水平低下，丰产性能差，该村水稻一般亩产为 100 千克，农民只能维持简单的生活。中华人民共和国成立后，该村先后组织互助组、合作社，参加人民公社，逐步推广应用先进的农业生产技术，农业生产效益有较大的提高。20 世纪 60—70 年代，农村经济以生产队为基本核算单位时期，路下村办有碗厂，每年生产 120 多万只饭碗供应社会，产品销至广州、花县、番禺、从化、韶关、英德等地，较大地提高村民收入。80 年代起实行农村家庭联产承包责任制后，水稻一般亩产达到 400 千克，蔬菜种植也得到较快发展，农业经济效益有较大的提高。2000 年以后，大部分青壮年外出打工。同时，逐步调整农村经济结构，并积极发展水果产业。2013 年种植沙糖桔 8 公顷，年收入 60 万元。2013 年起改种火龙果等其他经济作物。村民主要收入来源为农业收入、

◎ 路下村文化室和篮球场（摄于 2016 年）

外出务工工资性收入。

传统食品有艾糍、糖环、角子、米饼等。

村于 20 世纪 70 年代通电，1997 年通电话，2007 年全村村道实现水泥硬底，2011 年年通自来水，2013 年通网络。村有路下小学，保留一、二两个年级，在校学生 38 人，教职工 3 人。村里有篮球场、文化室等。

传统民居现存 82 座。民居均两房一厅，民居内均有用木板、木柱撑起的阁楼。21 世纪初，村民陆续建起钢筋混凝土楼房，楼房均为两层。

◎ 村传统民居一角（摄于 2016 年）

村罗氏祖训（祝融公训子）：“不求金玉重重贵，但愿儿孙个个贤。人生天地，首重伦常；男女以正，婚姻以时。处己以肖悌忠信，接人以礼义廉耻。勿以权势凌人，勿以阴谋害人，勿以败德损己，勿以富荣傲人。”

传统节俗为春节、元宵节、清明节、四月八、端午节、中秋节、重阳节、冬至等。 正月十五元宵节该村有蒸发糕、做糍的习俗，以示庆贺春节圆满结束，转入新的一年农事活动，元宵节晚餐丰盛。节日气氛浓厚的还有端午节，各家各户包粽子纪念爱国诗人屈原，农户在门楣挂艾叶、菖蒲，点燃蚊香，以避邪逐恶，祈求保佑全家幸福安康。这一天青年人、小孩子到江河游泳，叫洗龙舟水，以祈消灾去祸，合家平安。

传统婚嫁习俗具有客家人的特点，有担小担、

担大担的风俗。即男方备齐礼物到女方家下聘礼订婚，称为担小担。男方备齐礼物到女方家接新娘，称为担大担。在新娘家，新郎新娘一起向新娘家长辈敬茶，长辈给新郎新娘新婚红包。接着新娘弟弟撑红雨伞送新娘出门，由新娘的亲朋好友伴送新娘到男家。在男家摆设的喜席上，新郎新娘共同向亲朋好友和来宾敬茶。长辈接过新婚茶后，有的即兴唱起山歌，有的说祝贺词。新办婚事仍保留有铺床、闹洞房的风俗。

发生丧事时，传统以土葬为主，其程序为举丧、入殓、出殡、送葬，将灵牌送入祠堂或厅下。不管是哪家的丧事，全村人都前去帮忙，打锣鼓、舞狮、放鞭炮是丧事的内容之一，由村民按分工各自负责。葬礼开始时，有人与逝者生辰八字相冲的，均不能出现在葬礼上，必须回避。开始下葬时，送葬的家人必须提前离开，离开时不能回头看，要等下葬完毕后再回去祭拜。1990 年以后，虽然逐步实行火葬，但安葬、拜祭等程序仍然保留。

解放战争时期，路下村的群众参加中共组织领导的游击队和民兵组织，开展对敌斗争。1947 年 8 月，英翁佛民主先锋队大队长李拔才率队进驻宝山、观音山等地，建立和恢复民兵组织，成立宝山、东坑、观音山、岗咀头、社岗下、格田、墩下、路下八个基干民兵中队，扣押何德敷（县参议员），封存何的存粮 1000 多石，实行“二五”减租。1966 年兴建路下水库。1967 年 1 月 16 日，路下水库仓库失火，引起雷管爆炸，烧毁工程指挥部及民工工棚。1975 年 5 月 18 日，村后背山地滑坡，造成 3 人死亡，30 间民房（450 平方米）被毁坏，直接经济损失 14.5 万元。1993 年，经清远市人民政府批准该村为解放战争游击根据地。

主要人物有：罗耀谋（1924—1948），革命烈士，北江先遣队佛冈人民义勇大队泰山中队战士，在攻打佛冈石龙战斗中牺牲。罗德兰，1947 年生，青年时参加中国人民解放军，转业后曾任广州市越秀区工商行政管理局党支书记。

（资料填报：邝卫华；初稿撰写：范方艳；总纂：李协湖）

桥头村

◎ 桥头村村貌（摄于 2016 年）

桥头村，位于高岗镇西北部，距镇政府 2 千米。该村始建于明正统五年（1440 年），从英德大镇迁白石乡（今佛冈迳头烟岭），明末至清初再搬迁到该址。因村庄位于路下河桥头而取名桥头村。相邻的村有岭排村、围湾村。

该村坐落群山之中，东为勾下村，南为山地，西为泥洋背村和围湾村，北为岭排村。乡道(路下村—省道 252 线)从南面村旁通过，路下河在村北面流过。

该村形成时属英德虎山乡，清嘉庆十八年（1813 年）属佛冈厅虎山乡，民国时期属佛冈县第二区观台乡，中华人民共和国成立时属佛冈县第二区观台乡，1958 年 10 月属从化县跃进（迳头）人民公社，1961 年 5 月属佛冈县高岗人民公社高岗大队，1983 年 12 月属高岗区高岗乡，1987 年 1 月属高岗镇高岗行政村，1989 年 11 月属高岗镇高岗管理区，1998 年 11 月属高岗镇高岗行政村至今。

世居村民有谢、罗两姓。谢氏，元末从福建迁移至广东连平，明正统五年（1440 年）桥头村先祖谢景圣后裔率领族人从英德大镇迁白石乡（今佛冈县迳头镇）迁移至该地。罗氏，明景泰年间（1450—1456 年）从中原迁移至广东南雄珠玑巷，后迁到新丰。罗万（即万一郎）为佛冈罗氏开基祖，其后裔明末至清初迁入该地。

2015 年末，该村有户籍人口 100 人，其中男性 60 人，女性 40 人。80 岁以上 5 人，最年长者 91 岁（罗先照，男）。生活主要依靠农业收入有 60 人。常年在城镇生活和打工有 40 人，实际在村居住 60 人，其中留守儿童 10 人。村民为汉族，客家民系，使用客家方言。

该村山多林密，自然资源丰富。林木资源有松树、杉树等树种。野生动物资源有斑鸠等飞禽类，还有

◎ 养牛场（摄于 2016 年）

蛇类等爬行动物。

该村有山地 29.13 公顷，耕地 5.87 公顷。传统经济以农业为主，主要种植水稻、玉米、花生、黄豆、蔬菜等。养殖鸡、鸭、鹅、猪、牛及 4 大家鱼（鲤鱼、草鱼、鲢鱼、鳙鱼）。种植花生是该村农业经济的重要来源。民国时期，花生油料产量极低，根本满足不了村民的生活需求。20 世纪 80 年代起，实行农村家庭联产承包责任制，花生亩产达到 200—250 千克（干荚）。同时，该村逐步调整农村经济结构，并积极发展水果产业。村民曾种植沙糖桔面积 4 公顷，年收入 30 万元。2013 年以后，由于受黄龙病的影响，产业消退，村民改种其他经济作物。2015 年，村民开始发展养牛业，用水田种植青饲料，起到发展经济的作用。村民主要收入来源为农业收入、外出务工工资性收入。

◎ 养牛饲料种植（摄于 2016 年）

传统食品有姜葱鸡、焖鹅、烧鸭、粽子、糕点。

该村 20 世纪 70 年代通电，80 年代通电话，

◎ 村传统民居一角（摄于 2016 年）

◎ 村伯公树（摄于 2016 年）

2007 年全村村道实现水泥硬底化。村中建有垃圾收集站。

传统民居现存约 20 座。传统客家民居均两房一厅，民居内均有用木板、木柱撑起的阁楼，存放生产生活用品。到 21 世纪，村民陆续建起钢筋混凝土楼房，楼房多为两层。

传统节俗为春节、元宵节、清明节、四月八、端午节、中秋节、重阳节、冬至等。清明节家家户户门口插桃叶以驱邪，采艾蒿做糍，并进行扫墓活动。村民不论老少，离家多远，都要赶回家祭祖，以示孝敬。节日气氛浓厚的还有中秋节。每逢中秋之夜，男女老少一起赏月，用月饼、柚子及石螺等食品拜月，热闹非常。随着生活水平的不断提高，村民对欢庆中秋节的习俗也越来越重视，在外地工作的本地籍人都尽量回家与家人团聚，共度佳节。每逢节日，村民除烧香拜神外，还到村伯公树叩拜，祈求平安。

传统婚嫁习俗延续“父母之命，媒妁之言”。男女婚嫁都要经过相亲、订婚、迎亲等程序。首先由媒人牵线，约男家的人去女家看人。若男家有意，即授意媒人向女方家长索取其女儿生辰八字，带回男家。男方家长请人卜算后，如男女“相生”，则男家叫媒人陪伴送礼去女家“报合”，如男女“相克”，则将女子生辰八字退回女家，婚事作罢。订婚的第一步是下定礼（俗称座茶或叫小担），即男方送定金、酒米、肉类给女方，表示合成婚事。商定成亲日期及礼金后，按照礼规进行过礼，由男方出具礼帖把礼物、聘金送给女方，

女方要回一份礼帖给男方。迎亲是男家叫算命先生择定结婚吉日，由媒人通知女方。届时男方的迎亲队伍带着礼帖、礼物，吹起八音，敲锣打鼓，抬着花轿到女家迎新娘（俗称迎亲）。女家把嫁妆、礼物随新娘一起送回男家（俗称送亲）。新娘到达男家后，举行拜堂仪式，随后送入洞房，闹洞房后迎亲仪式即告结束。中华人民共和国成立后，婚嫁习俗逐渐发生变化，婚事新办的风气越来越浓厚。

村民死后传统均以木棺土葬。死者未满 18 岁的只能用普通木料做棺材，竹杠抬，不上肩。死者在 60 岁以上的多有下列习俗：病人临去世前要移至厅堂或廊下。去世后由子孙日夜守孝，死者入殓前，子孙要到河里取水（俗称买水），为死者擦身、更衣，亲自入殓。出殡时，请巫师开路，吹响牛角，送殡队敲锣打鼓、燃放爆竹送行。埋葬死者后，孝子孝女等从坟上抓回一把黄土，并且同牵一条寿红（红布）由另一路线回家。葬后要为死者做“头七”“二七”“三七”的法事，神主牌送往祠堂入位，至此丧事才告完结。

罗氏宗祠与围湾村共建，宗祠在围湾村，始建于明末至清初，重建于 2004 年。宗祠坐北向南，是一座典型的客家祠堂。宗祠前方有两个醒狮，砖木结构，盖灰瓦，悬山顶，石墙脚，方砖铺地。祠堂头门门楣上刻有“罗氏宗祠”的字样。第二进有神台，头门门檐额木雕精美，花岗岩门框。

20 世纪 60 年代中期，村民参加高岗人民公社组织的全社造林大会战，在挂牌山种杉木 7 公顷。70 年代中期，建猪舍 25 间，集体养猪 60 头，开展养猪积肥一条龙活动。

（资料填报：邝卫华；初稿撰写：范志广；总纂：李协湖）

上坪村

◎ 上坪村村貌（摄于 2016 年）

上坪村，位于高岗镇西南部，距镇政府 8 千米。该村始建于明末，因从英德鱼湾分村聚居而形成。由于该村位于山间地坪的上部而取名上坪村。

该村坐落于丘陵地带，相邻的村是九曲坑村、大营村。村旁有观音山，高 1219 米。村西有冷饭潭溪，流经该村长 3000 米。乡道从上坪村至省道 252 线。

该村形成时属英德虎山乡，清嘉庆十八年（1813 年）属佛冈厅虎山乡，民国时期属佛冈县第二区观台乡，中华人民共和国成立时属佛冈县第二区观台乡，1958 年 10 月属从化县跃进（迳头）人民公社，1961 年 5 月属佛冈县高岗人民公社高岗大队，1983 年 12 月属高岗区高岗乡，1987 年 1 月属高岗镇高岗行政村，1989 年 11 月属高岗镇高岗管理区，1998 年 11 月属高岗镇高岗行政村至今。

世居村民为蓝姓。蓝姓，明初从福建上杭迁移至广东英德，明末从英德鱼湾迁移至该地。

2015 年末，村有户籍人口 110 人，其中男性 58 人、女性 52 人。80 岁及以上 1 人，88 岁（女）。户籍人口中，生活主要依靠农业收入有 40 人。常年在城镇生活和打工有 70 人，实际在村 40 人，其中留守儿童 2 人。村民均为汉族，客家民系，使用客家方言。

该村山多林密，自然资源丰富。林木资源有松树、杉树、柯树、樟树等树种。野生动物资源有野猪、黄猄等兽类和斑鸠等飞禽类，还有蛇类等爬行动物。

该村有山地 121.33 公顷，耕地 2.06 公顷。传统经济以农业为主，主要种植水稻、玉米、花生、黄豆、蔬菜等。养殖鸡、鸭、鹅、猪、牛及 4 大家鱼（鲤鱼、草鱼、鲢鱼、鳙鱼）。中华人民共和国成立初期，该村农业经济效益极低，农民只能维持简单的生活。到 20 世纪 80 年代初期农村实行联产

◎ 林木培育（摄于 2016 年）

◎ 香蕉生产（摄于 2016 年）

承包责任制起，水稻一般亩产为 400 千克，花生亩产 200—250 千克（干荚），蔬菜亩产 1000 千克，农业经济效益有较大的提高。2000 年以后，大部分青壮年外出务工，到深圳、珠海、广州市居多。在村村民积极发展水果产业，2013 年种植沙糖桔面积 4 公顷，产值 30 万元。2013 年以后，由于受黄龙病的影响，村民改种香蕉、培育林木苗等其他经济作物。村民主要收入来源为农业生产收入、外出务工工资性收入。

◎ 农具——犁头（摄于 2016 年）

春节食品有酿豆腐和客家脍肉。酿豆腐的做法是把豆腐切块并挖出小洞，再把腌制好的猪肉酿入豆腐里，最后将豆腐块用小火煎至金黄色，调味即可食用。客家脍肉的做法是将猪肉和各种佐料拌匀，装瓦钵放在锅里蒸熟，蒸熟的脍肉放在通风干爽的棚上藏好，以后每餐食用时再蒸一次即可食用。

◎ 村传统民居一角（摄于 2016 年）

该村于 1985 年通电，2000 年通电话，2008 年实现村道水泥硬底化，2012 年通自来水，2013 年通网络。

传统民居现存 30 座。民居为 2 门归厅或 4 门归厅的横排砖木结构民房，周围建有围水屋，以作厨房使用。房屋分为 2 层，用木板隔开，留有通道。第一层一般高 3 米，供人住宿为主；第二层堆放粮食、杂物等，方便生活。民居冬暖夏凉，居住舒适。2000 年以后，村民建设钢筋混凝土结构楼房，楼房底座面积 90 平方米，设施较完善。

村修有《蓝氏族谱》，2010 年 12 月由英德市鱼湾蓝氏理事会纂修。蓝氏族谱中有家训，其内容为：“敦孝悌，端士品。和宗族，睦乡邻。严律己，礼待人。讲仁义，重诚信。务正业，需勤奋。戒淫恶，循人伦。忌赌毒，要认真。上报国，下益民。”该村还修有《佛冈高岗石角蓝氏族谱》，2008 年 9 月由蓝兴接纂修。

传统节俗为春节、元宵节、清明节、四月八、端午节、中秋节、重阳节、冬至等。其中春节、清明节、端午节、中秋节为大节，其他为小节。该村有过四月八的习俗，此日近午时，村民便集中在山冈上祭拜无主山坟，晚上则在郊野祭幽灵，烧纸衣、冥钱，撒饭撒肉，鸣锣招引孤魂。中华人民共和国成立后，这种旧俗逐步消失，但村民仍保留在四月八做糍过节的习俗。节日气氛浓厚的还有清明节，家家户户门楣插柳枝和桃叶以驱邪，采艾（一种植物）做糍，名为艾糍，并进行扫墓活动。扫墓一般从清明前的春分起到农历四月初八日，扫墓期间在外地谋生做事的人都尽可能赶回去祭扫祖墓，不回去扫墓的人会遭到村人的责骂。

婚嫁习俗具有客家人的特点，其中担小担、担大担是客家人办婚事的流行风俗。即男方备齐礼物到女方家下聘礼订婚，称为担小担。男方备齐礼物到女方家接新娘，称为担大担。行结婚礼时，要摆酒请客、迎亲和送亲。在新娘家，新郎新娘一起向新娘家长辈敬茶，长辈给新郎新娘新婚红包。接着新娘弟弟撑红雨伞送新娘出门，由新娘的亲朋好友伴送新娘到男家。在男家摆设的喜席上，新郎新娘共同向亲朋好友和来宾敬茶。长辈接过新婚茶后，有的即兴唱起山歌，有的说祝贺词。喜席散后，亲友把新郎、新娘送入洞房，婚礼此时才告结束。

丧事习俗也具有客家人的特点。发生丧事时，传统以土葬为主，其程序为举丧、入殓、出殡、送葬，将灵牌送入祠堂或厅下。不管是哪家的丧事，全村人都前去帮忙，打锣鼓、舞狮、放鞭炮是丧事的内容之一，由村民按分工各自负责。办丧事期间只能煮白饭、花菜，黄豆煮猪肉等简单的饭菜。葬礼开始时，有人与逝者生辰八字相冲的，均不能出现在葬礼上，必须回避。开始下葬时，送葬的家人必须提前离开，离开时不能回头看，要等下葬完毕后再回去祭拜。1990 年以后，虽然逐步实行火葬，但安葬、拜祭等程序仍然保留。

1944 年，该村成立村耕种会（农会），并成立民兵组织，开展革命活动。1946 年，该村青年参加当地游击队，成为游击队据点之一。1947 年，该村青年参加英翁佛民主先锋大队。1948 年参加攻打高岗圩战斗。1949 年，该村民兵配合游击队截击国民政府联防队。1993 年，该村经清远市人民政府批准为解放战争游击根据地。

（资料填报：邝卫华；初稿撰写：黄韵怡；总纂：李协湖）

塘下村

◎ 塘下村村貌（摄于2016年）

塘下村，位于高岗镇中部偏西，距镇政府0.5千米。该村建于明初，因建村时地处一口水塘附近，故而取名塘下村。相邻的村有高岗村、岭下村、刘屋村。有省道252线从村旁东通过。

该村形成时属英德虎山乡，清嘉庆十八年（1813年）属佛冈厅虎山乡，民国时期属佛冈县第二区观台乡，中华人民共和国成立时属佛冈县第二区观台乡，1958年10月属从化县跃进（迳头）人民公社，1961年5月属佛冈县高岗人民公社高岗大队，1983年12月属高岗区高岗乡，1987年1月属高岗镇高岗行政村，1989年11月属高岗镇高岗管理区，1998年11月属高岗镇高岗行政村至今。

世居村民为林姓。林姓于宋末从福建迁移至广东南雄珠玑巷，明初从英德横石水迁移至该地。

2015年末，该村有户籍人口275人，其中男性152人、女性123人。80岁以上6人，最年长者83岁（男）。生活主要依靠农业收入的人120人。常年在城镇生活和打工有155人，实际在村居住120人，其中留守儿童15人。村民为汉族，客家民系，使用客家方言。

该村有山地15.87公顷，耕地10.13公顷。森林资源有松树、杉树等树种。传统经济以农业为主，主要种植水稻、玉米、花生、黄豆、蔬菜等。养殖鸡、鸭、鹅、猪、牛及4大家鱼（鲤鱼、草鱼、鲢鱼、鳙鱼）。养殖家禽是该村农业经济的重要组成部分。中华人民共和国成立前，家禽养殖成活率低，生长慢，经济效益极低。20世纪80年代起，该村大力发展家禽养殖业，实行规模化养殖，大专业户年出

◎ 芋头基地（摄于2015年）

售3万只鸡。同时，逐步调整农村经济结构，并积极发展水果产业，2005年开始种植沙糖桔，2013年以后，受黄龙病的影响，产业消退，村民改种其他作物。村民主要收入来源为农业收入、外出务工工资性收入。

传统食品有姜葱鸡、焖鹅、烧鸭、粽子、糕点。

传统节俗为春节、元宵节、清明节、四月八、端午节、中秋节、重阳节、冬至等。其中春节、清明节、端午节、中秋节为大节，其他为小节。农历五月初五日为端午节，又称“五月节”。各家各户包粽子纪念爱国诗人屈原，在门口挂艾叶、菖蒲等，以避邪逐恶。节日气氛浓厚的还有中秋节，每逢中秋之夜，男女老少一起赏月，用月饼、柚子及石螺等食品拜月，热闹非常。随着生活水平的不断提高，村民对欢庆中秋节的习俗也越来越重视，在外地工作的本地籍人都尽量回家与家人团聚，共度佳节。

该村于20世纪60年代通电，90年代通电话，2008年全村村道实现水泥硬底化，2010年通网络，2012年通自来水。2015年，辖区内有高岗中学，全校有3个年级，19个班，在校学生938人，教职工103人。

该村传统民居现存约20座。传统民居呈排状建成，均为砖木结构，青瓦盖顶。民居墙体多以石灰、砂、黄泥混合的“三合土”加石块舂成，有的用泥砖砌成。每座民居均两房一厅，民居内均有用木板、木柱撑起的阁楼，存放生产生活用品。21世纪初，村民陆

◎ 村传统民居一角（摄于2016年）

◎ 村新民居一角（摄于2016年）

续建起水泥钢筋混凝土楼房，楼房多为两层。

中华人民共和国成立前，男婚女嫁为“父母之命，媒妁之言”。男女婚嫁是终身大事，都要经过相亲、订婚、迎亲等程序。首先由媒人牵线，约男家的人去女家看人。若男家有意，即授意媒人向女方家长索取其女儿生辰八字，带回男家。男方家长请人卜算后，如男女“相生”，则男家叫媒人陪伴送礼去女家“报合”，如男女“相克”，则将女子生辰八字退回女家，婚事作罢。订婚的第一步是下定礼（俗称座茶或叫小担），即男方送定金、酒米、肉类给女方，表示合成婚事。商定成亲日期及礼金后，按照礼规进行过礼，由男方出具礼帖把礼物、聘金送给女方，女方要回一份礼帖给男方。男家叫算命先生择定结婚吉日，由媒人通知女方。届时男方的迎亲队伍带着礼帖、礼物，吹起八音，敲锣打鼓，抬着花轿到女家迎新娘（俗称迎亲）。女家把嫁妆、礼物随新娘一起送回男家（俗称送亲）。新娘到达男家后，举行拜堂仪式，随后送入洞房，闹洞房后迎亲仪式即告结束。中华人民共和国成立后，婚嫁习俗逐渐发生变化，婚事新办的风气越来越浓厚。

村民死后传统均以木棺土葬。死者未满18岁的只能用普通木料做棺材，竹杠抬，不上肩。死者在60岁以上的多有下列习俗：病人临去世前要移至厅堂或廊下。去世后由子孙日夜守孝，死者入殓前，子孙要到河里取水（俗称买水），为死者擦身、更衣，亲自入殓。出殡时，请巫师开路，吹响牛角，

送殡队敲锣打鼓、燃放爆竹送行。埋葬死者后，孝子孝女等从坟上抓回一把黄土，并且同牵一条寿红（红布）由另一路线回家。葬后要为死者做“头七”“二七”“三七”的法事，神主牌送往祠堂入位，至此丧事才告完结。1990年后逐步实行火葬。

◎ 林氏宗祠（摄于2016年）

该村林姓与高岗村林氏共用林氏宗祠，林氏宗祠面积100多平方米，坐西向东，是一座典型的客家祠堂，砖木结构，盖灰瓦，悬山顶，石墙脚，方砖铺地。祠堂头门石碑上刻有“林氏宗祠”的字样。第二进有神台，头门门檐额木雕精美，花岗岩门面，屋顶门楣处有灰塑草尾图案。2004年春，林氏得聪联谱理事会纂修一部《林氏族谱》，为塘下村民传家之宝。

20世纪60年代中期，村民参加高岗人民公社组织的全社造林大会战，在挂牌山种杉木5.67公顷。70年代中期开展养猪积肥一条龙活动，村集体养猪45头。1963年8月办起高岗农业中学，即高岗中学。

（资料填报：邝卫华；初稿撰写：宋敏明；总纂：李协湖）

田塅心村

◎ 田塅心村村貌（摄于 2016 年）

田塅心村，位于高岗镇西北部，距镇政府约 2 千米。该村始建于清初，从英德鱼湾分村迁入而形成，因村周围都是农田，故名田塅心村。相邻的自然村有：蓝屋村、梁屋村、下流村。

该村坐落在高岗丘陵地带，平均海拔 200 米左右。村中最高的山为石牙头山，高 200 米，村的东部有条高岗河，水自西向东流过该村，乡道（高岗村委至楼下）贯穿于该村。

清嘉庆十八年（1813 年）属佛冈厅虎山乡，民国时期属佛冈县第二区观台乡，中华人民共和国成立时属佛冈县第二区观台乡，1958 年 10 月属从化县跃进（迳头）人民公社，1961 年 5 月属佛冈县高岗人民公社高岗大队，1983 年 12 月属高岗区高岗乡，1987 年 1 月属高岗镇高岗行政村，1989 年 11 月属高岗镇高岗管理区，1998 年 11 月属高岗镇高岗行政村至今。

世居村民为蓝姓，蓝姓明朝从福建迁移至广东英德鱼湾，清初从英德鱼湾迁移至该地。

2015 年末，该村户籍人口 480 人，其中男性 253 人、女性 227 人。80 岁以上 73 人，最年长者年龄 93 岁（男）。生活主要依靠农业收入有 280 人。常年在城镇生活和打工有 200 人，实际在村 280 人，其中留守儿童 20 人。村民均为汉族，客家民系，使用客家方言。

该村有山地 8.67 公顷，耕地 13 公顷。传统经济以农业为主，主要种植水稻、玉米、花生、黄豆、蔬菜等。养殖鸡、鸭、鹅、猪、牛及 4 大家鱼（鲤鱼、草鱼、鲢鱼、鳙鱼）。生猪养殖是该村农业经济的重

◎ 蔬菜基地（摄于 2016 年）

◎ 蔬菜基地木瓜种植（摄于 2016 年）

◎ 裕后居（摄于 2016 年）

要来源。中华人民共和国成立前，由于养殖技术水平低下，丰产性能差，畜牧养殖成活率低，农民只能维持简单的生活水平。20 世纪 80 年代起，该村出现生猪养殖专业户，年出售 300 头生猪以上。村民自从有了生产自主权以后，积极发展种植业生产，引进蔬菜良种，推广先进的栽培技术，经济效益有较大幅度的提高。改革开放后，大部分村民外出务工，到深圳、东莞、广州居多。以入厂务工、服务业为主，村民主要收入来源农业生产收入、工资性收入、商业经营收入，人均年收入 1 万多元。

特色农产品主要有沙糖桔、红薯、粉葛、淮山等。传统食品有石磨酿豆腐和客家腍肉，为招待客人必备菜肴。酿豆腐的做法是把豆腐切块并挖出小洞，再把腌制好的猪肉酿入豆腐里，最后将豆腐块用小火煎至金黄色，调味即可食用。客家腍肉的做法是将猪肉和各种佐料拌匀，装瓦钵放在锅里蒸熟，蒸熟的腍肉放在通风干爽的棚上藏好，以后每餐食用时再蒸一次即可食用。

该村 1965 年通电，1995 年通电话，2010 年实现村道硬底化，同年通网络。

传统民居现存 45 座，均为两房一厅。民居内均有用木板、木柱撑起的阁楼，存放村民农业生产物品及一些日常生活用品。代表性民居为裕后居，建于民国时期，占地面积 1000 多平方米。主要建筑特色是门口大石板直通大厅，民居围绕大厅而建。21 世纪初，村民陆续建起了钢筋混凝土楼房，楼房均为两层，楼房内外装修实用，并留有停车位。

村内的蓝氏宗祠始建于民国年间，占地 100 多平方米，坐北向南，三间两廊两进、砖木结构。

传统节庆为春节、元宵节、清明节、四月八、端午节、中秋节、重阳节、冬至等。其中春节、清明、端午节、中秋节为大节，其他为小节。七月半 亦称盂兰节或鬼节。这天村民既拜祭神明，也祭祀祖宗。宋代末年元兵入侵，时值盂兰节前，为避元兵侵扰，村民提前一天祭祀祖宗。从此每年农历七月十四日过七月半，此习沿袭至今，村民仍保留在七月十四做糍过节的习俗。节日气氛浓厚的还有清明节，家家户户门楣插柳枝和桃叶以驱邪，采艾（一种植物）

做糍，名为艾糍，并进行扫墓活动。扫墓一般从清明前的春分起到农历四月初八日，扫墓期间在外地谋生做事的人都尽可能赶回去祭扫祖墓，不回去扫墓的人会遭到村人的责骂。

该村修有《蓝氏族谱》，由该姓氏族谱理事会于2009年8月编修。族谱记录了蓝姓村民的发展历程，为子孙后代留下宝贵遗产。

◎ 蓝氏宗祠（摄于2016年）

该村传统婚嫁庄重繁杂。男女开始交往时女家要到男家探家，结婚前男方需向女方家下聘礼，报日子、送聘金、定嫁妆。行结婚礼时，要摆酒请客，迎亲和送亲。迎亲过程尤为有趣：新郎先租七辆或九辆车作婚车装饰好。在新娘家，新郎新娘一起向新娘家长辈敬茶，长辈给新郎新娘新婚红包。接着新娘弟弟撑红雨伞送新娘出门，出门前新娘家人拿用红纸包成条状的硬币给新娘，新娘掰断并放入自己的口袋，新娘出门后不可回头望。新娘被接到新郎家后，还有开席宴客、新婚夫妇在席上散茶、亲友回赠红包、送一对新人入洞房等礼仪，这些礼仪完成后婚礼才结束。

村里发生丧事时，传统以土葬为主。其程序为举丧、入殓、出殡、送葬，将灵牌送入祠堂或厅下。办丧事期间只能煮白饭、花菜、黄豆煮猪肉等简单的饭菜。葬礼开始时，家里有人与逝者生辰八字相冲的，均不能出现在葬礼上，必须回避。开始下葬时，送葬的家人必须提前离开，离开时不能回头看，要等下葬完毕后再回去祭拜。1990年以后逐步实行火葬。

20世纪70年代中期村集体养猪65头，开展养猪积肥一条龙生产。

（资料填报：邝卫华；初稿撰写：宋敏明；总纂：李协湖）

羊村岗村

◎ 羊村岗村村貌（摄于 2016 年）

羊村岗村，位于高岗镇西部，距镇政府 3 千米。该村始建于明末至清初，羊村岗村先祖率领族人从新丰搬迁到该址。因建村时在山冈建有杨梅园，以谐音取名羊村岗村。

该村坐落群山之中，村东为泥洋背村，南为下楼村，西和北为山地。乡道（路下村—省道 252 线）从该村南面通过，有村道连接。路下河从该村东南面通过。路下水库在该村南面 1.5 千米处。相邻的村有泥洋背村、新村。

清嘉庆十八年（1813 年）属佛冈厅虎山乡，民国时期属佛冈县第二区观台乡，中华人民共和国成立时属佛冈县第二区观台乡，1958 年 10 月属从化县跃进（迳头）人民公社，1961 年 5 月属佛冈县高岗人民公社路下大队，1983 年 12 月属高岗区路下乡，1987 年 1 月属高岗镇路下行政村，1989 年 11 月属高岗镇路下管理区，1998 年 11 月属高岗镇路下行政村，2005 年 5 月属佛冈县高岗镇高岗行政村至今。

世居村民为罗姓。明景泰（1450—1456 年）初年罗氏先祖从中原迁移至广东南雄珠玑巷，后迁到新丰。罗万（即万一郎）为佛冈罗氏开基祖。其后裔于明末至清初迁入，定居在该址。

2015 年末，村有户籍人口 80 人，其中男性 50 人、女性 30 人。80 岁以上 3 人，最年长者 95 岁（女）。生活主要依靠农业收入的人口有 50 人。常年在城镇生活和打工的人口有 30 人，实际在村居住人口 50 人，其中留守儿童 5 人。村民为汉族，客家民系，使用客家方言。

村林木资源有松树、杉树、柯树、樟树等树种。野生动物资源有野猪、黄猄、斑鸠等。

该村有山地 164.73 公顷，耕地 4.06 公顷。传

◎ 花生种植（摄于 2016 年）

统经济以农业为主，主要种植水稻、玉米、花生、黄豆、蔬菜等。养殖鸡、鸭、鹅、猪、牛及4大家鱼（鲤鱼、草鱼、鲢鱼、鳙鱼）。中华人民共和国成立初期，该村农业经济效益极低，农民只能维持简单的生活。到20世纪80年代初期农村实行家庭联产承包责任制起，大部分青壮年村民外出打工，水稻一般亩产为400千克，花生亩产200—250千克（干荚），蔬菜亩产1000千克，农业经济效益有较大的提高。村民主要收入来源为农业收入、外出务工工资性收入。

传统食品有姜葱鸡、焖鹅、烧鸭、粽子、糕点。出名食品有酿豆腐和客家脍肉。酿豆腐的做法是把豆腐切块并挖出小洞，再把腌制好的猪肉酿入豆腐里，最后将豆腐块用小火煎至金黄色，调味即可食用。

◎ 羊村岗村前桥梁（摄于2016年）

该村20世纪70年代通电，2002年通公路，2007年全村实现水泥硬底化，2010年通电话。村中建有垃圾收集站，村前建桥梁一座。

传统民居现存15座，均为两房一厅。民居内均有用木板、木柱撑起的阁楼，存放村民农业生产物品及一些日常生活用品。21世纪初，村民陆续建起了钢筋混凝土楼房，楼房均为两层，内外装修实用，并留有停车位。

该村宗祠与围湾等村共用，建在围湾村。宗祠始建于明末至清初，重建于2004年。宗祠坐北向南，是一个典型的客家祠堂。宗祠前方有两个醒狮，砖木结构，盖灰瓦，悬山顶，石墙脚，方砖铺地。祠堂头门门楣上刻有“罗氏宗祠”的字样。第二进有神台，头门门檐额木雕精美，花岗岩门框，屋顶门

◎ 羊村岗村民居（摄于2016年）

楣处有灰塑草尾图案。族谱有《佛冈罗氏族谱》，由佛冈罗氏族谱编委会编，族谱内容翔实，记录了佛冈罗氏发展史。

传统节俗为春节、元宵节、清明节、四月八、端午节、中秋节、重阳节、冬至等。其中春节、清明节、端午节、中秋节为大节，其他为小节。农历八月十五日为中秋节，或叫团圆节。清明节，家家户户门楣插柳枝和桃叶以驱邪，采艾（一种植物）做糍，名为艾糍，并进行扫墓活动。扫墓一般从清明前的春分起到农历四月初八日，扫墓期间在外地谋生做事的人都尽可能赶回去祭扫祖墓，不回去扫墓的人会遭到村人的责骂。

传统婚嫁习俗具有客家人的特点，有担小担、担大担的风俗。迎亲当日，新郎在亲友的陪同下到女家接新娘。新娘接回来后，在男家摆设的喜席上，新郎新娘共同向亲朋好友和来宾敬茶。新办婚事仍保留有铺床、闹洞房的风俗。

发生丧事时，传统以土葬为主，其程序为举丧、入殓、出殡、送葬，将灵牌送入祠堂或厅下。不管是哪家的丧事，全村人都前去帮忙，打锣鼓、舞狮、放鞭炮是丧事的内容之一，由村民按分工各自负责。葬礼开始时，有人与逝者生辰八字相冲的，均不能出现在葬礼上，必须回避。开始下葬时，送葬的家人必须提前离开，离开时不能回头看，要等下葬完毕后再回去祭拜。1990年以后，虽然逐步实行火葬，但安葬、拜祭等程序仍然保留。

（资料填报：邝卫华；初稿撰写：范志广；总纂：李协湖）

下楼村

◎ 下楼村村貌（摄于 2016 年）

下楼村，位于高岗镇西部，距镇政府 5 千米。该村始建于明末至清初，下楼村先祖率领族人从新丰搬迁到该址。因该村地理位置在路下中心村下方，故而取名下楼村。1976 年，村民因担心路下水库决堤，又搬迁到原址斜对面半山上。相邻的村有羊村岗村、泥洋背村。

该村坐落群山之中，东为泥洋背村，南为路下村，西为白石凹村，北为洋村岗村。乡道（路下村—省道 252 线）经过该村，路下河在村东面。

清嘉庆十八年（1813 年）属佛冈厅虎山乡，民国时期属佛冈县第二区观台乡，中华人民共和国成立时属佛冈县第二区观台乡，1958 年 10 月属从化县跃进（迳头）人民公社，1961 年 5 月属佛冈县高岗人民公社路下大队，1983 年 12 月属高岗区路下乡，1987 年 1 月属高岗镇路下行政村，1989 年 11 月属高岗镇路下管理区，1998 年 11 月属高岗镇路下行政村至今。

世居村民为罗姓。明景泰初年罗氏先祖从中原迁移至广东南雄珠玑巷，后迁到新丰。罗万（即万一郎）为佛冈罗氏开基祖。其后裔于明末至清初迁入，定居在该址。

2015 年末，该村有户籍人口 304 人，其中男性 177 人、女性 127 人。80 岁以上 9 人，最年长者 87 岁（男）。生活主要依靠农业收入的人口有 214 人。常年在城镇生活和打工的人口有 90 人，实际在村居住人口 214 人，其中留守儿童 20 人。村民为汉族，客家民系，使用客家方言。

该村有山地 67 公顷，耕地 7.53 公顷。传统经济以农业为主，主要种植水稻、玉米、花生、黄豆、蔬菜等。养殖鸡、鸭、鹅、猪、牛及 4 大家鱼（鲤

◎ 连片辣椒种植（摄于 2016 年）

◎ 花生种植（摄于 2016 年）

◎ 传统民居（摄于 2016 年）

鱼、草鱼、鲢鱼、鳙鱼）。中华人民共和国成立前，由于种植技术水平低下，丰产性能差，该村水稻一般亩产为 100 千克，农民只能维持简单的生活。中华人民共和国成立后，该村先后组织互助组、合作社，参加人民公社，逐步推广应用先进的农业生产技术，农业生产效益有较大的提高。20 世纪 60—70 年代，农村经济以生产队为基本核算中单位时期，该村村办有碗厂，每年生产 33 万只饭碗供应社会，产品销往广州、花县、英德、翁源等地。80 年代起实行农村联产承包责任制后，水稻一般亩产达到 400 千克，农业经济效益有较大的提高。同时，逐步调整农村经济结构，并积极发展蔬菜水果产业。2013 年该村种植沙糖桔面积 8 公顷，年收入 60 万元。村民主要收入来源为农业收入、外出务工工资性收入。

传统食品有姜葱鸡、焖鹅、烧鸭、粽子、糕点。出名食品有酿豆腐和客家腍肉。酿豆腐的做法是把豆腐切块并挖出小洞，再把腌制好的猪肉酿入豆腐里，最后将豆腐块用小火煎至金黄调味即可食用。

◎ 沙糖桔果园（摄于 2015 年）

客家腍肉的做法是将猪肉和各种佐料拌匀，装瓦钵放在锅里蒸熟，蒸熟的腍肉放在通风干爽的棚上藏好，以后每餐食用时再蒸一次即可食用。

该村于 20 世纪 70 年代通电，2007 年全村实现水泥硬底化，2010 年通电话，2013 年通网络。村中建有垃圾收集站。

村传统民居现存约 40 座，均为两门归厅（正座）、两房一厅。民居内均有用木板、木柱撑起的阁楼，存放生产生活用品。到 21 世纪，村民陆续建起钢筋水泥混凝土楼房，楼房多为两层。

传统的节俗为春节、元宵节、清明节、四月八、端午节、中秋节、重阳节、冬至等。其中春节、清明、端午节、中秋节为大节，其他为小节。村民有重阳登高转运的习俗，登高地点多为较高山峰，小孩则以放风筝取乐。国家把重阳节定为敬老节后，村中老人的儿孙很多回家与老人团聚，以示敬老。节日气氛浓厚的还有清明节，家家户户门楣插柳枝和桃叶以驱邪，采艾（一种植物）做糍，名为艾糍，并进行扫墓活动。扫墓一般从清明前的春分起到农历四月初八日，扫墓期间在外地谋生做事的人都尽可能赶回去祭扫祖墓，不回去扫墓的人会遭到村人的责骂。

该村的传统婚嫁庄重繁杂。男女开始交往时女家要到男家探家，结婚前男方需向女方家下聘礼，报日子、送聘金、定嫁妆。行结婚礼时，要摆酒请客，迎亲和送亲。迎亲过程尤为有趣：新郎先租七辆或九辆车作婚车装饰好。在新娘家，新郎新娘一起向新娘家长辈敬茶，长辈给新郎新娘新婚红包。男家把新娘接回家后，新娘向男家长辈敬茶，然后到喜席处向在座的亲友敬茶，亲友也回赠红包。该村的喜席在上菜前一般放有花生、枣子、糖果之类的小吃，寓意“早生贵子”“生活甜蜜”。喜席菜色大多是九菜一汤，寓意“十全十美”。喜席散后，新人进入洞房，这时婚事才告结束。

村中发生丧事时，传统以土葬为主。其程序为举丧、入殓、出殡、送葬，将灵牌送入祠堂或厅下。办丧事期间只能煮白饭、花菜、豆腐煮猪肉等简单的饭菜。葬礼有相冲之说，有人与逝者生辰八字相冲的，均不能出现在葬礼上，必须回避。开始下葬时，送葬的家人必须提前离开，离开时不能回头看，要等下葬完毕后再回去祭拜。1990 年以后逐步实行火葬。

村的罗氏宗祠与围湾村共建，宗祠建在围湾村，始建于明末至清初，重建于 2004 年。宗祠坐北向南，是一个典型的客家祠堂。宗祠前方有两个醒狮，砖木结构，盖灰瓦，悬山顶，石墙脚，方砖铺地。祠堂头门门楣上刻有“罗氏宗祠”的字样。第二进有神台，头门门檐额木雕精美，花岗岩门框，屋顶门楣处有灰塑草尾图案。

1975 年，因避免路下水库溃堤，威胁群众生命财产的安全，经村民的反复讨论决定，全村迁至该址。

该村的罗荣思（1909—1975），是当地有名的瓷器传承人，其瓷器技艺在当地远近闻名，曾带领村民大做瓷器，瓷器远销全国各地，受到群众一致好评。

（资料填报：邝卫华；初稿撰写：范志广；总纂：李协湖）

下流村

◎ 下流村村貌（摄于2016年）

下流村，位于高岗镇中部偏西，距离高岗镇政府0.6千米。该村始建于明末，从从化分村聚居而形成。因最先迁入村民姓氏为刘姓，以谐音取名下流村。村东为凹下村，南为耕地，西为勾下村，北为田塅心村。相邻的村有高岗村、凹下村、勾下村。

该村坐落于丘陵地带，村背后山，高200米。省道252线在村东面1千米处通过，有乡道（省道252线—路下村）通过该村。村北面有高岗河流过。

该村形成时属英德虎山乡，清嘉庆十八年（1813年）属佛冈厅虎山乡，1946年属佛冈县第二区观台乡，中华人民共和国成立时属佛冈县第二区观台乡，1958年10月属从化县跃进（迳头）人民公社，1961年5月属佛冈县高岗人民公社高岗大队，1983年12月属高岗区高岗乡，1987年1月属高岗镇高岗行政村，1989年11月属高岗镇高岗管理区，1998年11月属高岗镇高岗行政村至今。

世居村民为张、李、刘姓。张姓，明初从福建丰州迁移至广东，明末从附近冈咀头村、月坑村迁移至该地。李姓，明初从福建迁移至广东，明末从附近下王坑村（今）迁移至该地。刘姓，明初从福建上杭迁移至广东，明末从从化分村迁移至该地。

2015年末，村有户籍人口275人，其中男性140人、女性135人。80岁及以上5人，最年长者97岁（女）。户籍人口中，生活主要依靠农业收入的有115人。常年在城镇生活和打工的有160人，实际在村人口115人，其中留守儿童10人。村民均为汉族，客家民系，使用客家方言。

该村有山地44.87公顷，耕地10.47公顷。传统经济以农业为主，主要种植水稻、玉米、花生、黄豆、蔬菜等。养殖鸡、鸭、鹅、猪、牛及4大家

◎ 村民养鸭场（摄于2016年）

鱼（鲤鱼、草鱼、鲢鱼、鳙鱼）。种植花生是该村农业经济的重要来源。民国时期，花生油料产量极低，根本满足不了村民的生活需求。20世纪80年代起，实行农村联产承包责任制，花生亩产达到200—250千克（干荚）。2000年以后，大部分青壮年外出务工，到深圳、珠海、广州市居多。同时，该村逐步调整农村经济结构，并积极发展水果产业。2013年，该村种植沙糖桔面积5.33公顷，年收入40万元。2013年以后，受黄龙病的影响，产业消退，村民改养家禽及改种李子等其他经济作物。村民主要收入来源为农业生产收入、外出务工工资性收入。

◎ 村水产养殖场（摄于2016年）

春节食品有酿豆腐和客家脍肉。酿豆腐的做法是把豆腐切块并挖出小洞，再把腌制好的猪肉酿入豆腐里，最后将豆腐块用小火煎至金黄色，调味即可食用。客家脍肉的做法是将猪肉和各种佐料拌匀，装瓦钵放在锅里蒸熟，蒸熟的脍肉放在通风干爽的棚上藏好，以后每餐食用时再蒸一次即可食用。

该村1975年通电，1999年通电话，2000年实现村道水泥硬底化，2012年通自来水。

传统民居为长方形客家围屋，现存28座。民居为2门归厅或4门归厅的横排砖木结构民房，周围建有围水屋，以作厨房使用。村外围修建牛棚、猪舍、鸡窝等，人畜分离，保持人居环境卫生整洁。房屋分为2层，用木板隔开，留有通道。第一层一般高3米，供人住宿为主；第二层堆放粮食、杂物等，方便生活。民居冬暖夏凉，居住舒适。2000年以后，村民多建

◎ 村传统民居一角（摄于2016年）

◎ 村新民居一角（摄于2016年）

成钢筋混凝土结构楼房。

村修有《中国张氏族谱》（与高岗张氏合编），2011年12月由张芳恒纂修。张氏族谱中有张氏家训“四字经”十则：“继承祖德，忠孝国家，孝敬父母，和蔼兄弟，慎结婚姻，礼教子女，友睦族邻，勤为职业，崇尚节俭，禁戒非为。”

该村张氏宗族与本镇新联冈咀头村张氏宗族共同祭拜张氏宗祠，张氏宗祠位于新联冈咀头村。

◎ 张氏宗祠（摄于2016年）

传统的节俗为春节、元宵节、清明节、四月八、端午节、中秋节、重阳节、冬至等。其中春节、清明节、端午节、中秋节为大节，其他为小节。冬至，该村俗称“过冬”。这个节日意味着一年农事已做完，全家应欢聚吃一顿丰盛晚餐表示庆贺。这一天，村民各家各户做糍，打米饼，劏鸡杀鸭，欢度节日。节日气氛浓厚的还有端午节，各家各户包粽子纪念爱国诗人屈原，农户在门楣挂艾叶、菖蒲，点燃蚊香，以避邪逐恶，祈求保佑全家幸福安康。这一天青年人、小孩子到江河游泳，叫洗龙舟水，以祈消灾去祸，合家平安。

传统男婚女嫁为“父母之命，媒妁之言”。男女婚嫁是终身大事，都要经过相亲、订婚、迎亲等程序。首先由媒人牵线，约男家的人去女家看人。若男家有意，即授意媒人向女方家长索取其女儿生辰八字，带回男家。男方家长请人卜算后，如男女“相生”，则男家叫媒人陪伴送礼去女家“报合”，如男女“相克”，则将女子生辰八字退回女家，婚事作罢。订婚的第一步是下定礼（俗称座茶或叫小担），即男方送定金、酒米、肉类给女方，表示合成婚事。商定成亲日期及礼金后，按照礼规进行过礼，由男方出具礼帖把礼物、聘金送给女方，女方要回一份礼帖给男方。男家叫算命先生择定结婚吉日，由媒人通知女方。届时男方的迎亲队伍带着礼帖、礼物，吹起八音，敲锣打鼓，抬着花轿到女家迎新娘（俗称迎亲）。女家把嫁妆、礼物随新娘一起送回男家（俗称送亲）。新娘到达男家后，举行拜堂仪式，随后送入洞房，闹洞房后迎亲仪式即告结束。中华人民共和国成立后，婚嫁习俗逐渐发生变化，婚事新办的风气越来越浓厚。

村民死后传统均以木棺土葬。死者未满 18 岁的只能用普通木料做棺材，竹杠抬，不上肩。死者在 60 岁以上的多有下列习俗：病人临去世前要移至厅堂或廊下。去世后由子孙日夜守孝，死者入殓前，子孙要到河里取水（俗称买水），为死者擦身、更衣，亲自入殓。出殡时，请巫师开路，吹响牛角，送殡队敲锣打鼓、燃放爆竹送行。埋葬死者后，孝子孝女等从坟上抓回一把黄土，并且同牵一条寿红（红布）由另一路线回家。葬后要为死者做“头七”“二七”“三七”的法事，神主牌送往祠堂入位，至此丧事才告完结。1990 年后逐步实行火葬。

明永乐二十二年（1424 年），经李姓人反复沟通，从下王坑迁至该村。

（资料填报：邝卫华；初稿撰写：黄韵怡；总纂：李协湖）

新建村

◎ 新建村村貌（摄于 2016 年）

新建村，位于高岗镇西南部，距镇政府 4 千米。该村始建于 1968 年，因建设路下水库移民到该地新建村，故取名新建村。新建村坐落在群山中，有村道连接该村至省道 252 线。相邻的村有冈咀头村、刘屋村。

1968 年该村形成时属高岗人民公社路下大队，1983 年 12 月属高岗区路下乡，1987 年 1 月属高岗镇路下行政村，1989 年 11 月属高岗镇路下管理区，1998 年 11 月属高岗镇路下行政村，2005 年 5 月属高岗镇高岗行政村至今。

世居村民为罗姓。罗氏，明景泰初年从中原迁移至广东南雄珠玑巷，后迁到新丰。罗万（即万一郎）为佛冈罗氏开基祖，其后裔明末至清初随后迁入后，1968 年再从路下村分迁至该地。

2015 年末，该村有户籍人口 70 人，其中男性 39 人、女性 31 人。80 岁以上 2 人。最年长者 88 岁（罗稳，男）。生活主要依靠农业收入有 10 人。常年在城镇生活和打工有 60 人，实际在村居住 10 人，其中留守儿童 5 人。村民为汉族，客家民系，使用客家方言。

该村有山地 59 公顷，耕地 5.2 公顷。传统经济以农业为主，主要种植水稻、玉米、花生、黄豆、蔬菜等。养殖鸡、鸭、鹅、猪、牛及 4 大家鱼（鲤鱼、草鱼、鲢鱼、鳙鱼）。蔬菜种植是该村经济的重要组成部分。实行农村家庭联产承包责任制前，蔬菜只在村民自留地种植，村民自己食用。20 世纪 80 年代农村全面实施家庭联产承包责任制后，积极开展多种经营，该村大力发展蔬菜种植业；大部分青壮年村民外出打工。村民主要收入来源为农业收入、外出务工工资性收入。

◎ 村民的蔬菜种植（摄于 2016 年）

传统食品有姜葱鸡、焖鹅、烧鸭、粽子、糕点。出名食品有酿豆腐和客家脍肉。酿豆腐的做法是把豆腐切块并挖出小洞，再把腌制好的猪肉酿入豆腐里，最后将豆腐块用小火煎至金黄调味即可食用。客家脍肉的做法是将猪肉和各种佐料拌匀，装瓦钵放在锅里蒸熟，蒸熟的脍肉放在通风干爽的棚上藏好，以后每餐食用时再蒸一次即可食用。

该村20世纪70年代通电，90年代通电话，2013年通自来水。因村所在地偏僻，全村未实现村道水泥硬底化，交通不便。

传统民居现存15座，均为2层，用木板隔开，留有通道。第一层一般高3米，供人住宿为主；第二层堆放粮食、杂物等，方便生活。民居冬暖夏凉，居住舒适。

◎ 村传统民居一角（摄于2016年）

传统节俗为春节、元宵节、清明节、四月八、端午节、中秋节、重阳节、冬至等。春节是送旧迎新的大节，从农历十二月二十三日“小年夜”起，家家户户打扫庭院，炸油角、做米饼、炸糖环、蒸

◎ 新建村伯公树（摄于2016年）

年糕，给小孩添新衣、新鞋、玩具。到年三十，村民张贴门神、对联，吃团年饭。这一餐有意把鱼剩下，表示连年有余（鱼）。这天晚上，长者要给小孩红包，名曰压岁钱。村民有守岁的习惯，到晚上12点，鸣放鞭炮，迎接新年来临。年初三为送穷日，每家打扫卫生，把新年以来积聚的垃圾送到野外，烧香烧纸，焚烧垃圾，供品有米饼、糖环等。这一天是为忌日，一般不探亲访友。年初四为回门日，新婚男子携妻子去拜访岳父岳母。节日气氛浓厚的还有端午节。端午节各家各户包粽子纪念爱国诗人屈原，农户在门楣挂艾叶、菖蒲，点燃蚊香，以避邪逐恶，祈求保佑全家幸福安康。这一天青年人、小孩子到江河游泳，叫洗龙舟水，以祈消灾去祸，合家平安。

◎ 传统食品艾糍（摄于2016年）

村传统婚嫁庄重繁杂。男女开始交往时女家要到男家探家，结婚前男方需向女方家下聘礼，报日子、送聘金、定嫁妆。行结婚礼时，要摆酒请客，迎亲和送亲。迎亲过程尤为有趣：新郎先租七辆或九辆车作婚车装饰好。结婚当天，新郎带着亲朋好友坐上婚车到新娘家接新娘。新娘的姐妹朋友关门阻止新郎进入新娘家。新郎需要用红包开路，并请亲朋好友帮助接新娘。在新娘家，新郎新娘一起向新娘

家长辈敬茶，长辈给新郎新娘新婚红包。接着新娘弟弟撑红雨伞送新娘出门，出门前新娘家人拿用红纸包成条状的硬币给新娘，新娘掰断并放入自己的口袋，新娘出门后不可回头望。男家把新娘接回家后，即开席宴客，新郎、新娘在席上向亲友敬茶，亲友也回赠红包。喜席散后，亲友把新郎、新娘送入洞房，婚礼才告结束。

村里发生丧事时，传统以土葬为主。其程序为举丧、入殓、出殡、送葬，将灵牌送入祠堂或厅下。办丧事期间只能煮白饭、花菜、黄豆煮猪肉等简单的饭菜。葬礼开始时，家里有人与逝者生辰八字相冲的，均不能出现在葬礼上，必须回避。开始下葬时，送葬的家人必须提前离开，离开时不能回头看，要等下葬完毕后再回去祭拜。1990 年以后逐步实行火葬。

该村与围湾村共用罗氏宗祠，建在围湾村。罗氏宗祠重修于 2004 年，坐北向南，是一个典型的客家祠堂。宗祠前方有两个醒狮，砖木结构，盖灰瓦，悬山顶，石墙脚，方砖铺地。祠堂头门石碑上刻有“罗氏宗祠”的字样。第二进有神台，头门门檐额木雕精美，花岗岩门面，屋顶门楣处有灰塑草尾图案。

该村修有《佛冈罗氏族谱》，2000 年 6 月由罗家源纂修。新建村罗氏祖训（祝融公训子）：“不求金玉重重贵，但愿儿孙个个贤。人生天地，首重伦常；男女以正，婚姻以时。处己以肖悌忠信，接人以礼义廉耻。勿以权势凌人，勿以阴谋害人，勿以败德损己，勿以富荣傲人。”

1944 年，该村（在迁建前的原村庄）成立村耕种会（农会），并成立民兵组织，开展革命活动。1946 年，该村青年参加当地游击队，成为游击队据点之一。1947 年，该村青年参加英翁佛民主先锋大队。1948 年参加攻打高岗圩战斗。1949 年，该村民兵配合游击队截击国民党联防队。1993 年，经清远市人民政府批准为解放战争游击根据地。

（资料填报：邝卫华；初稿撰写：宋敏明；总纂：李协湖）

○高镇行政村

大 围

◎ 大围村貌（摄于 2016 年）

大围，位于高岗镇南部，距镇政府 6.5 千米。该村明末至清初由新丰迁入该址。因村庄面积大、人口多，因而取名叫大围。

该村坐落于丘陵地带。村东面为京港澳高速公路、省道 252 线，南为山地，西为建龙下村，北为县道和门口坝河。门口坝河流经整个村庄。县道（龙潭下村—省道 252 线）经过该村，有村道连接。相邻的自然村有横江村和高镇村。

该村形成时属英德观音乡，清嘉庆十八年（1813 年）属佛冈厅观音乡，民国期间属佛冈县第二区观台乡，中华人民共和国成立时属佛冈县第二区观台乡，1958 年 10 月属从化县跃进（迳头）人民公社高镇大队，1961 年 5 月属佛冈县高岗人民公社高镇大队，1983 年 12 月属高岗区高镇乡，1987 年 1 月属高岗镇高镇行政村，1989 年 11 月属高岗镇高镇管理区，1998 年 11 月属高岗镇高镇行政村至今。

世居村民为李姓。李姓明初从福建迁广东英德、新丰。明洪熙元年（1425 年）李福智先迁至新丰遥田，明末至清初迁至英德县观音乡（今佛冈县高岗镇）该址。

2015 年末，村有户籍人口 800 人，其中男性 464 人、女性 336 人。80 岁以上老人 14 人，最年长者 102 岁（男）。生活主要依靠农业收入有 600 人。常年在城镇生活和打工有 200 人，实际在村居住 600 人。祖籍该村的香港同胞 10 人。村民均为汉族，客家民系，使用客家方言。村民之间互相尊重，互相理解和包容，不因小事吵架斗殴或反目成仇，保持着和邻睦族的民风。

该村山多林密，自然资源丰富。林木资源有松树、杉树、柯树、樟树等树种。野生动物资源有野猪、黄猄、斑鸠、眼镜蛇等。还有注册为“清龙源”品牌的矿泉水，品质优良。

该村有山地 166.87 公顷，耕地 27.8 公顷。传统经济是农业产业，主要粮食作物有水稻、番薯等；经济作物有花生、果树、蔬菜等。牧业有养殖鸡、鸭、鹅、猪、牛；林业主要是植树造林、封山育林和林

◎ 村民养殖肉鸭（摄于 2015 年）

木采伐。2000 年以后，大部分青壮年外出打工，外出务工为工资性收入。2013 年种植沙糖桔面积 53.3 公顷，年收入 400 万元。后由于受黄龙病的影响，产业消退，村民改种火龙果等其他作物。

传统食品有客家腍肉、酿豆腐、白切鸡、紫苏鸭、艾糍、粽子、糖环、油角、米饼等。名优产品为高岗米酒。高岗米酒选用当地大米为原料，制法是先将大米淘洗干净煮熟饭后放凉，至 35℃—40℃时拌松，再拌入酒曲水，然后用水缸或酒瓮装好，储藏在比较温和的地方发酵 15 天即可，一般蒸取量为 0.5 千克大米制 0.4 千克米酒。

◎ 村传统民居一角（摄于 2016 年）

该村于 1979 年通电，1992 年通电话，2008 年通自来水，2011 年用网络，2014 年全村村道实现水泥硬底化。2015 年，该村有高镇小学，设 6 个年级共 8 个班，在校学生 285 人，教职工 13 人。校内设有幼儿班 2 个，学生 74 人，教职工 2 人。

传统民居为长方形客家围屋，现存 122 座。民居以建设若干 2 门归厅的横排砖木结构民房，周围建有围水屋，以作厨房使用。房屋分为 2 层，用木板隔开，留有通道。第一层一般高 3 米，供人住宿为主；第二层堆放粮食、杂物等，方便生活。民居冬暖夏凉，居住舒适。代表性民居为司马第，面积近 1000 平方米。2000 年以后，村民建设钢筋混凝土结构的楼房，楼房占地面积 85 平方米。

该村现存宗祠有受宗公祠和李绍公祠两座。受

◎ 民居司马第（摄于 2016 年）

◎ 受宗公祠（摄于 2016 年）

◎ 李绍公祠（摄于 2016 年）

宗公祠建于村庄中心位置，属于整个高镇行政村李姓的总宗祠。宗祠建于明末至清初，坐南向北，是一个典型的客家祠堂。宗祠为砖木结构，盖灰瓦，悬山顶，石墙脚，水泥铺地。祠堂门上雕刻有“受宗公祠”的字样。李绍公祠位于村庄西面，属于高镇大围、塘肚村、岗背村和官厅村的李氏分宗祠，建于清后期。宗祠坐南向北，廊门坐东向西。宗祠内设一个院子，入门右边有四间房屋，其中一间为拜神的地方，一间为厨房，两间为接待休息的地方。

传统的节俗为春节、元宵节、清明节、四月八、端午节、中秋节、重阳节、冬至等。该村在正月十五元宵节有蒸发糕、做糍的习俗，以示庆贺春节圆满结束，转入新的一年农事活动。节日气氛浓厚的还有清明节，家家户户门楣插柳枝和桃叶以驱邪，采艾（一种植物）做糍，名为艾糍，并进行扫墓活动。扫墓一般从清明前的春分起到农历四月初八日，扫墓期间在外地谋生做事的人都尽可能赶回去祭扫祖墓，不回去扫墓的人会遭到村人的责骂。

传统男婚女嫁为“父母之命，媒妁之言”。农村存有抱养穷人家女童做童养媳、未生男孩的人家抱养“等郎妹”的习俗。男女婚嫁是终身大事，都要经过相亲、订婚、迎亲等程序。首先由媒人牵线，约男家的人去女家看人。若男家有意，即授意媒人向女方家长索取其女儿生辰八字，带回男家。男方家长请人卜算后，如男女“相生”，则男家叫媒人陪伴送礼去女家“报合”，如男女“相克”，则将女子生辰八字退回女家，婚事作罢。订婚的第一步是下定礼（俗称座茶或叫小担），即男方送定金、酒米、肉类给女方，表示合成婚事。商定成亲日期及礼金后，按照礼规进行过礼，由男方出具礼帖把礼物、聘金送给女方，女方要回一份礼帖给男方。迎亲是男家叫算命先生择定结婚吉日，由媒人通知女方。届时男方的迎亲队伍带着礼帖、礼物，吹起八音，敲锣打鼓，抬着花轿到女家迎新娘（俗称迎亲）。女家把嫁妆、礼物随新娘一起送回男家（俗称送亲）。新娘到达男家后，举行拜堂仪式，随后送入洞房，闹洞房后迎亲仪式即告结束。中华人民共和国成立后，婚嫁习俗逐渐发生变化，婚事新办的风气越来越浓厚。

村民死后传统均以木棺土葬。死者未满18岁的只能用普通木料做棺材，竹杠抬，不上肩。死者在60岁以上的多有下列习俗：病人临去世前要移至厅堂或廊下。去世后由子孙日夜守孝，死者入殓前，子孙要到河里取水（俗称买水），为死者擦身、更衣，亲自入殓。出殡时，请巫师开路，吹响牛角，送殡队敲锣打鼓、燃放爆竹送行。埋葬死者后，孝子孝女等从坟上抓回一把黄土，并且同牵一条寿红（红布）由另一路线回家。葬后要为死者做“头七”“二七”“三七”的法事，神主牌送往祠堂入位，至此丧事才告完结。1990年后逐步实行火葬。

1945年上半年，该村动员青年参加中共组织领导的抗日队伍——北江支队独立第一大队。解放战争时期，该村组建民兵组织，参加观音山游击队，会同观音山地区的革命武装，共同抗击国民政府军队对观音山革命根据地的扫荡和围剿。1957年10月，该村经韶关公署批准为抗日战争游击区。2009年2月，按照县、镇的安排，在东坑、寨下、大围3个村庄征地兴建广东国防交通应急保障第一基地高岗油站，当月动工建设。油站位于省道252线旁，占地13公顷，于2015年建成营运。油站的建成，为该村的发展提供了基础条件。

村民具有良好的生活习惯，村巷整洁，建立垃圾清运制度，保持着文明清洁的居住环境。

该村主要人物有：李宗纯，1915年12月生，1927年父母双亡，靠帮他人放牛为生。积极参加革命活动，1947年末，他负责通知游击队安全转移到宝洁岭。1948年，他参与护送游击队伤员到观音山游击区、二度河。1949年初部队在挂牌一带活动时，积极响应游击队捐衣捐粮号召，他主动捐出家中的大米和芋头干。后来南下大军经过佛冈时，他护送粮食到大陂支前委员会。佛冈解放后，李宗纯积极参加土改工作，大围村成立独立大队时，任治保主任，负责划分阶级工作，工作积极，于1958年12月加入中国共产党。2016年健在，成为当地德高望重的百岁老人。

（资料填报：李继先；初稿撰写：张小洁；总纂：李协湖）

高镇村

◎ 高镇村村貌（摄于 2016 年）

高镇村（包括建下龙住宅区），位于高岗镇南部，距镇政府 5 千米。该村始建于明末，由新丰迁入聚居而形成。因该村地势高，故取名高镇村。相邻的村有高镇村、吊中岭村。

该村坐落于丘陵地带，主要山岭有过排山，高 82 米。省道 252 线在村东面 1 千米处通过，有县道（省道 252 线—龙潭下）经过该村。村旁有条高岗河（高镇段），流经该村 2000 米。主要水塘有河虾塘和山塘。该村东为大围，南为山地，西为吊中岭村，北为高榜村。

该村形成时属英德县观音乡，清嘉庆十八（1813 年）年属佛冈厅观音乡，民国时期属佛冈县第二区观台乡，中华人民共和国成立后属佛冈县第二区观台乡，1958 年 10 月属从化县佛冈片跃进（迳头）人民公社高镇大队，1961 年 5 月属高岗人民公社高镇大队，1983 年 12 月属高岗区高镇乡，1987 年 1 月属高岗镇高镇行政村，1989 年 11 月属高岗镇高镇管理区，1998 年 11 月属高岗镇高镇行政村至今。

世居村民为李姓。据《佛冈李氏族谱》记载，明洪熙元年（1425 年），李福智由闽入粤，为李氏入粤太始祖（一世祖），二世祖由祖婆曾氏携带途经江西，到广东省英德县白沙帽岭村落户。后裔部分迁至长宁县（今新丰县）遥田社坑定居，部分迁至英德县观音乡（今佛冈县高岗镇）该址居住。

2015 年末，村有户籍人口 599 人，其中男性 280 人、女性 319 人。80 岁以上 11 人，最年长者 93 岁（女）。生活主要依靠农业收入有 376 人。常年在城镇生活和打工有 223 人，实有居住 376 人，其中留守儿童 39 人。村民均为汉族，客家民系，使用客家方言。

该村属南亚热带湿润气候，又属大陆性季风气候，热量丰富，雨量充沛，无霜期长，一年四季可种作物。山地多，土层深厚，宜林、宜牧、宜果、宜茶、宜药。

该村有山地 261.17 公顷，耕地 30.06 公顷。传统经济以农业为主，主要种植水稻、玉米、花生、黄豆、蔬菜等。养殖鸡、鸭、鹅、猪、牛。林业主要是封山育林和林木采伐。随着农业经济结构调整，村民种植的果树逐步形成规模。2013 年种植沙糖桔面积 8 公顷，年收入 210 万元。2013 年以后，由于受黄龙病的影响，产业消退，村民改种百香果等其他作物。

传统食品有客家脍肉、酿豆腐、艾糍、粽子、发糕、糖环、油角、米饼等。

该村于1985年通电，2002年通电话，村道2007年实现水泥硬底化，2009年通自来水，2013年通网络。2015年，村建有乡村公园一个，内有篮球场、羽毛球场各一个，健身器材一批，农家书屋一间，是村民的重要文体活动场所。

◎ 高镇村文化室（摄于2016年）

◎ 高镇村乡村公园（摄于2016年）

传统民居为长方形客家屋，现存126座。民居为2门归厅的横排砖木结构民房，周围建有围水屋，以作厨房使用。村外围修建牛棚、猪舍、鸡窝等，人畜分离，保持人居环境卫生整洁。房屋分为2层，用木板隔开，留有通道。第一层一般高3米，供人住宿为主；第二层堆放粮食、杂物等，方便生活。民居冬暖夏凉，居住舒适。2000年以后，村民建设钢筋混凝土结构楼房，建筑占地面积80平方米。

该村现有宗祠1座，名为李榕公祠，建于2014年，

◎ 村传统民居一角（摄于2016年）

◎ 村新民居一角（摄于2016年）

占地面积30平方米。宗祠碑刻有李榕公祠简介和捐资芳名榜，记录捐资建祠的热心人士。主要楹联为："榕裔繁衍世代昌，公德祖业永兴隆"。横批"龙腾凤达"

传统节俗为春节、元宵节、清明节、四月八、

◎ 李榕公祠外观（摄于2016年）

端午节、中秋节、重阳节、冬至等。清明节家家户户门口插桃叶以驱邪，采艾蒿做糍，并进行扫墓活动。村民不论老少，离家多远，都要赶回家祭祖，以示孝敬。节日气氛浓厚的还有端午节，各家各户包粽子纪念爱国诗人屈原，农户在门楣挂艾叶、菖蒲，点燃蚊香，以避邪逐恶，祈求保佑全家幸福安康。这一天青年人、小孩子到江河游泳，叫洗龙舟水，以祈消灾去祸，合家平安。

传统婚嫁庄重繁杂。男女开始交往时女家要到男家探家，结婚前男方需向女方家下聘礼，报日子、送聘金、定嫁妆。行结婚礼时，要摆酒请客，迎亲和送亲。迎亲过程尤为有趣：新郎先租七辆或九辆车作婚车装饰好。结婚当天，新郎带着亲朋好友坐上婚车到新娘家接新娘。新娘的姐妹朋友关门阻止新郎进入新娘家。新郎需要用红包开路，并请亲朋好友帮助接新娘。在新娘家，新郎新娘一起向新娘家长辈敬茶，长辈给新郎新娘新婚红包。接着新娘弟弟撑红雨伞送新娘出门，出门前新娘家人拿用红纸包成条状的硬币给新娘，新娘掰断并放入自己的口袋，新娘出门后不可回头望。新娘被接到新郎家后，经过喜席宴客、新婚夫妇敬茶、亲友送新人入洞房等仪式，婚礼才算结束。

村里发生丧事时，传统以土葬为主。其程序为举丧、入殓、出殡、送葬，将灵牌送入祠堂或厅下。办丧事期间只能煮白饭、花菜、黄豆煮猪肉等简单的饭菜。葬礼开始时，有人与逝者生辰八字相冲的，均不能出现在葬礼上，必须回避。开始下葬时，送葬的家人必须提前离开，离开时不能回头看，要等下葬完毕后再回去祭拜。1990年以后逐步实行火葬。

1947—1948 年，国民党军队曾火烧高镇村，全村房屋几乎全被烧毁。1957 年 10 月，经韶关公署批准该村为抗日游击区。1963 年，政府出资重建村庄，新建房屋。1987 年，该村配合县交通部门修建道路，将原山间小路改建为县道 829 线（高岗横江—龙潭下），改善交通条件。

主要人物有：李功树（1902—1948），革命烈士，北江先遣支队佛冈人民义勇大队泰山中队战士，在攻打佛冈石龙战斗中牺牲。李承贵（1911—1947），高岗民兵，革命烈士，在反“围剿”战斗中被俘遇害。李继成（1914—1947），高岗民兵，革命烈士，在反“围剿”战斗中被俘遇害。李宗相（1916—1947），高岗民兵，革命烈士，在反围剿战斗中被俘遇害。李宗剩（1918—1933），英东鱼湾农民协会会员，革命烈士，在高岗被捕遇害。李启恭（1927—1948），北江先遣支队英翁佛民主先锋大队中岳中队副排长，革命烈士，在攻打佛冈石龙战斗中牺牲。李功安（1918—2015），1938 年参加抗日宣传活动，1948 年 4 月任中共北江支队三山大队北一支队中队长，参加过多次战斗。1984 年批准为南雄县粮食局离休干部，正处级。何静文（1919—2008），李功安妻。1938 年参加抗日宣传活动，1948 年 4 月任中共北江支队三山大队北一支队中队卫生员，参加过多次战斗。1984 年批准为南雄县粮食局离休干部。李汉兴，1926 年 7 月生，1948 年 4 月为北江支队三山大队华山中队队员，原佛冈县粮食局离休干部。李伯飘，1959 年 12 月生，佛冈县佛冈中学政治中学高级教师。1978 年 7 月参加工作，曾任班主任、政教处主任、副校长等职。所创建的“讨论法、导学法、自主性学习法”等教学模式得到专家的好评。自 2000 年至今，担任高三级政治教学工作，努力进行教育创新，高质量地完成教学任务，历年高考考生上专科线达 100%。所写的《导学法在政治课教学中的运用》在广东省《继续教育》杂志发表。2003 年荣获“广东省南粤优秀山区教师”称号，2004 年荣获“全国优秀教师”称号，2004 年荣获“全国优秀中小学德育课教师”称号。

（资料填报：李启仟；初稿撰写：罗卓凡；总纂：李协湖）

吊中岭村

◎ 吊中岭村村貌（摄于 2016 年）

吊中岭村，位于高岗镇南部，距镇政府 7 千米。该村始建于民国初期，由附近大围分村聚居而形成。因该村西面靠近中（钟）岭山，远看像个吊钟，故取名吊中岭村。

村坐落于山间谷地，村东为高镇村，南为大坝村，西、北为山地。县道（高镇—龙潭下村）经过该村，接省道 252 线有村道连接。主要山岭有中岭山，高 330 米。

民国初期村庄形成后属佛冈县第二区观台乡，中华人民共和国成立后属佛冈县第二区观台乡，1958 年 10 月属从化县佛冈片跃进（迳头）人民公社高镇大队，1961 年 5 月属高岗人民公社高镇大队，1983 年 12 月属高岗区高镇乡，1987 年 1 月属高岗镇高镇行政村，1989 年 11 月属高岗镇高镇管理区，1998 年 11 月属高岗镇高镇行政村至今。

世居村民为李姓。据《佛冈李氏族谱》记载，李姓先祖明初从福建迁至广东英德、新丰。明洪熙元年（1425 年）李福智迁至新丰遥田，后迁至英德观音乡（今佛冈高岗），民国初期从高岗大围迁移至该村。

2015 年末，村有户籍人口 218 人，其中男性 128 人、女性 90 人。80 岁以上 6 人，最年长者年龄 87 岁（女）。生活主要依靠农业收入有 166 人。常年在城镇生活和打工有 52 人，实际在村居住 166 人，其中留守儿童 40 人。村民均为汉族，客家民系，使用客家方言。

该村林木资源有松树、杉树、柯树、樟树等树种。野生动物资源有野猪、黄猄等兽类和斑鸠等飞禽类，还有眼镜蛇（俗称锅铲头）等爬行动物。

该村有山地 207.33 公顷，耕地 6 公顷。传统经济以农业为主，主要种植水稻、玉米、花生、黄豆、

◎ 花生种植（摄于 2016 年）

蔬菜等。养殖鸡、鸭、鹅、猪、牛及4大家鱼（鲤鱼、草鱼、鲢鱼、鳙鱼）。中华人民共和国成立初期，该村农业经济效益极低，农民只能维持简单的生活。到20世纪80年代初期农村实行联产承包责任制起，水稻亩产提高到400千克，花生亩产200—250千克（干荚），农业经济效益有较大的提高。2000年以后，随着农村经济产业的调整，积极发展果树种植产业，2013年种植沙糖桔面积20公顷，年收入150万元。2013年以后，由于受黄龙病的影响，产业消退，村民改种百香果、火龙果等其他作物。2016年，大部分青壮年外出打工。

传统食品有客家脍肉、酿豆腐、艾糍、糯米糍、粽子、糖环等，特色农产品有茶油。

该村于20世纪80年代通电，2000年通电话，2007年村道实现水泥硬底化，2009年通自来水，2014年通网络。

传统民居为长方形客家围屋，现存25座。民居主要是2门归厅的横排砖木结构民房，周围建有围水屋，以作厨房使用。村外围修建牛棚、猪舍、鸡窝等，人畜分离，保持人居环境卫生整洁。房屋分为2层，用木板隔开，留有通道。第一层一般高3米，供人住宿为主；第二层堆放粮食、杂物等，方便生活。民居冬暖夏凉，居住舒适。2000年以后，村民建设钢筋混凝土结构楼房，占地面积80平方米，装修比较实用。

◎ 村民居一角（摄于2016年）

村中有水口庙，是村民拜神祈求福佑的地方，于2013年重修。

◎ 水口庙（摄于2016年）

传统节俗为春节、元宵节、清明节、四月八、端午节、中秋节、重阳节、冬至等。其中春节、清明节、端午节、中秋节为大节，其他为小节。该村有过四月八的习俗，此日近午时，村民便集中在山冈上祭拜无主山坟，晚上则在郊野祭幽灵，烧纸衣、冥钱，撒饭撒肉，鸣锣招引孤魂。中华人民共和国成立后，这种旧俗逐步消失，但村民仍保留在四月八做糍过节的习俗。节日气氛浓厚的还有中秋节。每逢中秋之夜，男女老少一起赏月，用月饼、柚子及石螺等食品拜月，热闹非常。随着生活水平的不断提高，村民对欢庆中秋节的习俗也越来越重视，在外地工作的本地籍人都尽量回家与家人团聚，共度佳节。

中华人民共和国成立前，男婚女嫁为“父母之命，媒妁之言”。农村以前存有抱养穷人家女童做童养媳、未生男孩的人家抱养“等郎妹”的习俗。男女婚嫁是终身大事，都要经过相亲、订婚、迎亲等程序。首先由媒人牵线，约男家的人去女家看人。若男家有意，即授意媒人向女方家长索取其女儿生辰八字，带回男家。男方家长请人卜算后，如男女“相生”，则男家叫媒人陪伴送礼去女家“报合”，如男女“相克”，则将女子生辰八字退回女家，婚事作罢。订婚的第一步是下定礼（俗称座茶或叫小担），即男方送定金、酒米、肉类给女方，表示合成婚事。商定成亲日期及礼金后，按照礼规进行过礼，由男方出具礼帖把礼物、聘金送给女方，女方要回一份礼帖给男方。男家叫算命先生择定结婚吉日，由媒人通知女方。届时男方的迎亲队伍带着礼帖、礼物，吹起八音，敲锣打鼓，抬着花轿到女家迎新娘（俗称迎亲）。女家把嫁妆、礼物随新娘一起送回男家（俗称送亲）。新娘到达男家后，举行拜堂仪式，随后送入洞房，闹洞房后迎亲仪式即告结束。中华人民共和国成立后，婚嫁习俗逐渐发生变化，婚事新办的风气越来越浓厚。

中华人民共和国成立前，村民死后均以木棺土葬。死者未满18岁的只能用普通木料做棺材，竹杠抬，不上肩。死者在60岁以上的多有下列习俗：病人临去世前要移至厅堂或廊下。去世后由子孙日夜守孝，死者入殓前，子孙要到河里取水（俗称买水），为死者擦身、更衣，亲自入殓。出殡时，请巫师开路，吹响牛角，送殡队敲锣打鼓、燃放爆竹送行。埋葬死者后，孝子孝女等从坟上抓回一把黄土，并且同牵一条寿红（红布）由另一路线回家。葬后要为死者做“头七”“二七”“三七”的法事，神主牌送往祠堂入位，至此丧事才告完结。1990年以后，虽然逐步实行火葬，但有些程序仍然保留。

1945年，中共地下党在该片活动，动员该村青年参加中共组织领导的抗日队伍——北江支队独立第一大队。解放战争时期，该村组建民兵组织，参加观音山游击队，会同观音山地区的革命武装，共同抗击国民党军队对观音山革命根据地的扫荡和围剿。1957年10月，该村经韶关公署批准为抗日战争游击区。20世纪60年代中期，村劳动力参加高岗人民公社组织的县社造林大会战，在挂牌公路沿途山上种杉木5.67公顷。

该村的李日新，1952年5月生，曾任中共佛冈县纪律检查委员会副书记。

（资料填报：李启仟；初稿撰写：罗卓凡；总纂：李协湖）

东坑村

◎ 东坑村村貌（摄于 2016 年）

东坑村，位于高岗镇南部，距镇政府 7 千米。该村始建于明中期，由新丰移民聚居而形成。据说，村东边有个水坑，所以取名为东坑村。

村坐落于山区地带，村东、南为山地，西为省道 252 线，北为江背村。京港澳高速公路、省道 252 线在村旁通过。相邻的村有寨下村、江背村。

该村形成时属英德观音乡，清嘉庆十八年（1813 年）属佛冈厅观音乡，民国时期属佛冈县第二区观台乡，中华人民共和国成立时属佛冈县第二区观台乡，1958 年 10 月属从化县跃进（迳头）人民公社，1961 年 5 月属佛冈县高岗人民公社东坑大队，1983 年 12 月属高岗区东坑乡，1987 年 1 月属高岗镇东坑行政村，1989 年 11 月属高岗镇东坑管理区，1998 年 11 月属高岗镇东坑行政村，2005 年 5 月属高岗镇高镇行政村至今。

世居村民为李姓，明初从福建迁移至广东英德、新丰，明中期从新丰迁移至该址。

2015 年末，村有户籍人口 610 人，其中男性 319 人、女性 291 人。80 岁以上老人 32 人，最年长者 90 岁（女）。生活主要依靠农业收入有 210 人。常年在城镇生活和打工有 400 人，实际在村居住 210 人，其中留守儿童 52 人。村民均为汉族，客家民系，使用客家方言。

该村山多林密，自然资源丰富。林木资源有松树、杉树、柯树、樟树等树种。野生动物资源有野猪、黄猄、斑鸠、眼镜蛇等。

该村有山地 167.67 公顷，耕地 21.27 公顷。传统经济以农业为主，粮食作物主要种植水稻、番薯。经济作物种植蔬菜、果树。牧业主要养殖鸡、鸭、鹅、猪、牛等家畜。渔业主要是鱼苗繁育、蓄水养鱼。林业以造林、育林和林木采伐为主。并逐步调整农村经济结构，大力发展果树种植产业。

传统食品有筷压糍、糖环、酿豆腐、粽子、艾糍、腊鸭、腊肠等。

该村 1983 年通电，2011 年实现村道水泥硬底化，2013 年通电话、通网络。2015 年，有东坑教学点幼儿班，学生 35 人，教师 2 人（原为东坑小学）。

传统民居为长方形客家围屋，现存 45 座。民居为 2 门归厅或 4 门归厅的横排砖木结构民房，周围建有围水屋，以作厨房使用。房屋分为 2 层，用木

◎ 东坑教学点（摄于2016年）

◎ 村民居一角（摄于2016年）

板隔开，留有通道。第一层一般高3米，供人住宿为主；第二层堆放粮食、杂物等，方便生活。民居冬暖夏凉，居住舒适。2000年以后，村民建设钢筋混凝土结构楼房，建筑占地面积80平方米，布局为三房一厅、一厨房一卫生间，装修比较实用。

传统节俗为春节、元宵节、清明节、四月八、端午节、中秋节、重阳节、冬至等。其中春节、清明节、端午节、中秋节为大节，其他为小节。过端午节，又称“五月节”，各家各户包粽子纪念爱国诗人屈原，在门口桂艾叶、菖蒲等，以避邪逐恶。还有少年儿童到江河游泳，叫洗龙舟水，减少儿童得病的概率。节日气氛浓厚的还有清明节，家家户户门楣插柳枝和桃叶以驱邪，采艾（一种植物）做糍，名为艾糍，并进行扫墓活动。扫墓一般从清明前的春分起到农历四月初八日，扫墓期间在外地谋生做事的人都尽可能赶回去祭扫祖墓，不回去扫墓的人会遭到村人的责骂。

◎ 东坑村李氏宗祠（摄于2016年）

村中建有李氏宗祠，始建于清初，2004年重修。宗祠青砖墙，盖灰瓦，砖木结构。

村婚嫁习俗有担小担、担大担。即男方备齐礼物到女方家下聘礼订婚，称为担小担。男方备齐礼物到女方家接新娘，称为担大担。行结婚礼时，要摆酒请客、迎亲和送亲。结婚当天，新郎带着亲朋好友坐上婚车到新娘家接新娘。新娘的姐妹朋友关门阻止新郎进入新娘家。新郎需要用红包开路，并请亲朋好友帮助接新娘。在新娘家，新郎新娘一起向新娘家长辈敬茶，长辈给新郎新娘新婚红包。接着新娘弟弟撑红雨伞送新娘出门，由新娘的亲朋好友伴送新娘到男家。在男家摆设的喜席上，新郎新娘共同向亲朋好友和来宾敬茶。长辈接过新婚茶后，有的即兴唱起山歌，有的说祝贺词。此外，该村办婚事仍保留铺床、闹洞房的风俗。

村发生丧事时，传统以土葬为主，其程序为举丧、入殓、出殡、送葬，将灵牌送入祠堂或厅下。不管是哪家的丧事，全村人都前去帮忙，打锣鼓、舞狮、放鞭炮是丧事的内容之一，由村民按分工各自负责。办丧事期间只能煮白饭、花菜、黄豆煮猪肉等简单的饭菜。葬礼有相冲之说，有人与逝者生辰八字相冲的，均不能出现在葬礼上，必须回避。开始下葬时，送葬的家人必须提前离开，离开时不能回头看，要等下葬完毕后再回来祭拜。1990年以后，虽然逐步实行火葬，但有些程序仍然保留。

◎ 东坑村一角（摄于 2016 年）

解放战争时期，该村组建民兵组织，参加观音山游击队，会同观音山地区的革命武装，共同抗击国民党军队对观音山革命根据地的扫荡和围剿。1947 年 8 月，英翁佛民主先锋队大队长李拔才率队进驻宝山、观音山等地，建立和恢复民兵组织，成立东坑村基干民兵中队，实行“二五”减租，扣押何德敷（县参议员），封存何的存粮 1000 多石。20 世纪 60 年代中期，村民参加高岗人民公社组织的县社造林大会战，公路沿途山上种杉木 4.33 公顷。70 年代初，开展“农业学大寨”运动，该村平整土地 1.33 公顷，开荒造田 1 公顷。1993 年，该村经清远市人民政府批准为解放战争游击根据地。2009 年 2 月，按照县、镇的安排，在东坑、寨下、大围 3 个村庄征地兴建广东国防交通应急保障第一基地高岗油站，当月动工建设。油站位于省道 252 线旁，占地 13.33 公顷，于 2016 年建成营运。

村民有着光荣的革命传统，许多人士不顾个人安危走上革命道路，有的为了中华人民共和国的解放事业献出了年轻的生命。主要有：李演图（1900—1951），曾先后任佛冈县教育科科长、连县县长、佛冈县第二区区长。李功铁（1927—1948），北江先遣支队英翁佛民主先锋大队中岳中队战士，革命烈士，在英德三山病故。李宗可（1929—1949），北江第一支队二团二营旋风连（华山中队）战士，革命烈士，在社岗下战斗中牺牲。

（资料填报：李启仟；初稿撰写：黄菁菁；总纂：李协湖）

江背村

◎ 江背村村貌（摄于 2016 年）

江背村，位于高岗镇南部，距镇政府 6 千米。该村始建于明中期，由新丰移民聚居而形成。

该村坐落于山区地带，村东为山地，南为黄花冚村，西为京港澳高速公路和省道 252 线，北为山。相邻的村有寨下村、东坑村。

该村建成时属英德观音乡，清嘉庆十八年（1813 年）属佛冈厅观音乡，民国时期属佛冈县第二区观台乡，中华人民共和国成立时属佛冈县第二区观台乡，1958 年 10 月属从化县跃进（迳头）人民公社，1961 年 5 月属佛冈县高岗人民公社东坑大队，1983 年 12 月属高岗区东坑乡，1987 年 1 月属高岗镇东坑行政村，1989 年 11 月属高岗镇东坑管理区，1998 年 11 月属高岗镇东坑行政村，2005 年 5 月属高岗镇高镇行政村至今。

世居村民为李姓，明初从福建迁移至广东英德、新丰，明中期从新丰迁移至该村。

2015 年末，村有户籍人口 212 人，其中男性 110 人、女性 102 人。80 岁以上老人 12 人，最年长者 83 岁（女）。生活主要依靠农业收入有 102 人。常年在城镇生活和打工的有 112 人，实际在村居住 102 人，其中留守儿童 35 人。村民均为汉族，客家民系，使用客家方言。

该村山多林密，自然资源丰富。林木资源有松树、杉树、柯树、樟树等树种。野生动物资源有野猪、黄猄等兽类和斑鸠等飞禽类，还有眼镜蛇（俗称锅铲头）等爬行动物。

该村有山地 206.6 公顷，耕地 8 公顷。传统经济以农业为主，主要种植水稻、玉米、花生、黄豆、

◎ 花生种植（摄于 2016 年）

蔬菜等。养殖鸡、鸭、鹅、猪、牛及4大家鱼（鲤鱼、草鱼、鲢鱼、鳙鱼）。种植花生是该村农业经济的重要来源。民国时期，花生油料产量极低，根本满足不了村民的生活需求。20世纪80年代起，实行农村家庭联产承包责任制，农业基础设施逐步完善，中小河流整治效果明显。花生亩产达到200—250千克（干荚）。同时，该村逐步调整农村经济结构，并积极发展水果产业。

传统食品有糖环、粽子、艾糍、油糍、腊鸭、腊肠等。美食有酿豆腐和客家脸肉。酿豆腐的做法是把豆腐切块并挖出小洞，再把腌制好的猪肉酿入豆腐里，将豆腐块用小火煎至金黄色，调味即可食用。客家脸肉的做法是将猪肉和各种佐料拌匀，装瓦钵放在锅里蒸熟，蒸熟的脸肉放在通风干爽的棚上，以后每餐食用时再蒸一次即可食用。

该村于1985年通电，2005年通电话、通网络，2008年实现村道水泥硬底化。

传统民居为长方形客家围屋，现存45座。民居为2门归厅或4门归厅的横排砖木结构民房，周围建有围水屋，以作厨房使用。村外围修建牛棚、猪舍、鸡窝等，人畜分离，保持人居环境卫生整洁。房屋分为2层，用木板隔开，留有通道。第一层一般高3米，供人住宿为主；第二层堆放粮食、杂物等，方便生活。民居冬暖夏凉，居住舒适。2000年以后，村民建设钢筋混凝土结构的楼房，建筑占地面积80平方米，布局为三房一厅、一厨房一卫生间，装修比较实用。

◎ 村中小河流整治（摄于2015年）

◎ 村传统民居一角（摄于2016年）

传统的节俗为春节、元宵节、清明节、四月八、端午节、中秋节、重阳节、冬至等。其中春节、清明节、端午节、中秋节为大节，其他为小节。该村有过七月半的习俗，称这天为鬼节，也是祭祀祖宗的节日。相传宋代末年元兵入侵，时值盂兰节前，为避元兵侵扰，村民提前一天祭祀祖宗。从此每年农历七月十四日过七月半，此习沿袭至今。节日气氛浓厚的还有端午节，各家各户包粽子纪念爱国诗人屈原，农户在门楣挂艾叶、菖蒲，点燃蚊香，以避邪逐恶，祈求保佑全家幸福安康。这一天青年人、小孩子到江河游泳，叫洗龙舟水，以祈消灾去祸，合家平安。

婚嫁习俗具有客家人的特点，其中担小担、担大担是客家人办婚事的传统风俗。即男方备齐礼物到女方家下聘礼订婚，称为担小担。男方备齐礼物到女方家接新娘，称为担大担。行结婚礼时，要摆酒请客、迎亲和送亲。在新娘家，新郎新娘一起向新娘家长辈敬茶，长辈给新郎新娘新婚红包。接着新娘弟弟撑红雨伞送新娘出门，由新娘的亲朋好友伴送新娘到男家。在男家摆设的喜席上，新郎新娘共同向亲朋好友和来宾敬茶。长辈接过新婚茶后，有的即兴唱起山歌，有的说祝贺词。此外，该村办婚事仍保留铺床、闹洞房的风俗。

村民死后传统以土葬为主，其程序为举丧、入殓、出殡、送葬，将灵牌送入祠堂或厅下。不管是哪家的丧事，全村人都前去帮忙，打锣鼓、舞狮、放鞭炮是丧事的内容之一，由村民按分工各自负责。办丧事期间只能煮白饭、花菜，黄豆煮猪肉等简单的饭菜。葬礼开始时，家里有人与逝者生辰八字有相冲的均不能出现在葬礼上，必须回避。开始下葬时，送葬的家人必须提前离开，离开时不能回头看，要等下葬完毕后再回来祭拜。1990 年以后，虽然逐步实行火葬，但安葬、拜祭等程序仍然保留。

解放战争时期，该村组建民兵组织，参加观音山游击队，会同观音山地区的革命武装，共同抗击国民党军队对观音山革命根据地的扫荡和围剿。20 世纪 70 年代初，开展“农业学大寨”运动，该村平整土地 1.33 公顷，开荒造田 0.67 公顷。1993 年 3 月，经清远市人民政府批准该村为解放战争游击根据地。

村民养成文明守法的村风民风，制订村民公约，提倡村民讲文明，讲道德，讲卫生，保持村容村貌文明整洁。于2015年6月，该村被评为广东省卫生村。

◎ 广东省卫生村牌匾（摄于 2016 年）

该村的李功样，1947 年生，曾为广东工业大学教授。

（资料填报：李启仟；初稿撰写：黄菁菁；总纂：李协湖）

龙潭下村

◎ 龙潭下村村貌（摄于 2016 年）

龙潭下村，位于高岗镇南部，距镇政府 9.5 千米。该村始建于民国初期，由附近大围移民聚居而形成。因该村靠近观音山龙潭瀑布，故取名龙潭下村。

该村坐落于山间谷地，东是山地，西北与罗石村相邻。主要山岭有观音山，高 1219 米。县道（省道 252 线—龙潭下村）经过该村。村北有观音山溪。相邻的村有罗石村、竹山下村。

该村形成时属佛冈县第二区观台乡，中华人民共和国成立后属佛冈县第二区观台乡，1958 年 10 月属从化县佛冈片跃进（迳头）人民公社，1961 年 5 月属高岗人民公社高镇大队，1983 年 12 月属高岗区高镇乡，1987 年 1 月属高岗镇高镇行政村，1989 年 11 月属高岗镇高镇管理区，1998 年 11 月属高岗镇高镇行政村至今。

世居村民为李姓。据《佛冈李氏族谱》记载，李姓明初从福建迁广东英德、新丰。明洪熙元年（1425 年）李福智先迁至新丰遥田，后迁至英德县观音乡（今佛冈县高岗镇），民国初年从高镇大围迁移至该地。

2015 年末，村有户籍人口 67 人。其中男性 35 人，女性 32 人。80 岁以上 1 人。最年长者 82 岁（男）。生活主要依靠农业收入有 49 人。常年在城镇生活和打工有 18 人，实际在村居住 49 人，其中留守儿童 5 人。村民均为汉族，客家民系，使用客家方言。

该村位于观音山下，1985 年成立观音山自然保护区，观音山范围内动植物的种类繁多，山多林密，自然资源丰富。林木资源有松树、杉树、柯树、樟树等树种。珍贵植物有观光木、吊皮锥、七叶一枝花等 10 种。野生动物有鸟类、哺乳类、两栖类、爬行类等，属国家保护的动物有云豹、蟒、水鹿等 15 种。据清代《佛冈厅志·提封志》记载，观音山是全县第一高峰，海拔 1219 米，传统观音山有 10 景，分别是：翠鬟峰、歧指岭、浴仙池、飞鹅岫、观音石、童子石、醉翁石、将军石、勒马石、晒禾石。

该村有山地 172.87 公顷，耕地 2.53 公顷。传统经济以农林业为主，山多地少，耕地数量少，主要种植水稻、玉米、花生、黄豆、蔬菜等。养殖鸡、鸭、鹅、猪、牛。2000 年以后，大部分青壮年外出打工，外出务工为工资性收入。自然资源有矿泉水。

传统食品有客家脍肉、酿豆腐、艾糍、糯米糍、粽子、糖环等。

该村1985年建有一座小水电站，同年通电，1995年实现村道水泥硬底化，2002年通电话，2006年通自来水，2013年通网络。

传统民居现存38座。民居建设主要是2门归厅的横排砖木结构民房，周围建有围水屋，以作厨房使用。房屋分为2层，用木板隔开，留有通道。第一层一般高3米，供人住宿为主；第二层堆放粮食、杂物等，方便生活。民居冬暖夏凉，居住舒适。2000年以后，村民建设钢筋混凝土结构楼房，建筑占地面积80平方米，装修比较实用。

◎ 村传统民居一角（摄于2016年）

◎ 村新民居一角（摄于2016年）

该村建有观音庙和龙神庙。观音庙建于1993年，占地面积15平方米。龙神庙建于2004年，占地面积10平方米。主要碑刻有2个：观音庙和观音庙分金。主要楹联有“贝叶经文传万代；扬枝净水丽三千”。

传统节俗为春节、元宵节、清明节、四月八、端午节、中秋节、重阳节、冬至等。其中春节、清明节、端午节、中秋节为大节，其他为小节。农历

◎ 观音庙外观（摄于2016年）

◎ 龙神庙（摄于2016年）

八月十五日为中秋节，或叫团圆节。中华人民共和国成立前，每逢中秋之夜，男女老少聚集在一起赏月，用月饼、柚子等食品拜月，并燃放鞭炮，青少年还成群结队放孔明灯（叫天灯），热闹非常。节日气氛浓厚的还有清明节，家家户户门楣插柳枝和桃叶以驱邪，采艾（一种植物）做糍，名为艾糍，并进行扫墓活动。扫墓一般从清明前的春分起到农历四月初八日，扫墓期间在外地谋生做事的人都尽

可能赶回去祭扫祖墓，不回去扫墓的人会遭到村人的责骂。

婚嫁习俗具有客家人的特点，有担小担、担大担的风俗。即男方备齐礼物到女方家下聘礼订婚，称为担小担。男方备齐礼物到女方家接新娘，称为担大担。在新娘家，新郎新娘一起向新娘家长辈敬茶，长辈给新郎新娘新婚红包。接着新娘弟弟撑红雨伞送新娘出门，由新娘的亲朋好友伴送新娘到男家。在男家摆设的喜席上，新郎新娘共同向亲朋好友和来宾敬茶。长辈接过新婚茶后，有的即兴唱起山歌，有的说祝贺词。新办婚事仍保留有铺床、闹洞房的风俗。

发生丧事时，传统以土葬为主，其程序为举丧、入殓、出殡、送葬，将灵牌送入祠堂或厅下。不管是哪家的丧事，全村人都前去帮忙，打锣鼓、舞狮、放鞭炮是丧事的内容之一，由村民按分工各自负责。葬礼开始时，家里有人与逝者生辰八字相冲的，均不能出现在葬礼上，必须回避。开始下葬时，送葬的家人必须提前离开，离开时不能回头看，要等下葬完毕后再回来祭拜。1990 年以后，虽然逐步实行火葬，但安葬、拜祭等程序仍然保留。

1945 年，中共地下党组织动员该村青年参加中共组织领导的抗日队伍——北江支队独立第一大队。解放战争时期，该村组建民兵组织，参加观音山游击队，会同观音山地区的革命武装，共同抗击国民党军队对观音山革命根据地的扫荡和围剿。1957 年 10 月，该村经韶关公署批准为抗日战争游击区。

该村主要人物有：李理南（1911—1948），革命烈士，1948 年 3 月 21 日，国民党军和联防队突袭龙潭下村，民兵李里南与敌军作殊死斗争，为保护村民被俘，审讯时面对敌人的威迫利诱，不为所动，受尽了敌人的折磨，在高岗圩从容就义。李理云（1913—1948），革命烈士，在反围剿战斗中牺牲。李宗洪（1915—1948），革命烈士，在高岗被捕遇害。李理浓（1924—1949），北江第一支队二团二营旋风连（华山中队）战士，革命烈士，在烟岭病故。

（资料填报：李启仟；初稿撰写：罗卓凡；总纂：李协湖）

上王坑村

◎ 上王坑村村貌（摄于 2016 年）

上王坑村， 位于高岗镇南部，距镇政府 11.4 千米。该村始建于民国初期，由英德移民聚居而形成。因该村处于王坑河的上游区域，故取名上王坑村。

该村坐落于山间谷地，东与下王坑村相邻，其余三面为山。主要山岭有大佬顶山，高 985 米。乡道（省道 252 线—下王坑村—上王坑村）通过该村。

民国初期该村形成后属佛冈县第二区观台乡，中华人民共和国成立后属佛冈县第二区观台乡，1958 年 10 月属从化县佛冈片跃进（迳头）人民公社 1961 年 5 月属高岗人民公社高镇大队，1983 年 12 月属高岗区高镇乡，1987 年 1 月属高岗镇高镇行政村，1989 年 11 月属高岗镇高镇管理区，1998 年 11 月属高岗镇高镇行政村至今。

世居村民为罗姓。据《佛冈罗氏族谱》记载，汉文景帝时代，先祖罗珠南下于长江以南江西豫章郡为官，从此确立根基，繁衍子孙。后人确认罗珠为罗姓始祖，部分后裔移闽南入粤东（大埔），万一郎迁到长宁（新丰），后迁到英德，其子福海的部分后裔于民国初期迁移到该地定居。

2015 年末，村有户籍人口 185 人，其中男性 95 人、女性 90 人。80 岁以上 5 人。最年长者 91 岁（女）。生活主要依靠农业收入有 46 人。常年在城镇生活和打工有 139 人，实际在村居住 46 人，其中留守儿童 5 人。村民均为汉族，客家民系，使用客家方言。

该村山多林密，自然资源丰富。林木资源有松树、杉树、柯树、樟树等树种。野生动物资源有野猪、黄猄等兽类和斑鸠等飞禽类，还有眼镜蛇（俗称锅铲头）等爬行动物。

该村有山地 257.47 公顷，耕地面积 6.8 公顷。传统经济以农业为主，主要种植水稻、番薯、花生、果树、蔬菜等。养殖鸡、鸭、鹅、猪、牛等家禽类。渔业主要是鱼苗繁育，蓄水养鱼。随着调整农村经

◎ 上王坑村杉山（摄于 2016 年）

◎ 蔬菜种植（摄于 2016 年）

济结构，积极发展果树产业，逐步形成规模，2013 年种植沙糖桔面积 13.33 公顷，年收入 100 万元。2013 年以后，由于受黄龙病的影响，产业消退，村民改种其他作物。

美食有客家脍肉、酿豆腐、艾糍、粽子、糖环等。酿豆腐的做法是把豆腐切块并挖出小洞，再把腌制好的猪肉酿入豆腐里，最后将豆腐块用小火煎至金黄调味即可食用。客家脍肉的做法是将猪肉和各种佐料拌匀，装瓦钵放在锅里蒸熟，蒸熟的脍肉放在通风干爽的棚上藏好，以后每餐食用时再蒸一次即可食用。

该于 1985 年通电，2007 年实现村道水泥硬底化、通自来水，至 2015 年末，没有通电话和网络。

传统民居为客家围屋，现存 38 座。民居建设主要是 2 门归厅的横排砖木结构民房的住房，周围建有围水屋，以作厨房使用。村外围修建牛棚、猪舍、鸡窝等，人畜分离，保持人居环境卫生整洁。房屋分为 2 层，用木板隔开，留有通道。第一层一般高 3 米，供人住宿为主；第二层堆放粮食、杂物等，方便生活。

◎ 村传统民居一角（摄于 2016 年）

民居冬暖夏凉，居住舒适。2000 年以后，村民建设钢筋混凝土结构的楼房，建筑占地面积 80 平方米，装修比较实用。

传统节俗为春节、元宵节、清明节、四月八、端午节、中秋节、重阳节、冬至等。重阳节村民有重阳登高转运的习俗，登高地点多为较高山峰，小孩则以放风筝取乐。国家把重阳节定为敬老节后，村中老人的儿孙很多回家与老人团聚，以示敬老。节日气氛浓厚的还有端午节，端午节各家各户包粽子纪念爱国诗人屈原，农户在门楣挂艾叶、菖蒲，点燃蚊香，以避邪逐恶，祈求保佑全家幸福安康。这一天青年人、儿童到江河游泳，叫洗龙舟水，以祈消灾去祸，合家平安。

该村于民国初期建有大王庙，供奉龙王爷爷，2015 年重修。逢年过节村民前去烧香拜神，祈求福佑。主要祭祀活动有清明扫墓、中秋拜神赏月、春节拜神（大王庙），元宵节上灯等。

该村传统婚嫁庄重繁杂。男女开始交往时女家要到男家探家，结婚前男方需向女方家下聘礼，报日子、送聘金、定嫁妆。行结婚礼时，要摆酒请客，迎亲和送亲。

村里发生丧事时，传统以土葬为主。其程序为举丧、入殓、出殡、送葬，将灵牌送入祠堂或厅下。1990 年以后逐步实行火葬。

1947 年，该村组建民兵组织，参加观音山游击队，会同观音山地区的革命武装，共同抗击国民党军队对观音山革命根据地的扫荡和围剿。1957 年 10 月，经韶关公署批准为抗日战争游击区。20 世纪 60 年代中期，村民参加高岗人民公社组织的县社造林大会战，公路沿途山上种杉木 5 公顷。70 年代初，开展“农业学大寨”运动，村平整土地 1.34 公顷，开荒造田 0.7 公顷。

该村的罗耀胜（1884—1978），自幼随父学习跌打医术，擅长医治跌打损伤。他一生积德行善，救死扶伤，是一个在当地颇有名气医治跌打师傅。据村民回忆，曾医治好一个在执行任务负重伤的游击队队员。

（资料填报：李启仟；初稿撰写：罗卓凡；总纂：李协湖）

下王坑村

◎ 下王坑村村貌（摄于 2016 年）

下王坑村，位于高岗镇南部，距离镇政府 7.9 千米。该村始建于民国初期，由附近大围分村迁入聚居而形成。因该村处于王坑河的下游区域，故取名下王坑村。

该村坐落于山间谷地，村东为山地，西南为吊中岭村，西为上王坑村，北为梅子斜村。京港澳高速公路、省道 252 线在村东面通过，乡道（省道 252 线—下王坑村—上王坑村）通过该村。

民国初期该村形成后属佛冈县第二区观台乡，中华人民共和国成立后属佛冈县第二区观台乡，1958 年 10 月属从化县佛冈片跃进（迳头）人民公社，1961 年 5 月属高岗人民公社高镇大队，1983 年 12 月属高岗区高镇乡，1987 年 1 月属高岗镇高镇行政村，1989 年 11 月属高岗镇高镇管理区，1998 年 11 月属高岗镇高镇行政村至今。

世居村民为李姓。据《佛冈李氏族谱》记载，李姓先祖明初从福建迁广东英德、新丰。明洪熙元年（1425 年）李福智先迁至新丰遥田，后迁至英德县观音乡（今佛冈县高岗镇），民国初期从高镇大围迁移至该村。

2015 年末，村有户籍人口 162 人，其中男性 91 人、女性 71 人。80 岁以上 5 人，最年长者 85 岁（女）。生活主要依靠农业收入有 88 人。常年在城镇生活和打工有 74 人，实际在村居住 88 人，其中留守儿童 6 人。村民均为汉族，客家民系，使用客家方言。村民之间互相尊重，互相理解和包容，和睦有道，不因小事吵架斗殴或反目成仇，保持着和亲睦邻的良好民风。

林木资源有松树、杉树、柯树、樟树等树种。

◎ 蔬菜基地（摄于 2016 年）

野生动物资源有野猪、黄猄等兽类和斑鸠等飞禽类，还有眼镜蛇（俗称锅铲头）等爬行动物。

村有山地 205.87 公顷，耕地 5.87 公顷。传统经济以农业为主，主要作物有水稻、薯类、花生、黄豆、蔬菜等；养殖生猪、鸡、鸭、鹅。村民主要收入来源为农业收入。2000 年以后，大部分青壮年外出打工，外出务工村民为工资性收入。20 世纪 90 年代以后，村民开始种植沙糖桔，2013 年种植面积 7.33 公顷，年收入 55 万元，曾成为村民收入的重要来源。2013 年起，沙糖桔产业消退，村民改种桉树、杉树和其他果树。2015 年，发展蔬菜生产，建有蔬菜生产基地。

特色农产品有柑橘，传统食品有客家脸肉、酿豆腐、艾糍、糯米糍、粽子、糖环等。

20 世纪 70 年代，建有龙沟咀电站，1985 年通电，2007 年实现村道水泥硬底化，同年通自来水，至 2015 年末，没有通电话和网络。

传统民居为长方形客家围屋，现存 38 座。民居建设主要是 2 门归厅的横排砖木结构民房，周围建有围水屋，以作厨房使用。2000 年以后，部分村民建设钢筋混凝土结构楼房，建筑占地面积 80 平方米。

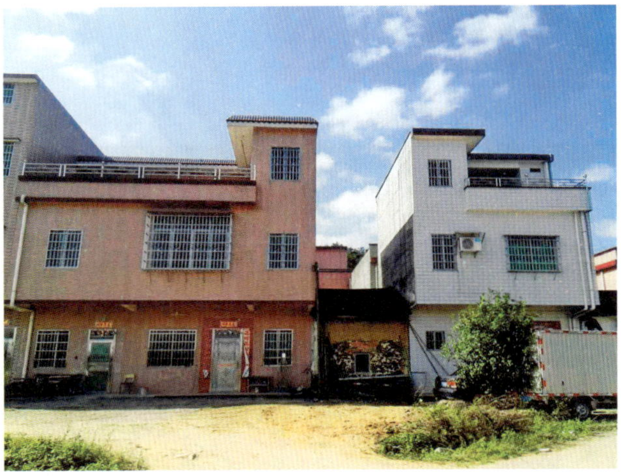

◎ 村新民居一角（摄于 2016 年）

◎ 龙沟咀电站（摄于 2016 年）

◎ 村传统民居一角（摄于 2016 年）

传统节俗为春节、元宵节、清明节、四月八、端午节、中秋节、重阳节、冬至等。其中春节、清明节、端午节、中秋节为大节，其他为小节。农历十月初一叫“十月朝”或“牛生日”。村民做糯米糍粑贴在牛角、牛额、牛背脊、牛腰、牛尾部位，贴三四天后，牧童从牛身上将糯米糍粑剥下用火烤熟来吃。传说吃了“牛生日”贴在牛身上的糍粑，能像牛一样力气大。中华人民共和国成立后，这种习俗逐步被遗弃，但村民仍保留在十月初一做糍过节的习俗。节日气氛浓厚的还有中秋节。每逢中秋之夜，男女老少一起赏月，用月饼、柚子及石螺等食品拜月，热闹非常。随着生活水平的不断提高，村民对欢庆中秋节的习俗也越来越重视，在外地工作的本地籍人都尽量回家与家人团聚，共度佳节。

传统男婚女嫁为“父母之命，媒妁之言”。农村存有抱养穷人家女童做童养媳、未生男孩的人家抱养“等郎

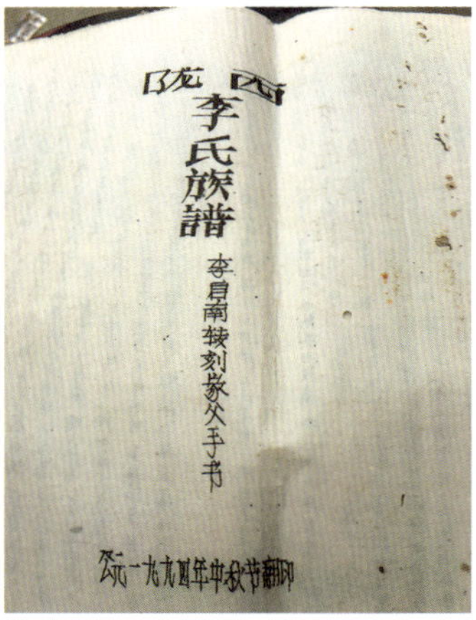

◎《李氏族谱》（摄于 2016 年）

妹”的习俗。男女婚嫁是终身大事，都要经过相亲、订婚、迎亲等程序。首先由媒人牵线，约男家的人去女家看人。若男家有意，即授意媒人向女方家长索取其女儿生辰八字，带回男家。男方家长请人卜算后，如男女“相生”，则男家叫媒人陪伴送礼去女家“报合”，如男女“相克”，则将女子生辰八字退回女家，婚事作罢。订婚的第一步是下定礼（俗称“座茶”或叫“小担”），即男方送定金、酒米、肉类给女方，表示合成婚事。商定成亲日期及礼金后，按照礼规进行过礼，由男方出具礼帖把礼物、聘金送给女方，女方要回一份礼帖给男方。男家叫算命先生择定结婚吉日，由媒人通知女方。届时男方的迎亲队伍带着礼帖、礼物，吹起八音，敲锣打鼓，抬着花轿到女家迎新娘（俗称迎亲）。女家把嫁妆、礼物随新娘一起送回男家（俗称送亲）。新娘到达男家后，举行拜堂仪式，随后送入洞房，闹洞房后迎亲仪式即告结束。中华人民共和国成立后，婚嫁习俗逐渐发生变化，婚事新办的风气越来越浓厚。

村民死后均以木棺土葬。死者未满 18 岁的只能用普通木料做棺材，竹杠抬，不上肩。死者在 60 岁以上的多有下列习俗：病人临去世前要移至厅堂或廊下。去世后由子孙日夜守孝，死者入殓前，子孙要到河里取水（俗称买水），为死者擦身、更衣，亲自入殓。出殡时，请巫师开路，吹响牛角，送殡队敲锣打鼓、燃放爆竹送行。埋葬死者后，孝子孝女等从坟上抓回一把黄土，并且同牵一条寿红（红布）由另一路线回家。葬后要为死者做“头七”“二七”“三七”的法事，神主牌送往祠堂入位，至此丧事才告完结。1990 年以后，虽然逐步实行火葬，但安葬、拜祭等程序仍然保留。

1945 年，中共地下党组织动员该村青年参加中共组织领导的抗日队伍——北江支队独立第一大队。1948 年，该村组建民兵组织，参加观音山游击队，会同观音山地区的革命武装，共同抗击国民政府军队对观音山革命根据地的扫荡和围剿。1957 年 10 月，该村经韶关公署批准为抗日战争游击区。20 世纪 70 年代初，开展“农业学大寨”运动，该村平整土地 1.33 公顷，开荒造田 0.67 公顷；建有龙沟咀电站。

（资料填报：李启仟；初稿撰写：罗卓凡；总纂：李协湖）

瑶洞村

◎ 瑶洞村村貌（摄于 2016 年）

瑶洞村，位于高岗镇南部，距镇政府 7 千米。该村始建于明中期，由南迁移民聚居而形成。据说，最初为瑶族人居住，所以取名为瑶洞村。相邻的村有寨下村、东坑村。

该村坐落于山区地带，村的东面为京港澳高速公路、省道 252 线，南面、西面为山地，北面为大围。

该村形成时属英德观音乡，清嘉庆十八年（1813 年）属佛冈厅观音乡，民国时期属佛冈县第二区观台乡，中华人民共和国成立时属佛冈县第二区观台乡，1958 年 10 月属从化县跃进（迳头）人民公社，1961 年 5 月属佛冈县高岗人民公社东坑大队，1983 年 12 月属高岗区东坑乡，1987 年 1 月属高岗镇东坑行政村，1989 年 11 月属高岗镇东坑管理区，1998 年 11 月属高岗镇东坑行政村，2005 年 5 月属高岗镇高镇行政村至今。

世居村民为李姓，明初从福建迁移至广东新丰，明中期从新丰迁移至该村。

2015 年末，村有户籍人口 260 人，其中男性 135 人、女性 125 人。80 岁以上老人 12 人，最年长者 90 岁（男）。实际在村居住 230 人，常年在城镇生活和打工有 30 人。村民均为汉族，客家民系，使用客家方言。

该村山多林密，自然资源丰富，植物种类繁多。林木资源有松树、杉树、柯树、樟树等树种，珍贵植物有观光木、吊皮锥、七叶一枝花等。野生动物资源有鸟类、哺乳类、两栖类、爬行类等，属国家保护的动物有蟒、水鹿等。

村有山地 139.2 公顷，耕地 11.27 公顷。传统经济以农业为主，主要种植水稻、玉米、花生、果树、

◎ 村养猪场（摄于 2016 年）

蔬菜等。养殖鸡、鸭、鹅、猪、牛及4大家鱼（鲤鱼、草鱼、鲢鱼、鳙鱼）。中华人民共和国成立初期，该村农业经济效益极低，农民只能维持简单的生活。20世纪80年代初期农村实行家庭联产承包责任制，水稻一般亩产为400千克，花生亩产200—250千克（干荚），蔬菜亩产1000千克，农业经济效益有较大的提高。2000年以后，大部分青壮年外出打工，并积极发展水果产业，2013年种植沙糖桔面积6.67公顷，产值50万元。2013年以后，由于受黄龙病的影响，产业消退，村民改种火龙果等其他作物。2015年，发展养猪业，村民收入不断提高。

传统食品有筷压糍、糖环、酿豆腐、粽子、艾糍、腊鸭、腊肠等。

该村于1983年通电，2005年通电话、通网络，2013年实现村道水泥硬底化，2014年通自来水。村建有瑶洞村文化室、瑶洞公园，内设篮球场。

◎ 瑶洞村文化室（摄于2016年）

◎ 村传统民居一角（摄于2016年）

◎ 村新民居一角（摄于2016年）

传统民居现存45座。民居为2门归厅或4门归厅的横排砖木结构民房，周围建有围水屋，以作厨房使用。村外围修建牛棚、猪舍、鸡窝等，人畜分离，保持人居环境卫生整洁。房屋分为2层，用木板隔开，留有通道。第一层一般高3米，供人住宿为主；第二层堆放粮食、杂物等，方便生活。民居冬暖夏凉，居住舒适。2000年以后，村民建设钢筋混凝土结构楼房，建筑占地面积80平方米，结构为三房一厅、一厨房一卫生间，装修较好。

传统节俗为春节、元宵节、清明节、四月八、端午节、中秋节、重阳节、冬至等。冬至，该村俗称“过冬”。这个节日意味着一年农事已做完，全家应欢聚吃一顿丰盛晚餐表示庆贺。这一天，村民各家各户做糍，打米饼，劏鸡杀鸭，欢度节日。节日气氛浓厚的还有清明节，家家户户门楣插柳枝和桃叶以驱邪，采艾（一种植物）做糍，名为艾糍，并进行扫墓活动。扫墓一般从清明前的春分起到农历四月初八日，扫墓期间在外地谋生做事的人都尽可能赶回去祭扫祖墓，不回去扫墓的人会遭到村人的责骂。

中华人民共和国成立前，男婚女嫁为“父母之命，媒妁之言”。佛冈农村存有抱养穷人家女童做童养媳、未生男孩的人家抱养“等郎妹”的习俗。男女婚嫁是终身大事，都要经过相亲、订婚、迎亲等程序。首先由媒人牵线，约男家的人去女家看人。若男家有意，即授意媒人向女方家长索取其女儿生辰八字，带回男家。男方家长请人卜算后，如男女“相生”，则男家叫媒人陪伴送礼去女家“报合”，如男女“相克”，则将女子生辰八字退回女家，婚事作罢。订婚的第一步是下定礼（俗称“座茶”或叫“小担”），即男方送定金、酒米、肉类给女方，表示合成婚事。商定成亲日期及礼金后，按照礼规进行过礼，由男方出具礼帖把礼物、聘金送给女方，女方要回一份礼帖给男方。男家叫算命先生择定结婚吉日，由媒人通知女方。届时男方的迎亲队伍带着礼帖、礼物，吹起八音，敲锣打鼓，抬着花轿到女家迎新娘（俗称迎亲）。女家把嫁妆、礼物随新娘一起送回男家（俗称送亲）。新娘到达男家后，举行拜堂仪式，随后送入洞房，闹洞房后迎亲仪式即告结束。中华人民共和国成立后，婚嫁习俗逐渐发生变化，婚事新办的风气越来越浓厚。

中华人民共和国成立前，村民死后均以木棺土葬。死者未满 18 岁的只能用普通木料做棺材，竹杠抬，不上肩。死者在 60 岁以上的多有下列习俗：病人临去世前要移至厅堂或廊下。去世后由子孙日夜守孝，死者入殓前，子孙要到河里取水（俗称买水），为死者擦身、更衣，亲自入殓。出殡时，请巫师开路，吹响牛角，送殡队敲锣打鼓、燃放爆竹送行。埋葬死者后，孝子孝女等从坟上抓回一把黄土，并且同牵一条寿红（红布）由另一路线回家。葬后要为死者做“头七”“二七”“三七”的法事，神主牌送往祠堂入位，至此丧事才告完结。1990 年逐步实行火葬。

1944 年，该村动员青年参加中共组织领导的抗日队伍——北江支队独立第一大队。1948 年，该村组建民兵组织，参加观音山游击队，会同观音山地区的革命武装，共同抗击国民党军队对观音山革命根据地的扫荡和围剿。1993 年，该村经清远市人民政府批准为抗日战争游击区。

该村的李伯军，1969 年出生，曾任中山大学党委书记。

（资料填报：李启仟；初稿撰写：黄菁菁；总纂：李协湖）

官厅村

◎ 官厅村村貌（摄于2016年）

官厅村，位于高岗镇南部，距镇政府10千米。该村始建于明末，由南雄珠玑巷迁至该址而形成。据说，建村不久有村民曾经通过科举考试后为官，所以取名为官厅村。

该村坐落于丘陵地带，东面为省道252线和国道106线，南面为石山下村，西面为大高洞村，北面为东坑村和黄花冚村。相邻的村有大高洞村、黄花冚村。

该村形成时属英德观音乡，清嘉庆十八年（1813年）属佛冈厅观音乡，民国时期属佛冈县第二区观台乡，中华人民共和国成立时属佛冈县第二区观台乡，1958年10月属从化县跃进（迳头）人民公社，1961年5月属佛冈县高岗人民公社东坑大队，1983年12月属高岗区东坑乡，1987年1月属高岗镇东坑行政村，1989年11月属高岗镇东坑管理区，1998年11月属高岗镇东坑行政村，2005年5月属高岗镇高镇行政村至今。

世居村民姓氏有李、何、邹姓。李姓，明初从福建迁移至广东英德、新丰，清初从新丰迁移至该址。何姓，宋咸淳九年（1273年）从福建迁移至广东南雄珠玑巷，清中期从翁源迁移至该村。邹姓，南宋从中原迁移至广东南雄珠玑巷，明末从南雄珠玑巷迁移至该村。

2015年末，村有户籍人口130人，其中男性65人、女性65人。80岁以上老人5人，最年长者94岁（李钊，女）。生活主要依靠农业收入有70人。常年在城镇生活和打工有60人，实际在村居住70人。村民均为汉族，客家民系，使用客家方言。

村山多林密，自然资源丰富。林木资源有松树、杉树、柯树、樟树等树种。野生动物资源有野猪、黄猄、斑鸠、眼镜蛇等。

村有山地196.13公顷，耕地5公顷。传统经济以农业为主，主要种植水稻、玉米、花生、黄豆、蔬菜等。养殖鸡、鸭、鹅、猪、牛及4大家鱼（鲤鱼、草鱼、鲢鱼、鳙鱼）。中华人民共和国成立前，由于种植技术水平低下，丰产性能差，该村水稻一般亩产为100千克，农民只能维持简单的生活。中华人民共和国成立后，该村先后组织互助组、合作社，参加人民公社，逐步推广应用先进的农业生产技术，农业生产效益有较大的提高。20世纪80年代起实行

◎ 沙糖桔产业（摄于 2016 年）

农村联产承包责任制后，村民对农业生产有了自主权，努力引进良种，积极推广先进的栽培技术，水稻亩产达到 400 千克，农业经济效益有较大的提高。同时，逐步调整农村经济结构，积极发展水果产业。2013 年该村种植沙糖桔面积 2 公顷，年收入 15 万元。2013 年以后，由于受黄龙病的影响，产业消退，村民改种其他经济作物。

传统食品有筷压糍、糖环、酿豆腐、粽子、艾糍、腊鸭、腊肠等。出名食品有酿豆腐和客家脍肉。酿豆腐的做法是把豆腐切块并挖出小洞，再把腌制好的猪肉酿入豆腐里，最后将豆腐块用小火煎至金黄调味即可食用。客家脍肉的做法是将猪肉和各种佐料拌匀，装瓦钵放在锅里蒸熟，蒸熟的脍肉放在通风干爽的棚上藏好，以后每餐食用时再蒸一次即可食用。

该村于 1981 年通电，1998 年通电话，2005 年实现村道水泥硬底化，同年通网络，2013 年通自来水。

◎ 官厅村民居一角（摄于 2016 年）

传统民居现存 23 座。民居为 2 门归厅或 4 门归厅的横排砖木结构民房，周围建有围水屋，以作厨房使用。房屋分为 2 层，用木板隔开，留有通道。第一层一般高 3 米，供人住宿为主；第二层堆放粮食、杂物等，方便生活。民居冬暖夏凉，居住舒适。2000 年以后，村民建设钢筋混凝土结构的楼房，建筑占地面积 80 平方米，结构为三房一厅、一厨房一卫生间，装修比较实用。

传统节俗为春节、元宵节、清明节、四月八、端午节、中秋节、重阳节、冬至等。春节是送旧迎新的大节，从农历十二月二十三日“小年夜”起，家家户户打扫庭院，炸油角、做米饼、炸糖环、蒸年糕，给小孩添新衣、新鞋、玩具。到年三十，村民张贴门神、春联，吃团年饭。这一餐有意把鱼剩下，表示连年有余（鱼）。这天晚上，长者要给小孩红包，名曰压岁钱。村民有守岁的习惯，到晚上 12 时，鸣放鞭炮，迎接新年来临。年初三为送穷日，每家打扫卫生，把新年以来积的垃圾送到野外，烧香烧纸，焚烧垃圾。这一天是为忌日，一般不探亲访友。年初四为回门日，新婚男子携妻子去拜访岳父岳母。节日气氛浓厚的还有端午节，各家各户包粽子纪念爱国诗人屈原，农户在门楣挂艾叶、菖蒲，点燃蚊香，以避邪逐恶，祈求保佑全家幸福安康。这一天青年人、小孩子到江河游泳，叫洗龙舟水，以祈消灾去祸，合家平安。

村传统婚嫁庄重繁杂。男女开始交往时女家要到男家探家，结婚前男方需向女方家下聘礼，报日子、送聘金、定嫁妆。行结婚礼时，要摆酒请客，迎亲和送亲。迎亲过程尤为有趣，新郎先租七辆或九辆车作婚车装饰好。结婚当天，新郎带着亲朋好友坐上婚车到新娘家接新娘。新娘的姐妹朋友关门阻止新郎进入新娘家。新郎需要用红包开路，并请亲朋好友帮助接新娘。在新娘家，新郎新娘一起向新娘家长辈敬茶，长辈给新郎新娘新婚红包。接着新娘弟弟撑红雨伞送新娘出门，出门前新娘家人拿用红纸包成条状的硬币给新娘，新娘掰断并放入自己的口袋，新娘出门后不可回头望。

村里发生丧事时，传统以土葬为主。其程序为举丧、入殓、出殡、送葬，将灵牌送入祠堂或厅下。办丧事期间只能煮白饭、花菜、黄豆煮猪肉等简单的饭菜。葬礼开始时，有人与逝者生辰八字相冲的，均不能出现在葬礼上，必须回避。开始下葬时，送葬的家人必须提前离开，离开时不能回头看，要等下葬完毕后再回去祭拜。1990 年以后逐步实行火葬。

村民养成文明守法的村风民风，积极开展全民普法教育，办有普法橱窗，教育村民做守法公民。

◎ 官厅村普法宣传栏（摄于 2016 年）

村中没有发生聚众赌博、盗窃及严重的群殴事件。

解放战争时期，该村组建民兵组织，参加观音山游击队，会同观音山地区的革命武装，共同抗击国民党军队对观音山革命根据地的扫荡和围剿。1993 年 3 月，该村经清远市人民政府批准为解放战争游击根据地。2012 年，投资 30 万元，开展饮水安全工程建，让全村人饮用、使用干净、清洁、安全的自来水。2014 年，开展文化公园和文化室建设，总投资 85 万元。其中，文化室建设工程总投资 37 万元，采取争取上级补助、村民集资筹劳和社会支持等方式筹集资金。文化室于 2014 年建成，位于该村公园内，主体工程为钢筋混凝土框架结构一层楼房，内设会议室、图书室、文娱室、村务办公室，为村民办事和学习、聚会提供便利。

2015 年，该村被广东省爱国卫生运动委员会评为省卫生村。

该村的李启和，1975 年生，曾为广州市政协委员。

（资料填报：李启仟；初稿撰写：黄菁菁；总纂：李协湖）

黄花冚村

◎ 黄花冚村村貌（摄于 2016 年）

黄花冚村，位于高岗镇南部，距镇政府 9 千米。该村始建于明洪武年间（1368—1398 年），由新丰分村而形成。据说，村中黄花遍地，所以取名为黄花冚村。

黄花冚村坐落于山区地带，村东为山地（与迳头镇交界），南为官厅村，西为京港澳高速公路和省道 252 线，北为江背村。相邻的村有东坑村、官厅村。

该村形成时属英德县观音乡，清嘉庆十八年（1813 年）属佛冈厅观音乡，民国时期属佛冈县第二区观台乡，中华人民共和国成立时属佛冈县第二区观台乡，1958 年 10 月属从化县跃进（迳头）人民公社，1961 年 5 月属佛冈县高岗人民公社东坑大队，1983 年 12 月属高岗区东坑乡，1987 年 1 月属高岗镇东坑行政村，1989 年 11 月属高岗镇东坑管理区，1998 年 11 月属高岗镇东坑行政村，2005 年 5 月属高岗镇高镇行政村至今。

世居村民为李姓，明初从福建迁移至广东新丰，明洪武年间从新丰迁移至该址。

2015 年末，村有户籍人口 150 人，其中男性 78 人、女性 72 人。80 岁以上老人 8 人，最年长者 101 岁（女）。生活主要依靠农业收入有 80 人。常年在城镇生活和打工有 70 人，实际在村居住 80 人，其中留守儿童 7 人。村民均为汉族，客家民系，使用客家方言。

村山多林密，自然资源丰富。林木资源有松树、杉树、柯树、樟树等树种。野生动物资源有野猪、黄猄等兽类和斑鸠等飞禽类，还有眼镜蛇（俗称锅铲头）等爬行动物。

该村有山地 193.13 公顷，耕地 8.53 公顷。农业是该村的传统产业，粮食作物种植水稻、番薯，经济作物种植花生、果树、蔬菜等。禽畜养殖鸡、鸭、鹅、猪、牛、羊等。林业以造林、育林和林木采伐，以保护生态环境为主。逐步调整农村经济结构，积极发展水果产业，2013 年以后，由于受黄龙病的影响，产业消退，村民改种其他经济作物。

传统食品有糖环、粽子、艾糍、腊鸭、腊肠等。出名食品有酿豆腐和客家脍肉。酿豆腐的做法是把豆腐切块并挖出小洞，再把腌制好的猪肉酿入豆腐里，最后将豆腐块用小火煎至金黄色，调味即可食用。客家脍肉的做法是将猪肉和各种佐料拌匀，装瓦钵放在锅里蒸熟，蒸熟的脍肉放在通风干爽的棚上藏好，以后每餐食用时再蒸一次即可食用。

该村 1995 年通电，1998 年通电话，2005 年实现村道水泥硬底化，2010 年通自来水，2011 年通网络。村建有篮球场等设施。

◎ 黄花冚村篮球场（摄于 2016 年）

传统民居现存 26 座。民居为 2 门归厅或 4 门归厅的横排砖木结构民房，周围建有围水屋，以作厨房使用。村外围修建牛棚、猪舍、鸡窝等，人畜分离，保持人居环境卫生整洁。房屋分为 2 层，用木板隔开，留有通道。第一层一般高 3 米，供人住宿为主；第二层堆放粮食、杂物等，方便生活。民居冬暖夏凉，居住舒适。2000 年以后，村民建设钢筋混凝土结构的楼房，建筑占地面积 80 平方米，结构为三房一厅、一厨房一卫生间，装修比较实用。

该村建有绍公厅，建于民国初年，面积 40 平方米，是纪念先祖李绍公的建筑。

传统的节俗为春节、元宵节、清明节、四月八、端午节、中秋节、重阳节、冬至等。正月十五为元宵节，该村有蒸发糕、做糍的习俗，以示庆贺春节圆满结束，转入新的一年农事活动。节日气氛浓厚的还有中秋节。每逢中秋之夜，男女老少一起赏月，用月饼、柚子及石螺等食品拜月，热闹非常。随着生活水平的不断提高，村民对欢庆中秋节的习俗也越来越重视，在外地工作的本地籍人都尽量回家与家人团聚，共度佳节。

传统婚嫁习俗有担小担、担大担。即男方备齐礼物到女方家下聘礼订婚，称为担小担。男方备齐礼物到女方家接新娘，称为担大担。行结婚礼时，要摆酒请客、迎亲和送亲。结婚当天，在男家摆设的喜席上，

◎ 村传统民居一角（摄于 2016 年）

新郎新娘共同向亲朋好友和来宾敬茶。长辈接过新婚茶后，有的即兴唱起山歌，有的说祝贺词。

丧事习俗也具有客家人的特点。传统以土葬为主，其程序为举丧、入殓、出殡、送葬，将灵牌送入祠堂或厅下。不管是哪家的丧事，全村人都前去帮忙，打锣鼓、舞狮、放鞭炮。办丧事期间只能煮白饭、花菜、黄豆煮猪肉等简单的饭菜。1990 年以后，虽然逐步实行火葬，但程序安葬等仍然保留。

1948 年，该村组建民兵组织，参加观音山游击队，会同观音山地区的革命武装，共同抗击国民党军队对观音山革命根据地的扫荡和围剿。1993 年 3 月，该村经清远市人民政府批准为解放战争游击根据地。2013 年，投资 20 万元，开展村道维修整治，清除村道障碍物，平整路面，铺设水泥硬底化。

该村 2015 年被广东省爱国卫生运动委员会评为省卫生村。

◎ 广东省卫生村等牌匾（摄于 2016 年）

（资料填报：李启仟；初稿撰写：黄菁菁；总纂：李协湖）

罗石村

◎ 罗石村村貌（摄于 2016 年）

罗石村，位于高岗镇南部，距镇政府 7 千米。该村建于明后期，从新丰迁入而形成。因村庄周边村民随处可找到用于磨镰刀、菜刀的石，取名罗刀石村，后来省去中间的刀字，叫罗石村。

该村坐落于丘陵地带，坐东南向西北。村东为茶园墩山，南为百公潭面山，毗邻观音山路（县道 829 线），西为梅树下岭山，北为水田，北面有一条大坝坑，自村头流至村尾。主要山岭有麻竹塘山。相邻的村有龙潭下村、吊中岭村。

该村形成时属英德观音乡，清嘉庆十八年（1813 年）属佛冈厅观音乡，民国时期属佛冈县第二区观台乡，中华人民共和国成立时属佛冈县第二区观台乡，1958 年 10 月属从化县跃进（迳头）人民公社，1961 年 5 月属佛冈县高岗人民公社高镇大队，1983 年 12 月属高岗区高镇乡，1987 年 1 月属高岗镇高镇行政村，1989 年 11 月属高岗镇高镇管理区，1998 年 11 月属高岗镇高镇行政村至今。

世居村民为李姓，明初从福建迁至广东英德、新丰。明洪熙元年（1425 年）李福智先迁至新丰遥田，明后期迁至英德县观音乡（今佛冈县高岗镇）该址建村。

2015 年末，村有户籍人口 73 人，其中男性 40 人、女性 33 人。80 岁以上 1 人，86 岁（男），生活主要依靠农业收入有 50 人。常年在城镇生活和打工有 23 人，实有居住 50 人。村民均为汉族，客家民系，使用客家方言。

村山多林密，自然资源丰富。林木资源有松树、杉树、柯树、樟树等树种。野生动物资源有野猪、黄猄、斑鸠、眼镜蛇等。

该村有山地 134.73 公顷，耕地 1.8 公顷。传统

◎ 村民培育的绿化树苗（摄于 2016 年）

经济以农业为主，主要种植水稻、玉米、花生、黄豆、蔬菜等。养殖鸡、鸭、鹅、猪、牛及4大家鱼（鲤鱼、草鱼、鲢鱼、鳙鱼）。林业以造林、育林和林木采伐，以保护生态环境为主。蔬菜种植是该村经济的重要组成部分。实行农村家庭联产承包责任制前，蔬菜只在村民自留地种植，村民自己食用。20世纪80年代农村全面实施家庭联产承包责任制后，积极开展多种经营，大力发展蔬菜种植业，有效地增加村民收入。此后，随着产业布局的调整，规模化种植果树，2013年种植沙糖桔面积6.67公顷，年收入50万元。2013年以后，由于受黄龙病的影响，产业消退，村民改种其他经济作物。

传统食品有客家腍肉、酿豆腐、白切鸡、紫苏鸭、艾糍、粽子、糖环、油角、米饼等。

该村1984年通电，2002年全村村道实现水泥硬底化，2003年通自来水、网络。

传统民居现存10座。1946—1948年，因罗石村为游击队根据地，国民党军队进行围剿，把全村房屋全部烧光。1962年在革命老区建设中，罗石村因村域面积小、人口少，集体搬至现址。民居建设主要有3条直街，建设若干2门归厅或4门归厅的横排砖木结构民房，周围建有围水屋，以作厨房使用。房屋分为2层，用木板隔开，留有通道。第一层一般高3米，供人住宿为主；第二层堆放粮食、杂物等，方便生活。民居冬暖夏凉，居住舒适。2000年以后，村民建设钢筋混凝土结构的楼房，建筑占地面积80平方米，装修比较实用。

◎ 整洁的巷道（摄于2016年）

◎ 罗石村民居一角（摄于2016年）

传统节俗为春节、元宵节、清明节、四月八、端午节、中秋节、重阳节、冬至等。清明节家家户户门口插桃叶以驱邪，采艾蒿做糍，并进行扫墓活动。村民不论老少，离家多远，都要赶回家祭祖，以示孝敬。节日气氛浓厚的还有中秋节。每逢中秋之夜，男女老少一起赏月，用月饼、柚子及石螺等食品拜月，热闹非常。随着生活水平的不断提高，村民对欢庆中秋节的习俗也越来越重视，在外地工作的本地籍人都尽量回家与家人团聚，共度佳节。

婚嫁习俗有担小担、担大担。即男方备齐礼物到女方家下聘礼订婚，称为担小担。男方备齐礼物到女方家接新娘，称为担大担。行结婚礼时，要摆酒请客、迎亲和送亲。结婚当天，新郎带着亲朋好友坐上婚车到新娘家接新娘。新娘的姐妹朋友关门阻止新郎进入新娘家。新郎需要用红包开路，并请亲朋好友帮助接新娘。在新娘家，新郎新娘一起向新娘家长辈敬茶，长辈给新郎新娘新婚红包。接着新娘弟弟撑红雨伞送新娘出门，由新娘的亲朋好友伴送新娘到男家。在男家摆设的喜席上，新郎新娘共同向亲朋好友和来宾敬茶。长辈接过新婚茶后，有的即兴唱起山歌，有的说祝贺词。喜席散后，一对新人进入洞房，婚礼才算结束。

丧事习俗传统以土葬为主，其程序为举丧、入殓、出殡、送葬，将灵牌送入祠堂或厅下。不管是哪家的丧事，全村人都前去帮忙，打锣鼓、舞狮、放鞭炮是丧事的内容之一，由村民按分工各自负责。办丧事期间只能煮白饭、花菜，黄豆煮猪肉等简单的饭菜。葬礼开始时，家里有人与逝者生辰八字有相冲的均不能出现在葬礼上，必须回避。开始下葬时，送葬的家人必须提前离开，离开时不能回头看，要等下葬完毕后再回去祭拜。1990 年以后，虽然逐步实行火葬，但安葬等程序仍然保留。

1947—1948 年，国民党军队曾火烧高镇村，全村房屋几乎全被烧毁。1957 年 10 月，该村经韶关公署批准为抗日游击区。1963 年，政府出资重建村庄，新建房屋。20 世纪 70 年代初，开展“农业学大寨”运动，改河造田 1 公顷，平整土地 1.33 公顷，田边、圳边、山边三面光。

该村的李理继（1917—1979），1943 年参加抗日游击队，多次在韶关乳源参加剿匪，任剿匪班长。参加过高岗挂牌战斗。1953 年退伍后在高岗新街乡政府（今新联村委）任乡干部，后在三江邮电所工作。

（资料填报：张小洁；初稿撰写：张小洁；总纂：李协湖）

石山下村

◎ 石山下村村貌（摄于 2016 年）

石山下村，曾用名朱洞，位于高岗镇南部，距镇政府 12 千米。该村始建于明后期，由朱氏从英德县迳头乡（今佛冈县迳头镇）分村迁到该址。因村庄在石山（井公王山）脚下，而取名石山下村。

该村坐落于丘陵地带，村东为井公王山，南为朱麻凹山，西为社下山，北为国道 106 线与省道 252 线，连接村道。村中有条小溪，自东向西流经该村 3000 米。相邻的村有官厅村、迳头镇社背村。

该村形成时属英德县观音乡，清嘉庆十八年（1813 年）属佛冈厅观音乡，民国时期属佛冈县第二区观台乡，中华人民共和国成立时属佛冈县第二区观台乡，1958 年 10 月属从化县跃进（迳头）人民公社，1961 年 5 月属佛冈县高岗人民公社东坑大队，1983 年 12 月属高岗区东坑乡，1987 年 1 月属高岗镇东坑行政村，1989 年 11 月属高岗镇东坑管理区，1998 年 11 月属高岗镇东坑行政村，2005 年 5 月属高岗镇高镇行政村至今。

世居村民有朱、罗、李姓。朱姓，元末从江西迁到广东惠州，明初迁至广东兴宁，明天顺二年（1458 年）迁到韶关南雄，明成化年间（1465—1487 年）迁到英德县迳头乡（今佛冈县迳头镇），明后期迁至该村。罗姓，于明前期从福建迁广东南雄珠玑巷，清初从长宁县（今新丰县）迁至该村。李姓，明初从福建迁至广东英德、新丰，明后期从新丰遥田迁至该村。

2015 年末，村有户籍人口 200 人，其中男性 110 人、女性 90 人。80 岁以上 5 人，最年长者 85 岁（男）。生活主要依靠农业收入的 130 人。常年在城镇生活和打工的 70 人，实际在村居住人口 130 人，其中留守儿童 16 人。村民均为汉族，客家民系，使用客家方言。

该村山多林密，自然资源丰富。林木资源有松树、杉树、柯树、樟树等树种。野生动物资源有野猪、黄猄等兽类和斑鸠等飞禽类，还有眼镜蛇（俗称锅铲头）等爬行动物。

村有山地 215.6 公顷，耕地 9.47 公顷。传统经济以农业为主，主要种植水稻、玉米、花生、黄豆、蔬菜等。养殖鸡、鸭、鹅、猪、牛及 4 大家鱼（鲤鱼、草鱼、鲢鱼、鳙鱼）。养殖家禽是该村农业经济的重要组成部分。中华人民共和国成立前，家禽养殖成活率低，生长慢，经济效益极低。20 世纪 80 年代起，该村大力发展家禽养殖业，实行规模化养殖，大专业户年出售 3 万只鸡。同时，逐步调整农村经济结构，积极发展水果产业，2013 年种植沙糖桔面积 20 公顷，年收入 150 万元。2013 年以后，由于受黄龙病的影响，产业消退，村民改种其他作物。2000 年以后，大部分青壮年外出打工，外出务工村民为工资性收入。

传统食品有客家脍肉、酿豆腐、白切鸡、紫苏鸭、艾糍、粽子、糖环、油角、米饼等。

村于 1969 年通电话，1978 年通电，村道 1998 年全村村道实现水泥硬底化，2001 年通自来水，2002 年通网络。

传统民居现存 35 座。民居为 2 门归厅或 4 门归厅的横排砖木结构民房，周围建有围水屋，以作厨房使用。村外围修建牛棚、猪舍、鸡窝等，人畜分离，保持人居环境卫生整洁。房屋分为 2 层，用木板隔开，留有通道。第一层一般高 3 米，供人住宿为主；第二层堆放粮食、杂物等，方便生活。民居冬暖夏凉，居住舒适。2000 年以后，村民建设钢筋混凝土结构楼房，建筑占地面积 80 平方米。

◎ 石山下村民居一角（摄于 2016 年）

◎ 石山下庙（摄于 2016 年）

传统的节俗为春节、元宵节、清明节、四月八、端午节、中秋节、重阳节、冬至等。其中春节、清明节、端午节、中秋节为大节，其他为小节。有过四月八的习俗，此日近午时，村民便集中在山冈上祭拜无主山坟，晚上则在郊野祭幽灵，烧纸衣、冥钱，撒饭撒肉，鸣锣招引孤魂。中华人民共和国成立后，这种旧俗逐步消失，但村民仍保留在四月八做糍过节的习俗。节日气氛浓厚的还有端午节，各家各户包粽子纪念爱国诗人屈原，农户在门楣挂艾叶、菖蒲，点燃蚊香，以避邪逐恶，祈求保佑全家幸福安康。这一天青年人、小孩子到江河游泳，叫洗龙舟水，

◎ 挂牌迳古道（摄于 2010 年）

以祈消灾去祸，合家平安。

经村的挂牌迳古道，北起石山下村，经诚迳翻山南达石角镇饮水塘村，古道长约 20 千米。还有石山下庙供村民过年过节祭拜，祈求福佑，合家平安。

中华人民共和国成立前，子女婚嫁要听从父母之命，媒妁之言，穷苦人家养童养媳的封建习俗。中华人民共和国成立后，实行自由恋爱，自主结婚的新风尚，但是探家、定亲、择送吉日、摆酒结婚、迎亲送亲、回门礼俗仍存在。传统丧事以土葬为主。其程序为举丧、入殓、出殡、送葬和做法事，将灵牌送入祠堂或厅下。办丧事期间只能煮白饭、花菜、黄豆煮猪肉等简单的饭菜，用餐时不坐高台高凳，只能拆下事主家的门板放于门前的巷地上当饭台，以表哀痛。1990 年以后逐步实行火葬。

解放战争时期，该村组建民兵组织，参加观音山游击队，会同观音山地区的革命武装，共同抗击国民政府军队对观音山革命根据地的扫荡和围剿。建有挂牌迳战斗纪念碑，是 1949 年 5 月 30 日，北一支四团在当地挂牌迳歼灭国民政府军第 911 师 272 团一个营的战斗纪念碑。1993 年，该村经清远市人民政府批准为解放战争游击根据地。2012 年列入佛冈县不可移动文物名录。20 世纪 70 年代初，开展“农业学大寨”运动，组织村民平整土地，兴修水利，建排灌渠道 1000 多米。同时，发动村民集资筹劳改造通村公路，配合县交通部门将原来的山间小路改造为乡道 297 线（官厅—石山下），改善该村的交通条件。

◎ 挂牌迳战斗纪念碑（摄于 2014 年）

该村民风纯朴，具有开拓进取精神，培育了不少有成就的人士。其中有：朱然陆，1955 年出生，1979 年在高岗东坑大队任文书，后任大队长、东坑管理区党支部书记。2005 年 5 月起任高镇村党支部书记，并为镇、县人大代表。他带领村民发展经济，加强基础设施建设，在村中享有很高的声望。朱光文（1958—1979），革命烈士，1978 年应征服兵役，在 1979 年对越自卫还击中牺牲。朱然就（1964—2013），曾参加中国人民解放军广西柳州部队，在部队期间考入警校，在广西武警二支队先后任排长、副营长。1996 年调回番禺边防检查站，后转业到番禺外事局处级干部。罗成思（1968—1989）革命烈士，应征服兵役，在深圳市服役时牺牲。

（资料填报：李启仟；初稿撰写：张小洁；总纂：李协湖）

塘肚村

◎ 塘肚村村貌（摄于 2016 年）

塘肚村，位于高岗镇南部，距镇政府 9 千米。该村建于明末至清初，从新丰迁入而形成。因村庄四面是山，只有一个入口，且村中有一口大渔塘，整个村庄从高处看犹如坐落在大山包围的渔塘肚子里，因而取名叫塘肚村。

该村坐落于丘陵地带。村东为神墩山，南为白石凹山，西为羊角脑山，北为天花脑山。西面有一条寨子窝流河，流经整个村庄。相邻的村有瑶洞村。

该村形成时属英德县观音乡，清嘉庆十八年（1813 年）属佛冈厅观音乡，民国时期属佛冈县第二区观台乡，中华人民共和国成立时属佛冈县第二区观台乡，1958 年 10 月属从化县跃进（迳头）人民公社，1961 年 5 月属佛冈县高岗人民公社高镇大队，1983 年 12 月属高岗区高镇乡，1987 年 1 月属高岗镇高镇行政村，1989 年 11 月属高岗镇高镇管理区，1998 年 11 月属高岗镇高镇行政村至今。

世居村民为李姓。李姓明初从福建迁广东英德、新丰。明洪熙元年（1425 年）李福智先迁至新丰遥田，明末至清初从新丰遥田迁到该址。

2015 年末，村有户籍人口 230 人，其中男性 120 人、女性 110 人。80 岁以上老人 7 人，最年长者 94 岁（男）。生活主要依靠农业收入有 195 人。常年在城镇生活和打工 35 人，实际在村居住 195 人。村民均为汉族，客家民系，使用客家方言。

村自然资源丰富。主要有杉树、松树林木资源和野猪、黄猄等野生动物资源。

该村有山地 218.67 公顷，耕地 11 公顷。传统经济以农业为主，粮食作物主要种植水稻、玉米、番薯，经济作物种植花生、果树、蔬菜等。畜牧业

◎ 优质水稻生产（摄于 2016 年）

以养殖鸡、鸭、鹅、猪、牛等禽畜。林业主要以封山育林，保护生态环境为主，每年政府给予生态林补助发给农户。2000 年以后，大部分青壮年外出打工，外出务工为工资性收入。此后，随着产业的调整，果树种植形成规模化产业，2013 年种植沙糖桔面积 6.66 公顷，年收入 50 万元。2013 年以后，由于受黄龙病的影响，产业消退，村民改种其他作物。

传统食品有客家腍肉、酿豆腐、白切鸡、紫苏鸭、艾糍、粽子、糖环、油角、米饼等。客家腍肉制法：将买回的猪肉（最好是带皮的半肥瘦五花肉）先吊起来晾水，然后切成 100—150 克的肉块，配以五香粉、蒜苗、蚝油、陈皮、烧酒、豆豉、南乳、白糖、味精等，将佐料与猪肉拌匀，装瓦钵放在锅里蒸熟。蒸熟的腍肉放在通风干爽的棚上藏好，以后每餐食用时再蒸一次即可。蒸时加以笋干、冬菇等配料，其味道更加香醇可口。糖环的制作：用水浸透糯米（掺 30% 黏米），滤干碾成粉，将糖入锅煮成糖水起锅，再将米粉放在锅中炒热，然后趁热拌糖水搓匀。此后，便可捏成小圆条，圈成半边窗式的称“半边糖环”，圈成六角形称“六耳球”，用油炸熟即成。油角的制作：用面粉加清水搓匀，分成小团，用圆木棒碾成薄面块，再用圆形印模印成小圆形面块，然后在面块上放以碎花生、芝麻、白糖等馅，捏花边包好，用油炸熟即成。油角香脆可口。

该村于 1964 年通电话，1975 年通电，2013 年全村村道实现水泥硬底化，2015 年通自来水。

传统民居现存 36 座。民居为 2 门归厅的横排砖木结构民房，周围建有围水屋，以作厨房使用。房屋分为 2 层，用木板隔开，留有通道。第一层一般高 3 米，供人住宿为主；第二层堆放粮食、杂物等，方便生活。民居冬暖夏凉，居住舒适。2000 年以后，村民建设钢筋混凝土结构的楼房，建筑占地面积 80 平方米，设施较完善。

传统节俗为春节、元宵节、清明节、四月八、端午节、中秋节、重阳节、冬至等。其中春节、清明节、端午节、中秋节为大节，其他为小节。村民有重阳登高转运的习俗，登高地点多为较高山峰，小孩则以放风筝取乐。国家把重阳节定为敬老节后，

◎ 村民居一角（摄于 2016 年）

村中老人的儿孙很多回家与老人团聚，以示敬老。节日气氛浓厚的还有中秋节，每逢中秋之夜，男女老少一起赏月，用月饼、柚子及石螺等食品拜月，热闹非常。随着生活水平的不断提高，村民对欢庆中秋节的习俗也越来越重视，在外地工作的本地籍人都尽量回家与家人团聚，共度佳节。

传统婚嫁习俗具有客家人的特点，有担小担、担大担的风俗。即男方备齐礼物到女方家下聘礼订婚，称为担小担。男方备齐礼物到女方家接新娘，称为担大担。在新娘家，新郎新娘一起向新娘家长辈敬茶，长辈给新郎新娘新婚红包。接着新娘弟弟撑红雨伞送新娘出门，由新娘的亲朋好友伴送新娘到男家。在男家摆设的喜席上，新郎新娘共同向亲朋好友和来宾敬茶。长辈接过新婚茶后，有的即兴唱起山歌，有的说祝贺词。新办婚事仍保留有铺床、闹洞房的风俗。

发生丧事时，传统以土葬为主，其程序为举丧、入殓、出殡、送葬，将灵牌送入祠堂或厅下。不管是哪家的丧事，全村人都前去帮忙，打锣鼓、舞狮、放鞭炮是丧事的内容之一，由村民按分工各自负责。葬礼有相冲之说，里有人与逝者生辰八字相冲的，

均不能出现在葬礼上，必须回避。开始下葬时，送葬的家人必须提前离开，离开时不能回头看，要等下葬完毕后再回去祭拜。1990 年以后，虽然逐步实行火葬，但安葬、拜祭等程序仍然保留。

◎ 通村村道（摄于 2016 年）

1947 年冬，国民党军队对塘肚村进行围剿，烧毁村庄，塘肚村群众自发组织成民兵在塘肚村北面的天花脑山与国民政府军队进行对抗。1957 年 10 月，经韶关公署批准该村为抗日战争游击区。2006 年起，该村按照县、镇开展公益事业一事一议的部署，结合美丽乡村建设的要求，由村理事会研究并经村民通过，开展社会主义新农村建设的基础设施工程申报、立项和实施工作。2011 年，投资 20 万元，开展饮水安全工程建设，铺设引水管到各家各户，让全村人饮用、使用干净、清洁、安全的自来水。

村民具有良好的卫生习惯，村巷整洁，生活垃圾定点堆放和清运，保持着文明清洁的居住环境。

该村的李继灼，1949 年生，学校毕业后在韶关应征服兵役，转业到海南工作，1998 年调回广州，曾任广东省司法厅某处处长。

（资料填报：李梅桂；初稿撰写：张小洁；总纂：李协湖）

寨下村

◎ 寨下村村貌（摄于 2016 年）

寨下村，位于高岗镇南部，距镇政府 8 千米。该村建于明末至清初，从新丰迁入该址。因村庄旁边的大引岛山上建有寨子，因而取名寨下村。

该村坐落于丘陵地带，东为东坑村，南、西为山地，北为瑶洞村。

该村形成时属英德观音乡，清嘉庆十八年（1813 年）属佛冈厅观音乡，民国时期属佛冈县第二区观台乡，中华人民共和国成立时属佛冈县第二区观台乡，1958 年 10 月属从化县跃进（迳头）人民公社，1961 年 5 月属佛冈县高岗人民公社东坑大队，1983 年 12 月属高岗区东坑乡，1987 年 1 月属高岗镇东坑行政村，1989 年 11 月属高岗镇东坑管理区，1998 年 11 月属高岗镇东坑行政村，2005 年 5 月属高岗镇高镇行政村至今。

世居村民为李姓，明初从福建迁广东英德、新丰。明洪熙元年（1425 年）李福智先迁至新丰遥田，明末清初再迁入该址。

2015 年末，村有户籍人口 315 人，其中男性 180 人、女性 135 人。80 岁以上老人 8 人，最年长者 92 岁（男）。实际在村居住 252 人。生活主要依靠农业收入的 252 人，常年在城镇生活和打工 63 人。村民均为汉族，客家民系，使用客家方言。

村山多林密，自然资源丰富。林木资源有松树、杉树、柯树、樟树等树种。野生动物资源有野猪、黄猄等兽类和斑鸠等飞禽类，还有眼镜蛇（俗称锅铲头）等爬行动物。

该村有山地 105.53 公顷，耕地 13.13 公顷。传统经济以农业为主，主要种植水稻、玉米、花生、黄豆、蔬菜等。养殖鸡、鸭、鹅、猪、牛及 4 大家鱼（鲤

◎ 村养鸭场（摄于 2016 年）

鱼、草鱼、鲢鱼、鳙鱼）。中华人民共和国成立初期，该村农业经济效益极低，农民只能维持简单的生活。20世纪80年代初期农村实行家庭联产承包责任制，水稻一般亩产为400千克，花生亩产200—250千克（干荚），蔬菜亩产1000千克，农业经济效益有较大的提高。2000年以后，大部分青壮年外出打工，在村的村民积极发展水果产业，2013年种植沙糖桔面积13.33公顷，年收入100万元。2013年以后，由于受黄龙病的影响，产业消退，村民改种火龙果等其他作物。

传统食品有客家脍肉、酿豆腐、白切鸡、紫苏鸭、艾糍、粽子、糖环、油角、米饼等。

该村1983年通电，2003年全村村道实现水泥硬底化、通网络，2004年通自来水，2005年通电话。

传统民居现存53座。民居为2门归厅的横排砖木结构民房，周围建有围水屋，以作厨房使用。村外围修建牛棚、猪舍、鸡窝等，人畜分离，保持人居环境卫生整洁。房屋分为2层，用木板隔开，留有通道。第一层一般高3米，供人住宿为主；第二层堆放粮食、杂物等，方便生活。民居冬暖夏凉，居住舒适。2000年以后，村民建设钢筋混凝土结构楼房，建筑占地面积80平方米，设施较完善。

◎ 寨下村民居一角（摄于2016年）

传统节俗为春节、元宵节、清明节、四月八、端午节、中秋节、重阳节、冬至等。其中春节、清明节、端午节、中秋节为大节，其他为小节。农历十月初一叫“十月朝”或“牛生日”。村民做糯米糍粑贴在牛角、牛额、牛背脊、牛腰、牛尾部位，贴三四天后，牧童从牛身上将糯米糍粑剥下用火烤熟来吃。传说吃了“牛生日”贴在牛身上的糍粑，能像牛一样力气大。中华人民共和国成立后，这种习俗逐步被遗弃，但村民仍保留在十月初一做糍过节的习俗。节日气氛浓厚的还有清明节，家家户户门楣插柳枝和桃叶以驱邪，采艾（一种植物）做糍，名为艾糍，并进行扫墓活动。扫墓一般从清明前的春分起到农历四月初八日，扫墓期间在外地谋生做事的人都尽可能赶回去祭扫祖墓，不回去扫墓的人会遭到村人的责骂。

中华人民共和国成立前，男婚女嫁为“父母之命，媒妁之言”。佛冈农村存有抱养穷人家女童做童养媳、未生男孩的人家抱养“等郎妹”的习俗。男女婚嫁是终身大事，都要经过相亲、订婚、迎亲等程序。首先由媒人牵线，约男家的人去女家看人。若男家有意，即授意媒人向女方家长索取其女儿生辰八字，带回男家。男方家长请人卜算后，如男女“相生”，则男家叫媒人陪伴送礼去女家“报合”，如男女“相克”，则将女子生辰八字退回女家，婚事作罢。订婚的第一步是下定礼（俗称座茶或叫小担），即男方送定金、酒米、肉类给女方，表示合成婚事。商定成亲日期及礼金后，按照礼规进行过礼，由男方出具礼帖把礼物、聘金送给女方，女方要回一份礼帖给男方。男家叫算命先生择定结婚吉日，由媒人通知女方。届时男方的迎亲队伍带着礼帖、礼物，吹起

◎ 寨下村村道（摄于2016年）

八音，敲锣打鼓，抬着花轿到女家迎新娘（俗称迎亲）。女家把嫁妆、礼物随新娘一起送回男家（俗称送亲）。新娘到达男家后，举行拜堂仪式，随后送入洞房，闹洞房后迎亲仪式即告结束。中华人民共和国成立后，婚嫁习俗逐渐发生变化，婚事新办的风气越来越浓厚。

中华人民共和国成立前，县境的旧俗，凡 60 岁以上的人去世叫寿终或归天，未成年人去世叫夭折或夭亡，死后均以木棺土葬。死者未满 18 岁的只能用普通木料做棺材，竹杠抬，不上肩。死者在 60 岁以上的多有下列习俗：病人临去世前要移至厅堂或廊下。去世后由子孙日夜守孝，死者入殓前，子孙要到河里取水（俗称买水），为死者擦身、更衣，亲自入殓。出殡时，请巫师开路，吹响牛角，送殡队敲锣打鼓、燃放爆竹送行。埋葬死者后，孝子孝女等从坟上抓回一把黄土，并且同牵一条寿红（红布）由另一路线回家。葬后要为死者做“头七”“二七”“三七”的法事，神主牌送往祠堂入位。至此丧事才告完结。1990 年以后逐步实行火葬。

解放战争时期，该村组建民兵组织，参加观音山游击队，会同观音山地区的革命武装，共同抗击国民党军队对观音山革命根据地的扫荡和围剿。20 世纪 70 年代初，该村在开展“农业学大寨”运动中，进行农田基本建设，全村平整土地 1.33 公顷，开荒造田 1 公顷。1993 年 3 月，该村经清远市人民政府批准为解放战争游击根据地。2009 年 2 月，按照县、镇的安排，在东坑、寨下、大围 3 个村庄征地兴建广东国防交通应急保障第一基地高岗油站，当月动工建设。油站位于省道 252 线旁，占地 13.33 公顷，于 2015 年建成营运。

（资料填报：李启仟；初稿撰写：张小洁；总纂：李协湖）

竹山下村

◎ 竹山下村村貌（摄于 2016 年）

竹山下村，位于高岗镇南部，距镇政府 7 千米。该村建于明后期，从新丰迁入而形成。因村庄山上多竹，而取名竹山下村。

该村坐落于丘陵地带，村东、西为水田，南为村后山，北为大坝坑（又名官山坑）。县道（省道 252 线—龙潭下）在村西面通过。村北面有条观音山小溪，自村头流至村尾。相邻的村有大坝村、龙潭下村。

该村形成时属英德观音乡，清嘉庆十八年（1813 年）属佛冈厅观音乡，民国时期属佛冈县第二区观台乡，中华人民共和国成立时属佛冈县第二区观台乡，1958 年 10 月属从化县跃进（迳头）人民公社，1961 年 5 月属佛冈县高岗人民公社高镇大队，1983 年 12 月属高岗区高镇乡，1987 年 1 月属高岗镇高镇行政村，1989 年 11 月属高岗镇高镇管理区，1998 年 11 月属高岗镇高镇行政村至今。

世居村民为李姓，明初从福建迁广东英德、新丰。明洪熙元年（1425 年）李福智先迁至新丰遥田，明后期迁至英德县观音乡（今佛冈县高岗镇）该址建村。

2015 年末，村有户籍人口 75 人，其中男性 43 人、女性 32 人。80 岁以上 3 人，最年长者 86 岁（男）。生活主要依靠农业收入有 45 人。常年在城镇生活和打工的 30 人，实有居住 45 人，其中留守儿童 2 人。村民均为汉族，客家民系，使用客家方言。

村属大陆性季风气候，热量丰富，雨量充沛，无霜期长，一年四季可种作物，且土层深厚，宜林、宜牧、宜果、宜茶、宜药的种植；自然资源丰富，林木资源有松树、杉树、柯树、樟树等树种，野生动物资源有野猪、黄猄等兽类和斑鸠等飞禽类，还有眼镜蛇（俗称锅铲头）等爬行动物。

该村有山地 98.8 公顷，耕地 2.33 公顷。传统经济以农业为主，粮食作物主要种植水稻、玉米、番薯，经济作物种植花生、果树、蔬菜等。畜牧业养殖鸡、鸭、鹅、猪、牛等。林业主要以造林、封山育林、保护生态环境。中华人民共和国成立前，由于种植技术水平低下，丰产性能差，该村水稻一般亩产为 100 千克，农民只能维持简单的生活。中华人民共和国成立后，该村先后组织互助组、合作社，参加人民公社，逐步推广应用先进的农业生产技术，农业生产效益有较大的提高。20 世纪 80 年代起实

◎ 水果种植园（摄于 2016 年）

行农村联产承包责任制后，水稻一般亩产达到 400 千克，农业经济效益有较大的提高。此后，逐步调整农村经济结构，积极发展水果产业。2013 年该村种植沙糖桔面积 2.67 公顷，年收入 20 万元。

传统食品有客家脍肉、酿豆腐、白切鸡、紫苏鸭、艾糍、粽子、糖环、油角、米饼等。客家脍肉制作：将买回的猪肉切成 100—150 克的肉块，配以五香粉、蒜苗、蚝油、陈皮、烧酒、豆豉、南乳、白糖、味精等，将佐料与猪肉拌匀，装瓦钵放在锅里蒸熟。蒸熟的脍肉放在通风干爽的棚上藏好，以后每餐食用时再蒸一次即可。若蒸时加以笋干、冬菇等配料，其味道更加香醇可口。酿豆腐的做法是把豆腐切块并挖出小洞，再把腌制好的猪肉酿入豆腐里，最后将豆腐块用小火煎至金黄调味即可食用。

该村于 1985 年通电话、通电。2006 年通自来水，2010 年通网络。

传统民居现存 19 座。民居建设主要以散居为主，建设若干 2 门归厅或 4 门归厅的横排砖木结构民房，周围建有围水屋，以作厨房使用。房屋分为 2 层，用木板隔开，留有通道。第一层一般高 3 米，供人住宿为主;第二层堆放粮食、杂物等，方便生活。民居冬暖夏凉，居住舒适。2000 年以后，村民建设钢筋混凝土结构的楼房，建筑占地面积 80 平方米，设施较完善。

传统节俗为春节、元宵节、清明节、四月八、端午节、中秋节、重阳节、冬至等。其中春节、清明节、端午节、中秋节为大节，其他为小节。节日

◎ 竹山下村民居一角（摄于 2016 年）

气氛浓厚的还有端午节，各家各户包粽子纪念爱国诗人屈原，农户在门楣挂艾叶、菖蒲，点燃蚊香，以避邪逐恶，祈求保佑全家幸福安康。这一天青年人、儿童到江河游泳，叫洗龙舟水，以祈消灾去祸，合家平安。

传统男婚女嫁为“父母之命，媒妁之言”。男女婚嫁是终身大事，都要经过相亲、订婚、迎亲等程序。首先由媒人牵线，约男家的人去女家看人。若男家有意，即授意媒人向女方家长索取其女儿生辰八字，带回男家。男方家长请人卜算后，如男女“相生”，则男家叫媒人陪伴送礼去女家“报合”，如男女“相克”，则将女子生辰八字退回女家，婚事作罢。订婚的第一步是下定礼（俗称座茶或叫小担），即男方送定金、酒米、肉类给女方，表示合成婚事。商定成亲日期及礼金后，按照礼规进行过礼，由男方出具礼帖把礼物、聘金送给女方，女方要回一份礼帖给男方。男家叫算命先生择定结婚吉日，由媒人通知女方。届时男方的迎亲队伍带着礼帖、礼物，吹起八音，敲锣打鼓，抬着花轿到女家迎新娘（俗称迎

◎ 竹山下村大坝河（摄于 2016 年）

亲）。女家把嫁妆、礼物随新娘一起送回男家（俗称送亲）。新娘到达男家后，举行拜堂仪式，随后送入洞房，闹洞房后迎亲仪式即告结束。中华人民共和国成立后，婚嫁习俗逐渐发生变化，婚事新办的风气越来越浓厚。

村民死后传统均以木棺土葬。死者未满 18 岁的只能用普通木料做棺材，竹杠抬，不上肩。死者在 60 岁以上的多有下列习俗：病人临去世前要移至厅堂或廊下。去世后由子孙日夜守孝，死者入殓前，子孙要到河里取水（俗称买水），为死者擦身、更衣，亲自入殓。出殡时，请巫师开路，吹响牛角，送殡队敲锣打鼓、燃放爆竹送行。埋葬死者后，孝子孝女等从坟上抓回一把黄土，并且同牵一条寿红（红布）由另一路线回家。葬后要为死者做“头七”“二七”“三七”的法事，神主牌送往祠堂入位，至此丧事才告完结。

1945 年，该村动员青年参加中共组织领导的抗日队伍——北江支队独立第一大队。1948 年，该村组建民兵组织，参加观音山游击队，会同观音山地区的革命武装，共同抗击国民政府军队对观音山革命根据地的扫荡和围剿。1957 年 10 月，该村经韶关公署批准为抗日战争游击区。20 世纪 70 年代初，开展“农业学大寨”运动，平整土地 1.3 公顷，开荒造田 0.67 公顷。

（资料填报：李启仟；初稿撰写：张小洁；总纂：李协湖）

大高洞村

◎ 大高洞村村貌（摄于 2016 年）

大高洞村，位于高岗镇南部，距镇政府 8 千米。该村始建于明中期，由新丰移民聚居而形成。

该村坐落于山区地带，村东为官厅村，南为山地，西为塘肚村，北为东坑村。京港澳高速公路、省道 252 线在村东面 2 千米处通过。相邻的村有东坑村、寨下村。

清嘉庆十八年（1813 年）属佛冈厅观音乡，民国时期属佛冈县第二区观台乡，中华人民共和国成立时属佛冈县第二区观台乡，1958 年 10 月属从化县跃进（迳头）人民公社，1961 年 5 月属佛冈县高岗人民公社东坑大队，1983 年 12 月属高岗区东坑乡，1987 年 1 月属高岗镇东坑行政村，1989 年 11 月属高岗镇东坑管理区，1998 年 11 月属高岗镇东坑行政村，2005 年 5 月属高岗镇高镇行政村至今。

世居村民为李姓，明初从福建迁移至广东英德、新丰，明中期从新丰迁移至该址。

2015 年末，村有户籍人口 710 人，男性 369 人、女性 341 人。80 岁以上老人 37 人，最年长者 97 岁（女）。生活主要依靠农业收入有 500 人。常年在城镇生活和打工有 210 人，实际在村居住 500 人，其中留守儿童 81 人。村民均为汉族，客家民系，使用客家方言。

村山多林密，自然资源丰富。林木资源有松树、杉树、柯树、樟树等树种。野生动物资源有野猪、黄猄等兽类和斑鸠等飞禽类，还有眼镜蛇（俗称锅铲头）等爬行动物。

村有山地 235 公顷，耕地 36 公顷。传统经济以农业为主，主要种植水稻、玉米、花生、黄豆、蔬菜等。养殖鸡、鸭、鹅、猪、牛及 4 大家鱼（鲤鱼、草鱼、鲢鱼、鳙鱼）。种植花生是该村农业经济的重要来源。

◎ 花生种植园（摄于 2016 年）

民国时期，花生油料产量极低，根本满足不了村民的生活需求。20 世纪 80 年代起，实行农村家庭联产承包责任制，花生亩产达到 200—250 千克，2013 年，该村种植沙糖桔面积 4 公顷，年收入 30 万元。2013 年以后，由于受黄龙病的影响，产业消退，村民改种其他经济作物。

传统食品有筷压糍、糖环、酿豆腐、粽子、艾糍、腊鸭、腊肠等。出名食品有酿豆腐和客家脍肉。酿豆腐的做法是把豆腐切块并挖出小洞，再把腌制好的猪肉酿入豆腐里，最后将豆腐块用小火煎至金黄色，调味即可食用。客家脍肉的做法是将猪肉和各种佐料拌匀，装瓦钵放在锅里蒸熟，蒸熟的脍肉放在通风干爽的棚上藏好，以后每餐食用时再蒸一次即可食用。

该村于 1983 年通电，2003 年通网络，2005 年村道实现水泥硬底化、通自来水，2006 年通电话。

◎ 村道水泥硬底化（摄于 2016 年）

传统民居现存 112 座。民居建设为 2 门归厅或 4 门归厅的横排砖木结构民房，周围建有围水屋，以作厨房使用。村外围修建牛棚、猪舍、鸡窝等，人畜分离，保持人居环境卫生整洁。房屋分为 2 层，用木板隔开，留有通道。第一层一般高 3 米，供人住宿为主；第二层堆放粮食、杂物等，方便生活。民居冬暖夏凉，居住舒适。2000 年以后，村民建设钢筋混凝土结构楼房，建筑占地面积 80 平方米，结构为三房一厅、一厨房一卫生间，装修比较实用。

◎ 村传统民居一角（摄于 2016 年）

传统节俗为春节、元宵节、清明节、四月八、端午节、中秋节、重阳节、冬至等。春节是送旧迎新的大节，从农历十二月二十三日“小年夜”起，家家户户打扫庭院，炸油角、做米饼、炸糖环、蒸年糕，给小孩添新衣、新鞋、玩具。到年三十，村民张贴门神、对联，吃团年饭。这一餐有意把鱼剩下，表示连年有余（鱼）。这天晚上，长者要给小孩红包，名曰压岁钱。村民有守岁的习惯，到晚上 12 点，鸣放鞭炮，迎接新年来临。年初三为送穷日，每家打扫卫生，把新年以来积聚的垃圾送到野外，烧香烧纸，焚烧垃圾。这一天是为忌日，一般不探亲访友。年初四为回门日，新婚男子携妻子去拜访岳父岳母。节日气氛浓厚的还有中秋节，随着生活水平的不断提高，村民对欢庆中秋节的习俗也越来越重视，在外地工作的本地籍人都尽量回家与家人团聚，共度佳节。

◎ 大高洞村村民小组（摄于 2016 年）

传统婚嫁习俗具有客家人的特点，其中担小担、担大担是客家人办婚事的流行风俗。即男方备齐礼物到女方家下聘礼订婚，称为担小担。男方备齐礼物到女方家接新娘，称为担大担。行结婚礼时，要摆酒请客、迎亲和送亲。在新娘家，新郎新娘一起向新娘家长辈敬茶，长辈给新郎新娘新婚红包。接着新娘弟弟撑红雨伞送新娘出门，由新娘的亲朋好友伴送新娘到男家。在男家摆设的喜席上，新郎新娘共同向亲朋好友和来宾敬茶。长辈接过新婚茶后，有的即兴唱起山歌，有的说祝贺词。此外，该村办婚事仍保留铺床、闹洞房的风俗。

丧事习俗也具有客家人的特点。传统以土葬为主，其程序为举丧、入殓、出殡、送葬，将灵牌送入祠堂或厅下。不管是哪家的丧事，全村人都前去帮忙，打锣鼓、舞狮、放鞭炮是丧事的内容之一，由村民按分工各自负责。办丧事期间只能煮白饭、花菜、黄豆煮猪肉等简单的饭菜。葬礼开始时，家里有人与逝者生辰八字相冲的，均不能出现在葬礼上，必须回避。开始下葬时，送葬的家人必须提前离开，离开时不能回头看，要等下葬完毕后再回去祭拜。1990 年以后，虽然逐步实行火葬，但安葬、拜祭等程序仍然保留。

1944 年冬，中共地下党组织到该村动员青年参加中共组织领导的抗日队伍——北江支队独立第一大队。1947 年，该村组建民兵组织，参加观音山游击队，会同观音山地区的革命武装，共同抗击国民党军队对观音山革命根据地的扫荡和围剿。1993 年，该村经清远市人民政府批准为抗日战争游击根据地。2010 年，组织修整农田灌溉设施工作，清理维修大高洞水圳 300 多米，改善农田灌溉条件。2011 年，投资 15 万元，开展村道维修整治，清除村道障碍物，平整路面，铺设水泥硬底化。

该村李功针，1943 年出生，曾任韶关市档案局局长。

（资料填报：李启仟；初稿撰写：黄菁菁；总纂：李协湖）

大坝村

◎ 大坝村村貌（摄于 2016 年）

大坝村， 位于高岗镇南部，距镇政府 7.8 千米。该村始建于明末，由英德白石乡（今佛冈迳头烟岭）分村迁入聚居而形成。因该村地势低，且靠近观音山河边，故取名大坝村。

村坐落于丘陵地带，村东为高岗河和省道 252 线，南为农田，西为竹山下村，北为吊中岭。主要山岭有酸子坑山，海拔 200 米。相邻的村有罗石村、吊中岭村。

该村形成时属英德观音乡，清嘉庆十八年（1813 年）属佛冈厅观音乡，民国时期属佛冈县第二区观台乡，中华人民共和国成立后属佛冈县第二区观台乡，1958 年 10 月，属从化县佛冈片跃进（迳头）人民公社，1961 年 5 月属高岗人民公社高镇大队，1983 年 12 月属高岗区高镇乡，1987 年 1 月属高岗镇高镇行政村，1989 年 11 月属高岗镇高镇管理区，1998 年 11 月属高岗镇高镇行政村至今。

世居村民为李姓。据《佛冈李氏族谱》记载，明洪熙元年（1425 年），李福智由闽入粤，为李氏入粤始祖，先迁至新丰遥田，后迁至英德县白石乡（今佛冈县迳头镇），最后迁到大坝村。大坝村李姓为李绍公后裔。

2015 年末，村有户籍人口 115 人，其中男性 55 人、女性 60 人。80 岁以上 3 人，最年长者 99 岁（女）。生活主要依靠农业收入有 52 人。常年在城镇生活和打工有 63 人，实际在村居住 52 人，其中留守儿童 20 人。村民均为汉族，客家民系，使用客家方言。

该村山多林密，自然资源丰富。林木资源有松树、杉树、柯树、樟树等树种。野生动物资源有野猪、黄猄、斑鸠、眼镜蛇等。

该村有山地 191.6 公顷，耕地 3.2 公顷。传统经济以农业为主，主要种植水稻、玉米、花生、黄豆、蔬菜等。养殖鸡、鸭、鹅、猪、牛及 4 大家鱼（鲤鱼、草鱼、鲢鱼、鳙鱼）。蔬菜种植是该村经济的重要组成部分。实行农村联产承包责任制前，蔬菜只在村民自留地种植，村民自己食用。20 世纪 80 年代农村全面实施家庭联产承包责任制后，兴修水利，积极开展多种经营，大力发展蔬菜种植业，蔬菜一般亩产达 1000 千克，有效地增加村民收入。2000 年以后，大部分青壮年外出打工，外出务工村民为工资性收入。该村还积极发展水果产业，2013 年种植沙糖桔面积 10 公顷，年收入 75 万元。2013 年以后，由于受黄龙病的影响，产业消退，村民改种其他经济作物。

传统食品有酿豆腐、客家脍肉、艾糍、糯米糍、粽子、糖环等。酿豆腐的做法是把豆腐切块并挖出小洞，再把腌制好的猪肉酿入豆腐里，最后将豆腐块用小火煎至金黄调味即可食用。客家脍肉的做法是将猪肉和各种佐料拌匀，装瓦钵放在锅里蒸熟，蒸熟的脍肉放在通风干爽的棚上藏好，以后每餐食用时再蒸一次即可食用。

村于 1985 年通电，1995 年村道实现水泥硬底化，2003 年通电话，2006 年通自来水，2013 年通网络。

传统民居现存 42 座。民居建设主要是 2 门归厅的横排砖木结构民房，周围建有围水屋，以作厨房使用。2000 年以后，村民建设钢筋混凝土结构的楼房，建筑占地面积 80 平方米，装修比较实用。

◎ 大坝村旧民居一角（摄于 2016 年）

传统节俗为春节、元宵节、清明节、四月八、端午节、中秋节、重阳节、冬至等。正月十五为元宵节，该村有蒸发糕、做糍的习俗，以示庆贺春节圆满结束，转入新的一年农事活动，元宵节晚餐丰盛。

◎ 村新民居（摄于 2016 年）

节日气氛浓厚的还有清明节，家家户户门楣插柳枝和桃叶以驱邪，采艾（一种植物）做糍，名为艾糍，并进行扫墓活动。扫墓一般从清明前的春分起到农历四月初八日，扫墓期间在外地谋生做事的人都尽可能赶回去祭扫祖墓，不回去扫墓的人会遭到村人的责骂。

中华人民共和国成立前，男婚女嫁为“父母之命，媒妁之言”。佛冈农村存有抱养穷人家女童做童养媳、未生男孩的人家抱养“等郎妹”的习俗。男女婚嫁是终身大事，都要经过相亲、订婚、迎亲等程序。首先由媒人牵线，约男家的人去女家看人。若男家有意，即授意媒人向女方家长索取其女儿生辰八字，带回男家。男方家长请人卜算后，如男女“相生”，则男家叫媒人陪伴送礼去女家“报合”，如男女“相克”，则将女子生辰八字退回女家，婚事作罢。订婚的第一步是下定礼（俗称座茶或叫小担），即男方送定金、酒米、肉类给女方，表示合成婚事。商定成亲日期及礼金后，按照礼规进行过礼，由男方出具礼帖把礼物、聘金送给女方，女方要回一份礼帖给男方。男家叫算命先生择定结婚吉日，由媒人通知女方。届时男方的迎亲队伍带着礼帖、礼物，吹起八音，敲锣打鼓，抬着花轿到女家迎新娘（俗称迎亲）。女家把嫁妆、礼物随新娘一起送回男家（俗称送亲）。新娘到达男家后，举行拜堂仪式，随后送入洞房，闹洞房后迎亲仪式即告结束。中华人民共和国成立后，婚嫁习俗逐渐发生变化，婚事新办的风气越来越浓厚。

村民死后传统均以木棺土葬。死者未满 18 岁的只能用普通木料做棺材，竹杠抬，不上肩。死者在 60 岁以上的多有下列习俗：病人临去世前要移至厅堂或廊下。去世后由子孙日夜守孝，死者入殓前，子孙要到河里取水（俗称买水），为死者擦身、更衣，亲自入殓。出殡时，请巫师开路，吹响牛角，送殡队敲锣打鼓、燃放爆竹送行。埋葬死者后，孝子孝女等从坟上抓回一把黄土，并且同牵一条寿红（红布）由另一路线回家。葬后要为死者做“头七”“二七”“三七”的法事，神主牌送往祠堂入位。至此丧事才告完结。1990 年后逐步实行火葬。

◎ 村水利设施供水陂（摄于 2015 年）

1944—1945 年，该村动员青年参加中共领导的抗日队伍——北江支队独立第一大队。解放战争时期，该村组建民兵组织，参加观音山游击队，会同观音山地区的革命武装，共同抗击国民政府军队对观音山革命根据地的扫荡和围剿。1957 年 10 月，该村经韶关公署批准为抗日战争游击区。2010 年，该村开展农田水利维修建设工作，投资 4 万元维修加固大坝陂，改善农田灌溉面积 13.33 公顷。

（资料填报：李启仟；初稿撰写：罗卓凡；总纂：李协湖）

刘屋村

◎ 刘屋村村貌（摄于 2016 年）

刘屋村，位于高岗镇东北部，距镇政府 7 千米。该村建于清中期，建村时村民姓刘，故取名为刘屋村。相邻的村有张屋村、杨梅塘村。

该村位于漏坑溪发源地，东为漏坑溪，南与张屋村相连，西为山地，北为杨梅塘村。该村有乡道与省道 252 线相连。

清嘉庆十八年（1813 年）属佛冈厅独石乡，民国时期属佛冈县第二区观台乡，中华人民共和国成立时属佛冈县第二区观台乡，1958 年 10 月属从化县跃进（迳头）人民公社，1961 年 5 月属佛冈县高岗人民公社漏坑大队，1983 年 12 月属高岗区漏坑乡，1987 年 1 月属高岗镇漏坑行政村，1989 年 11 月属高岗镇漏坑管理区，1998 年 11 月属高岗镇三联行政村至今。

世居村民为刘姓，于宋末从福建迁至潮州、兴宁，后迁至从化，明初再迁至清远县吉河乡（今佛冈县石角镇）龙蟠村，清中期从龙蟠村迁移至该地。

2015 年末，村有户籍人口 547 人，其中男性 284 人、女性 263 人。其中 80 岁以上老人 20 人，最年长者 95 岁（女）。生活主要依靠农业收入有 298 人。常年在城镇生活和打工有 249 人，实际在村居住 298 人，其中留守儿童 23 人。村民均为汉族，客家民系，使用客家方言。

该村有山地 475 公顷，耕地 38.53 公顷。村矿产资源有稀土矿。村属山区自然村落，梯田、边远山坑田占较大比例，作物比较单一，为一年两熟制。主要种植双季水稻，第二大农作物是番薯，第三大作物是花生，蔬菜种植面积较少。养殖鸡、鸭、鹅、猪、牛、羊等禽畜类。20 世纪 80 年代起，逐步调整农村经济结构，积极发展水果产业，2013 年种植沙糖桔面积 30.4 公顷，年收入 228 万元。2013 年以后，由于受黄龙病的影响，产业消退，村民改种其他作物。

传统食品有酿豆腐、脍肉、艾糍、糖环、腊肠、腊肉、粽子等。酿豆腐的做法是把豆腐切块并挖出小洞，再把腌制好的猪肉酿入豆腐里，最后将豆腐块用小火煎至金黄色，调味即可食用。脍肉的做法是将猪肉和各种佐料拌匀，装瓦钵放在锅里蒸熟，蒸熟的脍肉放在通风干爽的棚上藏好，以后每餐食用时再蒸一次即可食用。艾糍的制作：先将艾叶稍煮一下，去掉苦味；将糯米碾成粉，与艾叶混合搓匀。用糖、花生碎粒、芝麻作馅，捏为小块，包成三角形或圆形，蒸熟即可。糖环的制作：用水浸透糯米（掺 30% 黏米），滤干碾成粉。将糖入锅煮成糖水起锅，再将米粉放在锅中炒热，然后趁热拌糖水搓匀，便可捏成小圆条，圈成半边窗式的称“半边糖环”，圈成六角形称“六耳球”，用油炸熟即成。粽子的制作：用料为糯米、猪肋条肉、香菇、花生仁、花生油等，包成立体三角形粽子，用湿咸水草或细篾片拦腰捆系好，然后放入锅内，加入清水用旺火煮约 2 小时，再用文火焖约 3 小时，即可食用。咸肉粽气味郁香，油润适口。

该村 1985 年通电，2005 年通电话，2012 年村道实现水泥硬底化、通自来水，2013 年通网络。村中建有垃圾收集点。2015 年，有三联小学，班级 3 个，在校学生 13 人，教职工 2 人。

传统民居现存 70 座。民居为 2 门归厅的横排砖木结构民房，周围建有围水屋，以作厨房使用。村外围修建牛棚、猪舍、鸡窝等，人畜分离，保持人居环境卫生整洁。房屋分为 2 层，用木板隔开，留有通道。第一层一般高 3 米，供人住宿为主；第二层堆放粮食、杂物等，方便生活。民居冬暖夏凉，居住舒适。2000 年以后，村民建设钢筋混凝土结构的楼房，建筑占地面积 80 平方米，结构三房一厅一厨一卫，设施较完善，部分还建有停车场。

◎ 村传统民居一角（摄于 2016 年）

村有刘氏宗祠，始建于清中期，重修于 2005 年，现占地 100 平方米。

◎ 村新民居一角（摄于 2016 年）

◎ 刘氏宗祠（摄于 2016 年）

◎ 刘氏宗祠神台（摄于 2016 年）

该村传统的节俗为每年农历三月初六，从本宗祠分支出去的广西兆流、英德等地族人回乡祭祖。还有春节、元宵节、清明节、四月八、端午节、中秋节、重阳节、冬至等节日。清明节家家户户门口插桃叶以驱邪，采艾蒿做糍，并进行扫墓活动。村民不论老少，离家多远，都要赶回家祭祖，以示孝敬。节日气氛浓厚的还有端午节，各家各户包粽子纪念爱国诗人屈原，农户在门楣挂艾叶、菖蒲，点燃蚊香，以避邪逐恶，祈求保佑全家幸福安康。这一天青年人、小孩子到江河游泳，叫洗龙舟水，以祈消灾去祸，合家平安。随着生活水平的不断提高，村民对欢庆节日的习俗也越来越重视，在外地工作的本地籍人都尽量回家与家人团聚，共度佳节。

村传统婚嫁庄重繁杂。男女开始交往时女家要到男家探家，结婚前男方需向女方家下聘礼，报日子、送聘金、定嫁妆。行结婚礼时，要摆酒请客，迎亲和送亲。迎亲过程尤为有趣：新郎先租七辆或九辆车作婚车装饰好。结婚当天，新郎带着亲朋好友坐上婚车到新娘家接新娘。新娘的姐妹朋友关门阻止新郎进入新娘家。新郎需要用红包开路，并请亲朋好友帮助接新娘。在新娘家，新郎新娘一起向新娘家长辈敬茶，长辈给新郎新娘新婚红包。接着新娘弟弟撑红雨伞送新娘出门，出门前新娘家人拿用红纸包成条状的硬币给新娘，新娘掰断并放入自己的口袋，新娘出门后不可回头望。男家把新娘接回家后，喜席即开席。接着由新郎、新娘一起向亲友敬茶，亲友也回赠红包。喜席结束后，亲友把新郎、新娘送入洞房，这时婚礼才结束。

村里发生丧事时，传统以土葬为主。其程序为举丧、入殓、出殡、送葬，将灵牌送入祠堂或厅下。办丧事期间只能煮白饭、花菜、黄豆煮猪肉等简单的饭菜。葬礼开始时，家里有人与逝者生辰八字相冲的，均不能出现在葬礼上，必须回避。开始下葬时，送葬的家人必须提前离开，离开时不能回头看，要等下葬完毕后再回去祭拜。1990 年以后逐步实行火葬。

1955 年发生春旱，从 1954 年 10 月至 1955 年 4 月底，历时 214 天，没有下过一场透雨，是 60 年来罕见的旱灾，全村 50% 的农田受旱。2012 年，投资 29 万元，由三联村委在刘屋村建设村委会文化公园。2013 年，投资 20 万元，开展饮水安全工程建设，让全村人饮用、使用干净、清洁、安全的自来水。

该村的刘纯名（1929—1948），革命烈士，北江先遣支队英翁佛民主先锋大队华山中队战士，在英德五指坛战斗中牺牲。

（资料填报：曾昭甫；初稿撰写：朱晓文；总纂：李协湖）

○三联行政村

仙子背村

◎ 仙子背村村貌（摄于2016年）

仙子背村，位于高岗镇东北部，距镇政府8千米。该村始建于清中期，建村时因村位于仙子背山而取名仙子背村。相邻的村有张屋村。

该村坐落漏坑河发源地，东面为河，南与仙子背村相连，西为山，北为张屋村。乡道与省道252线相连，交通便利。村周围都是小山头，而且面积广大，对发展林业生产极为有利。

清嘉庆十八年（1813年）属佛冈厅独石乡，民国时期属佛冈县第二区观台乡，中华人民共和国成立时属佛冈县第二区观台乡，1958年10月属从化县跃进（迳头）人民公社，1961年5月属佛冈县高岗人民公社漏坑大队，1983年12月属高岗区漏坑乡，1987年1月属高岗镇漏坑行政村，1989年11月属高岗镇漏坑管理区，1998年11月属高岗镇三联行政村至今。

世居村民为曾姓。明洪武年间(1368—1398年)，先祖曾瑜从江西吉阳迁移至广东南雄珠玑巷后再迁入从化，明末从从化迁移至楼下村后再迁入该地。

2015年末，村有户籍人口146人。其中男性76人、女性70人。80岁以上老人8人，最年长者93岁(男)。生活主要依靠农业收入有38人。常年在城镇生活和打工有108人，实际在村居住38人，其中留守儿童3人。村民均为汉族，客家民系，使用客家方言。

该村山多林密，自然资源丰富。林木资源有松树、杉树、柯树、樟树等树种。野生动物资源有野猪、黄猄、

◎ 花生种植园（摄于2016年）

斑鸠、眼镜蛇等。矿产资源有稀土矿，政府未组织采掘。

该村有山地 157.67 公顷，耕地 11.33 公顷。传统经济以农业为主，农作物比较单一，为一年两熟制。第一大宗作物是双季水稻，第二大宗作物是番薯、花生。2000 年以后，大部分青壮年外出打工，外出务工村民为工资性收入。随着产业结构的调整，种植果树逐步形成规模化产业，2013 年种植沙糖桔面积 15.33 公顷，年收入 115 万元。2013 年以后，由于受黄龙病的影响，产业消退，村民改种火龙果、百香果等其他作物。

传统食品有酿豆腐、艾糍、糖环、腊肠、腊肉、粽子等。

该村 1985 年通电，2005 年通电话，2012 年实现村道水泥硬底化、通自来水，2013 年通网络。村中建有垃圾收集点。

传统民居为长方形客家围屋，现存 21 座，分布于多个居住点。居住点大都建有门楼，门楼瓦面比民居瓦面略高，有的门楼为石门楣、石门框并设有大门，门楣上方设有瞭望孔。村里民居为 2 门归厅的横排砖木结构民房，周围建有围水屋，以作厨房使用。房屋分为 2 层，用木板隔开，留有通道。第一层一般高 3 米，供人住宿为主；第二层堆放粮食、杂物等，方便生活。民居冬暖夏凉，居住舒适。2000 年以后，村民建设钢筋混凝土结构楼房，建筑占地面积 80 平方米，结构三房一厅一厨一卫，装修比较实用，部分还建有停车场。

◎ 村传统民居一角（摄于 2016 年）

◎ 村新民居一角（摄于 2016 年）

传统节俗为春节、元宵节、清明节、四月八、端午节、中秋节、重阳节、冬至等。其中春节、清明节、端午节、中秋节为大节，其他为小节。该村有过四月八的习俗，此日近午时，村民便集中在山冈上祭拜无主山坟，晚上则在郊野祭幽灵，烧纸衣、冥钱，撒饭撒肉，鸣锣招引孤魂。中华人民共和国成立后，这种旧俗逐步消失，但村民仍保留在四月八做糍过节的习俗。节日气氛浓厚的还有清明节，家家户户门楣插柳枝和桃叶以驱邪，采艾（一种植物）做糍，名为艾糍，并进行扫墓活动。扫墓一般从清明前的春分起到农历四月初八日，扫墓期间在外地谋生做事的人都尽可能赶回去祭扫祖墓，不回去扫墓的人会遭到村人的责骂。

中华人民共和国成立前，男婚女嫁为“父母之命，媒妁之言”。男女婚嫁是终身大事，都要经过相亲、订婚、迎亲等程序。首先由媒人牵线，约男家的人去女家看人。若男家有意，即授意媒人向女方家长索取其女儿生辰八字，带回男家。男方家长请人卜算后，如男女“相生”，则男家叫媒人陪伴送礼去女家“报合”，如男女“相克”，则将女子生辰八字退回女家，婚事作罢。订婚的第一步是下定礼（俗称座茶或叫小担），即男方送定金、酒米、肉类给女方，表示合成婚事。商定成亲日期及礼金后，按照礼规进行过礼，由男方出具礼帖把礼物、聘金送给女方，女方要回一份礼帖给男方。男家叫算命先生择定结婚吉日，由媒人通知女方。届时男方的迎亲队伍带

◎ 仙子背桥（摄于 2016 年）

着礼帖、礼物，吹起八音，敲锣打鼓，抬着花轿到女家迎新娘（俗称迎亲）。女家把嫁妆、礼物随新娘一起送回男家（俗称送亲）。新娘到达男家后，举行拜堂仪式，随后送入洞房，闹洞房后迎亲仪式即告结束。中华人民共和国成立后，婚嫁习俗逐渐发生变化，婚事新办的风气越来越浓厚。

中华人民共和国成立前，村民死后均以木棺土葬。死者未满 18 岁的只能用普通木料做棺材，竹杠抬，不上肩。死者在 60 岁以上的多有下列习俗：病人临去世前要移至厅堂或廊下。去世后由子孙日夜守孝，死者入殓前，子孙要到河里取水（俗称买水），为死者擦身、更衣，亲自入殓。出殡时，请巫师开路，吹响牛角，送殡队敲锣打鼓、燃放爆竹送行。埋葬死者后，孝子孝女等从坟上抓回一把黄土，并且同牵一条寿红（红布）由另一路线回家。葬后要为死者做“头七”“二七”“三七”的法事，神主牌送往祠堂入位，至此丧事才告完结。

1979 年 8 月 2 日，遭受强台风袭击，由于风势急，风力大，迟熟水稻全部倒伏，毁坏房屋 20 多间，倒塌 3 间。2006 年起，该村按照县、镇开展公益事业一事一议的部署，结合美丽乡村建设的要求，由村理事会研究并经村民通过，带领村民开展社会主义新农村建设，逐步落实村中的建设规划，维护村道，改造危房，建设饮水工程，造福于民。2014 年，投资 16 万元，开展饮水安全工程建设，让全村人用上安全的自来水。

（资料填报：曾昭甫；初稿撰写：曾永娟；总纂：李协湖）

杨梅塘村

◎ 杨梅塘村村貌（摄于 2016 年）

杨梅塘村，位于高岗镇东北部，距镇政府约 10 千米。该村建于清初，建村时因村域多杨梅树、村前有一口塘，故取名为杨梅塘村。该村先有杨氏居住，后来由范氏及曾氏迁入居住，杨氏和范氏随后陆续迁走，只有曾氏在村居住。相邻的村有刘屋村。

该村坐落于丘陵地带，村东、西、北为山，南与刘屋村相连。有乡道与省道 252 线相连，村东面、南面有溪水，是漏坑河发源地。

清嘉庆十八年（1813 年）属佛冈厅独石乡，民国时期属佛冈县第二区观台乡，中华人民共和国成立时属佛冈县第二区观台乡，1958 年 10 月属从化县跃进（迳头）人民公社，1961 年 5 月属佛冈县高岗人民公社漏坑大队，1983 年 12 月属高岗区漏坑乡，1987 年 1 月属高岗镇漏坑行政村，1989 年 11 月属高岗镇漏坑管理区，1998 年 11 月属高岗镇三联行政村至今。

世居村民为曾姓。明洪武年间(1368—1398 年)，先祖曾瑜从江西吉阳迁移至广东南雄珠玑巷后迁入从化，清初从从化迁移至该地。

2015 年末，村有户籍人口 565 人，其中男性 290 人、女性 275 人。80 岁以上 5 人。最年长者 91 岁（男）。生活主要依靠农业收入有 400 人。常年在城镇生活和打工有 165 人，实际在村居住 400 人，其中留守儿童 5 人。祖籍该村的香港同胞 14 人。村民均为汉族，客家民系，使用客家方言。村注重传承和尊老爱幼的传统习俗，让老人安度晚年；关心儿童成长，适龄儿童按时就读，没有因贫失学的现象。

村矿产资源有稀土矿，政府未组织采掘。

该村有山地 855 公顷，耕地 45.87 公顷。传统

◎ 农田灌溉水圳（摄于 2015 年）

经济以农业为主，粮食作物种植水稻、番薯。经济作物种植玉米、花生、黄豆、果树、蔬菜等。畜牧业养殖鸡、鸭、鹅、猪、牛、羊等禽畜。林业主要以植树造林、封山育林、林木采伐，现主要以保护生态林为主要任务。到20世纪80年代初期农村实行家庭联产承包责任制起，农业基础设施明显改善，推广先进的生产技术，水稻一般亩产为400千克，花生亩产200—250千克（干荚），农业经济效益有较大的提高。2000年以后，大部分青壮年外出打工，外出务工村民为工资性收入。此后，县委、镇政府重视农村经济发展，到该村调研，召开村民小组会议并积极发展水果产业。2013年种植沙糖桔面积30.53公顷，产值229万元。2013年以后，由于受黄龙病的影响，产业消退，村民改种火龙果等其他作物。

传统食品有酿豆腐、艾糍、糖环、腊肠、腊肉、粽子等。

1985年通电，2005年通电话，2012年村道实现水泥硬底化、通自来水，2013年通网络。村中建有垃圾收集点。

传统民居现存35座。民居大多为2门归厅或4门归厅，属横排砖木结构民房，周围建有围水屋，以作厨房使用。村外围修建牛棚、猪舍、鸡窝等，人畜分离，保持人居环境卫生整洁。房屋分为2层，用木板隔开，留有通道。第一层一般高3米，供人住宿为主；第二层堆放粮食、杂物等，方便生活。民居冬暖夏凉，居住舒适。2000年以后，村民建设

◎ 村传统民居一角（摄于2016年）

◎ 村新民居一角（摄于2016年）

钢筋混凝土结构楼房，楼房底层面积多为100平方米，结构三房一厅一厨一卫，设施较完善，部分还建有停车场。

该村建有曾氏宗祠，始建于清中期，重修于1998年，现占地50平方米。村修有《武城曾氏重修族谱》，由广府曾氏泉公理事会于2006年纂修。族训有宗圣公曾子训："孝悌忠信，礼义廉耻，三省诚身，道传一贯。"又立有宗圣曾氏家规，于清代同治十一年（1872年）由东南两宗共订。记有："孝亲悦心，尊师扶幼。世袭立嫡，承嗣立长。嫡亲不婚，子嗣敏聪。抚子继嗣，同宗择侄。招赘为嗣，宗圣脉混。淫邪乱伦，圣规则罚。"

◎ 杨梅塘村曾氏宗祠（摄于2016年）

传统节俗为春节、元宵节、清明节、四月八、端午节、中秋节、重阳节、冬至等。其中春节、清明节、端午节、中秋节为大节，其他为小节。该村过端午节时，在门口桂艾叶、菖蒲等，以避邪逐恶。还有少年儿童到江河游泳，叫洗龙舟水，减少儿童

◎ 县委书记华旭初（左二）到该村调研（摄于 2013 年）

◎ 召开村民小组会议（摄于 2013 年）

得病的概率。节日气氛浓厚的还有中秋节，每逢中秋之夜，男女老少一起赏月，用月饼、柚子及石螺等食品拜月，热闹非常。随着生活水平的不断提高，村民对欢庆中秋节的习俗也越来越重视，在外地工作的本地籍人都尽量回家与家人团聚，共度佳节。

传统婚嫁习俗具有客家人的特点，其中担小担、担大担是客家人办婚事的流行风俗。即男方备齐礼物到女方家下聘礼订婚，称为担小担。男方备齐礼物到女方家接新娘，称为担大担。行结婚礼时，要摆酒请客、迎亲和送亲。结婚当天，新郎带着亲朋好友坐上婚车到新娘家接新娘。新娘的姐妹朋友关门阻止新郎进入新娘家。新郎需要用红包开路，并请亲朋好友帮助接新娘。在新娘家，新郎新娘一起向新娘家长辈敬茶，长辈给新郎新娘新婚红包。接着新娘弟弟撑红雨伞送新娘出门，由新娘的亲朋好友伴送新娘到男家。在男家摆设的喜席上，新郎新娘共同向亲朋好友和来宾敬茶。长辈接过新婚茶后，有的即兴唱起山歌，有的说祝贺词。此外，该村办婚事仍保留铺床、闹洞房的风俗。

丧事习俗也具有客家人的特点。发生丧事时，传统以土葬为主，其程序为举丧、入殓、出殡、送葬，将灵牌送入祠堂或厅下。不管是哪家的丧事，全村人都前去帮忙，打锣鼓、舞狮、放鞭炮是丧事的内容之一，由村民按分工各自负责。办丧事只能煮白饭、花菜、黄豆煮猪肉等简单的饭菜。葬礼开始时，家里有人与逝者生辰八字相冲的，均不能出现在葬礼上，必须回避。开始下葬时，送葬的家人必须提前离开，离开时不能回头看，要等下葬完毕后再回来祭拜。1990 年以后，虽然逐步实行火葬，但有些程序仍然保留。

1945 年，北江支队独立大队和中共佛冈县委、中共三江支部先后到该村开展革命活动，该村组织建立互耕会和民兵组织，并设立中共地下交通站。1947—1948 年，该村村民掩护佛冈人民义勇大队安全通过该村到礼溪活动，并动员青年参加佛冈义勇大队。1949 年，该村民兵同三江、观石乡民兵会合，一齐攻打驻三江的国民政府联防队。20 世纪 60 年代中期，村民参加高岗人民公社组织的县社造林大会战，公路沿途山上种杉木 5.67 公顷。70 年代初，开展“农业学大寨”运动，该村组织村民修整漏坑河堤 100 多米，对薄弱部分加固加高，并结合改河造田平整土地 0.7 公顷，改造低产田 1.34 公顷，修整农田灌溉陂头 2 座，改善了耕作条件。2011 年，该村组织村民集资筹劳，修整加固村中农田灌溉陂头——黄迳陂，改善农田灌溉面积 13.33 公顷。

1993 年，经清远市人民政府批准该村为解放战争游击根据地。

（资料填报：曾昭甫；初稿撰写：曾永娟；总纂：李协湖）

张屋村

◎ 张屋村村貌（摄于 2016 年）

张屋村，位于高岗镇东部，距镇政府约 7 千米。该村始建于清中期，建村时因世居村民为张氏，故取名为张屋村。相邻的村有刘屋村、仙子背村。

该村坐落于丘陵地带，东为漏坑河，南与仙子背村相连，西为山地，北为刘屋村。该村西面 2 千米处有京港澳高速公路，有乡道与省道 252 线相连。村周围都是小山头，山地面积大，对发展林业生产极为有利。

清嘉庆十八年（1813 年）属佛冈厅独石乡，民国时期属佛冈县第二区观台乡，中华人民共和国成立时属佛冈县第二区观台乡，1958 年 10 月属从化县跃进（迳头）人民公社，1961 年 5 月属佛冈县高岗人民公社漏坑大队，1983 年 12 月属高岗区漏坑乡，1987 年 1 月属高岗镇漏坑行政村，1989 年 11 月属高岗镇漏坑管理区，1998 年 11 月属高岗镇三联行政村至今。

世居村民为张姓。明初张氏祖先从江西吉安迁移至广东博罗，后迁至惠阳再迁至英德鱼湾，清中期张氏从英德鱼湾迁移至该地。

2015 年末，村有户籍人口 247 人，其中男性 131 人、女性 116 人。80 岁以上老人 8 人，最年长者 92 岁（女）。生活主要依靠农业收入有 101 人。常年在城镇生活和打工有 146 人，实际在村居住 101 人，其中留守儿童 6 人。村民均为汉族，客家民系，使用客家方言。

村山多林密，自然资源丰富。村矿产资源有稀土矿，林木资源有松树、杉树、柯树、樟树等树种。野生动物资源有野猪、黄猄等兽类和斑鸠等飞禽类，还有眼镜蛇（俗称锅铲头）等爬行动物。

◎ 村民的种养基地（摄于 2015 年）

村有山地面积 380 公顷，耕地 19.67 公顷。传统经济以农业为主，主要种植水稻、玉米、花生、黄豆、蔬菜等。养殖鸡、鸭、鹅、猪、牛及 4 大家鱼（鲤鱼、草鱼、鲢鱼、鳙鱼）。中华人民共和国成立前，由于种植技术水平低下，丰产性能差，该村水稻一般亩产为 100 千克，农民只能维持简单的生活。中华人民共和国成立后，该村先后组织互助组、合作社，参加人民公社，逐步推广应用先进的农业生产技术，农业生产效益有较大的提高。20 世纪 80 年代起实行农村家庭联产承包责任制后，水稻一般亩产达到 400 千克，农业经济效益有较大的提高。2000 年以后，大部分青壮年外出打工，外出务工村民为工资性收入。此后，逐步调整农村经济结构，发展果树产业。2013 年该村种植沙糖桔面积 15.27 公顷，年收入 114 万元。2013 年以后，由于受黄龙病的影响，产业消退，村民改种火龙果、百香果等其他经济作物。

传统食品有酿豆腐、艾糍、糖环、腊肠、腊肉、粽子等。出名食品有酿豆腐和客家腍肉。

村于 1985 年通电，2005 年通电话，村道 2012 年实现水泥硬底化、通自来水，2013 年通网络。村中建有垃圾收集点。

传统民居现存 30 座。民居为 2 门归厅的横排砖木结构民房，周围建有围水屋，以作厨房使用。房屋分为 2 层，用木板隔开，留有通道。第一层一般高 3 米，供人住宿为主；第二层堆放粮食、杂物等，方便生活。民居冬暖夏凉，住宿舒适。2000 年以后，村民建设钢筋混凝土结构楼房，建筑占地面积 80 平方米，结构三房一厅一厨一卫，设施较完善，部分还建有停车场。

该村有张氏宗祠，始建于清中期，重修于 1999 年，现占地 70 平方米。

传统节俗为春节、元宵节、清明节、四月八、端午节、中秋节、重阳节、冬至等。其中春节、清

◎ 村新民居一角（摄于 2016 年）

◎ 村传统民居一角（摄于 2016 年）

◎ 张氏宗祠（摄于 2016 年）

◎ 张氏宗祠神台（摄于 2016 年）

明节、端午节、中秋节为大节，其他为小节。该村有过七月半的习俗，七月半亦称盂兰节或鬼节。这天村民既拜祭神明，也祭祀祖宗。宋代末年元兵入侵，时值盂兰节前，为避元兵侵扰，村民提前一天祭祀祖宗。从此每年农历七月十四日过七月半，此习沿袭至今，村民仍保留在七月十四做糍过节的习俗。节日气氛浓厚的还有清明节，家家户户门楣插柳枝和桃叶以驱邪，采艾（一种植物）做糍，名为艾糍，并进行扫墓活动。扫墓一般从清明前的春分起到农历四月初八日，扫墓期间在外地谋生做事的人都尽可能赶回去祭扫祖墓，不回去扫墓的人会遭到村人的责骂。

传统婚嫁习俗有担小担、担大担。男方备齐礼物到女方家下聘礼订婚，称为担小担。男方备齐礼物到女方家接新娘，称为担大担。行结婚礼时，要摆酒请客、迎亲和送亲。新郎需要用红包开路，并请亲朋好友帮助接新娘。在新娘家，新郎新娘一起向新娘家长辈敬茶，长辈给新郎新娘新婚红包。接着新娘弟弟撑红雨伞送新娘出门，由新娘的亲朋好友伴送新娘到男家。在男家摆设的喜席上，新郎新娘共同向亲朋好友和来宾敬茶。长辈接过新婚茶后，有的即兴唱起山歌，有的说祝贺词。

丧事习俗也具有客家人的特点。传统以土葬为主，其程序为举丧、入殓、出殡、送葬，将灵牌送入祠堂或厅下。不管是哪家的丧事，全村人都前去帮忙，打锣鼓、舞狮、放鞭炮是丧事的内容之一，由村民按分工各自负责。办丧事只能煮白饭、花菜，黄豆煮猪肉等简单的饭菜。葬礼开始时，家里有人与逝者生辰八字相冲的，均不能出现在葬礼上，必须回避。开始下葬时，送葬的家人必须提前离开，离开时不能回头看，要等下葬完毕后再回去祭拜。1990 年以后，虽然逐步实行火葬，但安葬等程序仍然保留。

1947—1948 年，该村村民掩护佛冈人民义勇大队安全通过该村到礼溪活动，并动员青年参加佛冈义勇大队。1949 年，该村民兵同三江、观石乡民兵会合，一齐攻打驻三江的国民党联防队。1981 年 3 月 18 日，受狂风暴雨和冰雹袭击，历时 20 分钟，小雹如豆，大雹如乒乓球，砸伤 7 人，房屋受损严重。

（资料填报：曾昭甫；初稿撰写：曾永娟；总纂：李协湖）

○新联行政村

茶元坪村

◎ 茶元坪村村貌（摄于 2016 年）

茶元坪村，曾用名茶元城，位于高岗镇南部，距镇政府 3 千米。该村建于民国初期，从英德下砵迁入而形成。因原茶姓居住，取名茶元坪村，曾用名茶元城。

该村坐落于丘陵地带，村东、南、西为农田，北公路。京港澳高速公路、省道 252 线在村旁西面通过，县道 374 线在村旁北面通过。主要山岭有樟树壳山，高 290 米。主要河流是横江河，在村东南面。相邻自然村有丆下村、丰田村。

民国初期该村成立后属佛冈县第二区观台乡，中华人民共和国成立时属佛冈县第二区观台乡，1958 年 10 月属从化县跃进（迳头）人民公社，1961 年 5 月属佛冈县高岗人民公社新街大队，1983 年 12 月属高岗区新街乡，1987 年 1 月属高岗镇新街行政村，1989 年 11 月属高岗镇新街管理区，1998 年 11 月属高岗镇新街行政村，2005 年 5 月属高岗镇新联行政村至今。

茶元坪村世居村民为罗姓，明景泰年间（1450—1456 年）从中原迁至广东南雄珠玑巷，后从新丰迁移到英德下砵，罗姓福广公从英德下砵高沙岗再迁到该地。

2015 年末，村有户籍人口 489 人，其中男性 252 人、女性 237 人。80 岁以上老人 10 人。最年长者 86 岁（女）。生活主要依靠农业收入有 212 人。常年在城镇生活和打工有 277 人，实际在村居住 212 人。村民均为汉族，客家民系，使用客家方言。村

◎ 林木培育（摄于 2016 年）

◎ 农具：犁、耙、谷拨（摄于2016年）

◎ 村传统民居一角（摄于2016年）

◎ 罗氏宗祠（摄于2016年）

民具有勤劳致富，改革创业的村风特点，在外出村民中，有的通过外出务工掌握专业技术后回乡服务乡邻，有的在外成功经商创业，致富不忘乡亲，资助村里举办公益事业。

该村有山地160.47公顷，耕地42.93公顷。传统经济以农业为主，主要种植水稻、玉米、花生、黄豆、蔬菜等。养殖鸡、鸭、鹅、猪、牛及4大家鱼（鲤鱼、草鱼、鲢鱼、鳙鱼）。种植花生是该村农业经济的重要来源。民国时期，花生油料产量极低，根本满足不了村民的生活需求。20世纪80年代起，实行农村家庭联产承包责任制，花生亩产达到200—250千克（干荚）。此外，逐步调整农村经济结构，积极发展水果产业。

特色农产品有柑橘，传统食品有脸肉、酿豆腐、艾糍、糯米糍、粽子、糖环等。

该村20世纪70年代通电话，80年代通电，2005年通网络，2009年全村村道实现水泥硬底化，2014年通自来水。

传统民居现存21座。房屋分为2层，用木板隔开，留有通道。第一层一般高3米，供人住宿为主；第二层堆放粮食、杂物等，方便生活。民居冬暖夏凉，居住舒适。代表性民居有两门归厅正座，建于清代，占地面积80平方米，保存情况良好。

现存主要宗祠为罗氏宗祠，始建于清朝，重修于1994年，占地面积约80平方米，现仍使用。

该村有族谱为《佛冈罗氏族谱》，是罗家源于2000年纂修。族谱记有罗家祖训(祝融公训子)。:“不求金玉重重贵，但愿儿孙个个贤。人生天地，首生伦常，男女以正，婚姻以时，处已以孝弟忠信，接人以礼义廉耻。勿以权势凌人，勿以富荣傲人，勿以阴谋害人，勿以败德损已，莫说人是非，勿谈人长短。”

传统的节俗为春节、元宵节、清明节、四月八、端午节、中秋节、重阳节、冬至等。其中春节、清明节、端午节、中秋节为大节，其他为小节。中华人民共和国成立前，每逢中秋之夜，男女老少一起赏月，用月饼、柚子等食品拜月，并燃放鞭炮。青少年则成群结队放孔明灯（叫天灯），热闹非常。节日气氛浓厚的还有清明节，家家户户门楣插柳枝和桃叶以驱邪，采艾（一种植物）做糍，名为艾糍，并进行扫墓活动。扫墓一般从清明前的春分起到农历四月初八日，扫墓期间在外地谋生做事的人都尽可能赶回去祭扫祖墓，不回去扫墓的人会遭到村人的责骂。

传统婚嫁习俗具有客家人的特点，有担小担、担大担的风俗。男方备齐礼物到女方家下聘礼订婚，称为担小担。男方备齐礼物到女方家接新娘，称为担大担。在新娘家，新郎新娘一起向新娘家长辈敬茶，长辈给新郎新娘新婚红包。接着新娘弟弟撑红雨伞送新娘出门，由新娘的亲朋好友伴送新娘到男家。在男家摆设的喜席上，新郎新娘共同向亲朋好友和来宾敬茶。长辈接过新婚茶后，有的即兴唱起山歌，有的说祝贺词。新办婚事仍保留有铺床、闹洞房的风俗。

发生丧事时，传统以土葬为主，其程序为举丧、入殓、出殡、送葬，将灵牌送入祠堂或厅下。不管是哪家的丧事，全村人都前去帮忙，打锣鼓、舞狮、放鞭炮是丧事的内容之一，由村民按分工各自负责。

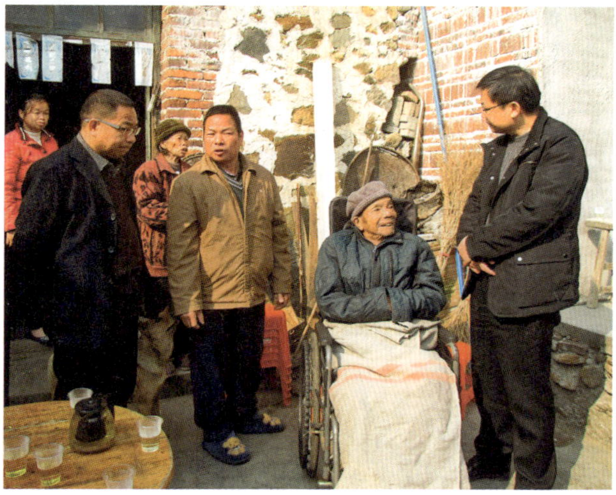

◎ 县长梁金鉴（右一）慰问该村贫困户（摄于 2015 年）

葬礼有相冲之说，有人与逝者生辰八字相冲的，均不能出现在葬礼上，必须回避。开始下葬时，送葬的家人必须提前离开，离开时不能回头看，要等下葬完毕后再回去祭拜。1990 年以后，虽然逐步实行火葬，但安葬、拜祭等程序仍然保留。

在抗日战争时期，1938 年该村青年参加中共组织领导的抗日自卫大队，组建抗日自卫小队。1939 年村民把一批国民党军队遗留的武器弹药交送抗日游击队。1945 年成立地下武装小组，组织青年参加北一支独立大队。解放战争时期，该村群众全力投入支援游击队，动员青年参军。1947 年配合游击队袭击国民党新街税站，同时配合游击队反击国民政府联防队的战斗。1949 年 8 月，该村民兵参与社坪、观音山民兵围攻国民党交通大队、联防队的战斗。1986 年 11 月，该村经清远市人民政府批准为抗日根据地。2015 年被广东省爱国卫生运动委员会评为省卫生村。

主要人物有：罗博伦（1907—1948），曾先后任佛冈中学校长、曲江中学教导主任，后任广东省参议员。罗博伦与其弟罗圣伦（中华人民共和国成立前参加中共地下党）、罗明伦、罗绍伦（岭南大学毕业）被人们称为“罗氏四伦”，都有比较显著成就，并为家乡做好事。罗显明（1930—1949），革命烈士，北江第一支队战士，在阳山县战斗中牺牲。罗成集，1954 年生，为佛冈县城东中学数学中学高级教师。

（资料填报：林贵锦；初稿撰写：姚翠芳；总纂：李协湖）

冈咀头村

◎ 冈咀头村村貌（摄于 2016 年）

冈咀头村，曾用名岗紫头村，位于高岗镇中部，距镇政府 3 千米。该村始建于明末，从大围（今高镇村）张屋山迁入而形成。因村建在小圆山冈下，故取名冈咀头村。相邻的村有社岗下村、旗岭村。

该村位于丘陵山，村东为新联行政村和旗岭村，南为稻田，西为梅子斜山，北为社岗下村和刘屋村。省道 252 线在村东面 800 米处通过，有乡道（冈咀头—省道 252 线）连接。村中有小溪，是社岗下小溪的发源地。

清嘉庆十八年（1813 年）属佛冈厅虎山乡，民国时期（1946 年）属佛冈县第二区观台乡，中华人民共和国成立时属佛冈县第二区观台乡，1958 年 10 月属从化县跃进（迳头）人民公社，1961 年 5 月属佛冈县高岗人民公社新联大队，1983 年 12 月属高岗区新联乡，1987 年 1 月属高岗镇新联行政村，1989 年 11 月属高岗镇新联管理区，1998 年 11 月属高岗镇新联行政村至今。

世居村民为张姓。据《岗紫头祖祠分支谱》记载，明后期，冈咀头先辈林氏娘娘用谷箩担两个儿子（宗贵、宗海），从长安顶头移居到英德县观台乡（今佛冈县高岗镇高镇村）大围张屋山。明末，再从大围张屋山搬迁至该居住地。

2015 年末，该村有户籍人口 690 人，其中男性 355 人、女性 335 人。80 岁以上 40 人，最年长者 100 岁（女）。生活主要依靠农业收入有 300 人。常年在城镇生活和打工有 390 人，实际在村居住 300 人，其中留守儿童 40 人。村民为汉族，客家民系，使用客家方言。该村人口众多，村民十分注重厚德善行，以和为贵，互相尊重，村民之间、家庭之间及邻村之间保持着和亲睦邻的关系。

该村有山地 164.33 公顷，耕地 42.53 公顷。传统经济以农业为主，主要种植水稻、玉米、花生、黄豆、蔬菜等。养殖鸡、鸭、鹅、猪、牛及 4 大家鱼（鲤鱼、草鱼、鲢鱼、鳙鱼）。蔬菜种植是该村经济的重要组成部分。20 世纪 60—70 年代农村经济以生产队为基本核算单位时期，该村办有砖瓦厂、榨油厂，既服务群众，又增加村民收入。实行农村家庭联产承包责任制前，蔬菜只在村民自留地种植，村民自己食用。20 世纪 80 年代农村全面实施家庭联产承包责任制后，积极开展多种经营，还积极发展水果产业，果树种植形成规模化，品种有桃、李、柑橘、青梅等，沙糖桔于2013年种植面积6.7公顷。2013年后，由于受黄龙病的影响，村民改种药材等其他经济作物。村民主要收入来源为农业收入，外出务工村民为工资性收入。

传统食品有脍肉、酸水豆腐等。

该村于20世纪70年代通电，90年代通电话，2000年通网络和有线电视，2009年全村实现水泥硬底化，2014年通自来水。文化设施有冈咀头村文化室，体育设施有灯光球场。

传统民居现存85座，民居为土木结构，多为2门或4门归厅。房屋分为2层，用木板隔开，留有通道。第一层一般高3米，供人住宿为主；第二层堆放粮食、杂物等，方便生活。民居冬暖夏凉，居住舒适。20世纪90年代以后，村民开始建设钢筋混凝土结构楼房。楼房布局多为三房一厅一厨一卫。

村有典型的民居大夫第。大夫第建于清朝，占地面积230.4平方米。大夫第坐南向北，面阔16米，进深14.4米，高15米。大夫第由围水屋、厢房、碉楼、门楼4部分组成，为土木结构，采用泥、沙、石灰舂墙，硬山顶，盖灰瓦。厢房为单檐4开间，碉楼为3层3开间。2012年大夫第被列入佛冈县不可移动文物名录。

◎ 大夫第（摄于2016年）

村编有《岗紫头祖祠分支谱》，2012年由冈咀头的退休干部张方恒编纂。其简要记录了冈咀头村的原貌概况、中华人民共和国成立后新貌、村中大事、村属自然资源等情况。

◎ 张氏宗祠（摄于2016年）

文物遗址有冈咀头围遗址，形成于新石器时代，位于冈咀头村山冈，为军事设施遗址，2012年被列入佛冈县不可移动文物名录。

该村建有镇龙庙，位于冈咀头村东400米的河边，是村民烧香拜佛的场所。古庙供奉有土地伯公、千里眼、顺风耳、谷花娘娘等多座神像。镇龙庙建于清嘉庆十八年（1813年），重建于1996年。每逢

◎ 镇龙庙（摄于2016年）

◎ 冈咀头围遗址（摄于 2010 年）

年节，村民都会去庙里拜祭，祈求福佑。庙正门上方有牌匾“镇龙庙”，两边有楹联：笋翠观山朝圣座，潆回湍水远神堂。此外，村内还建有张氏宗祠，始建于清嘉庆二十三年（1818 年），1986 年重建，2009 年重修。

传统节俗为春节、元宵节、清明节、四月八、端午节、中秋节、重阳节、冬至等。村民有重阳登高转运的习俗，登高地点多为较高山峰，小孩则以放风筝取乐。国家把重阳节定为敬老节后，村中老人的儿孙都回家与老人团聚，以示敬老。节日气氛浓厚的还有端午节，各家各户包粽子纪念爱国诗人屈原，农户在门楣挂艾叶、菖蒲，点燃蚊香，以避邪逐恶，祈求保佑全家幸福安康。这一天青年人、小孩子到江河游泳，叫洗龙舟水，以祈消灾去祸，合家平安。

传统婚嫁习俗具有客家人的特点，其中担小担、担大担是客家人办婚事的流行风俗。即男方备齐礼物到女方家下聘礼订婚，称为担小担。男方备齐礼物到女方家接新娘，称为担大担。行结婚礼时，要摆酒请客、迎亲和送亲。此外，该村办婚事仍保留铺床、闹洞房的风俗。

传统丧事习俗也具有客家人的特点，以土葬为主，其程序为举丧、入殓、出殡、送葬，将灵牌送入祠堂或厅下。1990 年以后，虽然逐步实行火葬，但必要的程序仍然保留。

该村有法静公的传说。法静公是冈咀头村村民世代传说的人物，他的法力无边，神力十足，不但可以施法于万事万物，而且还能呼风唤雨。同时，他具有为人公正、处事公平、铁面无私、机智果断的品行。村民如发生争执，在难以决断的情况下，都要到法静公灵前燃香发誓，意请法静公判断解决纠纷。

解放战争时期，该村组织群众全力投入支援游击队，动员青年参军。1947 年配合游击队袭击国民党新街税站，同时配合游击队反击国民党联防队。1947 年 8 月，英翁佛民主先锋队大队长李拔才率队进驻宝山、观音山等地，建立和恢复民兵组织，成立宝山村、东坑村、观音山村、冈咀头村、社岗下村、格田村、墩下村、路下村八个基干民兵中队，扣押何德敷（县参议员），封存何的存粮 1000 多石，实行“二五”减租。1949 年 8 月，该村民兵参与社坪、观音山村民兵围攻国民党交警大队、联防队的战斗。1993 年 3 月，经清远市人民政府批准该村为解放战争游击根据地。

主要人物有：张乐廷，清中期人，被朝廷任为五品官。张廷抱（1931—1952），革命烈士，中国人民志愿军战士，在朝鲜战场牺牲。张清建（1936—1972），1960 年 3 月 18 日，时任高岗管理区民兵营长的张清建出席全国民兵群英会，获奖半自动步枪一支。

（资料填报：林贵锦；初稿撰写：姚翠芳；总纂：李协湖）

高榜村

◎ 高榜村村貌（摄于 2016 年）

高榜村，位于高岗镇南部，距镇政府 4 千米。该村建于民国初期，原钟姓居住，罗姓从附近瑶洞村移居后，罗姓人丁兴旺，钟姓迁移。因村建在地势相对较高处而取名高榜村。

该村坐落在丘陵地带，村东、南、北为农田，西为山地，相邻自然村有下陂村、瓦屋场村。主要山岭有羌山，高 310 米。京港澳高速公路、省道 252 线在村东面 1 千米处通过。主要河流是横江河，在村南面。

民国初期该村成立后属佛冈县第二区观台乡，中华人民共和国成立时属佛冈县第二区观台乡，1958 年 10 月属从化县跃进（迳头）人民公社，1961 年 5 月属佛冈县高岗人民公社新街大队，1983 年 12 月属高岗区新街乡，1987 年 1 月属高岗镇新街行政村，1989 年 11 月属高岗镇新街管理区，1998 年 11 月属高岗镇新街行政村，2005 年 5 月属高岗镇新联行政村至今。

世居村民为罗姓。罗姓于明景泰年间（1450—1456 年）从福建迁移至广东南雄珠玑巷，后从新丰迁移到高岗瑶洞村，再分迁到高榜村。

2015 年末，村有户籍人口 354 人。其中男性 188 人、女性 166 人。80 岁以上老人 2 人，最年长者 99 岁（女）。生活主要依靠农业收入有 172 人。常年在城镇生活和打工有 182 人，实际在村居住 172 人。村民均为汉族，客家民系，使用客家方言。

村山多林密，自然资源丰富。林木资源有松树、杉树、柯树、樟树等树种。野生动物资源有野猪、黄猄等兽类和斑鸠等飞禽类，还有眼镜蛇（俗称锅铲头）等爬行动物。

村有山地 57.4 公顷，耕地 19.87 公顷。传统经

◎ 农具：锄头、桶、勺（摄于 2016 年）

济以农业为主，主要种植水稻、玉米、花生、黄豆、蔬菜等。养殖鸡、鸭、鹅、猪、牛及4大家鱼（鲤鱼、草鱼、鲢鱼、鳙鱼）。养殖家禽是该村农业经济的重要组成部分。中华人民共和国成立前，家禽养殖成活率低，生长慢，经济效益极低。20世纪80年代起，村发展家禽养殖专业，实行规模化养殖。此后，逐步调整农村经济结构，积极发展果树产业。2013年以后，果树产业消退，村民改种其他作物。

传统食品有脍肉、酿豆腐、艾糍、糯米糍、粽子、糖环等。

村于1980年通电，1985年通电话，2010年通网络，2014年全村村道实现水泥硬底化、通自来水。村道至省道252线经过该村。

传统民居现存20座。房屋分为2层，用木板隔开，留有通道。第一层一般高3米，供人住宿为主；第二层堆放粮食、杂物等，方便生活。民居冬暖夏凉，居住舒适。建设较多的民居有两门归厅正座，

◎ 村传统民居一角（摄于2016年）

◎ 村新民居一角（摄于2016年）

◎ 罗氏宗祠（摄于2016年）

建于民国期间，每座占地面积80平方米，保存情况良好。

现存主要宗祠为罗氏宗祠，始建于民国前期，重修于2007年，占地面积约100平方米，现仍使用。

村族谱是《佛冈罗氏族谱》，是罗家源于2000年纂修。族谱记有罗家祖训（祝融公训子）：“不求金玉重重贵，但愿儿孙个个贤。人生天地，首生伦常，男女以正，婚姻以时，处已以孝弟忠信，接人以礼义廉耻。勿以权势凌人，勿以富荣傲人，勿以阴谋害人，勿以败德损已，莫说人是非，勿谈人长短。”

传统节俗为春节、元宵节、清明节、四月八、端午节、中秋节、重阳节、冬至等。其中春节、清明节、端午节、中秋节为大节，其他为小节。农历十月初一叫“十月朝”或“牛生日”。村民做糯米糍粑贴在牛角、牛额、牛背脊、牛腰、牛尾部位，贴三四天后，牧童从牛身上将糯米糍粑剥下用火烤熟来吃。传说吃了“牛生日”贴在牛身上的糍粑，能像牛一样力气大。中华人民共和国成立后，这种习俗逐步被遗弃，但村民仍保留在十月初一做糍过节的习俗。节日气氛浓厚的还有中秋节。每逢中秋之夜，男女老少一起赏月，用月饼、柚子及石螺等食品拜月，热闹非常。随着生活水平的不断提高，村民对欢庆中秋节的习俗也越来越重视，在外地工作的本地籍人都尽量回家与家人团聚，共度佳节。

中华人民共和国成立前，男婚女嫁为“父母之命，媒妁之言”。佛冈农村存有抱养穷人家女童做童养

媳、未生男孩的人家抱养“等郎妹”的习俗。男女婚嫁是终身大事，都要经过相亲、订婚、迎亲等程序。首先由媒人牵线，约男家的人去女家看人。若男家有意，即授意媒人向女方家长索取其女儿生辰八字，带回男家。男方家长请人卜算后，如男女“相生”，则男家叫媒人陪伴送礼去女家“报合”，如男女“相克”，则将女子生辰八字退回女家，婚事作罢。订婚的第一步是下定礼（俗称“座茶”或叫“小担”），即男方送定金、酒米、肉类给女方，表示合成婚事。商定成亲日期及礼金后，按照礼规进行过礼，由男方出具礼帖把礼物、聘金送给女方，女方要回一份礼帖给男方。男家叫算命先生择定结婚吉日，由媒人通知女方。届时男方的迎亲队伍带着礼帖、礼物，吹起八音，敲锣打鼓，抬着花轿到女家迎新娘（俗称迎亲）。女家把嫁妆、礼物随新娘一起送回男家（俗称送亲）。新娘到达男家后，举行拜堂仪式，随后送入洞房，闹洞房后迎亲仪式即告结束。中华人民共和国成立后，婚嫁习俗逐渐发生变化，婚事新办的风气越来越浓厚。

中华人民共和国成立前，县境丧葬的旧俗，村民死后均以木棺土葬。死者未满 18 岁的只能用普通木料做棺材，竹杠抬，不上肩。死者在 60 岁以上的多有下列习俗：病人临去世前要移至厅堂或廊下。去世后由子孙日夜守孝，死者入殓前，子孙要到河里取水（俗称买水），为死者擦身、更衣，亲自入殓。出殡时，请巫师开路，吹响牛角，送殡队敲锣打鼓、燃放爆竹送行。埋葬死者后，孝子孝女等从坟上抓回一把黄土，并且同牵一条寿红（红布）由另一路线回家。葬后要为死者做“头七”“二七”“三七”的法事，神主牌送往祠堂入位，至此丧事才告完结。1990 年后逐步实行火葬。

解放战争时期，该村群众全力投入支援游击队，动员青年参军。1947 年配合游击队袭击国民政府新街税站，同时配合游击队反击国民政府联防队。1949 年 8 月，该村民兵参与社坪、观音山民兵围攻国民党交通大队、联防队的战斗。1993 年，该村经清远市人民政府批准为解放战争游击根据地。2010—2012 年，发动村民集资开展农田水利建设，维修农田灌溉的高榜陂，新建陂头挡土墙 100 平方米。

该村的李平，1917 年生，1949 年前曾为共产党游击队送粮食，被定为“五老”人员，国家每月发放津贴安度晚年。

（资料填报：林贵锦；初稿撰写：姚翠芳；总纂：李协湖）

旗岭村

◎ 旗岭村村貌（摄于2016年）

旗岭村，位于高岗镇南部，距镇政府2千米。建于民国初期，从附近冈咀头分村迁入而形成。因村后山像一面旗，村在山脚下而取名旗岭村。

该村东为山地，南为京港澳高速公路和省道252线，西为农田，北为公路。旗岭村属丘陵地带，主要山岭有村后山，高290米。主要河流是横江河，在村东南面。相邻村有茶元坪村、冈咀头村、社岗下村。

该村于民国初期形成时属佛冈县第二区观台乡，中华人民共和国成立时属佛冈县第二区观台乡，1958年10月属从化县跃进（迳头）人民公社，1961年5月属佛冈县高岗人民公社新联大队，1983年12月属高岗区新联乡，1987年1月属高岗镇新联行政村，1989年11月属高岗镇新联管理区，1998年11月属高岗镇新联行政村至今。

世居村民为张姓，于明景泰年间(1450—1456年)从中原迁移至广东南雄珠玑巷。旗岭先辈是四时公，民国初期从附近冈咀头村分支迁到旗岭村。

2015年末，村有户籍人口368人，其中男性194人、女性174人。80岁以上老人11人，最年长者91岁（女）。生活主要依靠农业收入有172人。常年在城镇生活和打工有196人，实际在村居住172人。村民均为汉族，客家民系，使用客家方言。

该村属山区自然村落，山地多，土层深厚，气候温和，雨量充沛，一年四季可种作物，宜林、宜牧、宜果、宜茶、宜药。

该村有山地93.27公顷，耕地25.8公顷。传统经济以农业为主，主要种植水稻、番薯、花生、黄豆、果树、蔬菜等。养殖鸡、鸭、鹅、猪、牛、羊等禽畜。林业以生态林保护为主。渔业主要是山塘水库蓄水养鱼。20世纪60—70年代，农村经济以生产队为核算单位时，该村办有米粉加工厂、花生油榨厂，服务民众，增加村民收入。此后，调整产业布局，发展果树种植。2013年种植沙糖桔面积5.33公顷，年收入40万元。2013年以后，由于受黄龙病的影响，产业消退，村民改种其他作物。

传统食品有腍肉、酿豆腐、艾糍、糯米糍、粽子、糖环等。

村于20世纪70年代通电话，80年代通电，2005年通网络，2009年全村村道实现水泥硬底化，

◎ 旗岭村旧貌一角（摄于 2016 年）

2014 年通自来水。

传统民居为客家民居，现存 10 座。建设较多的民居有两门归厅（正座），建于民国期间，占地面积 80 平方米，保存情况良好。房屋分为 2 层，用木板隔开，留有通道。第一层一般高 3 米，供人住宿为主；第二层堆放粮食、杂物等，方便生活。民居冬暖夏凉，居住舒适。

现存主要宗祠为张氏宗祠，始建于民国初期，重修于 1998 年，占地面积约 60 平方米，现仍使用。

村有《岗紫头祖祠分支谱》族谱，2012 年由冈咀头的退休干部张方恒编纂。

传统节俗为春节、元宵节、清明节、四月八、端午节、中秋节、重阳节、冬至等。冬至，该村俗称过冬。在这一天，村民各家各户做糍，打米饼，劏鸡杀鸭，欢度节日。清明节，家家户户门楣插柳枝和桃叶以驱邪，并进行扫墓活动。

传统婚嫁习俗具有客家人的特点，其中担小担、担大担是客家人办婚事的流行风俗。男方备齐礼物到女方家下聘礼订婚，称为担小担。男方备齐礼物到女方家接新娘，称为担大担。行结婚礼时，要摆酒请客、迎亲和送亲。该村办婚事仍保留铺床、闹洞房的风俗。

丧事习俗也具有客家人的特点，传统以土葬为主，其程序为举丧、入殓、出殡、送葬，将灵牌送入祠堂或厅下。不管是哪家的丧事，全村人都前去帮忙，打锣鼓、舞狮、放鞭炮。办丧事期间只能煮白饭、花菜、黄豆煮猪肉等简单的饭菜。1990 年以后，虽然逐步实行火葬，但有些程序仍然保留。

该村有旗岭山墓葬，坐东向西，属于战国古墓。该墓曾出土青铜剑、青铜矛各 1 件，陶碗 3 件，具有重要的研究价值。2012 年，该墓被列入佛冈县不可移动文物名录。

◎ 旗岭山古墓原址（墓基已毁）（摄于 2010 年）

解放战争时期，该村组织群众全力支援游击队，动员青年参军。1947 年配合游击队袭击国民党新街税站，同时配合游击队反击国民党联防队。1949 年 8 月，该村民兵参与社坪、观音山民兵围攻国民党交通大队、联防队的战斗。1993 年，经清远市人民政府批准该村为解放战争游击根据地。2012 年，投资 8 万元，开展村道维修整治，清除村道障碍物，平整路面，实现水泥硬底化。

村继承和发扬耕读文化，村里形成“读书最重要，耕读最为本”的村风，许多人成为国家建设有用之才。张观聚（1919—1949），革命烈士。1946 年参加英佛民主先锋大队（由东纵北江支队独立第一大队改编）华山中队。1947 年 10 月 28 日参加社岗下反围剿战斗，1948 年 6 月 30 日参加攻打佛冈县石龙联防总队（陈家祠）战斗，1949 年 4 月 28 日参加诚迳白沙坑（七齿形）伏击战时光荣牺牲。张廷才（？—1948），革命烈士，民主先锋大队华山中队战士。张秀莲，1966 年 8 月生，为佛冈一中地理高级教师。张春兰，1974 年生，女，为佛冈县文联秘书，广东省作家协会、广东省戏剧家协会会员。

（资料填报：林贵锦；初稿撰写：姚翠芳；总纂：李协湖）

社岗下村

◎ 社岗下村村貌（摄于 2016 年）

社岗下村，位于高岗镇中部，距镇政府 1.5 千米。该村始建于明正德元年（1506 年）前后，因位于社岗村的下面而取名社岗下村。

该村东与旗岭村相连，南为观音山（省级自然保护区）及观音山庄（旅游度假村），西南通冈咀头村，北为刘屋村和省道 252 线，西北接镇政府所在地高岗街，京港澳高速公路从村东经过，村前是京港澳高速公路高岗出口。村属丘陵地带，主要山岭有长窝山，高 270 米。主要河流是社岗下村小溪，在村东北。

清嘉庆十八年（1813 年）属佛冈厅高台乡，民国时期（1946 年）属佛冈县第二区观台乡，中华人民共和国成立时属佛冈县第二区观台乡，1958 年 10 月属从化县跃进（迳头）人民公社，1961 年 5 月属佛冈县高岗人民公社新联大队，1983 年 12 月属高岗区新联乡，1987 年 1 月属高岗镇新联行政村，1989 年 11 月属高岗镇新联管理区，1998 年 11 月属高岗镇新联行政村至今。

世居村民为林姓。据林氏《念六公族谱》记载：林念六于元至正二十六年（1366 年）因官祸从福建上杭县迁徙至广东省韶州翁源，后又迁到英德县横石水塔祖岗村。林念六的第五世孙林贵于明景泰年间（1450—1456 年）迁居社岗下村（当时社岗下村属英德虎山乡），经过三四代的繁衍，社岗下成村在明正德元年（1506 年）前后，至今有 500 多年的历史。

2015 年末，村有户籍人口 1500 人。其中男性 785 人、女性 715 人，80 岁以上老人 31 人，最年长者 98 岁（女）。生活主要依靠农业收入的 700 人。常年在城镇生活和打工的 800 人，实际在村居住人口 700 人，其中留守儿童 30 人。祖籍该村的香港同胞、澳门同胞 18 人；华侨 1 人，居住新加坡。村民均为汉族，客家民系，使用客家方言。

村有山地 161.73 公顷，耕地 74.13 公顷。村山多林密，自然资源丰富。林木资源有松树、杉树、柯树、樟树等树种。野生动物资源有野猪、黄猄等兽类和斑鸠等飞禽类，还有眼镜蛇（俗称锅铲头）等爬行动物。传统经济以农业为主，主要种植水稻、玉米、花生、黄豆、蔬菜等。养殖鸡、鸭、鹅、猪、牛及 4 大家鱼（鲤鱼、草鱼、鲢鱼、鳙鱼）。中华人民共和国成立初期，该村农业经济效益极低，农民只能维持简单的生活。20 世纪 60—70 年代，农村经济以生产队为核算单位时，该村办有砖瓦厂、缸厂，产品畅销，既方便群众，还提高村民收入。到 20 世纪 80 年代初期农村实行家庭联产承包责任制起，水稻一般亩产为 400 千克，花生亩产 200—250 千克（干荚），蔬菜亩产 1000 千克，农业经济效益有较大的提高。2000 年以后，大部分青壮年外出打工。并积极发展水果产业，2013 年种植沙糖桔面积 6.67 公顷，产值 50 万元。2013 年以后，由于受黄龙病的影响，产业消退，村民改种火龙果、百香果等其他作物。

传统食品有脍肉、酿豆腐、艾糍、糯米糍、粽子、糖环等。名优产品为高岗米酒，酒味醇厚，闻名当地。高岗米酒选用当地大米为原料。制法方法是，先将大米淘洗干净煮熟饭后凉开至 35℃—40℃时拌松，再拌入酒曲水，然后用水缸或酒瓮装好，储藏在比较温和的地方发酵 15 天成酒。一般蒸取量为 0.5 千克大米出 0.4 千克米酒，蒸量越多，酒味越淡。

该村 1975 年通电话，1985 年通电，2005 年通网络，2009 年全村村道实现水泥硬底化，2014 年通自来水。

村于清中期建有私塾，在民国中期撤销。2015 年，该村有新联小学，设 2 个级 2 个班，在校学生 30 人，教职工 3 人。有幼儿园 1 所，在园幼儿 50 人，教职工 3 人。

传统民居现存 15 座。房屋分为 2 层，用木板隔开，留有通道。第一层一般高 3 米，供人住宿为主；第二层堆放粮食、杂物等，方便生活。民居冬暖夏凉，居住舒适。代表性民居：一是庆衍九龙，建于清代，占地面积 728 平方米，由民居、如是观和一个门楼组成。门楼门楣上有“庆衍九龙”四个大字。二是社岗下司马第，建成于清代，面积 160 平方米，由民居、围屋和门楼组成，门楼门楣上有“司马第”三个大字。2012 年，社岗下庆衍九龙、司马第均被列入佛冈县不可移动文物名录。

社岗下村有宗祠 3 座，其中主要宗祠为老围祠堂，始建于明朝，重修于清光绪十八年（1892 年），占地面积 100 平方米，现仍使用。

◎ 古民居庆衍九龙围（摄于 2016 年）

◎ 民居门楼石雕（摄于 2016 年）

村威灵庙始建于明万历后期，供奉神灵为林栋二郎。村民崇拜林栋叔公的庇护，每逢年节都前去参拜。村族谱是《林氏念六公族谱》，记有现代林氏家训，于 2007 年制定。

传统的节俗为春节、元宵节、清明节、四月八、端午节、中秋节、重阳节、冬至等。春节是送旧迎新的大节，从农历十二月二十三日小年夜起，家家户户打扫庭院，炸油角、做米饼、炸糖环、蒸年糕，给小孩添新衣、新鞋、玩具。到年三十，村民张贴门神、对联，吃团年饭。这一餐有意把鱼剩下，表示连年有余（鱼）。该村“豆腐节”形成于明万历三十七年（1609 年）。当年正月十三日，社岗下村生下男丁的人们到祖祠上灯食斋。有一人切完豆腐后，无意中将手上的豆腐甩到另一个人的衣服上。后来，祠堂

◎ 威灵庙（摄于 2015 年）

◎ 舞鸡公狮（摄于 2015 年）

内你来我往打起了“豆腐仗”。到第二年上灯时，全村添丁数量竟然比上年增加很多，于是大家普遍认为上年掷豆腐能助添丁兴旺。从此，每年正月十三日上灯、掷豆腐成为社岗下村的一个习俗，一代一代地传承下来。2007 年，社岗下村“豆腐节”被评为清远市非物质文化遗产。该村从 2015 年起，恢复舞凤活动。节日气氛浓厚的还有清明节，家家户户门楣插柳枝和桃叶以驱邪，采艾（一种植物）做糍，名为艾糍，并进行扫墓活动。扫墓一般从清明前的春分起到农历四月初八日，扫墓期间在外地谋生做事的人都尽可能赶回去祭扫祖墓，不回去扫墓的人会遭到村人的责骂。

传统婚嫁习俗具有客家人的特点，有担小担、担大担的风俗。即男方备齐礼物到女方家下聘礼订婚，称为担小担。男方备齐礼物到女方家接新娘，称为担大担。在新娘家，新郎新娘一起向新娘家长辈敬茶，长辈给新郎新娘新婚红包。接着新娘弟弟撑红雨伞送新娘出门，由新娘的亲朋好友伴送新娘

◎ 社岗下村豆腐节（摄于 2015 年）

到男家。在男家摆设的喜席上，新郎新娘共同向亲朋好友和来宾敬茶。长辈接过新婚茶后，有的即兴唱起山歌，有的说祝贺词。新办婚事仍保留有铺床、闹洞房的风俗。

发生丧事时，传统以土葬为主，其程序为举丧、入殓、出殡、送葬，将灵牌送入祠堂或厅下。不管是哪家的丧事，全村人都前去帮忙，打锣鼓、舞狮、放鞭炮是丧事的内容之一，由村民按分工各自负责。葬礼开始时，家里有人与逝者生辰八字相冲的，均不能出现在葬礼上，必须回避。开始下葬时，送葬的家人必须提前离开，离开时不能回头看，要等下葬完毕后再回来祭拜。1990 年以后，虽然逐步实行火葬，但安葬、拜祭等程序仍然保留。

1947 年 8 月，英翁佛民主先锋队大队长李拔才率队进驻宝山、观音山等地，社岗下村建立民兵中队，实行“二五”减租。10—11 月，该村配合民主先锋大队打退敌联防队 300 多人的进攻和围剿。中华人民共和国成立后，组织村民投入社会主义建设。20 世纪 60 年代中期，村民参加高岗人民公社组织的全社造林大会战，在挂牌山全都种杉木。1977 年，该村组织村民筹资 8 万元，建成永久性的石拱下坑桥。1987 年，配合县交通部门开展乡村公路建设，将原山间小路改造为县道 322 线（佛冈二七—英德华侨农场），该线路于 2003 年起改建为省道 252 线。

2011 年 2 月 15 日（农历正月十三）一年一度的高岗豆腐狂欢节在高岗镇社岗下村举行。豆腐节以“激情豆腐砸出幸福”为主题，邀请广东省文化厅副厅长杜佐祥、清远市副市长王得坤，以及知名民俗专家、国际友人和佛冈县领导出席活动。新华社、广东电视台、南方卫视台等国内 20 多家媒体共同见证此次活动。揭幕仪式上，展示一块长 3.49 米、宽 3.45 米、高 0.38 米的重达 6 吨的巨型豆腐。在广东省公证处公证员和上海大世界基尼斯总部工作人员的共同见证下，由上海大世界基尼斯总部向社岗下村颁发世界纪录证书。2012 年 2 月，社岗下村自然所在的新联行政村获第三批广东省古村落（客家地区）称号。

该村历史以来具有尊师重教、传承耕读文化的村风民风，教育村民兴文习武。清代该村林春山被称为大力士，被朝廷封为千总。林植薰（1803—1851），为清代大学士。林富晋（1929—1952），革命烈士，志愿军战士，在朝鲜战场上牺牲。林亦崔（1930—2012），女，20 世纪 50 年代就读江西医学院，曾在江西省中医院任主任医师。林奕办，1956 年生，曾任从化市人大常委会专委会主任。林德天，1972 年生，现任广东省体育局棋牌体育中心党委书记。

（资料填报：林贵锦；初稿撰写：姚翠芳；总纂：李协湖）

丆下村

◎ 丆下村村貌（摄于 2016 年）

丆下村，位于高岗镇南部，距镇政府 3.5 千米。该村建于清咸丰年间（1851—1861 年），是英德鱼湾侧塘迁居到该地，因村房屋建于高坎脚下而取名丆下村。

该村村东为农田，南为农田，西是新街村，北为山地。丆下村属丘陵地带，主要山岭有老鼠形山，高 290 米。京港澳高速公路、省道 252 线在村西边 500 米处通过。主要河流是横江河，在村东南面。相邻自然村有茶元坪、新街村。

清咸丰年间（1851—1861 年）村庄形成后属佛冈厅高台乡，民国时期属佛冈县第二区观台乡，中华人民共和国成立时属佛冈县第二区观台乡，1958 年 10 月属从化县跃进（迳头）人民公社，1961 年 5 月属佛冈县高岗人民公社新街大队，1983 年 12 月属高岗区新街乡，1987 年 1 月属高岗镇新街行政村，1989 年 11 月属高岗镇新街管理区，1998 年 11 月属高岗镇新街行政村，2005 年 5 月属高岗镇新联行政村至今。

世居村民为刘姓，宋末从福建迁移至广东南雄珠玑巷，后从新丰迁移到英德鱼湾再迁到该地。

2015 年末，村有户籍人口 330 人，其中男性 178 人、女性 152 人。80 岁以上老人 7 人，最年长者 90 岁（女）。生活主要依靠农业收入的人口有 174 人。常年在城镇生活和打工的人有 156 人，实际在村居住人口 174 人。祖籍该村的香港同胞 8 人，澳门同胞 1 人。村民均为汉族，客家民系，使用客家方言。

村有山地 75 公顷，耕地 25.26 公顷。村山多林密，自然资源丰富。林木资源有松树、杉树等树种。野生动物资源有斑鸠等飞禽类，还有眼镜蛇（俗称

◎ 花生种植园（摄于 2016 年）

锅铲头）等爬行动物。传统经济以农业为主，主要种植水稻、玉米、花生、黄豆、蔬菜等。养殖鸡、鸭、鹅、猪、牛及4大家鱼（鲤鱼、草鱼、鲢鱼、鳙鱼）。中华人民共和国成立前，由于种植技术水平低下，丰产性能差，该村水稻一般亩产为100千克，农民只能维持简单的生活。中华人民共和国成立后，该村先后组织互助组、合作社，参加人民公社，逐步推广应用先进的农业生产技术，农业生产效益有较大的提高。20世纪80年代起实行农村家庭联产承包责任制后，水稻一般亩产达到400千克，农业经济效益有较大的提高。同时，逐步调整农村经济结构，发展果树产业。2013年以后，果树产业消退，村民改种其他经济作物。

传统食品有脸肉、酿豆腐、艾糍、糯米糍、粽子、糖环等。酿豆腐的做法是把豆腐切块并挖出小洞，再把腌制好的猪肉酿入豆腐里，最后将豆腐块用小火煎至金黄调味即可食用。客家脸肉的做法是将猪肉和各种佐料拌匀，装瓦钵放在锅里蒸熟，蒸熟的脸肉放在通风干爽的棚上藏好，以后每餐食用时再蒸一次即可食用。艾糍的制作：先将艾叶稍煮一下，去掉苦味；将糯米碾成粉，与艾叶混合搓匀。用糖、花生碎粒、芝麻作馅，捏为小块，包成三角形或圆形，蒸熟即可；或是捏成椭圆形，不放馅，蒸熟即可。糖环的制作：用水浸透糯米（掺30%黏米），滤干碾成粉。将糖入锅煮成糖水起锅，再将米粉放在锅中炒热，然后趁热拌糖水搓匀。此后，便可捏成小圆条。圈成半边窗式的称“半边糖环”，圈成六角形称“六耳球”，用油炸熟即成。糯米糍的制作：首先将糯米粉倒入容器中，放入适当的水和碱砂，搅拌成糊状后，装入盘中（盘底放少许花生油）用锅蒸约20分钟。蒸熟后，将糯米糍搓成糍团，用手指捏成勺子形状，把馅料放进去，再包成饼状，即可食用，其质感嫩滑可口。

村于1980年通电，1985年通电话，2010年通网络，2012年全村村道实现水泥硬底化。

传统民居为客家民居，现存20座。房屋分为2层，用木板隔开，留有通道。第一层一般高3米，供人住宿为主；第二层堆放粮食、杂物等，方便生活。

◎ 丫下村传统民居一角（摄于2016年）

◎ 村新民居一角（摄于2016年）

民居冬暖夏凉，居住舒适。建设较多的民居有两门归厅（正座），建于清代期间，占地面积70平方米，保存情况良好。

现存宗祠为刘氏宗祠，始建于清中期，重修于20世纪90年代，占地面积约80平方米，现仍使用。

传统节俗为春节、元宵节、清明节、四月八、

◎ 刘氏宗祠（摄于2016年）

端午节、中秋节、重阳节、冬至等。正月十五为元宵节，该村有蒸发糕、做糍的习俗，以示庆贺春节圆满结束，转入新的一年农事活动。节日气氛浓厚的还有端午节，各家各户包粽子纪念爱国诗人屈原，农户在门楣挂艾叶、菖蒲，点燃蚊香，以避邪逐恶，祈求保佑全家幸福安康。这一天青年人、小孩子到江河游泳，叫洗龙舟水，以祈消灾去祸，合家平安。

村传统婚嫁庄重繁杂。男女开始交往时女家要到男家探家，结婚前男方需向女方家下聘礼，报日子、送聘金、定嫁妆。行结婚礼时，要摆酒请客，迎亲和送亲。迎亲过程尤为有趣：新郎先租七辆或九辆车作婚车装饰好。结婚当天，新郎带着亲朋好友坐上婚车到新娘家接新娘。新娘的姐妹朋友关门阻止新郎进入新娘家。新郎需要用红包开路，并请亲朋好友帮助接新娘。在新娘家，新郎新娘一起向新娘家长辈敬茶，长辈给新郎新娘新婚红包。接着新娘弟弟撑红雨伞送新娘出门，出门前新娘家人拿用红纸包成条状的硬币给新娘，新娘掰断并放入自己的口袋，新娘出门后不可回头望。男家把新娘接回家后，即开喜席宴客，席后新婚夫妇进入洞房，婚礼才告结束。

村里发生丧事时，传统以土葬为主。其程序为举丧、入殓、出殡、送葬，将灵牌送入祠堂或厅下。办丧事期间只能煮白饭、花菜、黄豆煮猪肉等简单的饭菜。葬礼有相冲之说，与逝者生辰八字相冲的，均不能出现在葬礼上，必须回避。开始下葬时，送葬的家人必须提前离开，离开时不能回头看，要等下葬完毕后再回去祭拜。1990 年以后逐步实行火葬。

在解放战争时期，组织群众全力投入支援游击队，动员青年参军。1947 年配合游击队袭击国民党新街税站，同时配合游击队反击国民党联防队。1949 年 8 月，该村民兵参与社坪、观音山民兵围攻国民政府交通大队、联防队的战斗。2013 年，该村遭受水灾，造成农田灌溉渠道堵塞，该村组织抗灾复产，将全村水利设施做一次全面维修，其中维修灌溉陂头 2 座。

1993 年，经清远市人民政府批准该村为解放战争游击根据地。

该村刘自豪，1962 年 11 月出生，为佛冈一中生物高级教师。

（资料填报：林贵锦；初稿撰写：姚翠芳；总纂：李协湖）

瓦屋场村

◎ 瓦屋场村村貌（摄于 2016 年）

瓦屋场村， 曾用名傲屋场村，位于高岗镇南部，距镇政府 3 千米。该村建于明中期，从英德下砿迁入而形成。因瓦姓早年居住，而取名瓦屋场村。后罗姓太公福海迁居此村，罗姓人丁兴旺，瓦姓移居别地。

该村东为京港澳高速公路和省道 252 线，南为横江河，西为农田，北为山地。瓦屋场村属丘陵地带，主要山岭有大麻山，高 310 米。主要河流是横江河，在村东南面。相邻自然村有高榜村、下陂村、高镇村。

清嘉庆十八年（1813 年）属佛冈厅高台乡，民国时期属佛冈县第二区观台乡，中华人民共和国成立时属佛冈县第二区观台乡，1958 年 10 月属从化县跃进（迳头）人民公社，1961 年 5 月属佛冈县高岗人民公社新街大队，1983 年 12 月属高岗区新街乡，1987 年 1 月属高岗镇新街行政村，1989 年 11 月属高岗镇新街管理区，1998 年 11 月属高岗镇新街行政村，2005 年 5 月属高岗镇新联行政村至今。

世居村民为罗姓，于明景泰年间（1450—1456 年）从福建迁移至广东南雄珠玑巷，后从新丰（今）迁移到英德下砿，罗姓福海公从英德下砿高沙岗再迁到本地。

2015 年末，村有户籍人口 603 人。其中男性 310 人、女性 293 人。80 岁以上老人 12 人，最年长者 93 岁（女）。生活主要依靠农业收入有 282 人。常年在城镇生活和打工有 321 人，实际在村居住 282 人。村民均为汉族，客家民系，使用客家方言。

村有山地 103.66 公顷，耕地 39.4 公顷。气候温和，雨量充沛，一年四季可种作物。传统经济以农业为主，主要种植水稻、玉米、花生、果树、蔬菜等。养殖鸡、鸭、鹅、猪、牛及 4 大家鱼（鲤鱼、草鱼、鲢鱼、鳙鱼）。林业以植树造林、封山育林、保护生态环境，林木采伐限于经济林范围。此后，逐步调整农村经济结构，发展果树产业。

传统食品有脍肉、酿豆腐、艾糍、糯米糍、粽子、糖环等。酿豆腐的做法是把豆腐切块并挖出小洞，再把腌制好的猪肉酿入豆腐里，最后将豆腐块用小火煎至金黄调味即可食用。客家脍肉的做法是将猪肉和各种佐料拌匀，装瓦钵放在锅里蒸熟，蒸熟的脍肉放在通风干爽的棚上藏好，以后每餐食用时再蒸一次即可食用。

村于20世纪70年代通电话，80年代通电，2005年通网络，2014年全村村道实现水泥硬底化、通自来水。

传统民居现存18座。建设较多的民居有两门归厅正座，建于清代，占地面积80平方米，保存情况良好。代表性匾额“祥雲第”，书于民国时期，现存于民居中。

现存主要宗祠有2座。一座罗氏宗祠，始建于清朝，重修于20世纪80年代，占地面积约80平方米。另一座罗氏宗祠，始建于清朝，重修于20世纪90年代，占地面积约70平方米。

◎ 罗氏宗祠（摄于2016年）

◎ 村传统民居一角（摄于2016年）

◎ 村新民居一角（摄于2016年）

村族谱《佛冈罗氏族谱》，是罗家源于2000年纂修。记有罗家祖训（祝融公训子）：“不求金玉重重贵，但愿儿孙个个贤。人生天地，首生伦常，男女以正，婚姻以时，处已以孝弟忠信，接人以礼义廉耻。勿以权势凌人，勿以富荣傲人，勿以阴谋害人，勿以败德损已，莫说人是非，勿谈人长短。”

◎《罗氏族谱》（摄于2016年）

传统节俗为春节、元宵节、清明节、四月八、端午节、中秋节、重阳节、冬至等。清明节家家户户门口插桃叶以驱邪，采艾蒿做糍，并进行扫墓活动。村民不论老少，离家多远，都要赶回家祭祖，以示孝敬。节日气氛浓厚的还有中秋节。每逢中秋之夜，男女老少一起赏月，用月饼、柚子及石螺等食品拜月，热闹非常。随着生活水平的不断提高，村民对欢庆中秋节的习俗也越来越重视，在外地工作的本地籍人都尽量回家与家人团聚，共度佳节。

中华人民共和国成立前，男婚女嫁为“父母之命，媒妁之言”。男女婚嫁是终身大事，都要经过相亲、订婚、迎亲等程序。首先由媒人牵线，约男家的人去女家看人。若男家有意，即授意媒人向女方家长索取其女儿生辰八字，带回男家。男方家长请人卜算后，如男女“相生”，则男家叫媒人陪伴送礼去女家“报合”，如男女“相克”，则将女子生辰八字退回女家，婚事作罢。订婚的第一步是下定礼（俗称“座茶”或叫“小担”），即男方送定金、酒米、肉类给女方，表示合成婚事。商定成亲日期及礼金后，按照礼规进行过礼，由男方出具礼帖把礼物、聘金送给女方，女方要回一份礼帖给男方。男家叫算命先生择定结婚吉日，由媒人通知女方。届时男方的迎亲队伍带着礼帖、礼物，吹起八音，敲锣打鼓，抬着花轿到女家迎新娘（俗称迎亲）。女家把嫁妆、礼物随新娘一起送回男家（俗称送亲）。新娘到达男家后，举行拜堂仪式，随后送入洞房，闹洞房后迎亲仪式即告结束。中华人民共和国成立后，婚嫁习俗逐渐发生变化，婚事新办的风气越来越浓厚。

村民死后传统均以木棺土葬。死者未满18岁的只能用普通木料做棺材，竹杠抬，不上肩。死者在60岁以上的多有下列习俗：病人临去世前要移至厅堂或廊下。去世后由子孙日夜守孝，死者入殓前，子孙要到河里取水（俗称买水），为死者擦身、更衣，亲自入殓。出殡时，请巫师开路，吹响牛角，送殡队敲锣打鼓、燃放爆竹送行。埋葬死者后，孝子孝女等从坟上抓回一把黄土，并且同牵一条寿红（红布）由另一路线回家。葬后要为死者做“头七”“二七”“三七”的法事，神主牌送往祠堂入位。至此丧事才告完结。1990年后逐步实行火葬。

抗日战争时期：1938年该村青年参加中共领导的抗日自卫大队，组建抗日自卫小队。1939年村民把一批国民党军队遗留的武器弹药交送抗日游击队。1945年成立地下武装小组，组织青年参加北一支独立大队。解放战争时期：该村群众全力投入支援游击队，动员青年参军。1947年冬配合游击队袭击国民党新街税站，同时配合游击队反击国民党联防队。1949年，该村民兵参与社坪、观音山民兵围攻国民党交通大队、联防队的战斗。1986年11月，经清远市人民政府批准该村为抗日根据地。

该村主要人物有：罗邦业（1958—1979），革命烈士，1977年参加中国人民解放军，1979年2月在参加南疆保卫战中光荣牺牲。罗健辉，1967年11月生，为佛冈一中体育高级教师。罗小凤，1974年8月生，为佛冈一中英语高级教师。

（资料填报：林贵锦；初稿撰写：姚翠芳；总纂：李协湖）

下陂村

◎ 下陂村村貌（摄于 2016 年）

下陂村，位于高岗镇南部，距镇政府 4 千米。该村建于 1952 年，在土改时期迁居而形成。因村建在高榜村下游，村旁有一个水利灌溉陂而取名下陂村。

该村东、南、北为农田，西为高榜村。下陂村属丘陵地带，主要山岭有夹颈窝，高 300 米。主要河流是横江河，在村东南面。相邻自然村有高榜村、瓦屋场村。

1952 年形成村时属佛冈县第二区观台乡，1958 年 10 月属从化县跃进（迳头）人民公社，1961 年 5 月属佛冈县高岗人民公社新街大队，1983 年 12 月属高岗区新街乡，1987 年 1 月属高岗镇新街行政村，1989 年 11 月属高岗镇新街管理区，1998 年 11 月属高岗镇新街行政村，2005 年 5 月属高岗镇新联行政村至今。

世居村民为罗姓。明景泰从中原迁移至广东南雄珠玑巷，后从新丰迁移到英德再迁到本地瓦屋场村，后迁至上王坑村，1952 年从上王坑村迁到现址。

2015 年末，村有户籍人口 90 人，其中男性 51 人、女性 39 人。80 岁以上老人 8 人，最年长者 85 岁（女）。生活主要依靠农业收入有 62 人。常年在城镇生活和打工有 28 人，实际在村居住有 62 人。村民均为汉族，客家民系，使用客家方言。

村有山地 43.73 公顷，耕地 6.8 公顷。村山多林密，自然资源丰富。林木资源有松树、杉树、柯树、樟树等树种。野生动物资源有野猪、黄猄、斑鸠、眼镜蛇等。传统经济以农业为主，主要种植水稻、玉米、花生、黄豆、蔬菜等。养殖鸡、鸭、鹅、猪、牛及 4 大家鱼（鲤鱼、草鱼、鲢鱼、鳙鱼）。蔬菜种植是该村经济的重要组成部分。实行农村家庭

◎ 番薯间种沙梨（摄于 2016 年）

联产承包责任制前，蔬菜只在村民自留地种植，村民自己食用。20 世纪 80 年代农村全面实施家庭联产承包责任制后，积极开展多种经营，发展水果产业，2013 年种植沙糖桔面积 6.67 公顷，年收入 50 万元。以后，由于受黄龙病的影响，产业消退，村民改种其他经济作物。

传统食品有酿豆腐、腍肉、艾糍、糯米糍、粽子、糖环等。客家腍肉的做法是将猪肉和各种佐料拌匀，装瓦钵放在锅里蒸熟，蒸熟的腍肉放在通风干爽的棚上藏好，以后每餐食用时再蒸一次即可食用。

村于 20 世纪 70 年代通电话，2009 年全村村道实现水泥硬底化。

◎ 村传统民居一角（摄于 2016 年）

传统民居现存 3 座。房屋分为 2 层，用木板隔开，留有通道。第一层一般高 3 米，供人住宿为主；第二层堆放粮食、杂物等，方便生活。建设较多的民居有两门归厅正座，建于清代，占地面积 80 平方米，保存情况良好。

村有《佛冈罗氏族谱》，是罗家源于 2000 年纂

◎ 村新民居一角（摄于 2016 年）

◎ 乡村公路（摄于 2016 年）

修。记有罗家祖训（祝融公训子）：不求金玉重重贵，但愿儿孙个个贤。人生天地，首生伦常，男女以正，婚姻以时，处已以孝弟忠信，接人以礼义廉耻。勿以权势凌人，勿以富荣傲人，勿以阴谋害人，勿以败德损已，莫说人是非，勿谈人长短。

传统节俗为春节、元宵节、清明节、四月八、端午节、中秋节、重阳节、冬至等。其中春节、清明节、端午节、中秋节为大节，其他为小节。该村有过四月八的习俗，此日近午时，村民便集中在山冈上祭拜无主山坟，晚上则在郊野祭幽灵，烧纸衣、冥钱，撒饭撒肉，鸣锣招引孤魂。中华人民共和国成立后，这种旧俗逐步消失，但村民仍保留在四月八做糍过节的习俗。节日气氛浓厚的还有端午节，各家各户包粽子纪念爱国诗人屈原，农户在门楣挂艾叶、菖蒲，点燃蚊香，以避邪逐恶，祈求保佑全家幸福安康。这一天青年人、小孩子到江河游泳，叫洗龙舟水，以祈消灾去祸，合家平安。

中华人民共和国成立前，男婚女嫁为“父母之命，媒妁之言”。佛冈农村存有抱养穷人家女童做童养媳、未生男孩的人家抱养“等郎妹”的习俗。男女婚嫁是终身大事，都要经过相亲、订婚、迎亲等程序。首先由媒人牵线，约男家的人去女家看人。若男家有意，即授意媒人向女方家长索取其女儿生辰八字，带回男家。男方家长请人卜算后，如男女“相生”，则男家叫媒人陪伴送礼去女家“报合”，如男女“相克”，则将女子生辰八字退回女家，婚事作罢。订婚的第一步是下定礼（俗称“座茶”或叫“小担”），即男方送定金、酒米、肉类给女方，表示合成婚事。

商定成亲日期及礼金后，按照礼规进行过礼，由男方出具礼帖把礼物、聘金送给女方，女方要回一份礼帖给男方。男家叫算命先生择定结婚吉日，由媒人通知女方。届时男方的迎亲队伍带着礼帖、礼物，吹起八音，敲锣打鼓，抬着花轿到女家迎新娘（俗称迎亲）。女家把嫁妆、礼物随新娘一起送回男家（俗称送亲）。新娘到达男家后，举行拜堂仪式，随后送入洞房，闹洞房后迎亲仪式即告结束。中华人民共和国成立后，婚嫁习俗逐渐发生变化，婚事新办的风气越来越浓厚。

村民死后传统均以木棺土葬。死者未满 18 岁的只能用普通木料做棺材，竹杠抬，不上肩。死者在 60 岁以上的多有下列习俗：病人临去世前要移至厅堂或廊下。去世后由子孙日夜守孝，死者入殓前，子孙要到河里取水（俗称买水），为死者擦身、更衣，亲自入殓。出殡时，请巫师开路，吹响牛角，送殡队敲锣打鼓、燃放爆竹送行。埋葬死者后，孝子孝女等从坟上抓回一把黄土，并且同牵一条寿红（红布）由另一路线回家。葬后要为死者做“头七”“二七”“三七”的法事，神主牌送往祠堂入位，至此丧事才告完结。1990 年以后逐步实行火葬。

20 世纪 60 年代中期，村民参加高岗人民公社组织的全社造林大会战，在挂牌山种上杉木 5.67 公顷。70 年代初，开展“农业学大寨”运动，该村平整土地 0.67 公顷，改河造田 0.33 公顷。2011—2013 年，该村组织村民开展农田水利设施维修工作，投入 9.5 万元，先后维修陂头 2 座、水圳 500 米，保证农田灌溉用水。

（资料填报：林贵锦；初稿撰写：姚翠芳；总纂：李协湖）

新街村

◎ 新街村村貌（摄于2016年）

新街村，位于高岗镇南部，距镇政府3千米。该村始建于民国前期，从本地大围（今高镇村）迁居而形成。因新街村原是新建的街场（小集市），后李姓由大围迁居该地而取名新街村。

村东为厂下村，南为横江河，西为村道，北为山地。新街村属丘陵地带，主要山岭有对面山，高220米。京港澳高速公路、省道252线在村旁西面通过。主要河流是横江河，在村南面。相邻自然村有厂下村。

民国初期村庄初形成时属佛冈县第二区观台乡，中华人民共和国成立时属佛冈县第二区观台乡，1958年10月属从化县跃进（迳头）人民公社，1961年5月属佛冈县高岗人民公社新街大队，1983年12月属高岗区新街乡，1987年1月属高岗镇新街行政村，1989年11月属高岗镇新街管理区，1998年11月属高岗镇新街行政村，2005年5月属高岗镇新联行政村至今。

世居村民为李、郑姓。李姓，明景泰年间（1450—1456年）从原迁福建迁移至广东南雄珠玑巷，后从新丰迁移到东坑、厂下村再迁至该地。郑姓族人，太上祖冯乐宣从福建河州府迁至韶关，十三世冯法进由闽迁至广东翁源，明正统年间（1436—1449年）郑聪千从英州迁至大陂，20世纪60年代迁至该地。

2015年末，村有户籍人口124人，其中男性66人、女性58人。80岁以上老人1人，最年长者85岁（女）。生活主要依靠农业收入有52人。常年在城镇生活和打工有72人，实际在村居住52人。村民均为汉族，客家民系，使用客家方言。

村有山地47.6公顷，耕地12.47公顷。传统经济以农业为主，主要种植双季水稻、番薯。经济

◎ 村民的蔬菜种植（摄于2016年）

作物种植花生、果树、蔬菜等。禽畜业以养殖鸡、鸭、鹅、猪、牛、羊等。养殖家禽是该村农业经济的重要组成部分。中华人民共和国成立前，家禽养殖成活率低，生长慢，经济效益极低。20 世纪 80 年代起，该村发展家禽养殖专业，实行规模化养殖，实现规模效益。此后，逐步调整农村经济结构，发展水果产业。2013 年以后，水果产业消退，村民改种其他作物。

传统食品有酿豆腐、腍肉、艾糍、糯米糍、粽子、糖环等。酿豆腐的做法是把豆腐切块并挖出小洞，再把腌制好的猪肉酿入豆腐里，最后将豆腐块用小火煎至金黄色，调味即可食用。腍肉的做法是将猪肉和各种佐料拌匀，装瓦钵放在锅里蒸熟，蒸熟的腍肉放在通风干爽的棚上藏好，以后每餐食用时再蒸一次即可食用。艾糍的制作：先将艾叶稍煮一下，去掉苦味；将糯米碾成粉，与艾叶混合搓匀。用糖、花生碎粒、芝麻作馅，捏为小块，包成三角形或圆形，蒸熟即可。糯米糍的制作：首先将糯米粉倒入容器中，放入适当的水和碱砂，搅拌成糊状后，装入盘中（盘底放少许花生油）用锅蒸约 20 分钟。蒸熟后，将糯米糍搓成糍团，用手指捏成勺子形状，把馅料放进去，再包成饼状，即可食用，其质感嫩滑可口。粽子的制作：用料为糯米、猪肋条肉、香菇、花生仁、花生油等，包成立体三角形粽子，用湿咸水草或细篾片拦腰捆系好，然后放入锅内，加入清水用旺火煮约 2 小时，即可食用。咸肉粽气味郁香，油润适口。

◎ 沙糖桔种植（摄于 2015 年）

糖环的制作：用水浸透糯米（掺 30% 黏米），滤干碾成粉。将糖入锅煮成糖水起锅，再将米粉放在锅中炒热，然后趁热拌糖水搓匀。此后，便可搓成小圆条，圈成半边窗式的称“半边糖环”，圈成六角形称“六耳球”，用油炸熟即成。

村于 1975 年通电话，1980 年通电，2005 年通网络，2009 年全村村道实现水泥硬底化。

传统民居为客家民居，现存 7 座。建设较多的民居有两门归厅（正座），建于民国期间，占地面积 80 平方米，保存情况良好。

传统节俗为春节、元宵节、清明节、四月八、端午节、中秋节、重阳节、冬至等。该村过端午节，各家各户包粽子纪念爱国诗人屈原，在门口桂艾叶、菖蒲等，以避邪逐恶。还有少年儿童到江河游泳，叫洗龙舟水，减少少儿得病的概率。节日气氛浓厚的还有中秋节。每逢中秋之夜，男女老少一起赏月，用月饼、柚子及石螺等食品拜月，热闹非常。随着生活水平的不断提高，村民对欢庆中秋节的习俗也

◎ 村传统民居一角（摄于 2016 年）

◎ 村民居一角（摄于 2016 年）

越来越重视，在外地工作的本地籍人都尽量回家与家人团聚，共度佳节。

婚嫁习俗中担小担、担大担是客家人传统办婚事的流行风俗。即男方备齐礼物到女方家下聘礼订婚，称为担小担。男方备齐礼物到女方家接新娘，称为担大担。行结婚礼时，要摆酒请客、迎亲和送亲。结婚当天，新郎带着亲朋好友坐上婚车到新娘家接新娘。新娘的姐妹朋友关门阻止新郎进入新娘家。新郎需要用红包开路，并请亲朋好友帮助接新娘。在新娘家，新郎新娘一起向新娘家长辈敬茶，长辈给新郎新娘新婚红包。接着新娘弟弟撑红雨伞送新娘出门，由新娘的亲朋好友伴送新娘到男家。在男家摆设的喜席上，新郎新娘共同向亲朋好友和来宾敬茶。长辈接过新婚茶后，有的即兴唱起山歌，有的说祝贺词。

丧事习俗也具有客家人的特点。传统以土葬为主，其程序为举丧、入殓、出殡、送葬，将灵牌送入祠堂或厅下。不管是哪家的丧事，全村人都前去帮忙，打锣鼓、舞狮、放鞭炮。办丧事期间只能煮白饭、花菜、黄豆煮猪肉等简单的饭菜。葬礼有相冲之说，有人与逝者生辰八字相冲的，均不能出现在葬礼上，必须回避。开始下葬时，送葬的家人必须提前离开，离开时不能回头看，要等下葬完毕后再回去祭拜。1990年以后，虽然逐步实行火葬，但有些程序仍然保留。

20世纪70年代初，组织村内劳动力开展改河造田工作，加固堤围100米，造田0.33公顷，并清理农田灌溉渠道200米。2013年，村域遭受水灾，一批水利设施被冲毁，村组织村民抗灾复产，集中整修被毁农田灌溉渠道，维修陂头2座。

（资料填报：姚翠芳；初稿撰写：姚翠芳；总纂：李协湖）

○长江行政村

白牛湖村

◎ 白牛湖村村貌（摄于 2016 年）

白牛湖村，曾用名白泥湖村，位于高岗镇东部，距镇政府 5 千米。该村始建于清中期，在建村时挖有白泥，取名为白泥湖村。后村民认为村名不吉利，以谐音改名白牛湖村。相邻的村有瑶村。

村坐落于丘陵地带，村东、北是山，南为高岗河，西与瑶村相邻。京港澳高速公路在村西面 500 米处通过，省道 252 线在村西面 2.5 千米处通过，有县道连接该村与高岗镇区。高岗河位于村南面，流经该村河长 300 米。

清嘉庆十八年（1813 年）属佛冈厅高台乡，民国时期属佛冈县第二区观台乡，中华人民共和国成立时属佛冈县第二区观台乡，1958 年 10 月属从化县跃进（迳头）人民公社，1961 年 5 月属佛冈县高岗人民公社长江大队，1983 年 12 月属高岗区长江乡，1987 年 1 月属高岗镇长江行政村，1989 年 11 月属高岗镇长江管理区，1998 年 11 月属高岗镇长江行政村至今。

世居村民为范姓，南宋末年，范姓始祖从福建迁移至广东清远，明正统十二年（1447 年）迁至英德白石乡（今佛冈县迳头镇），清中期后从烟岭（今）迁移至该地。

2015 年末，村有户籍人口 220 人，其中男性 120 人、女性 100 人。80 岁以上老人 2 人，最年长者 89 岁（男）。生活主要依靠农业收入有 45 人。常年在城镇生活和打工有 175 人，实际在村居住有 45 人。祖籍该村的香港、澳门同胞 40 人。祖籍该村的华侨 10 人，居住在美国。村民均为汉族，客家民系，使用客家方言。

村有山地 27.73 公顷，耕地 10.4 公顷。村山多林密，自然资源丰富。林木资源有松树、杉树、柯树、樟树等树种。野生动物资源有野猪、黄猄、斑鸠、眼镜蛇等动物。传统经济以农业为主，主要种植水稻、玉米、花生、果树、蔬菜等。养殖鸡、鸭、鹅、猪、牛及 4 大家鱼（鲤鱼、草鱼、鲢鱼、鳙鱼）。林业主要以封山育林为主，保护生态环境。村民范秀全于 2000 年起试办综合养殖场，规模不断扩大，到 2015

年，总投入已达1500万元。在综合养殖场饲养猪、鸡，并挖有渔塘养鱼，在山边种果，综合养殖场年产值达500多万元。此后，随着产业布局的调整，经济作物果树种植形成规模化产业。2013年以后，果树产业消退，村民开办养殖业或改种李子等其他作物。

该村传统食品有酿豆腐、艾糍、粽子、腊肠、腊肉、腊鸭等。酿豆腐的做法是把豆腐切块并挖出小洞，再把腌制好的猪肉酿入豆腐里，最后将豆腐块用小火煎至金黄色，调味即可食用。客家脸肉的做法是将猪肉和各种佐料拌匀，装瓦钵放在锅里蒸熟，蒸熟的脸肉放在通风干爽的棚上藏好，以后每餐食用时再蒸一次即可食用。

村于1984年通电，1990年通电话，村道2009年实现水泥硬底化，2011年通网络。村中建有垃圾收集点。

传统民居现存25座。民居主要是2门归厅的横排砖木结构民房，周围建设围水屋，以作厨房使用。房屋分为2层，用木板隔开，留有通道。第

◎ 村传统民居一角（摄于2016年）

◎ 白牛湖村新民居一角（摄于2016年）

◎ 回龙庙（摄于2016年）

一层一般高3米，供人住宿为主；第二层堆放粮食、杂物等，方便生活。民居冬暖夏凉，居住舒适。2000年以后，村民多建设钢筋混凝土结构的楼房，建筑占地面积80平方米，布局为三房一厅一厨一卫，装修比较实用。

该村有回龙庙，始建清末，逢年过节村民前去烧香拜神，祈求福佑。

传统节俗为春节、元宵节、清明节、四月八、端午节、中秋节、重阳节、冬至等。春节是送旧迎新的大节，从农历十二月二十三日小年夜起，家家户户打扫庭院，炸油角、做米饼、炸糖环、蒸年糕，给小孩添新衣、新鞋、玩具。到年三十，村民张贴门神、对联，吃团年饭。这一餐有意把鱼剩下，表示连年有余（鱼）。这天晚上，长者要给小孩红包，名曰压岁钱。村民有守岁的习惯，到晚上12点，鸣放鞭炮，迎接新年来临。年初三为送穷日，每家打扫卫生，把新年以来积聚的垃圾送到野外，烧香烧纸，焚烧垃圾。这一天是为忌日，一般不探亲访友。年初四为回门日，新婚男子携妻子去拜访岳父岳母。节日气氛浓厚的还有清明节，家家户户门楣插柳枝和桃叶以驱邪，采艾（一种植物）做糍，名为艾糍，并进行扫墓活动。扫墓一般从清明前的春分起到农历四月初八日，扫墓期间在外地谋生做事的人都尽可能赶回去祭扫祖墓，不回去扫墓的人会遭到村人的责骂。

中华人民共和国成立前，男婚女嫁为“父母之命，媒妁之言”。男女婚嫁都要经过相亲、订婚、迎亲等程序。首先由媒人牵线，约男家的人去女家看

人。若男家有意，即授意媒人向女方家长索取其女儿生辰八字，带回男家。男方家长请人卜算后，如男女“相生”，则男家叫媒人陪伴送礼去女家“报合”，如男女“相克”，则将女子生辰八字退回女家，婚事作罢。订婚的第一步是下定礼（俗称座茶或叫小担），即男方送定金、酒米、肉类给女方，表示合成婚事。商定成亲日期及礼金后，按照礼规进行过礼，由男方出具礼帖把礼物、聘金送给女方，女方要回一份礼帖给男方。男家叫算命先生择定结婚吉日，由媒人通知女方。届时男方的迎亲队伍带着礼帖、礼物，吹起八音，敲锣打鼓，抬着花轿到女家迎新娘（俗称迎亲）。女家把嫁妆、礼物随新娘一起送回男家（俗称送亲）。新娘到达男家后，举行拜堂仪式，随后送入洞房，闹洞房后迎亲仪式即告结束。中华人民共和国成立后，婚嫁习俗逐渐发生变化，婚事新办的风气越来越浓厚。

中华人民共和国成立前，村民死后均以木棺土葬。死者未满 18 岁的只能用普通木料做棺材，竹杠抬，不上肩。死者在 60 岁以上的多有下列习俗：病人临去世前要移至厅堂或廊下。去世后由子孙日夜守孝，死者入殓前，子孙要到河里取水（俗称买水），为死者擦身、更衣，亲自入殓。出殡时，请巫师开路，吹响牛角，送殡队敲锣打鼓、燃放爆竹送行。埋葬死者后，孝子孝女等从坟上抓回一把黄土，并且同牵一条寿红（红布）由另一路线回家。葬后要为死者做“头七”“二七”“三七”的法事，神主牌送往祠堂入位，至此丧事才告完结。1990 年后逐步实行火葬。

20 世纪 60 年代中期，该村劳动力参加高岗人民公社组织的全社造林大会战，在挂牌山种杉木 5.67 公顷。同时，根据山坡地面积大的特点，组织村民利用山坡地种植杉树 6.67 公顷、油茶树 3.33 公顷。70 年代中期，开展养猪积肥一条龙活动，村养猪 55 头。2002 年建设该村至三联公路的乡村公路，改善村落交通。

该村范秀全，1971 年出生，种养专业户，热心公益事业，捐资 30 万元建村文化室，捐资 5 万元建村水面桥。中秋节、春节自己掏钱慰问村中老人，出资帮助生产生活困难村民，在当地享有较高的声誉。

（资料填报：范卫红；初稿撰写：李小山；总纂：李协湖）

茶山下村

◎ 茶山下村村貌（摄于 2016 年）

茶山下村，位于高岗镇北部，距镇政府 5 千米。该村始建于清朝中期，何氏子孙从禾坪头村（今）搬到茶山下，因为村后的山名叫茶树山，所以该村取名茶山下村。相邻的村有仙子坑村、新围。

该村坐落于丘陵地带，村东是京港澳高速公路，南是新街村，西是省道 252 线，北是仙子坑村。省道和高速在东、西、两面通过，交通方便。主要河流是礼溪河，流经该村长度约 400 米，在村子的西南面。

清嘉庆十八年（1813 年）属佛冈厅高台乡，民国时期属佛冈县第二区观台乡，中华人民共和国成立时属佛冈县第二区观台乡，1958 年 10 月属从化县跃进（迳头）人民公社，1961 年 5 月属佛冈县高岗人民公社长江大队，1983 年 12 月属高岗区长江乡，1987 年 1 月属高岗镇长江行政村，1989 年 11 月属高岗镇长江管理区，1998 年 11 月属高岗镇长江行政村至今。

世居村民为何姓，宋咸淳九年（1273 年）由闽入粤南雄珠玑巷，明洪武十四年（1381 年）朱六娘携子永端、永政投往英德县高台乡（今佛冈县高岗镇），永端则在上湾创业，永政则在茶山下村安居乐业。

2015 年末，村有户籍人口 128 人，其中男性 69 人、女性 59 人。最年长者年龄 75 岁（女）。生活主要依靠农业收入有 73 人。常年在城镇生活和打工有 55 人，实际在村居住 110 人，其中留守儿童 1 人。

村有山地 42 公顷，耕地 6.2 公顷。村山多林密，自然资源丰富。林木资源有松树、杉树、柯树、樟树等树种。野生动物资源有野猪、黄猄、斑鸠、眼镜蛇等动物。传统经济以农业为主，主要种植水稻、玉米、花生、黄豆、蔬菜等。养殖鸡、鸭、鹅、猪、

◎ 农田灌溉陂头（摄于 2012 年）

◎ 春耕插秧（摄于 2015 年）

牛及 4 大家鱼（鲤鱼、草鱼、鲢鱼、鳙鱼）。中华人民共和国成立初期，该村农业经济效益极低，农民只能维持简单的生活。到 20 世纪 80 年代初期农村实行家庭联产承包责任制起，村民积极引进良种，农业基础设施进一步好转，旱涝保收农田增加，生产效益提高。水稻一般亩产为 400 千克，花生亩产 200—250 千克（干荚），蔬菜亩产 1000 千克，农业经济效益有较大的提高。随着种植果树形成规模化产业，2013 年种植沙糖桔面积 6.6 公顷，产值 50 万元。以后受黄龙病的影响，村民改种火龙果等其他作物。

传统食品有腍肉、酿豆腐、艾糍、粽子、腊鸭等。

该村 1981 年通电，2005 年通电话，2010 年水泥硬底化村道和通网络，2014 年通自来水。

传统民居现存 40 座。民居建设主要以 3 条直街为界，在界内里面建设若干 2 门归厅或 4 门归厅的横排砖木结构民房，周围建设围水屋，以作厨房使用。村外围修建牛棚、猪舍、鸡窝等，人畜分离，保持人居环境卫生整洁。房屋分为 2 层，用木板隔开，留有通道。第一层一般高 3 米，供人住宿为主；第二层堆放粮食、杂物等，方便生活。民居冬暖夏凉，居住舒适。2000 年以后，村民多以钢筋混凝土结构建楼房，建筑占地面积 80 平方米，装修比较实用。

村现存宗祠 1 座，始建于清中期，重修于 2005 年。占地 120 平方米。

◎ 何氏宗祠（摄于 2016 年）

◎ 茶山下村新民居（摄于 2016 年）

传统节俗为春节、元宵节、清明节、四月八、端午节、中秋节、重阳节、冬至等。正月十五为元宵节，该村有蒸发糕、做糍的习俗，以示庆贺春节圆满结束，转入新的一年农事活动，元宵节晚餐丰盛。

中华人民共和国成立前，男婚女嫁为“父母之命，媒妁之言”。男女婚嫁是终身大事，都要经过相亲、订婚、迎亲等程序。首先由媒人牵线，约男家的人去女家看人。若男家有意，即授意媒人向女方家长索取其女儿生辰八字，带回男家。男方家长请人卜算后，如男女“相生”，则男家叫媒人陪伴送礼去女家“报合”，如男女“相克”，则将女子生辰八字退回女家，婚事作罢。订婚的第一步是下定礼（俗称座茶或叫小担），即男方送定金、酒米、肉类给女方，表示合成婚事。商定成亲日期及礼金后，按照礼规进行过礼，由男方出具礼帖把礼物、聘金送给女方，女方要回一份礼帖给男方。男家叫算命先生择定结婚吉日，由媒人通知女方。届时男方的迎亲队伍带着礼帖、礼物，吹起八音，敲锣打鼓，抬着花轿到女家迎新娘（俗称迎亲）。女家把嫁妆、礼物随新娘一起送回男家（俗称送亲）。新娘到达男家后，举行拜堂仪式，随后送入洞房，闹洞房后迎亲仪式即告结束。中华人民共和国成立后，婚嫁习俗逐渐发生变化，婚事新办的风气越来越浓厚。

中华人民共和国成立前，村民死后均以木棺土葬。死者未满 18 岁的只能用普通木料做棺材，竹杠抬，不上肩。死者在 60 岁以上的多有下列习俗：病人临去世前要移至厅堂或廊下。去世后由子孙日夜守孝，死者入殓前，子孙要到河里取水（俗称买水），为死者擦身、更衣，亲自入殓。出殡时，请巫师开路，吹响牛角，送殡队敲锣打鼓、燃放爆竹送行。埋葬死者后，孝子孝女等从坟上抓回一把黄土，并且同牵一条寿红（红布）由另一路线回家。葬后要为死者做“头七”“二七”“三七”的法事，神主牌送往祠堂入位，至此丧事才告完结。

20 世纪 60 年代中期，该村响应高岗人民公社植树造林的号召，组织村民上山造林 3.33 公顷。1987 年，村民配合县交通部门开展乡村公路建设，将原山间小路改造为县道 322 线（佛冈二七—英德华侨农场），该线路于 2003 年起改建为省道 252 线。2015 年，村集资维修水利设施，改善农田灌溉面积 6 公顷。

（资料填报：何高京；初稿撰写：曾义；总纂：李协湖）

枫树山村

◎ 枫树山村村貌（摄于 2016 年）

枫树山村，位于高岗镇北部，距镇政府 10 千米。该村始建于明嘉靖年间（1522—1566 年）。村名由来有二：一是在村的后背山有一片枫树林；二是枫树山村在该处定居的祖宗原来比较富裕的，取“枫”与“丰”同音，希望子孙后代都能丰衣足食。相邻的村有晒禾岗村、山下村。

该村坐落于丘陵地带，村东为礼溪水，南为晒禾岗村，西为山，北为山下村。京港澳高速和省道 252 线在村旁东面通过。

该村在清嘉庆十八年（1813 年）属佛冈厅高台乡，民国时期属佛冈县第二区观台乡，中华人民共和国成立时属佛冈县第二区观台乡，1958 年 10 月属从化县跃进（迳头）人民公社，1961 年 5 月属佛冈县高岗人民公社礼溪大队，1983 年 12 月属高岗区礼溪乡，1987 年 1 月属高岗镇礼溪行政村，1989 年 11 月属高岗镇礼溪管理区，1998 年 11 月属高岗镇礼溪行政村，2005 年 5 月属高岗镇长江行政村至今。

世居村民为朱姓，南宋末从福建迁入广东湛江、广州，始祖朱文焕。明初迁至清远湛江地区（今佛冈县龙山镇）两岳村，明中期从两岳迁至该址。

2015 年末，村有户籍人口 330 人，其中男性 175 人、女性 155 人。80 岁以上老人 13 人，最年长者 101 岁（女）。生活主要依靠农业收入有 295 人。常年在城镇生活和打工有 35 人，实际在村居住 295 人。祖籍该村的澳门同胞 6 人。祖籍该村的华人华侨 3 人，居住在毛里求斯。村民均为汉族，客家民系，使用客家方言。

该村有山地 118.6 公顷，耕地 8.73 公顷。村山多林密，自然资源丰富。林木资源有松树、杉树、柯树、樟树等树种。野生动物资源有野猪、黄猄等兽类和

◎ 丝瓜种植（摄于 2016 年）

斑鸠等飞禽类，还有眼镜蛇（俗称锅铲头）等爬行动物。传统经济以农业为主，主要种植水稻、番薯、花生、果树、蔬菜等。养殖鸡、鸭、鹅、猪、牛及4大家鱼（鲤鱼、草鱼、鲢鱼、鳙鱼）。中华人民共和国成立前，由于农业耕作处于粗放低效状态，水稻一般亩产为100千克，农民只能维持简单的生活水平。中华人民共和国成立后，该村先后组织互助组、合作社，参加人民公社，逐步推广应用先进的农业生产技术，农业生产效益有较大的提高。20世纪60—70年代，农村经济以生产队为核算单位时，该村办有砖厂，产品供附近村民使用，增加村民收入。80年代起实行农村家庭联产承包责任制后，推广和使用农业先进技术，水稻一般亩产达到400千克，农业经济效益有较大的提高。20世纪90年代开始，大部分青壮年外出打工。此后，逐步调整农村经济结构，发展果树产业，2013年该村种植沙糖桔面积12公顷，年收入90万元。后来，由于受黄龙病的影响，村民改种百香果等其他经济作物。

传统食品有酿豆腐、脍肉、艾糍等。酿豆腐的做法是把豆腐切块并挖出小洞，再把腌制好的猪肉酿入豆腐里，最后将豆腐块用小火煎至金黄色，调味即可食用。客家脍肉的做法是将猪肉和各种佐料拌匀，装瓦钵放在锅里蒸熟，蒸熟的脍肉放在通风干爽的棚上藏好，以后每餐食用时再蒸一次即可食用。艾糍的制作：先将艾叶稍煮一下，去掉苦味；将糯米碾成粉，与艾叶混合搓匀。用糖、花生碎粒、芝麻作馅，捏为小块，包成三角形或圆形，蒸熟即可。

◎ 村传统民居一角（摄于2016年）

◎ 村新民居一角（摄于2016年）

村于1972年通电，1995年通电话，2010年通自来水、通网络，2011年实现村道水泥硬底化。

传统民居现存23座。民居为2门归厅或4门归厅的横排砖木结构民房，周围建有围水屋，以作厨房使用。房屋分为2层，用木板隔开，留有通道。第一层一般高3米，供人住宿为主；第二层堆放粮食、杂物等，方便生活。民居冬暖夏凉，居住舒适。2000年以后，村民建设钢筋混凝土结构的楼房，建筑占地面积75平方米，三房一厅一厨一卫布局，设施较完善，门前多有小型花园或活动场所。

村与山下村朱氏共用宗祠，族谱也是与整个礼溪朱氏共用《紫阳朱氏礼溪族谱》。族谱记有家训，内容有："训是家魂，告诫族人。两仪既定，乾坤宜尊。父慈子孝，人当奉引。兄友弟恭，应重人伦。"

◎ 族谱（摄于2016年）

传统节俗为春节、元宵节、清明节、四月八、端午节、中秋节、重阳节、冬至等。清明节家家户户门口插桃叶以驱邪，采艾蒿做糍，并进行扫墓活动。村民不论老少，离家多远，都要赶回家祭祖，以示孝敬。节日气氛浓厚的还有中秋节。每逢中秋之夜，男女老少一起赏月，用月饼、柚子及石螺等食品拜月，热闹非常。随着生活水平的不断提高，村民对欢庆中秋节的习俗也越来越重视，在外地工作的本地籍人都尽量回家与家人团聚，共度佳节。

传统婚嫁习俗具有客家人的特点，其中担小担、担大担是客家人办婚事的流行风俗。即男方备齐礼物到女方家下聘礼订婚，称为担小担。男方备齐礼物到女方家接新娘，称为担大担。行结婚礼时，要摆酒请客、迎亲和送亲。结婚当天，新郎带着亲朋好友坐上婚车到新娘家接新娘。新娘的姐妹朋友关门阻止新郎进入新娘家。新郎需要用红包开路，并请亲朋好友帮助接新娘。在新娘家，新郎新娘一起向新娘家长辈敬茶，长辈给新郎新娘新婚红包。接着新娘弟弟撑红雨伞送新娘出门，由新娘的亲朋好友伴送新娘到男家。在男家摆设的喜席上，新郎新娘共同向亲朋好友和来宾敬茶。长辈接过新婚茶后，有的即兴唱起山歌，有的说祝贺词。

传统丧事习俗也具有客家人的特点。发生丧事时，传统以土葬为主，其程序为举丧、入殓、出殡、送葬，将灵牌送入祠堂或厅下。不管是哪家的丧事，全村人都前去帮忙，打锣鼓、舞狮、放鞭炮。办丧事期间只能煮白饭、花菜、黄豆煮猪肉等简单的饭菜。葬礼开始时，家里有人与逝者生辰八字有相冲的均不能出现在葬礼上，必须回避。开始下葬时，送葬的家人必须提前离开，离开时不能回头看，要等下葬完毕后再回来祭拜。1990 年以后，虽然逐步实行火葬，但安葬、拜祭等程序仍然保留。

1985 年秋旱，从 9 月 22 日至 10 月 25 日，历时 34 天，晚造水稻因旱情严重当年减产。1987 年，该村村民配合县交通部门开展乡村公路建设，将原山间小路改造为县道 322 线（佛冈二七—英德华侨农场），该线路于 2003 年起改建为省道 252 线。1989 年 11 月，经清远市人民政府批准该村为抗日根据地。

（资料填报：朱照兴；初稿撰写：曹伟棋，总撰：李协湖）

坑尾村

◎ 坑尾村村貌（摄于 2016 年）

坑尾村，曾用名坑美村，位于高岗镇北部，距镇政府 11 千米。该村始建于明中期，由清远潖江两岳（今龙山）分村移民聚居而成。因始祖把村建在这条溪水的尾端而取名坑尾村。相邻的村有中社村、英德市刘屋角村。

坑尾村坐落于丘陵地带，村东是英德市东华镇刘屋角村，南是中社村，西为英德市界，北是羊子栋山。京港澳高速公路和省道 252 线并排从村东面通过。村中山地面积较多，山中有山鸡、斑鸠等稀有动物。羊子栋山，高 800 多米。溪水流经该村 1500 米，为礼溪河的发源地。

清嘉庆十八年（1813 年）属佛冈厅高台乡，民国时期属佛冈县第二区观台乡，中华人民共和国成立时属佛冈县第二区观台乡，1958 年 10 月属从化县跃进（迳头）人民公社，1961 年 5 月属佛冈县高岗人民公社礼溪大队，1983 年 12 月属高岗区礼溪乡，1987 年 1 月属高岗镇礼溪行政村，1989 年 11 月属高岗镇礼溪管理区，1998 年 11 月属高岗镇礼溪行政村，2005 年 5 月属高岗镇长江行政村至今。

世居村民为朱姓，元末从福建迁广东清远、广州，明成化年间（1465—1487 年）从清远潖江地区（今佛冈龙山）两岳村迁入迳头后迁至该址，坑尾村始祖为景华公。

2015 年末，村有户籍人口 562 人，其中男性 292 人、女性 270 人。80 岁以上老人 12 人，最年长者 94 岁（女）。生活主要依靠农业收入有 285 人。常年在城镇生活和打工有 277 人，实际在村居住 285 人，其中留守儿童 5 人。村民均为汉族，客家民系，使用客家方言。

村有山地 300.2 公顷，耕地 17.93 公顷。村山多林密，自然资源丰富。林木资源有松树、杉树、柯树、樟树等树种。野生动物资源有野猪、黄猄等兽类和斑鸠等飞禽类，还有眼镜蛇（俗称锅铲头）等爬行动物。传统经济以农业为主，粮食作物主要种植双季水稻、番薯，经济作物种植花生、果树、蔬菜等。禽畜养殖鸡、鸭、鹅、猪、牛、羊等。渔业主要是利用山塘、水库蓄水养殖。种植花生是该村农业经济的重要来源。民国时期，花生油料产量极低，根本满足不了村民的生活需求。20 世纪 80 年代起，实行农村家庭联产承包责任制，花生亩产达到200—250千克（干荚）。2000年以后，大部分青壮年外出打工，外出务工村民为工资性收入。此后，逐步调整农村经济结构，发展水果产业，村民先后种沙糖桔、百香果等。

传统食品有腍肉、酿豆腐、粽子、艾糍、腊肉、腊鸭，糖环等。

村于1981年通电，1997年通电话，1998年实现村道水泥硬底化，2005年通自来水，2010年通网络。村中建有垃圾收集点。300平方米的村文化室正在建设中。

传统民居现存民居82座。民居主要为2门归厅或4门归厅的横排砖木结构民房，周围建有围水屋，以作厨房使用。村外围修建牛棚、猪舍、鸡窝等，人畜分离，保持人居环境卫生整洁。房屋分为2层，用木板隔开，留有通道。第一层一般高3米，供人住宿为主；第二层堆放粮食、杂物等，方便生活。民居冬暖夏凉，居住舒适。2000年以后，村民多建

◎ 连屋庙（摄于2016年）

◎ 真武庙（摄于2016年）

◎ 村传统民居一角（摄于2016年）

◎ 朱氏宗祠（摄于2016年）

设钢筋混凝土结构楼房，建筑占地面积80平方米，装修比较实用，有的还建有停车库。

村建有一座朱氏宗祠，始建于明后期，重修于1998年。正门门楣上刻“朱氏宗祠”四个字。宗祠为二进一厅一井结构，硬山顶，轮船脊。宗祠内有楹联：“祖道恩深博学芳名标青史；公堂盛世遍地雄豪振乾坤。”村有连屋庙、真武庙，是村民拜神祈求福佑的地方。

传统节俗为春节、元宵节、清明节、四月八、端午节、中秋节、重阳节、冬至等。村有过四月八的习俗，此日近午时，村民便集中在山冈上祭拜无主山坟，晚上则在郊野祭幽灵，烧纸衣、冥钱，撒饭撒肉，鸣锣招引孤魂。中华人民共和国成立后，这种旧俗逐步消失，但村民仍保留在四月八做糍过节的习俗。节日气氛浓厚的还有清明节，家家户户门楣插柳枝和桃叶以驱邪，采艾（一种植物）做糍，名为艾糍，并进行扫墓活动。扫墓一般从清明前的

春分起到农历四月初八日，扫墓期间在外地谋生做事的人都尽可能赶回去祭扫祖墓，不回去扫墓的人会遭到村人的责骂。

村传统婚嫁庄重繁杂。男女开始交往时女家要到男家探家，结婚前男方需向女方家下聘礼，报日子、送聘金、定嫁妆。行结婚礼时，要摆酒请客，迎亲和送亲。迎亲过程尤为有趣：新郎先租七辆或九辆车作婚车装饰好。结婚当天，新郎带着亲朋好友坐上婚车到新娘家接新娘。新娘的姐妹朋友关门阻止新郎进入新娘家。新郎需要用红包开路，并请亲朋好友帮助接新娘。在新娘家，新郎新娘一起向新娘家长辈敬茶，长辈给新郎新娘新婚红包。接着新娘弟弟撑红雨伞送新娘出门，出门前新娘家人拿用红纸包成条状的硬币给新娘，新娘掰断并放入自己的口袋，新娘出门后不可回头望。男家把新娘接回家后，接着开席宴客，新郎、新娘在席上向亲友敬茶，亲友回赠红包。喜席散后，亲友把一对新人送入洞房，这时婚礼才告结束。

村里发生丧事时，传统以土葬为主。其程序为举丧、入殓、出殡、送葬，将灵牌送入祠堂或厅下。办丧事期间只能煮白饭、花菜、黄豆煮猪肉等简单的饭菜。葬礼开始时，家里有人与逝者生辰八字相冲的，均不能出现在葬礼上，必须回避。开始下葬时，送葬的家人必须提前离开，离开时不能回头看，要等下葬完毕后再回去祭拜。1990 年以后逐步实行火葬。

1930 年，该村青年参加英德鱼湾中共领导的“鸡麻湖”暴动，同年参加礼溪农会（耕种会）。1939 年，组织青年参加礼溪抗日自卫中队。1944 年夏，礼溪抗日自卫中队开赴英德黄岗地带抗击日本侵略军。1946 年，该村青年参加礼溪游击队，参加袭击新丰遥田国民党联防队的战斗。1989 年，村经清远市人民政府批准该村为抗日根据地。1987 年，村民配合县交通部门开展乡村公路建设，将原山间小路改造为县道 322 线（佛冈二七—英德华侨农场），该线路于 2003 年起改建为省道 252 线。2011 年，该村集资 3 万元，新建坑尾大坝陂，受益农田 10 公顷。

该村朱光常（1928—1948），革命烈士，佛冈人民义勇大队战士，在迳头大陂被捕牺牲。

（资料填报：何惠友；初稿撰写：李小山；总纂：李协湖）

凉水井村

◎ 凉水井村村貌（摄于 2016 年）

凉水井村，位于高岗镇北部，距镇政府 3.5 千米。该村始建于清中期，由林氏子孙从社岗下村（今）搬到该址，因村中有清凉甘甜的水井而得名。相邻的村有下陈村。

该村坐落于丘陵地带，村东是京港澳高速公路，南是 291 乡道，西是山地，北是村后山。291 乡道是其对外联系的主要通道。

清嘉庆十八年（1813 年）属佛冈厅高台乡，民国时期属佛冈县第二区观台乡，中华人民共和国成立时属佛冈县第二区观台乡，1958 年 10 月属从化县跃进（迳头）人民公社，1961 年 5 月属佛冈县高岗人民公社长江大队，1983 年 12 月属高岗区长江乡，1987 年 1 月属高岗镇长江行政村，1989 年 11 月属高岗镇长江管理区，1998 年 11 月属高岗镇长江行政村至今。

世居村民为林姓，明初由闽入粤翁源，再从翁源迁到高岗社岗下村，清中期分村迁到该址。

2015 年末，村有户籍人口 98 人，其中男性 50 人、女性 48 人。80 岁以上 4 人，最年长者 90 岁（女）。生活主要依靠农业收入有 45 人。常年在城镇生活和打工有 53 人，实际在村居住 45 人，其中留守儿童 14 人。村民均为汉族，为客家民系，使用客家方言。

村有山地 36.47 公顷，耕地 9.2 公顷。该村气候温和，雨量充沛，自然资源丰富。林木资源有松树、杉树、柯树、樟树等树种。野生动物资源有鸟类，哺乳类、爬行类等。传统经济以农业为主，主要种植水稻、番薯、花生、果树、蔬菜等。禽畜养殖鸡、鸭、鹅、猪、牛羊等。渔业养殖 4 大家鱼（鲤鱼、草鱼、鲢鱼、鳙鱼）。蔬菜种植过去是自用为主。20 世纪

◎ 优质稻生产（摄于 2016 年）

80年代农村全面实施家庭联产承包责任制后，积极开展多种经营，大力发展蔬菜种植业，供应市场需求。2000年以后，大部分青壮年外出打工，外出务工村民主要为工资性收入。此后，发展果树产业，2013年种植沙糖桔6.67公顷，年收入50万元，以后由于受黄龙病的影响，产业消退，村民改种番薯等经济作物。

传统食品有酿豆腐、脍肉、艾糍、粽子、腊鸭等。酿豆腐的做法是把豆腐切块并挖出小洞，再把腌制好的猪肉酿入豆腐里，最后将豆腐块用小火煎至金黄色，调味即可食用。客家脍肉的做法是将猪肉和各种佐料拌匀，装瓦钵放在锅里蒸熟，蒸熟的脍肉放在通风干爽的棚上藏好，以后每餐食用时再蒸一次即可食用。

村于1982年通电，1992年通电话，2005年村道实现水泥硬底化，2008年通网络，2014年通自来水。

传统民居为长方形客家围屋，现存20座。民居建设主要以3条直街为界，里面建设若干2门归厅或4门归厅的横排砖木结构民房，周围建设围水屋，以作厨房使用。房屋分为2层，用木板隔开，留有通道。第一层一般高3米，供人住宿为主；第二层堆放粮食、杂物等，方便生活。民居冬暖夏凉，居住舒适。2000年以后，村民建设钢筋混凝土结构的楼房，建筑占地面积80平方米，装修较好。

◎ 村传统民居一角（摄于2016年）

该村与社岗下村共用林氏宗祠（宗祠为老围祠堂，位于社岗下村）。村内设有香火堂，供村民烧香祭拜，祈求福佑。

◎ 凉水井村乡村公路（摄于2016年）

传统节俗为春节、元宵节、清明节、四月八、端午节、中秋节、重阳节、冬至等。其中春节、清明节、端午节、中秋节为大节，其他为小节。端午节又称“五月节”，各家各户包粽子纪念爱国诗人屈原，在门口桂艾叶、菖蒲等，以避邪逐恶。还有少年儿童到江河游泳，叫洗龙舟水，以减少儿童得病的概率。节日气氛浓厚的还有中秋节，每逢中秋之夜，

◎ 村民上灯（摄于2015年）

男女老少一起赏月，用月饼、柚子及石螺等食品拜月，热闹非常。随着生活水平的不断提高，村民对欢庆中秋节的习俗也越来越重视，在外地工作的本地籍人都尽量回家与家人团聚，共度佳节。

中华人民共和国成立前，男婚女嫁为“父母之命，媒妁之言”。佛冈农村存有抱养穷人家女童做童养媳、未生男孩的人家抱养“等郎妹”的习俗。男女婚嫁是终身大事，都要经过相亲、订婚、迎亲等程序。首先由媒人牵线，约男家的人去女家看人。若男家有意，即授意媒人向女方家长索取其女儿生辰八字，带回男家。男方家长请人卜算后，如男女“相生”，则男家叫媒人陪伴送礼去女家“报合”，如男女“相克”，则将女子生辰八字退回女家，婚事作罢。订婚的第一步是下定礼（俗称座茶或叫小担），即男方送定金、酒米、肉类给女方，表示合成婚事。商定成亲日期及礼金后，按照礼规进行过礼，由男方出具礼帖把礼物、聘金送给女方，女方要回一份礼帖给男方。男家叫算命先生择定结婚吉日，由媒人通知女方。届时男方的迎亲队伍带着礼帖、礼物，吹起八音，敲锣打鼓，抬着花轿到女家迎新娘（俗称迎亲）。女家把嫁妆、礼物随新娘一起送回男家（俗称送亲）。新娘到达男家后，举行拜堂仪式，随后送入洞房，闹洞房后迎亲仪式即告结束。中华人民共和国成立后，婚嫁习俗逐渐发生变化，婚事新办的风气越来越浓厚。

村民死后传统均以木棺土葬。死者未满 18 岁的只能用普通木料做棺材，竹杠抬，不上肩。死者在 60 岁以上的多有下列习俗：病人临去世前要移至厅堂或廊下。去世后由子孙日夜守孝，死者入殓前，子孙要到河里取水（俗称买水），为死者擦身、更衣，亲自入殓。出殡时，请巫师开路，吹响牛角，送殡队敲锣打鼓、燃放爆竹送行。埋葬死者后，孝子孝女等从坟上抓回一把黄土，并且同牵一条寿红（红布）由另一路线回家。葬后要为死者做“头七”“二七”“三七”的法事，神主牌送往祠堂入位，至此丧事才告完结。1990 年后逐步实行火葬。

该村在 20 世纪 70 年代初，开展“农业学大寨”运动，开荒造田 0.33 公顷，同时清理疏通农田排灌渠道 100 多米。70 年代中期，开展养猪积肥一条龙活动，建猪舍 12 间，养猪 55 头。1970 年，修建起高岗水库，集雨面积 0.3 平方千米，最大库容 130 万立方米，正常库容 100 万立方米。

该村的林朝阳，1974 年 5 月生，现在广州市美术学院工作，画家。

（资料填报：范卫红；初稿撰写：曾义；总纂：李协湖）

旗岭下村

◎ 旗岭下村村貌（摄于 2016 年）

旗岭下村，位于高岗镇北部，距镇政府 11 千米。该村始建于明中期，因建村时村背后山叫旗岭山，故取名为旗岭下村。相邻的村有田心村、中社村。

旗岭下村坐落于丘陵地带，村东为礼溪小溪水，南为田心村，西为山（与英德交界），北为中社村。京港澳高速公路和省道 252 线在村旁东面通过。

清嘉庆十八年（1813 年）属佛冈厅高台乡，民国时期属佛冈县第二区观台乡，中华人民共和国成立时属佛冈县第二区观台乡，1958 年 10 月属从化县跃进（迳头）人民公社，1961 年 5 月属佛冈县高岗人民公社礼溪大队，1983 年 12 月属高岗区礼溪乡，1987 年 1 月属高岗镇礼溪行政村，1989 年 11 月属高岗镇礼溪管理区，1998 年 11 月属高岗镇礼溪行政村，2005 年 5 月属高岗镇长江行政村至今。

世居村民姓朱，南宋末从福建迁至广东湛江、广州，明初迁至清远湛江地区（今佛冈县龙山镇）两岳村，明中期从两岳迁至该址。

2015 年末，村有户籍人口 439 人，其中男性 230 人、女性 209 人。其中 80 岁以上老人 7 人，最年长者 92 岁（女）。生活主要依靠农业收入有 380 人，常年在城镇生活和打工有 59 人，实际在村居住 380 人，其中留守儿童 18 人。村民均为汉族，客家民系，使用客家方言。

村有山地 132.8 公顷，耕地 20 公顷。传统经济以农业为主，主要种植水稻、番薯、花生、果树、蔬菜等。养殖鸡、鸭、鹅、猪、牛、羊及 4 大家鱼（鲤鱼、草鱼、鲢鱼、鳙鱼）。养殖家禽是该村农业经济的重要组成部分。中华人民共和国成立前，家禽养殖成活率低，生长慢，经济效益极低。20 世纪 80 年代

◎ 花生生产基地（摄于 2016 年）

起，该村大力发展家禽养殖专业，实行规模化养殖，大专业户年出售 3 万只鸡。2000 年以后，大部分青壮年外出打工，外出务工村民为工资性收入。此后，逐步调整农村经济结构，推广“三高”农业，大力发展水果产业，2013 年种植沙糖桔 2 公顷，年产值 15 万元，以后由于受黄龙病的影响，村民改种花生等经济作物。

传统食品有酿豆腐、脍肉、艾糍等。酿豆腐的做法是把豆腐切块并挖出小洞，再把腌制好的猪肉酿入豆腐里，最后将豆腐块用小火煎至金黄色，调味即可食用。客家脍肉的做法是将猪肉和各种佐料拌匀，装瓦钵放在锅里蒸熟，蒸熟的脍肉放在通风干爽的棚上藏好，以后每餐食用时再蒸一次即可食用。艾糍的制作：先将艾叶稍煮一下，去掉苦味；将糯米碾成粉，与艾叶混合搓匀。用糖、花生碎粒、芝麻作馅，捏为小块，包成三角形或圆形，蒸熟即可。

村于 1986 年通电，1995 年通电话，2010 年通网络，2013 年村道实现水泥硬底化。

传统民居现存 35 座。民居为 2 门归厅的横排砖木结构民房，周围建有围水屋，以作厨房使用。村外围修建牛棚、猪舍、鸡窝等，人畜分离，保持人居环境卫生整洁。房屋分为 2 层，用木板隔开，留有通道。第一层一般高 3 米，供人住宿为主；第二层堆放粮食、杂物等，方便生活。民居冬暖夏凉，居住舒适。2000 年以后，村民建设钢筋混凝土结构的楼房，建筑占地面积 75 平方米，三房一厅一厨一卫布局，装修比较实用，门前多有小型花园或活动场所。

◎ 村传统民居一角（摄于 2016 年）

◎ 村新民居一角（摄于 2016 年）

村宗祠在村内，建于清代，坐北向南，是一个典型的客家祠堂。宽一间、深两进一天井呈中字布局，砖木结构，盖灰瓦，悬山顶，石墙脚，方砖铺地。祠堂头门石碑上刻有“朱氏宗祠”的字样，大门两边书有楹联：“仲德恩泽后裔宗枝千秋盛，广贤厚义胄衍福荫万代传。”族谱《紫阳朱氏礼溪族谱》，里面有记录《朱文公家训》：“君之所贵者，仁也。臣之所贵者，慈也。子之所贵者，孝也。”在村民的共同努力下，旗岭下朱氏宗祠于 2009 年重修，建筑占地约 70 平方米。

◎ 朱氏宗祠（摄于 2016 年）

传统节俗为春节、元宵节、清明节、四月八、端午节、中秋节、重阳节、冬至等。其中春节、清明节、端午节、中秋节为大节，其他为小节。该村有过七月半的习俗，这天村民既拜祭神明，也祭祀祖宗。传说，宋代末年元兵入侵，时值盂兰节前，为避元兵侵扰，村民提前一天祭祀祖宗。

从此每年农历七月十四日过七月半，此习沿袭至今。节日气氛浓厚的还有清明节，家家户户门楣插柳枝和桃叶以驱邪，采艾（一种植物）做糍，名为艾糍，并进行扫墓活动。扫墓一般从清明前的春分起到农历四月初八日，扫墓期间在外地谋生做事的人都尽可能赶回去祭扫祖墓，不回去扫墓的人会遭到村人的责骂。

传统婚礼习俗：媒妁之言、相互探家、报日子、聘金、举行婚礼。丧事习俗：传统以土葬为主，程序为：入殓、出殡、送葬、请道士、设灵堂、做灵屋、做法事，将亡灵神主放入灵屋，做七过后，送入祠堂或厅堂。1990 年后逐步实行火化。

生日习俗。中华人民共和国成立前，男人到了 60 岁、女人要到 61 岁才做大生日，俗称“男双女单”。做生日时，一家人连同亲友围桌而坐，饮酒庆贺，享受盛宴，其乐融融。寿者要发红包（利是）给儿孙们。殷实人家的老人做生日，则遍请亲友光临，来宾则送寿礼祝贺。中华人民共和国成立后，随着人民生活改善，做生日不受年龄限制，很多人家不仅给老年人做生日祝寿，青年和小孩也做生日，以示庆贺。

1930 年，该村青年参加英德鱼湾中共领导的“鸡麻湖”暴动，同年参加礼溪农会（耕种会）。1939 年，组织青年参加礼溪抗日自卫中队。1944 年夏，礼溪抗日自卫中队开赴英德黄岗地带抗击日本侵略军。1946 年，该村青年参加礼溪游击队，参加袭击新丰遥田国民党联防队的战斗。1987 年，在该村域内兴建旗岭下桥。旗岭下桥建设投资 11 万元，桥长 7.4 米，为永久性水泥混凝土桥梁。1989 年 11 月，旗岭下村的上楼、下楼、围肚 3 个小村，经清远市人民政府批准为抗日根据地。1990 年，该村配合县交通部门，投资 19 万元，建成石拱桥，桥长 16 米。

（资料填报：朱照兴；初稿撰写：曹伟棋；总纂：李协湖）

晒禾岗村

◎ 晒禾岗村村貌（摄于 2016 年）

晒禾岗村，位于高岗镇北部，距镇政府 7 千米。该村始建于明嘉靖年间（1522—1566 年），由于祖宗山上有一山冈，村民到山冈上晒谷，每到天气晴朗的日子就满山冈都是稻谷，因而将该村取名晒禾岗村。相邻的村有水塘村、枫树山村。

该村坐落于丘陵地带，村东为京港澳高速公路和省道 252 线，南为水塘村，西为云屏嶂山（高 800 米），北为枫树山村。礼溪水从村前通过。

该村在清嘉庆十八年（1813）属佛冈厅高台乡，1946 年属佛冈县第二区观台乡，中华人民共和国成立时属佛冈县第二区观台乡，1958 年 10 月属从化县跃进（迳头）人民公社，1961 年 5 月属佛冈县高岗人民公社礼溪大队，1983 年 12 月属高岗区礼溪乡，1987 年 1 月属高岗镇礼溪行政村，1989 年 11 月属高岗镇礼溪管理区，1998 年 11 月属高岗镇礼溪行政村，2005 年属高岗镇长江行政村至今。

世居村民为朱姓，南宋末从福建迁至广东湛江、广州，始祖朱文焕。明初迁至清远县湛江地区（今佛冈县龙山镇）两岳村，明中期从两岳村迁至今礼溪，明嘉靖年间（1522—1566 年）迁至现址。该村祖公朱年秋（现厅下已立神位）生有二子，以粦、以凤。朱以粦在该村创业，朱以凤迁往清远鱼咀（地名），约有 3000 人。

2015 年末，村有户籍人口 300 人，其中男性 185 人、女性 115 人。80 岁以上老人 5 人，最年长者 89 岁（男）。生活主要依靠农业收入有 250 人。常年在城镇生活和打工有 50 人，实际在村居住 250 人。村民均为汉族，客家民系，使用客家方言。

该村气候温和，雨量充沛，一年四季可种作物，

◎ 花生种植基地（摄于 2016 年）

宜林、宜果、宜牧。

村有山地 143.67 公顷，耕地 7.13 公顷。农业是该村的传统产业，粮食作物主要种植水稻、番薯。经济作物主要种植花生、果树、蔬菜等。畜牧养殖鸡、鸭、鹅、猪、牛羊。渔业以山塘水库蓄水养鱼，主要养殖 4 大家鱼（鲤鱼、草鱼、鲢鱼、鳙鱼）。生猪养殖是该村农业经济的重要来源。中华人民共和国成立前，由于养殖技术水平低下，丰产性能差，畜牧养殖成活率低，农民只能自己食用。20 世纪 80 年代起，该村发展生猪养殖专业户，年出售生猪 300 头以上。2000 年以后，大部分青壮年外出打工，外出务工村民为工资性收入。此后，随着产业布局的调整，大力发展果树产业，2013 年以后，由于受黄龙病的影响，村民改种花生、番薯等其他作物。

传统食品有酿豆腐、腍肉、艾糍、艾糍、糖环、米饼等。艾糍的制作：先将艾叶稍煮一下，去掉苦味；将糯米碾成粉，与艾叶混合搓匀。用糖、花生碎粒、芝麻作馅，捏为小块，包成三角形或圆形，蒸熟即可。糖环的制作：用水浸透糯米（掺 30% 黏米），滤干碾成粉。将糖入锅煮成糖水起锅，再将米粉放在锅中炒热，然后趁热拌糖水搓匀，便可搓成小圆条，圈成半边窗式的称“半边糖环”，圈成六角形称“六耳球”，用油炸熟即可。米饼的制作：将糯米用开水浸泡片刻，捞起滤干后炒熟，磨成粉，碾碎花生米、芝麻，连同米粉加黄糖或白糖水搓匀，再将加工好的米粉用饼模印成一个个的米饼即可。

◎ 晒禾岗村文化公园（摄于 2016 年）

◎ 村传统民居一角（摄于 2016 年）

◎ 村新民居一角（摄于 2016 年）

村于 20 世纪 80 年代通电，90 年代通电话、村道实现水泥硬底化，2000 年通网络，2003 年通自来水。村中建有垃圾收集点。文化设施有农家书屋、文化室、篮球场等。

传统民居为长方形客家围屋，现存 60 座。民居主要为 2 门归厅或 4 门归厅的横排砖木结构民房，周围建有围水屋，以作厨房使用。房屋分为 2 层，用木板隔开，留有通道。第一层一般高 3 米，供人住宿为主；第二层堆放粮食、杂物等，方便生活。民居冬暖夏凉，居住舒适。2000 年以后，村民建设钢筋混凝土结构的楼房，建筑面积 75 平方米，三房一厅一厨一卫布局，设施较完善，门前多有小型花园或活动场所。

该村的祖祠、族谱为整个礼溪朱氏共享。祖祠建在山下村，族谱为《紫阳朱氏礼溪族谱》，于 2001 年由朱照溪主编，内有朱氏家训、朱氏族训。

传统的节俗为春节、元宵节、清明节、四月八、端午节、中秋节、重阳节、冬至等。其中春节、清明节、端午节、中秋节为大节，其他为小节。中华人民共和国成立前，每逢中秋之夜，男女老少一起赏月，用月饼、柚子等食品拜月，并燃放鞭炮。青少年则成群结队放孔明灯（叫天灯），热闹非常。节日气氛浓厚的还有端午节，各家各户包粽子纪念爱国诗人屈原，农户在门楣挂艾叶、菖蒲，点燃蚊香，以避邪逐恶，祈求保佑全家幸福安康。这一天青年人、儿童到江河游泳，叫洗龙舟水，以祈消灾去祸，合家平安。

传统婚嫁习俗具有客家人的特点，其中担小担、担大担是客家人办婚事的流行风俗。即男方备齐礼物到女方家下聘礼订婚，称为担小担。男方备齐礼物到女方家接新娘，称为担大担。行结婚礼时，要摆酒请客、迎亲和送亲。在新娘家，新郎新娘一起向新娘家长辈敬茶，长辈给新郎新娘新婚红包。接着新娘弟弟撑红雨伞送新娘出门，由新娘的亲朋好友伴送新娘到男家。在男家摆设的喜席上，新郎新娘共同向亲朋好友和来宾敬茶。长辈接过新婚茶后，有的即兴唱起山歌，有的说祝贺词。

丧事习俗也具有客家人的特点。传统丧俗以土葬为主，其程序为举丧、入殓、出殡、送葬，将灵牌送入祠堂或厅下。不管是哪家的丧事，全村人都前去帮忙，打锣鼓、舞狮、放鞭炮。办丧事期间只能煮白饭、花菜、黄豆煮猪肉等简单的饭菜。葬礼开始时，家里有人与逝者生辰八字相冲的，均不能出现在葬礼上，必须回避。开始下葬时，送葬的家人必须提前离开，离开时不能回头看，要等下葬完毕后再回来祭拜。1990 年以后，虽然逐步实行火葬，但安葬、拜祭等程序仍然保留。

1987 年，建设乡村公路，将原山间小路改造为县道 322 线，该线路于 2003 年起改建为省道 252 线。2011 年，投资 28 万元，开展饮水安全工程建设，让全村人饮用、使用干净、清洁、安全的自来水。1989 年 11 月，经清远市人民政府批准该村为抗日根据地。

该村的朱启仁，1930 年生，曾任佛冈县农业银行副行长，1964 年被评为广东省劳动模范。

（资料填报：曹伟棋；初稿撰写：曹伟棋；总纂：李协湖）

山下村

◎ 山下村村貌（摄于 2016 年）

山下村，曾用名塘背村。位于高岗镇北部，距镇政府 9 千米。该村始建于明末，由朱姓村民从清远县滘江地区（今佛冈县龙山镇）上岳、下岳迁移聚居而成。因该位于村后山脚下，故取名为山下村。

该村坐落于丘陵地带，村东是山地，南是背夫山，西为京港澳高速公路和省道 252 线，北是塘背村。有礼溪水从村旁西面通过，流经该村 1000 米。

清嘉庆十八年（1813 年）属佛冈厅高台乡，民国时期属佛冈县第二区观台乡，中华人民共和国成立时属佛冈县第二区观台乡，1958 年 10 月属从化县跃进（迳头）人民公社，1961 年 5 月属佛冈县高岗人民公社礼溪大队，1983 年 12 月属高岗区礼溪乡，1987 年 1 月属高岗镇礼溪行政村，1989 年 11 月属高岗镇礼溪管理区，1998 年 11 月属高岗镇宝山行政村，2005 年 5 月属高岗镇长江行政村至今。

世居村民为朱姓，南宋末从福建迁移至广东的广州、清远等地，明中期从清远县滘江地区（今佛冈县龙山镇）两岳村迁移至礼。朱姓始祖为朱景华，经过几百年的发展，分村有坑尾村、中社村、旗岭村、彭屋村、枫树山村、晒禾岗村、山下村等，人口近 2000 人。其中山下村于明末迁至该址而形成。

2015 年末，村有户籍人口 138 人，男性 70 人、女性 68 人，80 岁以上老人 1 人，最年长者 85 岁（女）。生活主要依靠农业收入有 72 人。常年在城镇生活和打工有 66 人，实际在村居住 72 人。村民均为汉族，客家民系，使用客家方言。

该村有山地 41.33 公顷，耕地 7.73 公顷。农业是该村的传统产业，气候温和，自然资源丰富。林木资源有松树、杉树、柯树、樟树等树种。野

◎ 蔬菜基地（摄于 2016 年）

生动物资源有野猪、黄猄、斑鸠、眼镜蛇等动物。主要种植水稻、番薯、花生、果树、蔬菜等。养殖鸡、鸭、鹅、猪、牛及4大家鱼（鲤鱼、草鱼、鲢鱼、鳙鱼）。中华人民共和国成立初期，该村农业经济效益极低，农民只能维持简单的生活。到20世纪80年代初期农村实行家庭联产承包责任制起，水稻亩产为400千克，农业经济效益有较大的提高。2000年以后，大部分青壮年外出打工，外出务工村民为工资性收入。此后，经济作物中的果树逐步形成规模化产业，2013年种植沙糖桔6.67公顷。以后，由于受黄龙病的影响，产业消退，村民发展蔬菜等其他经济作物。

传统食品有脍肉、酿豆腐、粽子、艾糍、腊肉、腊鸭，糖环等。酿豆腐的做法是把豆腐切块并挖出小洞，再把腌制好的猪肉酿入豆腐里，最后将豆腐块用小火煎至金黄色，调味即可食用。客家脍肉的做法是将猪肉和各种佐料拌匀，装瓦钵放在锅里蒸熟，蒸熟的脍肉放在通风干爽的棚上藏好，以后每餐食用时再蒸一次即可食用。

村于2005年，村道实现水泥硬底化，2010年通自来水，1986年通电，1990年通电话，2010年通网络。村中建有垃圾收集点。2015年，有礼溪小学，班级2个，在校学生27人，教职工1人。

传统民居为长方形客家围屋，现存24座。民居主要为两门归厅和四门归厅的横排砖木结构民房，周围建有围水屋，以作厨房使用。村外围修建牛棚、猪舍、鸡窝等，人畜分离，保持人居环境卫生整洁。

◎ 村传统民居一角（摄于2016年）

房屋分为2层，用木板隔开，留有通道。第一层一般高3米，供人住宿为主；第二层堆放粮食、杂物等，方便生活。民居冬暖夏凉，居住舒适。2000年以后，村民建设钢筋混凝土结构的楼房，建筑面积80平方米，结构多为三房一厅一厨一卫，装修比较实用，有些还建有停车房。

村宗祠为塘背朱公祠，始建于明末，重修于2014年，占地1000平方米。2012年被列入佛冈县不可移动文物名录。塘背朱公祠具有客家建筑风格。祠堂坐东南向西北，为三进两廊二天井格局，总面阔6.5米，总进深23.6米。砖木结构，青砖墙，悬山顶，盖灰瓦。头门为木牌匾，门顶上有雕花。宗

◎ 塘背朱公祠（摄于2016年）

◎ 祠堂神台（摄于2016年）

祠有楹联："祖宗功德源流远；子孝孙贤世泽长。"有族谱《紫阳朱氏礼溪族谱》（与朱姓村合编），由朱照溪在2001年主编。族谱记载朱氏家族景华公的后裔繁衍情况，还收录族规家训。

传统节俗为春节、元宵节、清明节、四月八、端午节、中秋节、重阳节、冬至等。村民有重阳登高转运的习俗，登高地点多为较高山峰，小孩则以放风筝取乐。国家把重阳节定为敬老节后，村中老人的儿孙很多回家与老人团聚，以示敬老。节日气氛浓厚的还有中秋节。每逢中秋之夜，男女老少一起赏月，用月饼、柚子及石螺等食品拜月，热闹非常。随着生活水平的不断提高，村民对欢庆中秋节的习俗也越来越重视，在外地工作的本地籍人都尽量回家与家人团聚，共度佳节。

村传统婚嫁庄重繁杂。男女开始交往时女家要到男家探家，结婚前男方需向女方家下聘礼，报日子、送聘金、定嫁妆。行结婚礼时，要摆酒请客，迎亲和送亲。迎亲过程尤为有趣：新郎先租七辆或九辆车作婚车装饰好。结婚当天，新郎带着亲朋好友坐上婚车到新娘家接新娘。新娘的姐妹朋友关门阻止新郎进入新娘家。新郎需要用红包开路，并请亲朋好友帮助接新娘。在新娘家，新郎新娘一起向新娘家长辈敬茶，长辈给新郎新娘新婚红包。接着新娘弟弟撑红雨伞送新娘出门，出门前新娘家人拿用红纸包成条状的硬币给新娘，新娘掰断并放入自己的口袋，新娘出门后不可回头望。

村里发生丧事时，传统以土葬为主。其程序为举丧、入殓、出殡、送葬，将灵牌送入祠堂或厅下。办丧事期间只能煮白饭、花菜、黄豆煮猪肉等简单的饭菜。葬礼有相冲之说，相冲的人必须回避。开始下葬时，送葬的家人必须提前离开，离开时不能回头看，要等下葬完毕后再回去祭拜。1990年以后逐步实行火葬。

1989年11月，该村经清远市人民政府批准为抗日根据地村。2012年，投资13万元，开展村道维修整治，清除村道障碍物，平整路面，铺设水泥硬底化。2013—2014年，投资11万元，开展修整山下村桥涵工程。

（资料填报：朱照兴；初稿撰写：李小山；总纂：李协湖）

上陈村

◎ 上陈村村貌（摄于 2016 年）

上陈村，位于高岗镇北部，距镇政府 4.5 千米。该村始建于清中期，因村民姓陈，村庄位于高岗河一处且在下陈村的上方而取名上陈村。相邻的村有下陈村、瑶村。

该村坐落于丘陵地带，村东是京港澳高速公路，南是小河，西是小河，村北是新街村。

清嘉庆十八年（1813 年）属佛冈厅高台乡，民国时期属佛冈县第二区观台乡，中华人民共和国成立时属佛冈县第二区观台乡，1958 年 10 月属从化县跃进（迳头）人民公社，1961 年 5 月属佛冈县高岗人民公社长江大队，1983 年 12 月属高岗区长江乡，1987 年 1 月属高岗镇长江行政村，1989 年 11 月属高岗镇长江管理区，1998 年 11 月属高岗镇长江行政村至今。

世居村民为陈姓，于明初由闽入粤南雄珠玑巷，明中期转到迳头王丆村，明万历年间转到高岗茶子岗袁付坪陈屋村。清朝中期袁付坪陈屋村陈氏兄弟分家，均迁出陈屋村，分别迁到上陈村、下陈村，这两村均在高岗河中间段的一处方位上，在河流上方的称上陈村，在高岗河下方的称下陈村。

2015 年末，村有户籍人口 115 人，其中男性 65 人、女性 50 人。80 岁以上 8 人，最年长者 96 岁（男）。生活主要依靠农业收入的人口有 30 人。常年在城镇生活和打工的人口有 85 人，实际在村居住人口 30 人，其中留守儿童 1 人。世居村民为汉族，使用客家方言。

村有山地 24.4 公顷，耕地 7.27 公顷。传统经济以农业为主，主要种植水稻、玉米、花生、黄豆、果树、蔬菜等。养殖鸡、鸭、鹅、猪、牛及 4 大家鱼（鲤鱼、草鱼、鲢鱼、鳙鱼）。中华人民共和国成

◎ 村民种植的黄豆（摄于 2016 年）

立前，由于种植技术水平低下，丰产性能差，该村水稻一般亩产为100千克，农民只能维持简单的生活。中华人民共和国成立后，该村先后组织互助组、合作社，参加人民公社，逐步推广应用先进的农业生产技术，农业生产效益有较大的提高。20世纪80年代起实行农村家庭联产承包责任制后，水稻一般亩产达到400千克，农业经济效益有较大的提高。2000年以后，大部分青壮年外出打工，外出务工村民主要为工资性收入。此后，逐步调整农村经济结构，发展水果产业。至2013年该村种植沙糖桔面积8公顷，年收入60万元。2013年以后，由于受黄龙病的影响，村民改种黄豆、花生等其他经济作物。

传统食品有脍肉、酿豆腐、艾糍、粽子、腊鸭等。

村于1982年通电，1992年通电话，2005年水泥硬底化村道，2008年通网络、建好文化室，2013年通自来水。

◎ 凉亭（摄于2016年）

◎ 村新民居一角（摄于2016年）

传统民居现存30座。民居建设主要以3条直街为界，里面建设若干2门归厅或4门归厅的横排砖木结构民房，周围建设围水屋，以作厨房使用。房屋分为2层，用木板隔开，留有通道。第一层一般高3米，供人住宿为主；第二层堆放粮食、杂物等，方便生活。民居冬暖夏凉，居住舒适。2000年以后，村民统一规划，建设新村。房屋多为钢筋混凝土结构，建筑面积80平方米，装修比较实用。

该村于2015年筹资约50万元新建陈氏宗祠，占地130平方米。

◎ 陈氏宗祠（摄于2016年）

传统节俗为春节、元宵节、清明节、四月八、端午节、中秋节、重阳节、冬至等。其中春节、清明节、端午节、中秋节为大节，其他为小节。农历十月初一叫“十月朝”或“牛生日”。村民做糯米糍粑贴在牛角、牛额、牛背脊、牛腰、牛尾部位，贴三四天后，牧童从牛身上将糯米糍粑剥下用火烤熟来吃。传说吃了“牛生日”贴在牛身上的糍粑，能像牛一样力气大。中华人民共和国成立后，这种习俗逐步被遗弃，但村民仍保留在十月初一做糍过节的习俗。节日气氛浓厚的还有清明节，家家户户门楣插柳枝和桃叶以驱邪，采艾（一种植物）做糍，名为艾糍，并进行扫墓活动。扫墓一般从清明前的春分起到农历四月初八日，扫墓期间在外地谋生做事的人都尽可能赶回去祭扫祖墓，不回去扫墓的人会遭到村人的责骂。

传统婚嫁习俗具有客家人的特点，其中担小担、担大担是客家人办婚事的流行风俗。即男方备齐礼物到女方家下聘礼订婚，称为担小担。男方备齐礼物到女方家接新娘，称为担大担。行结婚礼时，要摆酒请客、迎亲和送亲。结婚当天，新郎带着亲朋好友坐上婚车到新娘家接新娘。新娘的姐妹朋友关门阻止新郎进入新娘家。新郎需要用红包开路，并请亲朋好友帮助接新娘。在新娘家，新郎新娘一起向新娘家长辈敬茶，长辈给新郎新娘新婚红包。接着新娘弟弟撑红雨伞送新娘出门，由新娘的亲朋好友伴送新娘到男家。在男家摆设的喜席上，新郎新娘共同向亲朋好友和来宾敬茶。长辈接过新婚茶后，有的即兴唱起山歌，有的说祝贺词。此外，该村办婚事仍保留铺床、闹洞房的风俗。

丧事习俗也具有客家人的特点。传统丧俗以土葬为主，其程序为举丧、入殓、出殡、送葬，将灵牌送入祠堂或厅下。不管是哪家的丧事，全村人都前去帮忙，打锣鼓、舞狮、放鞭炮。办丧事期间只能煮白饭、花菜、黄豆煮猪肉等简单的饭菜。葬礼开始时，家里有人与逝者生辰八字相冲的，均不能出现在葬礼上，必须回避。开始下葬时，送葬的家人必须提前离开，离开时不能回头看，要等下葬完毕后再回去祭拜。1990 年以后，虽然逐步实行火葬，但有些程序仍然保留。

2006 年起，该村按照县、镇开展公益事业一事一议的部署，结合美丽乡村建设的要求，由村理事会研究并经村民通过，开展社会主义新农村建设的基础设施工程申报、立项和实施工作。上陈村（与下陈村）被列为佛冈县第一批新农村建设示范村，由县财政补助 150 万元开展新农村建设，内容包括开展村巷道路整治，四周环境清理以及村文化室建设。2010 年，上陈村获佛冈新农村建设示范村二等奖，获县奖励金 80 万元。

村有耕读文化的传统习俗，教育子女耕读最为本，也是为人立身之本，从而形成一个洁身自好，求学上进，尊敬师长的好村风，村中不少人学有所成，成为社会有用之才。如陈日华（1922—1950），革命烈士，志愿军战士，在朝鲜战场牺牲。陈子勤（1928—1947），革命烈士，佛冈游击中队（李先士部）战士，在英德战斗中牺牲。陈传伦，1944 年生，佛冈一中生物中学高级教师，曾任佛冈中学副校长。他是村理事会主要成员，关心集体公益事业，关心儿童教育，带领村民发展集体经济，广受群众好评。

（资料填报：曾义；初稿撰写：曾义；总纂：李协湖）

水塘村

◎ 水塘村村貌（摄于 2016 年）

水塘村，位于高岗镇北部，距镇政府 6 千米。该村始建于清中期，从附近田心村搬到水塘村旧址，因为屋场 9 个门楼前皆有水塘，故取名水塘村。相邻的村有仙子坑村、水塘村。

该村坐落于丘陵地带，村东是省道 252 线和京港澳高速公路，南是仙子坑村，西是村后山，北是晒禾岗村。省道 252 线与京港澳高速公路并排通过，交通方便。

清嘉庆十八年（1813 年）属佛冈厅高台乡，民国时期属佛冈县第二区观台乡，中华人民共和国成立时属佛冈县第二区观台乡，1958 年 10 月属从化县跃进（迳头）人民公社，1961 年 5 月属佛冈县高岗人民公社长江大队，1983 年 12 月属高岗区长江乡，1987 年 1 月属高岗镇长江行政村，1989 年 11 月属高岗镇长江管理区，1998 年 11 月属高岗镇长江行政村至今。

世居村民为何姓，宋咸淳九年（1273 年）由闽入粤南雄珠玑巷，明洪武十四年（1381 年）钟三娘携子投往英德县高台乡（现佛冈县高岗镇）墩下老围圈。清朝中期，何氏子孙搬到水塘村旧址。1955 年，该村因人口增多，搬迁到该址居住。

2015 年末，村有户籍人口 353 人，其中男性 187 人、女性 166 人。80 岁以上 16 人，最年长者年龄 96 岁（男）。生活主要依靠农业收入有 205 人。常年在城镇生活和打工有 148 人。实际在村居住 205 人，其中留守儿童 2 人。村民均为汉族，客家民系，使用客家方言。

村有山地 67.73 公顷，耕地 8.53 公顷。村自然资源丰富，林木资源有松树、杉树、柯树、樟树等树种。野生动物资源有野猪、黄猄、斑鸠、眼镜蛇等动物。传统经济以农业为主，主要种植水稻、玉米、花生、黄豆、蔬菜等。养殖鸡、鸭、鹅、猪、牛及 4 大家鱼（鲤鱼、草鱼、鲢鱼、鳙鱼）。经济作物主要种植花生。民国时期，花生油料产量极低，根本满足不了村民的生活需求。20 世纪 80 年代起，实行农村联产承包责任制，花生亩产达到 200—250 千克（干荚）。2000 年以后，大部分青壮年外出打工，外出务工村民主要为工资性收入。此后，该村逐步调整农村经济结构，积极发展水果产业，沙糖桔曾一度成为经济支柱产业。2013 年以后，由于受黄龙病的影响，村民改种其他经济作物。

传统食品有脸肉、酿豆腐、艾糍、粽子、腊鸭等。

村于 1981 年通电，1996 年通电话，2000 年水泥硬底化村道，2011 年通网络，2014 年通自来水和修建文化室、健身广场。

◎ 水塘村健身广场（摄于 2016 年）

◎ 水塘村文化室（摄于 2016 年）

传统民居现存 60 座。民居建设主要以 3 条直街为界，里面建设若干 2 门归厅或 4 门归厅的横排砖

◎ 村传统民居一角（摄于 2016 年）

◎ 水塘村新民居一角（摄于 2016 年）

木结构民房，周围建设围水屋，以作厨房使用。村外围修建牛棚、猪舍、鸡窝等，人畜分离，利于身体健康。房屋分为 2 层，用木板隔开，留有通道。第一层一般高 3 米，供人住宿为主；第二层堆放粮食、杂物等，方便生活。民居冬暖夏凉，居住舒适。2000 年以后，村民多以钢筋混凝土结构建楼房，建筑占地面积 80 平方米，装修比较实用。

水塘村与下湾村、田心村共用下湾海敬公宗祠。在 2011 年的海敬公宗祠维护工作中，水塘村集体捐款 10410 元。水塘村的何道德、何昊、何道井、何石助、何道潭、何演波、何久养、何道寿、何高超、何继维 10 人每人捐款 3000 元及以上。水塘村另外有 49 人捐款 200 至 1000 元。

水塘村、下湾村、田心村共用佛冈县高岗镇下湾宗祠编印的何氏族谱。族谱内收录的《何子治家格言》共有 51 行，600 多字，教导子孙勤俭向善、自省自强。摘录部分内容如下：“居身务期俭朴，教子要有义方。因事相争，焉如非我之不是，需平心暗想。读书志在为民造福，为官心存君国人民。”

传统的节俗为春节、元宵节、清明节、四月八、端午节、中秋节、重阳节、冬至等。冬至，该村俗称“过冬”。这个节日意味着一年农事已做完，全家应欢聚吃一顿丰盛晚餐表示庆贺。这一天，村民各家各户做糍，打米饼，劏鸡杀鸭，欢度节日。节日气氛浓厚的还有清明节，家家户户门楣插柳枝和桃叶以驱邪，采艾（一种植物）做糍，名为艾糍，并进行扫墓活动。扫墓一般从清明前的春分起到农历四月初八日，扫墓期间在外地谋生做事的人都尽可能赶回去祭扫祖墓，不回去扫墓的人会遭到村人的责骂。

传统婚嫁习俗具有客家人的特点，其中担小担、担大担是客家人办婚事的流行风俗。即男方备齐礼物到女方家下聘礼订婚，称为担小担。男方备齐礼物到女方家接新娘，称为担大担。行结婚礼时，要摆酒请客、迎亲和送亲。在新娘家，新郎新娘一起向新娘家长辈敬茶，长辈给新郎新娘新婚红包。接着新娘弟弟撑红雨伞送新娘出门，由新娘的亲朋好友伴送新娘到男家。在男家摆设的喜席上，新郎新娘共同向亲朋好友和来宾敬茶。长辈接过新婚茶后，有的即兴唱起山歌，有的说祝贺词。

丧事习俗也具有客家人的特点。丧事传统以土葬为主，其程序为举丧、入殓、出殡、送葬，将灵牌送入祠堂或厅下。不管是哪家的丧事，全村人都前去帮忙，打锣鼓、舞狮、放鞭炮。办丧事期间只能煮白饭、花菜、黄豆煮猪肉等简单的饭菜。葬礼有相冲之说，有人与逝者生辰八字相冲的，均不能出现在葬礼上，必须回避。开始下葬时，送葬的家人必须提前离开，离开时不能回头看，要等下葬完毕后再回去祭拜。1990 年以后，虽然逐步实行火葬，但安葬、拜祭等程序仍然保留。

1987 年，开展乡村公路建设，解决村民行路难。2011 年，投资 12 万元，开展饮水安全工程建设，让全村人饮用、使用干净、清洁、安全的自来水。2012 年，投资 36 万元，开展村文化室建设。2014 年，投资 29 万元，开展乡村美化工程建设。按照美丽乡村建设的要求，在工程实施中，先后开展危房改造、墙体立面美化、坑渠疏通整治、人畜分居等工作，进一步美化村庄环境。于 2014 年，被清远市爱国卫生运动委员会评为清远市卫生村。2015 年，被广东省爱国卫生运动委员会评为省卫生村。

主要人物有：何道井，1949 年生，曾任佛冈县农业推广中心副主任，曾荣获得国家农业部农业基地先进调查员称号。何高林，1956 年生，曾任清远市农业局副局长。何道荣，1963 年生，曾任广东省流溪河电厂党委副书记、总工程设计师、工会主席。罗月休，1969 年生，现任佛冈县职业技术学校中学数学高级教师。

（资料填报：何月照；初稿撰写：曾义；总纂：李协湖）

田心村

◎ 田心村村貌（摄于 2016 年）

田心村，曾用名彭屋村。位于高岗镇北部，距镇政府 12 千米。该村建于明中期，因村庄周边都是田地，整个村子都被耕作的土地环绕，故取名田心村。

该村坐落于丘陵地带，村东为礼溪水，南为枫树山村，西为山，北与旗岭下村相接。京港澳高速公路和省道 252 线在村东面。

清嘉庆十八年（1813 年）属佛冈厅高台乡，民国时期属佛冈县第二区观台乡，中华人民共和国成立时属佛冈县第二区观台乡，1958 年 10 月属从化县跃进（迳头）人民公社，1961 年 5 月属佛冈县高岗人民公社礼溪大队，1983 年 12 月属高岗区礼溪乡，1987 年 1 月属高岗镇礼溪行政村，1989 年 11 月属高岗镇礼溪管理区，1998 年 11 月属高岗镇礼溪行政村，2005 年 5 月属高岗镇长江行政村至今。

世居村民为朱姓，南宋末从福建迁至广东湛江、广州。明初迁至清远湛江地区（今佛冈县龙山镇）两岳村，明中期从两岳迁至该址。

2015 年末，村有户籍人口 320 人，其中男性 170 人、女性 150 人。80 岁以上老人 7 人，最年长者 91 岁（女）。实际在村居住 260 人，常年在城镇生活和打工有 60 人。生活主要依靠农业收入有 260 人，村民均为汉族，客家民系，使用客家方言。

该村有山地 146.4 公顷，耕地 13.4 公顷。传统经济以农业为主，粮食作物主要种植水稻、番薯，经济作物主要种植花生、果树、蔬菜等，畜牧业养殖鸡、鸭、鹅、猪、牛等，渔业主要养殖 4 大家鱼（鲤鱼、草鱼、鲢鱼、鳙鱼）。蔬菜种植是该村经济的重要组成部分。实行农村家庭联产承包责任制前，蔬菜只在村民自留地种植，村民自己食用。20 世纪

◎ 沙糖桔果苗圃（摄于 2016 年）

80年代农村全面实施家庭联产承包责任制后，积极开展多种经营，大力发展蔬菜种植业，有效的增加收入。2000年以后，大部分青壮年外出打工，外出务工村民为工资性收入。该村还积极发展水果产业，2013年种植沙糖桔面积6.67公顷，年收入50万元。2013年以后，由于受黄龙病的影响，产业消退，村民改种花生、黄豆等其他经济作物。

传统食品有酿豆腐、客家腍肉、艾糍等。酿豆腐的做法是把豆腐切块并挖出小洞，再把腌制好的猪肉酿入豆腐里，最后将豆腐块用小火煎至金黄调色，味即可食用。客家腍肉的做法是将猪肉和各种佐料拌匀，装瓦钵放在锅里蒸熟，蒸熟的腍肉放在通风干爽的棚上藏好，以后每餐食用时再蒸一次即可食用。艾糍的制作：先将艾叶稍煮一下，去掉苦味；将糯米碾成粉，与艾叶混合搓匀。用糖、花生碎粒、芝麻作馅，捏为小块，包成三角形或圆形，蒸熟即可。

村于1995通电话，1995年通电，2010年通网络，2011年通自来水，2012年村道实现水泥硬底化。

传统民居现存23座。民居为2门归厅的横排砖木结构民房，周围建有围水屋，以作厨房使用。房屋分为2层，用木板隔开，留有通道。第一层一般高3米，供人住宿为主；第二层堆放粮食、杂物等，方便生活。民居冬暖夏凉，居住舒适。2000年以后，村民建设钢筋混凝土结构的楼房，建筑占地面积75平方米，三房一厅一厨一卫布局，设施较完善，门前多有小型花园或活动场所。

◎ 村传统民居一角（摄于2016年）

◎ 村新民居一角（摄于2016年）

村与山下村朱氏共用宗祠，族谱也是与整个礼溪朱氏共用《紫阳朱氏礼溪族谱》。族谱记有家训："不许忤逆双亲，不许嫖娼赌博，不许逞强欺人，不许辱骂尊长。"

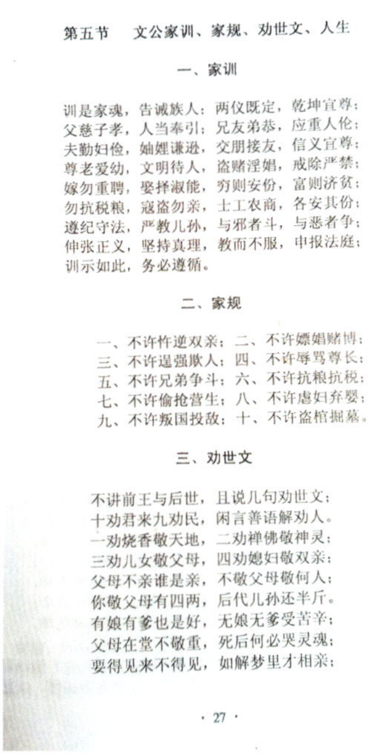

第五节　文公家训、家规、劝世文、人生

一、家训

训是家魂，告诫族人：两仪既定，乾坤宜尊；
父慈子孝，人当奉引；兄友弟恭，应重人伦；
夫勤妇俭，妯娌谦逊，交朋接友，信义宜尊；
尊老爱幼，文明待人，盗赌淫娼，戒除严禁；
嫁勿重聘，娶择淑能，穷则安份，富则济贫；
勿抗税粮，寇盗勿亲，士工农商，各安其份；
遵纪守法，严教儿孙，与邪者斗，与恶者争；
伸张正义，坚持真理，教而不服，申报法庭；
训示如此，务必遵循。

二、家规

一、不许忤逆双亲；二、不许嫖娼赌博；
三、不许逞强欺人；四、不许辱骂尊长；
五、不许兄弟争斗；六、不许抗粮抗税；
七、不许偷抢营生；八、不许虐妇弃婴；
九、不许叛国投敌；十、不许盗棺掘墓。

三、劝世文

不讲前王与后世，且说几句劝世文；
十劝君来九劝民，闲言善语解劝人。
一劝烧香敬天地，二劝禅佛敬神灵；
三劝儿女敬父母，四劝媳妇敬双亲；
父母不亲谁是亲，不敬父母敬何人；
你敬父母有四两，后代儿孙还半斤。
有娘有爹也是好，无娘无爹受苦辛；
父母在堂不敬重，死后何必哭灵魂；
要得见来不得见，如解梦里才相亲；

· 27 ·

◎ 朱氏家训（摄于2016年）

传统节俗为春节、元宵节、清明节、四月八、端午节、中秋节、重阳节、冬至等。春节是送旧迎新的大节，从农历十二月二十三日小年夜起，家家户户打扫庭院，炸油角、做米饼、炸糖环、蒸年糕，给小孩添新衣、新鞋、玩具。到年三十，村民张贴门神、对联，吃团年饭。这一餐有意把鱼剩下，表示连年有余（鱼）。这天晚上，长者要给小孩红包，名曰压岁钱。村民有守岁的习惯，到晚上12点，鸣放鞭炮，迎接新年来临。年初三为送穷日，每家打扫卫生，把新年以来积聚的垃圾送到野外，烧香烧纸，焚烧垃圾。这一天是为忌日，一般不探亲访友。年初四为回门日，新婚男子携妻子去拜访岳父岳母。节日气氛浓厚的还有端午节，各家各户包粽子纪念爱国诗人屈原，农户在门楣挂艾叶、菖蒲，点燃蚊香，以避邪逐恶，祈求保佑全家幸福安康。这一天青年人、小孩子到江河游泳，叫洗龙舟水，以祈消灾去祸，合家平安。

村传统婚嫁庄重繁杂。男女开始交往时女家要到男家探家，结婚前男方需向女方家下聘礼，报日子、送聘金、定嫁妆。行结婚礼时，要摆酒请客，迎亲和送亲。迎亲过程尤为有趣：新郎先租七辆或九辆车作婚车装饰好。结婚当天，新郎带着亲朋好友坐上婚车到新娘家接新娘。新娘的姐妹朋友关门阻止新郎进入新娘家。新郎需要用红包开路，并请亲朋好友帮助接新娘。在新娘家，新郎新娘一起向新娘家长辈敬茶，长辈给新郎新娘新婚红包。接着新娘弟弟撑红雨伞送新娘出门，出门前新娘家人拿用红纸包成条状的硬币给新娘，新娘掰断并放入自己的口袋，新娘出门后不可回头望。男家把新娘接回家后，即开席宴客，并进行新人向亲友敬茶、亲友送新婚夫妇入洞房等仪式，这些仪式完成后婚礼才结束。

村里发生丧事时，传统以土葬为主。其程序为举丧、入殓、出殡、送葬，将灵牌送入祠堂或厅下。办丧事期间只能煮白饭、花菜、黄豆煮猪肉等简单的饭菜，以示哀悼。1990 年以后逐步实行火葬。

1930 年，该村青年参加英德鱼湾中共领导的“鸡麻湖”暴动，同年参加礼溪农会（耕种会）。1939 年，组织青年参加礼溪抗日自卫中队。1944 年夏，礼溪抗日自卫中队开赴英德黄岗地带抗击日本侵略军。1946 年，该村青年参加礼溪游击队，参加袭击新丰遥田国民党联防队的战斗。1989 年，经清远市人民政府批准该村为抗日战争根据地村。2013 年，村遭受水灾，冲毁彭屋陂，村民集资 4 万多元重建，保障 3.34 公顷农田的灌溉用水。

（资料填报：朱照兴；初稿撰写：曹伟棋；总纂：李协湖）

下陈村

◎ 下陈村村貌（摄于 2016 年）

下陈村，位于高岗镇北部，距镇政府 4.5 千米。该村始建于清中期，因村民姓陈，村庄位于高岗河一处且在上陈村的下方而取名下陈村。相邻的村有上陈村、新街村。

该村坐落于丘陵地带，村东是京港澳高速公路，南、西是小河，北是下陈村。乡道（下陈村—省道 252 线）经过该村。

清嘉庆十八年（1813 年）属佛冈厅高台乡，民国时期属佛冈县第二区观台乡，中华人民共和国成立时属佛冈县第二区观台乡，1958 年 10 月属从化县跃进（迳头）人民公社，1961 年 5 月属佛冈县高岗人民公社长江大队，1983 年 12 月属高岗区长江乡，1987 年 1 月属高岗镇长江行政村，1989 年 11 月属高岗镇长江管理区，1998 年 11 月属高岗镇长江行政村至今。

世居村民为陈姓，明初由闽入粤南雄珠玑巷，清初转到迳头王𠂆村，后转到高岗茶子岗袁付坪陈屋村，清朝中期袁付坪陈屋村陈氏兄弟分家，均迁出陈屋村，分别迁到上陈村、下陈村，这两村均在高岗河边上，在河流上方的称为上陈村，在高岗河下方的称为下陈村。

2015 年末，村有户籍人口 228 人，其中男性 128 人、女性 100 人。80 岁以上 3 人，最年长者年龄 83 岁（女）。生活主要依靠农业收入有 168 人。常年在城镇生活和打工有 60 人，实际在村居住 168 人，其中留守儿童 12 人。村民均为汉族，客家民系，使用客家方言。

村有山地 20.3 公顷，耕地 15 公顷。村自然资源丰富。林木资源有松树、杉树等树种。野生动物资源有鸟类、哺乳类爬行类动物。传统经济以农业为主，主要种植水稻、玉米、花生、黄豆、蔬菜等。养殖鸡、鸭、鹅、猪、牛及 4 大家鱼（鲤鱼、草鱼、鲢鱼、鳙鱼）。养殖家禽是该村农业经济的重要组成部分。中华人民共和国成立前，家禽养殖成活率低，生长慢，经济效益极低。20 世纪 80 年代起，该村大力发展家禽养殖专业，实行规模化养殖。此后，逐步调整农村经济结构，发展果树种植，逐步形成规模化产业，2013 年种植沙糖桔 13.33 公顷，年收入 100 万元。但 2013 年以后，由于受黄龙病的影响，产业消退，村民改种其他作物。2000 年以后，大部分青壮年外出打工，外出务工村民主要为工资性收入。

传统食品有腍肉、酿豆腐、艾糍、粽子、腊鸭等。

村于1982年通电，1992年通电话，2005年水泥硬底化村道，2008年通网络和建成文化室，2014年通自来水。

◎ 下陈村文化室（摄于2016年）

传统民居现存30座。民居建设主要以3条直街为界，里面建设若干2门归厅或4门归厅的横排砖木结构民房，周围建设围水屋，以作厨房使用。村外围修建牛棚、猪舍、鸡窝等，人畜分离，保持人居环境卫生整洁。房屋分为2层，用木板隔开，留有通道。第一层一般高3米，供人住宿为主；第二层堆放粮食、杂物等，方便生活。民居冬暖夏凉，居住舒适。2000年以后，村民建设钢筋混凝土结构楼房，建筑占地面积80平方米，装修比较实用。

◎ 村传统民居一角（摄于2016年）

◎ 村新民居一角（摄于2016年）

传统节俗为春节、元宵节、清明节、四月八、端午节、中秋节、重阳节、冬至等。元宵节村有蒸发糕、做糍的习俗，以示庆贺春节圆满结束，转入新的一年农事活动，元宵节晚餐丰盛。节日气氛浓厚的还有中秋节。每逢中秋之夜，男女老少一起赏月，用月饼、柚子及石螺等食品拜月，热闹非常。随着生活水平的不断提高，村民对欢庆中秋节的习俗也越来越重视，在外地工作的本地籍人都尽量回家与家人团聚，共度佳节。

该村有陈氏宗祠，建于清后期，为悬山顶，青砖墙，盖青瓦。

◎ 陈氏宗祠（摄于2016年）

中华人民共和国成立前，男婚女嫁为“父母之命，媒妁之言”。农村存有抱养穷人家女童做童养媳、未生男孩的人家抱养“等郎妹”的习俗。男女婚嫁是终身大事，都要经过相亲、订婚、迎亲等程序。首先由媒人牵线，约男家的人去女家看人。若男家有意，即授意媒人向女方家长索取其女儿生辰八字，带回男家。男方家长请人卜算后，如男女“相生”，则男家叫媒人陪伴送礼去女家“报合”，如男女“相克”，则将女子生辰八字退回女家，婚事作罢。订婚的第一步是下定礼（俗称座茶或叫小担），即男方送定金、酒米、肉类给女方，表示合成婚事。商定成亲日期及礼金后，按照礼规进行过礼，由男方出具礼帖把礼物、聘金送给女方，女方要回一份礼帖给男方。男家叫算命先生择定结婚吉日，由媒人通知女方。届时男方的迎亲队伍带着礼帖、礼物，吹起八音，敲锣打鼓，抬着花轿到女家迎新娘（俗称迎亲）。女家把嫁妆、礼物随新娘一起送回男家（俗称送亲）。新娘到达男家后，举行拜堂仪式，随后送入洞房，闹洞房后迎亲仪式即告结束。中华人民共和国成立后，婚嫁习俗逐渐发生变化，婚事新办的风气越来越浓厚。

村民死后传统均以木棺土葬。死者未满 18 岁的只能用普通木料做棺材，竹杠抬，不上肩。死者在 60 岁以上的多有下列习俗：病人临去世前要移至厅堂或廊下。去世后由子孙日夜守孝，死者入殓前，子孙要到河里取水（俗称买水），为死者擦身、更衣，亲自入殓。出殡时，请巫师开路，吹响牛角，送殡队敲锣打鼓、燃放爆竹送行。埋葬死者后，孝子孝女等从坟上抓回一把黄土，并且同牵一条寿红（红布）由另一路线回家。葬后要为死者做“头七”“二七”“三七”的法事，神主牌送往祠堂入位，至此丧事才告完结。

2011 年，下陈村（与上陈村）被列为佛冈县第一批新农村建设示范村，由县财政补助 150 万元开展新农村建设。其中建成的村文化室为 2 层，内设有图书室、文娱室。同时，开展村道维修整治，清除村道障碍物，平整路面，铺设水泥硬底化。2014 年 2 月 12 日，清远市委常委、清远军分区司令员王良在县委常委、人武部政委甘运红，县人武部部长唐超陪同下到高岗镇下陈屋村指导美丽乡村建设工作。为了改善村民夜间出行环境，王良代表清远军分区向下陈屋村赠送 26 盏总值 13 万元的路灯。

2015 年，该村被广东省爱国卫生运动委员会评为省卫生村。

主要人物有：陈圣祥（1932—1975），曾任佛冈县科教办主任、佛冈贫下中农协会主席。陈涛，1932 年生，曾任佛山市委党校处级干部。陈圣泽，1936 年生，曾任华工建筑设计院副院长。黄幕贞，1937 年生，陈圣祥妻，曾先后任佛冈县委常委、广东省妇联儿童部部长、儿童服务公司总经理。陈子冰，1958 年生，任广州市燕塘农工商联合公司党群办主任。陈晓东，1965 年生，2015 年任广东省人民广播电台 103.6 频道总监。

（资料填报：何道进；初稿撰写：曾义；总纂：李协湖）

仙子坑村

◎ 仙子坑村村貌（摄于 2016 年）

仙子坑村，位于高岗镇北部，距镇政府 5.5 千米。该村始建于清中期，村民世代口头相传的名字是酸古坑，又曾称酸子坑，后改称为仙子坑。

该村坐落于丘陵地带，有 4 个居住点，分别是仙子坑旧围、阿婆龙、瓦厂下和水塘村侧边，主要居住点为瓦厂下。村东是京港澳高速公路，南是茶山下村，西是上湾村，北是水塘村。省道 252 线绕村子的西、北两面，是村子对外的主要通道。

清嘉庆十八年（1813 年）属佛冈厅高台乡，民国时期属佛冈县第二区观台乡，中华人民共和国成立时属佛冈县第二区观台乡，1958 年 10 月属从化县跃进（迳头）人民公社，1961 年 5 月属佛冈县高岗人民公社长江大队，1983 年 12 月属高岗区长江乡，1987 年 1 月属高岗镇长江行政村，1989 年 11 月属高岗镇长江管理区，1998 年 11 月属高岗镇长江行政村至今。

世居村民为何姓，宋咸淳九年（1273 年）由闽入粤南雄珠玑巷，明洪武十四年（1381 年）邱太娘携子投往英德县高台乡（今佛冈县高岗镇）墩下老围圈。清中期，何氏子孙从新围村分村迁到仙子坑村。1998 年，因人口发展，村民再次分迁到该址。

2015 年末，村有户籍人口 215 人，其中男性 118 人、女性 97 人。80 岁以上 4 人，最年长者 88 岁（男）。生活主要依靠农业收入有 90 人。常年在城镇生活和打工有 125 人，实际在村居住 90 人，其中留守儿童 2 人。祖籍该村的台湾同胞 8 人。仙子坑村村民均为汉族，客家民系，使用客家方言。

村有山地 92.8 公顷，耕地 13.07 公顷。村山多林密，自然资源丰富。林木资源有松树、杉树、柯

◎ 村民饲养幼鸭（摄于 2016 年）

树、樟树等树种。野生动物资源有野猪、黄猄、斑鸠、眼镜蛇等。传统经济以农业为主，主要种植双季水稻、番薯、花生、果树、蔬菜等。养殖鸡、鸭、鹅、猪、牛及4大家鱼（鲤鱼、草鱼、鲢鱼、鳙鱼）。20世纪60—70年代，农村经济以生产队为核算单位时，该村办有砖瓦厂、碗厂，产品既方便群众，又增加村民收入。生猪养殖是该村农业经济的重要来源。中华人民共和国成立前，由于养殖技术水平低下，丰产性能差，只能自给自足。80年代起，该村出现生猪养殖专业户。此后，发展果树种植，2013年种植沙糖桔面积5.33公顷，年收入40万元。以后，由于受黄龙病的影响，村民改种火龙果等其他经济作物。

传统食品有脍肉、酿豆腐、艾糍、粽子、腊鸭等。酿豆腐的做法是把豆腐切块并挖出小洞，再把腌制好的猪肉酿入豆腐里，最后将豆腐块用小火煎至金黄色，调味即可食用。客家脍肉的做法是将猪肉和各种佐料拌匀，装瓦钵放在锅里蒸熟，蒸熟的脍肉放在通风干爽的棚上藏好，以后每餐食用时再蒸一次即可。

村于1981年通电，1995年通电话，2008年通网络，2013年水泥硬底化村道，通自来水和修建文化室。

◎ 下陈村文化室（摄于2016年）

传统民居为长方形客家围屋，现存70座。民居建设主要以3条直街为界，在界内里面建设若干2门归厅或4门归厅的横排砖木结构民房，周围建设围水屋，以作厨房使用。房屋分为2层，用木板隔

◎ 村传统民居一角（摄于2016年）

开，留有通道。第一层一般高3米，供人住宿为主；第二层堆放粮食、杂物等，方便生活。民居冬暖夏凉，居住舒适。2000年以后，村民建设钢筋混凝土结构的楼房，建筑面积80平方米，装修比较实用。

传统节俗为春节、元宵节、清明节、四月八、端午节、中秋节、重阳节、冬至等。清明节家家户户门口插桃叶以驱邪，采艾蒿做糍，并进行扫墓活动。村民不论老少，离家多远，都要赶回家祭祖，以示孝敬。节日气氛浓厚的还有中秋节，每逢中秋之夜，男女老少一起赏月，用月饼、柚子及石螺等食品拜月，热闹非常。随着生活水平的不断提高，村民对欢庆中秋节的习俗也越来越重视，在外地工作的本地籍人都尽量回家与家人团聚，共度佳节。

传统婚嫁习俗具有客家人的特点，其中担小担、担大担是客家人办婚事的流行风俗。即男方备齐礼物到女方家下聘礼订婚，称为担小担。男方备齐礼物到女方家接新娘，称为担大担。行结

◎ 仙子坑村一角（摄于2016年）

婚礼时，要摆酒请客、迎亲和送亲。在新娘家，新郎新娘一起向新娘家长辈敬茶，长辈给新郎新娘新婚红包。接着新娘弟弟撑红雨伞送新娘出门，由新娘的亲朋好友伴送新娘到男家。在男家摆设的喜席上，新郎新娘共同向亲朋好友和来宾敬茶。长辈接过新婚茶后，有的即兴唱起山歌，有的说祝贺词。此外，该村办婚事仍保留铺床、闹洞房的风俗。

丧事习俗也具有客家人的特点。传统丧事以土葬为主，其程序为举丧、入殓、出殡、送葬，将灵牌送入祠堂或厅下。不管是哪家的丧事，全村人都前去帮忙，打锣鼓、舞狮、放鞭炮。办丧事期间只能煮白饭、花菜、黄豆煮猪肉等简单的饭菜。葬礼开始时，有人与逝者生辰八字相冲的，均不能出现在葬礼上，必须回避。开始下葬时，送葬的家人必须提前离开，离开时不能回头看，要等下葬完毕后再回去祭拜。1990 年以后，虽然逐步实行火葬，但有些安葬程序仍然保留。

1948 年，村民从旧村搬迁到瓦厂下（地名）。1956 年村民从旧村搬迁到阿婆龙。1960 年村民从旧村搬迁到水塘村旁边。1987 年，开展乡村公路建设，解决行路难问题。2012 年，开展篮球场、乡村公园、自来水设施建设和村道维修工程。其中篮球场、乡村公园工程投资 15 万元，村道维修工程投资 45 万元，农村饮水安全工程项目投资 15 万元。

2015 年，该村被广东省爱国卫生运动委员会评为省卫生村。

该村主要人物有：何高旗，1956 年生，曾任韶关市计生局副局长。何祥陆，1960 年生，副团级干部，任穗港消防服务公司董事长兼总经理。何建中，1968 年生，2015 年为广州市从化区神岗医院副主任医师。

（资料填报：何高京；初稿撰写：曾义；总纂：李协湖）

新街村

◎ 新街村村貌（摄于 2016 年）

新街村，位于高岗镇东部，距镇政府 3.5 千米。该村始建于 20 世纪 20 年代，因当时建房是用作街市（圩场），故取名为新街村。相邻的村有上陈村、新围。

该村坐落于丘陵地带，村东为山，南是下陈村，西是新围，北是高岗河。乡道直通到省道 252 线高岗中学段，交通便利。

民国时期新街村建成后属佛冈县第二区观台乡，中华人民共和国成立时属佛冈县第二区观台乡，1958 年 10 月属从化县跃进（迳头）人民公社，1961 年 5 月属佛冈县高岗人民公社长江大队，1983 年 12 月属高岗区长江乡，1987 年 1 月属高岗镇长江行政村，1989 年 11 月属高岗镇长江管理区，1998 年 11 月属高岗镇长江行政村至今。

世居村民为何、刘姓。何姓于宋咸淳九年（1273 年）从福建迁移至广东南雄珠玑巷，明洪武年间（1368—1398 年），太祖婆邱氏携子迁至英德高台乡（今佛冈高岗），后分村迁至新围，20 世纪 20 年代从新围迁移至该地，形成新的圩场。

2015 年末，村有户籍人口 115 人，男性 60 人、女性 55 人。80 岁以上老人 5 人，最年长者 96 岁（女）。生活主要依靠农业收入有 58 人。常年在城镇生活和打工有 57 人，实际在村居住 58 人，其中留守儿童 2 人。村民均为汉族，客家民系，使用客家方言。

村有山地 24.4 公顷，耕地 8.2 公顷。自然资源丰富。林木资源有松树、杉树、柯树、樟树等树种。野生动物资源有鸟类、哺乳类、爬行类等动物。传统经济以农业为主，主要种植水稻、玉米、花生、

◎ 经济作物——黄豆（摄于 2016 年）

黄豆、蔬菜等。养殖鸡、鸭、鹅、猪、牛及4大家鱼（鲤鱼、草鱼、鲢鱼、鳙鱼）。中华人民共和国成立初期，该村农业经济效益极低，农民只能维持简单的生活水平。到20世纪80年代初期农村实行家庭联产承包责任制起，水稻亩产达到400千克，经济效益有较大的提高。2000年以后，大部分青壮年外出打工，外出务工村民为工资性收入。此后，积极发展水果产业，2013年种植沙糖桔面积6.67公顷，产值50万元。2013年以后，由于受黄龙病的影响，产业消退，村民改种香蕉等其他作物。

传统食品有脍肉、酿豆腐、粽子、艾糍、腊肉、腊鸭，糖环、艾糍等。

该村20世纪70年代通电，1990年通电话，2011年通网络，2012年村道实现水泥硬底化。村中建有垃圾收集点。

现存传统民居20座。民居主要是2门归厅横排砖木结构民房，周围建设围水屋，以作厨房使用。村外围修建牛棚、猪舍、鸡窝等，人畜分离，保持人居环境卫生整洁。房屋分为2层，用木板隔开，留有通道。第一层一般高3米，供人住宿为主；第二层堆放粮食、杂物等，方便生活。民居冬暖夏凉，居住舒适。2000年以后，村民多以钢筋混凝土结构建楼房，建筑占地面积80平方米，布局为三房一厅一厨一卫，装修比较实用，部分还建有停车房。

◎ 新街村古民居一角（摄于2016年）

传统节俗为春节、元宵节、清明节、四月八、端午节、中秋节、重阳节、冬至等。其中春节、清明节、端午节、中秋节为大节，其他为小节。该村有过四月八的习俗，此日近午时，村民便集中在山冈上祭拜无主山坟，晚上则在郊野祭幽灵，烧纸衣、冥钱，撒饭撒肉，鸣锣招引孤魂。中华人民共和国成立后，这种旧俗逐步消失，但村民仍保留在四月八做糍过节的习俗。节日气氛浓厚的还有清明节，家家户户门楣插柳枝和桃叶以驱邪，采艾（一种植物）做糍，名为艾糍，并进行扫墓活动。扫墓一般从清明前的春分起到农历四月初八日，扫墓期间在外地谋生做事的人都尽可能赶回去祭扫祖墓，不回去扫墓的人会遭到村人的责骂。

中华人民共和国成立前，男婚女嫁为“父母之命，媒妁之言”。男女婚嫁都要经过相亲、订婚、迎亲等程序。首先由媒人牵线，约男家的人去女家看人。若男家有意，即授意媒人向女方家长索取其女儿生辰八字，带回男家。男方家长请人卜算后，如男女“相生”，则男家叫媒人陪伴送礼去女家“报合”，如男

◎ 村新民居一角（摄于2016年）

◎ 土地庙（摄于2016年）

女“相克”，则将女子生辰八字退回女家，婚事作罢。订婚的第一步是下定礼（俗称“座茶”或叫“小担”），即男方送定金、酒米、肉类给女方，表示合成婚事。商定成亲日期及礼金后，按照礼规进行过礼，由男方出具礼帖把礼物、聘金送给女方，女方要回一份礼帖给男方。男家叫算命先生择定结婚吉日，由媒人通知女方。届时男方的迎亲队伍带着礼帖、礼物，吹起八音，敲锣打鼓，抬着花轿到女家迎新娘（俗称迎亲）。女家把嫁妆、礼物随新娘一起送回男家（俗称送亲）。新娘到达男家后，举行拜堂仪式，随后送入洞房，闹洞房后迎亲仪式即告结束。中华人民共和国成立后，婚嫁习俗逐渐发生变化，婚事新办的风气越来越浓厚。

村民死后传统均以木棺土葬。死者未满 18 岁的只能用普通木料做棺材，竹杠抬，不上肩。死者在 60 岁以上的多有下列习俗：病人临去世前要移至厅堂或廊下。去世后由子孙日夜守孝，死者入殓前，子孙要到河里取水（俗称买水），为死者擦身、更衣，亲自入殓。出殡时，请巫师开路，吹响牛角，送殡队敲锣打鼓、燃放爆竹送行。埋葬死者后，孝子孝女等从坟上抓回一把黄土，并且同牵一条寿红（红布）由另一路线回家。葬后要为死者做“头七”“二七”“三七”的法事，神主牌送往祠堂入位，至此丧事才告完结。1990 年后逐步实行火葬。

抗战时期，侵华日军飞机要轰炸横江的新街，却错炸该村。1987 年，村民开展乡村公路建设，将原山间小路改造为县道 322 线（佛冈二七—英德华侨农场），该线路于 2003 年起改建为省道 252 线。2012 年，投资 25 万元，铺设新街至陈屋桥道路。

主要人物有：何荣业，1923 年生，离休干部，中华人民共和国成立前参加中国共产党，武汉大学毕业。何子翩，1933 年生，专家学者，曾为中山大学孙文学院副教授。何继杨，1969 年生，佛冈一中中学英语高级教师，任佛冈一中副校长。何高按，1969 年生，为广东省人民医院主任医师。

（资料填报：何道进；初稿撰写：李小山；总纂：李协湖）

新 围

◎ 新围村貌（摄于 2016 年）

新围，位于高岗镇北部，距镇政府 4 千米。该村始建于清中期，由祖公何广从附近墩下分村迁到南片茶仔岗新建一个屋场居住，故称新围。相邻的村有茶山下村、新街村。

该村坐落于长江河于高岗河汇合处的小平原上。村东为京港澳高速公路，南为上陈屋村，西为省道 252 线，北靠村后山。村东、南有高岗河流过。

清嘉庆十八年（1813 年）属佛冈厅高台乡，民国时期属佛冈县第二区观台乡，中华人民共和国成立时属佛冈县第二区观台乡，1958 年 10 月属从化县跃进（迳头）人民公社，1961 年 5 月属佛冈县高岗人民公社长江大队，1983 年 12 月属高岗区长江乡，1987 年 1 月属高岗镇长江行政村，1989 年 11 月属高岗镇长江管理区，1998 年 11 月属高岗镇长江行政村至今。

世居村民为何姓。南宋末，何大郎从福建武平县迁至广东南雄珠玑巷，后迁至始兴、翁源新江。明洪武年间（1368—1398 年），邱氏祖太婆携子永崇、永杰、永琳迁至英德高台乡（今佛冈县高岗镇），清中期因分村再迁至该村定居至今。

2015 年末，村有户籍人口 405 人，其中男性 205 人、女性 200 人。80 岁以上老人 8 人，最年长者 90 岁（女）。生活主要依靠农业收入有 205 人。常年在城镇生活和打工有 200 人，实际在村居住 205 人，其中留守儿童 5 人。祖籍该村的香港同胞 10 人。村民均为汉族，客家民系，使用客家方言。

村有山地 48.07 公顷，耕地 22.4 公顷。村山多林密，自然资源丰富。林木资源有松树、杉树、柯树、樟树等树种。野生动物资源有兽类和斑鸠等飞禽类，

◎ 养鸽场（摄于 2016 年）

还有眼镜蛇（俗称锅铲头）等爬行动物。传统经济以农业为主，主要种植水稻、玉米、花生、黄豆、蔬菜等。养殖鸡、鸭、鹅、猪、牛及4大家鱼（鲤鱼、草鱼、鲢鱼、鳙鱼）。中华人民共和国成立前，由于种植技术水平低下，丰产性能差，该村水稻一般亩产为100千克，农民只能维持简单的生活。中华人民共和国成立后，该村先后组织互助组、合作社，参加人民公社，逐步推广应用先进的农业生产技术。20世纪60—70年代，农村经济以生产队为核算单位时，该村办有米粉加工厂，既方便群众生活，又增加村民收入。80年代起实行农村家庭联产承包责任制后，水稻一般亩产达到400千克以上，农业经济效益有较大的提高。2000年以后，大部分青壮年外出打工，外出务工村民为工资性收入。此后，逐步调整农村经济结构，并积极发展水果产业。2013年该村种植沙糖桔面积5.33公顷，年收入40万元。2013年以后，由于受黄龙病的影响，产业消退，村民改种花生等经济作物。

传统食品有酿豆腐、艾糍、粽子等。

村于1981年通电，1990年通电话，2006年通自来水，2010年实现村道水泥硬底化，2011年通网络。村中建有垃圾收集点。

传统民居现存91座。民居主要为2门归厅或4门归厅的横排砖木结构民房，周围建有围水屋，以作厨房使用。房屋分为2层，用木板隔开，留有通道。第一层一般高3米，供人住宿为主；第二层堆放粮食、杂物等，方便生活。民居冬暖夏凉，住宿舒适。2000年以后，村民建设钢筋混凝土结构楼房，建筑占地面积80平方米，布局为三房一厅一厨一卫，设施较完善，有的还建有停车房。

◎ 村传统民居一角（摄于2016年）

◎ 新民居一角（摄于2016年）

◎ 何淮深宗祠（摄于2016年）

该村宗祠为何淮深宗祠，位于该村与墩下村交界处。宗祠坐北向南，为三进二廊二天井格局。总面阔9米，总进深21米，高3.78米。建筑布局完整，砖木结构。青砖墙，悬山顶，盖灰瓦。

传统节俗为春节、元宵节、清明节、四月八、端午节、中秋节、重阳节、冬至等。其中春节、清明节、端午节、中秋节为大节，其他为小节。端午节又称“五月节”。各家各户包粽子纪念爱国诗人屈原，在门口挂艾叶、菖蒲等，以避邪逐恶。还有少年儿童到江河游泳，叫洗龙舟水，减少儿童得病的概率。节日气氛浓厚的还有中秋节，每逢中秋之夜，男女老少一起赏月，用月饼、柚子及石螺等食品拜月，热闹非常。随着生活水平的不断提高，村民对欢庆中秋节的习俗也越来越重视，在外地工作的本地籍人都尽量回家与家人团聚，共度佳节。

传统婚嫁习俗具有客家人的特点，其中担小担、担大担是客家人办婚事的流行风俗。即男方备齐礼物到女方家下聘礼订婚，称为担小担。男方备齐礼物到女方家接新娘，称为担大担。行结婚礼时，要摆酒请客、迎亲和送亲。结婚当天，新郎带着亲朋好友坐上婚车到新娘家接新娘。新娘的姐妹朋友关门阻止新郎进入新娘家。新郎需要用红包开路，并请亲朋好友帮助接新娘。在新娘家，新郎新娘一起向新娘家长辈敬茶，长辈给新郎新娘新婚红包。接着新娘弟弟撑红雨伞送新娘出门，由新娘的亲朋好友伴送新娘到男家。在男家摆设的喜席上，新郎新娘共同向亲朋好友和来宾敬茶。长辈接过新婚茶后，有的即兴唱起山歌，有的说祝贺词。此外，该村办婚事仍保留铺床、闹洞房的风俗。

丧事习俗也具有客家人的特点。传统丧事以土葬为主，其程序为举丧、入殓、出殡、送葬，将灵牌送入祠堂或厅下。不管是哪家的丧事，全村人都前去帮忙，打锣鼓、舞狮、放鞭炮是丧事的内容之一，由村民按分工各自负责。办丧事期间只能煮白饭、花菜、黄豆煮猪肉等简单的饭菜。1990 年以后，逐步实行火葬，但安葬、拜祭等程序仍然保留。

该村有何皆对对联的传说。清朝中期，曾有一个老师考该村的祖先何皆，老师出上联为："茶仔岗前生豹虎"，何皆对下联："连塘肚内出蛟龙"。在当地成为佳话。此后，先人何皆省试一举成名，后在高要县任县令。

2012 年，投资 25 万元，铺设新围至新街桥道路。

主要人物有：何道佳，1952 年生，曾任清远市工商局干部（正处级）。何伟民，1961 年生，曾在广东省政府行政机关任处长。何永中，1969 年 4 月生，曾任佛冈县总工会常务副主席，2016 年任佛冈县农业局局长，2015 年 11 月被中华全国总工会授予"全国优秀工会工作者"称号。

（资料填报：何道进；初稿撰写：李小山；总纂：李协湖）

瑶 村

◎ 瑶村村貌（摄于 2016 年）

瑶村，位于高岗镇东部，距镇政府 4 千米。该村始建于清中期，从附近墩下村移民聚居形成。因该村有很多烧砖瓦的窑，以谐音而取名瑶村。相邻的村有白牛湖村、上陈村。

该村坐落于丘陵地带，村东是白牛湖村，南是农田和乡道，西为京港澳高速公路，北是山地。有乡道从该村通省道 252 线高岗中学段，村庄距离镇政府较近，所以较多的农产品到高岗圩交易。

清嘉庆十八年（1813 年）属佛冈厅高台乡，民国时期属佛冈县第二区观台乡，中华人民共和国成立时属佛冈县第二区观台乡，1958 年 10 月属从化县跃进（迳头）人民公社，1961 年 5 月属佛冈县高岗人民公社长江大队，1983 年 12 月属高岗区长江乡，1987 年 1 月属高岗镇长江行政村，1989 年 11 月属高岗镇长江管理区，1998 年 11 月属高岗镇长江行政村至今。

世居村民为何姓，从宋咸淳九年（1273 年）由福建移居广东南雄珠玑巷，后迁始兴、翁源新江。明洪武十二年(1381 年)，太祖婆邱氏带子永崇、永杰、永琳迁至英德高台乡（今高岗镇墩下村）。清中期该村由两部分人迁入，一部分从墩下迁往瑶村，另一部分由下湾迁往该地。

2015 年末，村有户籍人口 200 人，其中男性 105 人、女性 95 人。80 岁以上老人 3 人，最年长者 93 岁（张女）。生活主要依靠农业收入有 70 人。常年在城镇生活和打工有 130 人，实际在村居住 70 人，其中留守儿童 2 人。村民均为汉族，客家民系，使用客家方言。

该村有山地 104.33 公顷，耕地 9.67 公顷。传统经济以农业为主，主要种植水稻、玉米、花生、

◎ 收割机作业（摄于 2016 年）

黄豆、蔬菜等。养殖鸡、鸭、鹅、猪、牛及4大家鱼（鲤鱼、草鱼、鲢鱼、鳙鱼）。20世纪60—70年代，农村经济以生产队为核算单位时，该村办有砖瓦厂，产品既供自用，还增加村集体收入。80年代起，实行农村家庭联产承包责任制，花生亩产达到200千克（干荚）。90年代后，村民逐步种植沙糖桔，曾成为村民收入的重要来源。2000年以后，大部分青壮年外出打工，外出务工村民为工资性收入。

传统食品有酿豆腐、艾糍、粽子、脍肉、艾糍等。

村于1981年通电，1990年通电话，2009年村道实现水泥硬底化，2010年通自来水，2011年通网络。村中建有一个篮球场和垃圾收集点。

◎ 瑶村篮球场（摄于2016年）

传统民居现存40座。民居主要为2门归厅或4门归厅的横排砖木结构民房，周围建有围水屋，以作厨房使用。村外围修建牛棚、猪舍、鸡窝等，人畜分离，保持人居环境卫生整洁。房屋分为2层，

◎ 瑶村传统民居一角（摄于2016年）

◎ 瑶村新民居一角（摄于2016年）

用木板隔开，留有通道。第一层一般高3米，供人住宿为主；第二层堆放粮食、杂物等，方便生活。民居冬暖夏凉，居住舒适。2000年以后，村民建设钢筋混凝土结构楼房，多为2层，建筑占地面积80平方米，结构三房一厅一厨一卫，门口再加小花园。

传统节俗为春节、元宵节、清明节、四月八、端午节、中秋节、重阳节、冬至等。其中春节、清明节、端午节、中秋节为大节，其他为小节。七月半亦称盂兰节或鬼节。这天村民烧香拜神，也祭祀祖宗。宋代末年元兵入侵，时值盂兰节前，为避元兵侵扰，村民提前一天祭祀祖宗。从此每年农历七月十四日过七月半，此习沿袭至今。节日气氛浓厚的还有清明节，家家户户门楣插柳枝和桃叶以驱邪，采艾（一种植物）做糍，名为艾糍，并进行扫墓活动。扫墓一般从清明前的春分起到农历四月初八日，扫墓期间在外地谋生做事的人都尽可能赶回去祭扫祖墓，不回去扫墓的人会遭到村人的责骂。

中华人民共和国成立前，男婚女嫁为“父母之命，媒妁之言”。农村存有抱养穷人家女童做童养媳、未生男孩的人家抱养“等郎妹”的习俗。男女婚嫁是终身大事，都要经过相亲、订婚、迎亲等程序。首先由媒人牵线，约男家的人去女家看人。若男家有意，即授意媒人向女方家长索取其女儿生辰八字，带回男家。男方家长请人卜算后，如男女“相生”，则男家叫媒人陪伴送礼去女家“报合”，如男女“相克”，则将女子生辰八字退回女家，婚事作罢。订婚的第一步是下定礼（俗称座茶或叫小担），即男方送

定金、酒米、肉类给女方，表示合成婚事。商定成亲日期及礼金后，按照礼规进行过礼，由男方出具礼帖把礼物、聘金送给女方，女方要回一份礼帖给男方。男家叫算命先生择定结婚吉日，由媒人通知女方。届时男方的迎亲队伍带着礼帖、礼物，吹起八音，敲锣打鼓，抬着花轿到女家迎新娘（俗称迎亲）。女家把嫁妆、礼物随新娘一起送回男家（俗称送亲）。新娘到达男家后，举行拜堂仪式，随后送入洞房，闹洞房后迎亲仪式即告结束。中华人民共和国成立后，婚嫁习俗逐渐发生变化，婚事新办的风气越来越浓厚。

村民死后传统均以木棺土葬。死者未满 18 岁的只能用普通木料做棺材，竹杠抬，不上肩。死者在 60 岁以上的多有下列习俗：病人临去世前要移至厅堂或廊下。去世后由子孙日夜守孝，死者入殓前，子孙要到河里取水（俗称买水），为死者擦身、更衣，亲自入殓。出殡时，请巫师开路，吹响牛角，送殡队敲锣打鼓、燃放爆竹送行。埋葬死者后，孝子孝女等从坟上抓回一把黄土，并且同牵一条寿红（红布）由另一路线回家。葬后要为死者做“头七”“二七”“三七”的法事，神主牌送往祠堂入位。至此丧事才告完结。1990 年后逐步实行火葬。

20 世纪 70 年代初，开展“农业学大寨”运动，改河造田，平整土地 1. 33 公顷，农田实行田边、圳边、山边三面光。70年代中期，开展养猪积肥一条龙活动，村集体养猪 20 头。2011 年，平整土地建设乡村公园，安置多样设施，为村民开展文娱体育活动提供条件。

主要人物有：何道制，1949 年生，曾任广东省食品公司经理。何久斌，1966 年生，曾任佛冈县委常委、县委办公室主任，2014 年任清远市侨办主任。

（资料填报：范卫红；初稿撰写：李小山；总纂：李协湖）

中社村

◎ 中社村村貌（摄于 2016 年）

中社村，位于高岗镇北部，距镇政府 16 千米。该村建于明中期，因当地有一座庙（当地人称为社下），且村建在中间地带而取名中社村。相邻的村有坑尾村、旗岭下村。

该村坐落于丘陵地带，村东为礼溪水，南为旗岭下村，西为山，北与坑尾村相接。京港澳高速省道 252 线从村前通过，交通便利。礼溪水流经该村。

清嘉庆十八年（1813 年）属佛冈厅高台乡，民国时期属佛冈县第二区观台乡，中华人民共和国成立时属佛冈县第二区观台乡，1958 年 10 月属从化县跃进（迳头）人民公社，1961 年 5 月属佛冈县高岗人民公社礼溪大队，1983 年 12 月属高岗区礼溪乡，1987 年 1 月属高岗镇礼溪行政村，1989 年 11 月属高岗镇礼溪管理区，1998 年 11 月属高岗镇礼溪行政村，2005 年 5 月属高岗镇长江行政村至今。

世居村民为朱姓，于南宋末年从福建迁至广东湛江、广州，始祖朱文焕。明初迁至清远县湛江地区（今佛冈县龙山镇）两岳村，明中期从两岳村迁至礼溪，后分村迁至该村。

2015 年末，村有户籍人口 89 人，其中男性 49 人、女性 40 人。80 岁以上老人 2 人，最年长者 92 岁（女）。实际在村居住 60 人，常年在城镇生活和打工 29 人。生活主要依靠农业收入有 60 人。村民均为汉族，客家民系，使用客家方言。

该村有山地 99.6 公顷，耕地 7.13 公顷。自然资源丰富。林木资源有松树、杉树、柯树、樟树等树种。野生动物资源有野猪、黄猄、斑鸠、眼镜蛇等动物。农业是该村的传统产业，粮食作物主要种植水稻、番薯、经济作物主要种植花生、黄豆、果

◎ 花生生产（摄于 2016 年）

◎ 春耕生产（摄于 2016 年）

◎ 村新民居一角（摄于 2016 年）

树、蔬菜等。禽畜业养殖鸡、鸭、鹅、猪、牛。渔业养殖 4 大家鱼（鲤鱼、草鱼、鲢鱼、鳙鱼）。蔬菜种植是该村经济的重要组成部分。实行农村家庭联产承包责任制前，蔬菜只在村民自留地种植，村民自己食用。20 世纪 80 年代农村全面实施家庭联产承包责任制后，积极开展多种经营，该村大力发展蔬菜种植业，有效地增加村民收入。2000 年以后，大部分青壮年外出打工，外出务工村民为工资性收入。此后，发展水果产业，2013 年种植沙糖桔面积 6.67 公顷，年收入 50 万元。2013 年以后，由于受黄龙病的影响，产业消退，村民改种李子、香蕉等其他经济作物。

传统食品有酿豆腐、脍肉、艾糍等。酿豆腐的做法是把豆腐切块并挖出小洞，再把腌制好的猪肉酿入豆腐里，最后将豆腐块用小火煎至金黄色，调味即可食用。脍肉的做法是将猪肉和各种佐料拌匀，装瓦钵放在锅里蒸熟，蒸熟的脍肉放在通风干爽的棚上藏好，以后每餐食用时再蒸一次即可。艾糍的制作：先将艾叶稍煮一下，去掉苦味；将糯米碾成粉，与艾叶混合搓匀。用糖、花生碎粒、芝麻作馅，捏为小块，包成三角形或圆形，蒸熟即可。

村于 20 世纪 80 年代通电，1995 年通电话，2007 年通自来水，2010 年通网络，2013 年村道实现水泥硬底化。

传统民居现存 30 座。民居为 2 门归厅的横排砖木结构民房，周围建有围水屋，以作厨房使用。房屋分为 2 层，用木板隔开，留有通道。第一层一般高 3 米，供人住宿为主；第二层堆放粮食、杂物等，方便生活。民居冬暖夏凉，居住舒适。2000 年以后，村民建设钢筋混凝土结构楼房，建筑占地面积 75 平方米，三房一厅一厨一卫布局，装修比较实用，门前多有小型花园或活动场所。

村与山下村朱氏共用宗祠，族谱也是与整个礼溪朱氏共用《紫阳朱氏礼溪族谱》。族谱记有家训四不许：“不许忤逆双亲，不许嫖娼赌博，不许逞强欺人，不许辱骂尊长。”

传统节俗为春节、元宵节、清明节、四月八、端午节、中秋节、重阳节、冬至等。其中春节、清明节、端午节、中秋节为大节，其他为小节。中秋节又叫团圆节。每逢中秋之夜，男女老少一起赏月，用月饼、柚子等食品拜月，并燃放鞭炮。青少年则成群结队放孔明灯（叫天灯），热闹非常。节日气氛浓厚的还有端午节，各家各户包粽子纪念爱国诗人屈原，农户在门楣挂艾叶、菖蒲，点燃蚊香，以避邪逐恶，祈求保佑全家幸福安康。这一天青年人、小孩子到江河游泳，叫洗龙舟水，以祈消灾去祸，合家平安。

传统婚嫁习俗具有客家人的特点，其中担小担、担大担是客家人办婚事的流行风俗。即男方备齐礼物到女方家下聘礼订婚，称为担小担。男方备齐礼物到女方家接新娘，称为担大担。行结婚礼时，要摆酒请客、迎亲和送亲。结婚当天，新郎带着亲朋好友坐上婚车到新娘家接新娘。新娘的姐妹朋友关门阻止新郎进入新娘家。新郎需要用红包开路，并请亲朋好友帮助接新娘。在新娘家，新郎新娘一起向新娘家长辈敬茶，长辈给新郎新娘新婚红包。接着新娘弟弟撑红雨伞送新娘出门，由新娘的亲朋好友伴送新娘到男家。在男家摆设的喜席上，新郎新娘共同向亲朋好友和来宾敬茶。长辈接过新婚茶后，有的即兴唱起山歌，有的说祝贺词。此外，该村办婚事仍保留铺床、闹洞房的风俗。

丧事习俗也具有客家人的特点。传统丧事以土葬为主，其程序为举丧、入殓、出殡、送葬，将灵牌送入祠堂或厅下。不管是哪家的丧事，全村人都前去帮忙，打锣鼓、舞狮、放鞭炮是丧事的内容之一，由村民按分工各自负责。办丧事期间只能煮白饭、花菜，黄豆煮猪肉等简单的饭菜。葬礼开始时，有人与逝者生辰八字相冲的，均不能出现在葬礼上，必须回避。开始下葬时，送葬的家人必须提前离开，离开时不能回头看，要等下葬完毕后再回来祭拜。1990 年以后，虽然逐步实行火葬，但安葬、拜祭等程序仍然保留。

1930 年，组织青年参加英德鱼湾中公领导的“鸡麻湖”暴动，同年参加礼溪农会（耕种会）。1939 年，组织青年参加礼溪抗日自卫中队。1944 年夏，礼溪抗日自卫中队开赴英德黄岗地带抗击日本侵略军。1946 年，该村青年参加礼溪游击队，参加袭击新丰遥田国民政府联防队的战斗。1987 年，该村村民配合县交通部门开展乡村公路建设，将原山间小路改造为县道 322 线（佛冈二七—英德华侨农场），该线路于 2003 年政府将该路改建为省道 252 线。1989 年，经清远市人民政府批准该村为抗日根据地村。

该村朱伟明，1971 年 8 月生，现在清远市人大常委会工作，处级干部。

（资料填报：朱照兴；初稿撰写：曹伟棋；总纂：李协湖）